Le R[...]rd
Californie

Directeur de collection et auteur
Philippe GLOAGUEN

Cofondateurs
Philippe GLOAGUEN
et Michel DUVAL

Rédacteur en chef
Pierre JOSSE

Rédacteurs en chef adjoints
Amanda KERAVEL
et Benoît LUCCHINI

Directrice de la coordination
Florence CHARMETANT

Directrice administrative
Bénédicte GLOAGUEN

Direction éditoriale
Catherine JULHE

Rédaction
Isabelle AL SUBAIHI
Mathilde de BOISGROLLIER
Thierry BROUARD
Marie BURIN des ROZIERS
Véronique de CHARDON
Gavin's CLEMENTE-RUÏZ
Fiona DEBRABANDER
Anne-Caroline DUMAS
Géraldine LEMAUF-BEAUVOIS
Olivier PAGE
Alain PALLIER
Anne POINSOT
André PONCELET

Administration
Carole BORDES
Solenne DESCHAMPS

2014

hachette

Remarque importante aux hôteliers et restaurateurs

Les enquêteurs du *Routard* travaillent dans le plus strict anonymat. Aucune réduction, aucun avantage quelconque, aucune rétribution n'est jamais demandé en contrepartie. Face aux aigrefins, la loi autorise les hôteliers et restaurateurs à porter plainte.

Avis aux lecteurs

Le *Routard*, ce n'est pas comme le bon vin, il vieillit mal. On ne veut pas pousser à la consommation, mais évitez de partir avec une édition ancienne. Les modifications sont souvent importantes.

Les réductions accordées à nos lecteurs ne sont jamais demandées par nos rédacteurs afin de préserver leur anonymat. Les hôteliers et restaurateurs sont sollicités par une société de mailing, totalement indépendante de la rédaction, qui reste donc libre de ses choix. De même pour les autocollants et plaques émaillées.

Routard.com, le voyage à portée de clics !

✓ Rejoignez la plus grande communauté francophone de voyageurs: plus de **2 millions** de visiteurs!

✓ Échangez avec les routarnautes: forums, photos, avis sur les hôtels...

✓ Retrouvez aussi toutes les informations actualisées pour choisir et préparer vos voyages: plus de 200 fiches pays, une centaine de dossiers pratiques et un magazine en ligne pour découvrir tous les secrets de votre destination.

✓ Enfin, comparez les offres pour organiser et réserver votre voyage au meilleur prix.

Pictogrammes du *Routard*

Établissements

🏠 Hôtel, auberge, chambres d'hôtes
⛺ Camping
🍽 Restaurant
☕ Brunch
🥪 Boulangerie, sandwicherie
🍦 Glacier
🍵 Café, salon de thé
🍺 Café, bar
🎵 Bar musical
🎶 Club, boîte de nuit
🎭 Salle de spectacle
🏢 Office de tourisme
✉ Poste
🏪 Boutique, magasin, marché
@ Accès internet
➕ Hôpital, urgences

Sites

🏖 Plage
🤿 Site de plongée
🚲 Piste cyclable, parcours à vélo

Transports

✈ Aéroport
🚂 Gare ferroviaire
🚌 Gare routière, arrêt de bus
Ⓜ Station de métro
Ⓣ Station de tramway
Ⓟ Parking
🚕 Taxi
🚗 Taxi collectif
⛴ Bateau
🚤 Bateau fluvial

Attraits et équipements

🏛 Présente un intérêt touristique
👪 Recommandé pour les enfants
♿ Adapté aux personnes handicapées
🖥 Ordinateur à disposition
📶 Connexion wifi
◎ Inscrit au Patrimoine mondial de l'Unesco

Le *Routard* est imprimé sur un papier issu de forêts gérées.

© **HACHETTE LIVRE** (Hachette Tourisme), 2014
Tous droits de traduction, de reproduction et d'adaptation réservés pour tous pays.
© **Cartographie** Hachette Tourisme.
I.S.B.N. 978-2-01-245830-7

TABLE DES MATIÈRES

Le mot de la rédaction

Attention, les parcs nationaux de l'Ouest américain et Las Vegas font l'objet d'un autre guide.

Nous avons divisé les États-Unis en plusieurs titres. En effet, la très grande majorité d'entre vous ne parcourt pas toute la région. Et ces contrées sont tellement riches culturellement qu'elles nécessitent 6 ou 7 guides à elles seules. Rassemblés en un seul volume, nos ouvrages atteindraient 1 500, voire 2 000 pages. Ils seraient alors intransportables et coûteraient... 3 fois plus cher ! Nous souhaitons conserver un format pratique à un prix économique, tout en vous fournissant le maximum d'informations sur des régions qui méritent d'être développées. Voilà !

HOMMES, CULTURE, ENVIRONNEMENT

SAN FRANCISCO, LE WINE COUNTRY (NAPA ET SONOMA VALLEY) ET LA SILICON VALLEY

SAN FRANCISCO ET SES ENVIRONS

LE WINE COUNTRY (NAPA ET SONOMA VALLEY)

LA SILICON VALLEY

DE SAN FRANCISCO À LOS ANGELES PAR LA CÔTE

L'INTÉRIEUR DE LA CALIFORNIE (LA SIERRA NEVADA)

LOS ANGELES ET LE SUD DE LA CALIFORNIE

NOUVEAU ET IMPORTANT : DERNIÈRE MINUTE

Sauf rare exception, le *Routard* bénéficie d'une parution annuelle à date fixe. Entre deux dates, des événements fortuits (formalités, taux de change, catastrophes naturelles, conditions d'accès aux sites, fermetures inopinées, etc.) peuvent modifier vos projets de voyage. Pour éviter les déconvenues, nous vous recommandons de consulter la rubrique « Guide » par pays de notre site • *routard.com* • et plus particulièrement les dernières *Actus voyageurs.*

NOS NOUVEAUTÉS

HONG KONG, MACAO, CANTON (avril 2014)

Hong Kong : un nom légendaire signifiant « Port aux Parfums », où les aventuriers anglais faisaient transiter leurs cargaisons d'opium, avant de laisser la place à tous les businessmen de la planète... et aux amateurs de shopping. Macao s'oppose à Hong Kong, sa turbulente voisine, par le charme de ses petites rues pavées, par le cachet portugais de ses balcons, sans oublier le baroque de ses églises, témoins d'un passé d'exception. Ce sont aussi les centres commerciaux, les casinos gigantesques, comme le *Venetian,* copie conforme de son aîné du Strip de Las Vegas. Quant à Canton, c'est le berceau de la gastronomie chinoise. Ici, on grignote sans cesse, du petit déj au « thé de nuit », en dégustant ces fameuses bouchées à la vapeur, les *dim sum,* la fierté de Canton, dont le nom signifie très poétiquement « toucher le cœur ».

LA BATAILLE DE NORMANDIE (mars 2014)

En 2014, nous célébrons les 70 ans du Débarquement en Normandie. À cette occasion, le *Routard* vous invite à découvrir ou redécouvrir les lieux, sites, monuments et musées connus ou moins connus pour comprendre et revivre la plus grande bataille de tous les temps. La plupart des jeunes soldats n'avaient jamais combattu. Ils revinrent tous en héros, morts ou vivants. Si on a bien en tête l'arrivée des Alliés sur les plages normandes, il ne faut pas oublier que les Normands furent les premières victimes de cet affrontement et eurent à subir les conséquences destructrices des combats. À travers ce guide, en suivant l'avancée des troupes alliées, on découvre aussi ce que fut la vie en Normandie pendant les 3 mois de cette terrible bataille qui a failli échouer.

LES QUESTIONS
QU'ON SE POSE LE PLUS SOUVENT

Quels sont les papiers indispensables pour se rendre en Californie ?

Passeport biométrique ou électronique valide, ou passeport individuel à lecture optique valide et émis avant le 26 octobre 2005, même pour les enfants, ainsi qu'un billet aller-retour et, depuis 2009, une autorisation de voyage payante à remplir sur Internet (14 $), valable à priori 2 ans. Visa nécessaire pour un séjour de plus de 3 mois.

Quel est le décalage horaire ?

Il est de 9h par rapport à l'heure française. Quand il est 16h en France, il est donc 7h à Los Angeles ou San Francisco.

Comment est le climat ?

Il fait doux et ensoleillé presque toute l'année ! L'été est chaud (sauf à Francisco), même caniculaire dans la vallée de la Mort (qui porte bien son nom !). Le printemps et l'automne sont très agréables (en plus, il y a moins de monde qu'en été).

La vie est-elle chère ?

Oui ! Les tarifs sont comparables à ceux pratiqués en Europe, mais tout dépend bien sûr du cours du dollar. Aux prix affichés, n'oubliez pas d'ajouter les taxes (entre 5 et 15 % selon le type d'achat) et le pourboire (entre 15 et 20 % !).

Comment se loger au meilleur prix ?

Le motel de bord de route reste encore la solution la moins chère (même si les prix ont quand même pas mal augmenté), d'autant qu'une famille de quatre personnes peut dormir dans la même chambre pour, grosso modo, le même tarif.

Peut-on y aller avec des enfants ?

Les États-Unis sont le royaume des enfants, et la Californie est une destination de rêve pour eux. Sachez quand même qu'à 4 ou 5, l'addition grimpe vite.

Comment se déplacer ?

À San Francisco, à pied, en vélo et en transports en commun (stationnement compliqué et parkings exorbitants). À Los Angeles, voiture obligatoire (un GPS rendra de grands services). Le carburant est bon marché et les voitures de location sont bien plus spacieuses et confortables qu'en France.

A-t-on des chances de croiser des stars à Hollywood ?

Pas vraiment, leurs propriétés sont jalousement gardées. Consolez-vous en allant voir leurs empreintes figées dans le ciment sur Hollywood Boulevard !

Que doit-on absolument voir en Californie ?

San Francisco évidemment, une des plus belles villes américaines, dotée de superbes musées et connue aussi pour son esprit avant-gardiste et libertaire ; Los Angeles, pour son gigantisme, les mythiques studios de Hollywood et les musées d'art ; et, pour les amateurs de paysages, la côte entre San Francisco et Los Angeles, la vallée de la Mort et le parc de Yosemite.

Que rapporter de Californie ?

Un Levi's (la marque est née à San Francisco en pleine ruée vers l'or), des vêtements bien sûr, des graines de séquoia géant, du vin.

Y a-t-il des problèmes d'insécurité dans cette région ?

Certains quartiers de Los Angeles et de San Francisco sont à éviter à la tombée de la nuit. Sinon, il suffit de respecter quelques consignes de bon sens, valables pour la plupart des grandes villes du monde.

LES COUPS DE CŒUR DU ROUTARD

San Francisco

Los Angeles

Ailleurs en Californie

Special thanks !

– Elise Boisson, d'Aviareps, bureau de représentation de San Francisco à Paris ;
– Valérie Ferrière, de l'Ambassade des États-Unis à Paris ;
– Et Hélène Labriet-Gross.

Nous tenons à remercier tout particulièrement Loup-Maëlle Besançon, Thierry Bessou, Gérard Bouchu, François Chauvin, Grégory Dalex, Stéphanie Déro, Fabrice Doumergue, Cédric Fischer, Carole Fouque, Michelle Georget, David Giason, Claude Hervé-Bazin, Emmanuel Juste, Dimitri Lefèvre, Sacha Lenormand, Fabrice de Lestang, Romain Meynier, Éric Milet, Pierre Mitrano, Jean-Sébastien Petitdemange, Thomas Rivallain, Dominique Roland et Solange Vivier pour leur collaboration régulière.

Laura Baron
Emmanuelle Bauquis
Jean-Jacques Bordier-Chêne
Michèle Boucher
Sophie Cachard
Clémence Crosnier
Agnès Debiage
Jérôme Denoix
Tovi et Ahmet Diler
Clélie Dudon
Sophie Duval
Alain Fisch
Bérénice Glanger
Adrien et Clément Gloaguen
Xavier Haudiquet
Bernard Hilaire

Sébastien Jauffret
Anaïs Kerdraon
Jacques Lemoine
Julie Montet
Jacques Muller
Caroline Ollion
Nicolas et Benjamin Pallier
Martine Partrat
Odile Paugam et Didier Jehanno
Émilie Pujol
Prakit Saiporn
Jean-Luc et Antigone Schilling
Paloma Telle
Bérénice Thiberge
Marion Trifot
Caroline Vallano

Direction: Nathalie Bloch-Pujo
Contrôle de gestion: Jérôme Boulingre et Virginie Laurent-Arnaud
Secrétariat: Catherine Maîtrepierre
Direction éditoriale: Catherine Julhe
Édition: Matthieu Devaux, Géraldine Péron, Olga Krokhina, Gia-Quy Tran, Julie Dupré, Barbara Janssens, Camille Loiseau, Béatrice Macé de Lépinay, Emmanuelle Michon, Marion Sergent et Clémence Toublanc
Préparation-lecture: Véronique Rauzy
Cartographie: Frédéric Clémençon et Aurélie Huot
Fabrication: Nathalie Lautout et Audrey Detournay
Relations presse France: COM'PROD, Fred Papet. ☎ 01-70-69-04-69.
● *info@comprod.fr* ●
Direction marketing: Adrien de Bizemont, Lydie Firmin et Laure Illand
Contacts partenariats: André Magniez (EMD). ● *andremagniez@gmail.com* ●
Édition des partenariats: Élise Ernest
Informatique éditoriale: Lionel Barth
Couverture: Clément Gloaguen et Seenk
Maquette intérieure: le-bureau-des-affaires-graphiques.com, Thibault Reumaux et npeg.fr
Relations presse: Martine Levens (Belgique) et Maureen Browne (Suisse)
Régie publicitaire: Florence Brunel-Jars

ITINÉRAIRES CONSEILLÉS

Voici quelques pistes, sachant que nos suggestions d'itinéraires en Californie peuvent être intégrées à un circuit plus complet dans l'Ouest américain (voir le *Routard Parcs nationaux de l'Ouest américain*).

En 10 jours

– *Le sud de la Californie* en rayonnant en étoile autour de Los Angeles : 4 jours à *Los Angeles,* 2 jours à *Santa Barbara,* 2 jours à *San Diego,* 2 jours à *Palm Springs* et *Joshua Tree National Park.*

En 2 semaines

– *La côte de San Francisco à Los Angeles* (la fameuse route n° 1), avec 3-4 jours à San Francisco, 2 jours à *Carmel* ou *Monterey,* 1 jour à *Big Sur,* 1 ou 2 jours du côté de *San Luis Obispo* ou *Hearst Castle,* 2 jours à *Santa Barbara* et le reste à *Los Angeles.*

– *San Francisco et environs* (4 jours), 3 jours à *Yosemite,* 1 nuit étape entre Yosemite et Death Valley, 1 jour pour traverser la *Death Valley,* 4 jours à *Los Angeles* et 1 jour à *Palm Springs.* Possibilité de remplacer la dernière étape par 1 journée à *Las Vegas* dans le Nevada (voir le *Routard Parcs nationaux de l'Ouest américain*) qui se glissera dans ce cas entre Death Valley et L.A.

En 3 semaines

– Possibilité de faire la boucle complète au départ de San Francisco, c'est-à-dire de combiner l'intérieur de la Californie (voir circuit 2 semaines) et de remonter la route n° 1 au retour.

SI VOUS ÊTES PLUTÔT...

... grands espaces

Plusieurs parcs nationaux dans un seul et même État, et pas des moindres ! Parmi les plus connus, le désert spectaculaire et torride de la Death Valley. Mais aussi le parc de Yosemite, avec ses animaux sauvages (des ours notamment) peuplant des milliers d'hectares de forêts de séquoias géants, et ses montagnes grandioses dont l'altitude grimpe jusqu'à 3 960 m... Des paysages à couper le souffle.

... plages et surf

Vous serez servis, avec 1 400 km de côtes qui égrainent baies, plages de sable blanc et falaises vertigineuses plongeant dans le Pacifique. San Diego est la Mecque des surfeurs, sans oublier les nombreux spots en remontant en direction de Los Angeles : Ocean Side, San Onofre, Dana Point ou encore Laguna Beach, Huntington Beach et Newport Beach. Incontournables aussi, à L.A., Santa Monica, Venice et Malibu (un mythe !). Jolis spots également sur les plages situées à l'ouest de San Luis Obispo, et plus haut, à Santa Cruz.

... bling bling

Séjournez donc à Hollywood, bien sûr, dans la ville légendaire du cinéma. Pas sûr que vous croisiez Julia Roberts tous les jours (mais vous pourrez toujours faire le circuit des maisons de stars, à Beverly Hills), ni que la visite des grands studios soit aussi inoubliable que vous l'aviez rêvé. Mais vous pourrez toujours dire « j'y suis allé(e) », tout en remontant le fameux Walk of Fame, avec ses étoiles prestigieuses, avant une soirée *fun* dans les bars et les boîtes de West Hollywood. En option, un petit séjour à Palm Springs, l'autre capitale des villas de stars, dont la célébrité date des années 1950 mais s'avère être toujours l'antichambre des oscars. Et Santa Barbara, où il fait bon lézarder sur la plage et s'attarder aux terrasses ensoleillées, pour voir et être vu, mais dans une ambiance à l'américaine, c'est-à-dire bon enfant et toujours avec humour.

... musées

Ce n'est pas ce qui manque à L.A. ! Entre l'incontournable Los Angeles County Museum of Art (LACMA), antre de l'art contemporain et de l'art tout court, l'insolite Page Museum et ses animaux préhistoriques englués dans le goudron, les grandiloquents Getty Center et Getty Villa ou encore les exceptionnels mais trop méconnus Norton Simon Museum et Huntington Library, à Pasadena, vous devriez trouver votre bonheur ! San Francisco n'est pas en reste, avec le Asian Art Museum, le classique mais si riche California Palace of the Legion of Honor et le futuriste De Young Museum, au cœur du Golden Gate Park.

... locavore, végétarien ou végétalien

San Francisco et Los Angeles devraient vous combler !

... vignobles

Avec une surface viticole égale aux trois quarts de la France et la plus grosse production de vin des États-Unis, la Californie a longtemps eu la réputation de privilégier la quantité sur la qualité. Si cela reste en partie vrai, les vins californiens offrent aujourd'hui de très belles découvertes... à condition toutefois d'y mettre le prix ! Les vignobles les plus réputés se situent autour de San Francisco, dans la vallée de Napa et celle de Sonoma.

... en famille

À San Francisco, ne manquez pas le Golden Gate Park bien sûr (à combiner avec le California Academy of Sciences), le Cable Car Museum, l'exotique Chinatown, les otaries du Pier 39, le Walt Disney Family Museum, l'Exploratorium, ni bien entendu la descente en voiture de Lombard Street (la rue la plus tortueuse du monde) ! Plus au sud, pas de quoi s'ennuyer, entre Disneyland, Legoland ou encore le parc Universal, à Los Angeles, sans oublier le Safari Park de San Diego pour ceux qui aiment les animaux.

... western

Les décors naturels et superbes de Lone Pine où John Wayne, Gary Cooper, Errol Flynn, Cary Grant, Humphrey Bogart, Clint Eastwood... et bien d'autres cow-boys mythiques ont tourné les plus grands westerns du cinéma hollywoodien ! La ville fantôme de Bodie et puis aussi le vieux centre de Sacramento (bien que très restauré et touristique). Côté Nevada, Virgina City et Carson City, deux étapes mythiques dans l'histoire de la conquête de l'Ouest.

... geek

La Silicon Valley, à une soixantaine de km au sud de San Francisco, est le berceau de l'informatique. C'est ici que sont implantés, entre autres, les sièges de Google, Facebook, Yahoo, eBay et Apple.

LES LIGNES RÉGULIÈRES

▲ AIR FRANCE
Rens et résas :
– En France : Rens et résas au
☎ *36-54 (0,34 €/mn – tlj 6h30-22h),*
sur ● *airfrance.fr* ●*, dans les agences*
Air France et dans ttes les agences de
voyages. Fermées dim.
– Call Center USA : ☎ *1-800-237-2747.*
➢ Air France dessert Los Angeles avec
3 vols quotidiens directs au départ de
l'aéroport de Roissy-Charles-de-Gaulle.
Air France dessert San Francisco avec
un vol quotidien direct au départ de
l'aéroport de Roissy-Charles-de-Gaulle.
Et également Seattle (un vol direct par
jour). Enfin, Air France dessert, en partage de codes avec *Delta Air Lines et
KLM,* des destinations comme San
Diego ou Las Vegas, en vols non directs.
Air France propose toute l'année une
gamme de tarifs accessibles à tous. Pour
les moins de 25 ans, Air France offre des
tarifs spécifiques, ainsi qu'une carte de
fidélité *(Flying Blue Jeune)* gratuite et
valable sur l'ensemble des compagnies
membres de *Skyteam.* Cette carte permet de cumuler des *miles.*
Sur Internet, possibilité de consulter
les meilleurs tarifs du moment directement sur la page « Meilleures offres et
promotions ».

▲ AMERICAN AIRLINES
Rens et résas : ☎ *0826-460-950
(0,15 €/mn ; service en français tlj sf
w-e 8h-17h30 ; en anglais lun-ven
8h-20h et le w-e 9h30-18h).* ● *america
nairlines.fr* ●
➢ American Airlines propose, au départ
de Roissy-Charles-de-Gaulle, des vols

vers San Francisco et Los Angeles via
New York, Dallas ou Chicago.

▲ DELTA AIR LINES
Rens et résas ☎ *0892-702-609 (0,34 €/
mn ; lun-ven 8h-20h, w-e et j. fériés
9h-17h30).* ● *delta.com* ●
➢ Delta opère des vols quotidiens sans
escale au départ de Roissy-Charles-de-
Gaulle vers Los Angeles et San Francisco. La compagnie dessert aussi San
Diego et 11 autres destinations aux USA
en partenariat avec Air France.

▲ UNITED AIRLINES
Rens et résas par ☎ *01-71-23-03-35*
ou ● *united.com* ●
La compagnie propose un vol quotidien
non-stop vers San Francisco au départ
de Roissy-Charles-de-Gaulle (terminal 1).

▲ US AIRWAYS
Rens et résas : ☎ *0810-632-222
(n° Azur), 8h-21h en sem, 9h-17h w-e.*
● *usairways.com* ●
➢ US Airways propose un vol quotidien sur San Francisco, San Diego ou
Los Angeles via Philadelphie ou Charlotte. Nombreuses liaisons intérieures
sur la côte ouest des États-Unis.

▲ XL AIRWAYS
Rens et résas : ☎ *0892-692-123.*
● *xlairways.fr* ● *xl.com* ●
➢ Liaisons saisonnières vers San
Francisco.

LES ORGANISMES DE VOYAGES

EN FRANCE

– Ne pas croire que les vols à tarif
réduit sont tous au même prix pour

une même destination à une même époque : loin de là. On a déjà vu, dans un même avion partagé par deux organismes, des passagers qui avaient payé 40 % plus cher que les autres. De plus, une agence bon marché ne l'est pas forcément toute l'année (elle peut n'être compétitive qu'à certaines dates bien précises). Donc, contactez tous les organismes et jugez vous-même.
– Les organismes cités sont classés par ordre alphabétique, pour éviter les jalousies et les grincements de dents.

▲ BACK ROADS

– *Paris* : *14, pl. Denfert-Rochereau, 75014.* ☎ *01-43-22-65-65.* ● *back roads.fr* ● Ⓜ *ou RER B : Denfert-Rochereau. Lun-ven 10h-19h ; sam 10h-18h.*
Depuis 1975, Jacques Klein et son équipe sillonnent les routes américaines, ce qui fait d'eux de grands connaisseurs des États-Unis, de New York à l'Alaska en passant par le Far West. Ils ne vendent leurs produits qu'en direct pour mieux vous faire partager leurs expériences et vous conseiller sur les circuits les plus adaptés à vos centres d'intérêt. Spécialistes des autotours, qu'ils conçoivent eux-mêmes, ils ont également le grand avantage de disposer de contingents de chambres dans les nombreux motels et hôtels de l'ouest. Dans leur brochure, ils offrent également un grand choix d'activités, allant du séjour en ranch aux expéditions à VTT, en passant par, le trekking ou le rafting.
De plus, Back Roads représente deux centraux de réservation américains lui permettant d'offrir des tarifs très compétitifs pour la réservation ; *Amerotel* avec des hôtels sur tout le territoire, des *Hilton* aux *YMCA*, et *Car Discount*, un courtier en location de voitures.

▲ BOURSE DES VOLS / BOURSE DES VOYAGES

● *bdv.fr* ● *ou par tél, au* ☎ *01-42-61-66-61, lun-sam 9h-20h.*
Agence de voyages en ligne, BDV.fr propose une vaste sélection de vols secs, séjours et circuits à réserver en ligne ou par téléphone. Pour bénéficier des meilleurs tarifs aériens, même à la dernière minute, le service de Bourse des Vols référence en temps réel un large panel de vols réguliers, charters et dégriffés au départ de Paris et de nombreuses villes de province. Bourse des Voyages propose des promotions toute l'année sur une large sélection de destinations (séjours, circuits...).

▲ CERCLE DES VACANCES-VACANCES USA

– *Paris* : *4, rue Gomboust (angle 31, av. de l'Opéra), 75001.* ☎ *01-40-15-15-15. Lun-ven 8h30-20h, sam 10h-18h30.* ● *cercledesvacances.com* ●
Voyagiste spécialiste des USA, Vacances USA propose des voyages à travers tous les États du pays, des destinations phares et incontournables à celles plus insolites, pour tous les types de budgets, pour les individuels comme pour les groupes, grâce à des conseillers voyages ayant vécu sur place. Découverte, culture, parcs nationaux et aventure, plusieurs formules sont proposées dans leur brochure et sur leur site internet. Au programme : vols sur toutes les compagnies régulières, circuits accompagnés, week-end, voyages à la carte, circuits aventure, hébergements variés, locations de voitures à prix très attractifs...

▲ COMPTOIR DES ÉTATS-UNIS ET DES BAHAMAS

– *Paris* : *6, rue Saint-Victor, 75005.* ☎ *0892-238-438 (0,34 €/mn).* ● *comptoir.fr* ● Ⓜ *Cardinal-Lemoine. Lun-ven 9h30-18h30, sam 10h-18h30.*
– *Toulouse* : *43, rue Peyrolières, 31000.* ☎ *0892-238-438 (0,34 €/mn). Lun-sam 9h30-18h30,* Ⓜ *Esquirol.*
– *Lyon* : *10, quai Tilsitt, 69002.* ☎ *0892-230-465. Lun-sam 9h30-18h30,* Ⓜ *Bellecour.*
– *Marseille* : *12, rue Breteuil, 13001.* ☎ *0892-236-636. Lun-sam 9h30-18h30.* Ⓜ *Estrangin.*
Pour votre voyage aux États-Unis, le Comptoir vous propose des séjours citadins de New York à San Francisco, une grande variété d'autotours à travers l'Ouest américain... et toujours le soleil et la mer aux Bahamas ou en Floride. Quelles que soient vos envies, une équipe de spécialistes vous aide à créer votre voyage sur mesure.
21 Comptoirs, plus de 60 destinations, des idées de voyages à l'infini.

L'espace d'un voyage en A380.

Plus spacieux, plus silencieux, plus moderne, plus écologique...
À bord de l'A380, votre vol ne ressemble à aucun autre.

AIRFRANCE

AIRFRANCE_KLM

FAIRE DU CIEL LE PLUS BEL ENDROIT DE LA TERRE

Comptoir des Voyages s'impose depuis 20 ans comme une référence incontournable pour les voyages sur mesure, accessible à tous les budgets. Membre de l'association ATR (Agir pour un Tourisme Responsable), Comptoir a obtenu en 2010, pour la seconde année, la certification Tourisme responsable AFAQ AFNOR.

▲ COMPTOIRS DU MONDE (LES)

– Paris : 84, rue Amelot, 750. ☎ 01-44-54-84-54. ● comptoirsdumonde.fr ● Ⓜ Saint-Sébastien-Froissart. Lun-ven 9h30-19h ; sam 11h-18h.

C'est en plein cœur du Marais, dans un décor chaleureux, que l'équipe des Comptoirs du Monde traitera personnellement tous vos désirs d'évasion : circuits et prestations à la carte pour tous les budgets sur toute l'Asie, le Proche-Orient, les Amériques, les Antilles, Madagascar, l'île Maurice et maintenant l'Italie. Vous pouvez aussi réserver par téléphone et régler par carte de paiement, sans vous déplacer.

▲ DIRECTOURS

● directours.com ●
– Paris : 90, av. des Champs-Élysées, 75008. ☎ 01-45-62-62-62. Depuis la province : ☎ 0811-90-62-62 (prix d'un appel local). Ⓜ George-V. Lun-ven 9h-19h ; sam 11h-18h.
– Lyon : 7, rue de la République, 69001. ☎ 04-78-30-36-80. Ⓜ Hôtel-de-Ville. Lun-ven 10h-18h ; sam sur rdv.

Ce spécialiste du voyage à la carte présente la particularité de s'adresser directement au public, en vendant ses voyages, haut de gamme, par Internet et au téléphone, ou encore à son agence. Cette politique de « vente directe » permet à Directours d'offrir des prix extrêmement compétitifs. Directours est l'un des principaux spécialistes des États-Unis et propose une très large gamme de circuits, séjours et voyages à la carte sur une centaine d'autres destinations.

▲ EQUINOXIALES

☎ 01-77-48-81-00. ● equinoxiales.fr ● 25 ans d'expérience et une passion inépuisable sont les clés de l'expertise d'Equinoxiales pour les voyages sur mesure au long cours à prix « low cost », assortis des meilleurs conseils.

Un simple appel, un simple mail et les conseillers Equinoxiales sont à l'écoute pour créer avec les candidats au départ le périple qui leur convient au meilleur prix.

▲ EVANEOS.COM

☎ 01-82-71-49-08.
Evaneos.com permet d'entrer directement en contact avec des agences de voyages locales, aux États-Unis et partout dans le monde. Vous échangez en direct sur Internet avec un agent local, véritable spécialiste de son pays qui construira avec vous un voyage unique. Evaneos.com apporte une proximité, une expertise et une liberté nouvelle dans l'organisation du voyage. Vous avez un accès direct à une agence locale aux États-Unis sélectionnée par Evaneos.com et à un devis ; les bénéfices sont immédiats : un prix sans intermédiaires, une prestation sur mesure de qualité. Personnel, respectueux et serein : ces valeurs de voyage sont au cœur de l'activité d'Evaneos depuis 2009.

▲ FUAJ

– Paris : antenne nationale, 27, rue Pajol, 75018. ☎ 01-44-89-87-27. Ⓜ La Chapelle, Marx-Dormoy ou Gare-du-Nord. Mar-ven 13h-17h30. Rens dans ttes les AJ, les points d'info et de résa en France et sur le site ● fuaj. org ●

La FUAJ (fédération unie des auberges de jeunesse) accueille ses adhérents dans 160 auberges de jeunesse en France. Seule association française membre de l'IYHF (International Youth Hostel Federation), elle est le maillon d'un réseau de 4 000 auberges de jeunesse réparties dans 90 pays. La FUAJ organise, pour ses adhérents, des activités sportives, culturelles et éducatives ainsi que des rencontres internationales. Vous pouvez obtenir gratuitement les brochures Printemps-Été, Hiver, la carte pliable des AJ et le Guide des AJ en France.

▲ NOUVELLES FRONTIÈRES

Ttes les brochures Nouvelles Frontières sont disponibles dans les 300 agences expertes du réseau. Rens par tél au

☎ 0825-000-825 (0,15 €/mn) et sur ● nouvelles-frontieres.fr ● Nouvelles Frontières, un savoir-faire incomparable depuis 45 ans. Des propositions de circuits, d'itinéraires à la carte, de séjours balnéaires et d'escapades imaginés et construits par des spécialistes de chaque destination. Vols au départ de Paris et de province.

▲ PARTIRSEUL.COM

– Le Perreux-sur-Marne : 71, quai de l'Artois, 94170. ☎ 09-51-77-39-94. 🖩 06-86-56-75-98. ● partirseul.com ● Partirseul.com est un concept de voyage original qui s'adresse à toute personne seule désirant voyager collectivement dans un cadre amical. Ces voyages, souvent thématiques, ne sont pas réservés qu'aux célibataires mais à tous ceux qui se retrouvent dans l'impossibilité d'être accompagné. Des voyages en petits groupes, avec un guide depuis la France, à la découverte d'un pays de façon ludique, sportive ou plus traditionnelle. À noter, pas de supplément chambre individuelle. Organise également des week-ends et des sorties le dimanche. Catalogue sur Internet exclusivement.

▲ PROMOVACANCES.COM

● promovacances.com ● ☎ 0899-654-850 (1,35 € l'appel puis 0,34 €/mn). Lun-ven 8h-minuit, sam 9h-23h, dim 10h-23h.
N° 1 français de la vente de séjours sur Internet, Promovacances a fait voyager plus de 2 millions de clients en 10 ans. Le site propose plus de 10 000 voyages actualisés chaque jour sur 300 destinations : séjours, circuits, week-ends, thalasso, plongée, golf, voyages de noce, locations, vols secs... L'ambition du voyagiste : prouver chaque jour que le petit prix est compatible avec des vacances de qualité. Grâce aux avis clients publiés sur le site et aux visites virtuelles des hôtels, vous réservez vos vacances en toute tranquillité.

▲ USA CONSEIL

Devis et brochures sur demande, réception sur rdv, agence Paris XVIe. Rens : ☎ 01-45-46-51-75. ● info@ usaconseil.net ● usaconseil.com ● ou ● canadaconseil.com ●

Spécialiste des voyages en Amérique du Nord, USA Conseil s'adresse particulièrement aux familles ainsi qu'à toutes les personnes désireuses de visiter et de découvrir les États-Unis et le Canada en maintenant un bon rapport qualité-prix. USA Conseil propose une gamme complète de prestations adaptées à chaque demande et en rapport avec le budget de chacun : vols, voitures, hôtels, motels, bungalows, circuits individuels et accompagnés, itinéraires adaptés aux familles, excursions, motorhomes, motos, bureau d'assistance téléphonique francophone tout l'été avec Numéro vert USA et Canada. Sur demande, devis gratuit et détaillé pour tout projet de voyage.

▲ VACANCES FABULEUSES

– Paris : 54-56 av. Bosquet 75007. ☎ 0820-300-382. ● vacancesfabuleuses.fr ● Ⓜ Ecole-Militaire. Lun-ven 10h-18h.
Et dans toutes les agences de voyages. Vacances Fabuleuses, c'est « l'Amérique à la carte ». Ce spécialiste de l'Amérique du Nord (États-Unis, Canada, Bahamas, Mexique et Amérique Centrale) propose de découvrir l'Amérique de l'intérieur, avec un large choix de formules allant de la location de voitures aux formules sportives en passant par des circuits individuels de 6 à 21 jours. Le transport est assuré sur compagnies régulières, le tout proposé par une équipe de spécialistes.

▲ VOYAGES-SNCF.COM

Voyages-sncf.com, acteur majeur du tourisme français qui recense 9 millions de visiteurs par mois, propose d'acheter en ligne des billets de train, d'avion, des chambres d'hôtel, des locations de voitures, des vacances et des séjours clés en main ou Alacarte®, ainsi que des spectacles, des excursions et des visites de musées. Un large choix et des prix avantageux sont offerts toute l'année, pour tous types de voyages dans le monde entier : SNCF, 180 compagnies aériennes, 84 000 hôtels référencés et les principaux loueurs de voitures.
Le site ● voyages-sncf.com ● permet d'accéder tous les jours, 24h/24, à plusieurs services : envoi gratuit des billets à domicile, Alerte Résa pour être

informé de l'ouverture des réservations et profiter du plus grand choix, calendrier des meilleurs prix (TTC), mais aussi des offres de dernière minute et des promotions...

Pratique : ● *voyages-sncf.mobi* ●, le site mobile pour réserver, s'informer et profiter des bons plans n'importe où et à n'importe quel moment.

Et grâce à l'ÉcoComparateur, en exclusivité sur ● *voyages-sncf.com* ●, possibilité de comparer le prix, le temps de trajet et l'indice de pollution pour un même trajet en train, en avion et en voiture.

▲ VOYAGEURS DU MONDE

● *voyageursdumonde.fr* ●
– *Voyageurs aux États-Unis, au Canada et aux Bahamas (Alaska, Bahamas, Canada, Québec, Hawaii, USA).* ☎ 01-42-86-16-30.
– *Paris : La Cité des Voyageurs, 55, rue Sainte-Anne, 75002.* ☎ 01-42-86-16-00. Ⓜ *Opéra ou Pyramides. Lun-sam 9h30-19h. Avec une librairie spécialisée sur les voyages.*
Également des agences à Bordeaux, Grenoble, Lille, Lyon, Marseille, Montpellier, Nantes, Nice, Rennes, Rouen, Strasbourg et Toulouse. Également Bruxelles et Genève.

Le spécialiste du voyage en individuel sur mesure. Parce que chaque voyageur est différent, que chacun a ses rêves et ses idées pour les réaliser, Voyageurs du Monde conçoit, depuis plus de 30 ans, des projets sur mesure. Les séjours proposés sur 120 destinations sont élaborés par leurs 180 conseillers voyageurs. Spécialistes par pays et même par région, ils vous aideront à personnaliser les voyages présentés à travers une trentaine de brochures d'un nouveau type et sur le site internet où vous pourrez également découvrir les hébergements exclusifs et consulter votre espace personnalisé. Au cours de votre séjour, vous bénéficiez des services personnalisés Voyageurs du Monde, dont la possibilité de modifier à tout moment votre voyage, l'assistance d'un concierge local, la mise en place de rencontres et de visites privées et l'accès à votre carnet de voyage via une application iPhone et Androïd. Chacune des 15 Cités des Voyageurs est une invitation au voyage : accessoires de voyage, expositions-ventes d'artisanat et conférences. Voyageurs du Monde est membre de l'association ATR (Agir pour un Tourisme Responsable) et a obtenu sa certification Tourisme Responsable AFAQ AFNOR.

▲ WEST FOREVER

– *Wolfisheim : 4, impasse Joffre, 67202.* ☎ 03-88-68-89-00. ● *westforever.fr* ● *Lun-jeu 9h-12h30, 14h-18h (17h ven).*
West Forever est le spécialiste français du voyage en Harley-Davidson. Il propose des séjours et des circuits aux États-Unis (Route 66, Floride, Rocheuses, Grand Ouest, etc.), mais aussi en Australie, en Afrique du Sud et en Europe (Provence, Route des Alpes, etc.). Agence de voyages officielle Harley-Davidson, West Forever propose une large gamme de tarifs pour un savoir-faire dédié tout entier à la moto. Si vous désirez voyager par vous-même, West Forever pourra vous concocter un voyage à la carte, sans accompagnement, grâce à sa formule « Easy Ride ».

Comment aller à Roissy et à Orly ?

Bon à savoir :
– le **pass Navigo** est valable pour Roissy-Rail (RER B, zones 1-5) et Orly-Rail (RER C, zones 1-4). Les week-ends et jours fériés, le *pass Navigo* est dézoné ce qui permet à ceux qui n'ont que les zones 1 à 3 d'aller tout de même jusqu'aux aéroports sans frais supplémentaires ;
– le **billet Orly-Rail** permet d'accéder sans supplément aux réseaux métro et RER.

À Roissy-Charles-de-Gaulle 1, 2 et 3

Attention : si vous partez de Roissy, pensez à vérifier de quelle aérogare votre avion décolle car la durée du trajet peut considérablement varier en fonction de cette donnée.

En transports collectifs

🚌 **Les cars Air France :** ☎ 0892-350-820 (0,34 €/mn). ● *lescarsair france.com* ● Paiement par CB possible à bord.

Hertz offre 10% de réduction aux Routards

Bénéficiez de 10% de remise sur vos locations week-end et semaine*

Réservation sur hertz.fr ou au 0 825 861 861**
en précisant le code CDP 967 130

Hertz.

Le site internet diffuse les informations essentielles sur le réseau (lignes, horaires, tarifs...) d'avoir en temps réel des renseignements sur le trafic afin de mieux planifier son départ. Il propose également une boutique en ligne, qui permet d'acheter et d'imprimer les billets électroniques pour accéder aux bus.

➤ *Paris-Roissy* : départ pl. de l'Étoile (1, av. Carnot), avec un arrêt pl. de la Porte-Maillot (bd Gouvion-Saint-Cyr). Départs ttes les 20 mn, 5h45-23h. Durée du trajet : 35-50 mn env. Tarifs : 15,50 € l'aller simple, 26 € l'A/R ; réduc enfants 2-11 ans.
Autre départ depuis la gare Montparnasse (arrêt rue du Commandant-Mouchotte, face à l'hôtel *Pullman*), ttes les 30 mn, 6h-21h30, avec un arrêt gare de Lyon (20 bis, bd Diderot). Tarifs : 17 € l'aller simple, 26 € l'A/R ; réduc enfants 2-11 ans.

➤ *Roissy-Paris* : les cars *Air France* desservent la pl. de la Porte-Maillot, avec un arrêt bd Gouvion-Saint-Cyr, et se rendent ensuite au terminus de l'av. Carnot. Départs ttes les 20-30 mn, 5h45-23h des terminaux 2A et 2C (porte C2), 2E et 2F (niveau « Arrivées », porte 3 de la galerie), 2B et 2D (porte B1), et du terminal 1 (porte 34, niveau « Arrivées »).
À destination de la gare de Lyon et de la gare Montparnasse, départs ttes les 30 mn, 6h-21h30 des mêmes terminaux. Durée du trajet : 1h env.

🚌 *Roissybus* : ☎ 32-46 (0,34 €/mn). ● ratp.fr ● Départs de la pl. de l'Opéra (angle rues Scribe et Auber) ttes les 15 mn (20 mn à partir de 20h), 5h45-23h. Durée du trajet : 60 mn. De Roissy, départs 6h-23h des terminaux 1, 2A, 2B, 2C, 2D et 2F, et à la sortie du hall d'arrivée du terminal 3. Tarif : 10 €.

🚌 *Bus RATP n° 351* : de la pl. de la Nation, 5h35-20h20. Solution la moins chère mais la plus lente. Compter 3 tickets ou 5,70 € et 1h40 de trajet. Ou *bus n° 350,* de la gare de l'Est (1h15 de trajet). Arrivée Roissypôle-gare RER.

🚄 *RER ligne B + navette* : ☎ 32-46 (0,34 €/mn). Départ ttes les 15 mn 4h53-0h20 depuis la gare du Nord et à partir de 5h26 depuis Châtelet.

À Roissy-Charles-de-Gaulle, descendre à la station (il y en a 2) qui dessert le bon terminal. De là, prendre la navette adéquate. Compter 50 mn de la gare du Nord à l'aéroport (navette comprise), mais mieux vaut prendre de la marge. Tarif : 10,90 €.

Si vous venez du nord, de l'ouest ou du sud de la France en train, vous pouvez rejoindre les aéroports de Roissy sans passer par Paris, la gare SNCF Paris-Charles de Gaulle étant reliée aux réseaux TGV.

En taxi

Pensez à explorer les nouveaux services de transport de personnes qui se développent dans la capitale, et pourraient être adaptés à vos besoins :
– *WeCab* : ☎ 01-41-27-66-77. ● wecab.com ● *Remise de 10 % pour nos lecteurs avec le code routard2014 au paiement.* Une formule de taxi partagé (avoir un peu de souplesse horaire donc, max 2 arrêts), uniquement entre les aéroports parisiens et Paris/proche banlieue, tarifs forfaitaires (paiement à l'avance en ligne) ...
– *LeCab* : ☎ 01-76-49-76-49. ● lecab. fr ● Tarifs forfaitaires (paiement à l'avance en ligne), pas de facturation des bagages, réservation gratuite sur Internet (y compris smartphone), payante par téléphone, flotte de Peugeot 508, le chauffeur vient vous chercher dans l'aéroport...
Maintenant, à vous de voir !

En voiture

Chaque terminal a son propre parking. Compter 34 € par tranche de 24h. Également des parkings longue durée (PR et PX), plus éloignés des terminaux, qui proposent des tarifs plus avantageux (forfait 24h 25 €, forfait 7 j. pour 151 €). Possibilité de réserver sa place de parking via le site ● aeroportsdeparis.fr ● Stationnement au parking Vacances (longue durée) dans le P3 Résa (terminaux 1 et 3) situé à 2 mn du terminal 3 à pieds ou le PAB (terminal 2). Formules de stationnement 1-30 j. (120-205 €) pour le P3 Résa. De 2 à 5 j. dans le PAB 13 € par tranche de 12h et de 6 à 14 j. 24 € par tranche de 24h. Réservation sur Internet uniquement. Les P1, PAB

« ON SE CROIRAIT À MARNE-LA-VALLÉE. »

LES FRANÇAIS VONT VOYAGER.

Voyages-sncf.com

SÉJOURS, HÔTELS, TRAINS...

et PEF accueillent les 2 roues : 15 €
pour 24h.

Comment se déplacer entre Roissy-Charles-de-Gaulle 1, 2 et 3 ?

Les rames du CDG-VAL font le lien
entre les 3 terminaux en 8 mn. Fonctionne tlj, 24h/24. Gratuit. Accessible aux personnes à mobilité réduite.
Départ ttes les 4 mn, et ttes les 20 mn,
minuit-4h. Desserte gratuite vers certains hôtels, parkings, gares RER et
gares TGV. *Infos au :* ☎ 39-50.

À Orly-Sud et Orly-Ouest

En transports collectifs

Les cars Air France : ☎ 0892-350-820 *(0,34 €/mn).* ● *lescarsair
france.com* ● Tarifs : 11 € l'aller simple,
18 € l'A/R ; réduc 2-11 ans Paiement
par CB possible dans le bus.
➢ *Paris-Orly :* départs de l'Étoile, 1,
av. Carnot, ttes les 30 mn 5h-22h40.
Arrêts au terminal des Invalides, rue
Esnault-Pelterie (Ⓜ Invalides), Gare
Montparnasse (rue du Commandant-Mouchotte, face à l'hôtel *Pullman* ;
Ⓜ Montparnasse-Bienvenüe, sortie
Gare SNCF) et porte d'Orléans (arrêt
facultatif uniquement dans le sens
Orly-Paris). Compter env 1h.
➢ *Orly-Paris :* départs ttes les
20 mn, 6h-23h40 d'Orly-Sud, porte L,
et d'Orly-Ouest, porte H, niveau
« Arrivées ».

RER C + navette : ☎ 01-60-11-46-20. ● *parisparletrain.fr* ● Prendre
le RER C jusqu'à Pont-de-Rungis
(un RER ttes les 15-30 mn). Compter 25 mn depuis la gare d'Austerlitz.
Ensuite, navette pdt 15-20 mn pour
Orly-Sud et Orly-Ouest. Compter
6,50 €. Très recommandé les jours où
l'on piétine sur l'autoroute du Sud (w-e
et jours de grands départs) : on ne sera
jamais en retard. Pour le retour, départs
de la navette ttes les 15 mn depuis la
porte G à Orly-Ouest (5h40-23h14) et la
porte F à Orly-Sud (4h45-0h55).

Bus RATP Orlybus : ☎ 08-92-68-77-14 *(0,34 €/mn).* ● *ratp.fr* ●
➢ *Paris-Orly :* départs ttes les
15-20 mn de la pl. Denfert-Rochereau.
Compter 20-30 mn pour rejoindre Orly

(Ouest ou Sud) Orlybus fonctionne tlj
5h35-23h, jusqu'à minuit ven, sam
et veilles de fêtes dans le sens Paris-Orly ; et tlj 6h-23h20, jusqu'à 0h20 ven,
sam et veilles de fêtes dans le sens
Orly-Paris.
➢ *Orly-Paris :* départ d'Orly-Sud,
porte H, quai 4, ou d'Orly-Ouest,
porte J, niveau « Arrivées ». Compter
7,20 € l'aller simple.

Orlyval : ☎ 32-46 *(0,34 €/mn).*
● *ratp.fr* ● Compter 10,90 € l'aller
simple entre Orly et Paris. La jonction
se fait à Antony (ligne B du RER) sans
aucune attente. Permet d'aller d'Orly
à Châtelet et vice versa en 40 mn env,
sans se soucier de la densité de la circulation automobile.
➢ *Paris-Orly :* départs pour Orly-Sud
et Ouest ttes les 6-8 mn, 6h-22h15.
➢ *Orly-Paris :* départ d'Orly-Sud,
porte K, zone livraison des bagages, ou
d'Orly-Ouest, porte W, niveau 1.

En taxi

Pensez à explorer les nouveaux services de transport de personnes qui
se développent dans la capitale, et
pourraient être adaptés à vos besoins
(voir plus haut les solutions en taxi proposées pour se rendre à Roissy).

En voiture

– Parking aéroports : à proximité
d'Orly-Ouest, parkings P0 et P2.
À proximité d'Orly-Sud, P1, P2 et P3
(à 50 m du terminal, accessible par
tapis roulant). Compter 28,50 € pour
24h de stationnement. Les parkings
P0 et P2, à proximité immédiate des
terminaux, proposent des forfaits intéressants dont le week-end ». Forfaits
disponibles aussi pour les P4, P5 et
P7 : 15,50 € pour 24h et 1 € par jour
supplémentaire au-delà de 8 j. (45 j.
de stationnement max). Il existe pour
le P7 des forfaits Vacances 1 à 30 j.
(15-130 €).
Les P4, P7 (en extérieur) et P5 (couvert)
sont des parkings longue durée, plus
excentrés, reliés par navettes gratuites
aux terminaux. *Rens :* ☎ 01-49-75-56-50. Comme à Roissy, possibilité de
réserver en ligne sa place de parking
(P0 et P7) sur ● *aeroportsdeparis.fr* ●
Les frais de résa (en sus du parking)

Voyageurs
DU MONDE
LE VOYAGE
COMME VOUS L'IMAGINEZ
Grâce à des conseillers spécialisés par région, des attentions personnalisées, un service local de conciergerie unique et un partenariat exclusif avec Air France KLM permettant de gagner des miles à chaque voyage, découvrez une autre façon de voir le monde.
VOYAGEURSDUMONDE.FR
SPÉCIALISTE DU VOYAGE INDIVIDUEL PERSONNALISÉ
© Getty Images / iStockphoto

sont de 8 € pour 1 j., de 12 € pour 2-3 j. et de 20 € pour 4-10 j. de stationnement pour le P0. Les parkings P0-P2 à Orly-Ouest, et P1-P3 à Orly-Sud accueillent les deux roues : 6,20 pour 24h.

– À proximité, **Econopark** : possibilité de laisser sa voiture à Chilly-Mazarin *(13, rue Denis-Papin, ZA La Vigne aux Loups, 91380 Chilly-Mazarin ; env 10 mn d'Orly ; proche A6 et A10).* De 1 à 28 j., compter 30-166 €. Trajet A/R vers Orly en minibus (sans supplément). Option parking couvert possible. Résa et paiement en ligne ● *econopark.fr* ● ou par téléphone au ☎ 01-60-14-85-62.

Liaisons entre Orly et Roissy-Charles-de-Gaulle

🚌 **Les cars Air France :** ☎ 0892-350-820 *(0,34 €/mn)*. ● *lescarsairfrance.com* ● Départs de Roissy-Charles-de-Gaulle depuis les terminaux 1 (porte 32), 2A et 2C, 2B et 2D, 2E et 2F (galerie de liaison entre les terminaux 2E et 2F) vers Orly 5h55-22h30. Départs d'Orly-Sud (porte K) et d'Orly-Ouest (porte H) vers Roissy-Charles-de-Gaulle 6h30 (7h le w-e)-22h30. Ttes les 30-45 mn (dans les 2 sens). Durée du trajet : 50 mn env. Tarif : 18 € ; réduc.

🚆 **RER B + Orlyval :** ☎ 32-46 *(0,34 €/mn)*. Depuis Roissy, navette puis RER B jusqu'à Antony et enfin Orlyval entre Antony et Orly, 6h-22h15. Tarif : 19,50 €.

EN BELGIQUE

▲ AIRSTOP

Pour ttes les adresses Airstop, un seul numéro de tél : ☎ *070-233-188.* ● *airstop.be* ● *Lun-ven 9h-18h30, sam 10h-17h.*
– *Bruxelles : boulevard E. Jacquemain 76, 1000.*
– *Anvers : Jezusstraat, 16, 2000.*
– *Bruges : Dweersstraat, 2, 8000.*
– *Gand : Maria Hendrikaplein, 65, 9000.*
– *Louvain : Tiensestraat 5, 3000.*
Airstop offre une large gamme de prestations, du vol sec au séjour tout compris à travers le monde.

▲ CONNECTIONS

Rens et résas : ☎ *070-233-313.* ● *connections.be* ● *Lun-ven 9h-19h, sam 10h-17h.*
Fort d'une expérience de plus de 20 ans dans le domaine du voyage, Connections dispose d'un réseau de 30 *travel shops* dont un à Brussels Airport. Connections propose des vols dans le monde entier à des tarifs avantageux et des voyages destinés à des voyageurs désireux de découvrir la planète de façon autonome et de vivre des expériences uniques. Connections propose une gamme complète de produits : vols, hébergements, locations de voitures, autotours, vacances sportives, excursions, assurances « protections »...

▲ GLOBE-TROTTERS

– *Bruxelles : 15 rue Franklin, 1000.* ☎ *02-732-90-70.* ● *globe-trotters.be* ● *Lun-ven 9h30-13h30, 15h-18h, sam 10h-13h.*
En travaillant avec des prestataires exclusifs, cette agence permet de composer chaque voyage selon ses critères : de l'auberge de jeunesse au *lodge* de luxe isolé, du *B & B* à l'hôtel de charme, de l'autotour au circuit accompagné, d'une descente de fleuve en pirogue à un circuit à vélo... Motoneige, héliski, multi-activités estivales ou hivernales, équitation... Spécialiste du Québec, du Canada, des États-Unis, Globe Trotters propose aussi des formules dans le sud-est asiatique et en Afrique. Assurances voyages. Cartes d'auberges de jeunesse (IYHF). Location de voitures, motorhomes et motos.

▲ NOUVELLES FRONTIÈRES

● *nouvelles-frontieres.be* ●
– Nombreuses agences dans le pays dont Bruxelles, Charleroi, Liège, Mons, Namur, Waterloo, Wavre et au Luxembourg.
Voir le texte dans la partie « En France ».

▲ SERVICE VOYAGES ULB

– *Bruxelles : campus ULB, av. Paul-Héger, 22, CP 166, 1000.* ☎ *02-650-40-20*
– *Bruxelles : pl. Saint-Lambert, 1200.* ☎ *02-742-28-80.*

– *Bruxelles : chaussée d'Alsemberg, 815, 1180.* ☎ 02-332-29-60.

● *servicevoyages.be* ● *25 agences dont 12 à Bruxelles.*

Service Voyages ULB, c'est le voyage à l'université. Billets d'avion sur vols charters et sur compagnies régulières à des prix compétitifs.

▲ TAXISTOP

Pour ttes les adresses Taxistop : ☎ *070-222-292.* ● *taxistop.be* ●
– *Bruxelles : rue Thérésienne, 7a, 1000.*
– *Gent : Maria Hendrikaplein 65, 9000.*
– *Ottignies : boulevard Martin, 27, 1340.*
Taxistop propose un système de covoiturage, ainsi que d'autres services comme l'échange de maisons ou le gardiennage.

▲ VOYAGEURS DU MONDE

– *Bruxelles : 23, chaussée de Charleroi, 1060.* ☎ 02-543-95-50. ● *voyageurs dumonde.com* ●
Voir texte dans la partie « En France ».

EN SUISSE

▲ S.T.A. TRAVEL

● *statravel.ch* ● ☎ *058-450-49-49.*
– *Fribourg : rue de Lausanne, 24, 1701.* ☎ *058-450-49-80.*
– *Genève : rue de Rive, 10, 1204.* ☎ *058-450-48-00.*
– *Genève : rue Vignier, 3, 1205.* ☎ *058-450-48-30.*
– *Lausanne : bd de Grancy, 20, 1006.* ☎ *058-450-48-50.*
– *Lausanne : à l'université, Anthropole, 1015.* ☎ *058-450-49-20.*
Agences spécialisées notamment dans les voyages pour jeunes et étudiants. 150 bureaux S.T.A. et plus de 700 agents du même groupe répartis dans le monde entier sont là pour donner un coup de main *(Travel Help)*.
S.T.A. propose des tarifs avantageux : vols secs (Blue Ticket), hôtels, écoles de langues, *work & travel,* circuits d'aventure, voitures de location, etc. Délivre la carte internationale d'étudiant et la carte Jeune.

▲ TUI - NOUVELLES FRONTIÈRES

– *Genève : rue Chantepoulet, 25, 1201.* ☎ *022-716-15-70.*
– *Lausanne : Bd de Grancy, 19 1006.* ☎ *021-616-88-91.*

Voir le texte dans la partie « En France ».

AU QUÉBEC

▲ INTAIR VACANCES

Intair Vacances propose un vaste choix de prestations à la carte incluant vol, hébergement et location de voitures en Europe, aux États-Unis ainsi qu'aux Antilles, et au Mexique. Également au menu, des courts ou longs séjours, en Espagne (Costa del Sol) et en France (côte d'Azur). Également un choix d'achat-rachat en France et dans la péninsule ibérique.

▲ TOURS CHANTECLERC

● *tourschanteclerc.com* ●
Tours Chanteclerc est un tour-opérateur qui publie différentes brochures de voyages : Europe, Amérique du Nord, Amérique du sud, Asie et Pacifique sud, Afrique et le Bassin méditerranéen en circuits ou en séjours. Il s'adresse aux voyageurs indépendants qui réservent un billet d'avion, un hébergement (dans toute l'Europe), des excursions ou une location de voiture. Également spécialiste de Paris, le tour-opérateur offre une vaste sélection d'hôtels et d'appartements dans la Ville lumière.

▲ TOURSMAISON

Spécialiste des vacances sur mesure, ce voyagiste sélectionne plusieurs « Évasions soleil » (plus de 600 hôtels ou appartements dans quelque 45 destinations), offre l'Europe à la carte toute l'année (plus de 17 pays) et une vaste sélection de compagnies de croisières (11 compagnies au choix). Toursmaison concocte par ailleurs des forfaits escapades à la carte aux États-Unis et au Canada. Au choix : transport aérien, hébergement, locations de voitures pratiquement partout dans le monde. Des billets pour le train, les excursions et les spectacles peuvent également être achetés avant le départ.

▲ VACANCES AIR CANADA

● *vacancesaircanada.com* ●
Vacances Air Canada propose des forfaits loisirs (golf, croisières, voyages d'aventure, ski, et excursions diverses) flexibles vers les destinations les plus populaires des Antilles, de l'Amérique

NOUVEAUTÉ

JURA FRANCO-SUISSE (paru)

Ce massif montagneux, à cheval sur la Suisse et la France, est coupé par une frontière. Et pourtant, ce territoire possède une identité forte et bénéficie d'une culture commune. Il suffit de jouer à saute-frontière à travers de multiples activités et de magnifiques visites pour s'en rendre compte. Alors, partez à la rencontre des grandes fermes françaises et suisses, jouez au jeu des différences en goûtant les produits régionaux, allez randonner à pied ou à vélo l'été, à skis de fond ou en raquettes l'hiver, dans les montagnes du Jura, découvrez un savoir-faire commun, au premier rang duquel, l'horlogerie. Et surtout, profitez-en pour assister à ces manifestations transfrontalières qui vous permettront de comprendre ce qui rassemble les Jurassiens des deux pays.

centrale et du sud, de l'Asie, de l'Europe, et des États-Unis. Vaste sélection de forfaits incluant vol aller-retour et hébergement. Également des forfaits vol + hôtel/ vol + voiture.

▲ VOYAGES CAMPUS / TRAVEL CUTS

● *voyagescampus.com* ●

Voyages Campus / Travel Cuts est un réseau national d'agences de voyages spécialisées pour les étudiants et les voyageurs qui disposent de petits budgets. Le réseau existe depuis 40 ans et compte plus de 50 agences dont 6 au Québec. Voyages Campus propose des produits exclusifs comme l'assurance « Bon voyage » le programme de Vacances-Travail (SWAP), la carte d'étudiant internationale (ISIC) et plus. Ils peuvent aider à planifier un séjour autant à l'étranger qu'au Canada et même au Québec.

UNITAID

UNITAID a été créé pour lutter contre le VIH/sida, le paludisme et la tuberculose, principales maladies meurtrières dans les pays en développement. UNITAID intervient dans 94 pays en facilitant l'accès aux médicaments et aux diagnostics, en en baissant les prix, dans les pays en développement. Le financement d'UNITAID provient principalement d'une contribution de solidarité sur les billets d'avion mise en place par six pays membres, dont la France, où la taxe est de 1 € sur les vols intérieurs et de 4 € sur les vols internationaux (ce qui représente le traitement d'un enfant séropositif pour 1 an). Depuis 2006, UNITAID a réuni plus d'un milliard de dollars. Les financements d'UNITAID ont permis à près d'un million de personnes atteintes du VIH/sida de bénéficier d'un traitement, et de délivrer plus de 19 millions de traitements contre le paludisme. Moins de 5 % des fonds servent au fonctionnement du programme, 95 % sont utilisés directement pour les médicaments et les tests. Pour en savoir plus : ● *unitaid.eu* ●

ABC
DE LA CALIFORNIE

▶ *Superficie :* 424 002 km² (4,5 % de la superficie américaine, 3ᵉ État par sa superficie après le Texas et l'Alaska).
▶ *Capitale :* Sacramento, 471 000 hab.
▶ *Population :* 37,2 millions d'hab. (c'est l'État le plus peuplé : 12,2 % de la population américaine).
▶ *Population des grandes villes :* Los Angeles, 3,8 millions d'hab. (plus de 10 millions pour le Los Angeles County et 18,5 millions pour le Grand Los Angeles) ; San Francisco, 825 000 hab. (7,4 millions pour la Bay Area) ; San Diego, 1,3 million d'hab. (3,1 millions pour le Grand San Diego).
▶ *Langue officielle :* l'anglais (américain). Deuxième langue, l'espagnol, parlé par 46 % des Californiens.
▶ *Devise : Eureka !,* soit « J'ai trouvé ! ».
▶ *Monnaie :* le dollar américain ($).
▶ *PIB par habitant :* 51 915 $ en Californie, soit le 13ᵉ rang des USA, 74 815 $ à San Francisco, soit le plus élevé des États-Unis !
▶ *Taux de chômage :* env 9 % (2013).
▶ *Régime :* démocratie présidentielle.
▶ *Nature de l'État :* république fédérale (50 États et le district de Columbia).
▶ *Président des États-Unis :* Barack Obama, démocrate, élu en novembre 2008 et réélu en novembre 2012.
▶ *Gouverneur de Californie :* Jerry Brown, élu en 2010.

AVANT LE DÉPART

Adresses utiles

En France

ℹ️ *Office de tourisme des USA (c/o Visit USA Committee) :* ☎ 0899-702-470 (1,35 € l'appel + 0,34 €/mn). ● office-tourisme-usa.com ● Fermé au public, mais rens sur le site internet et par tél. Bureau d'informations privé donnant accès à de nombreuses infos sur la plupart des États, les conditions d'entrée aux États-Unis et l'ESTA, ainsi que des dossiers thématiques...
ℹ️ *Représentation officielle de la Californie en France :* ● visitcalifornia.fr ●
ℹ️ *Bureau du tourisme de San Francisco :* c/o Aviareps. ☎ 01-53-43-53-96. ● sanfrancisco.france@aviareps. com ● sanfrancisco.travel ● Envoi de brochures sur demande.
■ *Ambassade des États-Unis, section consulaire :* 4, av. Gabriel, 75008 Paris. ☎ 01-43-12-22-22. Ⓜ Concorde. Rens sur les visas : ● french.france.usembassy.gov ●, puis cliquer sur « Visas ». Infos personnalisées pour les demandes de visas (attention, 14,50 € l'appel !) : ☎ 0810-26-46-26.
– Le visa n'est pas obligatoire pour les Français pour un séjour de moins de 90 jours (voir « Formalités d'entrée », plus loin).

En Belgique

ℹ️ *Visit USA Marketing & Promotion Bureau :* PO Box 10001, Berchem 2600. ● visitusa.org ● Les demandes de renseignements peuvent être communiquées par courrier ou

Internet. Participation aux frais de 10 € pour l'envoi de documentation ou brochures.

■ **Ambassade des États-Unis :** bd du Régent, 27, Bruxelles 1000: ☎ 02-811-4000. ● french.belgium.usembassy.gov ● Lun-ven 9h-18h.

– Le visa n'est pas obligatoire pour les Belges pour un séjour de moins de 90 jours (voir « Formalités d'entrée », plus loin).

En Suisse

■ **Ambassade des États-Unis :** Sulgeneckstrasse, 19, 3007 Berne. ☎ 031-357-70-11. ● bern.usembassy.gov ● Lun-ven 9h-12h30, 13h30-17h30.

– Le visa n'est pas obligatoire pour les Suisses pour un séjour de moins de 90 jours (voir « Formalités d'entrée », plus loin).

Au Québec

■ **Consulat général des États-Unis :** 1155, rue Saint-Alexandre, Montréal, Québec H3B-1Z1. ☎ 1-514-398-9695 (serveur vocal). ● french.montreal.usconsulate.gov ●

■ **Consulat général des États-Unis :** 2, rue de la Terrasse-Dufferin, Québec G1R 4N5. ☎ 1-418-692-2095 (serveur vocal). ● french.quebec.usconsulate.gov ●

– Le visa n'est pas obligatoire pour les Canadiens pour un séjour de moins de 180 jours (voir « Formalités d'entrée »).

Formalités d'entrée

Attention : les mesures de sécurité concernant les formalités d'entrée sur le sol américain n'ont cessé de se renforcer depuis le 11 septembre 2001. **Avant d'entreprendre votre voyage, consultez impérativement le site de l'ambassade des États-Unis,** très détaillé et constamment remis à jour, pour vous tenir au courant des toutes dernières mesures : ● french.france.usembassy.gov ●, rubrique « Visas ».

– **Passeport biométrique ou électronique en cours de validité, ou passeport individuel à lecture optique (modèle Delphine encore valide et émis avant le 26 octobre 2005).** Si votre passeport a été délivré, renouvelé ou prolongé entre le 26 octobre 2005 et le 26 octobre 2006, consultez le site internet de l'ambassade des États-Unis pour vérifier ses caractéristiques (un visa peut être nécessaire dans certains cas). Les enfants de tous âges doivent impérativement posséder leur propre passeport, bébés inclus.

– Les voyageurs (y compris les enfants) doivent aussi être en possession d'une **autorisation électronique de voyage ESTA,** à remplir obligatoirement en ligne sur le site internet officiel (● https://esta.cbp.dhs.gov ●) avant de partir aux États-Unis, que ce soit par voie aérienne ou maritime. **Coût : 14 $ pour une validité de 2 ans à priori, mais méfiez-vous des sites clandestins d'ESTA qui sont, eux, beaucoup plus chers...** La demande ESTA ne peut être faite à moins de 72h du départ, faites-la donc le plus tôt possible. La réponse est généralement immédiate. Lors de la saisie en ligne, c'est le numéro officiel du passeport à 9 caractères qui doit être inscrit. Les femmes mariées se feront de préférence enregistrer sous leur nom complet (nom de jeune fille et d'épouse).

Enfin, obligation de présenter un **billet d'avion aller-retour** ou un billet attestant le projet de quitter les États-Unis. Lors du passage de l'immigration, on prendra vos empreintes digitales et une photo.

– **Le visa** n'est pas nécessaire pour les **Français** qui se rendent aux États-Unis pour tourisme (lire plus haut). Cependant, le séjour ne doit pas dépasser 90 jours et n'est pas prolongeable. **ATTENTION :** le visa reste indispensable pour les diplomates, les étudiants poursuivant un programme d'études, les stagiaires, les jeunes filles et garçons au pair, les journalistes en mission et autres catégories professionnelles.

– Le visa n'est pas obligatoire pour les **Belges** et les **Suisses** pour un séjour de tourisme de moins de 90 jours, sous certaines conditions (grosso modo les mêmes que les Français).

– Les **Canadiens** doivent aussi désormais être munis d'un passeport valide. Avant tout voyage, il est impératif de vérifier ces formalités via les sites internet des ambassades (voir plus haut).

– Si vous rentrez **aux États-Unis depuis le Mexique ou le Canada** par voie terrestre, les conditions restent les mêmes, à cela près que l'ESTA n'est pas obligatoire et qu'une taxe de 6 $, payable en espèces, vous sera demandée.

– Pas de **vaccination** obligatoire (voir la rubrique « Santé » plus loin).

– **Pour conduire sur le sol américain :** le **permis de conduire national suffit,** mais le **permis international** peut être parfois exigé même si c'est rare. Par précaution, mieux vaut s'en faire délivrer un par la préfecture (gratuit).

– **Interdiction d'importer des denrées périssables non stérilisées** (charcuterie, fromage, biscuits...) **et des végétaux.** Seules les conserves sont tolérées et une bouteille d'alcool par personne est autorisée (le tout en soute). N'essayez pas de frauder, et déclarez ce que vous importez : en général, les douaniers sont moins suspicieux si vous dites honnêtement que vous avez des denrées alimentaires. Sinon, vous risquez le contrôle aux rayons X, l'ouverture de valises et les chiens renifleurs.

– **Aucun objet coupant autorisé en cabine.** Même les ciseaux à bout rond des enfants sont confisqués !

– **Les liquides, gels, crèmes, pâtes dentifrice sont restreints en cabine** (sauf aliments pour bébés). Ils doivent être conditionnés dans des flacons ou tubes de 100 ml maximum et placés dans une pochette plastique transparente (type sac de congélation).

– **Évitez de verrouiller vos valises** de soute, sous peine de retrouver leurs serrures forcées par les services de sécurité qui les fouillent régulièrement. Il existe des cadenas et des bagages agréés TSA, qui permettent à la *Transportation Security Administration* de les ouvrir sans les endommager.

Vous aurez à remplir une **déclaration de douane** par famille. Ce document est généralement distribué dans l'avion. Gardez sur vous l'adresse de votre premier hébergement ; celle-ci vous sera demandée dans les papiers à remplir.

> Pensez à scanner passeport, visa, carte bancaire, billet d'avion et vouchers d'hôtel. Ensuite, adressez-les-vous par mail, en pièces jointes. En cas de perte ou vol, rien de plus facile pour les récupérer dans un cybercafé. Les démarches administratives seront bien plus rapides.

Assurances voyage

■ **Routard Assurance** (c/o AVI International) **:** 106, rue La Boétie, 75008 Paris. ☎ 01-44-63-51-00. ● avi-international.com ● Ⓜ Saint-Philippe-du-Roule ou Franklin-Roosevelt. Depuis 1995, *Routard Assurance*, en collaboration avec *AVI International*, spécialiste de l'assurance voyage, propose aux routards un tarif à la semaine qui inclut une assurance bagages de 2 000 € dont 300 € les appareils photo. Pour les séjours longs (2 mois à 1 an), il existe le contrat *Marco Polo*. Ces 2 contrats sont également disponibles à un prix forfaitaire pour les familles en courts et longs séjours. Les seniors ont aussi leur contrat *Routard Assistance Senior. Routard Assurance* est aussi disponible en version light (durée adaptée aux week-ends et courts séjours en Europe). Vous trouverez un bulletin de souscription dans les dernières pages de chaque guide.

■ **AVA :** 25, rue de Maubeuge, 75009 Paris. ☎ 01-53-20-44-20. ● ava.fr ● Ⓜ Cadet. Un autre courtier fiable pour ceux qui souhaitent s'assurer en cas de décès-invalidité-accident lors d'un voyage à l'étranger, mais surtout pour bénéficier d'une assistance rapatriement, perte de bagages et annulation. Attention, franchises pour leurs contrats d'assurance voyage.

■ **Pixel Assur :** 18, rue des Plantes, 78600 Maisons-Laffitte. ☎ 01-39-62-28-63. ● pixel-assur.com ● RER A : Maisons-Laffitte. Assurance de matériel photo et vidéo tous risques dans le monde entier. Devis basé sur le prix d'achat de votre matériel. Avantage : garantie à l'année.

Carte d'adhésion internationale aux auberges de jeunesse (carte FUAJ)

Cette carte vous ouvre les portes des 4 000 auberges de jeunesse du réseau HI-Hostelling International en France et dans le monde. Vous pouvez ainsi parcourir 90 pays à des prix avantageux et bénéficier de tarifs préférentiels avec les partenaires des auberges de jeunesse HI. Enfin, vous intégrez une communauté mondiale de voyageurs partageant les mêmes valeurs : plaisir de la rencontre, respect des différences et échange dans un esprit convivial. Il n'y a pas de limite d'âge pour séjourner en auberge de jeunesse. Il faut simplement être adhérent.

Pour l'obtenir en France

– *En ligne,* avec un paiement sécurisé, sur le site • *hifrance.org* •
– *Dans toutes les auberges de jeunesse,* points d'informations et de réservations en France. Liste des AJ sur • *hifrance.org* •
– *Par correspondance* auprès de l'antenne nationale *(27, rue Pajol, 75018 Paris ;* ☎ *01-44-89-87-27),* en envoyant une photocopie d'une pièce d'identité et un chèque à l'ordre de la FUAJ du montant correspondant à l'adhésion. Ajoutez 2 € pour les frais d'envoi. Vous recevrez votre carte sous 15 j.

Les tarifs de l'adhésion 2014

– *Carte internationale individuelle FUAJ - de 26 ans :* 7 €. Pour les personnes de 16 à 25 ans (veille des 26 ans) – Français ou étrangers résidant en France depuis plus de 12 mois –, les étudiants français et les demandeurs d'emploi sur présentation d'un justificatif. Pour les mineurs,

une autorisation parentale et la carte d'identité du parent tuteur sont nécessaires pour l'inscription.
– *Carte internationale individuelle FUAJ + de 26 ans :* 11 €.
– *Carte internationale FUAJ Famille :* 20 €. Pour les familles ayant un ou plusieurs enfants de moins de 16 ans. Les enfants de plus de 16 ans devront acquérir une carte individuelle FUAJ.
– *Carte internationale FUAJ partenaire :* gratuite. Réservée aux personnes licenciées, aux adhérents d'une association ou fédération sportive partenaire de la FUAJ, sur présentation de leur licence. Liste complète des associations et fédérations sportives sur • *hifrance.org* •, rubrique « Partenaires ».

En Belgique

Réservée aux personnes résidant en Belgique. La carte d'adhésion est obligatoire. Son prix varie selon l'âge : entre 3 et 15 ans, 3 € ; entre 16 et 25 ans, 9 € ; après 25 ans, 15 €.
Votre carte de membre vous permet d'obtenir de 3 à 20 € de réduction sur votre première nuit dans les réseaux LAJ, VJH et CAJL (Luxembourg), ainsi que des réductions auprès de nombreux partenaires en Belgique.

Renseignements et inscriptions

■ *À Bruxelles : LAJ, rue de la Sablonnière, 28, 1000.* ☎ *02-219-56-76.* • *lesaubergesdejeunesse.be* •
■ *À Anvers : Vlaamse Jeugdherbergcentrale (VJH), Beatrijslaan 72, B 2050 Antwerpen.* ☎ *03-232-72-18.* • *jeugdherbergen.be* •

En Suisse (SJH)

Réservée aux personnes résidant en Suisse. Le prix de la carte dépend de l'âge : 22 Fs pour les - de 18 ans, 33 Fs pour les adultes et 44 Fs pour une famille avec des enfants de - de 18 ans.

Renseignements et inscriptions

■ *Schweizer Jugendherbergen (SJH) : service des membres, Schaffhauserstr. 14, 8006 Zurich.* ☎ *41-44-360-14-14.* • *youthhostel.ch* •

Au Canada

Elle coûte 35 $Ca pour une durée de 16 à 28 mois et 175 $Ca pour une carte valable à vie (tarifs hors taxes). Gratuit pour les enfants de - de 18 ans.

■ *Auberges de Jeunesse du Saint-Laurent / St Laurent Youth Hostels :* 3514, av. Lacombe, Montréal (Québec) H3T 1M1. ☎ 514 731-10-15. N° gratuit (au Canada) : ☎ 1-800-663-5777.

■ *Canadian Hostelling Association :* 205, Catherine St, bureau 400, Ottawa (Ontario) K2P 1C3. ☎ 613 237-7884. ● hihostels.com ●

Pour réserver votre séjour en auberge de jeunesse HI

– *En France :* ● hifrance.org ● Réservez vos séjours dans 120 auberges de jeunesse. Accès aux offres spéciales et dernières minutes.

– *En France et dans le monde :* ● hihostels.ca ● Si vous prévoyez un séjour itinérant, vous pouvez réserver plusieurs auberges en une seule fois !

ARGENT, BANQUES, CHANGE

:::

La monnaie américaine

Fin 2013, 1 $ valait environ 0,75 €.

– *Les pièces :* 1 cent (penny), 5 cents (nickel), 10 cents (dime), plus petite que la pièce de 5 cents, 25 cents (quarter) et 1 dollar (moins courante que le billet équivalent). Avis aux numismates, les quarters font l'objet de séries spéciales.

– *Les billets :* sur chaque billet ou presque, le visage d'un président des États-Unis : 1 $ (Washington), 5 $ (Lincoln), 10 $ (Hamilton, secrétaire du Trésor et non président), 20 $ (Jackson), 50 $ (Grant), 100 $ (Franklin). Il existe aussi un billet de 2 $ (bicentenaire de l'Indépendance, avec l'effigie de Jefferson), très peu en circulation, mais que les collectionneurs s'arrachent.

En argot, un dollar se dit souvent *a buck.* L'origine de ce mot remonte au temps des trappeurs, lorsqu'ils échangeaient leurs peaux de daims *(bucks)* contre des dollars.

Les banques

Les banques sont ouvertes en semaine de 9h à 15h ou 17h, et parfois le samedi matin.

Argent liquide, change et chèques de voyage

Le plus simple est *d'emporter éventuellement quelques dollars changés en Europe, et de retirer sur place du liquide, avec une carte bancaire.* Il y a des *distributeurs automatiques* de billets partout (appelés *ATM,* pour *Automated Teller Machine* ou *cash machines*). Cela dit, évitez de retirer des petites sommes à tout bout de champ, car une commission fixe de 2-3 $ est prélevée sur place pour chaque transaction en plus de celle appliquée par votre banque ; elle est souvent plus élevée dans les ATM situés dans les petits commerces, boutiques et hôtels, où les retraits sont souvent limités. N'oubliez pas non plus qu'il y a un seuil maximal de retrait par semaine, fixé par votre banque (pensez à relever le plafond, au moins temporairement).

– *Utilisez de préférence les distributeurs attenants à une agence bancaire.* En cas de pépin (carte avalée, erreur de code...), vous aurez un interlocuteur dans l'agence, pendant les heures ouvrables du moins.

– Pour ceux qui ne disposeraient pas de carte de paiement, avoir presque tout son argent sous forme de *chèques de voyage* est plus sécurisant, car on peut se les faire remplacer en cas de perte ou de vol. Très pratique : la plupart des grands magasins, restaurants et boutiques les acceptent sur simple présentation du passeport et rendent la monnaie dessus. Inutile d'aller dans une banque ou un bureau de change pour les convertir en liquide.

– Enfin, en dernier ressort, si vous devez quand même *changer de l'argent* (ou des *travellers*), adressez-vous aux petits bureaux de change en ville. Ceux des aéroports appliquent des commissions élevées et des taux très défavorables...

Les cartes de paiement

Aux États-Unis, on parle de *plastic money*, ou *plastic* tout court. **C'est le moyen le plus simple de payer.** De plus, l'opération se fait toujours à un meilleur taux que si vous achetiez des dollars dans une banque ou un bureau de change. Certes, à chaque achat, un petit pourcentage (de l'ordre de 1 à 2 %) sera prélevé par votre banque avant le départ, que vous en retiriez ou en changiez sur place ! Les paiements par carte évitent aussi la banqueroute en cas de plafond de retrait déjà atteint ou pas relevé avant le départ ! Pensez seulement à avoir votre passeport avec vous, il est parfois demandé. Les cartes les plus répandues sont la *MasterCard*, la *Visa* et, bien sûr, l'*American Express*. N'oubliez pas qu'aux USA, une carte de paiement est un outil quasiment indispensable, ne serait-ce que pour louer une voiture ou réserver une chambre d'hôtel. Même si vous avez tout réglé avant le départ par l'intermédiaire d'une agence, car on prendra quasi systématiquement l'empreinte de votre carte (au cas où vous auriez l'idée saugrenue de partir sans payer les prestations supplémentaires – *incidentals* – genre parking, petit déj, téléphone, minibar...).

Les Américains paient tout en carte, même 5 $, les commerces n'imposant généralement pas de montant minimum, sauf les petites épiceries isolées dans des trous perdus ! Dans certains magasins, genre drugstores ou supermarchés, dès que vous présenterez une carte de paiement, on vous posera systématiquement la question fatidique : **« *Debit or credit ?* »**. Si vous n'avez pas de compte aux États-Unis, la réponse est « credit » (même si vous avez une carte *Visa* ou *MasterCard*).

Le code secret n'étant pas rentré en vigueur aux USA, il faut signer pour chaque transaction. Les commerces sont presque tous munis d'écrans de paiement sur lesquels on signe avec un stylo électronique et dans les lieux les plus branchés, les additions se font sur iPad (avec facture envoyée par e-mail !).

– *En cas de perte ou de vol :* quelle que soit la carte que vous possédez, chaque banque gère elle-même le processus d'opposition, et le numéro de téléphone correspondant. Avant de partir, notez donc bien le numéro d'opposition propre à votre banque en France (il figure souvent au dos des tickets de retrait, sur votre contrat ou à côté des distributeurs de billets), ainsi que le numéro à 16 chiffres de votre carte. Bien entendu, conservez ces informations en lieu sûr, et séparément de votre carte. Par ailleurs, l'assistance médicale se limite aux 90 premiers jours du voyage ; et l'assistance véhicule, aux cartes haut de gamme (renseignez-vous auprès de votre banque).

N'oubliez pas non plus de vérifier la date d'expiration de votre carte bancaire !

– **Carte Visa :** assistance médicale incluse ; n° d'urgence (Europe Assistance) : ☎ 00-33-1-41-85-85-85. ● *visa-europe.fr* ● Pour faire opposition, contactez le numéro communiqué par votre banque.

– **Carte MasterCard :** assistance médicale incluse ; n° d'urgence : ☎ 00-33-1-45-16-65-65. ● *mastercardfrance.com* ● En cas de perte ou de vol, composez le numéro communiqué par votre banque pour faire opposition.

– **Carte American Express :** en cas de pépin, appelez le ☎ 00-33-1-47-77-72-00, 24h/24. ● *americanexpress.com* ●

– Pour toutes les cartes de paiement émises par **La Banque postale,** composez le : ☎ 0825-809-803 (0,15 €/mn) depuis la France métropolitaine ou les DOM, et ☎ 00-33-5-55-42-51-96 depuis les TOM ou l'étranger.

– Également un numéro d'appel valable quelle que soit votre **carte de paiement pour faire opposition :** ☎ 0892-705-705 (serveur vocal à 0,34 €/mn). Ne fonctionne ni en PCV ni depuis l'étranger.

Dépannage d'urgence

En cas de **besoin urgent d'argent liquide** (perte ou vol de billets, chèques de voyage, carte de paiement), vous pouvez être dépanné en quelques minutes grâce au système **Western Union Money Transfer.** ● *westernunion.com* ●

– Aux États-Unis : ☎ 1-800-325-6000.
– En France : demandez à un proche de déposer de l'argent en euros à votre attention dans l'un des bureaux *Western Union*. Les correspondants en France sont *La Banque postale* (fermée sam ap-m ; ☎ 0825-00-98-98 ; 0,15 €/mn) et *Travelex* en collaboration avec la *Société financière de paiements SDDP* (☎ 0825-825-842 ; 0,15 €/mn). L'argent vous est transféré en 10-15 mn aux États-Unis. Avec le décalage horaire, il faut que l'agence soit ouverte de l'autre côté de l'Atlantique, mais certaines le sont même la nuit. La commission, assez élevée donc, est payée par l'expéditeur. Possibilité d'effectuer un transfert en ligne 24h/24 par carte de paiement (*Visa* ou *MasterCard* émise en France).

ACHATS

En Californie, San Francisco est assurément la cité culte du shopping. **Attention : les prix sont toujours affichés hors taxes d'État (ajouter 5 à 10 %). Ayez toujours votre passeport (ID en anglais) sur vous** car on vous le demandera quasiment à tous les coups si vous payez par carte de paiement.

Certains achats restent assez intéressants aux États-Unis (même avec un taux de change parfois moins favorable pour nous), mais, évidemment, cela dépend du taux de change et du contexte économique. Voici quelques idées d'articles à rapporter dans vos bagages :
– **Les produits dérivés :** vous noterez bien vite cette pratique typiquement américaine. Pas une auberge de jeunesse qui ne vende un tee-shirt à son effigie, pas un resto, un coffee-shop ou un bar qui n'en fasse de même, sans oublier la fabrication en série du joli *mug* maison... Des petits souvenirs sympas quand on a particulièrement aimé un lieu ou une adresse.

D'OÙ VIENT LE DOLLAR ?

Le dollar vient... de Bohême. Au XVIe s, le thaler d'argent, né dans la vallée (thal) de saint Joachim, devient la monnaie de référence des échanges commerciaux en Europe centrale, puis gagne l'Espagne avec les Habsbourg, et les colonies d'Amérique du Sud. Là-bas, on prononce tolar, puis dólar. L'importance de cette devise est telle qu'on l'utilise jusqu'aux États-Unis. Sur les pièces espagnoles, on utilise le S (= Spanish) avec deux piliers verticaux symbolisant les colonnes d'Hercule... C'est là, pense-t-on, que le sigle $ trouve son origine.

– **Les jeans Levi's,** bien sûr ! La marque est née à San Francisco au moment de la ruée vers l'or. Bien moins chers qu'en France (facilement moitié prix), même si vous les achetez dans les *Levi's Stores officiels*. Attention toutefois, il n'est pas toujours facile de retrouver aux États-Unis un modèle repéré en France (hormis les classiques *501* et *Boot Cut*, et encore...) car les numéros de référence ne sont pas les mêmes qu'en Europe et les tailles changent pour quasiment chaque coupe.
– **Le prêt-à-porter décontracté,** particulièrement les tee-shirts colorés (choix incroyable), les sweats à capuche *(hoodies)* et les baskets (on dit *sneakers*) notamment les *Converse*. Quelques marques pas trop chères et « jeunes », que l'on retrouve à peu près dans tous les *malls* : *American Eagle Outfitters, Aeropostale, Old Navy* (la gamme la moins chère de la maison Gap, créée à San Francisco en 1969), *Urban Outfitters* et bien sûr *Abercrombie* et *Hollister,* que les ados adorent même si la marque peine à se renouveler ; guettez dans leurs magasins les sections *clearance* (fins de série) qui valent vraiment le coup. Plus chic (et plus cher), mais coloré et sympa dans un style un peu vintage : *J. Crew,* la marque fétiche de Michelle Obama. Et aussi *Anthropologie,* très original dans le style rétro-hippie chic (avec de superbes boutiques au décor arty) mais pas donné non plus.

Les **vêtements pour enfants** sont également intéressants, à condition de n'avoir rien contre les couleurs flashy car les Américains en sont fans.

– **Les chaussures et vêtements de sport et de loisirs** (yoga, Pilates et équipement de camping notamment).

– **Les produits de beauté (cosmétiques, maquillage)** genre L'Oréal, Maybelline ou Neutrogena coûtent moitié moins cher qu'en France. On les trouve dans les drugstores type Walgreens, Duane Reade, CVS ou Rite Aid. Les grandes marques américaines comme Clinique et Kiehl's sont également plus intéressantes aux États-Unis.

HAMILTON FOR EVER

Les montres Hamilton sont mythiques aux USA. Créée en 1892, la marque cessa, pendant la Seconde Guerre mondiale, la vente aux particuliers pour ne fabriquer que pour les soldats. La légende était née. Depuis, elle apparaît au poignet de la majorité des acteurs américains, dans plus de 300 films. Le jour de son assassinat, Kennedy portait le modèle Linwood Viewmatic.

– **L'artisanat indien :** beaucoup de belles choses, mais souvent hors de prix. Achetez de préférence aux Indiens eux-mêmes ou dans les boutiques spécialisées et agréées qui reversent les bénéfices aux artisans. Les produits des boutiques touristiques sont généralement importés (les tapis, du Mexique, les porte-monnaie et les ceintures... de Chine !). Mention spéciale aux poupées kachina vendues par les tribus hopis, très belles et encore artisanales.

– De la **« bouffe » typiquement américaine** : des sachets de beef jerky (bœuf séché et parfois aromatisé, rigolo pour l'apéro), des friandises en tous genres (M&M's introuvables en France), des chewing-gums à la cannelle, à la violette et autres parfums insolites, des mélanges d'amandes et autres graines, des épices pour BBQ, pléthore de produits bio et encore plein d'idées à glaner dans les rayons des supermarchés.

L'INVENTION DU CHEWING-GUM

Les Mayas avaient déjà l'habitude de mâcher la sève du sapotier, appelée chicle. En 1869, un général mexicain se réfugia aux USA en emportant 250 kg de chicle. Son but était de remplacer le caoutchouc. Sans succès. Un Américain, Adams, imagina alors de le mélanger à du sirop sucré et en fit de la pâte à mâcher.

– **Les appareils photo, les caméras** (et surtout leurs accessoires), les **iPod, iPhone** et **iPad** (Apple offre la garantie internationale sur tous ses produits, sans frais supplémentaires). Néanmoins, méfiez-vous des boutiques des quartiers touristiques, en particulier à Chinatown à San Francisco, car derrière l'affaire en or se cache très souvent une arnaque en béton armé.

– *ATTENTION*, si vous achetez des **appareils électroniques,** assurez-vous qu'ils peuvent fonctionner correctement en France (fréquence, norme de lecture notamment). Enfin, si au retour, vous ne déclarez pas vos achats d'appareils électroniques auprès du service des douanes, vous risquez de payer de fortes amendes. Attention, certains modèles sont interdits d'importation : on risque de vous les confisquer (ou plus précisément de les retenir à la douane, charge à vous de les réexporter...).

Acheter moins cher

D'une manière générale, profitez des **soldes** (sales) pour faire vos emplettes, notamment en janvier où les réductions sont parfois faramineuses. Et guettez les opérations spéciales menées par les **malls,** ces grands centres commerciaux qui regroupent pléthore de magasins de chaîne.

Très bon plan : les **factory outlets,** d'énormes centres commerciaux situés généralement à la périphérie des villes et signalés par des panneaux publicitaires le long des *interstates* (autoroutes). Ces *outlets* regroupent les magasins d'usine de grandes marques américaines de vêtements et chaussures : *Ralph Lauren, Timberland, Converse, Reebok, Nike, Gap, Levi's, J. Crew, Tommy Hilfiger, Brooks Brothers, OshKosh* (pour les petits)... Les articles sont souvent écoulés toute l'année à des prix défiant toute concurrence (parfois jusqu'à 75 % de réduction en période de soldes !) et proviennent souvent du stock des collections précédentes. Ils peuvent parfois présenter des défauts (mention *irregular* sur l'étiquette, parfois importants, le plus souvent minimes). Nous indiquons quelques adresses de ces véritables « temples des soldes », où les Américains passent volontiers l'après-midi en famille. Une riche expérience sociologique.

BUDGET

Le coût de la vie est assez comparable entre la Californie et la France. Cela dit, on peut trouver la vie moins chère sur certains postes, comme le carburant, ou les restos catégorie « Bon marché à prix moyens ». Bien sûr, tout dépend du taux de change et du contexte économique au moment où vous vous y rendez.

– Très important : les prix affichés (dans les restaurants, hôtels, boutiques...) s'entendent toujours SANS LA TAXE, qui varie de 9 à 15,50 % dans l'hôtellerie et entre 4 et 7,25 % dans les autres secteurs (restauration, magasins... sauf musées).

UN BILLET PLUS VERT QUE VERT

Nul besoin de décimer des forêts pour fabriquer les dollars. Contrairement aux apparences, le célèbre billet vert n'est pas fabriqué à base de papier mais de tissu ! Eh oui, il est composé de 75 % de coton et de 25 % de lin. Avant la Première Guerre mondiale, des fibres de soie entraient même dans sa composition. Dur d'être faussaire !

Les moyens de locomotion

À l'exception de San Francisco, qui se visite surtout à pied et en transports publics, la voiture demeure le moyen de transport le plus pratique en Californie, en considérant le temps gagné. À Los Angeles, elle est tout simplement indispensable ! Si bien des États américains vendent l'essence moins cher qu'en France, la Californie se situe tout de même dans le haut de la fourchette américaine. Rappelons aussi que leurs voitures consomment plus que les nôtres. Pour comparaison, en 2013, le *gallon* (soit 3,8 litres) coûtait environ 4 à 5 $ en Californie, selon les pompes, ce qui reste encore moins cher que chez nous... Bien sûr, tout dépend de l'endroit où vous faites le plein (plus on s'éloigne des centres urbains, plus c'est cher). Ajoutez à cela le coût de location d'un GPS (très utile à L.A. !), sauf si vous avez déjà le vôtre.

Le logement

Fini les motels à 25 $ le long de la route, comme on pouvait les trouver dans les années 1990. Dans certaines régions de Californie, notamment sur la côte, la part du budget consacrée au logement risque d'être importante, surtout si vous voyagez en haute saison et le week-end, où les prix flambent.
Nous indiquons les tarifs pour deux personnes, en haute saison principalement. Exception faite naturellement pour les AJ (prix par personne) et les campings (prix par emplacement). Tous les tarifs sont généralement mentionnés hors taxes, il faut donc toujours ajouter de 9 à 15,5 % !
Le plus économique est de circuler en voiture et de **camper** dans les parcs nationaux, où les prix sont raisonnables (10-30 $ l'emplacement, celui-ci pouvant le

plus souvent accueillir jusqu'à six personnes, et parfois jusqu'à deux véhicules). Les prix sur la côte et dans les campings privés sont eux beaucoup plus variables et atteignent parfois des sommets (il n'est pas rare, par exemple, de trouver des emplacements à 50-60 $ dans les campings de la côte entre Los Angeles et San Diego). Ceux qui n'ont pas la possibilité de planter la tente pousseront la porte d'une *AJ* ou d'une *YMCA/YWCA*. Un lit en dortoir, selon la saison et la ville, coûte dans les 20-30 $ la nuit par personne en saison, et une chambre privée double (avec salle de bains partagée) dans les 60-70 $ en moyenne. Dans les *motels*, compter 70-100 $ en moyenne pour une chambre double en saison (jusqu'à 150 $ à San Francisco). Enfin, pour une nuit dans un *hôtel* ou un *B & B*, il faudra s'intéresser plutôt aux catégories « Très chic ». Bon à savoir, pour ceux qui voyagent à plusieurs : dans les motels comme dans les hôtels, les chambres à deux lits pouvant accueillir quatre personnes ne sont généralement pas beaucoup plus chères que pour deux (on paie le nombre de lits plus que le nombre de personnes).

Les prix varient presque toujours selon la *saison,* souvent aussi en fonction du jour de la semaine (plus cher le week-end et en été). La haute saison débute grosso modo en mai pour s'achever en septembre, mais certains établissements la font débuter en mars et terminer en novembre ! Dans les régions désertiques du Sud, elle s'étire de novembre à mars-avril. En basse saison, les tarifs diminuent de 20 à 40 %, et parfois plus encore. Il faut savoir aussi que, bien souvent, les hôtels et motels font payer un supplément lorsque la période est particulièrement *busy* en raison d'un week-end prolongé ou d'un événement local (par exemple une convention...) Les prix indiqués sont souvent négociables en fonction du taux de remplissage de l'hôtel.

Voici nos *fourchettes de prix* ; attention, les prix sur la côte de San Francisco à Los Angeles sont plus élevés.

- *Très bon marché :* jusqu'à 30 $ (lit pour une personne).
- *Bon marché :* de 45 à 70 $ (chambre double).
- *Prix moyens :* de 70 à 100 $ (chambre double).
- *Chic :* de 100 à 150 $ (chambre double).
- *Très chic :* plus de 150 $ (chambre double).

Le *petit déj continental* (léger donc) est de plus en plus souvent inclus dans le prix de la chambre (il s'agit cependant généralement d'un petit déj léger servi dans le *lobby* de l'hôtel ou du motel, avec café-jus de chaussette, muffins ou gâteaux sous plastique et, parfois, des céréales). Si ce n'est pas le cas, compter 8-15 $ pour le prendre à l'extérieur. Très pratiques, les cafetières à disposition dans les chambres d'hôtel permettent de se bricoler un petit déj économique, avec quelques cookies ou muffins achetés au supermarché (yaourt et jus de fruit s'il y a en plus un mini-frigo).

Le *parking* est souvent payant dans les grandes villes (compter de 8 à 25 $ pour 24h, mais ça peut aller jusqu'à 40 $ dans certains hôtels chic).

Les restos

Ici, les fourchettes de prix sont celles d'*un plat à la carte le soir* (c'est souvent moins cher le midi). Un plat suffit généralement, vu la taille des portions américaines. On peut aussi partager sans problème. *Ne pas oublier de rajouter la taxe et le pourboire* (voir rubrique « Taxes et pourboires ») : donc 25 % en plus...

- *Bon marché :* moins de 12 $.
- *Prix moyens :* de 12 à 20 $.
- *Chic :* de 20 à 30 $.
- *Très chic :* plus de 30 $.

Les loisirs

Petit avertissement pour ceux qui sont ric-rac côté finances : les sirènes de la consommation ont plus d'un tour dans leur sac pour vous séduire. Bref, lors de la préparation budgétaire de votre futur merveilleux voyage, ne vous serrez pas trop la ceinture côté plaisir, car vous allez le regretter sur place.

CLIMAT

Du fait de l'immensité du territoire californien, les climats sont très variés. San Francisco connaît de faibles écarts de température d'une saison à l'autre et un bon ensoleillement général d'avril à septembre. Pluies fréquentes en hiver. Méfiez-vous cependant du fameux brouillard qui surprend nombre de voyageurs, en particulier en été : il peut persister parfois toute la journée et donner la désagréable impression d'être en novembre en France. Dans les Rocheuses, le climat est continental (hivers très froids, étés chauds) alors que le climat du sud de la Californie est de type méditerranéen (hivers doux, étés secs et chauds). Notez que la température de la mer atteint

UN BONUS POUR CELSIUS

En 1724, le physicien allemand Gabriel Fahrenheit crée une échelle de température qui voit l'eau geler à 32 °F et bouillir à 212 °F. Pas bien pratique. En 1742, le Suédois Celsius remporte la mise en étalonnant ces 2 phénomènes physiques universels sur des chiffres ronds : quand l'eau gèle, il fera 0 °C, quand elle bout ce sera 100 °C. Personne n'a trouvé mieux ! Précisons que Fahrenheit prit comme 0 la température la plus basse de sa ville de... Dantzig (l'actuelle Gdansk polonaise) durant le mémorable hiver 1708-1709 et comme point haut celle du sang de cheval ! À se demander pourquoi les Américains, pourtant si pragmatiques, utilisent encore cette échelle de fou...

à peine 19 °C au cœur de l'été à Los Angeles et 16 °C à San Francisco. À cette même période, les brouillards sont fréquents sur la côte et le vent froid. Le nord-est de L.A. est désertique ; il est d'ailleurs préférable de visiter la Death Valley à l'automne ou au printemps car l'été est torride. Pour éviter l'insolation, buvez beaucoup d'eau, munissez-vous de lunettes de soleil, d'un chapeau et enduisez-vous d'écran total. Un conseil pour Yosemite : renseignez-vous avant de vous y aventurer en dehors de la période estivale. Au printemps, par exemple, les températures sont très variables, imprévisibles et peuvent être franchement froides. On en a vu mettre les chaînes en plein mois d'avril !

Il est difficile de transformer de tête les degrés Fahrenheit en degrés Celsius. Aux degrés Fahrenheit, soustraire 30, diviser par 2 et ajouter 10 % – ou enlever 32 et diviser par 1,8. Une dernière méthode de conversion (approximative, certes) pour les nuls en calcul mental : retrancher 26 °F, puis diviser par 2 et vous aurez des Celsius ! – *Infos sur la météo :* ● weather.com ● C'est le site de la chaîne TV *The Weather Channel,* que l'on capte dans tous les hôtels.

DANGERS ET ENQUIQUINEMENTS

Dans les villes

Il n'y a pas de commune mesure entre *l'atmosphère quasi provinciale des villes de San Francisco, Santa Barbara, Monterey, Carmel,* et celle de Los Angeles. Les quatre premières, à taille humaine, ont à gérer les problèmes de délinquance banals pour ce type de ville, mais ne sont en rien des « cas » dans le paysage urbain américain. Elles seraient même plutôt beaucoup plus tranquilles que bien d'autres. Donc rien à craindre, si ce n'est les classiques pickpockets dans les sites les plus touristiques ; et certains quartiers un peu glauques à éviter le soir à San Francisco : le Tenderloin (à l'ouest de Union Square), de même que le sud de Mission et de SoMa.

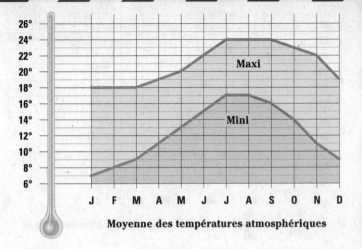

Moyenne des températures atmosphériques

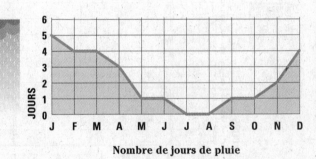

Nombre de jours de pluie

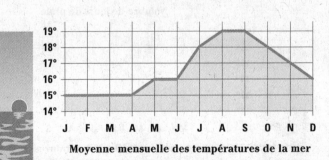

Moyenne mensuelle des températures de la mer

CALIFORNIE (Los Angeles)

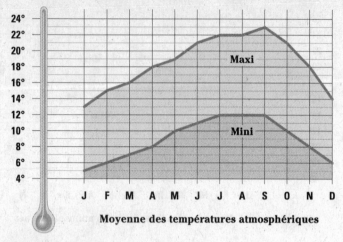

Moyenne des températures atmosphériques

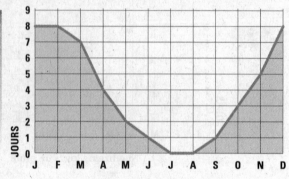

Nombre de jours de pluie

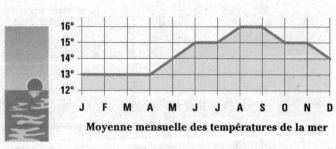

Moyenne mensuelle des températures de la mer

CALIFORNIE (San Francisco)

Fahrenheit	Celsius	Fahrenheit	Celsius
108	42,2	52	11,1
104	40	48	8,9
100	37,8	44	6,7
96	35,6	40	4,4
92	33,3	36	2,2
88	31,1	32	0
84	28,9	28	- 2,2
80	26,7	24	- 4,4
76	24,4	20	- 6,7
72	22,2	16	- 8,9
68	20	12	- 11,1
64	17,8	8	- 13,3
60	15,6	4	- 15,6
60	15,6	4	- 15,6
56	13,3	0	- 17,8

Pour Los Angeles, c'est une autre histoire : pour résumer, il ne faut pas traîner le soir dans le Downtown où erre une population de *homeless* (sans-abris), livrée à elle-même, mais aussi de *junkies* (drogués), notamment au croisement de Spring Street et 5th Street et dans la partie sud-est du Downtown. Attention aussi aux quartiers chauds dans lesquels habitent des minorités ethniques particulièrement pauvres, et où votre seule présence peut déjà être considérée comme une bravade ou une insulte. D'une manière générale, la nuit, éviter le « Southside », c'est-à-dire tous les quartiers qui longent l'Interstate 110 (Harbour Freeway) au sud de Downtown, notamment Watts, Compton et Inglewood, et ce, jusqu'au port de San Pedro. Toujours à L.A., certains secteurs, qui semblent particulièrement avenants dans la journée, peuvent changer radicalement de visage la nuit tombée. C'est le cas de la promenade *(boardwalk)* et de la plage à Venice. Si la « faune » qui y vit (ou y survit) paraît bien amusante de jour, cela peut être bien moins rigolo la nuit (là encore, problèmes de drogue et d'agression). N'oubliez jamais qu'à Los Angeles tout n'est que façade et superficialité, et que la terre promise n'a pas tenu ses promesses pour tout le monde. La décontraction du mode de vie ne doit pas empêcher d'être sur ses gardes. Dans les zones citées plus haut, ne rien laisser dans votre véhicule, car les voitures de location sont vite repérées et forcées. Petit conseil : quand vous vous garez, laissez donc visible l'intérieur de votre coffre en ôtant le rabat, si c'est possible. Les voleurs potentiels, observant qu'il n'y a rien à voler, passent plus facilement leur chemin.
Si vous optez pour des motels modestes, évitez d'y laisser des objets de valeur lorsque vous partez en balade, même si vous allez juste au resto en ville, car les serrures sont souvent enfantines à crocheter. En revanche, pour les établissements possédant des cartes-clés, pas de problème. D'une manière générale, tout mettre au coffre quand il y en a un, ça évite de se poser des questions.
Enfin, si vous considérez que se faire enlever sa voiture par la fourrière *(tow away)* ou collectionner les procès-verbaux *(tickets)* font partie des enquiquinements, alors soyez hyper vigilant sur les règles régissant le stationnement, particulièrement à Los Angeles. Lisez attentivement « Les règles de conduite » dans le paragraphe « La voiture » de la rubrique « Transports ».

Dans les parcs nationaux

En ce qui concerne les grands espaces, et notamment les parcs nationaux, les seuls vrais risques sont de croiser un grizzly mal léché ou un serpent à sonnette !

Évidemment, ne laissez pas votre argent dans votre tente, ni votre carte de paiement à portée de vol. Dans tous les parcs, les rangers assurent la sécurité de tous et sont là pour vous conseiller. Lors des randonnées, la majorité des incidents survenant dans les parcs sont le fait des touristes eux-mêmes : mauvaise préparation, manque d'eau, chaussures inadaptées, forme physique surévaluée. S'aventurer dans le Yosemite Park, par exemple, nécessite un minimum de préparation et de précautions. Et gare aux ours qui n'hésiteront pas à se servir dans votre tente et même dans votre voiture ! Quant aux moustiques, ils sont évidemment beaucoup moins dangereux mais beaucoup plus nombreux... Dans la Death Valley, c'est l'extrême chaleur qui représente le risque majeur. Là aussi, les règles élémentaires de bon sens et le respect des conseils donnés par les rangers s'imposent.

– En règle générale, veillez à avoir des réserves d'eau dans le coffre de la voiture quand vous partez et n'oubliez pas que les stations-service sont parfois très éloignées les unes des autres...

– Enfin, *en cas de problème urgent, composer le* ☎ *911* (gratuit de n'importe quel téléphone public ; inutile d'introduire des pièces).

DÉCALAGE HORAIRE

Il y a quatre fuseaux horaires aux États-Unis (six avec l'Alaska et Hawaii), et 9h de décalage entre Paris et la Californie (et le Nevada). Quand il est 12h en France, il est 3h du matin en Californie. L'heure d'été s'applique du 2ᵉ dimanche de mars au 1ᵉʳ dimanche de novembre – un poil plus tôt et plus tard que chez nous (du dernier dimanche de mars au dernier dimanche d'octobre). Dans ce cours intervalle, le décalage n'est donc que de 8h. Enfin, comme en Grande-Bretagne, quand on vous donne rendez-vous à 8.30 p.m., cela veut dire à 20h30. À l'inverse, 8.30 a.m. désigne le matin. Pensez-y, cela vous évitera de vous lever de très bonne heure pour rien ! Enfin, notez que 12 a.m. c'est minuit et 12 p.m. midi... et pas l'inverse.

ÉLECTRICITÉ

Généralement : 110-115 volts et 60 périodes (en France : 220 volts et 50 périodes). Attention : si vous achetez du matériel aux États-Unis, *prévoyez l'adaptateur et/ou le convertisseur électriques* qui conviennent. Les fiches électriques américaines sont à deux broches plates. Un *adaptateur* est impératif si vous voulez recharger la batterie de votre appareil numérique, de votre ordi ou de votre téléphone portable. Les appareils avec un moteur, type sèche-cheveux, rasoir électrique... nécessitent eux un *convertisseur.* En cas d'oubli, vous pourrez vous procurer un adaptateur dans les aéroports, à la réception de la plupart des hôtels, ou dans une boutique d'électronique, mais c'est nettement moins facile pour les convertisseurs.

FÊTES ET JOURS FÉRIÉS

Les jours fériés

Ils varient suivant les États. Mais voici les jours fériés officiels s'appliquent sur l'ensemble du territoire. Attention, presque toutes les boutiques sont fermées ces jours-là.

– *New Year's Day :* le 1ᵉʳ janvier.

LES FUSEAUX HORAIRES

– *Martin Luther King Jr's Birthday :* le 3e lundi de janvier, celui le plus près de son anniversaire, le 15 janvier. Un jour très important pour la communauté noire américaine.
– *President's Day :* le 3e lundi de février, pour honorer la naissance du président Washington, le 22 février 1732.
– *Memorial Day :* le dernier lundi de mai. En souvenir de tous les morts au combat. Correspond au début de la saison touristique.
– *Independence Day :* le 4 juillet, fête nationale, qui commémore l'adoption de la Déclaration d'indépendance en 1776.
– *Labor Day :* le 1er lundi de septembre. La fête du Travail. Marque la fin de la saison touristique.
– *Columbus Day :* le 2e lundi d'octobre. En souvenir de la découverte de l'Amérique par Christophe Colomb.
– *Veterans Day :* le 11 novembre.
– *Thanksgiving Day :* le 4e jeudi de novembre. Fête typiquement américaine commémorant le repas donné par les premiers immigrants (les Pères pèlerins) en remerciement à Dieu – et accessoirement aux Indiens – de leur avoir permis de survivre à leur premier hiver dans le Nouveau Monde. Fête familiale et chômée par à peu près tout le monde. L'occasion de dévorer une dinde rôtie gigantesque avec sa sauce aux canneberges et une tarte au potiron *(pumpkin pie)* en dessert !
– *Christmas Day :* le 25 décembre.
– Difficile, dans une rubrique sur les fêtes, de ne pas évoquer celle de *Halloween,* la nuit du 31 octobre au 1er novembre. Cette tradition celte, importée par les Écossais et les Irlandais, est aujourd'hui célébrée avec une grande ferveur aux États-Unis. Sorcières ébouriffantes, fantômes et morts vivants envahissent

TRAVAILLEURS DE TOUS LES PAYS...

Dans le monde entier, la fête internationale des Travailleurs se tient le 1er mai, jour revendicatif dont la date avait été choisie en souvenir d'une grève massive des ouvriers américains, débutée le 1er mai 1886 et qui fut réprimée dans le sang à Chicago. Dans le monde entier donc, sauf... aux États-Unis (et au Canada), qui la célèbrent bizarrement le 1er lundi de septembre !

les rues, tandis que les enfants, déguisés eux aussi, font du porte-à-porte chez les voisins en demandant « *Trick or treat ?* » (« Une farce ou un bonbon ? »), et repartent les poches pleines de bonbecs.

Fêtes et festivals californiens

En plus des jours nationaux (4 juillet en tête), dans les grandes villes de Californie, chaque communauté a sa parade. Les Américains en raffolent. Alors, dès que l'occasion se présente, on parade en fanfare. Pour connaître les dates exactes de ces parades, voir le *Visitor Center* de chaque ville.

– *Chinese New Year et Golden Parade* (Los Angeles et San Francisco) : *entre fin janvier et début mars, selon les années.* Parades, feux d'artifice, dragons à Chinatown. La plus grande fête pour la communauté asiatique.

– *Saint Patrick's Day* (San Francisco) : *le dimanche le plus près du 17 mars.* La bière coule à flots dans les pubs irlandais.

– *Cherry Blossom Festival* (San Francisco) : *2 w-e autour de mi-avril.* Japantown fête les cerisiers en fleur. ● *nccbf.org* ●

– *Cinco de Mayo* (Los Angeles et San Francisco) : *le 5 mai.* La plus grande fête mexicaine. On chante et on danse dans la rue jusqu'au petit matin.

– *Bay to Breakers* (San Francisco) : *le 3e dimanche de mai.* Cette course à pied centenaire, longue de 12 km, part du Ferry Building pour rejoindre Ocean Beach. On y va surtout pour les cohortes de participants déguisés qui font la fête tout le long du parcours.

– *Doheny Blues Festival* (Dana Point) : *fin mai.* Festival de blues reconnu dans tout le pays. Y ont gratté leur guitare : B.B. King, Crosby, Stills & Nash ou encore Brian Setzer des Stray Cats.

COMPLÈTEMENT À L'OUEST

Le dimanche, vers la mi-mai, des milliers de coureurs s'habillent (ou pas du tout !) de la façon la plus folle pour courir ce célébrissime marathon « Bay to Breakers » à travers San Francisco. À l'origine, il s'agissait de rigoler pour oublier le terrible tremblement de terre de 1906. Appareil photo obligatoire.

– *County Fairs* (San Diego, Orange County, Los Angeles) : *de mi-juin au 4 juillet à San Diego, de mi-juillet à mi-août à Costa Mesa (Orange County) et en septembre à Los Angeles.* Énormes foires populaires, celle de L.A. étant la plus grande d'Amérique du Nord. Nombreux stands agricoles, parcs d'attractions XXL et concerts avec de grosses pointures.

– *San Francisco Pride* : *le dernier week-end de juin.* C'est la fête homosexuelle par excellence, avec des défilés et des chars délirants. Convivialité et musique techno assurées. ● *sfpride.org* ●

– *California State Fair* (Sacramento) : *de mi-juillet à début août.* Bovidés, caprins, porcins et chevaux sont à l'honneur. Concours de rodéos, spectacles.

– *International Surf Festival* (Los Angeles) : *fin juillet-début août.* Démonstrations des beaux surfeurs bodybuildés de la côte ouest.

– *Burning Man* (Black Rock, Nevada) : *la dernière semaine d'août.* Même si cet événement déjanté a lieu dans le désert de Black Rock, au Nevada, l'idée, qui est née à San Francisco où est toujours basée l'organisation, est typiquement californienne. Chaque année, des allumés de l'art éphémère venus du monde entier érigent une ville et des installations temporaires en plein désert. À la fin, on brûle une immense effigie humaine comme dans une fête païenne. Attention, inscription très chère, à faire longtemps à l'avance ! ● *burningman.com* ●

– *Napa River Wine & Craft Fair* (Napa Valley) : *début septembre.* Démonstration du savoir-faire des vignerons californiens et dégustation gratuite des meilleurs crus.

– *Folsom Street Fair* (San Francisco) : *dernier dimanche de septembre.* Fête sado-maso, pour les amateurs de cuir. Un véritable spectacle, qui n'est pas

réservé aux adeptes du genre, car l'ambiance reste « bon enfant », mais à déconseiller aux plus prudes.
– **Oktoberfest** (Torrance, San Francisco) : *septembre-octobre.* L'équivalent de la fête de la Bière à Munich.
– **Hardly Strictly Bluegrass Festival** (San Francisco) : *fin septembre-début octobre.* 3 jours de musique folk et bluegrass (gratuite) dans le Golden Gate Park, qui drainent des centaines de milliers de personnes chaque année.
– **West Hollywood Halloween Costume Carnaval** (Los Angeles) : *le 31 octobre.* Plus de 500 000 personnes, déguisées comme il se doit, dansent sur Santa Monica Boulevard, côté West Hollywood bien sûr.
– **Día de los Muertos** (San Francisco et Los Angeles) : *le 2 novembre.* Fête mexicaine de la Toussaint, assez flippante car les morts viennent rendre visite (on a un peu de mal à imaginer) à leurs familles toujours en vie...
– **Hollywood Christmas Parade** (Los Angeles) : *le jeudi suivant Thanksgiving.* Sur Hollywood Boulevard et Sunset Boulevard : visiteurs, autochtones et stars du showbiz se côtoient pour la parade médiatique de l'année.
– **Tree lightning ceremony** (partout) : *fin novembre, en général pendant le long week-end de Thanskgiving.* Pour vous mettre dans l'esprit de Noël, rien de tel que l'illumination d'un sapin géant, en écoutant « Jingle Bells ».

LE WOODSTOCK DE L'UTOPIE

En 1986, Larry Harvey reprit l'idée de quelques amis en brûlant une effigie à chaque solstice d'été sur une plage près de San Francisco. De ce feu de joie païen, finalement interdit par la police mais qui fascinait les curieux, naquit une illumination : il fallait transférer l'événement dans... le désert du Nevada. Désormais, Burning Man accueille désormais 60 000 burners chaque année, qui y vivent selon des règles communautaires. De gratuite, l'entrée est passée à 400 $. Un énorme business !

HÉBERGEMENT

De tout et à tous les prix, du *camping* au palace historique en passant par l'*AJ,* le *ranch,* le *Bed & Breakfast,* le *boutique hotel design* et, bien sûr, l'incontournable *motel* en bordure d'autoroute, si emblématique des *roadtrips* américains.
Dans les endroits touristiques, *il est fortement recommandé de réserver* le plus longtemps possible à l'avance, surtout pour un séjour en haute saison, et le week-end toute l'année. Le plus simple est de le faire via le site internet des établissements ou bien par téléphone. On vous demandera systématiquement votre numéro de carte de paiement. Attention, si vous n'annulez pas votre réservation au moins un ou deux jours à l'avance (voire trois dans les zones les plus touristiques), vous serez débité de la totalité. Dans les *B & B,* le délai est souvent beaucoup plus long. Important à savoir, comme un peu partout aux États-Unis, *les prix varient beaucoup selon le remplissage,* et donc, en gros, selon la saison touristique. C'est ce qu'on appelle le système du *yield management.*

Les auberges de jeunesse

Outre les auberges privées, assez nombreuses, il existe une bonne vingtaine d'AJ membres de l'association *Hostelling International* dans l'État de Californie.
La plupart des auberges disposent d'une *cuisine* bien équipée et d'une salle commune. Les services ne coûtent pas cher : accès *Internet et wifi* (ce dernier étant même souvent gratuit), *laverie* à pièces, *navettes* diverses, excursions, TV,

etc. Les AJ sont souvent une mine d'infos en tout genre (*flyers* indiquant médecin, location de vélos, *roadtrips*, etc.). Aucune limite d'âge pour y séjourner.

La carte de membre *Hostelling International* n'est généralement pas obligatoire pour y être admis, mais vous paierez un peu plus cher sans (3 $ par nuit). Cette carte coûte 11 € (7 € pour les moins de 26 ans) en France et environ 28 $ aux États-Unis (18 $ plus de 55 ans, gratuite pour les moins de 18 ans ; voir « Avant le départ », plus haut). On peut se la procurer dans toutes les AJ membres du réseau ou sur Internet.

Dans les grandes villes, les AJ sont parfois installées dans de beaux bâtiments historiques et restent ouvertes 24h/24, contrairement à bon nombre d'AJ rurales, qui ferment parfois entre 10h et 17h (pour entretien ou parce que le proprio a un autre job). Dans les plus anciennes et les plus reculées, on vous demandera peut-être encore de participer aux tâches ménagères... Dans d'autres, renseignez-vous, il sera peut-être possible d'« échanger » votre séjour contre quelques heures de travail.

En haute saison, il est conseillé de **réserver** à l'avance. Plusieurs possibilités.

– **Sur Internet :** ● hiusa.org ● (rubrique « Reservations »), pour les AJ affiliées à *Hostelling International*.

– **Par téléphone, depuis les États-Unis :** ☎ 1-800-909-4776. Avoir sa carte de paiement sous la main et taper les trois premières lettres de la ville où se trouve l'AJ.

– **Par téléphone ou fax,** en contactant directement l'AJ.

– **Par** ● hostelworld.com ● où vous trouverez toutes les AJ, affiliées à *Hostelling International* ou non, et de bien utiles commentaires de routards pour vous faire une idée.

Les campings

On en trouve partout ou presque, des grands, des petits, des très beaux, des modestes. Beaucoup sont situés en pleine nature, mais, bien sûr, il y a aussi des campings urbains où s'entassent les RV (camping-cars), laissant parfois très peu de place pour les tentes. Si vous prévoyez d'emporter un brûleur, adoptez un modèle récent de la marque Camping-gaz ; on trouve facilement les recharges sur place dans les *general stores.* Il existe deux types de campings :

Les campings nationaux ou d'État (National ou State Campgrounds)

On en trouve partout dans les *National Parks, National Monuments, National Recreation Areas, National Forests* et *State Parks.* À privilégier, ces *campgrounds* étant généralement situés dans de beaux endroits préservés, en pleine nature. Ce sont les moins chers (entre 10 et 30 $ en général), et l'on paie en principe pour l'emplacement, jusqu'à 6 personnes, avec 1 ou 2 voitures autorisées. L'équipement des sites les moins chers est généralement très sommaire. Dans certains sites « primitifs » (non équipés), il arrive que ce soit gratuit, mais c'est de plus en plus rare. Dans les *campgrounds* les moins fréquentés, il faut déposer une enveloppe avec le prix de la nuit dans une borne, à l'entrée, en notant sur l'enveloppe vos nom et adresse, le numéro minéralogique de la voiture et celui de l'emplacement de camping retenu. N'essayez pas de gruger, car les rangers veillent et l'amende est salée.

L'espace entre chaque emplacement est généralement très correct. Mais ce n'est pas une raison pour faire du bruit le soir, car beaucoup de parcs imposent des *quiet hours* dès 22h. Il y a toujours des toilettes, des tables de pique-nique et des barbecues, mais pas nécessairement de douche ni d'eau potable, voire d'eau tout court dans les plus spartiates. Arrivez tôt le matin pour réserver votre emplacement dans les parcs ou, beaucoup plus sûr, réservez à l'avance quand c'est possible, même si c'est généralement payant (on peut le faire jusqu'à 6 mois à l'avance) car, en été, la demande peut être forte. Dans certains campings, il n'est pas possible de réserver. Dans ce cas, le premier arrivé est le premier servi (*first *come, first served !).* Essayez d'arriver avant midi (10h voire 8h pour les lieux les plus courus) si vous voulez avoir une petite chance de dénicher un site libre.

Pensez à faire vos courses dans un supermarché avant d'arriver, les boutiques sont rares ou alors très chères et moins bien fournies. Enfin, n'oubliez pas d'emporter des vêtements chauds. Certains parcs sont en altitude, et il arrive qu'en septembre ou en juin il gèle la nuit. Important : dans les parcs nationaux peuplés d'ours (Yosemite par exemple), suivez scrupuleusement les consignes des rangers concernant la cuisine et la manière d'entreposer les provisions et les déchets (en gros, il faut tout stocker dans la voiture). L'odorat de ces gros nou-nours est des plus pointu et ce n'est pas une toile de tente qui les empêchera de se payer un casse-croûte à vos dépens... On nous a même conseillé de changer de vêtements après la corvée de popote.

– Réservations pour camper dans les parcs nationaux :
➤ *Sur Internet :* • recreation.gov • C'est le plus pratique, même s'il faut s'inscrire pour accéder au système. On paie par carte de crédit en ligne et on peut même choisir son emplacement, avec les disponibilités affichées en temps réel !
➤ *Par téléphone :* ☎ 1-877-444-6777 ou 518-885-3639 depuis l'étranger. Fonctionne 10h-minuit, heure de la côte est (6h de moins par rapport à la France). Paiement par carte bancaire. Un numéro de réservation vous est donné, à ne pas perdre puisque ce sera votre sésame une fois arrivé au parc.
– Réservations pour camper dans les parcs d'État : cela permet de retenir à l'avance un emplacement dans un des campings d'État de Californie ouverts à la réservation (ce n'est pas le cas de tous). Comme pour les parcs nationaux, le règlement se fait par carte de paiement (compter environ 8 $ de commission). On peut réserver jusqu'à 7 mois à l'avance.
– California State Parks : ☎ 1-800-777-0369 ou 1-916-653-6995 (de l'étranger). • parks.ca.gov • Résas possibles jusqu'à 7 mois à l'avance. Frais de 8 $ pour chaque camping. En été, ce système est assailli par les appels. Appelez en milieu de journée et en milieu de semaine.

Les campings privés

Il n'y en a pas dans les parcs nationaux, mais certains sont installés tout près. Autant les campings nationaux ou d'État sont souvent de vrais petits édens, autant les campings privés manquent en général singulièrement de charme. Moins bien situés, souvent en bord de route, ils ont tendance à entasser les emplacements les uns sur les autres (question de rentabilité) en réservant la majorité de l'espace aux *RVs*, des camping-cars monstrueux, longs comme des bus (il n'est pas rare qu'un *RV* tracte un 4x4... Bonjour le retour à la nature !). Peu d'ombre, pas d'herbe ni d'intimité, on a alors l'impression de camper dans un parking ! Bien sûr, il y a des exceptions, certains camps sont très sympas (et, en général, ce sont les moins chers), ou à défaut relativement agréables. Le principal avantage de ces campings privés, c'est qu'ils offrent beaucoup plus de commodités et de services : sanitaires complets, électricité, machines à laver, boutique avec produits de première nécessité, tables de pique-nique et grilles pour barbecue. Dans certains, il y a même une piscine, un resto, le wifi, une cuisine... Bien sûr, c'est beaucoup plus cher que les campings nationaux (17-40 $ selon camping). Bon plan, ces campings proposent souvent des bungalows en bois *(cabins)* ou des mobile homes à louer au même prix (voire moins cher) qu'une chambre dans un motel, mais les draps ne sont pas toujours fournis. Il existe également des chaînes de camping comme *KOA (Kampgrounds of America)*, qui éditent une brochure (disponible dans tous les campings du groupe) avec toutes les adresses dans les 50 États et leur positionnement précis sur une carte routière. *KOA* propose également une carte d'abonnement *(Value Kard Rewards)* valable 1 an, qui coûte environ 25 $ et donne droit à 10 % de réduction.

■ **KOA (Kampgrounds of America) :**
☎ 1-800-562-8699. ● koa.com ●
■ Utiles (mais encombrants), le *Woo-dall's Campground Directory* (● woo dalls.com ●) ou le *Trailer Life* (● trailer lifedirectory.com ●) qui recensent les campings du pays.

Les motels

> **Lexique de l'hébergement américain**
>
> – *Double :* chambre double avec lit d'environ 1,40 m de large.
>
> – *Queen :* double avec lit d'environ 1,50 m de large.
>
> – *King :* double avec lit d'environ 2 m de large.
>
> – *Two double beds :* chambre avec 2 lits d'environ 1,40 m pouvant loger 4 personnes.
>
> – *Deluxe :* chambre un peu plus spacieuse en général (ou avec vue).
>
> – *Dorm bed :* lit en dortoir.
>
> – *Bunk beds :* lits superposés.
>
> – *Dorm with bathroom ensuite :* dortoir avec salle de bains attenante.
>
> – *Private room with shared bath :* chambre double avec salle de bains partagée.
>
> – *Private room with private bath :* chambre double avec salle de bains privée.
>
> – *Efficiency :* avec cuisine (ou kitchenette) équipée.

Le nom provient de la contraction des mots « motor » (moteur, donc voiture) et « hotel ». Logique, puisqu'ils sont conçus pour que l'on puisse se garer directement devant sa chambre. Comme vous le savez sans doute, c'est le type d'établissement le plus répandu aux États-Unis. Un motel, c'est donc un hôtel au bord d'un axe routier... plus ou moins fréquenté, généralement un bâtiment bas autour d'une vaste cour qui fait office de parking. Ils sont plutôt anonymes et proposent des chambres confortables, à la déco standardisée, avec salle de bains, clim et TV, mais parfois aussi un peu vieillottes voire vétustes, ça dépend de chacun et, surtout, de la catégorie. En général, cela dit, ils sont plus convenables que les hôtels de mêmes tarifs, sauf dans certaines grosses villes comme San Francisco où les motels sont assez chers. À propos de tarifs justement, ceux-ci varient le plus souvent selon la taille de la chambre et, surtout, le nombre de lits (*single bed* = lit pour pour deux, ou *two beds* = deux lits doubles) et leur taille (*queen-size, king-size*, etc.). Généralement intéressant pour les familles, qui peuvent occuper une chambre avec deux grands lits pour un prix avantageux (en général, les enfants de moins de 17 ans ne paient pas s'ils sont dans la chambre des parents). Le parking est gratuit, bien sûr (c'est le principe !). Pas la peine d'arriver avant 15h pour le *check-in*, la chambre n'est généralement pas disponible ou pas encore nettoyée. En revanche, le départ *(check-out)* se fait vers 11h-midi au grand maximum, ne l'oubliez pas non plus sous peine de payer un supplément !

Les **motels de chaîne** : *Comfort Inn, Days Inn, Holiday Inn* et *Holiday Inn Express, Hampton Inn, Best Western, Travelodge, Super 8* et *Howard Johnson* sont les chaînes de moyenne gamme les plus répandues. Le confort et la propreté y sont dans l'ensemble très satisfaisants, bien que, là aussi, coexistent des établissements anciens assez patinés et d'autres tout juste construits ou rénovés. On recommande aussi des chaînes de motels au confort très simple, voire basique,

comme *Motel 6* (où le wifi est parfois payant, mais pas cher), ou *Econo-Lodge.*
Dans la plupart des *Motel 6*, on peut dormir à 4 adultes dans la même chambre en
payant seulement le prix d'une double plus 3 $/personne pour le 3e et le 4e adulte
(● motel6.com ●). Attention, les tarifs changent d'un établissement à l'autre, en
fonction de la situation géographique surtout. Ici, un *Motel 6* sera bon marché
alors que, là, il sera dans les « Prix moyens ».

Quelques infos en vrac, valables pour les hôtels et les motels

– Sauf exception (précisée), les prix que nous indiquons s'entendent sans la *taxe*
de l'État (de 10 à 15 %).
– *Mieux vaut réserver à l'avance.*
– Notez que dès la réservation sur Internet ou par téléphone, il vous faudra fournir
un numéro de carte de paiement. Et à votre arrivée, on prendra l'empreinte de
votre carte de paiement, pour les *incidentals* comme ils disent, à savoir les éventuels frais de téléphone, minibar, *pay TV,* etc.
– La plupart des hôtels proposent des chambres équipées de *TV* (le plus souvent
écran plat avec câble), *AC, sanitaires complets et cafetière.* Si tel n'est pas le
cas, nous le précisons dans le commentaire. Plus on monte en gamme, plus ils
sont nombreux à inclure aussi un micro-ondes, un sèche-cheveux, un minifrigo
et le wifi (parfois aussi un ordi à disposition des clients qui n'ont pas de *laptop* ou
de tablette).
– *De plus en plus d'hôtels proposent aussi le petit déjeuner* (inclus dans le
prix de la nuitée). Le plus souvent, il s'agit d'un petit déj continental léger servi
dans le *lobby,* avec thé, café, et un choix de *muffins,* bagels, *donuts* ou gaufres
en libre-service. Pas vraiment folichon. Certains hôtels un peu plus haut de
gamme proposent parfois un buffet plus varié, avec céréales, fruits et même
des œufs. Si le petit déj n'est pas compris, allez plutôt le prendre à l'extérieur,
d'autant que les restos dédiés à cela ne manquent pas aux USA : en dehors de
nos adresses « Spécial petit déjeuner », bien sûr, on trouve des *diners* (restos traditionnels américains) ou des *coffee shops* un peu partout. En plus du petit déj,
certains hôtels (chic en général) incluent dans le prix de la chambre une *social
hour.* Bien belle invention, qui consiste à offrir un verre (soda ou bière en général)
au client, vers 17-18h.
– Cela peut surprendre dans ce pays, mais il y a encore quelques hôtels et motels
qui proposent des chambres *fumeurs.* Bien le demander au départ : risque
d'amende élevée (souvent 200 ou 300 $) pour avoir perverti l'atmosphère de la
chambre avec l'odeur du tabac ! Et on peut parfaitement débiter votre carte de
paiement après votre départ si le personnel s'en aperçoit...
– *Téléphoner en longue distance depuis les hôtels* coûte très, très cher. Si vous
ne voulez pas plomber votre facture de téléphone portable, la solution la plus économique consiste à acheter une carte téléphonique prépayée (voir plus loin « Téléphone
et télécommunications ») que vous utiliserez depuis le téléphone de votre chambre
d'hôtel. Une taxe d'environ 1 $ par appel vous sera parfois prélevée (même si la
communication n'a pas abouti, mieux vaut le savoir !), mais ce n'est rien à côté du
montant que vous auriez dû payer sans carte. Mieux : si le wifi est gratuit et que vous
êtes muni d'un ordinateur ou d'une tablette, appelez donc avec *Skype,* vous aurez le
son et l'image (à condition que votre interlocuteur soit équipé lui aussi).

Les *Bed & Breakfast*

Rien à voir avec nos chambres d'hôtes ou avec les *B & B* anglais, irlandais ou
écossais. En général logés dans d'anciennes *demeures de charme,* ce sont souvent de véritables bonbonnières, *cosy et archi-confortables,* où règne une atmosphère familiale, certes, mais haut de gamme, avec souvent un petit règlement

intérieur à respecter. Nettement plus personnalisés que l'hôtel donc, mais presque tous dans les *catégories « Plus chic » ou « Très chic »* (en moyenne, autour de 130 $ la nuit). Même si l'ambiance reste intime, on est parfois étonné du nombre de chambres dont disposent certains d'entre eux (une bonne dizaine, voire plus). Et, bien sûr, ils comprennent le petit déj, parfois copieux mais pas toujours. Leur *check-out* est souvent assez tôt (11h maximum). Enfin, *les fumeurs et les enfants de moins de 10-12 ans y sont rarement les bienvenus* (pour préserver la tranquillité des hôtes)...

L'échange d'appartements

Une formule de vacances originale et très pratiquée outre-Atlantique. Il s'agit d'échanger son propre logement (que l'on soit proprio ou locataire) contre celui d'un adhérent du même organisme dans le pays de son choix, pendant la période des vacances. Cette formule offre l'avantage de passer des vacances aux États-Unis à moindres frais, et intéressera en particulier les jeunes couples avec enfants. Voici deux agences qui ont fait leurs preuves :

■ *Intervac :* ☎ 05-46-66-52-76 *(0,15 €/mn).* ● *intervac-homeexchange. com* ● *Adhésion annuelle : env 100 € mais possibilité de s'abonner au mois slt et essai gratuit avt.*

■ *Homelink International :* 19, cours des Arts-et-Métiers, 13100 Aix-en-Provence. ☎ 04-42-27-14-14 ou 01-44-61-03-23. ● *homelink.fr* ● *Adhésion annuelle env 125 €.*

Les chambres d'hôtes, la location d'appartements ou de maisons

De plus en plus prisée par les Américains, cette formule est particulièrement intéressante pour les familles. On peut louer à la journée, à la semaine, ou au mois. Voici les sites les plus complets :

■ *airbnb :* ● *airbnb.com* ● *Le site est traduit en français, et les prix peuvent être convertis en euros.* On paie en ligne mais le proprio ne reçoit l'argent qu'après l'arrivée des clients, ce qui limite les arnaques. En cherchant bien et en s'y prenant à l'avance, on peut louer des lieux assez étonnants (maisons d'architectes connus par exemple) voire très originaux. Seul inconvénient : on ne connaît l'adresse exacte qu'après avoir réservé.

■ *VRBO :* ● *vrbo.com* ● En anglais seulement.

LANGUE

Voici un lexique de base pour vous débrouiller dans les situations de tous les jours. Pensez à notre *Guide de conversation du routard* en anglais.

Vocabulaire anglais de base utilisé aux États-Unis

Oui	*Yes*
Non	*No*
D'accord	*Okay*

Politesse

S'il vous plaît	*Please*
Merci (beaucoup)	*Thank you (very much)*
Bonjour !	*Hello ! (Hi !)*
Au revoir	*Good bye / Bye / Bye Bye*
À plus tard, à bientôt	*See you (later)*
Pardon	*Sorry / Excuse me*

Expressions courantes

Parlez-vous le français ?	*Do you speak French ?*
Je ne comprends pas	*I don't understand*
Pouvez-vous répéter ?	*Can you repeat please ?*
Combien ça coûte ?	*How much is it ?*

Vie pratique

Bureau de poste	*Post office*
Office de tourisme	*Visitor Center*
Banque	*Bank*
Médecin	*Doctor / Physician*
Hôpital	*Hospital*
Supermarché	*Supermarket*

Transports

Billet	*Ticket*
Aller simple	*One way ticket*
Aller-retour	*Round trip ticket*
Aéroport	*Airport*
Gare	*Train station*
Gare routière	*Bus station*
À quelle heure est le prochain bus/train pour... ?	*At what time is the next bus/train to... ?*

À l'hôtel et au restaurant

J'ai réservé	*I have a reservation*
C'est combien la nuit ?	*How much is it per night ?*
Petit déjeuner	*Breakfast*
Déjeuner	*Lunch*
Dîner	*Dinner*
L'addition, s'il vous plaît	*The check, please*
Le pourboire	*The tip / the gratuity*

Les chiffres, les nombres

1	*one*
2	*two*
3	*three*
4	*four*
5	*five*
6	*six*
7	*seven*
8	*eight*
9	*nine*
10	*ten*
20	*twenty*
50	*fifty*
100	*one hundred*

LIVRES DE ROUTE

::

Certains livres mentionnés dans cette liste peuvent être momentanément épuisés.
Vous pourrez toutefois les trouver sur ● *chapitre.com* ● ou ● *amazon.fr* ●

– *Sur la route* (1957), de Jack Kerouac ; roman (Folio). Avec ses compères Ginsberg et Burroughs, Kerouac, le vagabond écrivain, a inventé la Beat Generation, 20 ans avant les années 1970. *Sur la route* demeure le livre phare de nos ancêtres, les babas, partis sur les chemins de Katmandou. Déçus du rêve américain, ces révoltés refusent le conformisme et les rapports commerciaux qui régissent le mode de vie occidental,

L'HISTOIRE SANS FIN

La version originale du « tapuscrit » de Sur la route, *de Jack Kerouac, tenait sur un seul rouleau, un long ruban de papier de 36,50 m sur lequel l'auteur tapa frénétiquement son texte à la machine à écrire, sans faire de paragraphes ni de chapitres. Le texte original existe, mais pas tout à fait en entier. Le chien du colocataire de Kerouac mangea le dernier mètre du rouleau !*

pour exalter l'instant présent, la drogue, le sexe, le voyage et ses rencontres imprévues. Certains trouvent le bouquin ennuyeux mais Kerouac aurait voulu composer une œuvre de jazz littéraire. Et puis, quoi d'étonnant qu'il ait écrit un tel bouquin avec ses pieds ? À noter que la traduction de la version intégrale du manuscrit, avant censure, a été publiée en 2010 aux éditions Gallimard. Les personnages y retrouvent leur vrai nom... *Sur la route* a été adapté au cinéma en 2012 par Walter Salles.

Pour un livre de Kerouac se situant en Californie (*Sur la route* ne l'est que très peu), lire **Big Sur** (1962 ; Folio), où l'auteur, dans un état pitoyable, au bord de la folie, se réfugie à Big Sur après trois années de débauche. Là, seul dans une cabane plantée dans le cadre magnifique de cette partie de la côte californienne tant vantée par Henry Miller, il est rattrapé par ses démons...

– **Nouveaux contes de la folie ordinaire** (1977), de Charles Bukowski ; roman (Le Livre de Poche). Avant d'être connu pour ses poèmes et nouvelles dans la ligne de Kerouac et de Burroughs, Bukowski a exercé tous les métiers imaginables. Ses expériences sont la matière de ses romans qui racontent, de l'intérieur et sans fard (c'est le moins qu'on puisse dire !), un univers de paumés, de marginaux refusant de vivre l'ennui du « cauchemar climatisé made in USA ».

– **Big Sur et les Oranges de Jérôme Bosch** (1959), de Henry Miller ; souvenirs (éd. Buchet-Chastel). Il est un peu étrange que Henry Miller, après avoir vilipendé les États-Unis pendant une grande partie de sa vie, ait fini par s'établir sur la côte californienne (sur la célèbre Highway One). Ce livre est un chant d'amour à ce coin du monde choisi par lui : Miller en goûte l'isolement, la nature sauvage, les oiseaux, les séquoias immenses.

– **Demande à la poussière** (1939), de John Fante ; roman (10/18). Immigré italien à Los Angeles, Bandini est un écrivain raté doublé d'un amant lamentable. Ses mésaventures nous plongent au cœur de l'autre Amérique, celle des paumés et des filles de rues. Fante écrit avec l'énergie du désespoir, ce qui n'exclut pas un humour particulièrement corrosif. D'après Bukowski, un chef-d'œuvre absolu !

– **À l'est d'Éden** (1952), de John Steinbeck ; roman (Le Livre de Poche). L'histoire parallèle de deux familles, dans la vallée de Salinas. Celle de Samuel Hamilton, le sage Irlandais (à priori le grand-père de Steinbeck lui-même), grand conteur, inventeur dans l'âme et aux mains capables de fabriquer n'importe quoi (mais désespérément pauvre car vivant sur des terres stériles) et celle d'Adam Trask, originaire du Connecticut. Une fresque qui s'étend sur deux générations, commençant à la fin du XIXe s et se terminant pendant la Première Guerre mondiale. Dans cette belle œuvre aux personnages profondément humains et attachants, Steinbeck nous raconte son coin de Californie, ses habitants dans leur lutte contre le mal, les rapports qui se nouent entre deux frères... et nous livre quelques réflexions sur l'avenir de son pays, qui se révèlent aujourd'hui fort justes.

– **L'Or** (1925), de Blaise Cendrars ; biographie romancée (Folio Plus). Après avoir fait banqueroute, le général Sutter fuit la ville de Rünenberg, dans le Jura bâlois, et arrive dans l'Ouest américain en pionnier miteux, riche seulement de son appétit de vivre, de ses intuitions géniales et de son esbroufe. À Sacramento, il y a encore un fort qui porte son nom. Ce livre, après avoir transité sur la table de chevet d'un certain... Staline, a fait connaître mondialement son auteur, lui-même aventurier de renom.

– *Hollywood, ville mirage* (1937), de Joseph Kessel ; récit (éd. Ramsay, Poche Cinéma). « Movieland » vu par un grand de la littérature. L'auteur du *Lion* et des *Cavaliers* visita Hollywood en 1937, c'est-à-dire en plein Âge d'or. Subjugué par la « ville enchantée » et ses « usines à mirages », il décrit avec brio les « chaudières à images », rencontre des scénaristes, des agents, des producteurs dont le fameux Irving Thalberg, le « Napoléon du cinéma », que Scott Fitzgerald prendra comme héros dans son roman *Le Dernier Nabab*. En quelques pages, Kessel perce le mystère de Hollywood, cette ville fantastique, capable d'influencer le monde entier tout en fonctionnant comme une ruche coupée du monde. Le chapitre « Les Fruits du désert » raconte une virée à Palm Springs. Et celui intitulé « Jésus veut des dollars », relatant sa visite dans le temple d'une secte puissante, est presque visionnaire.

– *Mildred Pierce* (1941), de James M. Cain (éd. L'Imaginaire, Gallimard). Spécialisé dans l'écriture de scénarios pour les studios d'Hollywood et maître du roman noir, James M. Cain a vu plusieurs de ses romans adaptés au cinéma : *Le Facteur sonne toujours deux fois*, *Assurance sur la Mort* et *Mildred Pierce*, puissant portrait de femme et de mère protectrice à l'excès dans le Los Angeles des années 1930 (interprétée à l'écran par Joan Crawford et tout dernièrement par une Kate Winslet au sommet de son art dans une formidable mini-série produite par *HBO*).

– *City of Quartz – Los Angeles, capitale du futur* (1990), de Mike Davis ; sociologie (éd. La Découverte, Poche). L'auteur, lui-même né à Los Angeles et aujourd'hui enseignant en sociologie (qui s'affiche clairement à gauche), nous livre là un portrait en profondeur et une analyse pointue de Los Angeles, à travers son histoire, ses mythes, son urbanisme décadent, son individualisme, sa violence, son univers hyper sécuritaire, et les pouvoirs qui la dirigent. Quand « The American Dream » devient cauchemar...

– *La Route de Silverado* (publié entre 1883 et 1895), de Robert Louis Stevenson ; récit (éd. Phébus Libretto). Le 7 août 1879, Robert Louis Stevenson s'embarque sur le *Devonia* pour un voyage qui le conduira de l'Atlantique au Far West jusqu'à la mine d'argent désaffectée de Silverado. *La Route de Silverado,* journal, correspondance et récit autobiographique, se lit pourtant comme un roman.

– *Sang-mêlé* (1987), de Jim Thompson ; polar (Rivages-Noir). Au travers des aventures de Critch King, poursuivi par une meurtrière impitoyable et engagé dans une lutte mortelle avec ses frères, nous retrouvons la vie, pas si lointaine, de la Prairie, où la sauvegarde au quotidien est décrite sans fard, mais avec toute la distance de l'humour.

– *L'Incendie de Los Angeles* (1939), de Nathanaël West (éd. Seuil, Points). En suivant le personnage principal, Tod Hackett, qui travaille dans les studios de Hollywood, on découvre un monde cruel, en plein chaos, plein d'individus paumés... encore une vision de la planète cinéma peu reluisante !

– *La Ville de nulle part* (1965), d'Alison Lurie ; roman (Rivages-Poche). Dans les années 1960, un jeune couple originaire de Boston s'installe à Los Angeles, la ville de nulle part. Le conflit côte est/côte ouest n'épargnera pas leur union qui, peu à peu, se désagrège, l'un séduit par la frénésie californienne, l'autre attaché aux valeurs de la tradition. Le meilleur roman sur L.A.

– *Le Noyé d'Arena Blanca* (1973), de Joseph Hansen ; polar (Rivages-Noir). C'est la Californie mythique que Dave Brandstetter nous fait découvrir. Arena Blanca, une plage de sable bordée de quelques maisons de bois au toit plat... et le cadavre de Doug, un jeune Français.

– *Brown's Requiem* (1981), de James Ellroy ; polar (Rivages-Noir). Une histoire violente dont le privé Fritz Brown ne sortira pas indemne, nous entraînant à sa suite dans une noire errance, de meurtre en meurtre, de Los Angeles à Tijuana sur les traces d'un flic véreux, dont le châtiment laissera un goût amer... Du même auteur et tout aussi sombre, **Le Dahlia noir** (1987 ; Rivages-Noir), inspiré du meurtre (réel) jamais élucidé de Betty Short, retrouvée dans un terrain vague de Los Angeles en janvier 1947, le corps affreusement mutilé. Dans **Ma part d'ombre,** publié en 1996, on apprendra finalement pourquoi Ellroy s'est inspiré de cette affaire et, somme toute, pourquoi il consacre sa vie à l'écriture de polars aussi noirs : sa propre mère fut en effet assassinée en 1958. Il tenta même de retrouver le meurtrier avec l'aide d'un détective privé à la retraite en 1995... soit près de 40 ans après. Bien d'autres de ses œuvres ont pour cadre la ville de Los Angeles, notamment **Le Grand Nulle Part, L.A. Confidential** ou encore **White Jazz.**

– Dans les polars, toujours, vous trouverez les romans de Michael Connelly et leur héros récurrent, l'inspecteur Harry Bosch du Los Angeles Police Department. Le premier de la série étant **Les Égouts de Los Angeles** (1992 ; éd. Seuil, Points).

– **Chroniques de San Francisco** (1995), d'Armistead Maupin (éd. 10/18). Qui n'a pas dévoré les six premiers tomes de ces chroniques écrites par un habitant de San Francisco, relatant avec beaucoup d'humour les heurs et malheurs d'une communauté de locataires d'une maison de Russian Hill, tenue par une « femme » extraordinaire ? Ces ouvrages, à l'origine parus par épisodes dans le *San Francisco Chronicle*, ont connu un grand succès, car on y retrouve vraiment la vie de la génération des 20-40 ans des années 1970 aux années 1990. Maupin a aussi publié des romans, notamment **Maybe the Moon** (1992), sous la forme du journal intime d'une actrice de second rôle malmenée à Hollywood, et **Une Voix dans la Nuit** (2000), l'histoire d'une amitié téléphonique entre un écrivain et un enfant atteint du sida. Finalement, Maupin a replongé dans les *Chroniques*, en 2008, avec **Michael Tolliver est vivant** (sur la communauté gay des années 2000, mais un peu décevant), et **Mary-Ann en automne,** en 2011, où l'on retrouve tous les personnages familiers de cette saga face à la vieillesse et à la maladie.

– **America** (1995), de T. C. Boyle (Le Livre de Poche). Voici la rencontre tragique, dans les collines autour de Los Angeles, de deux mondes que tout oppose : celui de la bourgeoisie blanche, vivant quasi recluse dans un lotissement haut de gamme, et celui des Chicanos, sans abris et voués au malheur. Un livre âpre et sans illusions.

– **Los Angeles – L'architecture des quatre écologies** (1971), de Reyner Banham (éd. Parenthèses, coll. Eupalinos). Ce livre érudit écrit dans les années 1970 (il lui manque donc 40 ans d'évolution de la ville) vous donne des clés pour comprendre le monstre L.A., sa construction, son architecture et son évolution.

– **Los Angeles, Portrait of a City** (2009), de Kevin Starr et David L. Ulin et Jim Heimann (éd. Taschen). À travers plus de 500 photos, ce beau livre retrace l'histoire de la ville, ses mythes, les événements qui l'ont marquée, bouleversée... Un régal ! (Précisons que, malgré le titre anglais, les textes sont aussi en français).

MESURES

Même s'ils ont coupé le cordon avec la vieille Angleterre, même s'ils roulent à droite, pour ce qui est des unités de mesure, les Américains ont conservé un système anglo-saxon. Après les Fahrenheit (voir « Climat »), les tailles de vêtements et le voltage électrique (voir « Électricité »), une autre différence à assimiler. On a essayé de limiter les dégâts en vous précisant quelques équivalences : bon courage pour les calculs !

Longueurs
1 yard = 0,914 m
1 foot = 30,48 cm
1 inch = 2,54 cm
0,62 mile = 1 km
1 mile = 1,6 km
1,09 yard = 1 m
3,28 feet = 1 m
0,39 inch = 1 cm

Poids
1 pound = 0,4536 kg
1 ounce (oz) = 28,35 g

Capacité
1 gallon = 3,785 l
1 quart = 0,946 l
1 pint = 0,473 l
1 fl. Ounce = 29,573 ml

ORIENTATION

Dans les grandes villes, une rue sépare les secteurs nord et sud. Idem entre l'est et l'ouest. Très utile de connaître les noms et l'emplacement de ces deux rues (ou avenues) de « référence » pour se repérer lorsqu'on cherche une adresse.

Il faut savoir un truc : les numéros des rues sont très longs... par exemple, le n° 3730 se situe entre le 37ᵉ bloc, ou rue, et le 38ᵉ ; ça peut ensuite passer de 3768 à 3800. Dans les communes très étendues, on a déjà vu des numéros dépasser les 10000... C'est loin, mais théoriquement pas compliqué à trouver. En réalité, on se plante toujours, du moins au début !

Autre principe à intégrer : le nom de la rue indiqué sur le panneau correspond à la rue que vous croisez et non à celle où vous vous trouvez.

Attention, il arrive (rarement) que ça ne marche pas comme ça, par exemple dans le quartier de Mission à San Francisco.

D'autre part, sachez que traverser hors des clous ou quand le feu est vert peut être passible d'une amende (environ 30 $).

Les abréviations suivantes ont été utilisées dans ce guide

Ave	Avenue	**Hwy**	Highway
Blvd	Boulevard	**Pl**	Place
Dr	Drive	**N**	North
Rd	Road	**S**	South
Sq	Square	**W**	West
St	Street	**E**	East
Gr	Grove		

PARCS ET MONUMENTS NATIONAUX

Les parcs nationaux ou d'État (*National or State Parks*) et les monuments nationaux (*National Monuments*) sont des endroits rigoureusement protégés. Pas de grande différence entre eux, si ce n'est que les premiers ont été créés par un vote du Congrès, les deuxièmes par décision du gouverneur de l'État et les derniers par décret du président des États-Unis. Des réglementations

COU DE PEAU

Si les vautours ont souvent le cou déplumé, c'est pour pouvoir plonger leur tête plus facilement dans les charognes en décomposition, sans risque de souiller leurs plumes et donc de les contaminer. La nature fait bien les choses, elle a pensé à protéger ces rapaces des parasites et des maladies.

très strictes préservent les parcs de toute dégradation humaine (50 $ d'amende si vous ramassez du bois mort, 500 $ pour un plein panier de champignons). Désormais, on n'éteint même plus les incendies s'ils ne sont pas d'origine humaine : le credo est au respect total des rythmes naturels et tant pis si une portion de forêt reste calcinée durant quelques années. À terme, cela est profitable à l'environnement. Le résultat est fabuleux : les parcs, quoique très fréquentés pour la plupart, sont de merveilleux enclos de beauté naturelle.

Les Américains ont néanmoins réussi à y intégrer toutes les commodités possibles en matière de **logement** : il est possible d'y passer la nuit dans un *lodge,* dans une cabane améliorée (bains, douche, kitchenette, TV...), sous une tente ou dans une caravane. Pour dormir dans un parc en été, il est bon de réserver longtemps à l'avance (plusieurs mois pour les parcs célèbres comme le Yosemite), ou de s'y prendre très tôt le matin lorsque la réservation n'est pas possible, comme dans les campings par exemple.

Tous ces parcs proposent des **programmes de visite** en groupe mais, si vous possédez une voiture, procurez-vous de bonnes cartes, une gourde, et une glacière pas chère. En y mettant des glaçons (la majorité des motels ont des distributeurs gratuits), vous y conserverez sandwichs et boissons toute la journée.

N'hésitez pas à vous enfoncer dans ces forêts de rêve, ces canyons dont les cartes postales ne seront jamais que le piètre reflet, ces vallées dont le cinéma ne restituera jamais la vraie grandeur. Les parcs les plus visités, comme celui de Yosemite, attirent plusieurs millions de visiteurs par an. C'est énorme ! Cela dit, les touristes américains, qui ont horreur de s'éloigner de leur voiture, ont tendance à s'agglutiner toujours aux mêmes endroits, près des points de vue. Les plus dégourdis éviteront donc assez facilement la foule en marchant un peu. Il ne faut pas cependant oublier certaines règles de prudence : se munir de chaînes en hiver (et même au printemps) dans le Yosemite, et faire attention aux ours (ce n'est pas une blague !). Dans la Death Valley, ne pas sous-estimer la chaleur et se munir d'une bonne réserve d'eau.

Ces dernières années, de nombreux parcs (dont Yosemite) ont mis en place des **systèmes de navettes gratuites** pour réduire le nombre de véhicules en circulation. Elles sont obligatoires dans certains secteurs, optionnelles dans d'autres, et plus ou moins pratiques d'utilisation.

– **Droits d'entrée :** la moyenne des droits d'entrée des parcs nationaux tourne autour de 15 $ par véhicule (et non par personne) pour une durée de 7 jours consécutifs. Cinq parcs (Bryce Canyon, Grand Canyon, Grand Teton, Yellowstone et Zion) sont à 25 $. Yosemite et la Death Valley à 20 $ (10 $ par personne si vous arrivez à pied, à moto, à vélo ou à cheval !). À contrario, le parc de Capitol Reef est gratuit, sauf pour l'accès à la *scenic drive* (5 $ par véhicule). Les monuments nationaux sont un peu moins chers (parfois gratuits, mais c'est rare, comme le canyon de Chelly). Il arrive que le droit d'entrée soit par personne. Attention, toutes les routes qui traversent un parc national obligent à payer le droit d'entrée.

– **Interagency Annual Pass** *(également appelé « America the Beautiful ») :* 80 $ pour une voiture et 4 adultes, chauffeur inclus (gratuit pour les moins de 16 ans). Vendu à l'entrée de chaque parc et sur Internet, il est valable un an et généralement rentabilisé à partir de cinq ou six visites. Ce *pass* donne droit à l'accès aux parcs et monuments nationaux de tous les États-Unis (nombre d'entrées illimité). Attention, il n'est pas transférable à quelqu'un d'autre : il faut signer au dos, mais deux signatures sont autorisées. Le *pass* ne donne pas accès à Monument Valley (qui se trouve sur les terres navajos) ni aux *State Parks* (logique, ce sont des parcs d'État). Notez que si vous décidez de payer le droit d'entrée à chaque parc, gardez tous vos reçus car, si, dans un délai de 2 semaines maximum, vous finissez par atteindre les 80 $, vous êtes en droit de demander un *pass* afin d'entrer gratuitement dans les suivants. *Infos au* ☎ *1-888-ASK-USGS (extension 1) ou 1-888-275-8747 (option 1).* ● store.usgs.gov/pass ●

– **Les centres d'accueil ou Visitor Centers :** dans tous les parcs naturels, il existe un ou plusieurs *Visitor Centers* où l'on trouve le plan et le journal du parc (avec des infos pratiques sur les sites, les randos, les activités, etc.), une variété remarquable de cartes topographiques, de superbes cartes postales et des livres splendides. Ils sont souvent tenus par des rangers qui peuvent vous donner de nombreux conseils pour les balades et l'hébergement. C'est le premier endroit où se rendre

PLANS ET CARTES EN COULEURS

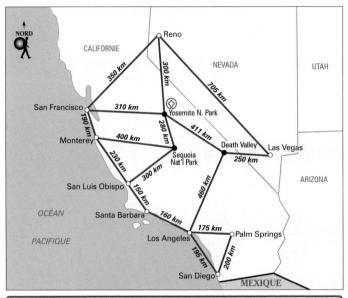

DISTANCES PAR LA ROUTE

SOMMAIRE

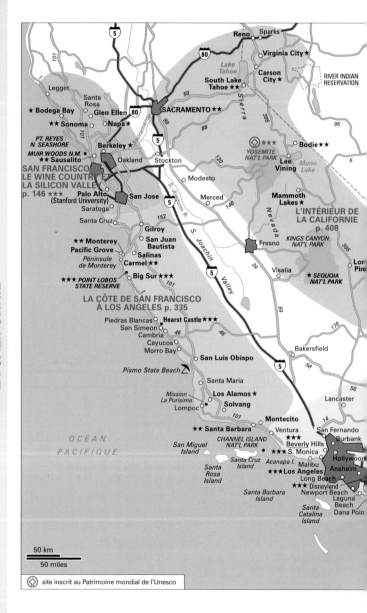

LA CALIFORNIE

5

Reno   Sparks

80   Virginia City ★

Lake Tahoe   Carson City ★   RIVER INDIAN RESERVATION

Legget   South Lake Tahoe ★★

Santa Rosa

★ Bodega Bay   O Glen Ellen   80   50   SACRAMENTO ★★   95

★★ Sonoma   O Napa ★

PT. REYES N. SEASHORE   Berkeley ★   88

MUIR WOODS N.M. ●   120   ★★★   ★ Bodie ★★

★★ Sausalito   Oakland   Stockton   *YOSEMITE NAT'L PARK*   Lee Vining   *Mono Lake*

SAN FRANCISCO,
LE WINE COUNTRY ET
LA SILICON VALLEY
p. 146 ★★★   Palo Alto   O Modesto

(Stanford University)   **San Jose**   Merced   140   **Mammoth Lakes ★**

Saratoga   **L'INTÉRIEUR DE**
LA CALIFORNIE
p. 408

Santa Cruz   152   *KINGS CANYON NAT'L PARK*

Gilroy   Fresno   Lor Pin

★★ Monterey   O San Juan Bautista

Pacific Grove   O Salinas   Visalia   ★ SEQUOIA NAT'L PARK

Péninsule de Monterey   Carmel ★★

★★★ *POINT LOBOS*   ● Big Sur ★★★

STATE RESERVE   101

LA CÔTE DE SAN FRANCISCO
À LOS ANGELES p. 335

Piedras Blancas O   Hearst Castle ★★★   Bakersfield

San Simeon O   46   46

Cambria O

Cayucos O   58

Morro Bay O   5

● **San Luis Obispo**

Pismo State Beach

Santa Maria   Lancaster

Mission   **Los Alamos ★**

La Purisima   Solvang   14

Lompoc   101

Montecito   San Fernando

★★ Santa Barbara   O Ventura   Burbank

CHANNEL ISLAND   ★★★

San Miguel   *NAT'L PARK*   Beverly Hills

Island   *Santa Cruz*   ★★★ S. Monica

OCÉAN   *Island*   Malibu

PACIFIQUE   *Acanapa I.*   Hollywood

Santa   ●   ★★★ Los Angeles   Anaheim

Rosa   Long Beach

Island   ★★★ Disneyland

Santa Barbara   Newport Beach

Island   Laguna Beach

Santa   Dana Poin

Catalina

Island

50 km

50 miles

⊘ site inscrit au Patrimoine mondial de l'Unesco

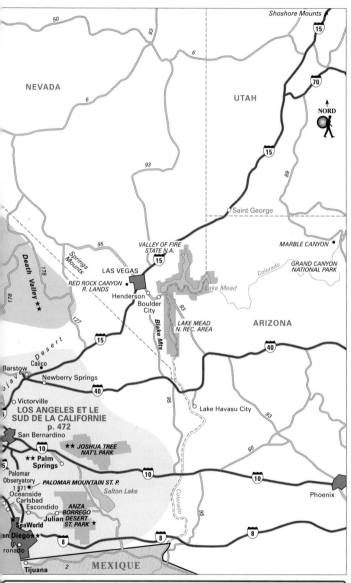

LA CALIFORNIE

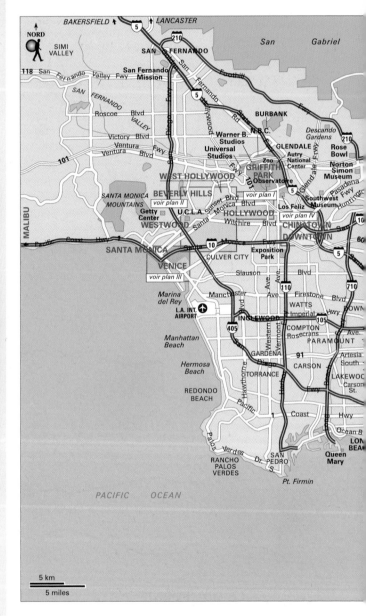

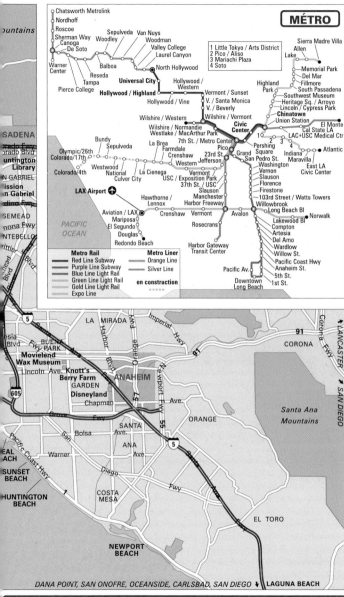

MÉTRO

1 Little Tokyo / Arts District
2 Pico / Aliso
3 Mariachi Plaza
4 Soto

Chatsworth Metrolink
Nordhoff
Roscoe
Sherman Way
Canoga
De Soto
Warner Center
Tampa
Pierce College
Reseda
Balboa
Woodley
Sepulveda
Van Nuys
Woodman
Valley College
Laurel Canyon
North Hollywood
Universal City
Hollywood / Highland
Hollywood / Western
Hollywood / Vine
Vermont / Sunset
V. / Santa Monica
V. / Beverly
Wilshire / Vermont
Wilshire / Western
Wilshire / Normandie
Westlake / MacArthur Park
7th St. / Metro Center
Civic Center
Union Station
Chinatown
Lincoln / Cypress Park
Heritage Sq. / Arroyo
Southwest Museum
Highland Park
South Passadena
Fillmore
Del Mar
Memorial Park
Lake
Allen
Sierra Madre Villa
El Monte
Cal State LA
LAC+USC Medical Ctr
Atlantic
East LA Civic Center
Maravilla
Indiana
Pershing Square
Grand
San Pedro St.
Washington
Vernon
Slauson
Florence
Firestone
103rd Street / Watts Towers
Willowbrook
Long Beach Bl
Norwalk
Lakewood Bl
Compton
Artesia
Del Amo
Wardlow
Willow St.
Pacific Coast Hwy
Anaheim St.
5th St.
1st St.
Downtown Long Beach
Pacific Av.
Harbor Gateway
Transit Center
Avalon
Rosecrans
Vermont
Crenshaw
Harbor Freeway
Manchester
Slauson
37th St. / USC
USC / Exposition Park
Vermont
Jefferson
23rd St.
Pico
Grand
Bundy
Sepulveda
La Brea
Farmdale
Crenshaw
Western
La Cienega
National
Culver City
Westwood
Colorado/4th
Olympic/26th
Colorado/17th
Hawthorne / Lennox
Aviation / LAX
Mariposa
El Segundo
Douglas
Redondo Beach
LAX Airport
PACIFIC OCEAN

Metro Rail
Red Line Subway
Purple Line Subway
Blue Line Light Rail
Green Line Light Rail
Gold Line Light Rail
Expo Line

Metro Liner
Orange Line
Silver Line

en construction

LOS ANGELES – PLAN D'ENSEMBLE ET DU MÉTRO

LA MIRADA
Imperial Hwy
CORONA
91
LANCASTER
SAN DIEGO
Corona Fwy
BUENA PARK
Movieland Wax Museum
Lincoln Ave. Knott's Berry Farm
GARDEN
Disneyland
Chapman
ANAHEIM
Ave.
ORANGE
Santa Ana Mountains
SANTA
ANA
Ave.
Bolsa
Warner
EAL ACH
SUNSET BEACH
HUNTINGTON BEACH
Pacific Coast Hwy
Diego
Fwy
COSTA MESA
EL TORO
NEWPORT BEACH

LOS ANGELES – PLAN D'ENSEMBLE

LOS ANGELES – HOLLYWOOD ET MELROSE (PLAN I)

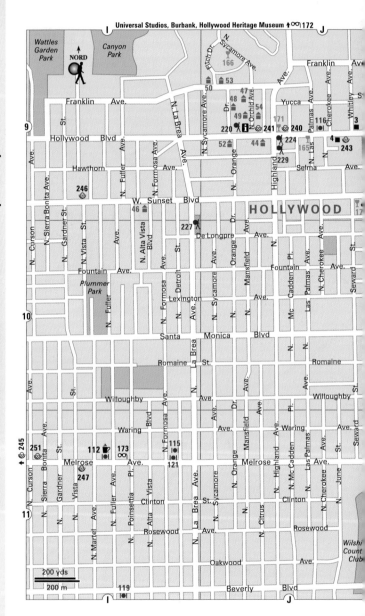

↓ Paramount Pictures Studios

■ Adresses utiles

- **ℹ** Hollywood Visitor Center
- **3** Continental Currency Services
- **4** High Tech Electronics
- **@9** Bibliothèque

⌂ Où dormir ?

- **41** USA Hostels Hollywood
- **42** Banana Bungalow Hollywood Hostel
- **43** Best Western Hollywood Hills Hotel
- **44** Hollywood International Hostel
- **46** Saharan Motor Hotel
- **47** Celebrity Hotel
- **48** Orange Drive Manor
- **49** Hollywood Orchid Suites
- **50** Highland Gardens Hotel
- **52** Hollywood Roosevelt
- **53** Magic Castle Hotel
- **54** Liberty Hotel

▮●▮ Où manger ?

- **110** Figaro Bistrot
- **111** Yuca's
- **112** Blu Jam Café
- **113** Birds
- **114** Best Fish Taco in Ensenada et Farfalla Trattoria
- **115** Pink's
- **116** Boardwalk et The Musso and Frank Grill
- **117** Joe's Pizza
- **118** Delancey
- **119** El Coyote
- **120** Umami Burger
- **121** M Café de Chaya

▮●♪ Où boire un verre ? Où sortir ?

- **165** Pig'n Whistle
- **166** Yamashiro
- **170** Cat and Fiddle Pub
- **171** Snow White
- **174** Avalon

∞ Où voir un spectacle ?

- **172** Hollywood Bowl
- **173** The Groundlings Theater

⚙ Achats

- **240** Frederick's of Hollywood
- **241** Hollywood & Highland
- **242** Amoeba Music
- **243** Hollywood Toys & Costumes
- **244** Iguana
- **245** Palais des Modes
- **246** Guitar Center
- **247** Wasteland
- **251** Toy Art Gallery

⚲ À voir

- **220** Grauman's Chinese Theater
- **224** Hollywood Wax Museum, Guiness World of Records Museum et Ripley's Believe It or Not !
- **225** Hollywood Forever
- **227** Studios de Charlie Chaplin
- **229** Hollywood Museum

LOS ANGELES – HOLLYWOOD ET MELROSE (PLAN I)

LOS ANGELES – WEST HOLLYWOOD, BEVERLY HILLS ET WESTWOOD (PLAN II)

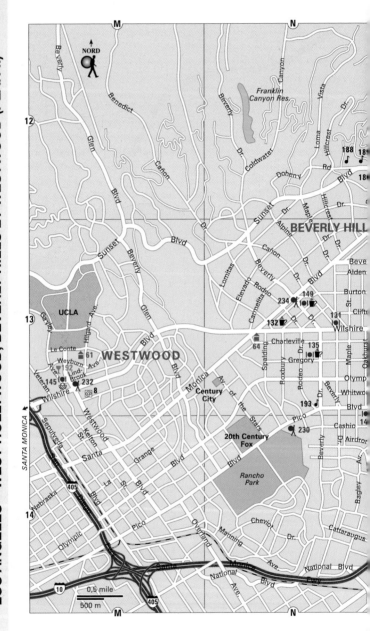

■ **Adresses utiles**

@ 8 Bibliothèque
11 Pharmacie

🛏 **Où dormir ?**

51 The Standard
56 Best Western Sunset Plaza Hotel
61 Hilgard House Hotel
62 Farmer's Daughter Motel
63 The Beverly Laurel Hotel
64 Maison 140
65 Park Plaza Lodge
66 Banana Bungalow & Orbit Hostel
67 Wilshire Crest Inn

🍴 **Où manger ?**

11 The Griddle Cafe
130 Barney's Beanery
131 Spago
132 Le Pain Quotidien
133 Clafoutis
134 Food trucks
135 Urth Caffe
136 Veggie Grill
139 Real Food Daily
140 Milky Way
141 Mel's Drive-in
142 Saddle Ranch Chop House
143 Canter's
144 Urth Caffe
145 Whole Foods Market
146 Koi
149 Nate'n'Al
233 Farmer's Market et Ulysses Voyage

🍸🎵 **Où boire un verre ? Où écouter de la musique ?**

186 The Viper Room
188 The Roxy Theatre
189 Whisky à Gogo
190 Molly Malone's
191 House of Blues
192 O'Hara's
193 The Mint
195 The El Rey Theatre

🎶■ **Où boire un verre ? Où danser ? Où voir un spectacle ?**

185 Here Lounge et The Abbey
187 Fiesta Cantina
194 The Comedy Store

🎭 **À voir**

223 The Schindler House
225 MOCA Pacific Design Center
230 Museum of Tolerance
231 Los Angeles County Museum of Art (LACMA)
232 Armand Hammer Museum of Art and Cultural Center
233 Farmer's Market
234 The Paley Center for Media
235 Petersen Automotive Museum

LOS ANGELES – WEST HOLLYWOOD, BEVERLY HILLS ET WESTWOOD (PLAN II)

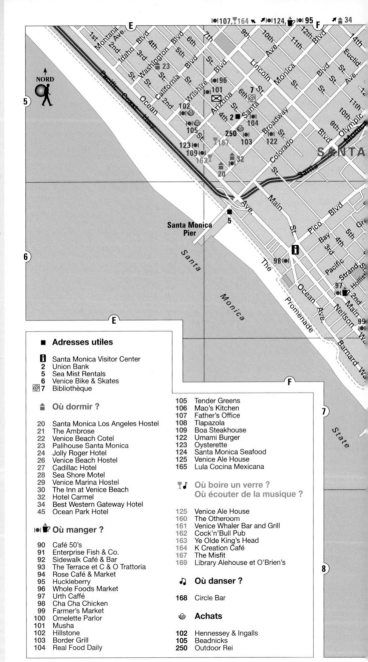

LOS ANGELES – SANTA MONICA ET VENICE (PLAN III)

NORD

Santa Monica Pier

■ Adresses utiles

- 🛈 Santa Monica Visitor Center
- **2** Union Bank
- **5** Sea Mist Rentals
- **6** Venice Bike & Skates
- @**7** Bibliothèque

≜ Où dormir ?

- **20** Santa Monica Los Angeles Hostel
- **21** The Ambrose
- **22** Venice Beach Cotel
- **23** Palihouse Santa Monica
- **24** Jolly Roger Hotel
- **26** Venice Beach Hostel
- **27** Cadillac Hotel
- **28** Sea Shore Motel
- **29** Venice Marina Hostel
- **30** The Inn at Venice Beach
- **32** Hotel Carmel
- **34** Best Western Gateway Hotel
- **45** Ocean Park Hotel

⦿🍽 Où manger ?

- **90** Café 50's
- **91** Enterprise Fish & Co.
- **92** Sidewalk Café & Bar
- **93** The Terrace et C & O Trattoria
- **94** Rose Café & Market
- **95** Huckleberry
- **96** Whole Foods Market
- **97** Urth Caffé
- **98** Cha Cha Chicken
- **99** Farmer's Market
- **100** Omelette Parlor
- **101** Musha
- **102** Hillstone
- **103** Border Grill
- **104** Real Food Daily
- **105** Tender Greens
- **106** Mao's Kitchen
- **107** Father's Office
- **108** Tlapazola
- **109** Boa Steakhouse
- **122** Umami Burger
- **123** Oysterette
- **124** Santa Monica Seafood
- **125** Venice Ale House
- **165** Lula Cocina Mexicana

🍸♪ Où boire un verre ?
Où écouter de la musique ?

- **125** Venice Ale House
- **160** The Otheroom
- **161** Venice Whaler Bar and Grill
- **162** Cock'n'Bull Pub
- **163** Ye Olde King's Head
- **164** K Creation Café
- **167** The Misfit
- **169** Library Alehouse et O'Brien's

♪ Où danser ?

- **168** Circle Bar

⊛ Achats

- **102** Hennessey & Ingalls
- **105** Beadnicks
- **250** Outdoor Rei

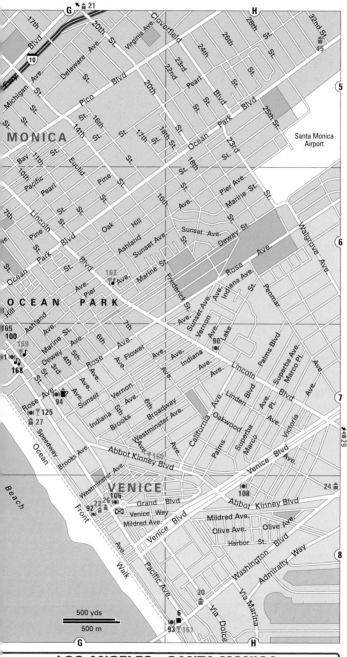

**LOS ANGELES – SANTA MONICA
ET VENICE (PLAN III)**

LOS ANGELES – DOWNTOWN (PLAN IV)

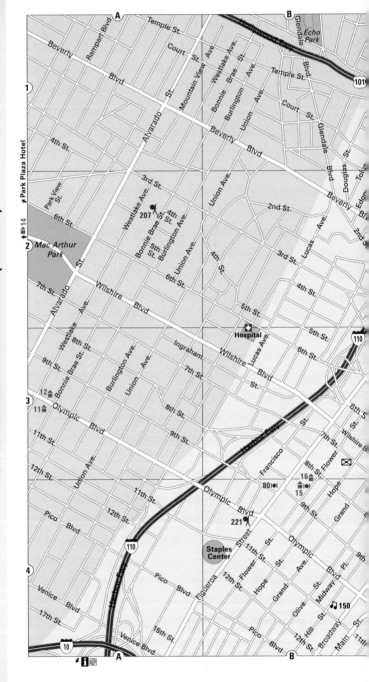

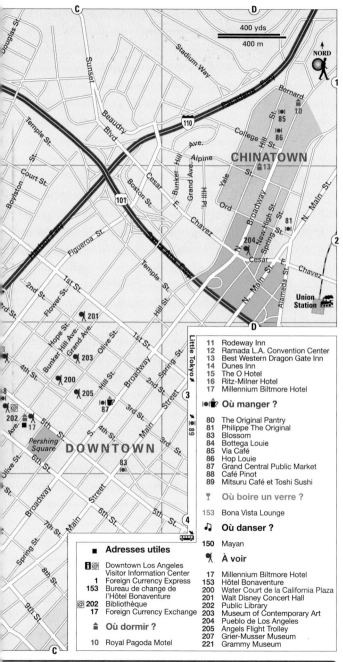

11 Rodeway Inn
12 Ramada L.A. Convention Center
13 Best Western Dragon Gate Inn
14 Dunes Inn
15 The O Hotel
16 Ritz-Milner Hotel
17 Millennium Biltmore Hotel

Où manger ?

80 The Original Pantry
81 Philippe The Original
83 Blossom
84 Bottega Louie
85 Via Café
86 Hop Louie
87 Grand Central Public Market
88 Café Pinot
89 Mitsuru Café et Toshi Sushi

Où boire un verre ?

153 Bona Vista Lounge

Où danser ?

150 Mayan

À voir

17 Millennium Biltmore Hotel
153 Hôtel Bonaventure
200 Water Court de la California Plaza
201 Walt Disney Concert Hall
202 Public Library
203 Museum of Contemporary Art
204 Pueblo de Los Angeles
205 Angels Flight Trolley
207 Grier-Musser Museum
221 Grammy Museum

Adresses utiles

Downtown Los Angeles Visitor Information Center
1 Foreign Currency Express
153 Bureau de change de l'Hôtel Bonaventure
202 Bibliothèque
17 Foreign Currency Exchange

Où dormir ?

10 Royal Pagoda Motel

14

SANTA BARBARA

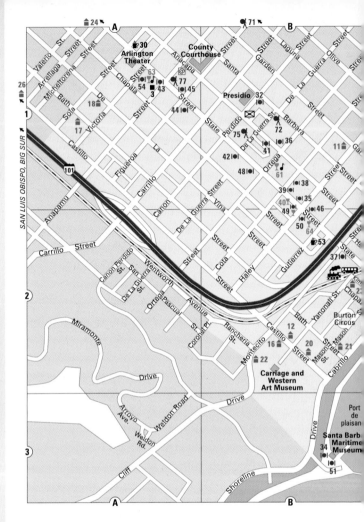

■ **Adresses utiles**

🛈 1 Visitor Information Center
🛈 @ 2 Visitor's Center privé - Santa Barbara Hot Spots
3 The Travel Store of Santa Barbara
4 Wheel Fun Rentals

⌂ **Où dormir ?**

10 Blue Sands Motel
11 Haley Cottages
12 Lavender Inn by the Sea
13 Motel 6
14 Pacific Crest Inn
15 Cabrillo Inn
16 Brisas del Mar Inn
17 The White Jasmin Inn
18 Country House
19 Old Yacht Club Inn
20 Days Inn
21 Casa del Mar Inn
22 Inn By the Harbor
23 Santa Barbara Tourist Hostel
24 Holiday Lodge, Motel 6, Sandpiper Lodge, Best Western Pepper Tree Inn, The

Cheshire Cat Inn, Simpson House Inn
26 Secret Garden Inn & Cottages

☂ **Spécial petit déjeuner**

30 Renaud's Pâtisserie & Bistro
53 D'Angelo Bread

|●| **Où manger ?**

32 Sojourner Café
33 Rose Café
34 Brophy Bros
35 The Natural Café

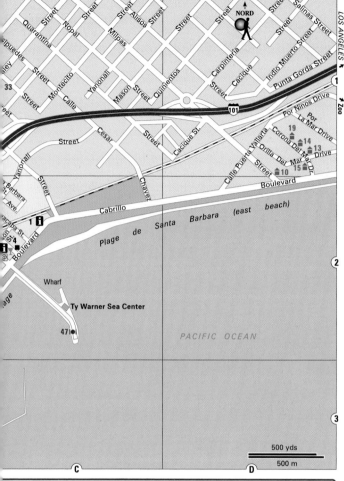

SANTA BARBARA

SANTA BARBARA

SAN DIEGO – DOWNTOWN (PLAN I)

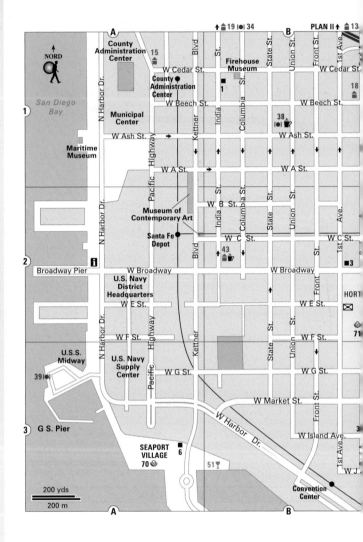

■ **Adresses utiles**

🅱 Visitor Center
🚌 Greyhound Bus Terminal
1 Consulat du Mexique
@ 2 Bibliothèque
3 Transit Store
4 Arts Tix
5 Travel Store

6 Upstart Crow
7 Horton Stand

🛏 **Où dormir ?**

10 Hostelling International USA San Diego
12 Lucky D's Hostel
13 Keating House Inn
14 Best Western Cabrillo Garden Inn

15 Pacific Inn
17 Days Inn
18 Motel 6
19 La Pensione Hotel
43 500 West Hotel

🍴 **Où manger ?**

30 Zanzibar Café
31 Hodad's
32 Café 222

SAN DIEGO – DOWNTOWN (PLAN I)

33 Valentine's
34 Filippi's Pizza Grotto
35 J. Wok
38 Karen Krasne Extraordinary Desserts
39 Fish Market
40 Sammy's Woodfired Pizza
41 Blue Point Coastal Cuisine

42 Sevilla
43 Grand Central Café
46 The Prado

Où boire un verre ? Où sortir ?

50 Patrick's Gaslamp Pub
51 Buster's Beach House
52 The Shout House

54 The Stage
55 Henry's Pub
56 The Field
58 Croce's
59 Dick's Last Resort

Achats

70 Seaport Village
71 Horton Plaza

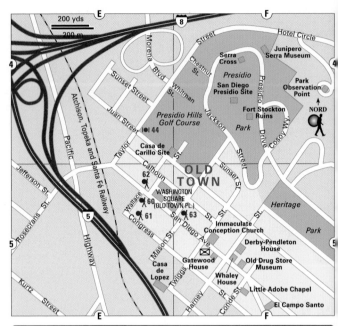

SAN DIEGO – OLD TOWN (PLAN II)

|●| Où manger ?	**61** Casa de Machado y Stewart
44 Casa Guadalajara	**62** Robinson Rose House
❦ À voir	**63** Casa de Estudillo
60 Casa de Machado y Wrightington	

■ Adresses utiles

- **ℹ** Visitor Center
- **1** Bike Palm Springs Rentals & Tours
- **2** Scoot Palm Springs (Ace Hotel)

🛏 Où dormir ?

- **10** Motel 6
- **11** Royal Sun Inn
- **12** Comfort Inn
- **13** Vagabond Inn
- **14** Ace Hotel & Swim Club
- **15** Orbit In
- **16** Desert Hills
- **17** Del Marcos Hotel
- **18** The Horizon Hotel
- **19** The Saguaro

🍴 |●| Où manger ?

- **14** King's Highway
- **20** Cheeky's
- **21** Ruby's Diner
- **22** Bit of Country
- **23** Palm Springs Koffi
- **24** Tyler's Burgers
- **25** Las Casuelas Terraza
- **26** Billy Reed's

🍦 Où manger une glace ?

- **30** Coldstone Creamery

🍸 🎵 🎶 |●| Où boire un verre ? Où sortir le soir ?

- **25** Las Casuelas Terraza
- **40** Lulu
- **41** The Village Pub
- **42** Zelda

❦ À voir

- **15** Orbit In
- **16** Desert Hills Hotel
- **17** Del Marcos Hotel
- **18** The Horizon Hotel
- **50** Kaufmann House
- **51** Maison d'Elvis Presley
- **52** Frey House II et Russell House
- **53** Bank of America
- **54** Kentucky Fried Chicken
- **55** Elrod House
- **56** Palm Springs City Hall
- **57** Maison de Frank Sinatra
- **58** Art Museum
- **59** Moorten Botanical Garden
- **60** Knott's Soak City

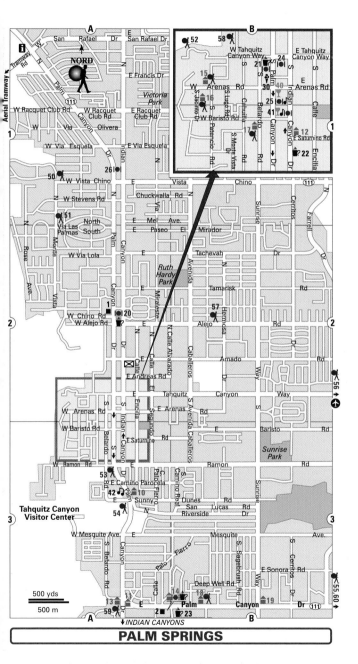

PALM SPRINGS

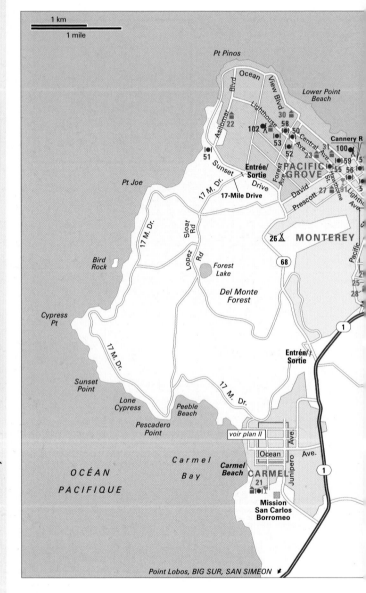

MONTEREY, PACIFIC GROVE ET CARMEL – PLAN D'ENSEMBLE

1 km
1 mile

Pt Pinos

Ocean

Lower Point Beach

Asilomar

22

102

30

58
50

Central Ave.

Cannery R

100

31

53

52

23

55
56

51

Entrée/Sortie

17-Mile Drive

PACIFIC GROVE

Forest Ave.

Hawthorne

David

Prescott

27

Pt Joe

Sunset Drive

17 M. Dr.

Sloat Rd

Lopez Rd

26

MONTEREY

68

Bird Rock

Forest Lake

Del Monte Forest

Cypress Pt

17 M. Dr.

Entrée/Sortie

1

Sunset Point

Lone Cypress

Peeble Beach

17 M. Dr.

Pescadero Point

voir plan II

Ocean Ave.

Juniand

Ave.

1

Carmel Bay

Carmel Beach

CARMEL

OCÉAN PACIFIQUE

21

Mission San Carlos Borromeo

Point Lobos, BIG SUR, SAN SIMEON ↓

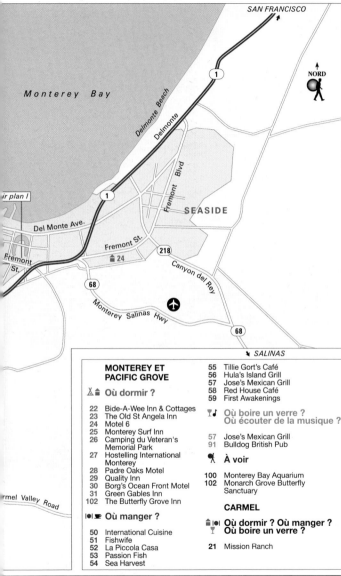

MONTEREY, PACIFIC GROVE ET CARMEL –
PLAN D'ENSEMBLE

MONTEREY – CENTRE (PLAN I)

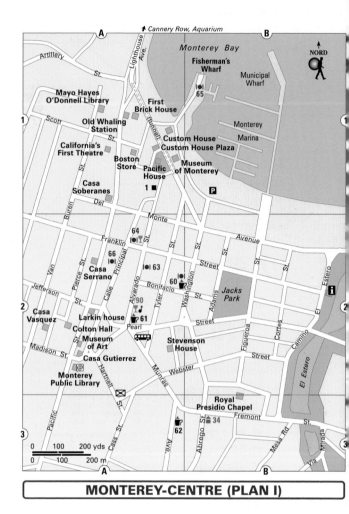

MONTEREY-CENTRE (PLAN I)

■ **Adresses utiles**

🛈 Visitor Information Center
@ Monterey Public Library
1 Adventures by the Sea

🛏 **Où dormir ?**

34 Hotel Abrego

|●| 🍴 **Où manger ?**

60 Paris Bakery

61 Old Monterey Café
62 The Wild Plum
63 Sushi Moto
64 Crown and Anchor
65 Domenico's on the Wharf
66 Montrio Bistro

🍸 🎵 **Où boire un verre ?**
Où écouter de la musique ?

64 Crown and Anchor
90 The Mucky Duck Pub

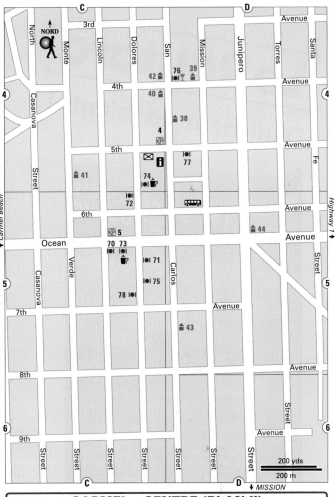

CARMEL – CENTRE (PLAN II)

■ Adresses utiles

- **ℹ** Visitor Center
- **@ 4** Pakmail
- **@ 5** Harrison Memorial Library

🏠 Où dormir ?

- 38 Carmel Lodge
- 39 Wayfarer Inn
- 40 Carmel Fireplace Inn
- 41 The Happy Landing
- 42 Svendsgaard's Inn
- 43 Coachman's Inn
- 44 Carmel Village Inn

|●| 🍴 Où manger ?

- 70 Dametra Café
- 71 Le Saint-Tropez
- 72 Jack London's Grill & Taproom
- 73 Carmel Bakery and Coffee Co
- 74 Em Le's
- 75 Little Napoli
- 76 Brophy's Tavern
- 77 Casanova Restaurant
- 78 La Bicyclette

🍸 Où boire un verre ?

- 76 Brophy's Tavern

Le Routard

Dénicheur de talents !

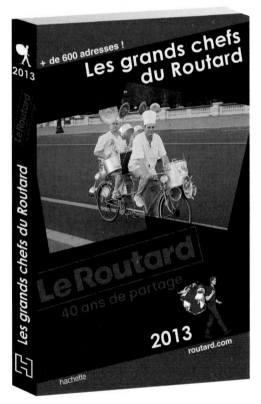

18.⁸⁰€

▸ Plus de 600 adresses avec des photos
▸ Plein de menus à moins de 30 €

en arrivant. C'est souvent aussi le point de départ des visites et toujours une mine de renseignements. La plupart sont même de véritables petits musées, avec panneaux explicatifs sur la géologie locale, la faune et la flore, projection de film, etc.
– *Sites internet des parcs nationaux américains :* pour toutes infos utiles, tarifs d'entrée, etc. : ● *nps.gov* ● suivi des premières lettres ou des initiales du parc. Ça marche presque à tous les coups ! Exemple : ● *nps.gov/yose* ● pour le Yosemite. Pour réserver un hébergement dans tous les parcs nationaux : ● *recreation.gov* ●
– *Junior Ranger :* tous les parcs nationaux proposent ce programme aux enfants dès 4 ans. Dans chaque parc visité, on leur fournit un carnet ludique à compléter. À la sortie, remise d'un diplôme et d'un badge avec l'emblème du parc. Les gosses adorent !

Abréviations utiles

NM = *National Monument* = monument national.
NP = *National Park* = parc national.
NHP = *National Historic Park* = parc national historique.
NHS = *National Historic Site* = site historique national.
NRA = *National Recreation Area* = zone récréative nationale.

POSTE
::

– *Les bureaux de poste* sont, pour la plupart, ouverts du lundi au vendredi de 8h à 17h et le samedi matin.
– *Les timbres (stamps)* s'achètent aussi aux guichets UPS, ainsi que chez certains vendeurs de cartes postales, drugstores (*Walgreens* par exemple) et marchands de souvenirs.
– Notez qu'il n'existe pas de bureaux de poste dans les *aéroports.* Si vous comptez poster la carte postale pour mamie à la dernière minute, venez avec le timbre ; il y a généralement des boîtes.
– Compter *un peu plus de 1 $ pour l'envoi d'une lettre ou d'une carte postale en France.*

SANTÉ
::

La sécurité sanitaire est excellente aux États-Unis, mais elle coûte les yeux de la tête, même pour les Américains. Comme dirait Patrick Timsit : « En Amérique, le médecin te fait un diagnostic en une minute. Il appelle ta banque : t'as pas d'argent, t'es pas malade ! »
Pas de consultation médicale à moins de 150 $, et une visite aux urgences coûte plusieurs milliers de dollars. Pour les médicaments, multiplier par deux au moins les prix français. D'où l'importance de souscrire, avant le départ, une *assurance voyage intégrale avec assistance rapatriement* (voir « Avant le départ »).

Les médicaments et consultations

– *Prévoyez une bonne pharmacie de base,* avec éventuellement un antibiotique à large spectre prescrit par votre généraliste (au cas où), à fortiori si vous voyagez avec des enfants. Sur place, si vous souffrez de petits bobos courants ou facilement identifiables (rhume, maux de gorge...), vous pouvez pratiquer en premier lieu l'automédication, comme le font les Américains. S'il vous manque quelque chose, sachez que de nombreux médicaments, délivrés uniquement sur ordonnance en France, sont vendus en libre-service aux États-Unis, dans les drugstores type *Walgreens, Duane Reade, CVS* ou *Rite Aid* (certains sont ouverts 24h/24). Si vous cherchez du *Doliprane,* le nom déposé le plus répandu est *Tylenol* (le paracétamol

se dit *acetaminophen* là-bas). Évidemment, si cela vous semble grave ou s'il s'agit d'enfants, un avis médical s'impose. Vous trouverez les coordonnées des médecins dans les pages jaunes (sur Internet : ● *yellowpages.com* ●) à *Clinics* ou *Physicians and surgeons*. Attention, on le répète : les consultations privées sont chères (150-200 $ minimum chez un généraliste...).
– Voir aussi « Urgences » plus loin.

Les maladies

Pas de panique à la lecture des lignes suivantes, qui n'ont pour but que d'améliorer les conditions de votre voyage et en aucun cas de vous angoisser sur ses risques potentiels.

Attention aux *tiques* dans les zones boisées, comme dans les parcs nationaux : leur piqûre peut transmettre la redoutable maladie de Lyme *(Lyme disease)*. Couvrez-vous bien la tête (chapeau), les bras, les jambes et les pieds (au mieux vêtements imprégnés d'insecticides, n'hésitez pas à vous enduire les parties restées découvertes avec des répulsifs – *repellents* en anglais – ; examinez-vous, faites-vous inspecter régulièrement (il faut 24h à une tique pour transmettre la maladie). Dans la moitié ouest du pays, diverses maladies, dont les rongeurs sont le réservoir de germes et les insectes les agents transmetteurs, sont présentes et en croissance (mais dans des proportions très faibles), essentiellement dans les parcs nationaux. C'est le cas du syndrome pulmonaire à hantavirus, rare mais dangereux, qui a défrayé la chronique médicale pendant l'été 2012 dans le parc de Yosemite. Ce virus, véhiculé par la salive, les selles et l'urine d'animaux (notamment les souris) peut être attrapé en respirant de la poussière où ils sont passés.

La virose à West Nile, et sa redoutable complication, l'encéphalite, est implantée aux États-Unis depuis 1999. Elle est transmise par les piqûres de *moustiques* très communs. Depuis 2003, l'épidémie se calme mais peut reprendre à tout moment sa virulence du début. Quoi qu'il en soit, dès le mois de mai et jusqu'au début de l'hiver, il convient d'éviter les piqûres de moustiques dans l'ensemble du pays : répulsifs cutanés à 50 % de DEET, imprégnation des vêtements, voire des moustiquaires.

Même si tous les moustiques ne sont pas vecteurs de maladies, ils gâchent parfois un peu le voyage ! Pensez à emporter dans vos bagages des produits anti-moustiques efficaces (par exemple *Insect Ecran*) car ils sont beaucoup plus chers là-bas. On en trouve en pharmacie ou en parapharmacie ou via le site de Santé Voyages ● *astrium.com* ● qui propose la vente en ligne de produits et matériel utiles aux voyageurs, parfois assez difficiles à trouver. Infos complètes toutes destinations, boutique en ligne en paiement sécurisé, expéditions par Colissimo Expert ou Chronopost. ☎ *01-45-86-41-91 (lun-ven 14h-19h)*.

Vaccins

Aucun vaccin exigé sur le sol américain mais, comme partout, soyez à jour de vos vaccinations « universelles » : tétanos, polio, diphtérie (Repevax) et hépatite B. Le vaccin préventif contre la rage (maladie transmissible par à peu près tous les mammifères, y compris les chauves-souris) est recommandé pour tout séjour prolongé en zone rurale ou en contact avec des animaux.

SITES INTERNET

● *routard.com* ● Rejoignez la plus grande communauté francophone de voyageurs ! Échangez avec les routarnautes : forums, photos, avis sur des hôtels. Retrouvez aussi toutes les informations actualisées pour choisir et préparer vos voyages : plus de 200 fiches pays, une centaine de dossiers pratiques et un magazine en ligne pour découvrir tous les secrets de vos destinations. Enfin, comparez les offres pour organiser et réserver votre voyage au meilleur prix. Routard.com, le voyage à portée de clics !

● *visitcalifornia.fr* ● Des informations pratiques et utiles qui vous donnent un bon aperçu de la Californie (géographie, histoire, réservations d'hôtels et de voitures, sites à visiter et activités, etc.). Et aussi, possibilité de télécharger des cartes de toute la Californie.

● *sunsetbld.com* ● Un site perso très complet et bien ficelé sur la Californie, avec des fiches pratiques par thème et par site touristique, un calculateur d'itinéraire et un lexique.

● *ouestusa.fr* ● Site perso géré par deux passionnés et consacré aux sites naturels de l'Ouest américain. Récit de leurs voyages, conseils rando hors des sentiers battus et surtout, nombreuses et superbes photos.

● *sanfrancisco.travel* ● Le site officiel de l'office de tourisme de San Francisco, très complet, avec des infos sur le logement, les restos, les visites à ne pas manquer.

● *sfist.com* ● Un blog à consulter surtout pour sa rubrique « Best of » : meilleurs restos végétariens de San Francisco, meilleurs *food trucks, diners,* cocktails, dance-clubs, *dive bars* (rades pourris)...

● *theperfectspotsf.com* ● Blog écrit (et richement nourri !) par une journaliste gastronomique qui collabore régulièrement au *San Francisco Bay Guardian.* Ses meilleures adresses du moment, ses trouvailles.

● *thebolditalic.com* ● Pour capter l'esprit de San Francisco, voici un blog assez pointu sur la ville, plutôt axé « art de vivre ».

● *7x7.com* ● Encore un blog bien dans l'air du temps, naviguant entre gastronomie, mode, musique et sorties et qui traite aussi du Wine Country.

● *thebaybridged.com* ● Tout sur la scène musicale indépendante à San Francisco, avec un *concert calendar* très pratique pour repérer en un seul clic qui passe et où.

● *discoverlosangeles.com* ● L'office de tourisme de Los Angeles propose des infos pratiques (transports, météo...) mais aussi un panorama assez complet sur les sites à visiter, les activités, les événements à venir, les concerts et les folles nuits de la Cité des Anges.

● *la.eater.com* ● Pour les « foodistas », voici un site spécial restos, avec les ouvertures, les changements de chefs, les nouveaux lieux à la mode... dans tous les quartiers de Los Angeles.

● *seeing-stars.com* ● Tout ce que vous avez toujours voulu savoir sur les *people* de Hollywood sans jamais oser le demander : les restos tenus par des célébrités, les endroits où les stars habitent (ou ont habité), font du sport ou leurs courses, où elles sont enterrées... Et plein de trucs pour devenir célèbre !

● *yosemiteconservancy.org* ● Site assez complet sur le parc de Yosemite par une association de défense du parc (en anglais).

● *recreation.gov* ● Site sur lequel vous devez réserver vos campings dans les parcs nationaux, comme ceux de Yosemite et de la Death Valley. En anglais.

● *nps.gov* ● Site très complet sur les parcs nationaux. C'est aussi sur ce site que vous pouvez acheter vos permis d'accès.

● *aimovement.org* ● Le site de l'*American Indian Movement.*

TABAC
::

Depuis 1996, l'État de Californie interdit de fumer dans les bars, les restaurants, les boîtes de nuit et autres casinos (les fumeurs invétérés se précipiteront à la frontière, dans les casinos du Nevada !).
– En fait, c'est interdit à l'intérieur de tous les bâtiments. Cela concerne aussi les parties communes des hôtels et les espaces situés à moins de 5 m des portes et

fenêtres (la plupart des établissements l'interdisent aussi dans leurs chambres, sous peine de forte amende). Il est même interdit de fumer dans sa propre voiture si l'on est accompagné de mineurs, ou fenêtres ouvertes dans certaines villes. En 2010, cette loi a failli être appliquée aux plages et aux espaces verts, mais Schwarzenegger, avant de partir, y a mis son veto, arguant de la liberté individuelle. Cela dit, ce n'est peut-être qu'une question de temps : fumer est tellement mal vu qu'il ne reste plus que 12 % de fumeurs en Californie, moitié moins que la moyenne nationale. Déjà, il est interdit de fumer dans les queues, les stades, les marchés et en terrasse des restaurants. Seuls les bars font exception, s'ils disposent d'un patio extérieur situé à plus de 3 m des portes et fenêtres. Dans les communes californiennes de Belmont ou San Luis Obispo, il est carrément interdit de fumer dans les parcs et même sur les trottoirs ! Aux dernières nouvelles, il serait même question d'interdire strictement aux gens de fumer chez eux quand ils habitent dans un appartement partageant murs et/ou système d'aération avec des voisins ! Cette disposition est déjà entrée en vigueur dans une dizaine de communes du Golden State, dont San Rafael... Pour les irréductibles, les cigarettes s'achètent dans les stations-service, les supermarchés, les drugstores type *CVS, Rite Aid, Walgreens* ou *Duane Reade* et les boutiques d'alcool *(liquor stores).*

TAXES ET POURBOIRES

D'abord les taxes...

Dans tous les États-Unis, les prix affichés dans les magasins, les hôtels, les restos, etc., s'entendent SANS TAXE. Celle-ci s'ajoute au moment de payer, et diffère selon l'État, le comté, la ville et le type d'achat. Dans les hôtels, elle oscille entre 10 et 15 % ; pour tout ce qui est restos, vêtements, location de voitures... elle varie entre 5 et 10 %.
Quelques secteurs, il est vrai peu nombreux, en sont exonérés.

... puis les pourboires (*tips* ou *gratuities*)

Dans les restos, les serveurs ayant un salaire fixe ridiculement faible, la majeure partie de leurs revenus provient des pourboires. Voilà tout le génie du capitalisme : laisser aux clients, selon leur degré de satisfaction, le soin de payer le salaire des serveurs. Cette sorte de double taxe (taxe d'État plus salaire du serveur), qui alourdit sérieusement le prix affiché. Reste qu'il est plutôt très rare d'être mal servi. Le sourire est même de rigueur, et on prend de vos nouvelles plutôt deux fois qu'une. On aurait même tendance à en faire un peu trop... pour obtenir un bon pourboire ! *Le tip est donc une institution à laquelle vous ne devez pas déroger* (sauf dans les fast-foods et endroits self-service). Un oubli vous fera passer pour le plouc total. Les Français possèdent la réputation d'être particulièrement radins et de laisser plutôt moins de 10 % que les 15-20 % attendus.
Pour savoir quel pourboire donner, il suffit de doubler la taxe ajoutée au montant de la note, ce qui représente, selon l'État, environ 15-17 % (et donc un pourboire honnête). Si vous payez par carte, n'oubliez pas de remplir vous-même la case *Gratuity* qui figure sur l'addition ou de la barrer si vous laissez un pourboire en liquide. Sinon, le serveur peut s'en charger lui-même et doper carrément l'addition en vous imposant un pourboire plus élevé que celui auquel vous auriez consenti. Vous risqueriez de ne vous en apercevoir qu'à votre retour, en épluchant votre relevé de compte bancaire (au fait, aux USA 1 s'écrit *l*, sans barre horizontale, donc attention à ce que votre 1 ne soit pas pris pour un 7 sur votre facturette !). Il arrive aussi – c'est très rare – que le

service soit ajouté d'office au total, après la taxe. Soyez vigilant pour ne pas le repayer une seconde fois. Cela se passe surtout avec les *parties* (groupes) de six ou plus, ou si l'on craint qu'en tant que touriste vous repartiez sans rien laisser ; et dans ce cas, le service est généralement facturé un peu plus cher (on frise les 20 %).

Dans les bars, le barman, qui n'est pas mieux payé qu'un serveur de restaurant, s'attend à ce que vous lui laissiez un petit quelque chose, par exemple 1 $ par bière, même prise au comptoir...

L'ORIGINE DU TIP

Au XVIIIe s, le patron d'un café outre-Manche eut l'idée de disposer sur son comptoir un pot portant l'inscription To Insure Promptness (littéralement, « Pour assurer la promptitude »). Les clients pressés y glissaient quelques pièces pour être servis plus vite. Les initiales formèrent le mot tip, devenu un incontournable du savoir-vivre américain.

Concernant les *taxis,* il est coutume de laisser un *tip* de 10 à 15 % en plus de la somme au compteur. Là, gare aux jurons d'un chauffeur mécontent ; il ne se gênera pas pour vous faire remarquer vertement votre oubli.

Enfin prévoir des billets de 1 $ pour tous les petits boulots de service où le pourboire est légion (bagagiste dans un hôtel un peu chic par exemple).

Calculer son pourboire

$	15 %	20 %	$	15 %	20 %	$	15 %	20 %	$	15 %	20 %
1	0.15	0.20	11	1.65	2.20	21	3.15	4.20	55	8.25	11
2	0.30	0.40	12	1.80	2.40	22	3.30	4.40	60	9	12
3	0.45	0.60	13	1.95	2.60	23	3.45	4.60	65	9.75	13
4	0.60	0.80	14	2.10	2.80	24	3.60	4.80	70	10.50	14
5	0.75	1	15	2.25	3	25	3.75	5	75	11.25	15
6	0.90	1.20	16	2.40	3.20	30	4.50	6	80	12	16
7	1.05	1.40	17	2.55	3.40	35	5.25	7	85	12.75	17
8	1.20	1.60	18	2.70	3.60	40	6	8	90	13.50	18
9	1.35	1.80	19	2.85	3.80	45	6.75	9	95	14.25	19
10	1.50	2	20	3	4	50	7.50	10	100	15	20

TÉLÉPHONE ET TÉLÉCOMMUNICATIONS

– *États-Unis → France :* 011 + 33 + numéro du correspondant à 9 chiffres (sans le 0 initial).

– *France → États-Unis :* 00 + 1 + indicatif régional à 3 chiffres + numéro du correspondant.

Tuyaux

– *Le réseau téléphonique :* les numéros de téléphone américains à 7 chiffres sont précédés d'un *area code* (indicatif régional). Exemple : 415 pour San Francisco.

Pour appeler d'une région à une autre, il faut composer le 1, puis l'*area code* et enfin le numéro de téléphone à 7 chiffres. Pour les communications locales, c'est variable d'une région à une autre mais il faut de plus en plus composer cet *area code*, même à l'intérieur d'une même zone téléphonique, sans le 1 devant, suivi des 7 chiffres du numéro de téléphone.

– **Tous les numéros de téléphone commençant par 1-800, 1-888, 1-877, 1-866 ou 1-855 sont gratuits** (compagnies aériennes, chaînes d'hôtels, agences de location de voitures...). On appelle ça les *toll free numbers* : nous les indiquons dans le texte, ça vous fera faire des économies pour vos réservations d'hôtels et vos demandes de renseignements (la plupart des *Visitor Centers* en ont un). Ceux des petites compagnies fonctionnent parfois uniquement à l'intérieur d'un État.

– **Les numéros gratuits sont parfois payants depuis les hôtels** et ne fonctionnent pas quand on appelle de l'étranger. En revanche, on peut quand même obtenir la communication (payante), en remplaçant 800 par 880, 888 par 881, et 877 par 882.

– **Certains numéros sont composés de mots,** chaque touche de téléphone correspond à un chiffre et à trois lettres, celles qu'on utilise pour écrire un SMS. Ce qui permet de retenir facilement un numéro (exemple : pour contacter les chemins de fer Amtrak, ☎ 1-800-USA-RAIL, équivaut à 1-800-872-7245).

Les règles de base pour téléphoner des États-Unis

Si vous ne voulez pas alourdir votre note de portable, le plus économique pour téléphoner aux États-Unis ou à l'étranger est d'appeler depuis un poste fixe avec une **carte téléphonique prépayée** *(prepaid phone card)*. Attention, ça ne marche pas si vous appelez d'un téléphone portable ! Ces cartes, qui disposent chacune d'un code « secret », sont vendues dans les super-marchés, *drugstores* (Duane Reade, CVS, Rite Aid, Walgreens...). Plusieurs montants possibles : 5, 10 $... Pour la connexion, il vous faudra d'abord composer un numéro gratuit indiqué sur la carte, qui commence par 1-800, puis suivre les instructions pour composer votre code secret puis le numéro que vous souhaitez joindre (pour la France : 011-33 + le numéro de votre correspondant à 9 chiffres, sans le 0 initial). Pour 5 $, vous pouvez téléphoner plus de 3h en continu vers la France si vous appelez un poste fixe (les unités défilent bien plus vite en appelant des numéros de portables) !

En revanche, **évitez absolument de téléphoner depuis les hôtels** (sauf avec une carte prépayée, bien sûr), qui pratiquent presque toujours des tarifs rédhibitoires. Dans certains d'entre eux, on peut aussi vous facturer une communication téléphonique même si l'appel n'a pas abouti ! Il suffit parfois de laisser quatre ou cinq coups dans le vide pour que le compteur tourne.

HALLOD ?

Le premier central téléphonique du monde est monté à Budapest par un ingénieur nommé Puskas, collègue de Thomas Edison. Pour tester la ligne, il crie « Hallod », qui en hongrois signifie « Tu m'entends ? ». Depuis, « Hallod » est devenu « Allô » pour une grande partie du monde.

Le téléphone portable en voyage

Le routard peut utiliser son propre portable aux États-Unis, à condition de posséder un **téléphone tri-bande ou quadri bande** avec l'option « Monde ». Pour être sûr que votre appareil est compatible, se renseigner auprès de votre opérateur.

– **Activer l'option « international » :** pour les abonnés récents, elle est en général activée par défaut. En revanche, si vous avez souscrit à un contrat depuis plus de 3 ans, pensez à contacter votre opérateur pour souscrire à l'option (gratuite). Attention toutefois à le faire au moins 48 heures avant le départ.

– *Le « roaming » :* c'est un système d'accords internationaux entre opérateurs. Concrètement, cela signifie que lorsque vous arrivez dans un pays, au bout de quelques minutes, le nouveau réseau s'affiche automatiquement sur l'écran de votre téléphone.

– Vous recevez rapidement un sms de votre opérateur qui propose un *pack voyageurs* plus ou moins avantageux, incluant un forfait limité de consommations téléphoniques et de connexion internet. À vous de voir...

– *Tarifs :* ils sont propres à chaque opérateur et varient en fonction des pays (le globe est découpé en plusieurs zones tarifaires). N'oubliez pas qu'à l'international, vous êtes facturé aussi bien pour les appels sortants que les appels entrants. Ne papotez donc pas des heures en imaginant que c'est votre interlocuteur qui payera !

– *Internet mobile :* si vous utilisez le réseau 3G (et non le wifi), les connexions à l'étranger ne sont pas facturées selon le temps de connexion, mais en fonction de la quantité de données échangées... Il peut suffire de quelques clics sur sa boîte mail et d'un peu de surf pour faire exploser les compteurs, avec au retour de voyage des factures de plusieurs centaines d'euros ! Le plus sage consiste à *désactiver la connexion 3G/4G* dès que vous passez les frontières. En effet, certains mobiles se connectent d'eux-mêmes sur internet à intervalles réguliers afin d'effectuer des mises à jour (c'est le cas des *Blackberry* par exemple). Résultat, même sans surfer, vous êtes connectés... et vous payez ! Il faut également penser à *supprimer la mise à jour automatique de votre messagerie* qui consomme elle aussi des octets sans vous avertir (option « Push mail »). Opter pour le mode manuel.

Bons plans pour utiliser son téléphone à l'étranger

– *Acheter une carte SIM/puce sur place :* c'est une option très avantageuse pour certaines destinations. Il suffit d'acheter à l'arrivée une carte SIM locale prépayée chez l'un des nombreux opérateurs *(Virgin Mobile, AT&T ou T Mobile par exemple)*, représentés dans les boutiques de téléphonie mobile en ville ou à l'aéroport. On vous attribue alors un numéro de téléphone local et un petit crédit de communication. Avant de signer le contrat et de payer, essayez donc, si possible, la carte SIM du vendeur dans votre téléphone – préalablement débloqué – afin de vérifier si celui-ci est compatible. Ensuite, les cartes permettant de recharger votre crédit de communication s'achètent facilement dans les boutiques de téléphonie mobile, supermarchés, drugstores, stations-service... C'est toujours plus pratique pour trouver son chemin réserver un hôtel, un resto ou une visite guidée, et bien moins cher que si vous appeliez avec votre carte SIM personnelle.

– *Se brancher sur les réseaux wifi* est le meilleur moyen de se connecter au web gratuitement ou à moindre coût. Presque tous les hébergements et de nombreux restos et bars disposent d'un réseau, gratuit la plupart du temps.

– Une fois connecté grâce au wifi, à vous les joies de la *téléphonie par internet* ! Le logiciel *Skype,* le plus répandu, vous permet d'appeler vos correspondants gratuitement s'ils sont eux aussi connectés, ou à coût très réduit si vous voulez les joindre sur leur téléphone. Autre application qui connaît un succès grandissant, *Viber* permet d'appeler et d'envoyer des SMS, des photos et des vidéos aux quatre coins de la planète, sans frais. Il suffit de télécharger – gratuitement – l'appli sur son smartphone, celle-ci se synchronise avec votre liste de contacts et détecte automatiquement ceux qui ont *Viber.* Même principe, mais sans la possibilité de passer un coup de fil, *WhatsApp Messenger* est une messagerie pour smartphone qui permet de recevoir ou envoyer des messages photos, notes vocales et vidéos. La 1re année d'utilisation est gratuite, ensuite elle coûte 0,99 US\$/an.

En cas de perte ou de vol de votre téléphone portable

Suspendre aussitôt sa ligne permet d'éviter de douloureuses surprises au retour du voyage ! Voici les numéros des quatre opérateurs français, accessibles depuis la France et l'étranger :

– **SFR :** *depuis la France,* ☎ *1023 ; depuis l'étranger,* 📱 *+ 33-6-1000-1900.*
– **Bouygues Télécom :** *depuis la France comme depuis l'étranger,* ☎ *0-800-29-1000 (remplacer le « 0 » initial par « + 33 » depuis l'étranger).*
– **Orange :** *depuis la France comme depuis l'étranger,* 📱 *+ 33-6-07-62-64-64.*
– **Free** : *depuis la France,* ☎ *3244 ; depuis l'étranger,* ☎ *+ 33-1-78-56-95-60.*

Vous pouvez aussi demander la suspension depuis le site internet de votre opérateur.

Internet

Peu de cafés Internet, même dans les grandes villes. La tendance est un peu la même dans les hébergements : s'il y a *le wifi presque partout* (hôtels, *B & B,* AJ, cafés, bars, restos et même dans les campings), les ordinateurs avec connexion se font de plus en plus rares. Pour ceux qui ne voyageraient ni avec portable *(laptop),* ni iPad et ni *smartphone,* la connexion est gratuite sur tous les ordinateurs de démonstration des Apple Stores (dans les grandes villes), à condition de ne pas squatter des heures non plus... et

D'ARPANET À INTERNET

Le réseau Internet est né aux États-Unis dans les années 1960, en pleine guerre froide. Il s'appelait alors Arpanet et était destiné à relier les militaires, avant de s'étendre aux centres de recherche et aux universités. La grande nouveauté de ce réseau était de répartir le stockage des mémoires sur tout le territoire au lieu de les concentrer sur un seul lieu. Ensuite, c'est l'invention du World Wide Web, *au début des années 1990, qui a révolutionné ce réseau en le rendant multimédia (image et son) et accessible au grand public.*

d'attendre parfois son tour. Sinon, il reste toujours la solution des bibliothèques *(public libraries)* qui disposent toutes d'un accès Internet, généralement gratuit et souvent limité à 30 mn ou 1h de connexion par personne et par jour. Une sélection de sites internet à consulter avant le départ est détaillée plus haut, dans « Sites internet ».

TRANSPORTS

L'avion

Les compagnies desservant l'intérieur des États-Unis sont nombreuses et les retards de vol presque banals tant le trafic est dense. Attention également, en provenance de l'Europe, aux délais de passage à la douane (jusqu'à 45 mn) qui peuvent faire rater une correspondance ! Prévoir très large donc.

À bord, le service est réduit à sa plus simple expression, et la plupart des prestations sont payantes (boissons, repas, écouteurs...). Les bagages enregistrés sont aussi payants sur presque toutes les lignes intérieures ! Alors prenez un grand sac (pas plus de 20 kg) plutôt que trois petits si vous devez voyager beaucoup dans le pays. Le premier bagage reste encore gratuit sur les vols transatlantiques et les correspondances.

On conseille d'arriver bien à l'avance pour l'embarquement à cause des mesures de sécurité qui entourent les aéroports américains depuis les attentats du 11 Septembre.

Les compagnies aériennes

■ *Air France :* ☎ 1-800-237-27-47 (aux États-Unis) ou 36-54 (en France). ● *airfrance.fr* ●
■ *American Airlines :* ☎ 1-800-433-7300. ● *aa.com* ●
■ *Delta Air Lines :* ☎ 1-800-221-1212. ● *delta.com* ●

■ *United Airlines :* ☎ 1-800-864-8331, 1-800-537-3444 (en français) ou 0810-727-272 (depuis la France). ● *united.com* ●
■ *US Airways :* ☎ 1-800-428-4322 ou 0810-632-222. ● *usairways.com* ●

Les forfaits (passes)

La plupart des compagnies aériennes américaines proposent aux passagers résidant en dehors des États-Unis et munis d'un billet transatlantique (sur leurs lignes ou celles de partenaires) des coupons de vols à tarif réduit pour les vols en Amérique du Nord. Le tarif est calculé en fonction du nombre total de miles parcourus, ce qui peut être particulièrement intéressant si l'on souhaite se rendre dans des destinations isolées, plus chères que la moyenne (Nord canadien par exemple). Les principaux *passes* sont proposés par les alliances *Star Alliance, One World* et *Sky Team*. Validité dans tous les cas : 60 jours. On achète un minimum de deux ou trois coupons et un maximum de dix. Il est nécessaire de fixer l'itinéraire avant de partir. Hawaii, l'Alaska et les Antilles peuvent généralement être inclus avec supplément. Attention : s'il faut changer d'avion, il vous en coûtera généralement autant de coupons que de vols ; renseignez-vous à la réservation.

La voiture

Ah ! quel bonheur de conduire aux États-Unis ! Quel plaisir de rouler piano piano (limite de vitesse oblige) sur les larges *highways* rectilignes en écoutant le meilleur de la country, le bras à la fenêtre... *On the road again !* On a tout le loisir d'admirer au passage les énormes camions *(trucks)* aux essieux rutilants et les camping-cars de la taille d'un bus, derrière lesquels sont généralement attachés en remorque un « petit » 4x4 pour les balades secondaires ! Évidemment, on fait abstraction des grandes villes et de leurs abords où, là, se diriger au cœur du trafic et se garer relèvent parfois du calvaire paranoïaque. L'option GPS peut d'ailleurs s'y avérer extrêmement utile, en tout cas vous fera gagner pas mal de temps si vous en avez assez de retourner la carte (ou plutôt les cartes) dans tous les sens. Même si les voitures de location américaines consomment plus que les nôtres, l'essence reste bien moins chère qu'en France et il n'y a que très peu de péages. Ces derniers sont surtout présents dans la périphérie des grandes villes et presque systématiques pour les franchissements de ponts et tunnels majeurs.

Conduire une voiture automatique

Il n'y a pratiquement que cela aux États-Unis. Voici la signification des différentes commandes internes :
P : Parking (à enclencher lorsque vous stationnez, mais à ne pas utiliser comme frein à main).
R : Reverse (marche arrière).
N : Neutral (point mort).
D : Drive (position de conduite que vous utiliserez quasiment tout le temps).
1, 2 et 3 ou I et L : vous sélectionnez votre propre rapport de boîte (bien utile en montagne ou dans certaines côtes, mais ça consomme plus d'essence).
Frein moteur : pratique pour les longues descentes, mais impossible à utiliser sans embrayage ! Pas de panique, les constructeurs ont pensé à tout : pour l'enclencher, il y a en général un interrupteur placé sur la tête du pommeau de vitesses.
Pour oublier vos vieux réflexes, calez votre pied gauche dans le coin gauche, et ne l'en bougez plus jusqu'à la fin de votre périple. On se sert uniquement du pied droit pour accélérer ou freiner. Et quelques conseils : pour freiner, posez délicatement

votre pied sur la pédale et n'écrasez pas le champignon, même à très basse vitesse (le frein des automatiques est vraiment très sensible) !

Lorsque vous passez de la position « P » à une autre, appuyez toujours sur le frein, sinon vous risquez de faire un bond ! D'ailleurs, la plupart des véhicules refusent de quitter le point « P » tant que vous n'avez pas posé le pied sur le frein, non mais ! Autre astuce : les voitures américaines sont souvent équipées d'un *cruise control,* dispositif qui maintient votre vitesse, quel que soit le profil de la route, tant que vous n'appuyez pas sur le frein ou l'accélérateur. Très pratique sur les longues autoroutes américaines, mais ingérable (et inutile) en ville.

Y A-T-IL UN PILOTE DANS LA VOITURE ?

Google, le géant de l'Internet, vient de mettre au point des voitures entièrement automatisées. Plus besoin de conducteur : capteurs, caméras et radars prennent le relais. Ces véhicules fantômes, encore au stade expérimental, ont déjà parcouru les routes californiennes, mais avec un technicien à leur bord : on n'est jamais trop prudent !

Les règles de conduite

Certaines agences de location de voitures distribuent des fiches des règles de conduite spécifiques à l'État dans lequel on loue le véhicule. Globalement, sachez que l'Américain est généralement civique et qu'il ne lui viendrait pas à l'idée de bloquer en double file la circulation pour acheter son journal. La voiture n'est pas, comme chez nous, un engin de course mais un outil pratique de la vie moderne. On roule pépère, on respecte l'autre et on est tolérant. Faites donc de même.

– La signalisation : les panneaux indiquant le nom des rues que l'on croise sont généralement accrochés aux feux ou aux poteaux des carrefours, ce qui permet de les localiser un peu à l'avance.

– Les feux tricolores : ils sont situés après le carrefour et non avant comme chez nous. Si vous marquez le stop au niveau du feu, vous serez donc en plein carrefour ! Pas d'inquiétude, après une ou deux incartades, on prend le réflexe !

– La priorité à droite : elle ne s'impose que si deux voitures arrivent en même temps à un croisement et que celui-ci n'a ni feux ni panneaux, ce qui est assez rare ; la voiture de droite a alors la priorité.

– Tourner à gauche, avec une voiture en face : contrairement à la circulation dans certains pays, dont la France, un tournant à gauche, à un croisement, se fait au plus court. Autrement dit, vous passerez l'un devant l'autre, au lieu de tourner autour d'un rond-point imaginaire situé au centre de l'intersection. Attention : si une pancarte indique *no left turn* ou *no U turn* (en toutes lettres ou dessiné), vous devrez attendre la prochaine intersection pour vous engager à gauche ou faire demi-tour ; ou alors : tourner à droite et revenir sur vos pas en contournant le pâté de maisons.

– Tourner à droite, à une intersection : à condition d'être sur la voie de droite, vous pouvez tourner à droite au feu rouge après avoir observé un temps d'arrêt et vous être assuré que la voie est libre, d'abord au niveau des piétons puis des véhicules. Attention ! C'est valable en Californie, mais pas nécessairement dans les États voisins. Bien entendu, quel que soit l'État, on ne le fait surtout pas si une pancarte indique *No red turn.*

– Clignotants : facultatifs au regard de la plupart des conducteurs américains, tant pour tourner que pour doubler... Ne vous laissez pas surprendre !

– Sur l'autoroute : gare aux erreurs de direction, qui se paient cher... en kilomètres, notamment sur les routes à péage, mais aussi en temps et en carburant. Il n'est pas rare de devoir faire 10, 20, voire 30 km avant de pouvoir faire demi-tour !

Distances en km	LOS ANGELES	MONTEREY	PALM SPRINGS	RENO NEV.	SAN DIEGO	SAN FRANCISCO	SAN JOSE	SAN LUIS OBISPO	SANTA BARBARA	SEQUOIA NATIONAL PARK	YOSEMITE NATIONAL PARK
LOS ANGELES		510	175	830	195	614	545	305	160	385	450
MONTEREY	510		685	510	710	190	117	230	380	400	410
PALM SPRINGS	175	685		815	200	780	720	80	325	520	615
RENO NEV.	830	510	815		900	350	405	675	835	580	300
SAN DIEGO	195	710	200	900		800	740	500	350	580	645
SAN FRANCISCO	615	190	785	350	800		80	375	525	450	310
SAN JOSE	545	115	720	405	740	80		300	50	390	300
SAN LUIS OBISPO	305	230	480	675	500	375	300		150	300	370
SANTA BARBARA	160	380	325	835	350	525	450	150		400	515
SEQUOIA NATIONAL PARK	385	400	520	580	580	450	390	300	400		350
YOSEMITE NATIONAL PARK	450	410	615	300	645	310	300	370	515	350	

– Ne quittez pas vos rétros des yeux, les Américains **doublent indifféremment par la gauche comme par la droite,** et ne se rabattent pas systématiquement. Le conducteur le plus lent de tout l'État peut très bien squatter la file de gauche indéfiniment...

– **Sur les routes nationales et les autoroutes :** les voies perpendiculaires (ou venant de la droite) ont soit un *STOP*, soit un *YIELD* (cédez le passage), et la priorité à droite n'a pas cours.

– **Les ronds-points (ou giratoires) :** plutôt rares, ils donnent la priorité aux voitures qui sont déjà engagées dans le giratoire.

– **Les stops :** s'il y a plusieurs stops, le premier qui s'est arrêté est le premier à repartir. Le *4-way stop,* qui est un carrefour avec un stop à tous les coins de rue, est assez fréquent aux États-Unis mais totalement inédit chez nous. S'il y a une voiture à chaque stop, bien retenir l'ordre d'arrivée !

– **Le car pool :** sur certains grands axes, pour faciliter la circulation et encourager le covoiturage, il existe une voie dénommée *car pool* (ou *HOV* pour *High Occupancy Vehicle*), réservée aux usagers qui roulent à deux ou plus par voiture. Il y a bien sûr beaucoup moins de monde que sur les autres voies. Très utile aux heures de pointe (parfois la règle ne s'applique qu'à certaines heures de la journée) et assez répandu à Los Angeles ; bien sûr, ne les emprunter d'aucune façon si vous êtes seul à bord, sous peine d'une amende élevée.

– **La limitation de vitesse :** elle est fixée par les États. Maximum 55 ou 60 mph (88-96 km/h) sur de nombreuses routes. Mais sur les autoroutes *(interstates),* elle peut atteindre 65 mph (104 km/h) voire 70 mph (112 km/h) en Californie et même 75 mph (120 km/h) dans le Nevada. En ville : 20-35 mph (32-56 km/h). À proximité d'une école (à certaines heures), elle chute à 15 ou 20 mph (24/32 km/h), et tout le monde respecte ! Attention, les radars sont très nombreux, et la police, très vigilante, aime beaucoup faire mugir ses sirènes.

– **Le stationnement :** faites toujours très attention où vous garez votre voiture. Les PV fleurissent très vite sur les pare-brise. Pour cela, lisez avant tout les **panneaux** au coin de la rue, ce sont eux, surtout, qui régulent le stationnement des véhicules (encore plus que la couleur du marquage sur le trottoir). Ceux indiquant *No Parking* signalent bien sûr un stationnement interdit. Ne vous arrêtez JAMAIS devant un arrêt d'autobus, ni devant une borne incendie *(fire hydrant),* ni s'il y a un panneau *Tow Away,* qui signifie « enlèvement ». On vous enlèvera la voiture en quelques minutes, et la fourrière, couplée à l'amende, est très chère (plus de 200 $).

– **Les parcmètres et les parkings :** la présence de parcmètres ne veut pas forcément dire qu'on peut se garer tout le temps, là encore vérifiez bien les panneaux, qui parfois limitent la période où il est autorisé de stationner à certaines heures ou certains jours. Dans certaines grandes villes, comme Los Angeles, se garer sans frais est un exploit à signaler au Livre des Records car même le long des rues il y a des parcmètres et des horodateurs partout, qu'il faut alimenter tous les jours, parfois même jusque tard dans la soirée ! Si le parcmètre ou l'horodateur est hors service, ne pensez pas non plus faire une bonne affaire : vous devez alors vous garer devant une machine qui fonctionne ! Prévoyez aussi de la monnaie, sinon vous devrez payer par carte de paiement ou vous garer dans l'un des nombreux parkings à la journée qui pullulent dans les villes. Ces derniers affichent souvent un tarif qui paraît raisonnable au premier abord, mais lorsque vous êtes à deux doigts d'y entrer, vous y voyez soudain plus clair : en général, le tarif est valable pour 15 ou 20 mn ! Bref, à Los Angeles, attendez-vous à payer environ 8 à 15 $ la journée, voire plus dans certains quartiers huppés. En revanche, à San Francisco, où le stationnement automobile est complexe, on trouve souvent de petits parkings gardés entre les immeubles et qui, si vous n'avez pas le choix, sont bien moins chers que les parkings couverts ou ceux des hôtels.

La liste n'est pas exhaustive, et vous découvrirez encore plein de surprises par vous-même. Ainsi, dans les rues pentues de San Francisco, il est obligatoire de se garer les roues braquées vers le trottoir.

– **Les bus scolaires à l'arrêt :** très important, lorsqu'un *school bus* (on ne peut pas les louper) s'arrête et qu'il met ses feux clignotants rouges, l'arrêt est obligatoire dans les deux sens, pour laisser traverser les enfants qui en descendent. Si on le suit (pas de bol), ne surtout pas le doubler. Tant que les feux clignotants sont orange, le bus ne fait que signaler qu'il va s'arrêter. À l'arrêt, un petit panneau est parfois automatiquement déployé, sur la gauche du véhicule, pour vous intimer l'arrêt. C'est l'une des pénalités les plus gravement sanctionnées aux États-Unis.

– **Le respect dû aux piétons :** vous verrez souvent le panneau ou l'inscription au sol « Xing ». Ce n'est pas du chinois, sauf si on ne comprend pas que cela signifie *cross-ing*, soit un passage piéton... Ici, le respect des passages protégés n'est pas un vain mot, et le piéton a VRAIMENT la priorité. Dès qu'un piéton fait mine de s'engager sur la chaussée pour la traverser, tout le monde s'arrête (enfin, presque tout le monde...). Par ailleurs, sachez que traverser hors des clous ou au feu rouge (pour les piétons) peut être passible d'une amende dans certains États ! Il y a même un terme pour ça : le *jaywalking*...

– **Les PV :** si vous avez un PV *(a ticket)* avec une voiture de location, mieux vaut le payer sur place et non une fois rentré chez vous. Car lorsque vous signez le contrat de location, vous donnez implicitement l'autorisation au loueur de régler les contraventions pour vous (avec majoration). La solution la plus simple consiste à payer par carte de paiement. Au dos du PV, un numéro de téléphone et un site internet vous permettent de le faire. Votre compte est ensuite débité par la police.

L'essence

Bonne nouvelle, elle reste **moins chère que chez nous** même si la Californie n'est pas l'État le plus compétitif (en 2013, il fallait compter 3,90 à 5 $ pour 1 *gallon,* soit 3,8 l environ) ; des tarifs qui n'encouragent pas encore assez les constructeurs à concevoir des voitures moins gourmandes, et surtout moins polluantes, bien que la Californie ait fait quelques tentatives d'intimidation de ce côté-là ces dernières années (voir la rubrique « Environnement »). Sachez que vous paierez l'essence plus cher aux abords et à l'intérieur des parcs nationaux, donc pensez à faire le plein dès que vous en sortez ou avant d'y arriver.

– **Bon plan :** les supermarchés *Walmart* ainsi que certaines stations-service qui disposent de cartes de fidélité donnant droit à des réductions immédiates sur un plein.

La plupart des voitures roulent à l'essence sans plomb *(unleaded),* dont il existe plusieurs qualités. La moins chère est la **regular unleaded 87.** Les autres (*special 89* et *super + 91*) sont de meilleure qualité mais inutilement chères pour une voiture de location.

Dans les stations-service (*gas stations*), il faut presque toujours aller payer à la caisse ou y déposer sa carte de paiement AVANT de se servir. Avec des cartes européennes, le règlement par carte de paiement à la pompe n'est possible que dans certaines stations.

La plupart des *gas stations* offrent une grande variété de services : des w-c à disposition, du café, un comptoir fast-food et des rayons chargés de produits de première nécessité. Elles vendent aussi des cartes très précises de la localité et de l'État où l'on se trouve.

Circuler et s'orienter

Un conseil : à moins d'avoir pris l'option **GPS** (supplément non négligeable mais grand confort sur la route), munissez-vous d'une bonne carte routière (voir plus loin).

On distingue les **freeways** (larges autoroutes aux abords des grandes villes), les **interstates,** qui relient les États entre eux (elles sont désignées par la lettre I), et les **routes secondaires** (numéro à deux ou trois chiffres). Elles sont signalisées de manière différente et faciles à repérer. Simplement, ouvrez bien l'œil et sachez vers quel point cardinal vous allez car les panneaux font le plus souvent état du numéro de la route (avec indication North, South, West...) que du nom des villes. Sur les *interstates,* le numéro de la sortie correspond au mile sur lequel elle se trouve. Ainsi, la sortie après la 189 peut très bien être la 214.

Si vous rencontrez des *turnpikes,* sachez que ce sont des tronçons d'autoroutes payants. Les grands ponts (comme le Golden Gate) et beaucoup de tunnels majeurs sont aussi souvent payants.

Les cartes routières

Inutile d'en acheter en France avant le départ. Presque toutes les stations-service en vendent une large gamme à des prix tournant autour de 5-7 $ (notamment la collection *Rand MacNally*). Les cartes des agences de location de voitures, un peu sommaires mais gratuites, peuvent également dépanner, au même titre que celles des offices de tourisme. Lorsqu'on traverse la frontière d'un État, il y a très souvent aussi un *Visitor Center* où il est possible d'obtenir gratuitement des cartes routières de l'État dans lequel on entre. L'idéal, voire l'indispensable en voiture reste le *GPS*.

– Les voyageurs au long cours se procureront *The Road Atlas* de Rand MacNally, réédité chaque année depuis près d'un siècle : plusieurs types de formats, les moins chers incluant même le Canada et le Mexique. Indique aussi les parcs nationaux et les campings, avec parfois des coupons de réduction. L'atlas de l'*American Automobile Association (Triple A)* n'est pas mal non plus.

La location de voitures

La location depuis la France

■ **Auto Escape :** ☎ 0892-46-46-10 (0,34 €/mn). ● autoescape.com ● *Vous trouverez également les services d'*Auto Escape *sur* ● *routard.com* ● L'agence *Auto Escape* réserve auprès des loueurs de véhicules de gros volumes d'affaires, ce qui garantit des tarifs très compétitifs. Il est recommandé de réserver à l'avance. *Auto Escape* offre 5 % de remise sur la location de voiture aux lecteurs du *Routard* pour toute réservation par Internet avec le code de réduction : GDR14. Important aux États-Unis, tarif spécialement négocié pour les conducteurs de moins de 25 ans.

■ **BSP Auto :** ☎ 01-43-46-20-74 (tlj). ● bsp-auto.com ● Les prix proposés sont attractifs et comprennent le kilométrage illimité et l'assurance tous risques sans franchise (LDW). *BSP Auto* vous propose exclusivement les grandes compagnies de location sur place, vous assurant un très bon niveau de services. Les plus : vous ne payez votre location que 5 jours avant le départ + réduction spéciale aux lecteurs de ce guide avec le code « routard ».

■ Et aussi : ***Hertz*** (☎ 0825-861-861 ; 0,35 €/mn ; ● hertz.com ●), ***Avis*** (☎ 0821-230-760 ; 0,08 €/mn ; ● avis.fr ●), ***Europcar*** (☎ 0825-358-358 ; 0,15 €/mn ; ● europcar.fr ●) et ***Budget*** (☎ 0825-003-564 ; 0,15 €/mn ; ● budget.fr ●).

La location aux États-Unis

Les prix peuvent varier, il est important de faire son marché et de comparer les tarifs proposés par les différentes compagnies de location avant de se décider. Si vous louez localement, un nombre invraisemblable de taxes et *surcharges* s'ajoutent, surtout si vous louez à l'aéroport (+ 11,1 % !). Quand on réserve depuis l'étranger, ces frais additionnels sont souvent inclus (vérifiez !), de même que les assurances de base (re-vérifiez !). Au final, un même véhicule peut parfois coûter deux fois moins cher quand on a fait sa résa en France que quand on le prend sur place avec la même compagnie ! Les voitures de location les moins chères sont les *economy*, les *compact* (catégorie A) et les *subcompact* avec trois ou cinq portes ; très bien jusqu'à trois personnes. Ensuite viennent les *intermediate mid-sizes, standard-size* et *full-sizes.* De façon générale, les voitures sont plus spacieuses qu'en Europe, à catégorie égale. Le kilométrage est généralement illimité.

Quelques règles générales

– Il est difficile, voire impossible, de louer une voiture si l'on a **moins de 21 ans,** voire 25 ans pour les grandes compagnies. Dans le meilleur des cas, les moins de 25 ans devront parfois prendre une assurance « Jeunes conducteurs » *(underage surcharge)* qui coûte près de 25-27 $ par jour.

– Avoir absolument une **carte de paiement** *(MasterCard* et *Visa* sont acceptées partout). Très rares sont les compagnies qui acceptent le liquide ; de plus, elles exigent une importante caution. Un truc en or : avec les cartes prestige style *MasterCard Gold* ou *Visa Premier,* vous bénéficiez d'une assurance qui couvre en partie les accidents, vols et dégradations.

– Le **permis national** est en principe suffisant, mais renseignez-vous quand même au préalable : certaines compagnies, à certains endroits, peuvent exiger un permis international.

– Attention, il arrive fréquemment que les loueurs vous incitent à prendre une **catégorie supérieure** à celle que vous avez réservée, « pour votre confort personnel », mais le supplément vous sera bien facturé ! Méfiance donc, et lisez bien la facture avant de partir avec votre véhicule.

– Seules les **grandes compagnies** sont représentées dans les aéroports. Les moins chères se trouvent en ville (les taxes y sont moins élevées) mais, si vous arrivez en avion, elles peuvent souvent vous livrer le véhicule.

– Les **tarifs les moins chers** sont à la semaine. Si vous louez pour plus de 2 semaines, n'hésitez pas à demander une ristourne, ça peut marcher. Il existe aussi des réductions week-end *(week-end fares)* : du vendredi midi au lundi midi. De même, si vous réservez à l'avance, vous paierez moins cher qu'en vous y prenant le jour même.

– Chez de nombreuses compagnies, on peut rendre le véhicule dans un endroit différent de celui où on l'a pris *(one-way rental),* mais il faudra payer un **drop off charge (frais d'abandon),** qui peut être plus ou moins important.

– Les véhicules disposent tous de la **clim,** pas négligeable en été, même si ça consomme plus d'essence et si ça n'est pas très écolo...

– Si possible (car certaines agences l'imposent), évitez l'option qui permet de rendre la voiture **avec le réservoir vide.** Ce plein d'essence est évidemment facturé, et plus cher que si vous le faites vous-même. De plus, comme il est très périlleux de ramener la voiture juste avant de tomber en panne d'essence, il en reste évidemment toujours un peu dans le réservoir, ce qui bien sûr profite à la compagnie.

Les assurances

Elles sont nombreuses, et on s'emmêle rapidement les pinceaux. La plupart du temps, quand on réserve en Europe (pas sur place) les véhicules possèdent une assurance minimum obligatoire, comprise dans le tarif *(CDW/LDW).* Au-delà, tout est bon pour essayer de vous vendre le maximum d'options qui ont vite fait de revenir plus cher que la location de voiture elle-même. Renseignez-vous bien aussi sur les franchises qui varient d'une compagnie à l'autre.

Avec une carte de paiement haut de gamme *(MasterCard Gold, Visa Premier...),* il est moins utile de prendre l'assurance *CDW* ou *LDW,* car ces cartes remboursent tout frais dus aux dégâts qui peuvent être occasionnés au véhicule. En revanche, elles ne couvrent pas nécessairement le manque à gagner lié à l'indisponibilité du véhicule pendant le temps de réparation, ni la perte de valeur de revente de celui-ci (après un accident par exemple). Bref, là encore renseignez-vous bien.

– **LDW (Loss Damage Waiver) ou CDW (Collision Damage Waiver) :** c'est l'assurance tous risques avec suppression de franchise, pour tout dommage occasionné au véhicule *(CDW)* ou pour dommages et perte d'accessoires *(LDW).*

Elle est obligatoire avec certaines compagnies et souvent incluse quand on réserve son véhicule en Europe (vérifiez bien). Sinon, compter autour de 20 $ par jour. Elle couvre donc le véhicule pour tous dégâts (vol, incendie, accrochages, accidents...), même si vous êtes en tort (hors état d'ivresse), mais pas les dégâts occasionnés aux tiers si vous êtes responsable.

– *LIS* ou *SLI (Liability Insurance Supplement) :* c'est une assurance supplémentaire qui augmente le plafond de la garantie civile en cas de dommages corporels aux tiers, si vous êtes responsable de l'accident. Aucune carte de paiement ne l'inclut dans ses services. Il faut savoir qu'aux États-Unis, si vous renversez quelqu'un et que cette personne est hospitalisée, votre responsabilité peut être engagée bien au-delà de la garantie civile de base prévue par le loueur. Il est donc important d'avoir une couverture béton. Attention : si vous roulez en état d'ivresse, cette assurance ne fonctionne pas.

– *PAI (Personal Accident Insurance) :* assure le conducteur et les passagers pour les frais médicaux liés à un accident. Inutile si vous avez par ailleurs souscrit une assurance personnelle incluant les accidents de voiture. La *PAI* ferait alors double emploi.

– *PEP (Personal Effect Protection) :* elle couvre les effets personnels volés dans la voiture. À notre avis, cette assurance est inutile. Il suffit de faire attention et de ne jamais rien laisser de valeur à l'intérieur. À cet égard, une loi interdit aux loueurs de matérialiser la voiture de location avec des macarons et autocollants. C'était du pain bénit pour les voleurs qui repéraient ainsi les véhicules à « visiter ».

Enfin, sachez que certaines compagnies, telle Alamo, proposent une petite assurance complémentaire (encore !) couvrant tous les petits services de dépannage : remplacement de la clé en cas de perte, ouverture du véhicule s'il est malencontreusement fermé de l'intérieur, remplacement d'un pneu crevé, enlèvement du véhicule s'il est immobilisé, dépannage en cas de panne d'essence, etc. Encore un moyen de vous prélever autour de 7 $ par jour...

Les petites compagnies

Moins représentées en dehors des États-Unis que les grandes compagnies internationales de location, elles n'en demeurent pas moins bien implantées sur le sol américain et proposent des tarifs souvent très intéressants. Inconvénients : les voitures sont parfois un peu moins neuves, et il n'est pas toujours possible de louer le véhicule à un endroit et de leur rendre à un autre.

En voici quelques-unes, avec leur numéro *toll free* (gratuit). Pour les appeler de France, voir la rubrique « Téléphone et télécommunications » plus haut.

■ *Caflatours-Autorent :* ☎ 1-800-636-9683 ou 818-785-4569. ● cafla tours.com ● autorentnet.com ● L'agence *Caflatours* négocie des contrats incluant toutes assurances auprès des grands loueurs (*Dollar*, *Alamo*, *Hertz* ou *Budget*). Une équipe francophone basée à Los Angeles garantit des tarifs très bas et un service rapide. Devis complet instantanément en ligne.

■ *Thrifty Rent-a-Car :* ☎ 1-800-847-4389. ● thrifty.com ●

■ *Payless Rent-a-Car :* ☎ 1-800-729-5377. ● paylesscar.com ●

■ *Dollar Rent-a-Car :* ☎ 1-800-800-4000. ● dollar.com ●

Les grandes compagnies

Implantées partout, elles proposent des véhicules quasi neufs et, en cas de pépin mécanique, le représentant local de la compagnie vous changera aussitôt la voiture. De toutes, c'est probablement *Alamo* qui offre les tarifs les plus compétitifs.

– Possibilité de louer le véhicule dans une ville et de le laisser dans une autre (supplément à payer). Si vous le rendez dans un autre État, les frais seront d'autant plus élevés.

Voici quelques-unes d'entre elles, avec leurs numéros de téléphone gratuits :

■ *Alamo :* ☎ 1-877-222-9075. ● alamo.com ●

■ *Avis :* ☎ 1-800-633-3469. ● avis.com ●

■ *Budget :* ☎ 1-888-654-99180. ● budget.com ●

■ *Hertz :* ☎ 1-800-654-3131. ● hertz. com ●

■ *National :* ☎ 1-877-222-9058. ● nationalcar.com ●

Le mieux est de réserver à l'avance par Internet, c'est souvent moins cher que si on le fait sur place, surtout si c'est la veille ou le jour même.

La location d'un camping-car (ou *RV* ou *motor-home*)

Voyager en *RV* (prononcer « harviii ») est une expérience unique pour les enfants. Comparés à nos camping-cars, les *RV* américains sont le plus souvent énormes, de la taille d'un bus ! Rassurez-vous, on en trouve aussi de plus modestes... L'inconvénient, c'est que c'est assez lent et surtout très cher, même à quatre/six personnes (à partir de 1 200 $ la semaine en haute saison, plus le kilométrage). Bien plus cher, donc, qu'un séjour voiture + motels. D'autant qu'au prix de la location s'ajoutent encore l'essence (de 12 à 45 l aux 100 km selon les modèles !) et l'emplacement dans les campings puisqu'il est interdit de passer la nuit en dehors des *campgrounds*. Compter 10 à 25 $ la place seule, sans compter le *hook-up* payant dans les terrains aménagés (branchements eau et électricité dont vous aurez besoin pour la clim et le chauffage ; *full hook-up*, avec la vidange en plus). Dans les campings privés, il faut plutôt compter autour de 40 $. Même en journée, il est interdit de se garer n'importe où ; dans certaines grandes villes, on vous met en fourrière sur l'heure. Les parkings des hypermarchés ou des magasins sont parfois autorisés, à condition évidemment d'éviter tout déballage et de laisser les lieux propres.

Un permis classique suffit pour conduire ce genre de véhicule, encore faut-il évidemment se sentir capable de le faire ! Si vous êtes intéressé, mieux vaut louer le véhicule à l'avance car, en haute saison, il est parfois difficile d'en trouver sur place.

Dernière chose, les campings des parcs nationaux sont souvent pleins en haute saison, et il faut souvent jouer des coudes pour arriver les premiers si l'on n'a pas réservé.

■ *El Monte RV :* rens et résas ● elmonterv.co.uk/fr ● Numéro d'assistance gratuit en cas de pépin ou pour tte question : ☎ 1-888-337-2214. Une compagnie qui existe depuis 1970, aujourd'hui implantée aux quatre coins des États-Unis. 2 types de véhicules (tous de moins de 2 ans) : la classe C avec un couchage supplémentaire au-dessus du pare-brise (une capucine dit-on !) et la A (style bus), destinée plutôt aux familles, avec davantage d'espace. Certains camping-cars disposent même d'une TV avec lecteur DVD.

■ *Cruise America RV Rental & Sales :* 11 W Hampton Ave, **Mesa,** AZ 85210. ☎ 480-464-7300 ou 1-800-671-8042. ● cruiseamerica.com ● La loc du véhicule ne comprend pas le kilométrage : forfait 700 miles (env 1 150 km) env 250 $, assurances incluses. Une bonne adresse avec plus de 130 agences aux États-Unis. Loue des *motorhomes (RV)* et *trailers* (caravanes) dans tout le pays, depuis les aéroports ou les diverses agences en ville. Loue également des *RV* équipés pour les personnes handicapées. Si vos dates et itinéraires sont flexibles, intéressez-vous aux *one-way specials*, à 50 % de réduction, lorsque la compagnie a besoin de transférer un camping-car d'un coin du pays à un autre.

■ *Pour toute info complémentaire :* ● motorhomerentals.com ● Un site internet complet sur les locations de motorhomes aux États-Unis. Présentation des différents types de véhicules, liens vers les principaux loueurs par région, infos touristiques sur chaque destination...

L'auto-stop (hitchhiking)

De moins en moins pratiqué. En tout cas, le stop est interdit sur les autoroutes et déconseillé sur les routes principales. La législation californienne reste assez floue sur le sujet... De toute façon, aux États-Unis, c'est louche de ne pas avoir de voiture, et depuis le 11 Septembre, les Américains se méfient encore plus de tout. Ne soyez donc pas étonné que les clients ne se bousculent pas pour vous offrir un brin de conduite...

La moto

Quelques loueurs de motos – essentiellement de grosses Harley-Davidson – dans cette partie des États-Unis. Si vous avez décidé d'accomplir tout votre périple à moto façon *Easy Rider,* mieux vaut la louer depuis la France. Sinon, louez sur place à la journée, histoire de prendre un bon bol d'air ! Là encore, il faut avoir 21 ans au minimum, une carte de paiement et le permis moto bien sûr. On déconseille de venir avec sa propre moto ou même d'en acheter une sur place, qu'il faudra revendre à la fin du voyage ; trop de tracasseries administratives, d'assurances...

■ *Eagle Rider :* ☎ 310-321-3178 (n° international) ou 1-888-900-9901. ● eaglerider.com ● Agence spécialisée dans la location de Harley Davidson, et représentée dans une trentaine d'États américains, dont tous ceux de l'ouest. Location à la journée (à partir de 100-150 $ sans les taxes) comme à la semaine. Possibilité de rendre la moto dans une autre ville que celle de départ, mais c'est alors très cher.

Le bus

Si le réseau *Greyhound* couvre la quasi-totalité du pays, les bus ne desservent que partiellement l'Ouest américain et pas du tout les parcs nationaux, ce qui en limite l'intérêt pour ceux qui resteraient dans la région. Hors de quelques grandes villes, pas de liaison. Une seule solution, la bagnole, ou le pouce ! *Infos :* ☎ 1-800-231-2222 ou 214-849-8100 de l'étranger. ● greyhound.com ●
Les bus *Greyhound* ont, à tort, mauvaise réputation dans cette Amérique où la voiture et l'avion priment. Ils sont en effet considérés comme le moyen de transport des pauvres, à éviter dès qu'on a les moyens de voyager autrement. C'est vrai que se pointer dans une station de bus le soir est la meilleure façon d'être confronté à l'Amérique profonde, avec tous ses laissés-pour-compte du rêve américain. On déconseille d'ailleurs d'y passer la nuit, d'autant que les gares routières sont souvent situées dans des quartiers difficiles, excentrés et dépourvus de services (transports urbains...). Cela dit, on peut tout à fait parcourir le pays de long en large sans danger et faire des rencontres qui pimentent le voyage, les Américains étant souvent curieux et bavards...

Les billets

Ils s'achètent dans toutes les gares routières et agences *Greyhound,* par Internet et par téléphone (☎ 1-800-231-2222 ou 214-849-8100 de l'étranger), avec retrait à la gare de départ (formule « Will Call »). Consultez leur site internet pour les offres spéciales et les billets à prix réduits achetés à l'avance. Attention, pas de place numérotée sur les billets, donc si vous ne voulez pas être obligé d'attendre le prochain bus, prévoyez au moins 1h d'avance, surtout si vous avez des bagages à mettre en soute, car il vous faudra passer au guichet pour faire imprimer un *baggage tag,* et il y a souvent la queue !

Les bagages en bus

Pour votre bagage en soute, retirez un *baggage tag* au guichet et rejoignez la file d'attente pour votre destination. Au moment de monter dans le bus, laissez vos bagages le long du véhicule ; un employé les placera dans la soute. En règle générale, les bagages sont transférés si vous avez une correspondance. Mais vérifiez bien que c'est le cas et, dans le cas contraire, pensez bien à les récupérer dans la station où vous changez de bus. Dans ce dernier cas, prenez vos bagages et mettez-vous dans la file d'attente pour votre nouveau bus, à l'intérieur de la station. Sinon, le personnel se charge de tous les bagages non transférés par les voyageurs eux-mêmes, mais là, attention, il y a parfois des pertes ou plutôt des égarements : vous vous trouvez à San Francisco et vos bagages se dirigent vers La Nouvelle-Orléans, ou, au mieux, ils arriveront dans le bus suivant ! Cela arrive un peu trop fréquemment. Si nous avions un conseil à vous donner, ce serait de prendre vos bagages avec vous chaque fois que c'est possible et de les mettre dans les filets...

À l'arrivée, un truc pour éviter de payer la consigne, dans les grandes villes : ne récupérez pas vos bagages dès la sortie du bus, ils seront gardés gratuitement au guichet bagages. Attention, les **consignes** automatiques *Greyhound* sont vidées au bout de 24h, et les bagages sont alors mis dans un bureau fermé la nuit et le week-end. Si vous avez besoin de laisser vos affaires plus de 24h, mettez-les directement en consigne au guichet bagages (forfait journalier pas très cher). Là encore, notez les heures d'ouverture ! Une précision : pour entrer dans les consignes automatiques, votre sac à dos ne doit pas dépasser 82 cm de long. Pour les routards chargés : ne sont inclus dans le prix du billet qu'un seul bagage en soute et deux petits bagages à main. Pour un deuxième bagage en soute, vous paierez 15 $ de plus. Leur poids ne doit pas excéder 23 kg (50 livres) et leur longueur totale (longueur + largeur + hauteur) 158 cm (62 *inches*), sous peine d'avoir un supplément à payer pour *overweight* ou *oversized baggage.* Les bagages de plus de 32 kg (70 *pounds*) sont tout simplement refusés. Quant aux deux bagages à main autorisés, il s'agit d'un sac de 11,5 kg (25 *pounds*) maximum, susceptible de rentrer sous le siège ou dans le compartiment prévu à cet effet, et d'un petit sac à main ou un nécessaire de voyage.

Le confort des bus

Outre leur rapidité, ces bus offrent un certain **confort** : avec w-c à bord et l'AC, ce qui veut dire qu'il peut y faire très frais ; prévoyez un pull, surtout si vous avez l'intention de dormir.

Ces bus sont particulièrement intéressants de nuit car ils permettent de couvrir des distances importantes tout en économisant une nuit d'hôtel ! Mais les sièges ne s'inclinent que faiblement. Si vous avez de grandes jambes, préférez ceux côté couloir. En principe, quand un bus est plein, dans les grandes gares routières, un second prend le restant des voyageurs. C'est moins évident dans les petites gares. Même si cela apparaît plus intéressant de voyager dans le second bus à moitié vide (pour s'étendre), sachez que, parfois, dès qu'il y a de la place dans le premier, on transfère les voyageurs et, en pleine nuit, ce n'est pas marrant ! Évitez de vous mettre à l'avant (on est gêné par la portière), sauf si vous voulez admirer le paysage, ou à l'arrière (*because* les relents des w-c, et la banquette du fond qui ne s'abaisse pas). Enfin, sachez que *Greyhound* propose un service d'aide pour les personnes handicapées, à condition d'appeler 48h à l'avance (☎ 1-800-752-4841).

En vrac

– Faites attention aux diverses formes de trajet : **express, non-stop, local...** Comparez simplement l'heure de départ et l'heure d'arrivée, vous saurez ainsi lequel est le plus rapide.

– En **période de fêtes,** les bus sont souvent pris d'assaut par tous ceux qui ne prennent pas l'avion (et ils sont nombreux !). Donc, arrivez impérativement à la station en avance et attendez-vous à du retard.

– Les **arrêts en route** ne sont pas mentionnés sur les billets (seuls ceux avec changement de bus sont indiqués). Un conseil : respectez impérativement le temps donné par le chauffeur pour la pause. Ce dernier repartira en effet à l'heure annoncée, sans états d'âme pour ceux qui ne seront pas remontés dans le bus ! Outre le risque de rester coincé sur une aire de repos au milieu de nulle part en attendant le prochain bus (qui peut arriver quelques heures plus tard), vos affaires continueront à faire le voyage sans vous... En descendant lors d'une pause, relevez aussi le numéro du bus pour bien remonter dans le même, d'autres bus pour la même destination pouvant arriver entre-temps. Lors d'un arrêt prolongé dans une station, le chauffeur vous donnera un *reboarding pass* qui vous permettra de remonter dans le bus avant les nouveaux passagers, pour conserver votre place ou en choisir une meilleure qui se serait libérée. Attention, pour vous inviter à remonter dans le bus, le chauffeur fera une annonce dans le terminal en évoquant le numéro du *reboarding pass* (et non pas celui du bus ou la destination !).

– Pour les **voyages longue distance,** apportez de quoi grignoter. Sinon, profitez de l'occasion si le bus fait une pause dans une aire avec un fast-food, car la nourriture vendue dans les snacks des stations *Greyhound* est en général immonde. Si vous croyiez que jamais ça ne vous arriverait de prier pour que le bus s'arrête dans un *McDo*...

Le train

Aux États-Unis, le train est très confortable mais ne couvre pas l'ensemble du territoire, et demeure plus cher que le bus. Reconnaissons-le, voyager en train dans l'Ouest américain n'est pas franchement pratique. Pour les longues distances, *Amtrak* propose un *Rail Pass* valable sur tout le territoire américain. Il permet de faire un nombre de trajets prédéterminé (8, 12 ou 18) sur une période de 15, 30 ou 45 jours (respectivement), le tout dans un délai de 180 jours (soit environ 6 mois). Compter de 430 à 830 $ environ selon la durée (215-415 $ enfants 2-15 ans). Il existe également un *pass* spécifique à la Californie *(California Rail Pass)* valable 1 semaine sur une période de 3 semaines (160 $ ou 80 $ enfants). Dans tous les cas, il faut faire une résa et demander un billet pour chaque trajet.

■ On peut se procurer billets et forfaits **en France** auprès de n'importe quelle agence de voyages ou sur Internet ● amtrak.com ● *(site accessible en français).* Coordonnées **aux États-Unis** : ☎ 1-800-872-7245.

URGENCES

– **Pour une urgence (médicale ou autre), téléphonez au ☎ 911** (numéro national gratuit). L'opérateur vous mettra en relation, selon votre problème, avec le service adéquat (la police, les pompiers ou les ambulances). Si vous ne parlez (presque) pas l'anglais, précisez-le (« *I don't speak English, I am French* »)...

HOMMES, CULTURE, ENVIRONNEMENT

« Les États-Unis, le pays qui a trop de géographie mais pas assez d'histoire. »

On n'a pas retrouvé l'auteur !

À l'ouest des États-Unis, bordée par l'azur profond de l'océan Pacifique et séparée de New York par plus de 4 500 km, la Californie représente tout l'attrait d'un « bout du monde », à la fois fortement urbanisé et très sauvage. Mer, montagne et désert se trouvent aux portes des villes, elles-mêmes plutôt ouvertes sur la nature. Pour nous Européens, la Californie, ce sont d'abord des clichés familiers aperçus dans les médias et qui s'exportent avec emphase, principalement dans les feuilletons télévisés : la mégapole tentaculaire de Los Angeles ; les stars du cinéma de Hollywood ; les joggers et les rollers de Venice Beach ; les sirènes de Santa Barbara et les surfeurs de Malibu ; mais aussi le fameux Golden Gate Bridge qui domine l'entrée de la baie de San Francisco et les usines à la campagne de la Silicon Valley. Quelle image retenir de la Californie ? Il y en a trop. Tout commence par une couleur et une sensation : ciel bleu et température douce presque à longueur d'année ; bref, une qualité de vie incomparable. Si l'on ajoute à cela une santé économique qui fut longtemps enviable, on comprend pourquoi beaucoup d'Américains et de migrants veulent encore s'y installer. Car le *Golden State,* comme on le surnomme là-bas, est devenu, au fil des années, un nouveau centre du monde, où des vecteurs de croissance économique particulièrement originaux (d'abord la ruée vers l'or, puis l'industrie du cinéma, et aujourd'hui les nouvelles technologies et la viticulture) ont longtemps assuré une prospérité sans pareille dans l'histoire du pays. Aujourd'hui, malgré la récession de l'économie nationale et les vicissitudes de l'actualité, le creuset du développement et de la richesse des États-Unis se trouve toujours entre San Francisco et San Diego. La Californie demeure donc le moteur du rêve américain, qui poursuit sûrement sa course vers le futur, au rythme inlassable des vagues qui bercent les côtes...

UN PEU D'HISTOIRE CALIFORNIENNE

C'est en 1540 que le premier homme blanc, Hernando de Alaron, posa le pied en Californie. On estime qu'à l'époque cette *terra incognita* regroupait une population de plus de 300 000 Indiens, répartis en plusieurs centaines de tribus (dont les Pomos, les Miwoks, les Chumashs, les Gabrielenos et les Tulares). Pendant que les Français et les Anglais livraient bataille sur la côte est, la Californie resta beaucoup plus longtemps à l'écart ; certainement à cause des difficultés d'accès par l'océan Pacifique (il fallait passer par le cap Horn, un long et dangereux voyage) ou par voie terrestre à travers les plaines interminables du Far West encore mal connu... En tout cas, les premiers colons n'y vinrent que tardivement. En 1769, le père espagnol Junipero Serra construisit la première mission à San Diego. Celle-ci comprenait une église, une école, des bâtiments pour les prêtres, des dortoirs pour les convertis. L'agriculture et l'élevage se développèrent sur de grands pâturages fertiles. Puis d'autres colons espagnols, ainsi qu'une poignée de Russes, se fixèrent sur cette terre nouvelle au début du XIXe s (d'où le quartier de Russian Hill à San Francisco).

La guerre et la ruée vers l'or

En 1822, le Mexique se libéra de la couronne espagnole et devint indépendant, proclamant la Haute-Californie province mexicaine. Mais les États-Unis furent insatisfaits : ils rêvaient de s'approprier ce grand territoire de l'Ouest, très riche et peu peuplé. En 1846, une guerre éclata entre les États-Unis et le Mexique. Ce fut une défaite pour le Mexique qui fut contraint de signer le traité de Guadalupe Hidalgo en 1848. Résultat : la Haute-Californie passa aux mains des Américains, la Basse-Californie restant sous souveraineté mexicaine (elle l'est toujours aujourd'hui). Ce fut une bonne affaire pour les Yankees car, la même année, de l'or fut découvert en quantité dans le sous-sol californien. L'histoire de la Californie commence donc avec cet épisode unique : la ruée vers l'or. Des milliers de pionniers affluent vers cette région prometteuse pour tenter leur chance. Il y a du travail, et ils peuvent s'enrichir. Pour transporter les hommes et les marchandises entre l'Est et l'Ouest nouvellement conquis, on prolonge le réseau ferroviaire américain. Pour construire les voies ferrées, des immigrants chinois quittent même leur pays natal pour ce nouvel « Eldorado ». Mais ils déchantent très vite, car la vie de pionnier de l'Ouest est très dure et les conditions de travail abominables. Arrivent aussi des migrants noirs qui fuient les États du Sud esclavagistes à la recherche d'une vie meilleure, plus digne, plus libre. De même, dans les années 1980, une vague d'immigration amène des milliers de Vietnamiens, les boat people, chassés de leur pays par la guerre et le communisme. Enfin, les Mexicains représentent la population majoritaire de cette société californienne multiculturelle, et beaucoup franchissent illégalement la frontière, fuyant la pauvreté de leur pays.

Le rêve américain en marche

Longtemps éblouie par les feux de Hollywood, quartier de Los Angeles chéri des réalisateurs de cinéma, la Californie s'impose maintenant comme le creuset des nouvelles technologies de l'information, dont les entreprises de pointe se situent au cœur de la Silicon Valley, banlieue de San Francisco. Aujourd'hui, malgré les turpitudes de l'Histoire (les attentats du 11 septembre 2001, suivis d'une crise économique majeure), le *Golden State* continue d'incarner le rêve américain où tout est possible. Moderne, riche, il représente un modèle de réussite facile et attire ainsi des milliers d'immigrants chaque année.

BOISSONS
::

Les boissons non alcoolisées *(soft drinks)*

– *L'eau glacée :* dans les restaurants, la coutume est de servir d'emblée un verre d'eau glacée à tout consommateur. Quand on dit glacée, ce n'est pas un euphémisme, donc n'hésitez pas à demander sans glaçon *(no ice, please)* ou avec peu de glace *(with little ice)*. Les Américains sont des adeptes de l'eau du robinet *(tap water)* et consomment très peu d'eau minérale dans les restaurants. D'ailleurs, une fois vide, votre verre sera immédiatement rempli (et avec le sourire !).
– *Café :* prendre son café est devenu un vrai rituel, presque un art de vivre chez les *hipsters* (les bobos branchés version US). Si les Californiens ont découvert assez récemment le goût du bon café, ils vivent désormais l'expérience à fond. Pour ceux qui l'ont connue, finie l'époque du jus de chaussette... Les nombreuses *coffee houses* artisanales qui ouvrent un peu partout proposent des sélections de grains

des quatre coins du monde et préparent l'*espresso* dans les règles de l'art, ce qui explique les prix : environ 3-4 $ le petit noir. Mais la grande mode, c'est le *caffe latte* (double *espresso* avec lait chaud), le *macchiato* (un *espresso* avec juste une mousse de lait et un petit *topping* de poudre de cacao) et le *cappucino* (le plus allongé de lait).

Cela dit, dans certains lieux plus populaires comme les *diners,* on sert toujours le *café américain* de

base (*regular* ou *American coffee*), qui est plus proche du café très allongé (pour rester poli) que du *ristretto* italien. Il faut dire que les Américains en sirotent à longueur de journée, y compris dans leur voiture ou dans la rue, grâce à ces tasses thermos que vous verrez partout, et souvent servi à volonté *(free refills),* en particulier avec petit déjeuner. Dans de nombreux restos, *diners* et cafés (en particulier pour le petit déj), on peut redemander le café de base autant de fois qu'on le désire *(free refill).* Cela ne s'applique pas au café de fin de repas ni surtout aux cafés spéciaux (*espresso, cappuccino* et consorts).

– Thé : les amateurs ne seront pas toujours à la fête. Dans les *diners* et autres cafés populaires, c'est encore (trop) souvent le sachet de *Lipton Yellow (black tea)* qui règne en maître... Avec parfois l'option thé vert *(green tea)* ou *herbal tea* (attention, c'est plutôt de l'infusion), mais pas toujours.

– Cocas et sodas : on le sait, les Américains ont inventé le Coca-Cola (« Coke » comme on dit là-bas), et ils consomment des sodas *(soft drinks)* sucrés à longueur de journée ! D'ailleurs, dans certains restaurants de chaîne, fast-foods, *coffee shops* et autres petits restos, ceux-ci sont souvent à volonté. Soit on se sert soi-même « à la pompe » *(soda fountain),* soit on demande un *free refill.* Autre habitude : les *energy drinks,* ces boissons à base de caféine, parfois de guarana et, en ce qui concerne le Red Bull (la boisson la plus vendue au monde devant le Coca et autre Pepsi), de la taurine,

une molécule longtemps interdite en France (et quasi inexistante dans la version française de la boisson, désormais autorisée...). Ces boissons énergisantes ont souvent un goût chimique assez... improbable. Dans le même registre, on trouve partout des *vitamin waters* et autres variantes, de l'eau de source colorée et enrichie en vitamines, minéraux...

– L'iced tea : le faux ami par excellence ! Loin des thés glacés aromatisés et sucrés vendus en France, *l'iced tea* est simplement du thé normal mais glacé et souvent pas sucré du tout *(unsweetened).* Pas étonnant alors de voir les Américains ajouter trois sachets de sucre pour adoucir un peu la chose.

– Milk-shakes : boissons frappées à base de lait mixé avec de grandes louchées de glaces à la vanille, à la banane, à la fraise...

– **Les smoothies :** ce sont des cocktails de fruits mixés et mélangés à du yaourt, du lait, du lait de soja ou de la glace, voire des céréales. Frais et sain. Existe aussi avec des légumes, ou même du jus d'herbe *(wheat grass)*. La chaîne *Jamba Juice* s'en fait une spécialité mais il y en a d'autres.

– **Cream sodas :** encore une expérience culturelle à ne pas manquer ! Il s'agit d'un soda (en général Coca-Cola, ou toute autre boisson gazeuse ou encore de la *root beer,* ce breuvage insolite au goût de médicament qui n'a rien à voir avec de la bière) mélangé à de la glace à la vanille. Hyper sucré et... euh, un retour en enfance assuré.

Les alcools

Le rapport des Américains à l'alcool n'est pas aussi simple que chez nous. La société, conservatrice et puritaine, autorise la vente des armes à feu, mais réglemente de manière stricte tout ce qui touche aux plaisirs « tabous » (sexe, alcool, etc.). L'héritage de la Prohibition et, bien sûr, les lobbies religieux n'y sont pas pour rien. Dans certains *counties* (comtés), municipalités ou villes, il est impossible d'acheter de l'alcool le dimanche dans les supermarchés, voire tous les jours dans les *dry counties,* en particulier dans le Deep South (Texas, Alabama, Arkansas...). Par opposition, on parle des *wet counties* (sans restriction) et des *moist counties* (les comtés « humides »), qui n'appliquent que des restrictions partielles.

– **Âge minimum :** le *drinking age* est de 21 ans, sans dérogation possible. On ne vous servira pas d'alcool si vous n'êtes pas majeur ou si vous ne pouvez pas prouver que vous l'êtes. **N'oubliez pas vos papiers (ID, prononcer « aïdii ») car de nombreux bistrots, bars et boîtes de nuit les exigent à l'entrée** (et même les supermarchés). On vous les demandera souvent, même si vous avez 35 ans...

– **Vente et consommation surveillées :** dans la plupart des États, il est strictement interdit de boire de l'alcool dans la rue. Vous serez surpris par le nombre de gens cachant leur canette de bière dans un sachet en papier ou dans une housse en Néoprène censée conserver la fraîcheur. Les bières et le vin s'achètent dans les supermarchés et épiceries mais le vin et les autres boissons alcoolisées ne se trouvent que dans les *liquor stores.* Vos papiers peuvent être exigés à la caisse. N'oubliez pas non plus que la vente d'alcool est en principe interdite dans les réserves indiennes. Les horaires de fermeture des boîtes sont aussi fixés par décret dans chaque État : ça peut être très tôt (à 2h, tout le monde remballe), ou pas du tout...

– **Les bières :** vous aurez l'embarras du choix, mais on ne saurait trop vous recommander de privilégier les **microbrasseries (microbreweries)** qui ont fleuri partout ces 10 dernières années. On y brasse de bonnes petites bières locales, introuvables ailleurs. Les *ale* sont des bières de haute fermentation, à

LA CERVEZA CHILIBESO

Brassée au Nevada, cette bière unique contient un baiser (beso) de jalapeño, un piment mexicain. Sa légèreté rappelle la Bud mais son côté poivré s'attarde bien en bouche. Une bière d'hommes qui peut intéresser aussi les aventurières.

plus haute teneur en alcool : de la moins maltée à la plus maltée, vous trouverez la *pale ale* dont la fameuse *I.P.A.,* soit *Indian Pale Ale,* amère et très houblonnée, l'*amber ale* ou encore la *brown ale.* Les *lagers,* blondes ou ambrées, sont des bières de fermentation basse, les moins alcoolisées et les plus courantes. On trouve plus rarement des *stouts,* filtrées ou pas, et portant des noms parfois rigolos ou même historiques. Bref, c'est l'occasion de goûter de nouveaux parfums et de nouvelles saveurs pour tous les amateurs de bière. Attention en repartant, cependant... Faites comme les Américains et choisissez un *designated driver* qui ne se sera pas torché le museau ! Pour info, une bière pression se dit *draft beer.*

– **Les vins :** il est loin le temps où la Californie faisait figure de parent pauvre des vignobles européens... Les progrès sont considérables depuis deux décennies et de nombreux crus n'ont plus à rougir de la comparaison. On pense notamment aux vins d'exception de grands domaines comme Beringer ou Mondavi. Au-delà, la plupart des *wineries* vinifient des vins souvent charmeurs, faciles à apprécier, mais généralement sans grande complexité... Car si les cépages sont majoritairement

VIGNES LE BIEN-NOMMÉ

En 1831, le Bordelais Jean-Louis Vignes s'installe en Californie. Expulsé des îles Sandwich (Hawaï), c'était un aventurier passé d'abord par l'Amérique latine, comme la plupart des tout premiers immigrants français de Los Angeles. Il se met à développer la vigne, réservée alors au vin de messe des missions. Le succès est fulgurant et en 1850, son domaine, El Aliso, est le plus productif de toute la Californie.

d'origine française (en dehors du zinfandel italo-croate), les vins californiens sont, comme tous les vins du Nouveau Monde, conçus pour être bus jeunes. Beaucoup sont des vins de cépage, issus du merlot, du cabernet ou du chardonnay. Les assemblages, encore minoritaires, concernent surtout les vins de prestige produits par les entreprises les plus anciennes, sur les meilleurs terroirs de Napa et de Sonoma. On entre là dans le vif du sujet... mais attention aux prix ! Essayez donc d'acheter une bouteille d'*Opus One* (issue d'une alliance entre Mondavi et Mouton Rothschild)... rien à moins de 300 $ la bouteille !!! Dans les restos, on trouve aussi des vins français (pas les meilleurs), italiens, australiens, chiliens, argentins... Bien souvent, on peut se contenter de commander au verre, mais compter facilement 6-10 $ en moyenne. Attention, **certains restos n'ont pas la licence d'alcool,** et appliquent le principe du *Bring Your Own Bottle* **(BYOB)**. Ce qui signifie que vous avez le droit d'apporter votre propre bouteille de vin ou de bière, par exemple. Une pratique qui a le mérite d'alléger considérablement l'addition, même si un petit droit de bouchon est exigé (*corking fee*).

– **Les cocktails :** depuis quelques années, les grandes villes des États-Unis sont saisies par la mode nostalgique du *speakeasy*, ces bouges de l'époque de la Prohibition où l'on devait « parler doucement » pour siroter son whisky frelaté sans risquer d'attirer l'oreille de la maréchaussée... Nombre de bars très tendance de San Francisco et Los Angeles puisent leur déco dans cette époque, entre briques, lumières tamisées et recoins sombres. La carte des cocktails suit la même tendance, avec une prépondérance pour les ultra classiques Martini, Manhattan et autre Cosmopolitan, préparés dans les règles de l'art. Ils voisinent avec des cocktails historiques remis au goût du jour, comme le Sazerac, et les *craft cocktails*, créations des meilleurs mixologistes de la ville, qui puisent leur inspiration débridée dans les alcools maison et les herbes médicinales les plus inattendues. Les cocktails latinos, très rhum, restent de toutes les soirées festives : margarita, mojito, daiquiri, Cuba libre, etc. Enfin, il y a ceux réservés à l'heure du brunch ou aux *get-togethers* entre filles, comme le Bloody Mary et, surtout, le Mimosa (sans œuf, mais avec champagne et jus d'orange).

– **Le bourbon** (prononcer « beur'beun ») **:** impossible de passer sous silence ce whisky américain *(whiskey)*, dont la production est fournie pour une bonne moitié par le Kentucky (et le Tennessee pour le reste). Cette région s'appelait autrefois le *Bourbon County,* histoire de remercier Louis XVI et la maison de Bourbon pour leur soutien pendant la guerre d'Indépendance. C'est donc depuis 1790

LE BOURBON EST-IL UN WHISKY ?

Oui, bien qu'on utilise un mélange de céréales (et pas seulement de l'orge), dont au moins 51 % de maïs (faut bien écouler l'énorme production US). De plus, à la différence des Écossais ou des Irlandais, les Américains le font vieillir dans des fûts de chêne neufs, noircis par la fumée. Le goût du bois est donc plus prononcé que le whisky, avec une note de caramel.

(en pleine Révolution française !) que le célèbre whisky américain porte le nom de bourbon. Pour info, le *rye* est composé de 51 % de seigle.

– *Happy hours :* beaucoup de bars attirent les foules après le travail, en semaine, généralement entre 16h et 19h, en leur proposant moitié prix sur certains alcools, notamment les bières. Souvent, vous aurez droit à deux boissons pour le prix d'une.

CUISINE

Dire que les Américains mangent mal et trop est très simpliste. C'est encore malheureusement une réalité dans certains coins des États-Unis (de moins en moins cela dit), mais certainement pas en Californie, où vous ferez de vraies découvertes culinaires (particulièrement à San Francisco, capitale gastronomique au même titre que New York). À condition d'aller dans les bons endroits, bien sûr !

UNE LOI ANTI-FOIE GRAS

Les défenseurs des animaux la réclamaient à cor et à cri depuis des lustres. Elle est entrée en vigueur en juillet 2012 en Californie. Mais un groupe médiatique de 100 chefs californiens a lancé une pétition, se disant prêt à pratiquer un gavage moins bestial...

Les Californiens, qui ont toujours eu le culte du corps, pratiquent avec conviction le régime *eating healthy*. Fans de *bio (organic),* ce sont aussi de grands adeptes de *cuisine végétarienne.* Mais attention, les restos veggie sont tout sauf tristounets ici : goûteux, créatifs et même gastronomiques pour certains. Le *phénomène* **« locavore »** fait aussi partie des mœurs. Ce comportement alimentaire né à San Francisco privilégie la consommation d'ingrédients locaux, pas nécessairement bio mais produits dans un rayon limité (en général, une centaine de miles). De plus en plus de restaurateurs affichent désormais fièrement la provenance de leurs produits, souvent des fermes des environs, quand ils ne cultivent pas eux-mêmes leurs légumes dans leur propre potager ! Bref, le produit, au sens noble et artisanal du terme, a le vent en poupe.

Mais la grande particularité de la Californie (particulièrement dans les grandes villes comme San Francisco ou Los Angeles), c'est que toutes les cuisines sont représentées et qu'on trouve partout de tout à tous les prix, de la *street food* vendue par les marchands ambulants à la *New American cuisine* concoctée par des chefs inspirés, en passant par toutes les *spécialités du monde entier.*

Attention au service (gratuity) : parfois ajouté d'office sur l'addition, parfois non, donc bien vérifier avant de payer. S'il n'est pas compris, il est d'usage de rajouter 15 % (et même plutôt 18 %), car les serveurs ont un salaire fixe très faible et leur principale rémunération provient du pourboire. C'est comme ça... *Les plats sont généralement bien plus copieux que chez nous* (souvent pantagruéliques). Aucun problème pour commander une entrée ou un plat pour deux, à partager *(to share)*. Idem pour le breakfast. Là, en revanche, quelle économie ! La plupart des *restos sont ouverts midi et soir,* avec une petite interruption entre les deux services (11h-12h à 15h-16h, puis 17h-21h ou 22h environ). Les prix sont souvent plus élevés le soir. Certains servent le brunch le week-end et parfois aussi le petit déjeuner en semaine. *Certains restaurants n'ont pas la licence d'alcool,* n'oubliez donc pas d'apporter éventuellement votre « boutanche » *(BYOB ;* voir plus haut « Boissons ») !

Le breakfast

Ce n'est pas *Supertramp* qui nous contredira : le *breakfast in America* est l'un des plus copieux que l'on connaisse. Pour les Américains, c'est souvent un vrai repas, particulièrement le week-end, abondant et varié (qui inclut du salé), et qu'ils prennent régulièrement dehors. Un peu partout, vous trouverez des restos qui servent le petit déj (certains ne font que ça), des cafétérias, des *diners* (restos populaires avec long comptoir et tables en formica, à prononcer « daill'neur »), des *coffee shops*...

La carte est souvent longue comme le bras avec, au choix, jus de fruits, céréales, *pancakes* (petites crêpes épaisses arrosées de sirop d'érable, ou de sirop tout court, qui revient moins cher, et accompagnées parfois de fruits frais, de bacon grillé, etc.), pain perdu que l'on appelle ici *French toast*, et puis, bien sûr, des œufs *(eggs),* servis brouillés *(scrambled),* en omelette (*omelette* en anglais), en *frittata* (omelette épaisse façon *tortilla* espagnole) ou frits *(fried)*. Sur le plat, ils peuvent être ordinaires *(sunny side up)* ou retournés et cuits des deux côtés comme une crêpe *(over)*. Dans ce cas, pour éviter que le jaune ne soit trop cuit, demandez-les *over easy* (légèrement) et non *over medium*. Ils peuvent également être pochés *(poached),* mollets *(soft boiled)* ou durs *(hard boiled)*. Ils sont généralement proposés avec du jambon grillé *(ham),* du bacon ou des saucisses, des pommes de terres sautées avec des oignons *(homefries)* ou des frites *(French fries),* des *hash browns* (sorte de roestis) et enfin des toasts beurrés ; on vous demandera probablement si vous préférez du pain de mie blanc *(white),* complet *(brown)* ou entre les deux *(wheat)*. Mon tout arrosé de ketchup (en option). Mais le fin du fin, ce sont les *eggs Benedict* : pochés, allongés sur un petit pain rond toasté (un *English muffin*) et nappés de sauce hollandaise, avec le plus souvent du jambon grillé ou du saumon fumé, mais on en trouve moult déclinaisons.

Dans un registre plus « continental », il faut absolument goûter aux *bagels.* Inventés en Pologne au XVIIᵉ s, ces petits pains en forme d'anneau, à la mie compacte (moelleux à l'intérieur, croustillant dehors), ont suivi les émigrés juifs jusqu'à New York pour devenir un *breakfast food* incontournable. Servis traditionnellement grillés *(toasted)* puis tartinés de *cream cheese* (souvent du *Philadelphia*) ou de beurre et confiture, ils existent en différentes versions : nature *(plain),* avec des raisins secs et de la cannelle *(cinnamon-raisin),* des graines de sésame ou de pavot, de l'oignon, multigrains, etc. Nos préférés : les *everything,* comme leur nom l'indique, avec un peu de tout dedans.

Ne pas confondre les *bagels* avec les *donuts* (beignets ronds, troués aussi au milieu), dont les Américains, Homer Simpson en tête, sont très friands. On allait oublier les *muffins,* aux myrtilles, à la framboise, à la banane, etc., moelleux et délicieux, qu'on trouve surtout dans les *coffee shops*. Et le *granola,* mélange de céréales croustillantes (genre muesli) servies avec du yaourt, des fruits, etc. Dernière chose,

À TOUTES LES SAUCES

Le fameux ketchup n'a pas été inventé aux États-Unis mais... en Chine ! Il se serait agi à l'origine d'une sauce de saumure de poisson, appelée ké-tsiap. Au XVIIᵉ ou XVIIIᵉ s, les Anglais la rapportèrent en Europe où sa composition fut adoucie et son nom occidentalisé en ketchup.

LA PETITE HISTOIRE DES KELLOGG'S CORN FLAKES

John H. Kellogg était directeur d'un sanatorium dans le Michigan. Très religieux, il prônait une alimentation végétarienne, soi-disant efficace contre... les pulsions sexuelles. Sa découverte eut lieu par hasard, en 1894, en faisant griller des flocons de maïs trop bouillis.

dans les formules petits déj ou bien les brunchs, la boisson chaude est rarement incluse, le jus de fruits non plus. Mais si vous demandez un café *regular*, il sera en principe servi à volonté.

Le brunch

Une tradition du week-end incontournable chez les Américains. Le dimanche, et parfois aussi le samedi, de 10-11h à 15-16h en général, de nombreux restos et même des bars servent le brunch, c'est-à-dire des plats à mi-chemin entre le breakfast et le lunch, à accompagner d'une boisson chaude, parfois d'une coupe de champagne (du mousseux assez souvent) ou d'un cocktail genre *Bloody Mary* ou *Mimosa*. Depuis quelques années, les gastro-brunchs ont le vent en poupe : produits de qualité et recettes élaborées, souvent inspirées des classiques américains mais revisitées avec légèreté et créativité.

Le lunch et le *dinner*

Lexique anglais-français, spécial resto :

Sur place ou à emporter ?	*For here or to go ?*
Entrées	*Appetizers*
Plats de résistance	*Entrees (à prononcer presque à la française)*
Vous avez terminé ?	*Are you done ?*
Non, je n'ai pas fini (de manger)	*No, I'm still working on it*
L'addition, s'il vous plaît	*The check, please* (et non pas *the bill*)

Dans la plupart des restos (on ne parle pas ici de fast-foods), le lunch est généralement servi de 11h à 14h30. Puis les portes se ferment pour rouvrir vers 17h pour le dîner. En dehors des grandes villes de la côte pacifique, on dîne tôt ; rien de plus normal que de se rendre au restaurant à partir de 17h30-18h. D'ailleurs, passé 21h ou 21h30 en semaine, vous aurez le plus grand mal à mettre les pieds sous une table. Les chaînes de restauration font bien sûr exception. Évidemment, dans une ville comme Los Angeles, les horaires sont beaucoup plus souples : on peut se restaurer à n'importe quelle heure de la journée (sauf quelques restos « à l'européenne »), et ce, en général, jusqu'à 22h, voire 23h le week-end dans certains restaurants.

– *La carte n'est pas la même le midi et le soir.* Au déjeuner, elle est souvent plus réduite et moins chère, avec principalement des salades, sandwichs, soupes et autres burgers. Le soir, en revanche, les plats sont plus élaborés et les prix plus élevés. Mieux vaut donc bien manger le midi et se contenter d'un repas plus léger le soir ou alors, profiter des tarifs *early bird* (spécial couche-tôt) : pour étendre leurs heures de service et faire plus de profit, certains restaurants ouvrent dès 17h-17h30 et proposent, pendant 1h ou un peu plus, des prix spéciaux pouvant atteindre moins 30 % sur une gamme de plats.

– *Les today's specials* (ou *specials* tout court, ou encore *specials of the day*), désignent les suggestions du jour, servies en fait plutôt le soir, que les serveurs vous encouragent à choisir. Attention, contrairement à nos « plats du jour », les *specials* sont souvent plus chers que le reste de la carte, et le prix n'est pas toujours clairement indiqué.

– *Les salad bars :* dans *les supermarchés,* il y a souvent une section avec tout un choix de crudités, salades composées (à accompagner de nombreuses sauces), plats cuisinés chauds ou froids de toutes sortes, y compris souvent des plats asiatiques ou mexicains, parfois des sushis, des desserts, des fruits frais, etc., à consommer sur place ou à emporter. Idéal pour les végétariens. Il suffit de remplir une barquette et de passer à la caisse : on paie au poids (environ 8-10 $ la *pound*, soit 454 g), et on assaisonne à sa façon. La chaîne de supermarchés bio *Whole Foods Market* propose à notre avis les plus beaux *salad bars* qui soient.

– **Les food courts :** très courants aux États-Unis, ce sont des espaces type cafétéria regroupant des stands de cuisines différentes : asiatique, mexicaine, italienne, mais aussi BBQ, bars à jus de fruits et *smoothies,* etc. On navigue d'un comptoir à l'autre pour se concocter un menu à manger sur place ou à emporter. On trouve des *food courts* dans les aéroports, les centres commerciaux mais aussi en plein centre-ville. Pratique, rapide, souvent économique, mais pas toujours très fin...

– Certains restos proposent des formules buffets appelées **all you can eat** (ou *ACE*, c'est-à-dire « tout ce que vous pouvez manger »). Pour une poignée de dollars, vous pouvez vous en mettre plein la lampe. L'abondance est garantie, la qualité un peu moins. Dans les grandes villes, certains restos font ça une fois par semaine, le jour le plus creux. Sympa et pas cher.

– La plupart des bars proposent des **happy hours** (généralement de 16h à 19h en semaine). Si on a généralement droit à 2 consommations pour le prix d'une, quelques en-cas sont parfois aussi proposés à tarifs réduits. L'idée des *happy hours,* c'est donc de boire et de grignoter avant le dîner, ce qui explique que, souvent, un restaurant soit adjacent au bar.

– Voir aussi « Savoir-vivre et coutumes » plus loin.

La cuisine américaine en général

– **Le hamburger (ou burger) :** une institution aux États-Unis, et pour cause, c'est le plat national ! Évidemment, le choix de la viande est primordial. Tout dépend de la qualité du *patty* (steak haché) et des ingrédients qu'on met dedans. Les chaînes de fast-foods les plus populaires (*McDo, In-N-Out* et consorts) proposent des viandes vraiment bas de gamme. Ce n'est pas bien sûr pas là qu'il faut aller, mais dans les vrais restos ou dans certaines mini-chaînes de qualité (comme *Umami Burgers,* à Los Angeles), qui servent d'excellentes viandes bien fraîches, *juicy,* tendres et moelleuses, prises entre deux

LE HAMBURGER N'EST PAS AMÉRICAIN

Fin d'un mythe, le hamburger est né en Allemagne, à Hambourg comme son nom l'indique. À la fin du XIXe s, les immigrés allemands de la région de Hambourg affluaient en masse vers le pays de l'Oncle Sam. Le hamburger désignait alors le bifteck haché qu'on leur servait à bord des transatlantiques. C'est donc grâce aux immigrants que le burger a fait son apparition dans le Nouveau Monde, avant d'être récupéré par les frères McDonald qui le placent alors entre deux tranches de pain et le proposent en self-service !

tranches de bon pain *(buns).* Attention, il faut presque toujours commander les **frites (French fries)** et le **coleslaw** (salade de chou cru dans une sauce sucrée, en général mélangée avec des carottes râpées). Chaque resto propose généralement sa – ou ses – recettes maison, et le burger s'accommode alors à toutes les sauces. En revanche, dans les *diners* et autres petits restos populaires, on compose souvent son burger soi-même. Un conseil : n'hésitez pas à demander tous les petits accompagnements qui vont dans le pain et notamment le fromage, le bacon et les oignons caramélisés (bien plus faciles à digérer que servis crus), sinon vous risquez de vous retrouver avec un steak haché tout bête entre deux tranches de pain tout sec. Un bon test : si on vous demande la cuisson de la viande, il y a des chances que l'adresse soit de qualité.

– **La viande de bœuf :** de tout premier ordre, mais chère. Détail intéressant : la tendreté de la viande américaine provient aussi de sa découpe (perpendiculaire aux fibres du muscle), différente de celle des bouchers français. D'où la difficulté de traduire les différents morceaux que l'on retrouve sur les cartes des restos américains. Parmi nos préférés figurent le **filet mignon** (rien à voir avec un filet mignon de porc, c'est un pavé dans le filet), le *sirloin steak* (faux-filet), le *ribeye* (entre-côte) et le célèbre *T-bone,* c'est-à-dire la double entrecôte avec l'os en T. Enfin, le très tendre *prime rib* (côte de bœuf) a aussi ses adeptes (à ne pas confondre avec le *spare ribs* qui est du travers de porc).

Si vous aimez la viande cuite à point, comme en France, demandez-la *medium,* saignante se disant *rare* (et non *bloody*...). Si au contraire vous préférez votre steak bien cuit, demandez-le *well done.* L'Ouest des cow-boys et des *cattlemen* a aussi donné à l'Amérique et au reste du monde la recette indispensable : le barbecue, accompagné de son cortège de sauces en flacons. Le poulet frit du Kentucky (ou d'ailleurs) est également l'une des bases du menu américain. Dans les supermarchés, vous vous demanderez sans doute ce qui se cache dans les sachets de *beef jerky,* vendus près des caisses ou au rayon des chips... Non, ce ne sont pas des friandises pour chiens, mais du bœuf séché sous vide, en version *original* (nature, donc) ou aromatisée (au poivre, goût sauce teriyaki, etc.). C'est assez proche en goût de la viande des Grisons, et bien pratique à mâchonner en randonnée !

– *Les salades :* les Américains sont les champions des salades composées. Toujours fraîches, appétissantes et copieuses, elles constituent un repas équilibré. La star est la *Caesar salad,* à base de romaine, parmesan râpé, croûtons et d'une sauce crémeuse à l'ail. En version *deluxe,* elle s'accompagne de poulet grillé ou de grosses crevettes *(shrimp).* La *Cobb salad* est un autre classique : salade verte, tomate, bacon grillé, poulet, avocat, œuf dur et roquefort.

– *Les sauces (dressings) :* impossible d'évoquer les salades sans le cortège de sauces qui vont avec. Les plus populaires sont la *Ranch,* relevée d'ail et de poivre, la *Blue cheese,* au bleu, la *Honey Mustard* (vinaigrette moutardée mais douce), la *Thousand Island,* de couleur rosée (un peu l'équivalent de notre « sauce cocktail »), la *Caesar,* au parmesan et à l'ail, qui accompagne la *Caesar salad,* et la *Balsamic* (vinaigre du même nom et huile d'olive). Attention, la sauce peut parfois noyer la légèreté et donc gâcher le bénéfice de la salade. Pour ceux qui font attention à leur ligne, elles existent en version allégée *(light).* Vous voilà paré pour répondre à la rituelle question que l'on vous posera si vous commandez une salade : « *What kind of dressing would you like ?* ».

– *Les sandwichs :* celui que nous connaissons en Europe s'appelle en américain *cold sandwich.* À ne pas confondre avec les *hot sandwiches,* qui sont de véritables repas chauds servis avec frites (ou chips ou *potato salad*) dans les restaurants, donc plus chers. On trouve aussi des *wraps,* ce sont des sandwichs roulés dans une tortilla au maïs (ou autre céréale). Quant au *hot dog,* son nom étrange (« chien chaud ») proviendrait de la ressemblance entre les *Frankfurter* (saucisses de Francfort) et une autre importation des immigrants allemands arrivés à la fin du XIXe siècle aux États-

SANDWICH ET SANS REPROCHES

Le « sandwich » tire son nom du Britannique John Montagu, 4e comte de Sandwich. On ne sait si son cuisinier lui inventa ce nouveau type de repas parce que ce joueur invétéré ne voulait pas quitter la table de jeu, ni tâcher les cartes de gras. En tout cas, les Américains lui doivent beaucoup : il fut jugé responsable de la défaite anglaise pendant la guerre d'Indépendance, et son invention est désormais servie dans tous les restos du pays.

Unis : le chien teckel ou basset, dont le corps allongé évoque une saucisse...

– *Les glaces (et dérivés) :* les Américains ont l'habitude de les agrémenter de toutes sortes de garnitures *(toppings)* : éclats de *M&M's,* noix, céréales, cacahuètes, caramel, *hot fudge* (chocolat chaud)... Outre la glace classique, il existe aussi le *frozen yogurt* (yaourt glacé), un peu plus léger en matières grasses mais à la texture onctueuse.

– **Les pâtisseries :** certains les trouvent alléchantes, d'autres écœurantes rien qu'à regarder... Les desserts traditionnels sont les **cheesecakes** (gâteau au fromage blanc parfois agrémenté de fruits, de chocolat, etc.), **carrot cakes** (gâteau aux carottes et aux noix, sucré et épicé, nappé d'un glaçage blanc crémeux) ; mais il y a aussi les **chocolate cakes,**

pumpkin pies (célèbre tarte au potiron, typique de la période de Halloween), sans oublier les **cupcakes** (petits gâteaux ronds genre génoise, nappés d'un glaçage au beurre sucré et parfois coloré), les **whoopie pies,** sorte de mini-sandwich de gâteau en forme de soucoupe volante, avec une garniture crémeuse au milieu, et enfin les muffins et les cookies (spécialité de la chaîne *Diddy Riese* qui propose aussi des *ice cream sandwiches,* soit de la glace entre deux cookies !).

Les restaurants de chaîne

Disséminées dans tous les États-Unis et essentiellement implantées en périphérie des villes, ces chaînes de restos ont toujours beaucoup de succès auprès des Américains. Côté fast-foods tex mex, on vous recommande surtout la chaîne *Chipotle,* plébiscitée pour ses tacos et burritos, *Chili's* qui sert, comme son nom l'indique, un excellent chili con carne mais aussi des burgers très corrrects. À propos de burgers, ils sont un peu meilleurs (et pas plus chers) chez *Carl's Jr.* et *In-N-Out* que chez *McDonald's, Burger King* et *Wendy's.* Mais on est d'accord, on vous parle là de burgers basiques. Un cran au-dessus, ceux de *Five Guys,* servis avec tous les ingrédients de son choix pour le même prix (même les frites sont bonnes, classiques ou *cajun style*). Mais si vous voulez vraiment vous régaler, goûtez voir les *gourmet burgers* de chez *Umami* (succursales à San Francisco et Los Angeles) et vous nous en direz des nouvelles ! Côté buffets, notre préférence va sans hésiter à *Souplantation Sweet Tomatoes,* spécialisé dans les salades, soupes et pâtes, où, pour un prix dérisoire (environ 10 $ le soir, encore moins le midi, et grosse réduc enfants), vous ferez un repas sain et copieux. Dans un genre plus élaboré, on recommande *Mel's Diner,* pour son décor sixties souvent très réussi (celui d'*American Graffiti*) et sa carte de spécialités ricaines longue comme le bras. Pour le petit déj enfin (version saine), on aime beaucoup *Corner Bakery* : bons pains, porridge aux fruits (le *chilled Swiss oatmeal* est extra), œufs de toutes sortes, etc.

DROITS DE L'HOMME

Le verdict d'acquittement dans l'affaire Trayvon Martin, un jeune noir assassiné en Floride, a fait resurgir de vieux démons aux États-Unis. Certaines associations demandent une réforme de la justice, jugée trop discriminatoire à l'égard des populations noires. Pour d'autres, l'affaire a surtout confirmé l'absurdité et la dangerosité des lois autorisant la légitime défense aux États-Unis, particulièrement laxistes dans certains États. Dans le même registre, chaque année, des tueries ont lieu sans que personne n'ose attaquer de front le lobby des armes, représenté par la toute-puissante National Rifles

Association (NRA). Après le massacre dans une école primaire de Newtown en décembre 2012, qui avait causé la mort de 28 personnes dont 20 enfants, Barack Obama avait tenté de faire passer une loi régulant – très légèrement – ce trafic. Peine perdue, le projet a été retoqué par le Congrès en avril 2013. Un autre projet de loi est par ailleurs en cours de discussion, concernant l'immigration d'origine hispanique. Le premier volet, sécuritaire – et dénoncé par les ONG – prévoit notamment un contrôle renforcé aux frontières du Mexique, le long du « Mur » séparant les deux pays. Le second, plus libéral, devrait voir la régularisation de près de 11 millions de travailleurs clandestins aux États-Unis. Là encore, les républicains sont opposés au projet, mais les défaites électorales liées au poids électoral de plus en plus fort des « latinos », pourraient faire évoluer leurs positions.

La mort d'Oussama Ben Laden en mai 2011, à l'issue d'un raid des forces spéciales au Pakistan, a précipité la fin de l'intervention américaine en Afghanistan. Mais la lutte anti-terroriste laisse des traces. Si le *Waterboarding* (simulation de noyade) et les autres formes de torture sont désormais proscrites, le camp de Guantanamo n'a toujours pas fermé, et 166 présumés terroristes y sont toujours détenus. Beaucoup ont entamé une longue grève de la faim en 2013,

LES TROIS COUPS : LA LOI À ABATTRE

Le Three Strikes Law *édicte que toute personne condamnée deux fois, même pour des délits mineurs, risque 25 ans d'emprisonnement au « troisième coup ». Cette loi promulguée par plusieurs états, dont la Californie en 1994, remplit les prisons avec des chapardeurs de pizzas. Une loi similaire (la relégation) existait en France jusqu'en 1970.*

et 71 détenus devraient voir prochainement leur cas examiné. Des ONG dénoncent par ailleurs la pratique des assassinats « ciblés » dans le monde (Yémen, Pakistan...) à l'aide notamment de drones téléguidés, particulièrement utilisés depuis l'accession au pouvoir d'Obama en 2008, les « dégâts collatéraux » provoqués se chiffrant en effet en centaines de victimes civiles dont de nombreux enfants. L'affaire Snowden, du nom de cet agent de la NSA qui a révélé l'importance du dispositif américain de renseignement dans le monde a également soulevé l'indignation internationale... pendant quelques jours du moins.

La peine de mort, toujours pratiquée dans certains États, se maintient au même niveau qu'en 2011 – 43 personnes exécutées en 2012 –, même si les abolitionnistes remportent des victoires.

Amnesty International dénonce également toujours l'utilisation du *Taser* (pistolet électrique) par les forces de police américaines.

Enfin, une loi (là encore très édulcorée) permettant l'élargissement de la couverture maladie des plus pauvres à près de 30 millions d'Américains a finalement été adoptée et devrait entrer en vigueur en 2014.

Pour en savoir plus, n'hésitez pas à contacter :

■ **Fédération internationale des Droits de l'homme (FIDH) :** *17, passage de la Main-d'Or, 75011 Paris.* ☎ *01-43-55-25-18.* ● *fidh.org* ● Ⓜ *Ledru-Rollin.*

■ **Amnesty International (section française) :** *76, bd de La Villette, 75940 Paris Cedex 19.* ☎ *01-53-38-65-65.* ● *amnesty.fr* ● Ⓜ *Belleville ou Colonel-Fabien.*

N'oublions pas qu'en France aussi, les organisations de défense des Droits de l'homme continuent de se battre contre les discriminations, le racisme et en faveur de l'intégration des plus démunis.

ÉCONOMIE

::

> « Je crois que nos importations
> viennent de plus en plus de l'étranger. »
>
> George W. Bush

Les grands principes de l'économie américaine

L'économie américaine s'appuie sur la dalle de granit du *libéralisme absolu,* un credo qui tient en quelques principes simples : voir les choses en grand, laisser faire les « lois » du marché (plutôt l'absence de lois en fait...), ne jamais contrarier la liberté des financiers, travailler sans relâche (la répugnance au travail est un signe de disgrâce divine, selon l'éthique protestante puritaine), être à la pointe de l'innovation technologique, payer le moins possible d'impôts (les particuliers comme les entreprises semblent s'accorder sur ce point !)... Un minimum d'intervention, tel est le credo du chantre du libéralisme. Sauf quand ça va mal, bien entendu. Et depuis quelques années, ça va très mal... Après les faillites de Lehman Brothers et de la WaMu (Washington Mutual), véritables institutions du système financier américain, *la crise des subprimes, survenue en 2007,* s'est rapidement muée en crise financière mondiale, provoquant des dizaines de milliers d'expropriation des propriétaires endettés, des licenciements par wagons entiers et la prolifération de publicités incitant les Américains à acheter de l'or, pour mettre leurs avoirs à l'abri. Contraint et forcé, le Congrès adopte à la rentrée 2008 le drastique *plan Paulson* : 700 milliards de dollars destinés, entre autres, à racheter les *junk bonds* (obligations pourries) des institutions de crédit en perdition. Le 15 juillet 2010, alors que la situation n'a eu de cesse de se dégrader – et malgré les efforts des lobbyistes financiers qui ont déboursé 250 millions de dollars pour tenter de faire capoter le projet –, le Congrès adopte une loi de régulation financière visant à dompter – modestement – Wall Street. Un événement sans précédent au pays du libéralisme forcené.

La planche à billet tourne à plein régime, la dette nationale, déjà colossale, grossit de plus en plus vite et, sur les billets verts, George Washington fait la « crise mine », à mesure que le pays absorbe *les coûts faramineux de ses campagnes en Irak et en Afghanistan* et des catastrophes dont mère Nature l'accable (les ouragans Katrina en 2005, Ike en 2008 et Sandy en 2012). Un gouvernement endetté jusqu'au cou, des consommateurs dans le même cas et une *crise immobilière sans précédent* : toute la première mandature de Barack Obama est modelée par cette situation, rendue d'autant plus complexe que le Congrès, à majorité républicaine, s'oppose quasi systématiquement aux plans gouvernementaux pour tenter de relancer l'économie, en dénonçant leur coût pour le budget fédéral. C'est

LE CRIME NE PAIE VRAIMENT PAS

En 2011, la justice californienne n'a prononcé « que » 10 condamnations à mort, contre 29 l'année précédente. Un petit pas vers l'abolition ? Pas vraiment. L'État a seulement constaté que les procédures d'appel, à la suite d'une condamnation à mort coûtaient un argent fou : 4 milliards de dollars depuis 1978. Du coup, les procureurs préfèrent commuer la condamnation en prison à vie sans remise de peine. Seul hic : face à la crise économique qui frappe aussi les prisons, certains comtés endettés envisagent... de faire payer les prisonniers.

ainsi que, en 2011, *l'American Jobs Act,* qui prévoit de consacrer 447 milliards de dollars à des réductions de charges sociales et d'impôts pour les PME investissant aux États-Unis, embauchant des chômeurs de longue durée et d'anciens militaires, ou augmentant les salaires de leurs employés, passe largement à la trappe. Tant pis pour la modernisation des infrastructures publiques et de quelque 35 000 écoles, tant pis pour le maintien des 280 000 postes d'enseignants menacés par les coupes budgétaires des États et des communes...

L'économie vue de Californie

La Californie, *fer de lance de l'économie Yankee,* longtemps décrite comme un paradis ensoleillé de la classe moyenne américaine, demeure *l'État le plus riche des États-Unis* grâce à une *économie diversifiée et innovante* (de l'agriculture aux nouvelles technologies de l'information, en passant par le tourisme, le cinéma et les énergies renouvelables). Mais si son PIB dépasse 2 000 milliards de dollars, c'est aussi l'État *le plus endetté* du pays ! Ses engagements, qui ont triplé sous l'ex-governator Schwarzenegger, élu « pire gouverneur » des États-Unis en 2010 par *The Citizens for Responsability and Ethics,* atteindraient entre 30 milliards de dollars et... plus de 1 000 milliards si l'on y ajoute, à long terme, les retraites et les frais médicaux des employés des diverses administrations californiennes. D'innombrables rapports font état de chiffres alarmants, sans qu'aucun ne s'accorde vraiment avec un autre... Le problème se répercute sur les municipalités : *Vallejo en 2008, Stockton en 2012 et San Bernardino en 2013, se sont déclarées en cessation de paiement* !

En janvier 2012, le nouveau gouverneur Jerry Brown a promis de s'attaquer à ce « mur de la dette » comme il le désigne lui-même. Un budget en forte baisse a été adopté, les financiers ont apprécié, les taux d'emprunt de la Californie se sont détendus (à un plus bas de 5 ans), mais rien n'est réglé sur le long terme. Classée A - par les agences financières (la plus mauvaise note des 50 États de l'Union), la Californie reste dans une situation précaire ! En 2011, le taux de chômage explose et atteint 12,4 %, le pire des États-Unis après celui du Nevada, alors que la moyenne nationale est retombée en dessous de la barre des 10 %. Redescendu à 8,9 % en août 2013, *le taux de chômage reste l'un des quatre plus élevés du pays. Le taux de pauvreté est parallèlement le plus important,* à 23,5 % (2012). Le tiers des récipiendaires des (rares) aides sociales américaines résident en Californie. Mais comment le *Golden State,* comme on l'appelle encore là-bas, 12e puissance économique mondiale, a-t-il pu en arriver là ?

Il y a d'abord eu la *crise énergétique de 2001* et celle de la fameuse *Silicon Valley,* puis l'éclatement de la bulle de crédits immobiliers à risques depuis 2007. Pionnière dans le développement des subprimes, *la Californie est touchée de plein fouet par la crise financière et immobilière.* La *sécheresse* chronique qui sévit depuis quelques années est un autre facteur aggravant : la région, considérée comme le grenier de l'Amérique, subit d'importantes *pertes agricoles.* Parallèlement à l'accroissement incessant du service de la dette, les sources de revenus de l'État s'amenuisent, l'impôt sur le revenu rapportant de moins en moins en raison des licenciements en masse (en 2010, la Californie comptait 40 % de postes en moins dans le BTP que quatre années auparavant).

Pour combler le déficit de l'État, Schwarzy a commencé par recourir à la méthode forte (ça vous étonne ?) en mettant en place une politique rigoriste maintenue à contrecœur, depuis janvier 2011, par son successeur démocrate, Jerry Brown. Depuis 2008, près de *40 milliards de dollars ont été supprimés dans les dépenses sociales,* les transports publics et *l'entretien des infrastructures* (nouveaux projets gelés, renouvellements de rames annulés...), et surtout *l'éducation.* L'État qui était connu pour avoir *le meilleur système éducatif* et les *meilleures universités du pays (Berkeley, UCLA...)* se trouve désormais à la traîne : les écoles comme les universités voient leur *budget restreint* (le coût de la scolarisation universitaire a par conséquent plus que doublé en six ans, limitant encore davantage l'accès aux études), de plus en plus d'enseignants se retrouvent au mieux au chômage technique, au pire licenciés et, si certaines écoles parviennent à s'en sortir grâce aux donations de riches et inquiets parents d'élèves, la plupart des écoles publiques doivent se résoudre à raccourcir la durée de l'année scolaire ! Pour endiguer le problème, le gouverneur Jerry Brown a fait adopter par référendum, en janvier 2013, une augmentation des taxes de vente de 0,25 % et des impôts des plus riches : les recettes escomptées, estimées à 6 milliards de dollars, devraient permettre de revenir à la normale.

Les conséquences sociales commencent à se faire sentir très fortement, et le fossé social et professionnel se creuse : de plus en plus de personnes sont obligées de *cumuler deux, voire trois emplois,* les banques alimentaires sont contraintes de distribuer toujours plus de repas, 500 000 chômeurs californiens arrivaient en fin de droits en 2011... Si la Californie reste un État dynamique et la Silicon Valley une terre bénie pour les personnes hautement diplômées, les emplois « normaux » requérant des qualifications moyennes manquent toujours plus. Le recyclage massif des chômeurs en installateurs de panneaux solaires ou dans le secteur des énergies renouvelables a montré ses limites avec les résultats décevants des fameuses *green-tech* (écotechnologies) promues par Obama en 2009. La récente *faillite de Solyndra, leader californien du solaire,* embarrasse même la Maison-Blanche, qui avait lourdement appuyé le renouvellement de ses crédits bancaires malgré les doutes sur sa rentabilité.

Schwarzenegger et Jerry Brown ont aussi réalisé des économies – très impopulaires – sur le fonctionnement des prisons (11 % du budget de l'État). Afin de *réduire les coûts carcéraux* (47 000 $ par an et par « pensionnaire »), des prisonniers ont été libérés ou ont vu leur séjour écourté, et les procédures d'incarcération à domicile se sont multipliées... Tout cela sans que des mesures de réinsertion efficaces soient mises en place.

Le gouvernement fédéral, quant à lui, a accordé près de 4,3 milliards de dollars à la Californie dans le cadre de l'*American Recovery and Reinvestment Act,* pour mener une politique de grands travaux et financer une partie du projet de la *ligne de train à grande vitesse* qui devrait, vers 2033, relier Sacramento, San Francisco, Los Angeles et San Diego. Un projet désormais décrié par la majorité des Californiens, qui, habitués à prendre l'avion, n'en voient pas vraiment l'utilité et dénoncent son coût exorbitant, estimé à 98,5 milliards de dollars, qui sortiront majoritairement de la poche du contribuable.

Le cas particulier de la Bay Area

Après les mauvaises nouvelles, les bonnes ! Si la Californie dans son ensemble est plutôt mal en point, la Bay Area aurait plutôt tendance à sourire. Tenez-vous bien, le PIB de la région pèse quelque 594 milliards de dollars annuels (2012), ce qui en fait la *20ᵉ économie mondiale,* juste derrière la Suisse et devant l'Arabie Saoudite et la Suède ! L'essor de la Bay Area repose certes sur le tourisme (16,5 millions de visiteurs), mais aussi et surtout sur le formidable *moteur d'innovation de la Silicon Valley,* qui a encore connu une croissance de 7,7 % en 2012 (contre 1,8 % à l'échelle nationale). Conséquence logique de cet état de fait, le PIB par habitant est, à 74 815 $, le plus élevé des États-Unis – supérieur de 46 % à la moyenne nationale. Il atteint même 91 000 $ par habitant à San José !

Pour enfoncer le clou, on pourrait encore décliner quelques chiffres et statistiques : une productivité presque deux fois supérieure à celle du reste du pays, le record de firmes de capital risque et le plus grand nombre de brevets déposés par employé de tous les États-Unis. Remettez tout ça dans l'ordre et une conclusion évidente se dégage : tout repose vraiment sur l'innovation technologique. La Bay Area abrite d'ailleurs la plus forte concentration de méga business des US après New York (6e rang mondial) : Google, Yahoo, Facebook, Apple, eBay, Intel Oracle, Cisco, Hewlett-Packard sont tous là.

Sans dire que la région risque la surchauffe, on relève toutefois quelques répercussions inquiétantes. L'accroissement spectaculaire du niveau de vie des cadres des entreprises technologiques a ainsi bouleversé le marché immobilier, chassant les classes moyennes des quartiers centraux de San Francisco et de la Silicon Valley. Depuis mars 2009, les prix ont rebondi de près de 47 % (principalement depuis janvier 2012) ! Si une maison en Californie vaut déjà, en moyenne, plus de 400 000 $, le montant atteint 680 000 $ dans la Bay Area et plus de 850 000 $ à San Francisco, après avoir touché un plus haut de 915 000 $ au printemps 2013 (et le double dans le quartier de Pacific Heights). À moyen terme, les experts s'inquiètent aussi du développement graduel d'autres centres technologiques à travers le pays et, à plus long terme, de l'état pitoyable du système éducatif, qui fait craindre une pénurie de main d'œuvre hautement qualifiée.

ENVIRONNEMENT
:::

Les Californiens sont en train de se faire manger par leurs villes. Et elles ont de l'appétit ! Avec quelque 33 millions de véhicules pour 38 millions d'habitants, l'État de Californie, bien que réputé pour son mode de vie sain, est le *14e plus gros pollueur du monde et ses villes sont les plus polluées des États-Unis.* À lui seul, il émet autant de gaz à effet de serre que le Brésil ; le tiers, environ, est dû aux seuls transports routiers. Le rêve américain risque-t-il de partir en fumée ?

Dès 2002, l'État californien vote une loi visant à imposer aux grands constructeurs automobiles une *diminution de 30 % des gaz polluants entre 2009 et 2016.* Une première outre-Atlantique quand on connaît, économie oblige, le peu d'intérêt que témoignaient jusqu'ici les hommes de pouvoir américains pour les politiques environnementales. En agissant ainsi, la Californie se met *au diapason du fameux protocole de Kyoto,* en application depuis mars 2005, qui définit à l'échelle planétaire les contraintes relatives aux émissions de gaz polluants pour combattre le réchauffement climatique. Si l'Amérique de George Bush renâcle à ratifier les accords, l'ex-gouverneur Arnold Schwarzenegger, pourtant républicain lui aussi, annonce un plan drastique de réduction des vilains gaz, qui doit ramener en 2020 la Californie au niveau de ses émissions de 1990.

L'entrée en vigueur début 2012 d'un *marché du carbone* marque un pas de plus dans la prise de conscience, mais il ouvre aussi la voie à une approche très capitalistique de la gestion de l'écologie et ne produira pas ses effets avant quelque temps.

La même année, le gouvernement californien – désormais conduit par le démocrate Jerry Brown – adopte *une nouvelle réglementation exigeant des constructeurs,* sous peine de sanctions financières, *qu'ils vendent 1,4 million de véhicules verts* (électriques, hybrides et à hydrogène) d'ici 2025. Soutenu par la distribution de bonus financiers aux acheteurs, l'Advanced Clean Cars program définit l'objectif : une réduction de 34 % des émissions de gaz à effet de serre des nouveaux modèles et de 75 % des polluants contribuant à la formation du smog.

Ce *regain soudain de conscience écolo* ne satisfait pas pour autant les scientifiques. Pour la plupart d'entre eux, l'essentiel n'est pas tant de réformer les programmes actuels que l'*American way of life* lui-même... *En Californie, on consomme à tout-va.* Qui plus est, la population s'est accrue massivement depuis les années 1980. Les besoins en eau ont largement augmenté, menaçant d'assèchement les nappes phréatiques. Aujourd'hui, la poussée démographique engendre des *besoins de consommation* que l'agriculture, pourtant intensive, peine à satisfaire. On a beau voir fleurir les éoliennes un peu partout, le véritable problème consiste à mettre en œuvre les moyens nécessaires au transport de l'énergie qu'elles produisent. Et tout cela a un coût, que l'administration californienne, noyée sous les dettes, peine à supporter (voir « Économie »).

Enfin le *green rush* ?

Dans la fameuse Silicon Valley, on a l'habitude de sentir le vent et humer l'air du temps... et du business à faire autour. Tous les indicateurs ou presque sont au vert, si l'on ose dire : l'élection d'**Obama, fervent partisan de la relance par la filière verte,** la flambée du prix du pétrole, la crise économique qui pousse à développer d'autres énergies, l'angoisse climatique, etc. Et puis la Californie est riche... de vent et de soleil ! Après l'or, après le boom informatique et Internet, après la viticulture, et si la géniale petite vallée nous préparait une ruée vers l'or vert, le *green rush* ? Déjà, des centaines de millions de dollars sont investis dans la **recherche de technologies appliquées aux énergies renouvelables.** Les biocarburants sont controversés et font monter dramatiquement le prix des denrées alimentaires. Alors la société californienne *Solazyme* produit du diesel à base de micro-algues, le « soladiesel », déjà testé par l'armée US. Des centaines d'autres sociétés investissent dans des **clean tech californiennes** : centrales et panneaux solaires, matériaux de construction écolos, géothermie profonde, voitures électriques, le tout nouvelle génération, bien sûr. John Doerr, l'un des financiers de Google et Amazon, le pense : « C'est la plus grosse opportunité économique du XXIe s. » Vinod Khosla, cofondateur de Sun Microsystems, a gagné le surnom de « gourou vert » en investissant dans « tout ce qui est risqué ». Google se lance dans l'électricité verte, tandis que Shai Agassi travaille sur la voiture électrique avec batterie échangeable en collaboration avec Renault Nissan – ce qui permettrait de réduire le coût d'achat en payant « seulement » un forfait kilométrique pour recharger le véhicule. En 2009, la Californie lançait l'opération « Un million de toits solaires », loin devant le reste du pays... et du monde. En 2011, un quart des emplois dans l'énergie solaire américaine se trouve d'ailleurs en Californie et, malgré la récente faillite de Solyndra, leader californien du solaire (que la Maison-Blanche avait soutenu par le renouvellement de ses crédits bancaires), l'industrie des énergies renouvelables devrait continuer à créer des emplois, à un rythme encore accéléré. Les compagnies californiennes d'électricité ont aussi l'obligation de produire 20 % d'énergie renouvelable depuis 2010. Résultat : les déserts commencent à voir arriver de nouveaux colons, des miroirs installés par milliers pour produire de la vapeur et faire tourner des turbines ! Certes, certains projets paraissent un peu farfelus ou un peu fous, comme celui de Craig Venter de produire des bactéries secrétant... du pétrole ! Mais c'est indéniable, quelque chose frémit en Californie, même si la route paraît encore longue.

Économie bobo ou véritable tournant ?

À l'échelle citoyenne, puisque les crédits se font rares, tout le monde commence à s'y mettre : associations de quartiers, ONG écologistes, planteurs d'arbres et constructeurs de maisons « équitables » occupent le devant de la scène. À L.A., le maire, épaulé par Bill Clinton, a annonce le remplacement des 140 000 ampoules des lampadaires et feux de signalisation par des diodes électroluminescentes, permettant d'économiser l'équivalent en énergie et en pollution de 6 000 véhicules. À San Francisco, les choses sont un peu plus sérieuses : du **recyclage tous azimuts** au **« musée le plus vert du monde »** (*California Academy of Sciences*) en passant par le développement des **voies cyclables** et des **éclairages basse consommation,** San Francisco semble bien partie. Les émissions de gaz à effet de serre y ont baissé de 12 % depuis 2005. C'est pas mal, mais moins bien que les 20 % de l'objectif initial et pas beaucoup mieux qu'à l'échelle de l'État. À y regarder de plus près, la municipalité semble plus souvent faire des effets d'annonce que de vraiment prendre les problèmes de fond à bras le corps. Ainsi, en 2007, le maire Gavin Newsom annonce la création d'un fonds destiné à contrebalancer les émissions de CO_2 des édiles locales lorsqu'elles prennent l'avion : l'argent s'accumule sans investissement notable, mis à part une subvention à la vente de biodiesel – dont on sait maintenant que l'impact écologique est loin d'être positif... Autre exemple : en 2012, la ville inaugure le nouveau siège de la *San Francisco Public Utilities Commission* (Commission des services publics), un bâtiment splendide bardé de panneaux solaires, turbines à vent et autre système de récupération des eaux. Très bien, mais l'édifice revient à 200 millions de dollars, soit le double de ce qu'il en aurait coûté pour rendre moins énergivores l'ensemble des 400 bâtiments municipaux... Plus largement, le *CleanPowerSF program* peine à se mettre en place. Les 100 % d'énergie verte annoncés un temps à l'horizon 2020 ont fort peu de chances de se concrétiser : la ville atteint tout juste 5 % actuellement, fournis par *Shell,* au double du prix du marché (ce qui ne devait pas être le cas)... Parallèlement, la ville se repose sur l'électricité plus abordable et les réserves en eau du barrage de Hetch Hetchy... construit dans les années 1930 à l'intérieur même du parc de Yosemite !

Récemment, ***le débat sur le gaz de schiste*** s'est aussi invité dans la région. Si le comté de Monterey a pour l'heure interdit la fracturation hydraulique sur son territoire, ses sous-sols seraient gorgés de plus de 15 millions de barils de gaz, la plus grande réserve du pays aux dires de certains spécialistes. Déjà, le gouverneur Brown, pressé par les questions financières et le chômage, s'est prononcé en faveur de l'exploitation du gisement, arguant de la probable création d'un demi-million d'emplois.

Au final, force est de constater qu'en dépit d'une série de réformettes visant à conforter le péquin sur le chemin de sa bonne conscience, l'acte est avant tout médiatique. De Daryl Hannah roulant à l'huile de friture récupérée dans les fast-foods à Leonardo DiCaprio vantant les mérites de la *Toyota Prius* en passant par tous ces *people* découvrant les joies du marché, la mise est surtout théâtrale. Normal, on est près d'Hollywood ! Mais ce n'est pas pour autant que les Californiens sont tous prêts à remettre en cause leurs modes de consommation, voire leur mode de vie. Éteindraient-ils subitement les néons qui brillent jour et nuit ? Cesseraient-ils d'arroser les golfs en plein désert et de laver leurs voitures ? Seraient-ils prêts à abandonner leurs 4x4 super polluants ? Certains, oui, l'Américain moyen, c'est moins sûr... Mais peut-être un sursaut des consciences donnera-t-il une fois de plus l'exemple au plan national, voire au-delà ?

GÉOGRAPHIE

La Californie, troisième État par la superficie après l'Alaska et le Texas, s'étend sur 424 000 km². Elle est bordée au nord par l'Oregon, à l'ouest par l'océan Pacifique (sur 1 350 km), à l'est par le Nevada et au sud par le Mexique.

C'est une région tectonique instable ; les phénomènes sismiques y sont nombreux. La fautive, c'est la faille de San Andreas, fracture de l'écorce terrestre, qui traverse l'océan Pacifique et sillonne l'État, entre le golfe de Californie et le nord de San Francisco. Cette ville détient le triste record des tremblements de terre. Le plus dramatiquement célèbre reste celui de 1906 : l'incendie déclenché par le séisme a détruit les quatre cinquièmes de la ville. En 1989, nouveau tremblement de terre (7,1 sur l'échelle de Richter) qui provoque cette fois l'effondrement du Bay Bridge, mais cause finalement peu de victimes en ville grâce à l'efficacité des nouvelles normes antisismiques. Jusqu'ici, on ne parlait que de la faille de San Andreas, qui provoque une ou deux secousses de magnitude 3 chaque jour et qui, d'après les spécialistes de la chose, devrait causer dans les trente prochaines années le fameux Big One. Mais depuis quelque temps, les scientifiques s'intéressent à une autre faille, nommée Hayward, proche de Berkeley et de San Jose. Elle traverse Oakland, une région très peuplée et peu préparée aux risques de séismes. Chaque soir, à la TV, l'*earthquake report* fait le détail des secousses de la journée. Chaînes côtières de l'Ouest, crêtes, petites vallées et rivières dessinent également le paysage de la Californie. Sur une longueur de 800 km et une largeur allant de 80 à 120 km, les chaînes côtières (riches en argent, métaux non ferreux, pétrole et potentiel hydroélectrique) se divisent pour laisser place à la baie de San Francisco. Les rivières de l'ouest de la Sierra Nevada et les plaines de la vallée Centrale s'y faufilent pour rejoindre le Pacifique. La vallée Centrale (Central Valley), qui s'étend des chaînes côtières de l'ouest à la Sierra Nevada à l'est, est délimitée au nord par la rivière Sacramento et au sud par la rivière San Joaquin. Cette immense vallée compte parmi les zones agricoles les plus riches et variées du pays.

À l'est de la vallée Centrale, la Sierra Nevada (« chaîne enneigée » en espagnol) offre de magnifiques canyons formés par l'érosion. En se promenant dans les parcs nationaux de Yosemite, Sequoia et de Canyon Kings, on profite de ces paysages granitiques.

Encore plus au sud s'étire une ceinture de déserts, depuis la Californie jusqu'au Nouveau-Mexique, avec des forêts de cactus près de la frontière mexicaine. Le désert le plus aride est la fameuse Vallée de la Mort (Death Valley). C'est ici, à Badwater, que se trouve le point le plus bas des États-Unis (86 m au-dessous du niveau de la mer). Enfin, culminant à plus de 1 000 m d'altitude, le désert Mojave est le plus irrigué et le plus haut.

HISTOIRE

« Kennedy n'a pas eu le temps de montrer ce qu'il ne fut pas. »

Laurent Lemire (Livres Hebdo)

Quelques dates

– *35000 à 10000 av. J.-C.* : premières migrations de populations d'origine asiatique à travers le détroit de Béring.

– *2640 av. J.-C.* : les astronomes chinois Hsi et Ho auraient descendu la côte américaine par le détroit de Béring.

– *1000-1002 apr. J.-C.* : Leif Erikson, fils du Viking Erik le Rouge, explore les côtes de Terre-Neuve et du Labrador, et atteint peut-être ce qui est aujourd'hui le nord-est des États-Unis.

– *1492* : « découverte » de l'Amérique par Christophe Colomb.

– *1524* : découverte de la baie de New York par Giovanni Da Verrazano.

– *1585* : fondation d'une colonie anglaise sur l'île de Roanoke.

– *1607* : fondation de Jamestown (Virginie) par le capitaine John Smith.

– *1613* : découverte des chutes du Niagara par Samuel de Champlain.

– *1619* : premiers esclaves noirs dans les plantations de Jamestown.

– *1620* : le *Mayflower* débarque à Cape Cod avec 100 pèlerins qui fondent Plymouth (les Pères pèlerins).

– *1636* : création du collège *Harvard*, près de Boston.

– *1647* : Peter Stuyvesant est le premier gouverneur de La Nouvelle-Amsterdam, rebaptisée ensuite New York par les Anglais.

– *1650* : légalisation de l'esclavage.

– *1692* : chasse aux sorcières à Salem (Massachusetts).

– *1718* : fondation de La Nouvelle-Orléans par Jean-Baptiste Le Moyne.

– *1776* : adoption de la Déclaration d'indépendance le 4 juillet.

– *1784* : New York est élue provisoirement capitale des États-Unis.

– *1789* : George Washington est désigné premier président des États-Unis.

– *1790 :* Philadelphie devient provisoirement capitale des États-Unis.

– *1800 :* Washington devient la capitale des États-Unis à la place de Philadelphie.

– *1830 :* fondation de l'Église mormone par Joseph Smith à Fayette (État de New York).

– *1831 :* deux millions d'esclaves aux États-Unis.

– *1843 :* invention de la machine à écrire.

– *1847 :* invention du jean par Levi Strauss.

– *1849 :* ruée vers l'or en Californie.

– *1857 :* invention de l'ascenseur à vapeur par E. G. Otis.

– *1861-1865 :* guerre de Sécession. En 1865, Abraham Lincoln proclame l'abolition de l'esclavage.

– *1867 :* les États-Unis achètent l'Alaska à la Russie.

– *1871 :* création du premier parc national, le Yellowstone National Park.

– *1872 :* invention du chewing-gum par T. Adams. Premier brevet pour la télégraphie sans fil déposé par Mahlon Loomis.

– *1876 :* parution des *Aventures de Tom Sawyer* de Mark Twain. Invention du balai mécanique par M. R. Bissel.

– *1880 :* premier gratte-ciel en acier à Chicago.

– *1886 :* invention du *Coca-Cola* par J. Pemberton. La statue de la Liberté, d'Auguste Bartholdi, est offerte aux États-Unis pour symboliser l'amitié franco-américaine à New York (une copie est érigée sur le pont de Grenelle à Paris).

– *1895 :* *Sea Lion Park,* premier parc d'attractions américain, à Coney Island.

– *1898 :* guerre hispano-américaine.

– *1900 :* annexion d'Hawaii.

– *1903 :* fabrication du fameux Teddy Bear par Morris Michtom, surnom au départ donné à Theodore Roosevelt qui chassait l'ours dans le Mississippi et qui refusa de tuer un ours attaché à un arbre.

– *1906 :* grand séisme de San Francisco.

– *1911 :* premier studio de cinéma à Hollywood.

– *1913 :* construction à New York du Woolworth Building par Cass Gilbert (le plus élevé à l'époque).

– *1914 :* création de la *Paramount.*

– *1916 :* premier magasin d'alimentation libre-service à Memphis, Tennessee.

– *1921 :* première Miss America.

– *1923 :* création de la *Warner Bros* par Harry M. Warner.

– *1924 :* l'Indian Citizenship Act octroie la citoyenneté américaine aux Indiens.

– *1925 :* Hoover est le premier président à utiliser la radio pour sa campagne électorale.

– *1927 :* création de l'oscar du cinéma par Louis Mayer.

– *1928 :* Walt Disney crée le personnage de Mickey Mouse.

– *1929 :* construction du *Royal Gorge Bridge,* pont le plus haut du monde (321 m), au-dessus de l'Arkansas dans le Colorado. Krach de Wall Street le jeudi 24 octobre. Ouverture du MoMA à New York.

– *1930 :* premier supermarché, ouvert à Long Island.

– *1931 :* construction de l'Empire State Building à New York.

– *1932 :* New Deal instauré par Franklin Roosevelt pour remettre sur pied l'économie américaine.

– *1933 :* invention du *Monopoly* par Charles B. Darrow.

– *1936 :* l'athlète noir américain Jesse Owens remporte quatre médailles d'or aux J.O. de Berlin.

– *1937 :* premier Caddie (créé en 1934 par Raymond Josef) testé dans un magasin d'Oklahoma City.

– *1939 :* sortie de *La Chevauchée fantastique* de John Ford et *Autant en emporte le vent,* réalisé par Victor Fleming, Sam Wood et George Cukor.

– *1941 :* attaque japonaise à Pearl Harbor (Hawaii) le 7 décembre. Déclaration de guerre des États-Unis au Japon le lendemain. Déclaration de guerre de l'Allemagne et de l'Italie aux États-Unis le 11 décembre.

– *1944 :* débarquement allié en Normandie le 6 juin.

– *1945 :* bombes atomiques sur Hiroshima et Nagasaki les 6 et 9 août.

– *1946 :* début de la guerre froide. Winston Churchill parle du « rideau de fer ».

– *1948 :* premier fast-food, créé par deux frères, Maurice et Richard MacDonald.

– *1949 :* naissance de l'OTAN à New York.

– *1950 :* début du maccarthysme, croisade anticommuniste menée par le sénateur MacCarthy.

– *1951 :* construction du musée Guggenheim à New York par l'architecte Frank Lloyd Wright.

– *1952 :* début de l'Action Painting (ou expressionnisme abstrait) lancé par Rosenberg qui consiste à projeter des couleurs liquides (Pollock, De Kooning, Kline, Rothko).

– *1955 :* ouverture du parc d'attractions *Disneyland* en Californie.

– *1960 :* début du pop art lancé par Andy Warhol.

– *1962 :* décès de Marilyn Monroe le 5 août.

– *1963 :* *Ich bin ein Berliner,* discours historique de Kennedy, prononcé en Allemagne le 26 juin. Assassinat de John F. Kennedy à Dallas le 22 novembre.

– *1964 :* début de la guerre du Vietnam.

– *1966 :* fondation des Black Panthers à Oakland par des amis de Malcom X. *Black Power,* expression lancée par Stockeley Carmichael, prônant le retour des Noirs en Afrique.

– *1968 :* assassinat de Martin Luther King le 4 avril. Le 5 juin, Bob Kennedy, frère de John, meurt lui aussi assassiné.

– *1969 :* premiers pas d'Armstrong sur la Lune. Mythique concert de Woodstock, dans l'État de New York, et sortie de *Easy Rider,* de Dennis Hopper.

– *1971 :* ouverture du premier *Starbucks Coffee* à Seattle.

– *1973 :* inauguration du World Trade Center (417 m) à New York. Élections des premiers maires noirs à Los Angeles, Atlanta et Detroit. Cessez-le-feu au Vietnam. Insurrection indienne à Wounded Knee (Dakota).

– *1974 :* la crise du Watergate entraîne la démission de Richard Nixon.

– *1975 :* légalisation partielle de l'avortement.

– *1976 :* rétablissement de la peine de mort (après sa suspension en 1972).

– *1981 :* attentat contre Ronald Reagan.

– *1982 :* courant artistique Figuration libre, inspiré des graffitis, de la B.D. et du rock. Keith Haring en est l'un des plus célèbres représentants.

– *1984 :* la statue de la Liberté est inscrite sur la liste du Patrimoine mondial de l'Unesco. Les J.O. de Los Angeles sont boycottés par les pays de l'Est.

– *1986 :* la navette *Challenger* explose en direct à la télévision.

– *1987 :* création d'Act Up (mouvement d'action et de soutien en faveur des malades du sida).

– *1988 :* gigantesque incendie au parc de Yellowstone. Un cinquième du parc est détruit.

– *1989 :* séisme de magnitude 7,1 à San Francisco (55 morts).

– *1991 :* du 17 janvier au 27 février, guerre du Golfe.

– *1992 :* émeutes à Los Angeles (59 morts et 2 300 blessés). Élection de Bill Clinton.

– *1993 :* le 19 avril, 80 membres (dont 25 enfants) d'une secte millénariste, les davidiens, périssent à Waco dans l'incendie de leur ferme assiégée depuis 51 jours par le FBI. La même année, Toni Morrisson reçoit le prix Nobel de littérature.

– *1994 :* séisme à Los Angeles (51 morts). Signature de l'ALENA, accord de libre-échange avec le Mexique et le Canada. Affaire Whitewater, enquête liée aux investissements immobiliers des Clinton.

– *1995 :* le Sénat du Mississippi ratifie enfin le 13e amendement de la constitution des États-Unis, mettant un terme à l'esclavage ! Attentat d'Oklahoma City par des extrémistes de droite (170 morts).

– *1996 :* J.O. à Atlanta. Réélection de Bill Clinton.

– *1998 :* début du Monicagate le 21 janvier.

– *1999 :* tuerie de Littleton (Colorado) ; deux ados se suicident après avoir abattu douze de leurs camarades et un professeur du lycée de Columbine.

– *2000 :* en décembre, George W. Bush devient le 43ᵉ président des États-Unis.

– *2001 :* le 11 septembre, les États-Unis sont victimes de la plus grave attaque terroriste de l'histoire mondiale (3 000 morts).

– *2003 :* en mars-avril, guerre en Irak. Occupation militaire de l'Irak par la coalition formée par les États-Unis. En septembre, les États-Unis rejoignent l'Unesco, après 20 ans de désertion. Le 7 octobre, Arnold Schwarzenegger est élu gouverneur de la Californie.

– *2004 :* en mai, Michael Moore reçoit la Palme d'or à Cannes pour son film-pamphlet contre l'Amérique de Bush, *Fahrenheit 9/11.* George W. Bush est réélu président en novembre, face à John Kerry.

– *2005 :* fin août, le cyclone Katrina, un des plus dévastateurs de l'histoire américaine, provoque une catastrophe humanitaire, écologique et économique sans précédent dans trois États : Louisiane, Mississippi et Alabama.

– *2006 :* le Dakota du Sud adopte la première loi du pays qui interdit l'avortement, même en cas de viol ou d'inceste.

– *2007 :* en octobre, le prix Nobel de la paix est décerné à Al Gore et au Groupe d'Experts Intergouvernemental sur l'Évolution du Climat (GIEC), pour leur rôle dans la lutte contre les changements climatiques ; de très violents incendies ravagent le sud de la Californie, où l'état d'urgence est déclaré.

– *2008 :* la Californie vit sa deuxième année de sécheresse consécutive (nombreux incendies au cours de l'été). Une crise économique et financière sans précédent frappe les États-Unis. Le démocrate Barack Obama succède à George W. Bush et devient ainsi le premier président noir à entrer à la Maison-Blanche.

– *2009 :* à peine élu et un peu surpris lui-même, Barack Obama reçoit le prix Nobel de la paix « pour ses efforts extraordinaires en faveur du renforcement de la diplomatie et de la coopération internationales entre les peuples ».

– *2010 :* Barack Obama réussit à faire passer sa réforme du système de santé. Même édulcorée, c'est une grande première aux USA où le président fut accusé par ses opposants d'être un « bolchevique ». En avril, une plate-forme pétrolière de la *British Petroleum (BP)* sombre au large de la Louisiane et provoque l'une des plus grandes marées noires que les États-Unis aient jamais connue.

– *2011 :* le 1ᵉʳ mai, Barack Obama annonce officiellement la mort du chef d'Al-Qaïda, Oussama Ben Laden, tué par les forces américaines lors d'une opération commando au Pakistan.

– *2012 :* en campagne électorale pour sa réélection face au républicain Mitt Romney, Barack Obama déclare qu'il est, personnellement, favorable au mariage homosexuel. En novembre, victoire d'Obama à l'issue de la campagne présidentielle la plus coûteuse de l'Histoire. Simultanément, la Californie rejette par référendum l'abolition de la peine de mort. Légalisation du cannabis dans le Colorado et l'État de Washington. Le 14 décembre, tuerie de Newton dans une école primaire du Connecticut : 27 personnes abattues, dont 20 enfants.

– *2013 :* le 15 avril, attentat du marathon de Boston (3 personnes tuées et 264 blessées). En juin, la Californie légalise le mariage homosexuel après des années de tergiversations. En juillet, George Zimmerman est acquitté dans l'affaire du meurtre du jeune noir Trayvon Martin, tué en Floride en février 2012. Le verdict du jury relance le débat sur la discrimination raciale aux États-Unis. En août, la Californie connaît le 3ᵉ plus grand feu de son histoire avec le gigantesque incendie qui ravage plusieurs semaines durant les abords du parc national de Yosemite (100 000 hectares détruits). En septembre-octobre, fermeture partielle du gouvernement fédéral américain (*shutdown*), conséquence de l'incapacité du Congrès à se mettre d'accord sur le vote du budget 2014. Le 1ᵉʳ octobre, entrée en vigueur du 1ᵉʳ volet de l'*Obamacare* (assurance santé).

Le Nouveau Monde

Tout au bout de nos rêves d'enfant se trouve un pays dont on partage les clichés et les mythes avec le monde entier. Des habitants des bidonvilles d'Amérique latine aux intellectuels occidentaux, en passant par les hommes d'affaires asiatiques et les apparatchiks de l'ex-Union soviétique, nous avons tous en nous « quelque chose de Tennessee » ! Certains s'élèvent contre un impérialisme culturel et/ou politique et en dénoncent les dangers. D'autres vont boire à ces sources qui leur inspirent des œuvres, telles que *Paris, Texas,* tellement américaines qu'elles ne peuvent être qu'européennes !

Cette fascination assez extraordinaire que nous éprouvons pour ce pays ne peut être expliquée seulement par sa puissance industrielle ou son dollar... Peut-être avons-nous tous, imprimé dans notre subconscient, ce désir, ce rêve d'un nouveau monde...

Le détroit de Béring

Certains spécialistes placent les premières migrations en provenance d'Asie **dès 50 000 ans av. J.-C.,** d'autres, plus nombreux, avancent les dates de 40 000, 30 000, 22 000 ans av. J.-C. Cette toute première vague d'immigration dura jusqu'au XIe ou Xe millénaire av. J.-C. Ces « pionniers » américains franchirent le détroit de Béring à une époque où les températures, plus froides, firent émerger un **pont naturel entre Asie et Amérique.** Suivant la côte ouest, le long des Rocheuses, ces petites troupes éparpillées d'hommes préhistoriques pénétrèrent peu à peu le nord et le sud du continent américain. La migration dura au moins 25 000 ans. La superficie de ce continent et les vastes étendues d'eau qui le séparent du reste du monde font que les Indiens, tant dans le Nord que dans le Sud, imaginèrent longtemps être seuls au monde.

Si, à l'arrivée des premiers colons, les Indiens furent une fois pour toutes catalogués « sauvages », notre ignorance à leur sujet aujourd'hui, quoique moins profonde, demeure impressionnante. Contrairement à une certaine imagerie populaire, il n'y a jamais eu de « nation indienne », mais une multitude de tribus réparties sur l'ensemble du territoire nord-américain. Les estimations, très variables, font état **de 1 (peu probable) à 2 millions d'habitants avant la conquête occidentale.** Le continent était si

COUP DE SOLEIL

D'une part, ils ne vivent pas en Inde, et en plus ils n'ont même pas la peau rouge ! « Indien » vient de l'erreur de géographie de Christophe Colomb qui croyait découvrir l'Inde. Si les colons les nommèrent « Peaux-Rouges », ce n'est pas en raison de la couleur naturelle de leur peau (qui se rapproche finalement plus du jaune), mais à cause de la teinture rouge dont certains s'enduisaient parfois. D'ailleurs, vu la force du soleil, ce sont plutôt les colons européens qui avaient la peau toute rouge...

vaste qu'on estime qu'il existait plus de 1 000 langues indiennes, réparties en plusieurs grands groupes linguistiques, pour l'essentiel inintelligibles les unes aux autres. Isolés, les Amérindiens n'ont jamais mesuré l'étendue de leur diversité, mais commerçaient cependant activement entre eux et jusque avec le Mexique voisin. Depuis l'arrivée des Blancs, **plus de 300 langues ont disparu.**

Les modes de vie variaient très largement selon les milieux et les tribus. Certaines étaient sédentaires comme les Pueblos (baptisés ainsi par les Espagnols parce qu'ils habitaient dans des villages), d'autres semi-nomades, mais la plupart vivaient de chasse, de pêche et de cueillette, se déplaçant au gré du gibier et des saisons.

La découverte

En *1003, Leif Erikson* (le fils d'Erik le Rouge), accompagné d'un équipage de 35 hommes, partit du sud du Groenland, récemment colonisé, pour explorer toute la côte de l'actuel Canada. D'autres expéditions suivirent, précédant des *tentatives de colonisation à Terre-Neuve*, où l'on en a retrouvé des vestiges. Puis les Vikings rentrèrent chez eux, victimes, semble-t-il, des attaques indiennes. Cela se passait presque 500 ans avant que *Christophe Colomb* ne « découvre » l'Amérique ! À notre avis, son attaché de presse était plus efficace que celui des Vikings.

Colomb, lui, cherchait un raccourci pour les Indes. La plupart des hommes cultivés de son époque étant arrivés à la conclusion que la terre était ronde, il y avait donc forcément une autre route vers les trésors de l'Orient que celle de Vasco de Gama, même si, paradoxalement, elle se trouvait à l'ouest. D'origine génoise, Colomb vivait au Portugal, et c'est donc vers le roi Jean II de Portugal qu'il se tourna pour

LA ROUTE DES DINDES ?

N'étant pas très fort en géographie, Christophe Colomb était persuadé d'avoir découvert l'Inde quand il débarqua en Amérique. D'où le nom de ces poules locales qu'il rapporta. Les Anglais, qui ne font jamais comme les autres, appellent ces bestiaux... turkey ! Ils en avaient trouvé en Turquie.

financer son expédition. Ledit roi n'était pas intéressé, et finalement c'est grâce à un moine espagnol, Perez, confesseur de la reine Isabelle d'Espagne, que Colomb put l'approcher et monter son expédition. Son bateau, la *Santa Maria,* ainsi que deux autres petites caravelles, la *Niña* et la *Pinta,* partirent le 3 août 1492. La *Santa Maria,* lourde, peu maniable et lente, n'était pas le navire idéal pour ce genre d'expédition. Mais deux mois plus tard, *le 12 octobre 1492, Colomb débarquait, aux Bahamas* sans doute, muni d'une lettre d'introduction... pour le Grand Khan de Chine !

Le roi François Ier envoya à son tour *Jacques Cartier* qui, lui, fit trois voyages entre 1534 et 1541. Cartier remonta le Saint-Laurent jusqu'au Mont-Royal où des rapides arrêtèrent son entreprise, lesquels rapides furent d'ailleurs nommés Lachine, puisque la Chine devait se trouver en amont ! Puis, en 1520, *Ferdinand de Magellan* découvrit le fameux détroit qui mène à l'océan Pacifique, à quelques encablures au nord du cap Horn. Ainsi, le malheur des Indiens et la colonisation de l'Amérique n'eurent pour origine que la volonté de trouver un autre accès vers l'Asie !

Les premières tentatives de colonisation

En 1513, Juan Ponce de León part à la recherche de la fontaine de jouvence, atteint la Floride, qu'il croit être une île ; le 7 mars 1524, le Florentin Giovanni Da Verrazano, premier envoyé de François Ier, débarque au Nouveau Monde – depuis peu baptisé *Amérique* en l'honneur de l'explorateur et géographe *Amerigo Vespucci* – et promptement le rebaptise *Francesca* pour honorer sa patrie d'adoption et son maître. La Nouvelle-France (futur Canada) est née. De 1539 à 1543, Hernando de Soto découvre et explore des cours d'eau comme la Savannah, l'Alabama et le majestueux Mississippi, mais il est finalement vaincu par la jungle ; au même moment, Francisco Vasquez de Coronado part du Mexique, franchit le rio Grande et parcourt l'Arizona. La première tentative de christianisation par les moines de Santa Fe reçoit parallèlement le salaire du martyre chez les Indiens pueblos. Petit à petit, le cœur n'y est plus. L'or, les richesses attendues qui pourraient dissiper les hésitations ne sont pas découverts, et les milliers de volontaires nécessaires à une véritable colonisation ne se manifestent pas. Et puis, finalement, pourquoi étendre encore un empire déjà si vaste, se dit la couronne espagnole, bien installée aux Antilles, au Mexique et en Amérique centrale ?

L'arrivée des Anglais

Trois quarts de siècle passent. L'Angleterre devient plus prospère, les querelles religieuses s'apaisent, Élisabeth Ire règne depuis 1558. *L'heure américaine a sonné.* Sir Humphrey Gilbert propose d'installer une colonie en Amérique qui fournirait, le moment venu, les vivres aux marins en route pour la Chine. Élisabeth lui accorde une charte, mais la colonie ne se matérialise pas.

Une nouvelle charte est accordée, cette fois à son demi-frère sir Walter Raleigh. Il jette l'ancre près de l'île Roanoke et baptise la terre Virginia (Virginie) – le surnom de la reine Élisabeth. Mais après le premier hiver, les colons préfèrent rentrer en Angleterre. La seconde tentative a lieu un an plus tard : le 8 mai 1587, 120 colons débarquent. Un événement marque cette deuxième tentative : la naissance sur le sol du Nouveau Monde – d'après le carnet de bord du bateau avant qu'il ne reprenne la mer – de la première « Américaine », une petite fille nommée Virginia Dare (nom lourd de sous-entendus, *dare* signifiant en anglais « oser » !). Mais c'est encore un échec, tragique cette fois-ci, car, quand le bateau revient, en 1590, les colons ont disparu sans laisser de traces.

Malgré ces échecs successifs, le virus du Nouveau Monde s'empare de l'Angleterre. *La colonisation débute véritablement avec le successeur d'Élisabeth, Jacques Ier.*

Le 26 avril 1607, après quatre mois de traversée, 144 hommes et femmes remontent la rivière James dans trois navires et choisissent un lieu de mouillage qu'ils baptisent James Town. C'est un aventurier-marchand de 27 ans, le capitaine **John Smith,** qui

CABOTIN

John Cabot, premier Anglais à explorer le Nouveau Monde dès 1497, n'était pas un Anglais d'origine mais un Génois habitant la ville de Bristol. Lui aussi recherchait un passage vers l'Orient, et longeait dans ce but la côte américaine, de port en port. Faute de trouver ce fameux passage, il laissa son nom à la postérité, avec la pratique du... cabotage !

a combattu en Europe et sait maintenir une discipline (essentielle pour ne pas sombrer dans le désespoir), qui dirige les colons. Il s'enfonce dans le pays, fait des relevés topographiques... John Smith est capturé par les Indiens et il aura la vie sauve grâce à la fille du roi Powhatan, nommée **Pocahontas.** Il comprend, ayant vécu avec cette tribu, que les colons ne survivront que par la culture du « blé indien » : le maïs. À son retour parmi les siens, et sur son ordre, les colons (très réticents car ils voulaient bien chasser, chercher de l'or ou faire du troc avec les indigènes, mais pas se transformer en agriculteurs) cultivent le maïs à partir de grains offerts par les Indiens. Le maïs contribuera pour beaucoup à la culture américaine, toutes époques confondues.

La Nouvelle-Angleterre

En *1620,* une nouvelle colonie est fondée par les pèlerins – *Pilgrim Fathers* – arrivés sur le *Mayflower.* Ces immigrants protestants transitent par la Hollande, fuyant les persécutions religieuses en Angleterre. Ils aspirent à un christianisme plus pur, sans les concessions dues selon eux aux séquelles du papisme que l'Église anglicane charrie dans son organisation et ses rites. Ce sont au total 100 hommes et femmes avec 31 enfants qui arrivent au cap Cod (« cap de la morue »). Rien n'a préparé ces hommes et femmes à l'aventure américaine. Il faudrait pêcher, mais ils ne sont pas pêcheurs ; de plus, ils sont de piètres chasseurs et se défendent difficilement contre les Indiens qu'ils jugent sauvages et dangereux. Plus grave encore, voulant atteindre la Virginie et sa douceur, les voilà en Nouvelle-Angleterre, une région éloignée, avec un climat rude et une terre ingrate. La moitié d'entre eux meurent le premier hiver. L'année suivante, *les survivants célèbrent le tout premier Thanksgiving* – une journée d'action de grâces et de remerciements –, symbolisé par la dégustation d'une dinde sauvage. Ces immigrants *austères et puritains* incarnent encore dans l'Amérique d'aujourd'hui une certaine aristocratie, et nombreux sont ceux qui se réclament – ou voudraient bien se réclamer – d'un aïeul venu sur le *Mayflower* ! La ténacité, la volonté farouche et une implication religieuse proche de l'hystérie vont garantir le succès de cette nouvelle colonie qui compte déjà 20 000 âmes en 1660 ! Peu importe les excès des débuts, comme l'épisode de la chasse aux sorcières à Salem (1689-1692), durant laquelle 150 personnes sont emprisonnées et une vingtaine pendues...

Les Français et le Nouveau Monde

C'est grâce à **René-Robert Cavelier de La Salle,** un explorateur français né à Rouen en 1643, que la France, elle aussi, eut pendant une période un peu plus longue que la précédente, une part du « gâteau » nord-américain. Après avoir obtenu une concession en amont de Montréal au Canada et appris plusieurs langues indiennes, il partit explorer les Grands Lacs, puis il descendit le Mississippi jusqu'au golfe du Mexique. Il prit possession de ces nouvelles contrées pour la France et tenta d'y implanter une colonie en 1684. En l'honneur du roi Louis XIV, cette terre prit le nom de *Louisiane.*

Cette nouvelle colonie s'avéra être une catastrophe financière, sous un climat très malsain. La couronne française céda la concession à **Antoine Crozat,** qui ne la trouva pas plus rentable et qui, à son tour, vendit ses parts à un Écossais que l'histoire de France a bien connu puisqu'il s'agit de John Law, contrôleur général des Finances en France sous Louis XV, inventeur probable du crédit, du papier-monnaie... et de la banqueroute !

Grâce à l'aide de la *Banque générale* en France, il fonda en août 1717 *la Compagnie de la Louisiane.* Le succès fut fulgurant mais de courte durée. Devant la montée spectaculaire des actions, beaucoup prirent peur et l'inévitable *krach* s'ensuivit, probablement le premier de l'histoire de la finance. La ville de La Nouvelle-Orléans fut fondée en 1718 par Jean-Baptiste Le Moyne de Bienville. Un premier lot de 500 esclaves noirs furent déportés ici en 1718, et la *culture du coton* commença en 1740. Puis, par un traité secret, une partie de la Louisiane fut cédée aux Espagnols en 1762, et l'autre aux Britanniques ! Les 5 552 colons français de la Louisiane de l'époque ne goûtèrent guère ce tour de passe-passe, mais dans l'ensemble le règne dit « espagnol » fut calme et prospère. C'est d'ailleurs à cette période que les exilés d'Acadie, persécutés par les Anglais devenus maîtres du territoire, émigrèrent en Louisiane (lors d'un épisode appelé le « Grand Dérangement »).

Lors de la naissance de la jeune république américaine, désireux de s'émanciper de la couronne britannique, *Benjamin Franklin* vint rendre visite à Louis XVI afin de lui demander de l'aide pour les *insurgents.* Les Français, avec *La Fayette,* puis avec le maréchal de Rochambeau et son corps expéditionnaire, appuyèrent avec succès les tentatives de libération de Washington contre les Anglais. La victoire de Yorktown, le 19 octobre 1781, marqua le début de la reconnaissance de l'indépendance américaine. Le *traité de Versailles,* signé un an plus tard, sera l'aboutissement des luttes franco-américano-anglaises sur le nouveau continent.

Chateaubriand vint en Amérique entre 1791 et 1792, il en décrivit quelques sites. Après une nouvelle distribution des cartes politiques, la Louisiane « espagnole » redevint française en 1800. À peine le temps de dire « ouf », et Bonaparte – à court d'argent pour combattre l'ennemi héréditaire – revendit la colonie aux États-Unis le 30 avril 1803.

William Penn et les quakers

La plus sympathique implantation de l'homme blanc en Amérique fut sans conteste celle des quakers. Avec son principe de non-violence, son refus du pouvoir des Églises quel qu'il soit et son doute quant à la nécessité des prêtres en tant qu'intermédiaires entre l'homme et Dieu, le quaker est appelé à une liberté radicale, irrépressible puisqu'elle se fonde sur Dieu lui-même. George Fox, qui fut à l'origine de ces thèses révolutionnaires et subversives, naquit en 1624. « Songez qu'en vous il y a quelque chose de Dieu ; et ce quelque chose existant en chacun le rend digne du plus grand respect, qu'il soit croyant ou pas. » Pour mieux mesurer l'extravagance de cette déclaration de George Fox, il faut se souvenir qu'à cette époque l'Inquisition espagnole battait son plein. *Quakers* signifie « trembleurs » (devant Dieu), et ce surnom leur fut donné par moquerie, leur véritable appellation étant la ***Society of Friends*** (Société des Amis).

Hormis le célèbre paquet de céréales, c'est surtout le nom de William Penn qui vient immédiatement à l'esprit dès qu'on prononce le mot « quaker » (les deux sont d'ailleurs liés, car l'emblème de la marque est effectivement un portrait de Penn, la compagnie – à sa fondation, en 1901 – ayant choisi ce créneau de marketing pour souligner la pureté de ses produits !). Cela dit, cette compagnie n'a jamais rien eu à voir avec la *Society of Friends,* et un procès lui fut intenté en 1915 par les vrais quakers, sans succès d'ailleurs.

William Penn, né en 1645, est un fils de grande famille extrêmement aisée, avec moult propriétés en Irlande comme en Angleterre. À l'âge de 13 ans, il rencontre pour la première fois celui qui va marquer sa vie, Thomas Loe, quaker et très brillant prédicateur. Quittant rubans, plumes et dentelles, William ne conserve de sa tenue de gentilhomme que l'épée qu'il déposera aussi par la suite, soulignant ainsi publiquement *son refus de la violence et son vœu d'égalité entre les hommes.* À partir de 1668, ses vrais ennuis commencent ; il a alors 24 ans. De prisons (la tour de Londres, entre autres) en persécutions, Penn publie rien moins que 140 livres et brochures et plus de 2 000 lettres et documents. *Sans croix, point de couronne,* publié en 1669, sera un classique de la littérature anglaise.

À la mort de son père, Penn devient lord Shanagarry et se retrouve à la tête d'une fortune considérable. Il met aussitôt sa richesse au service de ses frères. Les quakers ont alors déjà tourné leurs regards vers le Nouveau Monde afin de fuir la persécution, mais les puritains de la Nouvelle-Angleterre ressentent la présence des quakers sur leur territoire comme une invasion intolérable. Des lois antiquakers sont votées. En 1680, après avoir visité le Nouveau Monde, William Penn obtient du roi Charles II (en remboursement des sommes considérables que l'État devait à son père) le droit de fonder une nouvelle colonie sur un vaste territoire qui va devenir la Pennsylvanie (« forêt de Penn », une terre presque aussi grande que l'Angleterre).

Les Indiens qui occupent cette nouvelle colonie se nomment Lenni Lenape (ou Delaware), parlent l'algonquin et sont des semi-nomades. Penn et les quakers établissent avec eux des relations d'amour fraternel, et le nom de leur capitale, Philadelphie, est choisi pour ce qu'il signifie en grec, « ville de la fraternité ». Penn apprend leur langue, ainsi que d'autres dialectes indiens. Dans sa maison de Pennsbury Park, il y a souvent une foule étrange : des Indiens par dizaines, parfois par centaines ! Le fait qu'ils soient peints et armés n'effraie personne. Ils règlent les questions d'intérêt commun avec Onas, c'est-à-dire avec Penn (*onas* veut dire « plume » en algonquin, *penn* signifiant « plume » en anglais). La non-violence étant l'une des pierres d'angle des principes quakers, les Indiens auraient pu massacrer toute la colonie en un clin d'œil. Mais tant que les principes quakers ont dominé, les deux communautés vécurent en parfaite harmonie.

La « Boston Tea Party » et l'indépendance

Dès 1763, une crise se dessine entre l'Angleterre et les nouvelles colonies qui sont de plus en plus prospères. Le 16 décembre 1773, sur fond de montée nationaliste, l'adoption d'une série très impopulaire de taxes et de mesures par la Couronne déclenche la « Boston Tea Party ». Des colons, déguisés en

Indiens, montent sur trois navires anglais amarrés dans le port de Boston et jettent par-dessus bord leur cargaison de thé.

Au-delà de la péripétie, l'événement fait date. Les armes font leur entrée en scène en 1775 et, *le 4 juillet 1776, la Déclaration d'indépendance rédigée par Thomas Jefferson est votée par les 13 colonies.* Le fondement de la déclaration est la philosophie des droits naturels qui explique que Dieu a créé un ordre, dit naturel, et que, grâce à la raison dont il est doué, tout homme peut en découvrir les principes. De plus, tous les hommes sont libres et égaux devant ces lois. En 1778, les Français signent deux traités d'alliance avec les « rebelles » ; en 1779, l'Espagne

LE CRIME DU PREMIER AMÉRICAIN

En 1754, George Washington, alors officier de l'armée britannique, dut affronter une troupe française. L'officier en face, le seigneur de Jumonville, décida de parlementer et s'approcha des troupes anglaises avec le drapeau blanc. Sans respecter les règles militaires, George Washington ouvrit le feu, tuant l'officier français et neuf de ses soldats. Le premier président des États-Unis traînera ce crime toute sa vie.

entre en guerre contre l'Angleterre. Mais il faut attendre le 3 septembre 1783 pour la signature d'un traité de paix entre l'Angleterre et les États-Unis, conclu à Paris. Les États-Unis, par la suite, s'étendent, et les Indiens sont rejetés de plus en plus vers les terres désertiques de l'Ouest, tandis que la France vend la Louisiane et qu'un nouveau conflit se dessine : la guerre civile.

L'esclavagisme et la guerre de Sécession

L'idée même de l'esclavagisme remonte à la nuit des temps, et même les Grecs les plus humanistes, durant l'âge d'or de leur civilisation, n'ont jamais douté du fait que l'humanité se divisait naturellement en deux catégories : les hommes qui devaient assumer les tâches lourdes et l'élite qui pouvait ainsi cultiver les arts, la littérature et la philosophie. L'aspect immoral de la vente d'un homme n'est pas la vraie raison du déclenchement de la guerre de Sécession, contrairement à une certaine imagerie populaire. *Abraham Lincoln n'a que peu de sympathie pour la « cause noire »,* la libération des esclaves ne s'inscrivant alors que dans le cadre du combat contre le Sud. Il déclare à ce sujet : « Mon objectif essentiel dans ce conflit est de sauver l'Union... Si je pouvais sauver l'Union sans libérer aucun esclave, je le ferais... ». L'histoire a évidemment oublié cette phrase. D'ailleurs, il n'est pas si difficile pour les nordistes de se déclarer contre l'esclavage (ils ne recensent que 18 esclaves contre 4 millions dans le Sud !).

Les sudistes portent l'uniforme gris tandis que les nordistes sont en bleu. Bien qu'ils soutiennent les Noirs, les nordistes n'hésitent pas à massacrer les Indiens. Tout ça pour dire que les Bleus ne sont pas si blancs et les Gris pas vraiment noirs...

Pour être juste, *cette guerre civile doit être présentée comme une guerre culturelle,* un affrontement entre deux types de société. L'une – celle du Sud –,

CRISE DE L'ARME

Selon Corine Lesnes du Monde, *les civils détiennent des armes depuis la guerre de Sécession. Quand la paix revint, le gouvernement ne récupéra pas les Winchesters comme on le fit en France en 1944. Les Indiens payèrent un lourd tribu. La culture des armes est très forte dans les zones pauvres, où la sécurité est moins évidente.*

aristocratique, fondée sur l'argent « facile », très latine dans ses racines françaises et espagnoles, était une société à l'identité forte, très attachée à sa terre. L'autre – celle du Nord –, laborieuse, austère, puritaine, extrêmement mobile, se déplace au gré des possibilités d'emploi, avec des rêves de grandeur nationale, mais dépourvue de ce sentiment d'appartenir profondément à « sa » terre.

Ce grave conflit est l'accident le plus douloureux qui émaille l'histoire de l'Amérique. Ses origines peuvent s'analyser rationnellement, mais son déclenchement relève de l'irrationnel.

> ## DEATH ON 4TH JULY
>
> *Simple coïncidence ou date fatidique ? Trois des cinq premiers présidents des États-Unis sont morts un 4 juillet, jour de la fête nationale : James Monroe en 1831, et les deux autres, Thomas Jefferson et John Adams, le même jour de la même année (1826)... pile poil pour le 50e anniversaire de la Déclaration d'indépendance.*

Le détonateur est l'élection de Lincoln. *Le conflit dure de 1861 à 1865, faisant en tout 630 000 morts et 400 000 blessés.* C'est aussi la première guerre « moderne », mettant aux prises des navires cuirassés, des fusils à répétition, des mitrailleuses et des ébauches de sous-marins. Mais plus que tout, cette lutte fratricide est le théâtre de scènes d'une rare violence. Deux profonds changements dans la société américaine sont issus de cette guerre civile : le premier est *l'abolition de l'esclavage le 18 décembre 1865,* et le second la volonté de l'Union de représenter et de garantir désormais une forme de démocratie. Lincoln en sort grandi et devient un héros national. Son assassinat le 14 avril 1865 par *John Wilkes Booth* – un acteur qui veut, par son geste, venger le Sud – le « canonise » dans son rôle de « père de la nation américaine ».

Il reste que presque 150 ans plus tard, les Noirs américains et les *Natives,* c'est-à-dire les Indiens, sont toujours partiellement en marge du « grand rêve américain ». La drogue, les ghettos, le manque d'éducation, la misère sont encore en partie leur lot, ce qui hante et culpabilise maintenant l'« autre Amérique ».

L'immigration massive

À travers tout le XIXe s et le début du XXe s, le Nouveau Monde attire des immigrants en provenance du monde entier, mais principalement d'Europe. En 1790, on compte 4 millions d'habitants ; en 1860, ils sont 31 millions. Entre 1865 et 1914, la population triple encore pour atteindre 95 millions. Il y a autant de raisons historiques pour cette vaste immigration que de peuples et de pays concernés. Mais c'est toujours la persécution – religieuse ou politique – et la misère qui sont les facteurs principaux de cette immigration, qu'elle soit juive, russe, d'Europe centrale ou du Nord, italienne ou allemande. En 1973, quand le jeu des mariages interraciaux était moins prononcé, la mosaïque ethnique était la suivante : 88 % de Blancs, 10,5 % de Noirs et 1,5 % de *Natives* (Indiens autochtones) et d'Asiatiques.

Aujourd'hui, on peut encore trouver des « bastions », comme la « Bible Belt » – la « ceinture biblique » – qui s'étend à travers le centre des États-Unis et est essentiellement germano-britannique de confession protestante, ou des minorités peu exogames qui « annexent » des quartiers précis dans les grandes métropoles. Mais, de plus en plus, *l'arbre généalogique des Américains devient un kaléidoscope ethnique complexe, le fameux melting-pot.* Cependant, on observe une certaine radicalisation entre, d'un côté, les traditionalistes anglo-saxons des campagnes et, de l'autre, une Amérique moderne et multiculturelle, plus urbaine.

L'arrivée dans le club des Grands

Au lendemain de la guerre de 1914-1918, la suprématie de la Grande-Bretagne est en déclin, et les États-Unis comptent désormais sur l'échiquier mondial.

En 1919, l'alcool est prohibé par le 18e amendement à la Constitution. La fabrication, la vente et le transport des boissons alcoolisées sont interdits. La corruption est inévitable : règlements de compte, trafics d'alcool, insécurité, prostitution. La prohibition fait mal au puritanisme américain. Roosevelt, dès son élection, en 1933, fait abolir l'amendement, soucieux de donner un nouvel élan au pays.

ET IL Y EUT UN HIC !

Sous la pression des pasteurs et des ligues anti-alcooliques, la Prohibition fut instaurée en 1919. Elle dura 13 ans, le temps de faire la fortune de la mafia. Elle assura aussi la prospérité des médecins : en 1920, 45 000 docteurs prescrivirent des millions de litres de whisky sur ordonnance... pour raison médicale.

Les années 1920 sont celles des Années folles. Pendant que les intellectuels américains se produisent dans les bars parisiens, la spéculation boursière s'envole, et l'Amérique danse sur la nouvelle musique qui va ouvrir la voie à d'autres musiques populaires : *le jazz. Les femmes, grâce aux efforts des suffragettes, obtiennent le droit de vote.* Mais cette grande euphorie se termine tragiquement en *octobre 1929, avec le krach de Wall Street.* Le monde est choqué par les images d'hommes d'affaires ruinés sautant par les fenêtres des gratte-ciel, ou les concours de danse-marathon (les participants dansent jusqu'à épuisement pour une poignée de dollars), fait illustré par le film admirable *On achève bien les chevaux...*
Cette époque est aussi très noire pour les petits exploitants agricoles touchés par les tempêtes de poussière récurrentes du *Dust Bowl,* la première catastrophe écologique du siècle, provoquée par un excès de labours. Beaucoup doivent quitter leurs terres, émigrant vers l'eldorado californien. Steinbeck a laissé un témoignage poignant de leur réalité dans *Les Raisins de la colère*. L'auteur-compositeur-interprète Woody Guthrie aussi. Devenu clochard *(hobo)* par la force des circonstances, il passa la *Grande Dépression* à voyager clandestinement sur les longs et lents trains sillonnant les États-Unis en compagnie de sa guitare, narrant le quotidien des gens à cette période. Guthrie fut le père de la *folk song* et inspira le mouvement contestataire et le renouveau folk des années 1960 (il était, entre autres, l'idole de Bob Dylan).

McCarthy et les listes noires

Sur fond de Seconde Guerre mondiale, le *New Deal de Franklin D. Roosevelt* et la nouvelle donne mondiale – l'Europe s'est auto-anéantie – guérissent peu à peu l'économie des États-Unis, ouvrant une nouvelle ère de prospérité. Les années 1950 sont cependant, celles de Joseph McCarthy et de ses listes noires. Le communisme honni, antithèse de l'esprit de libre entreprise et des valeurs fondamentales américaines, est

LE SILENCE EST D'OR

Pour être élu en 1936, Franklin Roosevelt s'engagea dans une confrontation radiodiffusée avec son rival Alf Landon. Chacun des candidats disposait, à tour de rôle, d'un temps de parole de 10 mn. Autorisé à débuter, Roosevelt fit un discours de 3 mn, puis se tut pendant les 7 mn suivantes. Quand Landon prit la parole, la plupart des auditeurs avaient éteint leur poste...

pourchassé à tout crin. Au-delà d'idéologie, il est surtout question d'influence, l'URSS disputant aux USA la domination mondiale. L'Amérique craint d'autant plus le communisme que les intellectuels de l'époque sont fascinés par cette doctrine d'approche humaniste et généreuse. *Les listes noires frappent essentiellement le milieu du cinéma* et instaurent un climat de peur et de malveillance. Le grand Cecil B. DeMille, entre autres, se révèle être un grand délateur, ainsi qu'Elia Kazan, l'auteur de *Sur les quais* et *Viva Zapata*. Des réalisateurs comme Jules

Dassin, Joseph Losey ou John Berry décident d'émigrer en Europe. Symbole de cette période hystérique aux relents d'Inquisition, *l'exécution en 1953 du couple Rosenberg.* Après un procès ne s'appuyant sur aucune preuve, ces deux anciens militants communistes seront condamnés à mort pour avoir soi-disant transmis des éléments du programme atomique américain à l'URSS.

La ségrégation

Les barrières de la ségrégation commencent officiellement à s'estomper dès 1953, date à laquelle *la Cour suprême décide de mettre fin à la ségrégation au sein du système scolaire.* Ce premier chamboulement n'empêche pas de nombreuses autres mesures discriminatoires de s'appliquer encore, notamment dans les États du Sud. *Martin Luther King,* pasteur à Montgomery (Alabama), lance en 1955 le boycottage des autobus de cette ville sudiste, à la suite de l'arrestation d'une femme noire, *Rosa Parks,* qui a refusé de céder sa place dans le bus à un passager blanc. L'écho des protestations gagne un retentissement international. *Fin 1958, une nouvelle décision de la Cour suprême donne raison au mouvement antiségrégationniste,* interdisant toute discrimination dans les transports publics.

Le mouvement des Droits civiques, organisé autour de Martin Luther King, donne raison à la non-violence malgré la concurrence de groupes plus radicaux (comme les *Black Panthers*). Un an après la marche historique sur Washington, le 28 août 1963, le prix Nobel de la paix, décerné à Martin Luther King, récompense à travers lui la cause de l'égalité des hommes. Une prise de conscience nationale prend forme. L'assassinat de Martin Luther King, le 4 avril 1968 à Memphis, n'arrête pas le mouvement.

Le mal de vivre

La *Beat Generation* apparaît autour de 1960. À sa tête, des écrivains tels que Jack Kerouac et des poètes comme Allen Ginsberg. Insurgée, éprise de liberté, détachée des biens matériels, la Beat Generation prend la route à la recherche d'un mode de vie alternatif. L'opulence de la société liée à un cortège d'injustices a créé un refus, chez les jeunes, du monde dit « adulte ». Pendant

JEU À LA CON

William Burroughs, père de la Beat Generation (et héritier des machines à écrire), tua accidentellement sa femme d'une balle en pleine tête alors qu'il imitait l'exploit de Guillaume Tell avec un revolver, tout en étant ivre. Il écopa seulement de 13 jours de prison. Sa femme était consentante.

que les premiers beatniks rêvent de refaire un monde plus juste en écoutant les héritiers de Woody Guthrie *(Joan Baez et Bob Dylan),* le *rock'n'roll* a déjà pris ses marques. Il fit irruption dès 1956 dans la musique populaire avec *Elvis Presley.* Symbole d'une autre révolte, très différente de celle des *beatniks,* le rock'n'roll exprime certes un refus des valeurs institutionnelles, mais n'offre pas de solution, se contentant de condamner le monde adulte.

C'est *James Dean,* dans *Rebel Without a Cause* (chez nous *La Fureur de vivre,* un beau contresens), qui exprime peut-être le mieux le malaise de l'ensemble de la jeunesse. Jimmy Dean devient, après sa mort violente et prématurée, l'incarnation même du fantasme adolescent de « faire un beau cadavre » plutôt que de mal vieillir, c'est-à-dire le refus des compromis immoraux de la société.

Les années 1960 marquent aussi l'apparition de la *musique noire* enfin chantée par des Noirs dans ce qu'on peut appeler le « Top blanc ». Auparavant, il y avait des radios « noires » et des radios « blanches », et les succès « noirs » ne traversaient la frontière culturelle que quand des chanteurs blancs reprenaient à leur compte ces chansons. Presley doit aussi une partie de son succès au fait qu'il est un Blanc chantant avec une voix « noire ».

Contestation et renouveau

Les années 1960 sont presque partout dans le monde des années de contestation. Ce sont aussi des années pas très « clean » : affaire de la *baie des Cochons à Cuba,* début de la *guerre du Vietnam* sous John F. Kennedy, dont le mythe se révèle aujourd'hui fort ébréché (liens avec la mafia, solutions envisagées au problème « Fidel Castro », etc.), mort suspecte de Marilyn Monroe (menaçait-elle la sécurité de l'État ?). *L'assassinat du président John F. Kennedy à Dallas, en 1963,* marque vraiment la fin d'une vision saine de la politique pour un aperçu bien plus machiavélique du pouvoir.

Les beatniks laissent la place aux *hippies,* et le refus du monde politique est concrétisé par le grand retour à la campagne afin de s'extraire d'une société dont les principes sont devenus trop contestables. Tout le monde rêve d'aller à San Francisco avec des fleurs plein les cheveux et, en attendant, les appelés brûlent leur convocation militaire pour le Vietnam.

L'échec américain dans la guerre du Vietnam est aussi l'un des corollaires de cette prise de conscience politique de la jeunesse. La soif de « pureté » et de grands sentiments a sa part dans la chute de Richard Nixon, à la suite de l'affaire du *Watergate.* Nixon

L'ECHEC DE WOODSTOCK

Le mythique festival de Woodstock, grand rassemblement hippie de l'été 1969, fut un échec commercial cuisant. A cause du nombre de spectateurs (450 000 au lieu des 50 000 prévus), la logistique se révéla vite inopérante : eau, sanitaires, infrastructures et même sono... plus rien ne fonctionnait. Toutes les routes d'accès étaient bloquées. L'émeute fut évitée de justesse grâce à un hélicoptère de l'US Army qui put transporter les artistes. Il devint rapidement impossible de faire payer les spectateurs... Résultat : un gouffre financier de 2,4 millions de dollars. Le film et les disques ont réussi à combler le déficit, mais bien plus tard.

n'a, en somme, que tenté de couvrir ses subordonnés dans une affaire de tables d'écoute – la plupart des hommes politiques français ont agi de même sans jamais avoir été inquiétés...Quelques années plus tard, retour des démocrates avec le président *Jimmy Carter.* D'abord « faiseur de paix » (signature des accords de Camp David entre l'Égypte et Israël), ce dernier s'embourbe en fin de mandat dans l'affaire des otages de l'ambassade américaine de Téhéran. L'Amérique montre alors au monde le visage d'une nation victime de ses contradictions, affaiblie par sa propre opinion publique et en pleine récession économique.

Les années 1980 marquent un profond renouveau dans l'esprit américain. L'élection de l'acteur *(Ronald Reagan)* à la place du clown (Carter), comme le prônent les slogans, redonne au pays l'image du profil « cow-boy ». La récession se résorbe, et l'industrie est relancée. Mais de nouvelles lois fiscales élargissent le fossé entre les pauvres et les riches, c'est l'avènement de *l'ultralibéralisme.* Plus présente que jamais, l'Amérique des perdants se décline en un nombre scandaleux de *homeless* (sans domicile fixe) abandonnés à eux-mêmes. L'« autre Amérique », en harmonie avec Reagan, se passionne pour l'aérobic et la santé. L'apparition du sida marque la fin des années de liberté sexuelle. Pour les ultra-religieux, l'épidémie est un nouveau pain bénit, brandi comme l'ultime châtiment divin envers une société qui s'est éloignée de ses valeurs traditionnelles.

Ordre mondial et désordre national

La chute du mur de Berlin et l'effondrement de l'URSS consacrent les États-Unis unique superpuissance. Bush père put ainsi entraîner une vaste coalition dans la *première guerre du Golfe* en 1991. Mais pendant que les soldats américains libèrent le Koweït, les conditions de vie aux États-Unis continuent à se détériorer : chômage galopant, aides sociales supprimées, violence accrue, propagation des drogues dures et du sida, etc. Les *émeutes de Los Angeles* (et d'ailleurs) révèlent aux Américains le fiasco total des républicains. Aux présidentielles de novembre 1992, le peuple américain, déçu, sanctionne Bush, l'un des rares à ne faire qu'un mandat.

Le nouveau président, le démocrate *Bill Clinton,* est à l'opposé de ses prédécesseurs : jeune, proche des petites gens, il incarne cette génération du Vietnam pacifiste, davantage soucieuse d'écologie et qui tend à donner plus de responsabilités aux femmes et aux représentants des minorités ethniques ; en un mot, il incarne une nouvelle manière de diriger.

Le bilan de huit années de présidence se révèle toutefois contrasté : une croissance fantastique, une résorption du déficit public, des créations d'emplois, mais aussi un échec de la politique de protection sociale ; à l'extérieur, des interventions tous azimuts, en Bosnie, en Israël, en Irak, en Afrique... Clinton est réélu en novembre 1996 en ne faisant qu'une bouchée de son rival Bob Dole. Clinton, défenseur du monde, voilà l'image que l'opinion publique américaine aura retenu de ses deux mandats, en partie entachés (!) par le Monicagate. Aujourd'hui, avec le recul, bien des Américains se diraient prêts à l'élire à nouveau, enfin, si c'était possible...

Bush-Gore : coude-à-coude historique

L'élection présidentielle de novembre 2000 présente à priori peu d'intérêt. Entre le pâle Gore et le Texan George W. Bush, les Américains tergiversent longtemps. Les sondages annoncent un scrutin serré, mais sans se douter à quel point... Après un mois de péripéties politico-judiciaires sur la validité du scrutin en Floride, la polémique s'achève à la Cour suprême des États-Unis, qui intronise officiellement George W. Bush comme 43e président des États-Unis.

Mardi 11 septembre 2001 : l'acte de guerre

Le 11 septembre 2001 a marqué d'une pierre noire l'entrée dans le XXIe s. Ce matin-là, quatre avions détournés par des terroristes kamikazes sont transformés en bombes volantes. Deux s'écrasent sur les Twin Towers de New York, le troisième sur le Pentagone à Washington. Le dernier appareil, quant à lui, se crashe en Pennsylvanie mais sa cible était peut-être la Maison-Blanche ou le Capitole. C'est la plus grave attaque terroriste jamais commise contre un État : près de 3 000 morts et autant de blessés.

Pour la première fois depuis près de deux siècles (Pearl Harbor mis à part), *les États-Unis sont victimes d'un acte de guerre sur leur propre sol.* Acte hautement symbolique ; l'agresseur n'est pas un État, mais une nébuleuse de fanatiques invisibles, en guerre au nom des valeurs les plus archaïques de l'islam.

L'ennemi public numéro un des États-Unis, *Oussama Ben Laden,* milliardaire intégriste musulman d'origine saoudienne et réfugié en Afghanistan sous la protection des talibans, est immédiatement désigné comme le principal suspect.

L'entourage ultraconservateur de George W. Bush en conçoit une nouvelle doctrine de politique étrangère américaine basée sur l'existence d'un *« axe du mal ».* C'est le signal d'un revirement de politique étrangère : désormais les « États voyous » (Corée du Nord, Iran, Irak) se retrouvent dans le collimateur des faucons de Washington.

Première cible : l'*Afghanistan,* avec l'objectif de traquer sans relâche les réseaux de Ben Laden et d'éliminer le régime des talibans qui lui ont donné refuge... Médiocre résultat.

Dans la foulée de la logique de la lutte contre le terrorisme, Bush demande au FBI et à la CIA de lui fournir des arguments pour s'attaquer à sa deuxième cible : l'Irak de Saddam Hussein que la guerre de son papa en 1991 n'avait pas réussi à destituer.

Mais où sont donc passées les armes de destruction massive ?

Dès 2002, l'Amérique de Bush compte se débarrasser d'un tyran sanguinaire qui asservit son peuple depuis plus de 20 ans. Mais pour faire la guerre et recevoir l'aval du congrès et des alliés des États-Unis, il faut des motifs probants. Malgré l'embargo dont l'Irak est frappé depuis 12 ans, on s'emploie donc à démontrer que Saddam Hussein mitonne dans son arrière-cuisine quelques programmes de développement d'armes de destruction massive (nucléaire, chimique et biologique) et qu'à coup sûr, il doit être de mèche avec Ben Laden. Quelques voix s'élèvent du côté des artistes ou des intellectuels (Sean Penn ou Norman Mailer), mettant en doute la légitimité d'une telle guerre, mais se retrouvent vilipendées par les médias de Rupert Murdoch aux ordres du Pentagone.

Le principal soutien international de George W. Bush s'appelle *Tony Blair,* le Premier ministre britannique. Les autres membres permanents du Conseil de sécurité (France, Russie et Chine), soutenus par des ex-alliés traditionnels des États-Unis (Allemagne, Mexique, Canada), renâclent à partir en croisade, mettant en doute l'idée reçue que le programme militaire irakien présente un danger pour la communauté internationale. *Bush and Co décident alors de se passer de la légitimité internationale pour s'engager dans le conflit.* En 19 jours, le régime de Saddam s'effondre. La « pacification » du pays démarre. Mais les occupants ont du mal à se concilier la coopération des anciens cadres du régime qui ne sont plus payés. Les réseaux d'entraide chiites du sud du pays en font plus pour réorganiser la vie quotidienne que les administrateurs venus de Washington.

Si les pertes anglo-américaines sont restées légères pendant les combats, une résistance organisée commence à se manifester. Avec l'accumulation des GI's qui tombent sous les embuscades, les attentats-suicides et le coût pharaonique de la guerre, l'opinion – il était temps ! – commence à se poser des questions sur les raisons qui ont conduit au conflit et la présence toujours non prouvée des fameuses armes de destruction massive. Petit à petit se profile sournoisement le spectre de l'enlisement de l'armée (comme au Vietnam).

En décembre 2003, Saddam est finalement capturé par les Américains : 3 ans plus tard, il est condamné à mort.

G. W. Bush II : *bis repetita...*

La campagne présidentielle de 2004 commence tôt, avec, côté républicain, le « ticket Bush-Cheney » reconduit et, chez les démocrates, *John Kerry,* sénateur catholique du Massachusetts, brillant étudiant à Yale et ex-héros du Vietnam.

Les républicains s'appuient sur un électorat très à droite, dont les patriotes traumatisés par le *Nine-Eleven,* convaincus que la « guerre contre le terrorisme » prime sur tout le reste.

En mai, *Fahrenheit 9/11,* le brûlot de Michael Moore contre Bush & Cⁱᵉ, remporte la Palme d'or à Cannes. Un vrai missile de croisière lancé en pleine campagne électorale ! Les débats télévisés révèlent un Kerry présidentiable, à l'aise en économie et dénonçant l'aventure irakienne comme une tragique erreur de jugement alors que Bush ne fait qu'ânonner les mêmes slogans éculés depuis trois ans. La cote du démocrate remonte alors jusqu'à talonner Bush. Mais le 2 novembre, après quelques heures de flottement du côté de l'Ohio, Bush remporte l'élection, avec au total plus de 3,5 millions de voix d'avance. Presque un plébiscite comparé à 2000...

L'Amérique est coupée en deux. Côté pouvoir, le système des valeurs met la barre à droite, toute ! À l'unilatéralisme sans états d'âme à l'extérieur vient s'ajouter la prééminence des critères moraux et religieux sur l'emploi ou l'économie. On taille des coupes sombres dans les budgets fédéraux. **La référence à Dieu émaille tous les discours,** la Bible fait jeu égal avec les théories de l'évolution dans les programmes scolaires, des États remettent en cause le droit à l'avortement, les gays et les lesbiennes sont priés d'aller s'unir ailleurs, et les retraités sont entraînés à placer leurs économies sur les actions des entreprises liées à la sécurité pour espérer survivre dignement. Sans parler de la couverture santé dont 40 millions d'Américains doivent se passer.

Et la « Liberté » poursuit sa marche écrasante en Irak avec, il est vrai, des élections libres (et suivies par une large majorité de la population), mais qui ont du mal à déboucher sur la constitution d'une équipe gouvernementale représentative. Avec l'exacerbation des clivages religieux (chiites et sunnites), le pays reste plongé dans le chaos. L'opération *Iraqi Freedom* aura au final causé des dizaines de milliers de morts, d'abord et surtout chez les Irakiens.

« *Yes we can !* »

Le deuxième mandat de George W. Bush s'achève dans un marasme sans précédent dans l'histoire américaine. **L'enlisement en Irak et en Afghanistan est total et, dès 2007, éclate la crise des subprimes.** La campagne électorale démarre tôt. Chez les républicains, John McCain, 72 ans, héros de la guerre du Vietnam, s'impose rapidement. Côté démocrate, une primaire interminable oppose Hillary Clinton, l'ex-First Lady, sénatrice de l'État de New York, à un quasi inconnu du grand public, **Barack Obama,** sénateur de l'Illinois, diplômé de Harvard, tout de même, et qui a la particularité d'être un métis né à Hawaii d'un père kenyan et d'une mère américaine du Kansas. Un choix inédit dans la politique américaine entre une femme briguant l'investiture suprême et un homme assimilé aux minorités afro-américaines. Tout un symbole après l'esclavage et la ségrégation raciale. Après une âpre lutte où la supposée expérience du pouvoir de l'ex-locataire de la Maison-Blanche affronte le besoin de changement prôné par l'ancien travailleur social des quartiers pauvres de Chicago, **c'est Obama qui l'emporte, surfant sur une vague populaire qui rassemble autant les minorités ethniques que la classe moyenne blanche.** En septembre, les sondages donnent Obama et McCain au coude à coude. Surviennent alors coup sur coup deux événements qui vont faire pencher définitivement la balance en faveur du candidat démocrate. Dans le besoin de conforter la partie la plus conservatrice de son électorat, McCain se dote d'une colistière inconnue, Sarah Palin, gouverneure du lointain État d'Alaska, chasseuse de caribous, anti-écologiste, anti-avortement, anti-minorités (mais pro-pétrole) et mère de famille nombreuse. Si au départ ce choix semblait constituer un joli coup de marketing politique, le pétard se révèle rapidement mouillé du fait des gaffes accumulées par la pittoresque candidate dont la capacité à succéder éventuellement à un président âgé est rapidement mise en doute. Mais le pire est à venir : une **crise financière majeure** éclate à la mi-septembre, qui entraîne l'économie mondiale vers une récession de longue durée et jette nombre d'Américains à la rue.

C'est dans ce contexte sinistré que s'achève la campagne électorale. Les Américains veulent croire en un possible redressement, et Barack Obama, avec son charisme et sa jeunesse, incarne clairement cette aspiration au renouveau. D'autant que McCain s'emmêle les pinceaux en déclarant que les fondamentaux de l'économie ne sont pas atteints... Obama n'a plus qu'à relever la gaffe : il faut dire qu'elle est de taille. Favori des sondages, Obama l'emporte confortablement le 4 novembre 2008 avec près de 200 grands électeurs de plus que McCain.

Jamais une élection présidentielle n'a suscité une telle mobilisation aux États-Unis : deux Américains sur trois ont voté. Et jamais une victoire électorale n'a autant passionné le monde entier.

POTUS ET BOUCHE COUSUE

Savez-vous qui est POTUS ? Un indice : à ce jour il a porté successivement quelque 44 prénoms, dont George, Abraham et Barack. Eh oui, derrière cet acronyme se cache le President of The United States. *Question subsidiaire : comment appelle-t-on la* First Lady *? Eh bien, FLOTUS, pardi !*

De la mauvaise passe au rebond ?

Dès les premiers jours de son investiture (janvier 2009), le 44e président des États-Unis est mis au pied du mur. **L'héritage de la période Bush est particulièrement lourd à gérer.** Barack Obama décide de retirer les troupes américaines d'Irak pour consacrer l'effort de guerre sur l'Afghanistan. Les effets sur le terrain de ce **surge** (la « montée en puissance ») sont médiocres et, face à l'enlisement, au coût faramineux de la guerre et à la défection de nombreux pays alliés, le président est contraint d'organiser ici aussi le retrait des troupes. Et pour ce faire, de négocier avec les talibans... Même échec sur la question symbolique de la **fermeture de la prison de Guantánamo.** Malgré la signature d'un décret ordonnant sa fermeture, en début de mandat, devant les caméras, la prison n'a toujours pas fermé ses portes, le Congrès ayant voté entre-temps l'interdiction du transfert des détenus de Guantánamo sur le sol américain. À défaut de solder l'héritage de son prédécesseur, Barack Obama **réoriente la politique internationale des États-Unis vers l'Asie,** selon la stratégie dite du « pivot ». Le nouvel « adversaire » est désormais la Chine, devenue la deuxième puissance mondiale. Quant aux chefs djihadistes, ils sont désormais **assassinés par drones,** des avions sans pilotes commandés depuis des bases militaires aux États-Unis, et tant pis si leurs missiles ratent parfois leur cible, tuant aux passages de nombreux civils.

Mais c'est surtout au problème de la **réforme du système de santé** américain, un de ses principaux thèmes de campagne, que le 44e président des États-Unis est confronté : son ambition de donner une couverture médicale aux 46 millions d'Américains qui en sont dépourvus représente un coût de plus de 900 milliards de dollars, financé notamment par l'abandon des réductions d'impôts accordées par l'administration Bush aux plus hauts revenus. À l'heure où le taux de chômage flirte avec les 8 %, et où les plans sociaux sont nombreux, le coût de cette réforme est d'autant moins facile à approuver que les Américains, irrémédiablement accrochés à l'individualisme au nom de leur sacro-sainte liberté, ont encore du mal avec l'idée d'une solidarité sociale. Obama se livre à une véritable guérilla pour faire adopter sa réforme en 2010, puis par la Cour suprême en 2012. Une victoire historique, même si celle-ci a été en partie édulcorée afin de faciliter son passage, quasiment au forceps !

La **question environnementale,** autre enjeu de la campagne, pose aussi problème : beaucoup de promesses ont été faites, notamment dans le domaine des énergies vertes et de la création de « green jobs » mais le président est encore attendu au tournant. Il lui faut de plus gérer en 2010 l'explosion d'une plate-forme pétrolière dans le golfe du Mexique, à 70 km des côtes de la Louisiane, qui provoqua **la plus grande marée noire** que les États-Unis aient jamais connue.

En novembre 2010, **les élections américaines de mi-mandat sont une gifle pour Barack Obama** : les démocrates conservent la majorité au Sénat mais perdent la chambre des représentants. Côté républicain, un nouveau mouvement, les **Tea Parties,** né en réaction à l'élection de Barack Obama, impose ses thèmes. Volontiers réactionnaires, les *Tea Parties* se posent surtout comme des adversaires acharnés de l'État fédéral et de ses impôts.

Dans le même temps, la publication par *WikiLeaks* de 250 000 documents et télégrammes secrets concernant la diplomatie américaine provoque aussi des remous.

En 2011, lorsque les *révolutions secouent plusieurs pays arabes,* c'est la prudence qui l'emporte à la Maison-Blanche : soutien à la transition pacifique en Tunisie, négociation en coulisse concernant le départ d'Hosni Moubarak en Égypte, participation militaire en Libye mais en laissant le soin aux autres, et notamment à la France, de prendre la direction des opérations, condamnation purement symbolique de la Syrie face à la répression sanglante menée par le régime de Bachar Al-Assad.

Le 1er mai 2011, coup de théâtre ! Barack Obama annonce solennellement devant les télés qu'*Oussama Ben Laden, le cerveau présumé des attentats du 11 septembre 2001, a été abattu* dans une maison d'Abbotabad, au Pakistan, par un commando des forces américaines. Après presque 10 ans de traque infructueuse, l'opération « Geronimo » a eu raison de l'ennemi public n° 1 des États-Unis. Joie et surtout soulagement dominent dans le pays. Pour nombre d'Américains, l'affront est enfin lavé, la page traumatisante du 11 Septembre peut alors se tourner. C'est une victoire incontestable pour Barack Obama dont la cote de confiance connaît un rebond.

Fin 2011, c'est le mouvement *Occupy Wall Street* qui fait la une. Inspiré par les révolutions arabes et les occupations menées par les Indignés d'Espagne et d'ailleurs, ce mouvement contestataire est né dans la foulée d'une grève massive des fonctionnaires du Wisconsin s'opposant à une attaque en règle contre le droit syndical. Spontané, horizontal, ne se revendiquant d'aucun parti ou syndicat, Occupy Wall Street rassemble un panel hétéroclite de la population américaine autour d'une affirmation, *« Nous sommes les 99 % »,* par opposition aux 1 % les plus riches supposés détenir tous les leviers du pouvoir.

Obama bis

Pour les élections à la présidence de 2012, les républicains, poussés vers leur droite par les Tea Parties, tardent à se trouver un candidat. Ils optent finalement pour *Mitt Romney,* businessman mormon multimillionnaire et ex-gouverneur du Massachusetts, s'impose. Signe que les temps ont bien changé, celui que l'on jugeait trop conservateur en 2008 (il avait alors échoué aux primaires) apparaît désormais trop libéral aux yeux de certains... Pourtant, en ces temps de crise et de rejet du système financier, sa fortune et sa religion font désordre.

Une fois de plus, l'Amérique est coupée en deux. Le rêve et l'espoir soulevés en 2008 par Obama se sont évanouis. Attendu comme le messie, il a déçu. La dette nationale n'a cessé d'augmenter et le taux de chômage peine à passer sous la barre des 8 %. Mais entre un Mitt Romney incapable de définir son cap et un Barack Obama sérieux et pragmatique, les Américains n'ont pas hésité. Ils ont décidé de donner une seconde chance à leur président sortant, le seul dirigeant d'ailleurs à se voir réélire dans un contexte économique aussi sinistré. La victoire est même plus nette qu'annoncée puisque *Obama remporte un total de 332 grands électeurs contre 206 pour Romney.*

Relancer une croissance mollassonne, réduire le déficit budgétaire et le chômage, sécuriser les classes moyennes, renforcer la réforme de la santé sans négliger l'éducation publique, soutenir les énergies propres, réformer la politique d'immigration, voilà l'ambitieuse feuille de route de ce deuxième et dernier mandat. Mais le plus dur pour Obama, c'est le bras de fer avec les républicains qui gardent la majorité à la Chambre des Représentants et font barrage à sa politique depuis son accession au pouvoir. Les républicains ont perdu une élection qu'ils auraient dû gagner, compte tenu de la crise économique, la plus grave depuis 1929. Mais leurs idées ultra-conservatrices, notamment concernant la place donnée aux immigrés, à l'avortement et à la question climatique, se sont révélées tellement décalées par rapport aux aspirations du pays, particulièrement celles des jeunes et des classes moyennes, que la défaite est méritée. Obama a 4 ans de plus pour écrire un nouveau chapitre de l'Histoire.

Certes, quelques signaux annoncent une amorce de reprise économique, en partie grâce à la nouvelle « ruée vers l'or » que constitue l'exploitation du gaz de schiste qui, mécaniquement, fait baisser le coût de l'énergie. Mais les premières lignes ne sont qu'une succession de crises. Climatiques d'abord, avec les ravages causés par l'*ouragan Sandy* sur la côte Est en pleine campagne électorale, puis par une série de tornades en Oklahoma à la mi-2013. En décembre 2012, la *tuerie de Newton* (27 personnes dont 20 enfants froidement abattus dans une école primaire) laisse l'Amérique en état de choc et relance le débat sur le port d'armes. Quelques mois plus tard survient un nouvel attentat, le premier sur le sol américain depuis ceux du 11 Septembre. *Deux bombes explosent le 15 avril 2013 sur la ligne d'arrivée du marathon de Boston,* causant 3 morts et 264 blessés. Deux frères, d'origines tchétchène, sont accusés d'en être les auteurs. La ville est bouclée pendant de longues heures. À l'issu de la traque, l'un d'eux est tué, l'autre blessé. Rapidement, l'affaire tourne au vinaigre ; le FBI est accusé d'incompétence (l'un des frères lui avait été signalé par les services secrets russes), un prétendu complice est abattu en plein interrogatoire... Mais, comme souvent, un scandale en balaie un autre et, quelques semaines plus tard, un nouveau titre fait la une. Edward Snowden, employé à l'Agence nationale de sécurité (NSA), révèle à la presse *l'existence d'un programme secret, baptisé PRISM, permettant au FBI et à la NSA d'espionner les internautes,* grâce à un accès direct aux serveurs des grands groupes du web *(Microsoft, Facebook, Google...).* Une atteinte aux libertés qui n'est pas sans rappeler les pires heures de l'ère Bush. En juillet 2013, *l'acquittement de George Zimmerman dans le cadre du meurtre de Trayvon Martin,* le jeune noir tué en février 2012 en Floride, suscite de vifs mouvements de colère. Ce procès, retransmis sans interruption 3 semaines durant sur les écrans de télévision, enflamme les États-Unis et divise une nouvelle fois l'opinion sur le thème de la discrimination raciale. Après un bras de fer de 6 mois, l'incapacité des Démocrates et des Républicains à s'entendre sur le vote du budget pour l'exercice 2014 provoque en octobre un **shutdown** *de 16 jours,* c'est-à-dire une fermeture partielle de l'État fédéral. Plusieurs centaines de parcs nationaux et musées à travers le pays se retrouvent notamment fermés au public. Une paralysie historique (la première depuis 1996) qui aurait coûté près de 20 milliards de dollars à l'économie américaine.

LES INDIENS

::

> « Quand vous êtes arrivés, dit le vieil Indien,
> vous aviez la Bible, nous avions la terre.
> Vous avez dit : "Fermons les yeux, prions ensemble."
> Quand nous avons ouvert les yeux,
> nous avions la Bible, vous aviez la terre. »

Comprendre ne veut pas dire forcément pardonner. La majorité des immigrants européens, défavorisés, démunis, croyants fanatiques et sans éducation, débarquaient avec l'espoir d'une vie meilleure comme seul bagage, ayant pour la plupart été persécutés sur leurs terres d'origine. Or, qui dit persécuté dit, éventuellement, persécuteur...

En l'occurrence, c'est ce qu'ils furent pour les populations indigènes de ce « Nouveau Monde », pour qui il eût sans doute mieux valu que le Blanc restât là où il se trouvait... Les Indiens n'avaient aucune notion de propriété, et la terre était leur « mère ». Ils ne possédaient aucune notion non plus de la mentalité, ni des lois, ni des règles régissant les sociétés européennes d'où venaient ces nouveaux arrivants. Il fut enfantin, dans un premier temps, de déposséder les Indiens de leurs terres contre quelques verroteries. Ces derniers s'en amusaient, un peu comme l'escroc qui vend la tour Eiffel : ils obtenaient des objets inconnus, donc fascinants, en échange de ce qui ne pouvait en aucun cas être vendu dans leur

POURQUOI LE SCALP ?

Les Indiens croyaient dur comme fer que l'âme des personnes se trouvait au sommet de leur crâne puisque les cheveux continuaient de pousser, même après la mort. Selon eux, les Esprits prenaient les corps par la chevelure pour les tirer au ciel. Quand on scalpait un ennemi, on s'appropriait sa force et on l'empêchait de goûter au repos éternel. Pas étonnant qu'aujourd'hui encore, les Indiens portent les cheveux longs.

esprit. Avide de nouveaux espaces et de richesse, le Blanc ne chercha pas à s'entendre avec l'Indien. Le fusil étant supérieur aux flèches, il s'empara de ses terres sans rencontrer trop d'obstacles. On tua l'Indien, physiquement bien sûr, mais aussi économiquement et culturellement, quand la situation exigeait des procédés plus sournois. Les Indiens auraient pourtant pu au début – et sans aucun problème – rejeter ces nouveaux venus à la mer. Au lieu de cela, des tribus permirent aux colons de survivre, notamment en leur apprenant à cultiver le maïs. Certains leur en furent reconnaissants (d'où *Thanksgiving*) mais, en général, dans l'esprit des Européens de l'époque, le « bon sauvage » servait d'intermédiaire entre eux et ce nouveau monde inconnu et hostile ; il était donc envoyé par Dieu afin de faciliter l'installation des Blancs en Amérique ! Quand il fut chassé de ses terres qui, à ses yeux, étaient les terres de chacun, il se fâcha ; et très vite le bon sauvage devint un sauvage mort. Sans parler des maladies importées d'Europe, comme la variole, qui éliminèrent des pans entiers de populations indigènes.

Les guerres indiennes (du début du XVIᵉ s à 1890)

Elles s'étalent sur près de trois siècles. Les Indiens ne sont pas assez armés et ne font preuve d'aucune cohésion. À peine 50 ans après l'arrivée du *Mayflower* (et déjà quelques échauffourées), le fils du chef Massassoit, également appelé le roi Philippe, mesurant le danger que représente la multiplication des navires venus d'Europe, avec leur cortège de violences, de rapts, de saisies de territoires et de meurtres, lève une confédé-

CRI DE GUERRE

Lors du débarquement en Normandie, les parachutistes américains prirent l'habitude de crier « Geronimo » pour conjurer la peur. Un choix surprenant quand on sait la véhémence et le courage de ce chef indien dans sa lutte contre les troupes américaines. C'est en référence à ce cri de guerre que fut nommée l'opération commando pour éliminer Ben Laden en 2011.

ration de tribus de sa région et part en guerre contre les puritains. Ce premier conflit coûte la vie à quelque 600 colons et 3 000 Amérindiens. Un massacre ! Les survivants indiens sont vendus comme esclaves aux Antilles. Cette guerre et toutes celles qui suivent sont des guerres perdues pour les autochtones. Seule la bataille de **Little Big Horn**, le 25 juin 1876, où le général Custer, de sinistre réputation, trouve la mort ainsi que les 260 *blue coats* de la cavalerie, est une victoire... Une victoire de courte durée, bientôt suivie de représailles qui culminent avec la boucherie inexcusable de **Wounded Knee**, le 29 décembre 1890, où le septième de cavalerie massacre – malgré la protection du drapeau blanc – 150 Sioux, dont des femmes et des enfants.

Toujours divisées, souvent rivales, les tribus galopent malgré tout comme un seul homme au combat. Mais quand ce n'est pas la guerre, l'homme blanc trouve d'autres moyens perfides d'exterminer l'Indien. La liste des horreurs est longue. Que dire de ces officiers de Fort Pitt (Ohio) qui, à l'instigation du commandant des forces britanniques, distribuèrent aux Indiens des mouchoirs et des couvertures provenant d'un hôpital où étaient soignés des malades atteints de la petite vérole, « en espérant que cela produise l'effet escompté » ? Benjamin Franklin lui-même déclara un jour : « Le rhum doit être considéré comme un don de la Providence pour extirper ces sauvages et faire place aux cultivateurs du sol... »

Un Indien assimilé est un Indien mort

À l'aube du XXe s survivent à peine 250 000 Indiens qui tombent dans l'oubli. Rappelons qu'à l'arrivée des Blancs ils étaient entre un et deux millions, selon les estimations. En 1920, l'État américain s'en préoccupe de nouveau et décide de pratiquer une politique d'assimilation. On favorise et subventionne les missions chrétiennes, et on lutte contre les langues indiennes pour imposer l'anglais. On tente par tous les moyens de sortir les Indiens de leurs réserves pour les intégrer à l'*American way of life*. L'aigle américain est le seul symbole indien utilisé par la nation américaine ; il est iroquois, et les flèches qu'il tient dans ses serres représentent les six nations indiennes.

En 1924, on leur octroie la nationalité américaine, ce qui ne manque pas d'ironie ! Pour la petite histoire, c'est indirectement grâce à la France que cette reconnaissance tardive eut lieu. Un Indien du Dakota s'était brillamment illustré en 1917, capturant la bagatelle de 171 soldats allemands. Quand il fut question de lui décerner une médaille, on s'aperçut que cet Indien ne possédait même pas la nationalité

DÉFENSE DE PARLER INDIEN

Les écoles américaines ont longtemps fait la guerre aux petits Indiens parlant leur langue maternelle. S'ils étaient pris en défaut, on les obligeait à avaler du savon ! Le but consistait à humilier la culture de leurs parents, en l'associant à la saleté. Le système était fondé sur la dénonciation, ce qui ne fonctionnait pas en définitive.

américaine ! Finalement, la loi de 1924 garantissant à tous les Indiens le statut de citoyen fut imposée, mais dans l'indifférence générale. Pour supprimer les réserves, mettre fin à leurs hiérarchies, leurs privilèges, on partagea aussi la propriété tribale collective entre toutes les familles, histoire de faciliter l'assimilation. Une erreur de plus dans l'histoire indienne. Une erreur sociologique, car les Indiens, dans leur large majorité, ne peuvent vivre coupés de leurs racines ni de leur culture.

Un des plus grands bienfaiteurs des Indiens n'est autre que le président tant décrié de l'affaire du Watergate : Richard Nixon. C'est lui qui, d'un coup de stylo, a tiré un trait sur la désastreuse politique d'assimilation des Indiens.

Une réserve indienne peut apparaître à nos yeux comme un ghetto, et elle l'est sous maints aspects, mais c'est aussi un territoire propre, une propriété privée appartenant aux Indiens, où ils peuvent s'organiser en respectant leur culture et leurs traditions. Ils en profitent parfois pour ouvrir des casinos, dans des États où cette activité est prohibée. Cette nouvelle activité économique est une véritable manne : en Nouvelle-Angleterre, les Pequots, quasiment rayés de la carte après 1637, sont aujourd'hui entre 1 000 et 2 000 et gèrent un casino qui a fait d'eux les plus riches Indiens du pays... Toutefois, il ne faut pas généraliser : d'une réserve à l'autre, les niveaux de vie varient énormément et, en réalité, la plupart des Indiens vivent toujours dans la pauvreté.

Les Indiens du XXIe s ne rejettent pas le progrès, mais refusent souvent les structures d'une société dans laquelle ils ne se reconnaissent pas. On dénombre à ce jour environ 300 réserves (totalisant 220 000 km²) pour quelque 500 tribus survivantes, ce qui veut dire que certaines tribus n'ont pas de territoire. La population indienne progresse assez rapidement, et a atteint les 2,5 millions d'individus. Il existe aujourd'hui une quinzaine de stations de radio indiennes que vous pourrez facilement capter avec votre autoradio : par exemple navajo en Arizona, zuni au Nouveau-Mexique... Les fréquences de ces radios sont indiquées dans n'importe quel journal local, ou tout simplement en les recherchant manuellement sur votre autoradio. Toujours très intéressant.

L'Indien, multiethnique mais pas multiculturel

Les populations indiennes furent maintes fois déplacées par l'homme blanc au fur et à mesure du non-respect des traités. Cette mobilité fut à la source d'un brassage entre les tribus, mais aussi la cause de nombreux mariages inter-ethniques. Par exemple, la **tribu Shinnecock** qui possède sa réserve un peu à l'ouest de Southampton – la ville balnéaire la plus chic, la plus snob de Long Island près de New York – est aujourd'hui une tribu d'Indiens métissés, le fruit d'unions tant avec des Blancs qu'avec des Noirs. Les **Cherokees,** eux, gèrent leur « race » grâce au grand sorcier électronique, l'ordinateur. La consultation avant chaque mariage est gratuite et fortement conseillée, car il ne faut pas descendre sous la barre de deux seizième de sang indien pour l'enfant issu du mariage, sous peine de perdre sa « nationalité » indienne, et donc ses droits dans la réserve ! Les « droits » sont parfois importants : les **Indiens osages,** en Oklahoma, ont découvert du pétrole sur leur territoire. De 1906 à 1972, les « royalties » de l'or noir rapportèrent 800 millions de dollars. Quant aux **Mohawks** de l'État de New York, n'étant pas sujets au vertige, ils sont très recherchés pour la construction des gratte-ciel. On les voit, perchés tout en haut des structures des buildings, sur des posters en noir et blanc des années 1920-1930.

Malgré cela, et dans l'ensemble, les Indiens demeurent le groupe ethnique disposant du plus bas revenu par habitant. Ils détiennent encore d'autres tristes records. Ainsi, jusqu'à 40 % des individus de certaines tribus sont alcooliques, d'où un taux de mortalité liée à l'abus d'alcool six fois plus élevé que dans la population générale ! Le diabète, avec des taux trois fois supérieurs à la

LE JACKPOT DES INDIENS

Les réserves indiennes sont souvent des terres arides, peu propices à l'agriculture. En 1987, la Cour suprême autorise les casinos sur l'ensemble des réserves. Résultat, les Indiens gèrent désormais plus de 400 maisons de jeux et dégagent un chiffre d'affaires de 20 milliards de dollars.

moyenne nationale, fait partout des ravages – conséquence, semble-t-il, d'un « gène de la frugalité » (capable de stocker les sucres), apparu chez ces peuples jadis exposés à de fréquentes périodes de disette. Lien de cause à effet, l'espérance de vie des Indiens d'Amérique du Nord est, selon les estimations, de 2,5 à 10 ans inférieure à la moyenne nationale, qui est de 77 ans. Les avocats indiens sont continuellement en procès avec le gouvernement pour des questions parfois aussi choquantes que la violation de cimetières traditionnels...

Pour terminer sur une note « culturelle », sachez qu'il subsiste, sur le territoire, de nombreuses ruines de villages bâtis par les *Ancient Pueblos* (*anasazis*, le terme le plus utilisé, signifiant « ennemi » en navajo, est désormais banni), les ancêtres des Indiens du Sud-Ouest américain, principalement hopis et zunis. Ces villages troglodytiques, construits au creux et à flanc des canyons entre 1100 et 1300 av. J.-C., sont encore visibles au Navajo National Monument et au Canyon de Chelly (Arizona), au Mesa Verde National Park (Colorado) et dans certains sites du Nouveau-Mexique. Mais à bien y regarder, on en trouve presque partout, disséminés à travers le désert et les plateaux.

Un milliard de dollars de dédommagement

Parmi les innombrables procès qui opposent régulièrement les États (ou le gouvernement fédéral) à certaines tribus, le règlement de celui-ci par la négociation vaut d'être narré. Il s'est soldé (si l'on peut dire), par la décision, au printemps 2012, de verser la somme d'un peu plus d'un milliard de dollars à 41 tribus indiennes pour mettre fin à une série de procès qui les opposaient au gouvernement, et qui était en phase de négociation depuis 2009.

Depuis près d'un siècle en effet, d'une manière ou d'une autre, les tribus réclamaient la perception de redevances pour l'usage de leurs terres, et surtout pour l'exploitation des ressources (gaz, pétrole, bois...). Également en litige, des sommes perdues sur des comptes lors de transferts de propriété. Il a été prouvé que l'État, qui gérait depuis 1887 une partie des 23 millions d'hectares de terres (reconnues plus tard comme indiennes), l'avait fait avec une incroyable désinvolture.

Ce n'est pas le premier règlement (en 2011 un accord avec déjà été signé avec les représentants de 300 000 Indiens pour 4,5 milliards de dollars) et pas le dernier. On estime à plus de 70 le nombre de tribus encore en conflit avec le gouvernement fédéral, en attente d'une solution négociée.

Ces procès (ou négociations) montrent une chose. Après les guerres, l'humiliation, l'acculturation et « l'intégration », les Indiens, depuis quelques décennies, revendiquent et luttent pour que leurs droits soient reconnus, leur argent récupéré et leur fierté rendue. Après avoir traîné des pattes, les récents gouvernements ont changé de stratégie et semblent désormais prêts à solder ces conflits sans arrière-pensée.

Les Indiens et les touristes

En traversant une réserve indienne, les fantasmes se réveillent. Les souvenirs de films colorisés où le bon Indien est toujours trahi par les méchants blancs refont surface (surtout lorsque la fille du vilain shérif corrompu tombe amoureuse du beau Tonnerre Vaillant, fils du chef de la tribu Sioux...). Pour ne pas être déçu, ne vous attendez à rien. La grande majorité des Indiens (toutes tribus confondues) ayant rapport avec les touristes le font dans un but commercial (*B & B*, vente de bijoux, tour en 4x4 dans la réserve, casinos...). Ça ne les amuse pas forcément d'avoir à vous rencontrer. Rien à voir avec le *easy going* américain, les beaux sourires et les grandes embrassades. Distance, pudeur, retenue : voici les attitudes que vous rencontrerez le plus souvent. Pas de dédain dans ce comportement, c'est simplement comme ça. Les Indiens n'en font pas trop. Aussi bien au bar que lors des visites qu'ils organisent dans certaines réserves, ils ne feront pas montre d'une chaleur excessive. Si vous avez l'occasion de converser avec eux et que vous souhaitiez évoquer leur mode de vie, faites le par petites touches, sans forcer la main. Parlez plutôt du présent, pas du passé. Bien souvent votre interlocuteur bottera en touche, surtout s'il voit que votre propos est emprunt de compassion. Ils n'aiment pas trop ça. Bref, soyez naturel, plein de tact et prudent. Une prudence de Sioux.

MÉDIAS

∷∷∷

Votre TV en français : TV5MONDE partout avec vous

TV5MONDE est reçue partout dans le monde par câble, satellite et sur IPTV. Dépaysement assuré au pays de la francophonie avec du cinéma, du divertissement, du sport, des informations internationales et du documentaire.

En voyage et au retour, restez connecté ! Le site internet ● *tv5monde.com* ● et son application iPhone, sa déclinaison mobile (● *m.tv5monde.com* ●), offrent de nombreux services pratiques pour préparer son séjour, le vivre intensément et le prolonger à travers des blogs et des visites multimédia.

Demandez à votre hôtel le canal de diffusion de TV5MONDE et n'hésitez pas à faire vos remarques sur le site ● *tv5monde.com/contact* ●

La télévision

La TV est présente dans 99 % des foyers américains. Il existe cinq réseaux nationaux : *ABC, CBS, NBC, FOX* et *PBS* (chaîne publique financée par l'État et les particuliers, sans pub, proposant les meilleures émissions mais pas pour autant les plus regardées). On trouve aussi dans chaque État une multitude de chaînes locales ou régionales. À ces réseaux vient s'ajouter le câble. On y trouve des chaînes spécialisées diffusant 24h/24 des informations (par exemple *CNN*, plutôt démocrate, et *FOX*, clairement républicaine), des émissions pour les enfants, de la météo, des films (*HBO*, l'équivalent de notre *Canal +*), du sport, de la musique, du téléachat, des programmes religieux, etc. Le moins agréable, voire insupportable, c'est l'omniprésence de la pub à la télé : 18 mn 30 s en moyenne par heure de diffusion !

La presse écrite

Hier véritables institutions, les quotidiens américains souffrent désormais d'une érosion profonde et continue de leur lectorat. Plusieurs journaux régionaux ont cessé de paraître ces dernières années, ou sont passés sous format uniquement numérique.

À l'échelle nationale, les quotidiens les plus importants sont le *New York Times* (journal progressiste et de qualité, plus de 1 million d'exemplaires vendus chaque jour, près d'un million et demi le dimanche), le *Washington Post* et le *Los Angeles Times* (inspiration politique plutôt libérale). Également le *Wall Street Journal* (sérieux et conservateur) et le *USA Today* (le seul quotidien national, très grand public et de qualité médiocre) ; vous serez surpris du tarif ridicule de ces journaux : environ 50 cents en semaine(l'édition du dimanche est toujours plus chère). On trouve encore les différents journaux locaux concentrés sur les faits divers et les manifestations culturelles. Il y a aussi les *tabloids* (appelés ainsi à cause de leur format), *Daily News* et compagnie, souvent gratuits, et sans contenu de fond ; on se contente des nouvelles locales, et le reste de l'actualité n'est traité que sous forme de dépêches. Côté hebdos, citons *Time* (plutôt libéral). L'autre grand titre hebdomadaire, *Newsweek,* a cessé de paraître fin 2012.

Tous ces journaux et magazines sont largement diffusés dans tous les États-Unis. Pour ce qui est de la presse quotidienne californienne, vous trouverez principalement : le *San Francisco Chronicle,* le *San Diego Union* et bien sûr le *L.A. Times* mentionné ci-dessus. Sans oublier les nombreux magazines gratuits (voir « Adresses et infos utiles » dans les chapitres consacrés à San Francisco et à Los Angeles).

Les journaux s'achètent dans des distributeurs automatiques dans la rue. On glisse la somme demandée et une petite porte s'ouvre pour vous laisser prendre votre quotidien.

La radio

Il y a pléthore de stations sur la bande FM, toutes différentes, principalement locales et essentiellement musicales. Elles portent des noms en quatre lettres, commençant soit par W (celles situées à l'est du Mississippi), soit par K (à l'ouest). Le réseau public américain, le *NPR (National Public Radio)* propose des programmes d'une qualité supérieure.

Liberté de la presse

Absence de loi fédérale sur le secret des sources, difficultés d'accès à l'information publique, programmes de surveillance généralisée... En dépit de l'arrivée au pouvoir de Barack Obama en 2008, les entraves à la liberté d'information restent nombreuses dans le pays du Premier amendement.

Après 8 années caractérisées par une grave régression des libertés publiques au nom de la « sécurité nationale », sous George W. Bush, l'arrivée au pouvoir de Barack Obama avait suscité beaucoup d'optimisme. Ces espoirs ont rapidement été déçus concernant la liberté de l'information, régulièrement mise à mal en dépit des principes du Premier amendement de la Constitution.

Les procédures engagées par le gouvernement à l'encontre de « donneurs d'alerte » *(whistleblowers)* dans des affaires de fuites d'informations se sont multipliées récemment, au titre de la loi sur l'espionnage du 15 juin 1917 *(Espionage Act)*. Bradley Manning, jeune analyste de l'armée américaine, a ainsi été condamné à 35 ans de prison en août 2013 pour avoir transmis à WikiLeaks des documents militaires secrets relatifs aux guerres en Afghanistan et en Irak. D'autres affaires sont emblématiques de ce qui s'apparente à une véritable chasse aux sources, comme la saisie des relevés téléphoniques d'*Associated Press* par le Département fédéral de la Justice, révélée en mai 2013, afin d'identifier les informateurs de l'agence. Ou encore l'espionnage dont a été la cible James Rosen *(Fox News)*, à Washington, afin de découvrir la source à l'origine d'une fuite de documents classifiés.

Il n'existe toujours aucune « loi bouclier » *(shield law)* garantissant la protection des sources des journalistes au niveau fédéral, en dépit de l'existence d'une telle législation dans une trentaine d'États fédérés. L'absence de cette garantie – en raison de craintes relatives à la « sécurité nationale » – pèse directement sur l'activité des journalistes. De fait, la confidentialité des échanges entre ces derniers et leurs sources est une condition essentielle à l'exercice de la liberté de l'information, notamment quand des données sensibles sont en jeu.

Par ailleurs, les difficultés d'accès à l'information publique restent fréquentes, toujours au nom de la « sécurité nationale », comme en attestent les modalités d'application du *Freedom of Information Act*. Cette loi autorise la rétention d'informations par les administrations, alors que celle-ci devait rester exceptionnelle. C'est ainsi que le réalisateur Josh Fox a été arrêté en février 2012, après avoir tenté d'accéder à la Chambre des représentants, où se déroulait une audience du sous-comité à l'énergie et à l'environnement qu'il souhaitait filmer.

L'existence de programmes de surveillance généralisée mis en place par les autorités constitue une autre source de préoccupation. Selon des révélations faites en juin 2013, neuf géants de l'Internet US auraient facilité l'accès des services de renseignement américains aux données de leurs utilisateurs, dans le cadre du programme Prism, mis en place dès 2007 avec l'approbation du Congrès. De même, la société de télécommunications Verizon livrerait chaque jour les détails des appels téléphoniques de millions de citoyens américains et étrangers à la *National Security Agency (NSA)*. De tels programmes, attentatoires à la vie privée, mettent à mal la liberté d'expression et d'information.

Enfin, de nombreuses entraves à la liberté d'information ont été répertoriées lors des manifestations d'Occupy Wall Street, fin 2011. Plus de 80 journalistes – mais également des blogueurs ou de simples citoyens actifs sur les réseaux sociaux – ont été victimes de violences de la part des forces de l'ordre en marge du mouvement. Plusieurs d'entre eux ont été arrêtés, et parfois inculpés pour « réunion illégale », « conduite inappropriée » ou « défaut d'accréditation ».

Ce texte a été réalisé en collaboration avec *Reporters sans frontières.* Pour plus d'informations sur les atteintes aux libertés de la presse, n'hésitez pas à les contacter.

■ *Reporters sans frontières :* 47, rue Vivienne, 75002 Paris. ☎ 01-44-83-84- 84. • rsf.org • Ⓜ *Grands-Boulevards ou Bourse.*

PERSONNAGES

Histoire, politique, société

– *Francis Drake* (1542-1596) *:* corsaire et explorateur anglais. Durant son voyage d'exploration autour du monde pour le compte de la reine Elizabeth Iʳᵉ d'Angleterre (1577-1580), il prend possession de la Californie qu'il nomme Nouvelle-Albion.

– *Randolph Hearst* (1863-1951) *:* jeune homme turbulent, il est expulsé de Harvard et prend la tête du quotidien *San Francisco Examiner* appartenant à son père. Très vite il acquiert d'autres journaux, entrant en concurrence avec Pulitzer et se place sur le créneau du journalisme sensationnaliste. Voyant le potentiel à tirer de la B.D., il incorpore des « *funnies* », suppléments illustrés, au tirage dominical puis crée le King Features Syndicate (1915) pour diffuser des *comic strips* sur tout le territoire. Paraissent ainsi *Flash Gordon, Mickey Mouse, Popeye...* Véritable magnat de la presse possédant pas moins de 40 journaux et magazines, Orson Welles en fait un portrait à peine voilé dans *Citizen Kane.*

– *Robert Fitzgerald Kennedy* (1925-1968) *:* Bobby, le frère de J. F. K. Ministre de la justice de 1961 à 1963. Sa destinée ne sera pas différente de celle de son frère puisqu'il meurt 5 ans après lui, assassiné à son tour, à Los Angeles le soir de sa victoire à la primaire de Californie.

– *Harvey Milk* (1930-1978) *:* homme politique américain et militant actif de la communauté gay. En 1977, Milk est élu conseiller municipal de San Francisco. Il devient ainsi la première personnalité politique ayant annoncé publiquement son homosexualité à se voir confier un poste dans une administration aux États-Unis. Au cours de son mandat, il soutient un projet de loi en faveur des droits des homosexuels. Le

VIVE L'EMPEREUR NORTON Iᵉʳ

Norton était un doux dingue qui se baladait dans les rues de San Francisco, dans les années 1860. Respecté par tous, il était nourri, logé et bénéficiait des transports gratuits. Plusieurs restos lui offraient ses repas. À sa mort, 10 000 fidèles vinrent lui rendre hommage car il ne tua ni ne vola personne. Ce qui n'était pas le cas de ceux qui bénéficièrent du même titre.

27 novembre 1978, onze mois après sa prise de fonction, Harvey Milk est assassiné avec le maire George Moscone par l'ancien conseiller municipal Dan White, devenant un martyr de la cause gay. En 2008, Gus Van Sant lui a consacré un film (doublement oscarisé) intitulé sobrement *Harvey Milk,* avec l'excellent Sean Penn dans le rôle titre. Conséquence directe du succès de ce film, le 22 mai est désormais le Harvey Milk Day.

– *Richard Nixon* (1913-1994) *:* « Tricky Dick » (Richard le Roublard) est connu pour être un excellent joueur de poker. Une aptitude qui le prédestine peut-être à une carrière politique... En 1946, il est élu député de Californie puis sénateur, profitant du climat instauré par le maccarthisme pour taxer son adversaire de sympathisant communiste. Trois ans plus tard, il est vice-président d'Eisenhower, réélu à ce poste en 1956. Durant son mandat, il assure l'intérim de la présidence à trois reprises. Cela ne lui est pourtant pas favorable puisqu'il est battu par J. F. K. à l'élection présidentielle de 1960. Son tour vient en janvier 1969, où il devient le 37e président des États-Unis. De son passage à la Maison-Blanche on retient la création des agences pour la protection de l'environnement (EPA) et de lutte contre la drogue (DEA). Il est également l'initiateur du programme de construction de la navette spatiale. Moins glorieux, Nixon est indissociable de la guerre du Vietnam et du scandale du Watergate qui provoque sa démission en 1974.

– **Ronald Reagan** (1911-2004) : acteur de cinéma apparu dans des films et des séries B, ses connaissances ne se limitent pourtant pas aux deux premières lettres de l'alphabet. En 1966 il est élu 33e gouverneur de Californie, mais comme il le dit : « les grands esprits ne sont pas au gouvernement. Si c'était le cas, ils seraient embauchés par les entreprises. » Considéré comme le « fondateur » du parti républicain moderne, le passage de Rony à la présidence des États-Unis marque le retour à un conservatisme et à un libéralisme économique fort. Sa politique sociale met des dizaines de milliers de gens dans les rues.

– **Arnold Aloïs Schwarzenegger** (1947) : le « Chêne autrichien », « Schwarzy », « Conan le républicain » ou encore « Governator », l'Autrichien arrivé en 1968 aux États-Unis est tout à la fois. Figure majeure du culturisme, icône de films d'action, gouverneur de Californie de 2003 à 2010, président des États-Unis dans le film *Les Simpsons,* Schwarzy est l'incarnation du rêve américain. Et force est de constater que « Governator » ne gouverne pas à tort et à travers. Marié 25 ans durant à une démocrate pur jus (Maria Shriver, nièce de John Kennedy), il sait aller à l'encontre de la politique de Bush concernant le protocole de Kyoto, et promulgue le *Global Warming Solution Act* afin de réduire les émissions de gaz à effet de serre en Californie. Il envisage même, un temps, de légaliser la marijuana afin de prélever des taxes sur ce nouvel or vert et remplir le budget de l'État (quelque peu parti en fumée !) et apporte son soutien à Barack Obama dans sa réforme du système de santé. En 2012, il lance l'Institut Schwarzenegger de politique étatique et mondiale à l'université de Californie du Sud, un projet ambitieux qui devrait, selon lui, lui permettre d'accomplir tout ce qu'il n'avait pu réaliser en tant que gouverneur, notamment dans les domaines de la santé et du réchauffement climatique.

– **Mark Zuckerberg** (né en 1984) : le créateur de Facebook, dont le siège est implanté dans la Silicon Valley. Selon un classement réalisé par le magazine *Forbes,* ce petit génie de l'informatique (qui a quitté Harvard sans diplôme) est le plus jeune milliardaire sans héritage au monde, avec une fortune estimée à une petite quinzaine de milliards de dollars (très fluctuante cela dit

> **FACEBLUE**
>
> *C'est parce qu'il est atteint d'une forme de daltonisme assez répandue, l'absence de perception différenciée entre le rouge et le vert, que Mark Zuckerberg, le créateur de Facebook, a créé le logo de son réseau social en bleu.*

depuis l'entrée en bourse ratée de Facebook). Il est aussi le 2e homme le plus philanthrope d'Amérique (après Warren Buffett), avec 500 millions de dollars d'actions Facebook généreusement offerts à la Silicon Valley Community Foundation, pour financer l'éducation et la santé.

Musique

– **Joan Baez** (1941) : au-delà de son statut de « reine du folk » qui a popularisé les chansons de Bob Dylan, cette Californienne d'adoption est le symbole de l'esprit révolutionnaire des *sixties*. Ses concerts, de Woodstock à la fête de l'Huma et ses albums (plus d'une trentaine) sont autant de preuves d'un militantisme pacifique au service des causes qu'elle défend.

– **Beach Boys :** palmiers, surf et jeunesse dorée... le fameux mythe californien des années 1960, rapidement ringardisé par l'émergence du mouvement hippie et la guerre du Vietnam. N'empêche, tandis que déferle la vague Beatles et autres Rolling Stones, « everybody's gone surfin', surfin' USA ! ».

– **John Cage** (1912 à Los Angeles-1992) **:** influencé par le dadaïsme et la philosophie zen, ce compositeur, poète et plasticien angelin est un artiste d'avant-garde. Inventeur du piano préparé, une technique de jeu étendue qui consiste à placer des objets extérieurs (boulons, gommes...) entre les cordes pour modifier le timbre de l'instrument, John Cage est l'ambassadeur de la musique contemporaine expérimentale. Son œuvre majeure 4'33 est une pièce silencieuse, pour un musicien qui, installé avec son instrument comme s'il allait en jouer, ne joue rien. La durée est libre (ah bon ?), mais trois mouvements doivent être indiqués. Oui, c'est conceptuel...

– **Nat King Cole** (1917-1965) **:** pianiste de jazz et véritable crooner à la voix suave comme un soupir d'amoureux, il est l'un des principaux musiciens qui contribuent à l'émancipation d'un courant californien : un blues de cabaret, sophistiqué et feutré, apprécié par un public averti. En 1948, il emménage dans le quartier de Hancock Park, à Los Angeles, et dans un pays encore marqué par la ségrégation raciale, se heurte au racisme de ses voisins, fâchés de voir un « indésirable » s'installer dans leur prestigieux quartier.

– **Cypress Hill :** groupe de hip-hop formé en 1988 du côté de South Gate (Los Angeles). Ils commencent par se produire dans des clubs, surtout devant un public latino. Leur musique est identifiable aux instrumentaux funky avec une touche latino, au *flow* saccadé et à la voix nasillarde de B-Real. Leurs collaborations sont éclectiques : Prodigy, Eminem, Deftones, Rage Against the Machine, Damian Marley...

– **Miles Davis** (1926-1991 à Santa Monica) **:** trompettiste virtuose, animé par le goût de l'innovation et sans cesse à la recherche de territoires sonores à défricher, Miles Davis est à l'origine d'un jazz avant-gardiste qui lui vaudra l'incompréhension des puristes. Il transcende les genres, affirme le cool-jazz et compose des titres de jazz-rock rapprochant ainsi deux courants musicaux jusqu'alors bien distincts. À Paris, il côtoie Boris Vian, Juliette Gréco, Picasso, Sartre ou encore Jeanne Moreau, et reçoit même la Légion d'honneur française.

– **Dr. Dre** (André Romell Young, 1965) **:** rappeur et producteur de nombreux artistes de la scène rap et hip-hop actuelle. Il popularise le gangsta rap et la culture hip-hop californienne en général. Celle du bandana noué autour de la tête... Son premier album, The Chronic, sorti en 1992 et dans lequel apparaît Snoop Dogg pour la première fois est multiplatine. En 1995, il collabore avec Tupac sur California Love. Après l'assassinat de ce dernier en 1996, il déclarera l'ère du gangsta rap révolue.

– **Macy Gray** (Natalie Renee McIntyre, 1967) **:** elle débute par l'enregistrement de deux titres à Los Angeles en 1998. Le titre I try sur lequel elle pose sa voix rocailleuse et jazzy lui vaudra un Grammy Award en 2001. Ses compositions en font le chaînon manquant entre la soul, le hip-hop et le R & B contemporain. Également actrice, on la voit dans Spiderman, Training Day et Domino. En 2005, elle ouvre la Macy Gray Music School à Hollywood.

– **Ben Harper** (Benjamin Chase, 1969) **:** né à Claremont – où sa famille possède, depuis les années 1950, un magasin d'instruments de musique –, il découvre la guitare très tôt en jouant sur tous les modèles qui l'entourent. Avec son groupe The Innocent Criminals, il est révélé en 1997 par l'album The Will to Live. Touches de reggae et de funk dans l'album Diamonds on the Inside, gospel avec The Blind Boys of Alabama sur There Will be a Light, folk, blues et même hip-hop, ses morceaux couvrent toutes les variations de la musique noire américaine. Fan de skate depuis son enfance, le bluesman est aussi le parrain de la Tony Hawk Foundation qui construit des skateparks dans tous les US dans le but de détourner les ados de la délinquance et de la drogue.

– **Michael Jackson** (1958-2009) *:* « *This is thriller, thriller life* »... si ce titre (le plus vendu de l'histoire) et son clip aux allures de court-métrage ont érigé le cadet des Jackson Five au statut de « Roi de la Pop », sa vie elle aussi relève du thriller. De sa propriété de Neverland (dans les environs de Santa Barbara), avec son zoo et son parc d'attractions, à son recours obsessionnel à la chirurgie plastique, l'icône planétaire est un phénomène étrange. Même sa mort brutale, à près de 50 ans, reste auréolée de mystère.

– **Metallica** *:* « Metal Power » ! comme le scande leur première maquette. Formé en 1981, le groupe fait ses armes dans les clubs de L.A. La composition est mouvementée, du décès accidentel du bassiste Cliff Burton au départ de Dave Mustaine, les seuls membres des débuts sont en fait Lars Ulrich et James Helfield. Il leur faudra attendre 1986 et l'album de trash metal *Master of Puppets,* puis une tournée de 2 ans pour goûter au succès. En 1991 sort le *Black Album,* plutôt heavy metal. Commercial pour les fans de la première heure, c'est cet album qui permet à Metallica de toucher un large public.

– **Rage Against The Machine** *:* comprenez « rage envers le système » et tout ce qu'il implique : mondialisation, néolibéralisme, racisme, élitisme, etc. Autant de concepts qui révoltent le groupe formé en 1990 à Los Angeles. Et pour le faire savoir, il n'hésite pas à user de symboles forts, comme brûler le drapeau américain sur le titre *Killing in the name of.* Michael Moore, connu pour ses documentaires engagés, a d'ailleurs réalisé deux de leurs clips. Ces précurseurs du mix rap-metal font de nombreux adeptes. Aussi, le 21 janvier 2000, alors qu'ils donnent un concert sauvage dans le quartier de Wall Street, la Bourse est contrainte de fermer avant l'heure à cause de la foule. Ce n'était pas arrivé depuis 1929. RATM est parvenu au statut de groupe culte en seulement 10 ans et trois albums.

– **Snoop Dogg** (Cordozar Calvin Broadus Jr, 1971) *:* attention, chien méchant ! Le petit Snoopy, comme l'appelait sa maman, a fini de ronger sa laisse. Proche d'un gang de L.A. surveillé par le FBI, de nature impulsive et agressive, Snoop fait dès son adolescence de fréquents séjours en prison et a des démêlés récurrents avec la justice depuis. Remarqué par Dr. Dre après avoir fait une maquette avec son cousin Nate Dogg et Warren G (le demi-frère de Dre), il sort *Doggystyle* en 1993, premier album rap de l'histoire à se classer directement en tête des charts. Il devient ainsi une figure du rap westcoast.

– **The Game** (Jayceon Terell Taylor, 1979) *:* originaire de Los Angeles, The Game est né du « buzz » autour de son titre *You know what it is Vol. 1.* En 2005, il a deux nominations aux Grammy Awards pour son album *The Documentary* produit pas Dr. Dre. Rapidement devenu une référence dans le milieu du rap et du hip-hop, il prête sa voix à un personnage du jeu GTA : San Andreas.

– **Warren G** (1971) *:* ce rappeur né à Long Beach est le demi-frère de Dr. Dre et membre du groupe 213 formé avec Snoop Dogg et Nate Dogg. Produit en solo par Dre (encore lui), Warren G s'impose comme le pionnier du *G-Funk,* rap de L.A. en référence au *P-Funk* des années 1970 de George Clinton et son « Parliament-Funkadelic ». Son album *Regulate* sort en 1994 et le révèle dans le monde entier.

– **Xzibit** (Alvin Nathaniel Joiner, 1974) *:* rappeur, acteur, il est surtout connu en France pour avoir présenté l'émission *Pimp my Ride* sur MTV. Bien qu'originaire de Detroit, c'est à Los Angeles qu'il est découvert lors d'une tournée avec le collectif de rappeurs West Coast Likwit Crew en 1996. Côté salles obscures, on l'a vu dans *8 Mile* et récemment dans *X-Files 2 : Régénération* et entendu (il double le chef de la police) dans *L'Histoire vraie du Petit Chaperon rouge.*

Cinéma

– **Nicolas Cage** (1964) *:* natif de Long Beach, il débute au cinéma grâce à son oncle Francis Ford Coppola qui lui offre un rôle dans *Rumble Fish,* en 1983. Un an plus tard, Cage vole de ses propres ailes dans *Birdy,* puis alterne films d'action stéréotypés et productions indépendantes. Une recette qui porte ses fruits puisqu'il reçoit l'oscar du meilleur acteur pour son rôle dans *Leaving Las Vegas* (1995) et entre dans le club très fermé des acteurs payés 20 millions de dollars par film grâce à *60 sec chrono* (1998). Acteur consciencieux et investi, il joue également à fond la carte de la star hollywoodienne ; connu pour son caractère impétueux, c'est aussi un collectionneur de voitures de sport... et de femmes. En toute modestie, il a nommé son fils Kal-El. Comme Superman.

– **John Cassavetes** (1929-1989) : l'archétype de l'auteur indépendant qui, après s'y être laissé prendre, a refusé le système hollywoodien. Dès son premier film, *Shadows* (1959), il innove un style cinématographique qui lui permet de coller à la réalité du sous-prolétariat noir. Faute de budget « hollywoodien », ses films se feront ensuite en famille, avec sa femme, la sublime Gena Rowlands.

– **Francis Ford Coppola** (1939) : réalisateur, producteur et scénariste d'origine italienne, mais californien d'adoption depuis ses études à UCLA. Couronné de six Oscars et deux Palmes d'or, Coppola a réalisé des films au succès critique et public : la trilogie du *Parrain* débutée en 1972, *Conversation secrète* (1974), *Apocalypse Now* (1979) et, plus récemment, *Tetro* (2009) et *Twixt* (2012). À l'image de Gérard Depardieu (dont il partage aussi la corpulence !), Coppola est aussi vigneron et hôtelier. En 2011, il débauche même le directeur d'exploitation du prestigieux château Margaux pour prendre les rênes du domaine Inglenook dont il est propriétaire dans la Napa Valley. Et dans ses vignobles comme dans ses films, Coppola fait travailler la famille. Deux de ses enfants, Sofia et Roman, ont d'ailleurs suivi les traces de leur père.

– **Sofia Coppola** (1971) : fille de son illustre papa, elle étudie à l'Institute of Arts de Californie avant de devenir assistante du couturier Karl Lagerfeld. Réalisatrice talentueuse, remarquée dès la projection de son premier court-métrage, *Lick the Star* (1998), elle devient l'emblème de la culture rock et cinématographique indépendante. Un statut confirmé par le succès de *Virgin Suicides* qu'elle réalise l'année suivante, celui du très subtil *Lost in Translation* (2003) et enfin par *Marie-Antoinette* (2006), aux allures de roman-photo acidulé sur fond électro-rock. Son quatrième opus, *Somewhere,* fut tourné en 2009 au Château Marmont, l'hôtel mythique des stars d'Hollywood, et a reçu le Lion d'Or à Venise en 2010. Elle a depuis réalisé *The Bling Ring,* tourné essentiellement à L.A.

– **Julie Delpy** (1969) : la comédienne qui enchante le cinéma d'auteur français est naturalisée américaine. Révélée à 14 ans par Godard dans *Détective,* elle enchaîne avec les plus grands (Leos Carax, Bertrand Tavernier, Krzysztof Kieslowski...) puis part pour New York suivre des études de cinéma. Quentin Tarantino la persuade alors de tourner à Los Angeles dans *Killing Zoe,* et elle s'y installe. Artiste touche à tout et indépendante au sens noble du terme, elle bidouille ses films de A à Z dans sa bicoque de West Hollywood, jouant aussi bien l'actrice que la réalisatrice, la productrice ou la scénariste (la trilogie des *Before* avec Ethan Hawke) et mettant en scène sa famille dans des comédies caustiques et désopilantes (la saga des *Two Days*). Parmi ses derniers projets : l'écriture d'une série produite par *HBO,* avec Cate Blanchett (*Cancer Vixen*).

– **Johnny Depp** (1964) : acteur à la fois rebelle et secret qui s'illustre dans des rôles tantôt excentriques (*Charlie et la Chocolaterie,* 2005), tantôt sombres (*Sleepy Hollow,* 1999 ; *Sweeney Todd : le diabolique barbier de Fleet Street,* 2008), toujours hors norme (*Edward aux mains d'argent,* 1990) et soufflant un vent de liberté (*Le Chocolat,* 2001 ; *Rochester, le dernier des libertins,* 2006), qui lui vaudront un césar d'honneur en 1999. Figure de proue du cinéma indépendant, la trilogie *Pirates des Caraïbes* fait de lui un acteur « bankable », comme en témoigne le succès d'*Alice au pays des merveilles* signé de son complice Tim Burton, avec qui il a produit *Dark Shadows* en 2012.

– **Leonardo DiCaprio** (1974) : ce pur produit de Hollywood (qui y est d'ailleurs né), propulsé par le succès de *Titanic,* n'est pas seulement un des meilleurs acteurs de sa génération (trois oscars à son palmarès). C'est aussi un fervent militant écolo. La lutte contre le réchauffement climatique est au cœur de ses préoccupations, il en a même fait un film qu'il a co-écrit, co-produit et dont il est le narrateur : *La 11e Heure, le dernier virage.* Ambassadeur de la marque Tag Heuer, DiCaprio a exigé que 10 % des ventes de « son » modèle soient reversés à des ONG environnementales.

– **Walt Disney** *(Walter Elias Disney, 1901-1966) :* son ancêtre, Hugues d'Isigny, venait d'Isigny-sur-Mer, en Normandie, d'où il émigra pour l'Angleterre avant qu'une branche familiale n'en fasse autant vers l'Irlande, puis l'Amérique. Et c'est ainsi que d'Isigny s'anglicisa en Disney. Curieusement, Walt Disney n'était pas un dessinateur exceptionnel. Très vite, il s'arrêta même de dessiner. C'était surtout un homme d'idées, à qui l'on doit, entre

MICKEY CRÉÉ PAR DÉPIT

Walt Disney commence par créer le lapin Oswald en 1927. Les studios Universal, producteurs et propriétaires des droits, lui refusent une augmentation. Viré, il imagine alors une petite souris qui ressemble d'ailleurs à Oswald (mais sans les oreilles tombantes du lapin). Ne trouvant pas de diffuseur, Disney prend le risque de se produire lui-même. Ce sera le début de sa fortune.

autres, le concept des parcs d'attractions. Son premier trait de génie fut de donner aux visages de ses héros des expressions reflétant leurs émotions. Disney inventa aussi les études de marché : il invitait son équipe au cinéma et faisait projeter son dernier dessin animé avec le public. On notait ensuite les réactions dans la salle pour modifier le scénario. Au fait, saviez-vous que Mickey, créé en 1928, tint le second rôle jusqu'aux années 1940 ? La vedette, c'était Pluto.

– **Clint Eastwood** (1930) **:** avec un parcours atypique ponctué de grands succès et d'échecs cinglants, jamais là où on l'attend, Clint Eastwood est un « hors-la-loi » du 7e art made in San Francisco. Après 217 épisodes de la série *Rawhide,* trois westerns spaghettis dont *Le Bon, la Brute et le Truand* (1966), il se cantonne dans le rôle du terrible inspecteur Harry avant de séduire avec une grande subtilité Meryl Streep *Sur la route de Madison* et de poursuivre une brillante carrière de réalisateur quoique de plus en plus académique : *L'Homme des hautes plaines, Mystic River, Million Dollar Baby, Gran Torino, Invictus, Au-delà, J. Edgar...* et le remake d'*Une Étoile est née*, avec Beyoncé et Leonardo DiCaprio. Républicain assumé, l'ancien cow-boy fut dans les années 1980 le maire de Carmel. En pleine campagne présidentielle de 2012, son sketch raté à la convention républicaine de Tampa, dialoguant avec une chaise vide représentant Barack Obama, restera tristement dans les annales.

– **Jodie Foster** (Alicia Christian Foster, 1962) **:** originaire de L.A., diplômée de l'université de Yale en littérature, elle aussi fut une enfant star, révélée dans *Taxi Driver* de Martin Scorsese qui lui valut une nomination (à 13 ans !) pour l'oscar du meilleur second rôle. En 1988, elle est oscarisée pour son rôle dans *Les Accusés* avant de recevoir une seconde statuette pour sa performance exceptionnelle dans *Le Silence des agneaux* (1990). Belle et charismatique, l'actrice (réalisatrice aussi) fut longtemps harcelée par un fan, John Warnock Hinckley Jr. qui, pour l'impressionner, tente même d'assassiner le président Ronald Reagan en 1981. On l'a plus récemment vue en mère de famille pétant les plombs dans l'excellent *Carnage* du sulfureux Roman Polanski. Un an plus tard, en 2012, elle fit son *coming out* officiel, en déclarant son amour pour sa compagne depuis 20 ans.

– **Danny Glover** (1946) **:** ce San-Franciscain est surtout connu pour son rôle de flic dans *L'Arme fatale 1, L'Arme fatale 2, L'Arme fatale 3, L'Arme fatale 4, L'Arme...* ah non ! ça s'arrête là. Il a également joué dans *Bopha !* (1993), de Morgan Freeman et *Beloved* (1998), l'adaptation du célèbre roman de Toni Morrison, avant d'apparaître aux côtés de Gene Hackman dans l'original *La Famille Tenenbaum* (Wes Anderson, 2001) et dans le déjanté *Soyez sympa, rembobinez* de Michel Gondry.

– **Tom Hanks** (1956) **:** originaire de Concord, c'est un acteur éclectique, qui connut une reconnaissance tardive dans *Philadelphia* (1993). Il fait ses débuts dans des comédies, puis change d'orientation et devient rapidement l'un des acteurs les plus populaires de sa génération avec *Nuits blanches à Seattle* (1993), le cultissime *Forrest Gump* (1994), et encore *Apollo 13* (1995), *Il faut sauver le Soldat Ryan* (1998), *La Ligne verte* (1999). Avec plus de 3 milliards de dollars au compteur, il est l'acteur le plus prolifique de l'histoire en terme de succès commerciaux.

– **Alfred Hitchcock** (1899-1980 ; Anglais naturalisé Américain) : l'œuvre de Hitchcock impressionne, plus même, elle fascine ! De 1925 à 1975, il réalise plus de 50 films dont la simple évocation des titres provoque des sueurs froides... Quelques incontournables : *Les 39 Marches* (1935), *Fenêtre sur cour* (1954), *Vertigo* (alias *Sueurs Froides*, 1958) dont l'action se situe précisément à San Francisco, *Psychose* (1960), *Les Oiseaux* (1963) qui se passe à Bodega Bay... Maître incontesté du suspense, Hitchcock a imposé un style, un humour et une façon toute singulière de signer ses films. Ses vedettes féminines étaient toujours blondes et glaciales.

– **Dustin Hoffmann** (1937) : petit par la taille (1,70 m) mais immense par le talent, cet acteur aux multiples facettes a baigné dans le milieu hollywoodien dès sa plus tendre enfance (son père était décorateur de plateau). Tantôt victime, tantôt comique (*Tootsie,* 1982), il sait aussi être émouvant, comme dans *Kramer contre Kramer* (1979), *Rain Man* (1988), deux rôles pour lesquels il reçoit l'oscar du meilleur acteur.

– **George Lucas** (1944) : né à Modesto, le réalisateur mégalo de l'incontournable saga de *La Guerre des étoiles* (commencée en 1977) et d'Indiana Jones, a fait son cinéma à la fac de L.A. avant de faire ses armes comme stagiaire à la Warner Bros. C'est lui qui est à l'origine de la carrière cinématographique de Harrison Ford. Alors menuisier, il était en train de réparer la toiture de la maison de George Lucas quand ce dernier le remarqua et lui proposa un rôle dans *American Graffiti* (1973). Fin 2012, le géant Disney a annoncé le rachat de *Lucasfilm* et, pour le plus grand bonheur des fans, la sortie d'un nouveau *Star Wars* d'ici 2015, suivi d'autres épisodes tous les 2-3 ans.

– **Liza Minelli** (1946) : « Si Hollywood était une monarchie, Liza serait notre princesse héritière », disait d'elle Fred Astaire. Issue d'une famille d'artistes depuis six générations, la fille de Judy Garland est en effet une légende sur la colline. Chanteuse, actrice et surtout « hollywoodienne », elle a, depuis 1991, son étoile au n° 7 000 du Walk of Fame. Artiste de scène avant tout, incarnant l'âme du cabaret, elle nourrit une grande complicité artistique avec Charles Aznavour, avec qui elle fit une série de concerts en 1992.

– **Marilyn Monroe** (Norma Jean Baker, 1926-1962) : près d'un demi-siècle après sa disparition, Marilyn reste LE sex-symbol. Une princesse tourmentée : père inconnu et mère dépressive. Sa grand-mère tenta de l'étouffer tandis que son grand-père se suicidera. Elle ne dormait pas la nuit, et, on le sait moins, bégaiera toute sa vie. Ses amours tumultueuses, ses liaisons ouvertement assumées avec les deux frères Kennedy, son mode de vie libertaire dans une Amérique puritaine font que son talent n'est sans doute pas assez reconnu par ses pairs. Marilyn tourne pourtant avec les plus grands noms, des films tantôt légers et peu marquants, tantôt poignants et inoubliables. Son jeu sincère, émouvant et naïf lui vaut une notoriété mondiale et sa mort tragique, mise un peu rapidement sur le compte d'une grande fragilité psychologique (il est vrai qu'il lui fallait un *coach* chaque jour pour jouer les scènes), la couronne d'une aura de star éternelle. Elle est retrouvée morte à Los Angeles, suicidée selon une version officielle de plus en plus contestée... Saura-t-on enfin un jour avec certitude si Marilyn a été assassinée par les services secrets ou par un système appelé Hollywood ?

– **Gregory Peck** (1916-2003) : né à La Jolla, il quitte la Californie pour New York, où il espère briller sur les planches de Broadway. Remarqué, il revient en Californie en 1944, avec quatre contrats en poche. Le succès ne se fait pas attendre, il est dirigé par Hitchcock, joue aux côtés d'Audrey Hepburn et, nommé aux oscars à cinq reprises, il finit par remporter la précieuse statuette. Dans *To Kill a Mockingbird,* le personnage qui le consacre est un avocat chargé de défendre un Noir d'Alabama injustement accusé de viol. Atticus Finch, c'est son nom, est désigné plus grand héros de l'histoire du cinéma par l'American Film Institute. Devant Indiana Jones et 007, s'il vous plaît. Ce film, qui sort dans le contexte de la lutte des Noirs américains pour les droits civiques, illustre une implication dans la politique (il s'oppose au maccarthysme, à la guerre du Vietnam), qui lui vaut d'être pressenti pour se présenter contre Ronald Reagan au poste de gouverneur de Californie.

– **Sean Penn** (1960, à Santa Monica) : une vraie gueule du cinéma d'aujourd'hui et un leader charismatique de l'Amérique engagée, *confer* son voyage en Irak et son opposition à cette guerre qui n'en finit pas. Cet acteur rebelle est reconnu comme l'un des meilleurs de sa génération. Ses rôles sont toujours sur le fil du rasoir, comme dans *Mystic River* (2003), récompensé par un oscar, ou *21 Grams*. Avec *Into the Wild* (2008), hymne aux grands espaces de l'Amérique du Nord, tourné dans huit États dont la Californie du Sud, il signe un film poignant qui lui vaut la reconnaissance de ses pairs. Parmi ses dernières (toujours brillantes) interprétations en date, également oscarisée : *Harvey Milk,* dans le rôle du défenseur des droits des homosexuels, présenté en avant-première à San Francisco, ville d'origine de Milk. Même si Hollywood lui a apporté toutes les récompenses, il se mobilise sans compter pour la population d'Haïti, afin d'assurer leur sécurité et de créer des dispensaires, des écoles, des stations d'eau potable...

– **Christina Ricci** (1980) : encore une graine de star ! Cette Californienne, née à Santa Monica elle aussi, démarre fort en incarnant Mercredi, la lugubre fille aînée de *La Famille Addams* (1991). Après un bref passage à vide, on la retrouve dans des productions indépendantes comme *Buffalo '66* ou *Las Vegas Parano* qui lui valent le surnom d'« Indy queen ». Elle n'oublie cependant pas Hollywood et joue dans des films grand public (*Monster* avec Charlize Theron ; *Pénélope*), voire des *blockbusters* (*Speed Racer,* 2008).

– **Quentin Tarantino** (1963) : le réalisateur los-angelin de la nouvelle vague américaine, à l'origine du come-back de Travolta dans *Pulp Fiction* (1994), a réveillé les plus assoupis des cinéphiles. Après sa trilogie *Kill Bill,* devenue culte, il explore la noirceur et le chaos dans le film de genre *Boulevard de la mort. Inglourious Basterds* (2009), bien reçu par la critique, ne renouvelle pas vraiment le CV du trublion contrairement à son dernier opus, un western-spaghetti dénonçant l'esclavage (*Django Unchained,* 2012).

LA DERNIÈRE SÉANCE DE TARANTINO

En 2010, le réalisateur de Kill Bill *a racheté le* New Beverly, *un vieux cinéma de Los Angeles spécialisé depuis des lustres dans les reprises en double programme (un ticket pour deux films). Client régulier, Tarantino n'hésitait pas à débouler à la séance de* Reservoir Dogs *pour répondre aux questions des spectateurs. Aujourd'hui, c'est lui qui régale les cinéphiles avec son exceptionnelle collection de films en 35 mm.*

– **Forest Whitaker** (1961) : diplômé de l'école de théâtre de l'University of Southern California, il est révélé à l'échelle internationale en 1988 grâce au rôle de Charlie Parker dans *Bird,* de Clint Eastwood. Dès lors, il enchaîne les films, dirigé par les plus grands : Scorsese dans *La Couleur de l'argent,* Oliver Stone dans *Platoon* ou encore Jim Jarmush pour lequel il incarne un « samouraï » des temps modernes dans *Ghost Dog, la voie du Samouraï* (1999). En 2007, il reçoit l'oscar et le Golden Globe pour son rôle dans *Le Dernier Roi d'Écosse.* Récemment, il s'est distingué dans *Le Majordome* de Lee Daniels et *Zulu* du français Jérôme Salle.

Littérature

– **Charles Bukowski** (1920-1994) : « J'ai un projet, devenir fou. » Asocial, choquant, obscène, l'auteur du *Journal d'un vieux dégueulasse* (1969), des *Contes de la folie ordinaire* (1967-1972), ou encore de *Factotum* (1975), souvent associé à la Beat Generation, dénonce la morale hypocrite et la modernité médiocre dans des romans autobiographiques sombres et marqués par le souvenir d'un père alcoolique et frustré par son échec social.

– **Raymond Chandler** (1888-1959) : cet autre maître du roman noir des années 1930 est aussi le créateur du personnage de Philip Marlowe, le célèbre détective privé de Los Angeles qui sera sublimement incarné à l'écran par (entre autres) Humphrey Bogart dans *Le Grand Sommeil* (*The Big Sleep*, 1946) de Howard Hawks avec, à ses côtés, Lauren Bacall.

– **Joan Didion** (1934) : bien que peu traduite en français, cette grande dame née à Sacramento est considérée comme un « monument » de la littérature américaine. Romancière, essayiste, scénariste et journaliste (*Vogue, New York Times* et *New Yorker*), cette chroniqueuse de la vie politique et culturelle américaine des années 1960-1970 porte sur ses contemporains un regard aiguisé et lucide. De son écriture fine, minimaliste et cruelle, elle épingle la bourgeoisie intellectuelle de la côte ouest et sa vacuité. On ne ressort pas indemne de la lecture de *Maria avec et sans rien* (1970), où le monde superficiel du cinéma est englué dans la dépression, le mensonge, l'infidélité, l'alcoolisme (et les addictions en tout genre !), l'incapacité à communiquer, la folie, l'égoïsme...
L'Amérique 1965-1990 – Chroniques (paru chez Grasset) réunit 11 textes écrits durant ces années, du récit de son immersion dans le quartier hippie de San Francisco en 1967, à sa rencontre avec John Wayne, les Doors et les Black Panthers, en passant par la terreur suscitée par la famille Manson dans les collines de Los Angeles.

– **James Ellroy** (Lee Earle Ellroy, 1948) : cet auteur de polars né à L.A. est un personnage marginal, s'affichant résolument conservateur, voire réactionnaire, au point d'avoir soutenu George Bush Junior jusqu'au bout (et encore aujourd'hui !). Sans domicile fixe et flirtant avec l'extrême droite durant son adolescence, il se décrit comme un ermite vivant en vase clos pour éviter que le monde moderne ne contamine l'univers de ses romans. *Le Grand Nulle part, L.A. Confidential* ou encore *White Jazz* reflètent son attachement au Los Angeles des années 1940-1950 et son amour de la musique. *Le Dahlia noir*, quant à lui, est l'adaptation d'un fait divers sanglant des années 1940, transposition psychanalytique du meurtre de sa propre mère en 1958, une tragédie personnelle qu'il raconte dans *Ma part d'ombre*. Dernière œuvre en date : la trilogie *Underworld USA*.

– **William Faulkner** (1897-1962) : romancier venu à la littérature par dépit amoureux combiné à une terrible frustration de n'avoir pu participer à la Première Guerre mondiale (à cause de l'armistice !). Auteur de romans dont l'intrigue se déroule principalement dans le sud des États-Unis, *Le Bruit et la Fureur* (1929), *Pylône* (1935), *Absalon, Absalon !* (1936), il est reconnu comme l'un des plus grands écrivains de son temps.

– **Dashiell Hammett** (1894-1961) : considéré comme un des maîtres (et père) du roman noir, il dépeint avec justesse le milieu du gangstérisme de l'époque et sa violence. Son détective privé de San Francisco, Sam Spade, sera interprété (immortalisé même) par Humphrey Bogart dans *Le Faucon maltais* (ou *Le Faucon de Malte*, selon les versions ; 1930), porté à l'écran par John Huston en 1941.

– **Jack Kerouac** (né Jean-Louis Lebris de Kerouac, 1922-1969) : le « pape des beatniks » était d'origine bretonne, comme son nom l'indique, via une émigration familiale au Québec. Il aurait dû être un sportif de haut niveau mais, à la suite d'une méchante blessure et à cause de son refus des conventions, il se met en quête d'un renouveau spirituel libéré des affres du matérialisme. Kerouac explore les chemins de l'errance et de l'instabilité en traversant les États-Unis. Inspiré par la poésie californienne, il s'installe un temps à San Francisco. En 1957, il écrit en trois semaines le manuscrit de *Sur la route,* qui devient un ouvrage culte pour la Beat Generation, ce qui ne l'empêchera pas

ON THE ROAD

Le célébrissime roman de Jack Kerouac mettra 7 ans pour trouver un éditeur. Ce tapuscrit sera toutefois vendu 2,2 millions de dollars en 2001. Ne jetez pas vos vieux papiers !

de rompre avec ses anciens comparses... S'affichant apolitique et pacifiste, tout en lançant involontairement la mode du bouddhisme, il finit par se déclarer par provocation « fervent catholique » et même favorable à la guerre du Vietnam ! Il meurt à 47 ans, fauché, coupé de ses anciens amis, déprimé et alcoolique.

– *Jack London* (1876-1916) : chasseur de phoques, écumeur de parcs à huîtres, chercheur d'or, journaliste puis écrivain, Jack London fut l'un des premiers américains à faire fortune dans la littérature. Il aura fait tous les métiers pour se soustraire à la morose vie d'ouvrier qui l'attendait. Dans *L'Appel de la forêt* (1903), *Le Loup des mers* (1904), son autobiographie romancée *Martin Eden* (1909) et surtout *Croc-Blanc* (1906), ce Californien est un amoureux de la nature, un aventurier et conteur hors pair. En 1905, il se fait construire un ranch dément dans la vallée de la Lune (*Moon Valley*), en Californie. Mais celui-ci brûle avant même qu'il n'ait pu s'y installer avec sa femme. Ruiné et désespéré, il meurt trois ans plus tard, sans avoir jamais cessé d'écrire. Sa femme lui dédiera un musée sur les lieux du ranch, où l'écrivain est d'ailleurs enterré (voir Glen Ellen).

– *Henry Miller* (1891-1980) : Miller se fait remarquer (on peut le dire) avec ses *Tropique du Cancer* (1934) et *Tropique du Capricorne* (1939), tous deux interdits de publication pendant près de 30 ans aux États-Unis. Dans la lignée, il signe d'autres titres frappés par la censure. Trop dissolu, trop choquant pour le puritanisme ambiant, trop avant-gardiste... (pas d'inquiétude, l'œuvre de cet ancien prof d'anglais à Dijon est aujourd'hui réhabilitée !). À son retour d'Europe en 1940, c'est à Big Sur que Miller trouve refuge dans cette Amérique qu'il aime si peu, avant d'aller finir sa vie à Los Angeles, dans le quartier de Pacific Palisades.

– *Alice Sebold* (1963) : cet écrivain vivant en Californie s'est fait connaître internationalement avec son deuxième roman *La Nostalgie de l'ange* (*The Lovely Bones,* 2002), dans lequel une adolescente de 14 ans violée et assassinée raconte la vie des autres (sa famille, ses amis, son meurtrier) vue du ciel. Un beau roman, inspiré de l'expérience de l'auteur (elle-même violée et passée tout près de la mort à 18 ans).

– *John Steinbeck* (1902-1968) : né à Salinas, ce prix Nobel de littérature (1962) reste fidèle à son pays et y ancre nombre de ses romans. Il y décrit sans complaisance l'univers difficile des petits fermiers et des ouvriers agricoles. *Des souris et des hommes* (1937), *Les Raisins de la colère* (1939), qui lui vaut le prix Pulitzer, *À l'est d'Éden* (1952) et nombre de ses autres romans ont été portés à l'écran.

Sciences

– *Neil Armstrong* (1930-2012) : pilote d'essai pour la NASA sur la base californienne d'Edwards, il est choisi pour commander la mission *Apollo 11.* Le 21 juillet 1969, il est 4h17 (heure de la côte est). Neil Armstrong fait rêver la terre entière en faisant le premier pas sur la Lune et prononce cette phrase devenue mythique : « C'est un petit pas pour l'homme, mais un bond de géant pour l'Humanité. »

– *Bill Gates* (né en 1955) : l'entrepreneur pas forcément le plus visionnaire de la planète mais le plus riche... du monde dans le domaine de la high-tech. En 1975, il fonde Microsoft qui s'impose vite comme le leader mondial de l'informatique. Mais voilà, cet homme d'affaires en exaspère plus d'un et, en 2000, il est reconnu coupable de « conduite prédatrice » conduisant à une situation de monopole. Il a quitté son entreprise pour se consacrer à sa fondation, tournée vers le tiers-monde, à laquelle il lègue d'ailleurs une grande partie de sa fortune.

– **Robert Oppenheimer** (1904-1967) : physicien, il participe au développement de la bombe atomique (projet Manhattan) au Radiation Laboratory de Berkeley, puis à son élaboration à Los Alamos (Nouveau-Mexique). Assistant à l'explosion, il se remémore une citation de la *Bhagavad-Gītā* : « Je suis Shiva, le destructeur des mondes. » En 1949, il s'oppose au projet de la bombe H. Et en 1954, ses accréditations lui sont retirées, sa loyauté étant remise en question...

– **Steve Jobs** (1955-2011) : originaire de San Francisco, il débute comme programmeur de jeux vidéo chez Atari. En 1976, avec son ami Steve Wozniak, il lance son premier ordinateur « Apple I » vendu 666,66 $. La société entre en bourse en 1980. À 27 ans, c'est le plus jeune homme à entrer dans le Fortune 400. En 1984, il révolutionne le monde de l'informatique en lançant le Macintosh, premier ordinateur grand public commandé par une souris. Jobs, le bourreau de travail, est sans cesse à la recherche

> ## LE PLUS GRAND ÉCHEC DE STEVE JOBS
>
> *Ses succès industriels furent considérables. En revanche, il prit de mauvaises décisions pour soigner son cancer du pancréas. Conseillé par un naturopathe et un médium (!), il se soignait essentiellement grâce à un régime végétarien strict composé surtout de carottes et jus de fruits. Quand 9 mois après le début de la maladie il accepta la médecine classique, il était trop tard.*

de nouveaux marchés. Il participe à la création de Pixar (*Toy Story, Le Monde de Nemo, Ratatouille* et *Là-haut*), s'impose au royaume du MP3 avec l'iPod, se lance dans la téléphonie avec l'iPhone et rencontre un nouveau succès avec l'iPad, sachant organiser comme personne la sortie mondiale de ses petits jouets électroniques novateurs. Il meurt des suites d'un cancer à l'âge de 56 ans quelques mois après avoir démissionné du poste de directeur général d'Apple.

Arts

– **Franck Gehry** (1929) : originaire de Toronto, il quitte ensuite le Canada pour Los Angeles, où il étudie l'architecture puis monte sa propre agence, *Gehry Partners,* en 1962. Couronné par le prestigieux prix Pritzker en 1989, Gehry se rend célèbre en concevant le musée Guggenheim de Bilbao en 1997. Sa structure innovante, aux volumes complètement éclatés, et couverte de fines écailles de titane, fait mouche. Ce sera sa marque de fabrique. Gehry est aujourd'hui un des architectes les plus connus dans le monde.

– **David Hockney** (1937) : cet artiste britannique contemporain, qui figure parmi les plus cotés, partage son temps entre la côte est de l'Angleterre et Los Angeles. Célèbre pour son style pictural proche de la photographie, notamment ses fameuses piscines, David Hockney a retrouvé récemment son énergie créatrice via les nouvelles technologies. À plus de 70 ans, il s'est découvert une nouvelle passion : la iPainting (entendez sur iPhone et iPad) ! Autoportraits, natures mortes, paysages, tout y passe, il suffit de se servir de son écran tactile comme d'une toile et de « peindre » dessus. D'un simple frôlement de doigt, on efface tout et on recommence, fastoche ! Ses œuvres numériques ont même fait l'objet d'une expo à la Fondation Pierre Bergé-Yves Saint-Laurent.

Sports

– **Kobe Bryant** (1978) : le MVP de la saison 2007-2008 est aussi l'un des quatre derniers joueurs de NBA encore en activité à avoir inscrit plus de

20 000 points dans sa carrière. Enfant de la balle (son père évoluait dans le championnat italien et a passé 6 mois au FC Mulhouse de basket), c'est dans l'équipe des Los Angeles Lakers qu'il veut jouer. Rapidement considéré comme l'un des meilleurs joueurs de sa génération, il cumule de nombreux trophées et records.

– **Magic Johnson** (1959) : du haut de ses 2,05 m, Magic Johnson est « le » basketteur nord-américain des années 1980, meneur de jeu des Lakers de Los Angeles pendant plus de 10 ans. Mais voilà, sa séropositivité le pousse à mettre un terme à sa carrière, même s'il joue encore de temps en temps. Il crée alors une fondation et est aujourd'hui une figure emblématique de la lutte contre le sida.

– **Greg Noll** (1937) : « Da Bull » est l'un des pionniers du surf qu'il découvre à Manhattan Beach. Attiré par le mode de vie des surfeurs, Greg Noll fait partie de la première vague de migration de Californiens qui rêvent des spots de Makaha, du côté de Hawaii. Mais Makaha ne lui suffit pas, il décide d'explorer le North Shore et découvre le spot de Waimea Bay. Il est entré dans la légende pour avoir surfé la plus grosse vague du XXe s, le 4 décembre 1969.

– **Tiger Woods** (1975) : né (à Cypress, California) pour gagner... Ce vœu pieux, formulé par son père, est devenu réalité. On dit qu'à 1 an Tiger Woods frappait sa première balle de golf. Ce qui est sûr, c'est qu'à 21 ans il devient le numéro un mondial du green et enchaîne les records. Après avoir voulu remettre à plat toute sa technique et une dizaine de tournois sans succès, il revient sur le devant de la scène en 2005. En 2009, l'Amérique puritaine (et sa femme, un mannequin suédois) découvrent qu'il entretenait 19 liaisons extraconjugales... Quelques sponsors lâchent le premier milliardaire sportif de l'histoire. Du coup, il présente des excuses publiques et annonce son retrait du circuit professionnel dans un show savamment orchestré, avant de revenir à la compétition en 2010.

POPULATION

La plupart des États de l'Ouest américain connaissent la plus forte croissance démographique de l'ensemble du territoire américain depuis une bonne décennie. La Californie n'échappe pas à la règle : en un siècle, sa population est passée de 1,5 million d'habitants à plus de 37,2 millions aujourd'hui selon le recensement de 2010. C'est l'État le plus peuplé d'Amérique. Les villes comme San Diego s'étendent dans les espaces désertiques. Les uns sont attirés par le dynamisme économique des villes de ces dernières années ; les autres, pour la plupart retraités, s'installent dans la Sun Belt (qui s'étire de la Californie au Nouveau-Mexique) pour profiter de la douceur du climat.

Les communautés ethniques représentent plus de la moitié de la population de la Californie. D'ailleurs, vous aurez presque autant de chances de parler l'espagnol que l'anglais ! Oui, il s'agit là d'une réalité bien vivante. Les **Latinos** représentent 37,6 % de la population californienne. Dans cet État, il y a désormais plus de José que de Michael. Certes, les États du Sud étaient en territoire mexicain avant qu'ils ne tombent dans l'escarcelle américaine... Mais la population hispanique a doublé à l'échelle nationale depuis 1990, atteignant 45 millions de personnes (soit désormais davantage que les Noirs). Le bureau du recensement envisage même l'hypothèse d'une population de plus de 100 millions d'hispaniques à l'horizon 2050 (25 % de la population). Certains parlent de reconquête pacifique des terres du Sud ! De nombreux Mexicains continuent de traverser la frontière, parfois au péril de leur vie, poussés par la misère et attirés par un rêve américain toujours bien vivant dans les esprits. Et ce n'est pas l'érection du border fence, si « scandaleux et honteux » selon les mots de l'ancien président mexicain Vicente Fox, qui va les en empêcher ! En janvier 2009, à la veille du

départ de l'équipe Bush, insti-
gatrice de ce nouveau « mur de
la honte », celui-ci s'étendait
déjà sur 930 km, par segments
dans les zones les plus sensibles, repoussant de fait les
clandestins dans les zones
désertiques, où ils sont la proie
des passeurs. Plus de 300 personnes meurent chaque année
en tentant de franchir la frontière (et on ne compte que ceux
que l'on retrouve). Pourtant, les
wetbacks, les « dos mouillés »
comme on les appelle en référence à ceux qui traversent à la
nage le río Grande, continuent
de tenter leur chance. Qu'ont-
ils vraiment à perdre ? D'autant
que, côté américain, d'autres
aussi ont tout à gagner au maintien de cette situation. Comme

LE *ROUTARD* DU CLANDESTIN

*Les Mexicains candidats à l'émigration
irrégulière aux États-Unis sont si nombreux que les autorités mexicaines ont
publié un guide à leur intention, pour
les informer et les prévenir des dangers
qu'ils encourent. Mise en garde contre
les passeurs, précautions pour ne
pas se perdre dans le désert (« suivre
les poteaux électriques »), savoir que
faire en cas d'arrestation, connaître les
droits des étrangers aux États-Unis...
On y donne aussi quelques conseils
pour éviter de se faire prendre une
fois installé aux États-Unis : « limiter
ses trajets à ceux domicile-travail »,
« s'abstenir de faire des fêtes bruyantes » et même « de commettre des violences conjugales » ! Un petit* Routard
du clandestin *en somme...*

souvent, l'afflux de cette population « illégale » sert de nombreux intérêts. Les
travailleurs clandestins d'origine latino-américaine sont aujourd'hui à la
base de l'économie agricole de la Californie et du Texas. Un vivier de main-
d'œuvre malléable à merci, sans droits ni protection, vivant dans la peur de
l'expulsion, est ainsi en permanence disponible. Des travailleurs qui ne risquent pas de faire des vagues... Mais cette gestion répressive de l'immigration,
productrice de travailleurs sans papiers, n'est pas l'apanage des USA. En la
matière, l'Europe – et la France – sont aussi très douées. Pour une vengeance
fictive mais jubilatoire, on pourra toujours regarder le film de Robert Rodriguez,
Machete, où l'on suit les tribulations sanguinolentes d'un Mexicain clandestin
qui se paie les milices de la frontière...
Les **Indiens** font également partie du paysage démographique californien : au
nombre de 355 000, ils représentent 1 % de la population. Cela paraît faible.
Pourtant, à l'échelle nationale, leur nombre a été multiplié par dix en un siècle.
Répartis dans 300 réserves correspondant aux 500 tribus survivantes, la population indienne se partage aujourd'hui l'ensemble des États. Mais la répartition
actuelle n'a rien à voir avec celle qui prévalait avant l'arrivée des Blancs. Elle obéit
à une règle simple : les Indiens ont été refoulés sur des terres arides, souvent
difficiles d'accès (pour le détail des tragiques épisodes de la conquête des terres
américaines par les nouveaux occupants, voir plus haut la partie « Indiens »). Pas
étonnant alors que le massif des Rocheuses (avec les rives du Pacifique, dans une
moindre mesure) abrite la plus forte concentration de réserves indiennes.

Vers une régularisation massive ?

C'était l'un des engagements de campagne de Barack Obama pour sa réélection, régulariser en masse les clandestins sud-américains (dont 58 % de
Mexicains). Même une frange des républicains se range désormais à cette idée,
après avoir compris que, sans l'appui de l'électorat latino, arracher la présidence
relève de l'impossible. Aux oubliettes donc, la formule de Mitt Romney, candidat malheureux à la présidence en 2012 qui invitait le sans-papiers à « s'auto-
expulser »... Les sénateurs Républicains et démocrates sont donc parvenus
à un accord pour dessiner un « chemin » vers la régularisation des quelque
11 millions d'immigrés illégaux que comptent les États-Unis. *Un chemin très*

long, et pour le moins semé d'embûches. Déjà, seules seront concernées les personnes arrivées avant le 31 décembre 2011, qui devront s'acquitter d'une amende de 500 $ et payer éventuellement des impôts rétroactifs s'ils ont travaillé au noir. Les plus pauvres – soit l'écrasante majorité des sans-papiers – sont donc exclus de fait de toute régularisation. Quant aux autres, ils devront se contenter d'une carte de séjour de 10 ans qui ne leur donnera aucun droit (pas de sécu), si ce n'est celui de rester sur le territoire et de payer des impôts. Les 10 ans passés, ils obtiendront enfin une carte de résident permanent et, 3 ans plus tard, pourront tenter d'acquérir la nationalité américaine. En contrepartie, le regroupement familial baissera d'un tiers pour être remplacé par des quotas de travailleurs définis par des accords entre entreprises et syndicats américains. Quant à la fameuse loterie de la carte verte, elle est tout simplement supprimée. Enfin, *la frontière avec le Mexique sera encore plus surveillée* : utilisation de drones, multiplication des caméras thermiques, construction de nouvelles barrières et, surtout, augmentation record du nombre de gardes-frontières, qui vont passer de 18 000 à 38 400, soit 12 policiers par kilomètre ! Bref, les *wetback* n'ont pas finis de mourir dans le désert... D'autant que la chambre des représentants bloque encore le projet de loi. Dur, dur pour un pays qui s'est construit sur l'immigration. Pour mémoire, rappelons que le triste record d'expulsions de sans-papiers (400 000 par an) est détenu par... Barack Obama, lors de son premier mandat.

RELIGIONS ET CROYANCES

Pour comprendre l'importance de la religion aux États-Unis, il faut la replacer dans son contexte historique. Tout a commencé avec *l'implantation des premiers colons pour qui l'Amérique du Nord représentait un nouveau monde* – au sens littéral du terme – et dans lequel ils allaient enfin pouvoir *pratiquer leur religion sans être persécutés.* En effet, les conséquences de la Réforme protestante au début du XVIe s s'étaient traduites par une mise au ban, voire une persécution, des non-conformistes, et c'est en partie pour fuir la vindicte des autorités que les candidats à l'émigration optèrent pour le grand voyage. L'Amérique leur offrait le meilleur espoir de survie à long terme et de réalisation de leurs objectifs religieux. C'est donc dans cet état d'esprit que débarquèrent les premiers colons du *Mayflower* en 1620.

Le *Massachusetts* accueillit des *puritains* et des *calvinistes.* La *Virginie,* identifiée à l'origine avec la nouvelle Église anglicane, reçut par la suite *baptistes et calvinistes.* Le *Maryland devint terre des catholiques. L'État de New York et la Pennsylvanie accueillirent William Penn et ses quakers,* ainsi que des luthériens et divers protestants allemands *(les amish d'aujourd'hui).* Au nord, les comtés français limitrophes de l'actuel Québec s'établirent sous influence catholique, tandis que les États du Sud virent s'implanter les Églises évangélique ou baptiste. Évidemment, le pays grandit, et sous l'influence de nouveaux flux d'émigrants, le paysage religieux se modifia. *Au XIXe s, l'arrivée massive d'Irlandais augmenta considérablement le poids de la communauté catholique* ; tendance qui s'accentue avec l'arrivée d'Espagnols, d'Italiens, de Grecs et de Polonais. *En provenance d'Europe de l'Est, une partie de la diaspora juive débarqua à son tour.* Quand bien même les premiers musulmans (ancêtres des métis Melungeons) seraient arrivés dès le XVIIe s, *ce n'est qu'au milieu des années 1960, que la communauté musulmane s'étoffa,* grâce notamment à l'afflux de « cerveaux » en provenance du Pakistan, d'Inde, du Bengladesh, du Liban ou de Syrie. Parallèlement aux obédiences conventionnelles se développèrent de *nombreuses sectes et Églises dissidentes* permettant à chaque Américain d'embrasser le corpus dogmatique le plus proche de ses aspirations. Dans son analyse de la société américaine, Tocqueville précise que cette pluralité de l'offre religieuse a sans doute permis à l'Amérique de ne jamais tomber dans l'opposition entre le spirituel et le politique.

Si l'Amérique ne s'est pas dotée dès le départ d'une religion d'État, c'est en partie en raison du grand nombre de sectes protestantes qui gouvernaient les idées de l'époque, et dont aucune d'entre elles n'était prédominante. La devise nationale des USA, *E pluribus Unum* (De plusieurs, un), en est l'expression même. C'est en **Virginie,** où l'Église anglicane était la religion établie, que s'est jouée *la bataille décisive de la séparation de l'Église et de l'État.* Cette victoire occupe une place fondamentale dans l'histoire des États-Unis. À la ratification du *premier amendement de la constitution américaine en 1791,* soit 15 ans après la Déclaration d'indépendance, les privilèges de toutes les Églises anglicanes (à l'exception de celles du Maryland) avaient été abolis. Il fallut attendre 1833 pour le Massachusetts. En protégeant le libre exercice de la religion tout en interdisant l'établissement d'une religion officielle, le premier amendement de la constitution américaine fait des États-Unis le pays le plus religieux de la planète. George Washington affirmait : « Chaque pas qui nous fait avancer dans la voie de l'indépendance nationale semble porter la marque de l'intervention providentielle. » *Ce sentiment d'être investi d'une mission divine,* en partie dû au puritanisme enraciné dans le calvinisme, et qui plus tard trouva une résonance particulière en s'opposant à l'athéisme du bloc soviétique, n'a jamais cessé d'émailler les discours politiques des présidents américains. Il n'y a rien d'étonnant, donc, à ce que Bush, protestant méthodiste, ait appelé à une croisade contre « l'axe du Mal » au lendemain du *September Eleventh.*

Incontournable religion

Aujourd'hui, *les Américains continuent d'accorder un rôle essentiel à la religion dans la vie sociale et politique de leur pays.* Depuis l'école, où les élèves prêtent serment au drapeau « sous les auspices de Dieu », aux serments du président sur la Bible, la religion s'immisce dans tous les aspects de la vie civile. Sans compter les grands sujets de société comme l'avortement ou encore l'homosexualité, directement influencés par le poids religieux. Pour preuve, la déclaration d'Obama sur son avis personnel concernant le mariage homosexuel qui a fait bien des remous dans l'opinion américaine en 2012 et l'adoption d'un projet de loi du Sénat californien visant à interdire les thérapies contre l'homosexualité. Par ailleurs, les émissions de radio et de télévision sont aujourd'hui une composante majeure de l'outil religieux. L'explosion de l'offre et l'accessibilité aux programmes (câble, Internet, téléphonie mobile) permet aux sectes, même mineures, d'occuper les ondes. De ce fait, *l'individu est en prise directe et quasi permanente avec le contenu religieux.* À titre d'exemple, chaque semaine, le nombre d'Américains célébrant un office religieux est supérieur à celui assistant à une rencontre sportive. Une grande majorité d'Américains sont affiliés à une paroisse, et le choix de résidence est le plus souvent assujetti à l'emplacement d'un lieu de culte. Il n'y a qu'à se balader dans une ville américaine pour voir combien les habitants sont fiers d'appartenir à leur paroisse. La religion est même devenue un véritable catalyseur au service du développement urbain. À Los Angeles, la cathédrale Notre-Dame-des-Anges dépasse de beaucoup le simple lieu de culte dans la mesure où elle sert de support à toute une politique fédérale, notamment en ce qui concerne les programmes éducatifs, et d'assistance aux plus démunis. *Le phénomène des « megachurches »* est un exemple probant de l'instrumentalisation de la religion au service des idéaux libéraux.

Dans son étude de la société américaine au début du XXe s, Max Weber, l'un des fondateurs de la sociologie moderne, soulignait déjà le rapport étroit entre l'éthique protestante et le capitalisme. Ces *établissements conceptuels du « tout religieux »* dépassent largement le cadre du simple édifice religieux, dans la mesure où l'on y trouve des garderies, des bibliothèques, des salles de spectacles et même des terrains de sport. Ces équipements, où tout a été pensé pour le confort intellectuel du croyant, incitent les familles à venir y passer leur temps libre.

Petit tour d'horizon du Sacré

Les États-Unis forment *un véritable patchwork de religions.* Sur les 80 % d'Américains qui se déclaraient croyants en 2012 (60 % des libéraux, 91 % des conservateurs), on comptait environ 48 % de protestants, 22 % de catholiques, 1,7 % de juifs et de mormons, 0,7 % de bouddhistes et autant de témoins de Jéhovah, et 0,6 % de musulmans. Mais cette répartition n'est pas constante. Les experts s'accordent à dire que chaque année environ 60 000 hispaniques, à l'origine catholiques, quittent leur religion pour embrasser une *église évangélique comme le pentecôtisme,* par exemple. Il est vrai que ces Églises ont connu une *croissance importante depuis les années 1970,* grâce au développement des médias et notamment de la télévision, sur laquelle elles sont très présentes. À titre d'exemple, *Hour of Power,* l'émission présentée jusqu'en 2012 par Robert Schuller, célèbre télévangéliste californien, est diffusée tous les dimanches sur une centaine de chaînes par plus de 20 millions de personnes. À noter également que le nombre de catholiques a diminué de 5 % cette dernière décennie et qu'*actuellement, c'est l'islam qui croît le plus rapidement aux États-Unis.* Depuis la création de la fédération des associations islamiques en 1950, le nombre de mosquées sur le territoire américain est passé de 150 à plus de 2 000.

ROUTE 66

::

Un mythe, un symbole, un « monument » indissociable de la culture américaine ! Surnommée *The Mother Road* (la route mère) par John Steinbeck dans *Les Raisins de la colère,* Route de la gloire par les Okies (les fermiers de l'Oklahoma), c'est aussi la *Main Street of America* (Grande rue de l'Amérique) dans le cœur des Américains. Chantée par les Stones, la Route 66 a servi de cadre au film *Easy Rider* et plus récemment au dessin animé *Cars,* de Walt Disney.
Débutée en 1926, sa construction s'acheva en 1938. C'est la première voie qui permit de relier les rives du lac Michigan (à Chicago) au rivage du Pacifique (à Santa Monica, en Californie), après un périple de 2 448 miles à travers huit États (Illinois, Missouri, Oklahoma, Texas, Nouveau-Mexique, Arizona et Californie, le Kansas étant sillonné sur 12 miles seulement). Dès 1934, des milliers de familles de paysans d'Oklahoma et d'Arkansas ruinés et condamnés à l'exode par le Dust Bowl (tempêtes de poussière qui anéantirent les cultures) l'empruntèrent, à la recherche d'espoir et d'une nouvelle vie quelque part, plus à l'ouest. Durant la Seconde Guerre mondiale, ce fut au tour des convois militaires acheminant hommes et armements vers le Pacifique ou l'Atlantique. Tout le long de la Route 66 s'est très vite développée une nouvelle culture, celle des motels, des stations-service, des restos routiers (les fameux *diners*) et des enseignes aux néons tapageurs... Après les angoisses de la guerre, l'avènement des vacances en famille draina de nouveaux candidats vers la 66, attirés par les parcs nationaux à explorer et les promesses de beaux pique-niques ! À la fin des années 1950, le trafic devenu important, les accidents se multiplièrent. La bonne vieille *Mother Road* n'était plus adaptée à son époque. Les autorités lui préférèrent les nouvelles *interstates* à deux voies qui contournent les villes, plus rapides, plus sécurisées. À la fin des années 1960, le flot quotidien de véhicules s'évapora. Sur les bords de route, les boutiques fermèrent leurs portes, les guirlandes lumineuses s'éteignirent. En 1981, les autorités ont même émis le souhait de gommer son tracé sur les cartes routières. Mais voilà, c'était sans compter sur les nostalgiques de la belle époque, sur les amoureux de l'*American way of life* ! Sous la pression d'associations de

défense, la *Road 66* retrouve aujourd'hui une seconde jeunesse. Le long du tracé, des musées se sont créés, des panneaux retraçant l'histoire de cette voie ont fleuri, des *diners* et motels au décor comme dans l'temps ont rouvert, des festivals très vivants rassemblent tous les adeptes lors de grand-messes pétaradantes et chromées. Mieux, une nouvelle loi pour la protection de la Route 66 a été promulguée ! De quoi rassurer tous ceux (*bikers* en tête chevauchant leurs rutilantes motos) qui sillonnent à nouveau l'ancien tracé sur les pas de leurs prédécesseurs ou tout simplement à la recherche d'un peu de rêve et de magie.

SAVOIR-VIVRE ET COUTUMES

Difficile de décrire les règles de savoir-vivre à adopter dans un pays auquel on reproche souvent de ne pas en avoir. Pourtant, le pays de la peine de mort et de l'injustice sociale sait souvent faire preuve d'un savoir-vivre étonnant dans les situations de tous les jours. Les Américains sont dans l'ensemble puritains. Ils adorent les émissions où l'émotion à trois francs six sous déborde de partout, mais ils s'indignent peu de savoir que les enfants du Bengladesh fabriquent leurs *Nike* ou que l'embargo contre Cuba fait des ravages dans la population. La compassion est ici à géométrie très variable, comme partout certainement, mais peut-être un peu plus qu'ailleurs. Les Américains ne sont pas à une contradiction près. Ils sont en majorité contre les lois visant à restreindre la liberté de port d'arme, mais ils s'interrogent quand leurs enfants sont assassinés à la sortie du lycée. Ils se goinfrent de pop-corn et de crème glacée pour mieux s'inscrire à des programmes de régime ultracoûteux. Peuple difficile à saisir, dont les excès sont légion, mais dont le civisme reste une réalité quotidienne. Tombez en panne et vous vous émerveillerez de toute l'aide que l'on vous propose... Ouvrez une carte dans la rue et on viendra vous aider à vous diriger. Impensable chez nous.

Voici quelques conseils et indications en vrac, pour vous montrer que cette civilisation de pionniers, où la force a de tout temps été la seule loi qui prévalait, sait faire preuve, dans la vie de tous les jours, d'une étrange gentillesse qui fait parfois passer les Français pour de curieux rustres.

– **Les files d'attente** dans les lieux publics ne sont pas un vain mot. Pas question de gruger quelques places à la poste ou dans la queue de cinéma. Le petit rigolo qui triche est vite remis à sa place. C'est l'occasion d'apprendre la patience.

– À la ville comme dans les campagnes, **on se dit facilement bonjour** dans la rue, même si on ne se connaît pas. Vous ne couperez pas non plus au « *How are you doing today ?* » (« Comment ça va aujourd'hui ? »), l'entrée en matière des serveurs ou commerçants que vous ne connaissez ni d'Ève ni d'Adam mais auxquels vous répondrez avec un grand sourire : « *Fine, thanks, and you ?* » (« Bien, merci, et vous ? »).

– **Les Américains se font très rarement la bise.** Quand on se connaît peu, on se dit « *Hi !* » (prononcer « haïe »), qui veut dire « Salut, bonjour ». Quand on est proches et qu'on ne s'est pas vus depuis un moment, c'est l'accolade (le *hug*) qui prévaut. On s'enlace en se tapant dans le dos, gentiment quand il s'agit de femmes, avec de grandes bourrades quand on est un homme. Si vous approchez pour la première fois un Américain en lui faisant la bise, ça risque de surprendre (voire choquer) votre interlocuteur. Cela dit, la *French attitude* est plutôt bien vue... Le meilleur moyen de saluer quelqu'un est quand même de lui serrer la main, pratique très courante.

– **En arrivant dans un restaurant, on ne s'installe pas à n'importe quelle table,** sauf si l'écriteau *Please seat yourself* vous invite à le faire. On attend donc d'être placé.

– Dans les restos et les cafés, **ne vous attendez pas à un service à l'européenne,** du genre nappe, petite cuillère pour le café, couvert à poisson, etc. Ici, c'est l'efficacité et le rendement qui priment. Ne pas s'étonner de se faire servir un *espresso* dans une grande tasse ou d'avoir l'addition avant la fin du repas. Pour s'assurer que tout tourne à la bonne vitesse, certains serveurs n'hésiteront pas à vous rendre visite très (trop) souvent, mais toujours avec le sourire !

– *Les petits restes :* si, dans un restaurant, vous avez du mal à terminer ce que vous avez commandé (ça arrive souvent là-bas), n'ayez pas de scrupules à demander une barquette pour emporter les restes de vos plats, tout le monde le fait. Jadis, on disait pudiquement « C'est pour mon chien », et il était alors question de *doggy bag*. Aujourd'hui, n'hésitez pas à demander : « *Would you give me a box, please ?* » (« Pourriez-vous me donner une boîte, s'il vous plaît ? »).

– *La clim :* les Américains ont la manie de pousser l'AC à fond dans la plupart des lieux publics (restos par exemple). Ayez donc toujours un petit pull sur vous pour éviter les chocs thermiques permanents. Malheureusement, ils ont aussi tendance à laisser la clim allumée dans les chambres d'hôtels... même s'il n'y a pas de client à l'intérieur.

– Le *code de la route* est davantage respecté que chez nous. L'automobile est majoritairement considérée comme un moyen de locomotion, pas comme un engin de course (même si les jeunes n'échappent pas à la tentation). Lorsque deux files se regroupent sur une seule, chacun passe à tour de rôle : simple et efficace. Et puis vous ne verrez jamais une voiture stationnée sur le trottoir. Non tant par peur des représailles policières, mais tout simplement parce que ça empêche les piétons de passer ! Ne vous avisez pas de transgresser ce genre de règles, ça vous coûterait cher. De même, si quelqu'un est devant un passage pour piétons, les voitures s'arrêtent automatiquement pour le laisser passer. On voit même souvent les voitures s'arrêter pour quelqu'un qui traverse en dehors des passages prévus à cet effet (cela dit, ce n'est pas conseillé ni très bien vu). En revanche, lorsque le feu est vert pour les piétons, il vaut mieux se presser pour traverser, car le temps imparti s'écoule rapidement. Avant de traverser, n'hésitez pas à appuyer sur le bouton poussoir pour que le petit bonhomme passe au vert. En général, ça accélère le système de régulation des feux.

– *Les crottes de chien :* voilà encore un point au sujet duquel on pourrait prendre de la graine. Ce qui apparaît comme un geste simple, civique et évident aux États-Unis a décidément du mal à se mettre en place en France. Pourtant, les Américains en possèdent deux fois plus que des Français, et la mode du chihuahua fait fureur en Californie ! Surtout depuis que des starlettes comme Paris Hilton ou Britney Spears s'exhibent dans la presse people avec leurs toutous adorés...

– Au sujet des *w-c publics (restrooms)* : ils sont presque toujours gratuits et souvent bien tenus. Vous en trouverez dans chaque *Visitor Center,* les *bus stations,* dans les stations-service, les grands centres commerciaux et grands magasins, dans les halls des hôtels et les cafétérias. Demandez, on ne vous dira jamais non, à moins qu'une pancarte précise *Customers only.*

– *Dans les petits campings de certains parcs nationaux, le paiement se fait par un système d'enveloppe.* On met la somme demandée dans l'enveloppe que l'on glisse dans la boîte. Le *ranger on duty* viendra le lendemain ramasser les enveloppes et contrôler que tout le monde a payé. Ce système tend toutefois à se raréfier. On trouve le même principe dans de nombreux parkings publics.

– Dans le même ordre d'idées, *pour acheter son journal, il existe des distributeurs automatiques.* Il suffit de glisser la somme et une petite porte s'ouvre pour vous laisser prendre votre quotidien. On pourrait parfaitement en prendre deux, trois ou dix à la fois en n'en payant qu'un seul, mais personne ne le fait. L'honnêteté prévaut.

– *Le rapport à l'argent* des Américains a souvent tendance à énerver les étrangers, surtout lorsqu'ils font un voyage culturel. Leur guide insistera plus facilement sur le prix de tel tableau, de telle fabuleuse construction plutôt que d'en évoquer les valeurs esthétiques. De même, l'insistance permanente des serveurs dans les restaurants ou des vendeurs à vouloir faire consommer ou dépenser toujours plus est irritante à la longue.

– Les Américains sont des individualistes forcenés, mais ***ils sont prêteurs.*** Ils n'hésiteront pas, après avoir fait un peu votre connaissance, à vous prêter leur voiture et à vous laisser les clés de leur maison. Ça étonne toujours un peu, mais on s'habitue rapidement à cet état d'esprit, *friendly* en somme.

– ***Le patriotisme :*** le drapeau et l'hymne national sont les liens fédérateurs essentiels des différents peuples qui constituent le peuple américain. Afficher (souvent avec fierté) son appartenance à la nation est un geste évident pour un grand nombre d'Américains. Cela peut étonner plus d'un Européen, et depuis les attentats du 11 septembre 2001, la bannière étoilée a tendance à

LA MAIN SUR LE CŒUR

Naguère, les Américains avaient coutume de saluer leur drapeau en tendant le bras droit, en souvenir des légions romaines. Malheureusement, ce geste ressemblait trop au salut nazi. En 1942, le président Roosevelt décida de le remplacer par la main sur le cœur.

se multiplier en tous lieux, tout comme les messages d'encouragement aux *boys* en Afghanistan ou ailleurs. Plus surprenant encore : les églises qui carillonnent l'hymne national !

– ***Il ne sert à rien de s'énerver et encore moins de hurler*** dès que quelque chose ne se déroule pas comme on le voudrait. Une attitude malheureusement bien française mais totalement décalée aux États-Unis. Le fait d'élever la voix vous fera passer pour un fou et vous risquerez d'être traité comme tel. On vous conseille plutôt de garder votre sang-froid, surtout si vous vous adressez à un policier, cela va sans dire.

– ***Les malentendus culturels :*** les Américains, joyeux drilles, cordiaux voire familiers, aiment les contacts et sont d'un abord facile. Cet élan immédiat peut laisser croire qu'on se fait de nouveaux amis dans la minute. Mais le premier contact passé, l'analyse de la situation fait dire aux Français que les Américains sont superficiels, légers, inconsistants. À l'inverse, les Américains nous trouveraient froids et distants. Mais ce qui ressort le plus souvent de l'aventure américaine, c'est toujours la gentillesse, les rencontres et la serviabilité des gens.

SITES INSCRITS AU PATRIMOINE MONDIAL DE L'UNESCO

Organisation
des Nations Unies
pour l'éducation,
la science et la culture

En coopération avec
le centre du patrimoine mondial de l'UNESCO

Pour figurer sur la Liste du patrimoine mondial, les sites doivent avoir une valeur universelle exceptionnelle et satisfaire à au moins un des dix critères de sélection. La protection, la gestion, l'authenticité et l'intégrité des biens sont également des considérations importantes.

Le patrimoine est l'héritage du passé dont nous profitons aujourd'hui et que nous transmettons aux générations à venir. Nos patrimoines culturel et naturel sont deux sources irremplaçables de vie et d'inspiration. Ces sites appartiennent à tous les peuples du monde, sans tenir compte du territoire sur lequel ils sont situés. Pour plus d'informations : ● *whc.unesco.org* ●

– Site inscrit dans la zone couverte par ce guide : le ***parc national de Yosemite*** (1984).

SURF

Autant que la ruée vers l'or, Hollywood, *Alerte à Malibu* et les raisins *Sun Maid*, le surf fait partie de l'imaginaire californien. Les photos de beaux gars bronzés et la musique des Beach Boys ont popularisé ce sport dans le monde entier. Mais sait-on que, si son berceau se situe sur les rives du Pacifique, sa pratique s'est développée au nord de la Polynésie, à Hawaii notamment, pour des raisons plus religieuses que sportives ?

Revenons aux débuts : en 1767, le capitaine James Cook, au service de Sa Majesté, jette l'ancre aux îles Sandwich (Hawaii).

Il remarque que les natifs s'adonnent au plaisir des vagues. Ils ne chevauchent pas la houle seulement en canoë, mais aussi avec une adresse inouïe sur de longues planches, taillées rituellement dans le tronc d'un arbre. Cette pratique, nommée le *He e'nalu,* est bien plus qu'une activité physique : d'essence divine, épreuve de courage et d'habileté, elle est strictement réservée au roi et à sa famille et constitue une étape à franchir pour tout candidat au trône. De plus, la fabrication des planches est une cérémonie régie par des règles immuables. Glisser sur une vague pour faire corps avec elle représente une fusion de l'individu avec le macrocosme. C'est le second de Cook, le lieutenant James King, qui révèle en 1784 l'existence de cette discipline. La plus ancienne planche connue est datée de 1808, mesure 4,70 m et pèse 80 kg.

La découverte des îles Sandwich marque en Polynésie le début du déclin d'une société se perpétuant depuis la nuit des temps autour de la prodigalité de la nature et de sa beauté. Les missionnaires qui suivent les explorateurs jugent cette activité immorale et dégradante (les hommes et les femmes surfent presque nus). N'y voyant qu'un divertissement qui détourne les indigènes du travail, ils interdisent le surf, qui tombe dans l'oubli quasi général.

Le *He e'nalu* n'est plus pratiqué, à l'orée du XXe s, que par quelques irréductibles, méprisés de leurs concitoyens occidentalisés, qui continuent clandestinement à perpétuer les traditions.

Ce n'est que vers 1900 que le surf refait surface, notamment grâce au légendaire Duke Paoa Kahinu Makoe Hulikohola Kahanamoku, dit plus simplement le Duke. Né à Honolulu en 1890, c'est la natation qui le rend célèbre.

Il s'illustre en nage libre aux J.O. de Stockholm (1912) et Anvers (1920) et goûte aux joies du water-polo dans la sélection américaine. Son nouveau statut de star sportive en fait un ambassadeur privilégié du surf.

Il popularise la plage de Waikiki, qui devient le nouveau berceau du surf international. En 1912, il fait une démonstration en Californie, qui sera le principal facteur de l'engouement des Américains pour ce sport. En 1915, Duke prend part à une compétition organisée à Sydney. Il profite de son séjour pour fabriquer un *longboard* (en partant d'un tronc d'arbre) et va l'essayer à Fresh Water Beach. Il y surfe en tandem avec une jeune Australienne : Isabel Latham, qui devient donc la première surfeuse locale (n'en déplaise aux machos australiens !).

Moins connu, Alexander Hume Ford, journaliste à Hawaii, a grandement participé à la renaissance du surf. C'est l'un des premiers Blancs à pratiquer le surf à Waikiki. En 1907, il fait découvrir sa passion à Jack London en escale sur l'île. Enthousiasmé, l'écrivain rédige des articles pour les journaux américains. Il fera plus tard du surf la toile de fond de certains de ses romans. Grâce à la notoriété de Jack London, le *He e'nalu* sort de l'anonymat.

En 1932, le surf s'implante en Floride. En 1933, la côte sud de la Californie devient l'endroit privilégié des amateurs. Le premier club y est fondé, mais c'est aux championnats des îles Hawaii en 1935 que la discipline est enfin reconnue comme un sport.

Vers la fin des années 1930, la *Pacific Ready Cut Homes* est la première entreprise californienne à fabriquer des planches de surf en grande série. Les clubs de surf fleurissent partout : de 80 pratiquants en 1934, on en compte des milliers dans les années 1950. La Seconde Guerre mondiale apporte des avancées technologiques importantes : les recherches en matière d'armement profitent à l'évolution du surf. La résine de polyester, la fibre de verre et les mousses pétrochimiques font leur apparition, rendant les planches plus solides et légères. Les années 1950 sont considérées comme l'âge d'or du surf : avec leur automobile, les surfeurs se déplacent le long de la côte à la découverte des meilleurs spots. Plus qu'un sport, le surf devient un mode de vie, une véritable culture.

Dans les années 1960, la mousse polyuréthane remplace le balsa, rendant les planches plus réactives. Le surf est alors en pleine effervescence. Le film *Endless Summer* projeté à partir de 1964 et la nouvelle presse spécialisée promotionnent sa pratique et provoquent l'envie de voyager aux quatre coins du monde à la recherche de la vague parfaite. La fin des années 1960 marque de

C'EST AU POIL !

Depuis quelques années, même les chiens ont leur championnat de surf en Californie, la Surf City Dog sur la plage d'Huntington. Ils peuvent ensuite se détendre en regardant Dog TV, *une chaîne qui leur est totalement consacrée, diffusée 24h/24 ! De la balle...*

grands changements : l'argent généré par le « surf business » est considérable ; les surfeurs deviennent d'excellents supports publicitaires pour les entreprises ; d'où l'apparition des premiers professionnels et des compétitions largement rétribuées. Mais tout devient radicalement différent quand un certain Nat Young décide de raccourcir les planches, sonnant ainsi le glas du *longboard,* en 1968. Les premiers championnats du monde sont organisés en 1970.

En France, c'est Pierre Viertel qui popularise ce sport en remarquant les qualités intrinsèques des vagues sur les plages de Biarritz. La côte basque deviendra La Mecque des surfeurs français, dont les célèbres Arnaud et Joël de Rosnay ; ce dernier enseigna le surf à Catherine Deneuve. Plus récemment, est-ce que le succès d'Igor d'Hossegor et de son célèbre rival, Brice de Nice, sont parvenus à relancer la mode du surf en France ? Mystère...

SAN FRANCISCO ET SES ENVIRONS

SAN FRANCISCO

825 000 hab.

> « Le seul inconvénient de San Francisco,
> c'est de la quitter. »
>
> Rudyard Kipling

▶ Pour les plans de San Francisco, se reporter au plan détachable en fin de guide.

Située à 406 miles au nord de Los Angeles, San Francisco est un peu son antithèse. Mosaïque de populations, cette ville tournée vers la mer, grandie au rythme des bagarres sur les quais interlopes de ce qu'on appelait jadis la *Barbary Coast,* symbolise depuis les années 1960 l'espérance d'une vie meilleure pour de nombreux exclus ou marginaux de la société américaine – à commencer par les minorités ethniques ou sexuelles. De fait, San Francisco est une ville incomparablement différente du reste des États-Unis par sa diversité culturelle, son anticonformisme, sa tolérance et son regard tourné vers l'extérieur. Dans quelle autre ville du pays pourrait-on imaginer des manifestations de cyclistes tout nus défilant en faveur du mariage gay ?

La *City by the Bay* s'affirme

FRISCO FAIT SON CINÉMA

Depuis les années 1920, San Francisco a servi de cadre à de nombreux films. Rappelez-vous, dans Bullitt (1968), la longue course-poursuite de Steve McQueen au volant de sa Mustang et la scène finale sur le tarmac de l'aéroport. Souvenez-vous du plongeon de Kim Novak sous le Golden Gate Bridge, immortalisé par Hitchcock dans Sueurs Froides (Vertigo) en 1958. Sans oublier Les Passagers de la nuit avec Humphrey Bogart et Lauren Bacall (1948), Le prisonnier d'Alcatraz avec Burt Lancaster (1962), la série des Inspecteur Harry avec Clint Eastwood, La Tour infernale (1974), 48 heures (1982) avec Nick Nolte et Eddy Murphy, Basic Instinct en 1992, Mrs Doubtfire (1993) avec Robin Williams métamorphosé en nanny... Plus récemment, la ville a vu se tourner À la Recherche du bonheur (2006) avec Will Smith, et Harvey Milk (2008) qui valut un oscar du meilleur acteur à Sean Penn. À vos DVD !

avant tout par sa diversité ethnique et culturelle : sur ses 825 000 habitants, on dénombre un tiers d'Asiatiques (en majorité chinois), 15 % de Latinos,

7 % de Noirs et 15 % d'homosexuels. Si chacun, au premier abord, semble plus ou moins cantonné dans son quartier, ne vous fiez pas aux apparences ; les frontières sont plus poreuses qu'il n'y paraît. Un couple sino-indien, homo et adepte du piercing, poussant avec extase une poussette dans les rues d'un quartier latino ? C'est possible. Un même état d'esprit unit les San-Franciscains, révélé encore, voici quelque temps, par un vote soutenu contre une proposition de loi anti-immigrés – lois très envahissantes ces dernières années en Californie...

Au-delà du mode de vie, le particularisme de San Francisco se retrouve dans l'urbanisme. Comparé à d'autres cités, le centre-ville n'est pas écrasé par les gratte-ciel. Ceux-ci doivent en effet répondre à des normes esthétiques très précises, coûteuses et contraignantes pour le promoteur... Au final, les maisons victoriennes s'imposent encore dans de nombreux quartiers malgré les ravages du séisme de 1906 et de l'incendie qui s'ensuivit. Semées au gré des fameuses collines et des rues (très) en pente, elles contribuent indéniablement à faire de San Francisco l'une des plus belles villes du monde. Elle vous enchantera, c'est sûr, avec ses très nombreux quartiers (aussi différents par leur décor et leur ambiance que par leur population), ses grands musées, sa scène culturelle, ses *cable cars* qui dévalent les rues, ses plages et ses parcs, jusqu'à l'emblématique Golden Gate rougeoyant planté dans l'axe de la baie. Ajoutez à cela des dimensions à taille humaine, des rues larges ou étroites où l'on peut marcher sans que cela semble suspect. Pas étonnant que les Américains l'aient surnommée *Everybody's Favorite City*...

Ville riche, très bobo, San Francisco affiche un revenu moyen supérieur de 46 % à la moyenne nationale. Tout, bien sûr, n'y est pas rose pour autant. Chassée par les prix de l'immobilier, la classe moyenne a dû s'expatrier en banlieue. Certains coins, comme le Tenderloin, aux marges ouest du Downtown, concentrent les laissés-pour-compte par centaines, qui errent interminablement dans les rues avec leur chariot. Et puis, plus prosaïquement pour le visiteur, San Francisco a un inconvénient de taille : son climat. « Le pire hiver que j'aie jamais passé, c'est un été à San Francisco », aurait dit Mark Twain... Que la phrase soit de lui ou d'un autre, elle résume bien la situation. En juillet-août, des bancs de brouillard, nés du contraste entre les terres californiennes surchauffées et les eaux froides du Pacifique, enveloppent parfois la ville pendant des jours, gommant jusqu'au Golden Gate. San Francisco y a gagné un autre surnom : *Fog City* ! Il y fait invariablement frais (spécialement le soir) et le mercure ne dépasse guère 20 °C. Le printemps (de mi-avril à juin) et l'arrière-saison (septembre-octobre) s'avèrent en fait les meilleurs moments pour visiter la ville : il y a alors moins de touristes, moins de brouillard, plus de belles journées ensoleillées et les hôtels affichent en général des tarifs plus raisonnables.

UN PEU D'HISTOIRE

En 1579, le grand corsaire anglais Francis Drake aborde la côte californienne, à quelques encablures de ce qui ne s'appelle pas encore la baie de San Francisco, et prend possession du territoire au nom de la reine d'Angleterre. La Californie avait été « découverte » et baptisée peu de temps auparavant par Cortés, mais les Espagnols n'en avaient pas encore exploré le nord. Curieusement, ce n'est qu'au XVIIIe s que la baie elle-même est découverte par des missionnaires espagnols : cachée par le brouillard, elle avait échappé aux investigations précédentes ! Saint François d'Assise étant le patron de ces religieux, la ville prend naturellement le nom de San Francisco. On construit alors une première mission qui lui est dédiée, un fort à l'entrée de la baie, ainsi que la forteresse du Presidio, au-dessus. Des colons espagnols venus du Mexique commencent à s'installer et les populations peu nombreuses d'Indiens Ohlone sont converties. La Pérouse fait escale en 1786, suivi par George Vancouver en 1792. Des commerçants en fourrures russes fréquentent aussi la région.

Après l'indépendance du Mexique (1821), San Francisco, alors connu sous le nom de Yerba Buena, voit s'installer quelques colons américains. En 1846, un groupe de 240 pionniers mormons débarque, faisant doubler la population !

LA FOLLE HISTOIRE DES CHERCHEURS D'OR

Début 1848, la guerre américano-mexicaine, déclenchée par l'annexion du Texas, se termine par la cession aux États-Unis d'un immense territoire à l'ouest – la « destinée manifeste » du peuple américain à occuper tout le continent reçoit alors sa plus belle contribution (1,3 million de km^2). Parmi les prises d'armes figure la Californie, encore très peu peuplée.

San Francisco n'est encore qu'un tout petit village quand, un jour, à quelque 220 km de là, John Marshall apporte à son patron, le Suisse John Sutter, la première pépite d'or. Selon la légende, Sutter parvient un moment à cacher la trouvaille, jusqu'au jour où un colon ivre mort arrive dans

LE JEAN : UNE VRAIE MINE D'OR

Selon la légende, Loeb (Levi) Strauss, un immigré juif de Bavière, serait arrivé en pleine ruée vers l'or à San Francisco, avec un lot de bâches bleues qu'il aurait taillées en pantalons très solides, appréciés des orpailleurs. En réalité, le marchand de tissu ne se mit au pantalon qu'en 1873, lorsqu'un inventeur lui proposa de déposer le brevet du rivet. Quant à savoir si le nom anglais du jean (denim) vient de la ville de Nîmes et celui du jean de celle de Gênes, d'où aurait été expédié le tissu, rien n'est moins sûr... D'abord baptisé XX, le 501© naît en 1890. En 1937, une association de parents d'élèves fait supprimer les rivets des poches arrière car... ils abîment bancs et chaises !

les rues de San Francisco, s'écriant « De l'or ! De l'or ! » en brandissant un sachet... C'est le début de la ruée et du mythe de San Francisco. La Golden Gate (« porte de l'Or ») y gagne son nom : non parce qu'elle est en or, mais parce qu'en la franchissant, on pénètre au pays de l'or... Quelle fièvre ! En à peine 2 ans, toute la région est envahie d'aventuriers, de mineurs, de chômeurs, de filles de joie, de commerçants et de scélérats de tout poil, venus du monde entier. San Francisco pousse comme un champignon : sa population est multipliée par 62 (de 400 à 25 000 habitants), alors même que la ville subit six incendies en un an et demi, entre décembre 1849 et juin 1851 ! On parle alors de *Barbary Coast* pour désigner son turbulent cœur populaire, où se multiplient les excès en tous genres. La prostitution, le jeu, l'opium, l'empoisonnement au laudanum (dérivé d'opium) et la corruption y ont fait leur nid, tandis que les engagements forcés sur les navires se multiplient. On évoque même une épidémie de choléra, débarquée d'un navire venu d'Orient...

LE PETIT PARIS DE L'OUEST

Une dizaine d'années plus tard, le filon est tari. Mais, ô miracle, après l'or, l'argent fait son apparition dans les montagnes des environs. Cette fois, ce sont les investisseurs et les mineurs professionnels qui accourent. Sur fond de guerre de Sécession, les années 1860 sont aussi marquées, à l'Ouest, par la construction du chemin de fer transocéanique jusqu'à Sacramento : en 1869, enfin, côtes Atlantique et Pacifique sont reliées entre elles. Il ne faut plus que 3 jours de voyage au lieu de 2 mois, auparavant, en transitant par l'isthme de Panama ! Les travailleurs chinois, très majoritaires dans les travaux d'aménagement du « cheval de fer », s'installent en ville, mais font l'objet de discriminations flagrantes : des lois hostiles sont même adoptées pour décourager leur immigration.

San Francisco sort peu à peu de son ambiance Far West pour prendre des allures de métropole plus sérieuse, avec ses banques, ses commerces et ses bureaux. Basée à San Francisco, la Wells Fargo s'impose dans tout le pays à travers ses réseaux maritimes et de diligences. Les *cable cars* commencent à grimper le long des rues pentues, tandis que naît le Golden Gate Park (1887). À Nob Hill, les premiers magnats des chemins de fer et du business se font bâtir de fastueuses résidences victoriennes en bois. À la fin du siècle, de nombreuses écoles, un hôpital et une bibliothèque sont construits sous la gouverne du maire James Phelan.

Les premières années du XXe s ne sont pas des plus heureuses : la surpêche menace et, à une grande épidémie de peste (1900-1905) succède, le 18 avril 1906, un séisme dévastateur, estimé à 7,8 sur l'échelle de Richter. Les canalisations éclatées, les pompiers ne parviennent pas à lutter contre les incendies et près de 80 % de la ville part en fumée. Le centre-ville est presque entièrement rasé et, avec lui, les derniers saloons, salles de jeu et bordels de la *Barbary Coast*. Quelque 3 000 personnes sont tuées et des dizaines de milliers se retrouvent sans abri – les chiffres sont alors largement minorés par les autorités pour ne pas trop entamer l'ardeur des résidents à la reconstruction... La ville se redresse au gré de scandales de corruption qui valent au maire Eugene Schmitz de se retrouver derrière les barreaux.

SAN FRANCISCO, BERCEAU DE JACK LONDON ET DES BEATNIKS

Que Jack London soit né dans la ville des chercheurs d'or n'étonnera personne. Fils d'un soi-disant astrologue constamment endetté – qui ne le reconnut jamais –, il porte le nom du second mari de sa mère. Jack mène une enfance malheureuse qui l'incite à devenir pilleur d'huîtres dès l'âge de 15 ans, puis à tenter toutes sortes d'aventures pour échapper au sort d'ouvrier qui lui semble promis. San Francisco et sa région sont alors placées sous la coupe des redoutables conserveries qui ont fleuri au Fisherman's Wharf et les hommes s'y échinent pour quelques dizaines de cents par jour. Après avoir exercé mille et un petits boulots, Jack réussit, mais pas comme il l'avait imaginé : c'est son talent de conteur, d'abord dans la presse, puis à travers des romans devenus classiques (*Croc-Blanc, L'Appel de la forêt*...), qui fait de lui l'un des premiers millionnaires de l'histoire de l'édition. Cette fortune ne lui fait pas renier ses engagements : il milite toute sa vie pour le socialisme et produit des écrits politiques souvent visionnaires...

L'un de ses fils spirituels est un autre Jack : Kerouac, auteur de *Sur la route,* ouvrage phare qui a inspiré de nombreux routards. Comme London, Kerouac, natif du Massachusetts, prend la route très tôt et fait tous les métiers avant de devenir célèbre par ses romans largement autobiographiques – à l'origine de la tradition américaine du *road movie*. Mais il n'est pas qu'un routard : Kerouac se fait le chantre d'une certaine révolte contre les conventions sociales étouffantes, en faveur d'une libération de l'esprit et de l'individu – au besoin à travers alcool, drogues et sexe. Au cœur d'une bande de copains poètes, il donne naissance au mouvement *beat,* un mot qui viendrait, selon lui, de « béatitude ». *Beat* signifie également « pulsation » et, en argot, « au bout du rouleau », « vagabond »...

Tout commence en 1955... Allen Ginsberg (1926-1997) termine son poème *Howl,* point de départ d'un mouvement de rupture et de ralliement, qui a pour objectif de dénoncer les existences animées par l'ambition. Il en fait une lecture publique à laquelle assistent toutes les figures désormais historiques de la Beat Generation : Kerouac, Burroughs, Cassidy, Welsh et MacClure. Ferlinghetti, le fondateur de la librairie *City Lights,* édite aussitôt ce texte qui prend vite l'allure d'un manifeste. L'ouvrage passe en justice pour obscénité, mais est « relaxé ».

Aux côtés de Ginsberg et Kerouac, leur grand ami William S. Burroughs (1914-1997) est une autre figure essentielle de la littérature américaine moderne. Homosexuel et défoncé notoire, ce fils de famille bourgeoise est insidieusement connu pour avoir tué sa femme d'un coup de revolver lors d'une soirée un peu trop arrosée – il voulait imiter Guillaume Tell... À Tanger, il rédige *Le Festin nu*, roman culte qui exploite la technique novatrice du *cut-up*, destinée à faire émerger le caractère inavoué des pensées. Ce livre, désormais considéré comme un classique, a influencé bon nombre de poètes et d'écrivains, de chanteurs rock, mais aussi des peintres contemporains et des cinéastes comme David Cronenberg, le réalisateur de *Dead Zone* et *Crash*, qui a adapté *Le Festin nu* à l'écran.

Le mouvement beatnik doit son nom au journaliste du *San Francisco Chronicle* Herb Caen qui, en 1957, écrit par dérision : *The Russians may have their Sputniks, but we have our Beatniks* (les Russes ont peut-être les Spoutnik, mais nous, nous avons les Beatniks)... Le jeu de mot reste, et la génération Beat se retrouve affublée de ce *nik* hautement marqué dans une période où sévit un anticommunisme primaire... Le Beatnik des stéréotypes est alors décrit comme lisant des poèmes, portant les cheveux longs, la barbichette, des lunettes de soleil. Les Beat ne sont pourtant pas une image, mais un état d'esprit, des états d'esprit, qui s'ingénient à remettre en cause l'ordre établi, en s'ouvrant aux autres cultures, aux religions asiatiques, à l'antimatérialisme. C'est avant tout une nouvelle forme de poésie et d'écrits, qui s'inspire en partie des expériences de Rimbaud et des surréalistes, des romans de Joseph Conrad et du jazz. La voie est ouverte pour que les hippies s'imposent.

« IF YOU'RE GOING TO SAN FRANCISCO... »

«... *be sure to wear some flowers in your hair.* » La chanson de Scott MacKenzie est encore dans les têtes : pour toute une génération, San Francisco fut la ville symbole de la libération hippie. C'est en effet dans la *Bay Area* (la baie de San Francisco) que tout démarra, dans deux lieux devenus mythiques : l'université de Berkeley et le quartier de Haight-Ashbury.

En 1963, lors des marches de contestation du Free Speech Movement, une certaine Joan Baez prend le micro sur le campus de Berkeley pour appeler à lutter contre la censure et en faveur de la liberté de parole. Un an plus tard, l'agitateur d'idées et « grand gourou » du LSD, Timothy Leary, accompagné des pontes de la Beat Generation Allen Ginsberg, Jack Kerouac et William Burroughs, annonce officiellement l'avènement de la « révolution psychédélique », relais entre le mouvement beat et la génération hip. Les étudiants de Berkeley les prennent au mot : ils rebaptisent leur université « Trip City » !

À partir de 1965, dans le sillage de la mémorable Halloween Acid

LA MAISON BLEUE DE MAXIME LE FORESTIER

Pendant de longues années, elle fut un mystère, cette « maison bleue adossée à la colline » dans laquelle l'artiste avait passé l'été 1971 avec ses copains de la chanson. Personne ne savait vraiment où elle était, pourtant tout le monde avait l'impression de la connaître. Il fallut 30 ans pour la retrouver, au cœur du quartier de Castro, au 3841 18th St. Mais surprise : elle était verte ! Qu'à cela ne tienne, une opération marketing rondement menée par Polydor et une marque de peinture lui a redonné sa couleur mythique. Une plaque a depuis été apposée sur la façade à l'initiative du consulat de France de San Francisco.

Party (sic !), la musique propage ces discours révolutionnaires grâce à l'émergence d'une scène locale incroyablement active – que l'on retrouvera au grand complet au festival de Woodstock, sur la côte est. Parmi les groupes les plus importants de San Francisco figurent les Grateful Dead, pionniers du rock psychédélique (dont le guitariste Jerry Garcia, surnommé Captain Trips !), Jefferson Airplane (et sa chanteuse Grace Slick, qui devient le chantre du mouvement hippy), Country Joe

MacDonald and The Fish (groupe formé par des étudiants de Berkeley opposés à la guerre du Vietnam) et Big Brother and The Holding Company, qui révèle une chanteuse du nom de... Janis Joplin. N'oublions pas un autre héros de l'histoire du rock planant, que l'on retrouvera aussi à Woodstock : Carlos Santana, jeune guitariste mexicain issu du quartier de Mission.

En 1966, le mouvement prend un nom : dans la revue *Rolling Stone,* éditée à San Francisco, l'écrivain Hunter Thomson est l'un des premiers à employer le terme de « hippies », qui semble vouloir dire « ceux qui ont pigé » en argot noir. Ils se trouvent un quartier à eux : Haight-Ashbury, aussitôt rebaptisé « Hashbury » (jeu de mots évident), alias « Hippyland ». Attirés par les maisons anciennes aux loyers dérisoires, ils s'installent sur Ashbury Street, dans le sillage de Jimi Hendrix, Janis Joplin, Grace Slick, Jerry Garcia et l'écrivain Richard Brautigan.

Les « hips » lisent *Zap Comics,* la revue rigolote vendue à la criée dans les rues de San Francisco et lancée par les dessinateurs Crumb (qui illustre les pochettes de Janis Joplin) et Shelton (le papa des fameux Freaks Brothers). Le soir, la scène franciscaine se retrouve aux grands concerts du Fillmore Auditorium organisés par Bill Graham, gourou du « San Francisco sound ». Un happening géant, le Human Be-In, s'empare du Golden Gate Park en janvier 1967. Les médias s'intéressent de plus en plus aux hippies et leur notoriété grandit. Les Beatles se mettent au diapason avec *All you need is love*... L'« été de l'amour », le fameux *Summer of Love,* attire plusieurs centaines de milliers de jeunes au Festival international de musique pop de Monterey, puis à San Francisco même. Ces *runaways* arrivent de partout, fuyant l'Ouest profond ou le Sud réactionnaire pour goûter à ce courant de liberté que leur promet la ville. Ils viennent pour la musique, pour l'amour libre, mais aussi pour les hallucinogènes : le LSD vient d'être interdit, mais on est sûr d'en trouver encore ici... malgré le nouveau sénateur conservateur qui veille au grain – un certain Ronald Reagan.

Sur la côte est, en août, Woodstock marque le point culminant du *Summer of Love.* Mais les abus en tout genre et les désillusions rattrapent les hippies qui, dès octobre, organisent une parodie de funérailles à Haight-Ashbury pour marquer la fin du mouvement... Janis Joplin et Jimi Hendrix meurent en 1970, anéantis par la drogue. Quelques purs et durs gardent le flambeau *peace and love,* comme Santana, dont le message pacifiste n'a jamais changé. Quant au groupe Grateful Dead, la mort du chanteur Jerry Garcia en 1995 a mis un terme à son existence, mais les membres survivants continuent à diffuser sa musique planante. D'autres ont depuis pris la relève : Mark Eitzel, American Music Club, Swell, Mazy Star...

LA SAGA DES TREMBLEMENTS DE TERRE

San Francisco, comme toute la Californie, est située sur la grande **faille de San Andreas,** née à l'endroit où plaques tectoniques du Pacifique et de l'Amérique du Nord se séparent ; la région est donc particulièrement instable. Tout le monde garde en mémoire ce sinistre jour d'avril 1906 où un **tremblement de terre** (évalué à 7,8 sur l'échelle de Richter) endeuilla la ville et, brisant les conduites de gaz, provoqua un gigantesque incendie qui dura 3 jours. Quelque 28 000 maisons furent détruites. Religieux et puritains de tous poils assénèrent alors leur vérité : la catastrophe était une punition divine destinée à châtier cette cité décadente et dévoyée, livrée tout entière au démon du vice.

Comment donc interpréter le séisme d'octobre 1989 ? Punition contre la Sodome et Gomorrhe de l'Ouest américain, ou contre les automobilistes ? D'une intensité de 7,1 sur l'échelle de Richter, le tremblement de terre provoqua le dramatique effondrement du Bay Bridge – qui relie la ville à Oakland –, dans lequel périrent la plupart des victimes. Les normes antisismiques rigoureuses appliquées aux immeubles se révélèrent, elles, d'une totale efficacité. Seules certaines maisons en bois du quartier de Marina, construites sur du remblai, s'écroulèrent à la suite de glissements de terrain ; c'est là qu'on déplora les uniques décès en dehors du pont.

Particulièrement connue et étudiée, la faille de San Andreas provoque quelque 200 secousses de magnitude 3 ou plus chaque année (et 2 à 3 de magnitude 1,5 à 2 par jour) ; la plupart sont néanmoins imperceptibles. Plus que d'une faille, on devrait d'ailleurs parler d'un ensemble de failles, étiré sur 1 300 km au nord au sud. Parmi elles, la faille de Hayward semble la plus dangereuse : passant dans l'intérieur des terres, dans les régions très peuplées d'Oakland et Fremont, près de Berkeley et de San Jose, elle semble la plus susceptible de se déplacer rapidement. Elle

FAILLE JURIDIQUE

San Francisco se releva très rapidement du tremblement de terre de 1906 ; l'année suivante, 6 000 immeubles étaient déjà relevés et plusieurs milliers d'autres étaient en construction. Tout cela grâce à la décision d'un juge qui affirma que la destruction de la ville n'était pas due au séisme, mais à l'incendie qui s'ensuivit. Les compagnies d'assurances, qui ne remboursaient pas les catastrophes naturelles, furent donc mises en demeure d'honorer les contrats incendie. Sacrée Amérique !

inquiète d'autant plus que les constructions de la région ne sont pas, comme à San Francisco, conçues en fonction des normes antisismiques.

Si ces derniers temps ont été plutôt calmes, les scientifiques anticipent un tremblement de terre majeur dans la région de la Baie d'ici à 30 ans – avec une probabilité d'occurrence de 62 à 75 %. Ce *Big One,* comme on le surnomme, fait l'objet d'une sollicitude de tous les instants, au travers d'enregistrements permanents des vibrations du sol. Il pourrait atteindre 8,5 sur l'échelle de Richter et occasionner entre 800 et 3 400 morts pour 150 milliards de dollars de dégâts. Certains experts pensent cependant qu'il ne se produira pas à San Francisco, mais sous le centre même de Los Angeles, où a été détectée une faille longtemps restée inconnue, la faille de Puente Hills. Là, certains prédisent déjà l'écroulement de la plupart des gratte-ciel et 18 000 morts... En attendant, vous pourrez suivre chaque soir, aux infos locales, après ou avant la météo, l'*earthquake report,* détaillant les secousses de la journée, ou consulter le site de l'*US Geological Survey* (● earth quake.usgs.gov ●).

LES *HOMELESS*

Difficile de ne pas consacrer quelques paragraphes au sujet préoccupant des sans-abri. Effectivement, si elle n'est que la 14e ville du pays par la taille, San Francisco est l'une des premières par le nombre de sans-abri dans ses rues. Ils sont estimés entre 7 000 et 10 000, dont de nombreux toxicomanes et schizophrènes. Cette situation très particulière s'explique par la volonté d'un certain gouverneur, Ronald Reagan, à la fin des années 1970, de faire des économies dans le budget de l'État. On ferma alors bon nombre d'institutions s'occupant de malades mentaux légers – parmi lesquels d'anciens du Vietnam traumatisés par la guerre. Sans doute les autorités croyaient-elles qu'ils allaient s'évaporer, ou sortir leurs ailes pour s'envoler dans le pays de leurs songes... mais ils sont restés.

À l'automne 1999, une série de meurtres de SDF fit la une des journaux. La ville avait-elle enfanté ses propres escadrons de la mort pour faire le ménage ? Les mauvaises langues allèrent jusqu'à affirmer que le maire de l'époque, William Brown, n'était pas étranger à la chose. Si l'affirmation paraît des plus douteuse, il reste que ses services entamèrent alors une guerre sans merci contre les SDF, leur infligeant des amendes quand ils dormaient dans la rue, saisissant le peu d'affaires qu'ils possédaient (y compris les couvertures données par des associations humanitaires ou religieuses) et fermant de nombreux *shelters* (centres d'accueil). La situation s'est heureusement en partie inversée sous les mandats du démocrate Gavin Newsom (2004-11) et de son successeur Edwin M. Lee. L'important et coûteux programme de lutte contre la pauvreté (200 millions de dollars par an) a permis de loger quelque 8 000 sans-abri dans d'anciens hôtels du Tenderloin réaménagés en foyers – dont un tiers de places réservées aux plus âgés. Reste que la crise économique et l'envol des loyers a jeté de nouvelles personnes à la rue, et que le nombre de *homeless* refusant toute aide reste élevé (3 000 à 5 000). Pour tenter de traiter le problème une fois pour toute, un nouveau programme a récemment été lancé, marqué par le démantèlement des campements de fortune et l'orientation des sans-abri vers un « centre de tri » où ils sont traités en fonction de leurs pathologies médicales et psychologiques. De nouveaux programmes leur permettent parallèlement d'accéder à un téléphone portable (si vital pour trouver un travail). En décembre 2012, le député démocrate du 17e district, Tom Ammiano, a même introduit une proposition de loi interdisant toute discrimination envers les sans-abri et légalisant le fait d'occuper les trottoirs ou les véhicules 24h/24. En attendant son éventuel vote, beaucoup de *homeless* errent toujours, quémandant parfois, le regard perdu au loin. Impossible, pour l'heure, de s'asseoir ou de s'allonger sur le trottoir : la loi l'interdit.

Arriver – Quitter

En avion

De/vers San Francisco International Airport

✈ **San Francisco International Airport** (SFO ; *hors plan d'ensemble détachable par F6*) **:** à 22 km au sud de San Francisco, sur la route 101. ☎ 1-800-435-9736 ou 650-821-8211. ● *flysfo.com* ● 🛜 La ligne rouge de l'**AirTrain**, un métro automatisé gratuit, relie 24h/24 les terminaux entre eux, les parkings court terme et la station du *BART* ; la ligne bleue dessert en plus le *Rental Car Center*, où sont rassemblés les loueurs de voitures.

– **Comptoirs d'information :** dans chaque terminal, au niveau « Départs » et « Arrivées ». *Tlj 8h-23h30 pour les principaux, en été.* Très compétent pour démêler l'écheveau des transports publics vers San Francisco. Dans chaque terminal d'arrivée, des *bornes informatiques,* disponibles 24h/24, délivrent le même type d'infos. Si vous n'en voyez pas, on trouve en général aussi des fiches de transports mises à disposition des voyageurs.

– **Consigne** à bagages à l'*Airport Travel Agency,* située au terminal international, niveau « Départs », près de l'accès aux portes G 91-G 102. ☎ 650-877-0422. *Tlj 7h-23h.*

– **Internet :** accès, cher, à l'*Airport Travel Agency* (voir ci-dessus) et au *Business Centre* au niveau Arrivées.

Pour rejoindre le centre de San Francisco

Cinq moyens de locomotion permettent de rejoindre le Downtown, avec une préférence pour les bus *SamTrans,* les moins chers, et les navettes *(Airport Shuttles),* plus pratiques. À noter : ☎ 511, pour toutes infos sur les transports à partir de l'aéroport.

– **SamTrans :** ☎ 1-800-660-4287. ● *samtrans.com* ● On a le choix entre 3 bus. Départ des terminaux 2 et 3 et du terminal international (niveau 1). Avoir l'appoint, on ne rend pas la monnaie !

➤ Le *292 North* : départ ttes les 30 mn env, 4h30-18h40, puis ttes les heures jusqu'à 1h37 ; un poil moins fréquent le w-e. Il rejoint le centre-ville en 1h. Tarif : 2 \$. On conseille de descendre à l'intersection de Mission et 4th St si l'on loge près d'Union Square ; sinon, terminus au *Transbay Temporary Terminal (zoom centre détachable F-G5-6),* un peu plus loin.

➤ Le *397 North* fait le même trajet que le *292,* mais slt la nuit à 2h, 3h et 4h env. Même temps de trajet (1h) et tarif (2 \$).

➤ Le *KX North* est un express : 40 mn slt. Circule ttes les 1h env, lun-ven 5h55-22h57, w-e 7h49-21h38. On ne peut l'emprunter qu'avec des bagages-cabine ! Tarif : 5 \$.

– **BART :** ☎ 650-992-2278. ● *bart. gov* ● Ce RER local gagne le centre-ville en 30 mn. Départ ttes les 15 mn (lun-ven) ou 20 mn (w-e et j. fériés), depuis le terminal international, niveau « Départs », 4h09 (6h07 sam, 8h07 dim et j. fériés)-23h54. Compter env 8,25 $ pour le Downtown.

– **Airport Shuttles** (Door-To-Door Vans) : pour 16-19 $, ces minibus vous déposent directement à votre hôtel, tlj 24h/24. Une dizaine de compagnies, quasiment toutes aux mêmes tarifs, se font concurrence. Elles offrent généralement des réductions aux groupes, aux familles et aux porteurs de « coupons » – on en trouve dans les brochures touristiques comme le *Bay City Guide* (disponible aux bureaux d'info de l'aéroport) ou directement sur les sites des compagnies. Elles se prennent au niveau « Départs ». Attention, quand on débarque au terminal international, le van fait ensuite le tour des terminaux nationaux. Ça peut être un peu longuet, surtout si les passagers se font rares... De même, si la navette est bien pleine et qu'on est le dernier à être déposé, ça peut aussi prendre un moment... Retours un poil moins chers (dès 14 $) ; réserver. Les 2 compagnies suivantes sont parmi les principales ; on attend donc moins avant de partir :

■ **Super Shuttle :** ☎ 1-800-258-3826. ● supershuttle.com ● Compter 17 $/ pers, puis 10 $/pers supplémentaire ; navette 9 places 75 $.

■ **Go Lorrie's Airport Shuttle :** ☎ 415-334-9000. ● gosfovan.com ● Compter 16 $/pers ; navette 7 places 75 $.

– **Caltrain :** ☎ 1-800-660-4287. ● caltrain.com ● Ce train de banlieue relie San Francisco à Gilroy, via San José, au sud de San Francisco. Utile si on va jusque-là, car beaucoup moins cher qu'un *shuttle*, mais guère d'intérêt si l'on se rend à San Francisco, car il faut d'abord prendre le *BART* jusqu'à la station de Millbrae (env 4 $) pour ensuite attendre le *Caltrain* (env 5 $) – qui ne passe que ttes les 30 mn à 1h en semaine, 6h24-21h33, et ttes les 1h le w-e et les j. fériés, 9h08-22h08.

– **Taxis :** compter env 45-50 $ pour le Downtown et 50-53 $ pour Fisherman's Wharf, plus env 10 % de pourboire. Plus intéressant que les navettes à partir de 3 personnes. Notez qu'en principe, un taxi est tenu de prendre jusqu'à 5 personnes... mais ce n'est pas toujours le cas.

– **Voitures de location :** pour se rendre au *Rental Car Center* où sont rassemblées toutes les agences de location, prendre la ligne bleue du *AirTrain* (voir plus haut).

Pour rejoindre le centre-ville, c'est simple : prendre la Hwy 101, puis l'Interstate 80 pour le Downtown ; sortie 4th St pour le Financial District et l'Embarcadero. Ne la ratez pas, sinon vous vous retrouveriez sur le Bay Bridge en direction d'Oakland.

Si vous ne séjournez qu'à San Francisco, on vous conseille franchement d'utiliser les transports en commun, bien plus adaptés et moins onéreux. *Sinon, bien lire nos recommandations concernant le stationnement et les parkings* plus loin dans la rubrique « Comment se déplacer à San Francisco et dans sa région ? Parkings et parcmètres ».

De/vers Oakland International Airport

✈ **Oakland International Airport** (OAK ; hors plan d'ensemble détachable par F6) : à une vingtaine de miles à l'est du centre-ville, sur le flanc est de la baie. ☎ 510-563-3300. ● oaklandairport.com ● On y trouve aussi bureau de change, loueurs de voiture, shuttles et transports publics pour rejoindre le Downtown.

Pour rejoindre San Francisco

– **BART :** ☎ 510-465-2278. ● bart. gov ● Prendre d'abord la navette *Air-BART* qui, en 10 mn, vous emmène à la station Coliseum/Oakland International Airport ; elle fonctionne tlj de 5h (8h dim) à minuit, ttes les 10 mn en journée. Achetez votre billet (3 $) aux distributeurs dans le terminal de l'aéroport. De la station Coliseum/Oakland International Airport, le *BART* vous emmène rapidement (30 mn) au centre-ville pour env 4 $, avec des passages ttes les 6-15 mn, de 4h38 (6h06 sam, 8h06 dim) à 0h23. La station la plus centrale est Powell.

– **Bus, navettes, taxis et voitures de location :** les bus desservent Oakland, mais pas San Francisco. Côté navettes, pour rejoindre votre hôtel, compter 27-30 $ avec, par exemple, *Super Shuttle* (voir plus haut). Sinon, sachez que *Evans Transportation* (☎ 707-255-1559. ● *evanstransportation.com* ●) propose un service de navettes pour Napa à raison de 6 bus/j., 6h15-20h30, pour 29 $. *Sonoma County Airport Express* (☎ 707-837-8700. ● *airportexpressinc.com* ●) dessert Sonoma ttes les 2h, 5h30-21h30. Pour se rendre en voiture dans le centre de San Francisco, prendre la Hwy 880, puis la 580 et enfin la Hwy 80. On entre alors en ville par l'Oakland Bay Bridge.

En train

🚆 *Amtrak* (*zoom centre détachable G5, 3*) : achat des billets au 101 The Embarcadero, juste au sud du Ferry Building. ☎ 1-800-USA-RAIL. ● *amtrak.com* ● (*site en français*). Tlj 6h-18h30, 19h-22h45. Il n'y a pas de gare à San Francisco, juste ce bureau un peu caché dans un bâtiment en brique (suivre les flèches !), à côté du resto Sindbad's, où l'on peut acheter ses billets. De là, un bus vous emmène prendre votre train à la gare d'Oakland ou d'Emeryville, de l'autre côté de la baie (selon que vous alliez vers le sud ou le nord). Destinations : Monterey, Los Angeles, San Diego, Lake Tahoe, Las Vegas...

En bus

🚌 *Greyhound* (*zoom centre détachable F-G5-6*) : 200 Folsom St, dans le Temporary Transbay Terminal. ☎ 415-495-1569 ou 1-800-231-2222. ● *greyhound.com* ● Tlj 5h-minuit ou 1h. Consigne (4 $/6h).
➤ *Fresno :* 3 départs/j., vers 5h20, 11h et 17h15.
➤ *Las Vegas :* vers 5h20, 9h45, 12h50 et 23h.
➤ *Los Angeles :* 10-11 bus/j., 5h20-23h, mais peu nombreux dans l'après-midi.
➤ *Reno :* vers 6h15, 10h10, 13h, 16h, 18h30 certains j. et 1h.
➤ *Sacramento :* les mêmes que pour Reno avec, en plus, des départs vers 15h15, 17h45 et 20h45.
➤ *San Jose :* à priori vers 5h20, 7h50, 10h30, 16h et 21h. Le premier, celui de 10h30 et le dernier desservent Santa Cruz.

S'orienter : San Francisco quartier par quartier

San Francisco est officiellement composé de 36 quartiers, très différents les uns des autres. De nouvelles appellations font leur apparition chaque année : on parle par exemple depuis peu de Hayes Valley pour le quartier branché en train d'émerger autour de Hayes Street. Voici, en quelques mots, ce qu'il faut voir ou faire dans les *neighborhoods* les plus importants. Nous indiquons entre parenthèses le meilleur moment pour s'y rendre.

– *Downtown :* des hôtels, des magasins, des restos de luxe, des tas de bars et des clochards, le tout gravitant autour d'*Union Square* (la journée).

– *Tenderloin :* juste à l'ouest de Downtown, les boutiques s'évaporent au contact de ce quartier multiethnique, le plus pauvre de la ville. Malgré un retour en force de la police dans les environs, pour l'instant, le soir, l'ambiance se révèle encore un peu stressante. Pour ne pas sombrer dans une inutile parano sécuritaire, précisons que la présence de centaines de *street people* est plus impressionnante que dangereuse.

– *Financial District :* des banques et des bureaux, comme son nom l'indique. Rien de particulier à voir, si ce n'est quelques gratte-ciel (dont l'emblématique Transamerica Building) et des cols blancs en pagaille (la journée et en semaine). Le soir et le week-end, un vrai désert de pierre !

– *Chinatown :* animé, coloré, bon marché, surpeuplé et touristique (la journée à partir de 10h-11h).

– *Russian Hill et Nob Hill :* quartiers résidentiels chic perchés sur les collines moutonnant à l'ouest de Chinatown. Au programme : de pittoresques maisons victoriennes, de beaux points de vue et des rues sacrément pentues (la journée).

– *North Beach :* le quartier italien, sympa, fêtard et touristique, où abondent cafés, bars et restos, très animés le soir. Le quartier est dominé à l'est par l'emblématique Coit Tower, perchée sur Telegraph Hill (à parcourir en journée).

– **Fisherman's Wharf :** l'ancien port, où ne subsistent que quelques vieux bateaux ; sinon, des boutiques de T-shirts, des restos de fruits de mer et autres pièges à touristes. Pour claquer quelques dollars en attendant le ferry pour Alcatraz (la journée).

– **Pacific Heights et Marina :** les quartiers les plus bourgeois de San Francisco, le premier sur les hauteurs, le second en bord de mer. Quelques belles demeures (qui valent une fortune), des restaurants et des magasins chic (la journée). Entre les deux, on trouve Cow Hollow, avec de nombreux motels.

– **Civic Center :** au sud-ouest du Downtown, passé le Tenderloin, se réunissent les principales institutions publiques et culturelles de la ville, installées dans de grands bâtiments néoclassiques. On visite les musées en journée.

– **Hayes Valley :** entre le Civic Centre et Alamo Square (connu pour son parc et sa très belle enfilade de maisons victoriennes), Hayes Street et ses abords sont très appréciés de la bonne société locale pour ses boutiques chic et ses restos.

– **Lower Haight :** berceau de la contre-culture. Un petit quartier avec des bars sympas et de bons restos (le soir).

– **Haight-Ashbury (ou Upper Haight) :** plus haut sur Haight Street, c'est l'ancien « hippyland » devenu branché, avec ses maisons victoriennes, ses fresques, ses *smoke shops,* ses boutiques de disques et de bouquins d'occasion. Le repaire de la mode de la rue et du *show-off* (la journée).

– **Cole Valley :** juste au sud de Haight-Ashbury, familial, calme et charmant. Pas de touristes (la journée).

– **Castro et Upper Market :** la communauté gay de San Francisco avec ses bars, ses restos, ses magasins et ses salles de gym (de jour comme de nuit).

– **Noe Valley :** calme et commerçant à la fois, gay et familial aussi (la journée).

– **Mission :** ce quartier latino très vivant tend à être récupéré par les yuppies *(young urban professionals).* En journée pour les fresques murales. En soirée pour les bars et les restaurants branchés du secteur nord, la partie la plus bobo. En revanche, le soir et la nuit, le secteur sud reste vraiment déconseillé (plusieurs morts par balle ces dernières années !).

– **South of Market (SoMa) :** cet ancien quartier d'entrepôts, jadis mal famé, est en pleine renaissance depuis plus d'une décennie, grâce à la construction du Museum of Modern Art et du Moscone Centre. La nuit y est sans doute la plus animée de la ville avec beaucoup de bars, boîtes destroy, clubs gays et restos branchés (en soirée seulement).

– **Les parcs et les plages :** pour les musées, les balades à vélo ou à rollers. Le Golden Gate Park est facilement abordable malgré sa grande taille, le Presidio, accidenté et plus vaste encore, restant plus difficile d'accès. À l'ouest, les belles plages de Baker Beach (avec vue sur le Golden Gate) et celle d'Ocean Beach (interminable mais battue par le ressac) dessinent de belles parenthèses (la journée seulement).

Notre palmarès

– **Les lieux où tout le monde va et qu'on ne peut décemment pas rater :** Chinatown, North Beach, Russian Hill, Haight-Ashbury, Mission et Golden Gate Park.

– **Les lieux où tout le monde va mais qu'on peut rater sans trop de regrets :** Fisherman's Wharf et Financial District.

– **Les lieux moins fréquentés, mais que les routards découvrent avec plaisir :** Nob Hill, Pacific Heights, Castro, SoMa, Lower Haight, Cole Valley et Noe Valley.

Comment se déplacer à San Francisco et dans sa région ?

Transports en commun

San Francisco et la région de la baie *(Bay Area)* sont dotées d'un excellent réseau de transports en commun en grande partie chapeauté par le **MUNI** *(San Francisco Municipal Railway)* – qui, contrairement à ce que son nom laisse supposer, ne gère pas que des trains, mais aussi, dans San Francisco intra-muros, le *cable car*, les autobus, les trolleybus, le métro municipal et le tramway historique. Au-delà, pour les transports interurbains, on emprunte le *BART (Bay Area Rapid Transit)*, RER local qui dessert les villes voisines, et le vaste réseau de bus desservant presque toutes les localités de la Bay Area (voir plus loin).

– **Renseignements sur les transports dans la région et à San Francisco :** ☎ 511. ● 511.org ● sfmta.com ●

Les forfaits

– Il existe plusieurs types de forfaits utilisables sur tous les transports intra-muros *MUNI* (hors *BART* et bus régionaux donc). Les plus classiques, les **Muni passports,** sont valables au choix 1 jour (14 $), 3 jours (22 $) et 7 jours (28 $) consécutifs. *Infos sur* ● sfmta.com/getting-around/transit/ fares-passes/visitor-day-passes ● Ces *passes* sont vraiment intéressants, surtout si vous prenez le *cable car*, dont le moindre trajet coûte 6 $! On peut les acheter au *San Francisco Welcome Center* et au *Visitor Information Center* de Market St, au *Railway Museum*, au *Ferry Building* (shop nº 22), dans un certain nombre de grands magasins (dont les *Walgreen's* et *Cole Hardware*), ainsi que dans les guérites *SFMTA* situées à l'Embarcadero, au départ du *cable car* (angle Powell et Market St), à l'angle de Bay et Taylor St, de Hyde et Beach St, et encore au 11 South Van Ness Ave et au 988 Presidio Ave. Vous vous y procurerez également l'indispensable plan des transports *Street & Transit Map SFMTA* (3 $), beaucoup plus complet (et encombrant !) que tous les plans gratuits distribués dans les hôtels.

– Autre option, le **CityPass** (● citypass. com/san-francisco ●), vendu 84 $ (59 $ pour les 5-11 ans), comprend 7 jours de transports illimités, comme le *Muni passport,* ainsi que les entrées dans les musées suivants sur une période de 9 jours : Exploratorium ou De Young Museum + Palace of Legion of Honor (à faire le même jour), California Academy of Sciences, Aquarium of The Bay (ou Aquarium de Monterey), plus une croi-sière d'1h sur la baie avec *Blue & Gold Fleet Bay Cruise.*

– Intéressante également, surtout pour ceux qui restent plus longtemps, la **Clipper Card** (● clippercard.com ●), rechargeable, est débitée du montant du trajet à chaque passage aux bornes électroniques. Elle inclut automatiquement les *transfers* et affiche votre crédit. Avantage supplémentaire, elle est acceptée sur le *BART,* le *Caltrain,* le *San Francisco Bay Ferry* et les bus interurbains. On peut l'acheter à l'aéroport, dans les stations *BART* et *MUNI,* aux guichets SFMTA, dans la plupart des boutiques de *check cashing* et dans de nombreux magasins, pharmacies et supermarchés de la région.

Transports urbains

Les cable cars

C'est comme un baiser sans moustache... San Francisco sans ses *cable cars* perdrait beaucoup de sa saveur. Lancés en 1873, classés monuments historiques, les *cable cars* n'ont pas de moteur – juste une batterie pour l'éclairage. Ils sont tractés le long des rails par des câbles continuellement en mouvement, que l'on peut voir fonctionner au *Cable Car Museum* de Nob Hill (que vous ne manquerez pas de visiter). Pour avancer et grimper les collines, le *gripman* accroche sa voiture à l'aide d'une sorte de pince (ou mâchoire) à un câble d'acier sans fin, défilant à vitesse constante (15 km/h) dans une gorge aménagée dans le sol entre les rails. Pour s'arrêter, le conducteur n'a qu'à lâcher prise. Dans les descentes, il se laisse glisser en roue libre, ne se servant que du frein à main (certaines pentes atteignent 21 % de déclivité). Rassurez-vous, les accidents sont beaucoup moins fréquents qu'on pourrait le penser ! Pour en savoir plus sur l'histoire des *cable cars,* voir le résumé historique qu'on lui consacre dans la visite du *Cable Car Museum.*

Aujourd'hui, il ne reste que 3 lignes et une quarantaine de *cable cars,* empruntés chaque année par plus de 7 millions de personnes !

– La **ligne Powell-Hyde,** la plus emblématique et photographiée de toutes, remonte Powell depuis Market Street, effleure les hauts de Chinatown, puis redescend vers le Fisherman's Wharf (au Ghirardelli Square) via Nob Hill en empruntant certaines des rues les plus pentues de la cité et en offrant une vue magnifique sur l'île d'Alcatraz. Les 2 terminus sont spectaculaires, avec la voiture retournée sur une plate-forme ronde... à la main !

– La **ligne Powell-Mason** emprunte au début le même itinéraire que la *Powell-Hyde,* mais redescend directement sur le Fisherman's Wharf en passant près de North Beach – le quartier italien, dans le prolongement de Chinatown.

– La **ligne California Street,** la moins populaire, part au niveau du *Hyatt,* près de l'Embarcadero (sur Market Street), et remonte California Street d'est en ouest, jusqu'à Van Ness Avenue. *Le cable car commence à fonctionner un peu avt 6h du mat et termine ses derniers voyages vers 1h. Départ ttes les 8-12 mn en moyenne, avec parfois quelques sautes d'humeur... Billet à l'unité 6 $, sans possibilité de transfert (à l'inverse des autres transports MUNI), en vente dans les kiosques aux terminus ou à bord (on rend la monnaie). Mieux vaut donc acheter un pass. Gratuit pour les moins de 5 ans.* ● streetcar.org ● Attention, l'attente est parfois interminable (plus d'1h) aux terminus des lignes, car c'est une véritable attraction touristique ! Aux heures de pointe, certains *cable cars* sont tellement bondés qu'ils ne prennent pas de passagers supplémentaires aux arrêts. Il est donc parfois judicieux d'aller à pied quelques arrêts plus loin pour pouvoir grimper à bord plus facilement.

– **Où se placer :** le choix est en fait souvent limité par l'affluence ! Les plus sportifs se mettront debout sur les marchepieds latéraux, accrochés à la barre – frissons et clichés spectaculaires garantis. Dans un registre plus confortable, il y a la plate-forme arrière et les bancs de l'avant, tournés vers l'extérieur, mais avec le risque d'avoir les passagers debout devant soi. Les plus frileux (dans tous les sens du terme) gagneront l'intérieur, d'où l'on observe plus aisément les manœuvres du conducteur.

Les autres transports en commun MUNI

Trajet à 2 $ (0,75 $ pour les 5-17 ans et plus de 65 ans) pour les parcours urbains, quel que soit le mode de transport ; l'appoint est nécessaire. Le billet donne droit aux correspondances gratuites dans un délai de 90 mn à 2h, sauf pour les *cable cars.* Rien n'empêche d'utiliser ce *transfer* pour le trajet retour si la validité n'est pas dépassée. Pour le vérifier, regardez l'heure indiquée par la déchirure en bas du billet ; il n'est pas rare que le conducteur soit plus généreux que les 2h théoriques.

– **Les autobus et trolleybus** offrent la desserte la plus complète. Vous les retrouverez sur le plan *Street & Transit Map SFMTA* (3 $) ou sur le site ● *sfmta. com* ● Les arrêts de bus sont matérialisés par des panneaux *MUNI* et/ou des anneaux jaunes (marqués *bus stop*), peints à même les poteaux et pas toujours faciles à repérer au début. La plupart des bus s'arrêtent à une intersection sur deux, certains à chaque croisement. Pour demander un arrêt, tirez sur le câble qui circule le long des fenêtres et, pour ouvrir la porte arrière du bus, attendez qu'il soit arrêté et descendez sur une des marches de la sortie.

– **Le métro urbain,** à ne pas confondre avec le *BART,* est à la fois aérien et souterrain. Il compte 5 lignes, numérotées J, K, L, M et N. Il est pratique et rapide pour se rendre directement à Mission, Castro, Lower Haight, au Golden Gate Park ou jusqu'à Ocean Beach. Fait amusant, sur certaines lignes, les marches réapparaissent quand le métro sort à l'extérieur pour devenir un *trolley* (en sens inverse, les marches disparaissent). Même système de câble que les bus pour demander un arrêt.

– **Le tramway historique** est composé de vieux wagons de tramways de l'entre-deux-guerres, provenant de tous les États-Unis et même d'Europe. Il comporte désormais 2 lignes. La F relie l'Embarcadero à Castro en descendant Market Street, avec des passages ttes les 10-15 mn. La E, rouverte en août 2013 à l'occasion de l'America's Cup, prolonge sa route le long de l'Embarcadero jusqu'à la station du *Caltrain*. Lire, pour plus de détails, « À voir » dans la partie sur le Downtown.

Transports interurbains

Le BART

– Rens : ☎ 415-989-2278. ● bart.gov ● Ce RER local, assez confortable, compte 5 lignes qui desservent une bonne quarantaine de stations, réparties dans un rayon de 50 km au sud-ouest et à l'est de la baie. Il traverse en souterrain le centre de San Francisco dans l'axe de Market Street, puis continue vers Mission et jusqu'à l'aéroport. Dans le sens inverse, il permet de gagner aisément Oakland et Berkeley. Il fonctionne lun-ven 4h-minuit, sam 6h-minuit, dim 8h-minuit. Fréquence : ttes les 15-20 mn. On achète son billet dans les distributeurs automatiques des stations. Les tarifs varient, selon la distance, entre 1,75 et env 9 $. Par conséquent : vérifiez d'abord le tarif affiché pour le trajet désiré, tapez sur l'écran la somme exigée (et non la destination), insérez la monnaie ou le billet et validez. Si vous n'avez pas l'appoint, on ne vous rendra pas la monnaie. Cela dit, conservez le ticket pour le prochain trajet : vous ajouterez la somme nécessaire et vous ne perdrez donc pas le crédit restant. Certains distributeurs, plus pratiques, acceptent les cartes de crédit. Attention, il est interdit de fumer, de manger et même de boire à bord. On peut mettre son vélo sur le *BART* en dehors des *rush hours* et toute la journée le week-end, sauf si les wagons sont bondés. *Enfin, on le répète, le* **Muni passport** *et le* **CityPass** *ne donnent pas accès au* BART ; *en revanche, on peut utiliser sa* **Clipper Card.**

Les bus régionaux

🚌 Tous les bus desservant la région de San Francisco partent du *Temporary Transbay Terminal (zoom centre détachable F-G5-6),* situé dans le pâté de maisons bordé par Main, Folsom, Beale et Howard St. Moins chers que

le *BART,* ils vont plus loin et roulent jusqu'à 2h. *Infos au* ☎ 511 ou ● 511.org ● Sinon, voici les principales compagnies et leurs destinations :

■ *AC Transit :* ☎ 511 puis dire « AC Transit ». ● actransit.org ● Dessert l'East Bay (comtés d'Alameda et de Contra Costa) ; de Richmond à Fremont en passant par Berkeley et Oakland.
■ *Golden Gate Transit :* ☎ 511 puis dire « Golden Gate Transit » ou 415-455-2000. ● goldengate.org ● Dessert le North Bay (comtés de Marin et Sonoma) ; pour Sausalito, San Rafael, Tiburon, etc. Gère aussi les ferries de Larkspur et Sausalito, de même que le péage du Golden Gate.
■ *SamTrans :* ☎ 1-800-660-4287. ● samtrans.com ● Dessert le comté de San Mateo (Peninsula), avec toutes les communes situées entre San Francisco et Palo Alto.
■ *Santa Clara Valley Transportation Authority :* ☎ 408-321-2300 ou 1-800-894-9908. ● vta.org ● Dessert le South Bay (comté de Santa Clara), jusqu'à San Jose et au-delà.

Location de voitures

Attention : il est difficile de se garer dans le centre de San Francisco et les parkings sont hors de prix (voir ci-dessous). Notre conseil : ne louez un véhicule qu'au moment de quitter la ville ou alors pour 1 jour ou 2 afin de visiter les sites les plus éloignés ou descendre la mythique Lombard Street et les autres rues pentues... mais sans vous prendre pour Steve McQueen dans *Bullitt,* vous casseriez la voiture et vos os avec ! Si vous comptez traverser le Golden Gate Bridge, sachez que le passage est gratuit à l'aller mais payant au retour (6 $). Pour gâcher la vie des touristes, il n'y a plus de péage manuel, mais uniquement électronique, avec prise de photo de la plaque de chaque véhicule... Il faut donc être en possession d'une carte d'abonnement ou se rendre sur le site dédié (● goldengate. org/tolls ●) pour prépayer son passage par carte de crédit en indiquant son numéro d'immatriculation et la date du passage. Pratique... Les compagnies de location de voiture ont prévu d'inclure ce service, qui est débité sur votre carte ; pensez néanmoins à en demander l'activation.

■ *Avis – Budget* (zoom centre détachable E6, **5**) : 675 Post St. ☎ 415-929-2550. ● avis.com ● Tlj 6h-18h (18h30 ven-dim). Également à l'aéroport (☎ 650-877-6780 ; 24h/24), au 821 Howard St (☎ 415-227-4227 ; lun-ven 7h30-17h, w-e 8h-13h), à l'Embarcadero Center (☎ 415-395-4758 ; mêmes horaires) et au Fisherman's Wharf, 500 Beach St (☎ 4415-441-4141 ; idem).

■ *City Rent-a-Car* (zoom centre détachable D6, **6**) : 1433 Bush St. ☎ 415-359-1331 ou 1-866-359-1331. ● cityrentacar.com ● Lun-ven 7h-18h, w-e 8h-16h. Bons tarifs.

■ *Dollar Rent-a-Car* (zoom centre détachable E6, **7**) : 364 O'Farrell St (entre Mason et Taylor). ☎ 1-866-434-2226. ● dollar.com ● Tlj 7h-18h. Également à l'aéroport (24h/24) et au Sheraton Fisherman's Wharf, 2 500 Mason St ; ☎ 415-399-9873 ; tlj 7h30-17h. Un des moins compétents, avec une tendance marquée pour les surcharges dissimulées...

■ *Hertz* (zoom centre détachable E6, **8**) : 325 Mason St. ☎ 415-771-2200. ● hertz.com ● Tlj 6h-18h. Nombreuses autres agences en ville, dont Fisherman's Wharf (au Marriott), 550 O'Farrell St, 840 Ellis St, à l'Hôtel Fairmont (950 Mason St), etc.

■ *National Car Rental – Alamo* (zoom centre détachable E6, **9**) : 320 O'Farrell St, en face du Hilton. ☎ 650-238-5300 ou 1-888-826-6890. ● natio nalcar.com ● Tlj 7h-16h. Également à l'aéroport (24h/24), au 750 Bush St (tlj 7h-18h, 17h w-e), au 1600 Mission St (lun-ven 8h-16h, sam 8h-12h) et au San Francisco Convention Centre, 687 Folsom St (lun-ven 8h-16h, w-e 8h-13h).

Parkings et parcmètres

La plaie de San Francisco ! Les parkings des hôtels sont presque tous payants et hors de prix : comptez au minimum 15-20 $ par jour si vous dormez dans une AJ qui a un accord avec une aire de stationnement proche, plus souvent 25-35 $, et jusqu'à... 50 $ et plus pour les établissements de luxe ! Vérifiez impérativement que les entrées et les sorties (in & out) sont illimitées, certains les facturent en plus... Le *Best Parking,* le moins cher du Downtown, se situe au : 525 Jones St, entre Geary et O'Farrell (zoom centre détachable E6, **10**). ● parkforless.org ● ☎ 415-440-1279. Tlj 24h/24. Env 20-30 $/j. selon le j. (plus cher le w-e) et la taille de la voiture, avec entrées et sorties illimitées. En séjournant dans une AJ du coin, le tarif descend à 15 $/j. Résas par Internet. On trouve d'autres parkings pas trop chers près de l'Alliance française (zoom centre détachable D6, **11**) et de la Grace Cathedral (zoom centre détachable E5).

Se garer dans la rue est extrêmement problématique. Les restrictions sont innombrables et il vaut mieux parler anglais pour ne pas faire de bourde en lisant les panneaux ! Le parking est souvent autorisé pour 2h maximum au même endroit ; ensuite, la loi exige que vous bougiez votre véhicule d'au moins un pâté de maisons. Les voiturettes à amende du DPT (Department of Parking and Traffic) patrouillent tout le temps et sont très promptes à mettre un PV. Les *parcmètres* sont payants tous les jours de 9h (12h dim) à 18h – cela varie d'un quartier à l'autre, bien vérifier les horaires indiqués sur le parcmètre lui-même. On peut payer avec des pièces, par téléphone ou avec une carte de parking, vendue dans certains supermarchés et boutiques de hardware, ou sur ● sfmta.com ● Les nouveaux parcmètres en cours d'installation en 2013-2014 acceptent les cartes de crédit et... clignotent dès que le temps autorisé est écoulé ! Si un parcmètre ne fonctionne pas, vous avez le droit de vous garer, mais 2h au maximum.

Chaque quartier essaie de garder jalousement ses places de parking pour ses résidents et leur délivre des laissez-garer au compte goutte ! Si vous louez une voiture, vous n'aurez pas ce précieux sésame : soyez donc très attentif aux règles de stationnement, généralement indiquées sur des panneaux. Méfiez-vous en particulier des heures de nettoyage des

rues : fourrière assurée si vous êtes là au mauvais moment. Faites aussi attention à la couleur des rebords de trottoirs : rouge = interdit en tout temps ; blanc = arrêt minute (interdiction de quitter le véhicule) ; vert = 10-30 mn ; jaune réservé aux véhicules commerciaux et bleu aux handicapés. Il est en outre interdit de se garer dans le sens contraire à la circulation, à moins d'1 m d'un passage piéton, à plus de 30 cm du trottoir (!) et dans toutes les zones où celui-ci est abaissé. Sachez enfin qu'*il faut tourner les roues quand on stationne dans les rues en pente (du côté opposé du trottoir quand ça monte ; vers le trottoir en descente), sinon c'est l'amende garantie !*
Pour vous consoler, une petite trouvaille : le parking est gratuit, lun-ven 6h-22h, sur le Marina Green, au pied du quartier de Marina *(plan d'ensemble détachable C1)*. En revanche, ne vous y installez pas le week-end, les jours fériés ou la nuit, il vous en coûterait ! Autre option si on veut visiter le Golden Gate Park ou Haight-Ashbury : se garer à Ocean Beach (gratuit) et traverser le parc avec les navettes gratuites (mais w-e et j. fériés slt).

Agence de voyages

■ *Green Tortoise (zoom centre détachable F5, 4) :* 494 Broadway. ☎ 415-956-7500 ou 1-800-TORTOISE. ● greentortoise.com ● Lun-ven 9h-19h (17h en basse saison) et le w-e en été. Cette agence de voyages alternative créée en 1974 a remplacé ses vieux bus scolaires reconvertis par des *sleeper coaches* modernes (avec couchettes et w-c), mais a gardé le même fonctionnement. Leur spécialité, ce sont les *adventure trips* de 2 jours à 1 mois : Yosemite, Grand Canyon, Death Valley, Alaska, les parcs nationaux, traversées des États-Unis en 2 semaines (par le nord ou le sud) plus, en hiver, Baja California et même un long trip jusqu'à Cancún... On dort dans le bus, on cuisine tous ensemble et on se fait plein de potes venus des quatre coins du monde, dans une ambiance cool, typiquement californienne. Sur place, pas de visites guidées, mais on vous donne toutes les indications nécessaires pour

découvrir le coin... ou pas, selon vos envies. Pour réserver, il faut remplir un formulaire (disponible sur Internet) ; on vous rappelle pour convenir d'un paiement par carte bancaire (+ 4 %) ou par mandat. Reconfirmer impérativement au moins 48h avant.

Adresses et infos utiles

Informations touristiques

– Bon à savoir : certains des principaux *musées* de San Francisco sont gratuits un jour par mois : le 1er mardi pour la *Legion of Honor*, le *De Young* et le *Cartoon Art Museum* ; le mercredi pour les musées *GLBT* et *Juif*, le jeudi pour la *Chinese Historical Society* et le dimanche pour l'*Asian Art Museum*.

🛈 @ *Visitor Information Center (zoom centre détachable E6) :* 900 Market St, Hallidie Plaza (angle Powell St), sur la placette en contrebas, face à l'entrée du BART. ☎ 415-391-2000. ● sanfrancisco.travel ● (avec version en français). Lun-ven 9h-17h, sam 9h-15h, dim 9h-15h mai-oct. 🖥 Accueil charmant et efficace (souvent en français). Plan de la ville gratuit, vente du *CityPass* (voir « Transports urbains »), infos sur les transports, hôtels *(résas au* ☎ 858-300-9220 ou 1-800-637-7198), circuits thématiques en ville, magazines *San Francisco Visitors Planning Guide* et *San Francisco Chaperon* en français, très complets, etc. L'Internet est gratuit 15 mn, mais il faut insérer sa carte de crédit pour l'activer : ne dépassez pas si vous ne voulez pas être facturé !

Postes et télécommunications

✉ *Bureaux de poste :* on trouve 35 bureaux de poste en ville. Parmi les principaux : 450 Golden Gate Ave (lun-ven 8h30-12h, 13h-17h), 101 Hyde St (lun-ven 9h-17h ; sam 10h-14h) et 1390 Market St (lun-ven 9h-17h30) près du Civic Center ; 1400 Pine St et Larkin à Nob Hill (lun-ven 8h-18h ; sam 8h-15h) ; 170 O'Farrell chez Macy's à Union Square (lun-sam

SAN FRANCISCO

10h-17h30 ; dim 11h-17h) ; 1849 Geary Blvd (lun-sam 9h-17h30 – 16h sam) ; 1600 Bryant St (lun-ven 9h-18h ; sam 9h-15h) ; 867 Stockton St et Clay St à Chinatown (lun-sam 9h-18h – 16h sam) ; 1640 Stockton St (entre Union et Filbert St) à North Beach (lun-sam 9h30-17h30 – 13h sam) ; 180 Steuart St au Rincon Center (lun-ven 7h30-18h ; sam 9h-14h) à l'Embarcadero ; 554 Clayton St à Haight-Ashbury (lun-sam 9h-17h30 – 16h sam).

@ **Apple Store** (zoom centre détachable E6, **1**) : 1 Stockton St (angle Market). ☎ 415-392-0202. ● apple. com/retail/sanfrancisco ● Lun-sam 9h-21h ; dim 10h-20h. Accès gratuit à Internet depuis tous les Mac... quand il n'y a pas trop de monde. Attention, l'Apple Store devrait déménager dans un futur proche sur Union Square. Autre adresse (plan d'ensemble détachable C2, **2**) : 2125 Chestnut St (et Steiner), ☎ 415-848-4445. Lun-sam 10h-21h, dim 11h-19h.

@ Connexion gratuite à la **bibliothèque municipale** (Public Library ; plan d'ensemble détachable E3) : 100 Larkin St (angle Grove). ☎ 415-557-4400. Lun et sam 10h-18h, mar-jeu 9h-20h, ven 12h-18h, dim 12h-17h. Fermé les j. fériés. Juste derrière le stand « Information », à droite, et aux niveaux 3 et 4. Attendez-vous à faire la queue.

– Les **cafés Internet** ont pour ainsi dire disparu de San Francisco mais, pour ceux qui ont leur laptop, de nombreux cafés et quasiment tous les **hôtels** disposent d'un accès wifi, en général gratuit. Certains hôtels disposent aussi d'un ou plusieurs ordinateurs (connexion parfois payante, en revanche).

Change, retraits

■ **Aux 2 aéroports :** guichets de change toujours ouverts à l'arrivée des avions, mais les taux sont lamentables. Préférez les distributeurs automatiques (ATM). On en trouve un peu partout, y compris dans de nombreux hôtels et commerces.

■ **Pacific Foreign Exchange** (zoom centre détachable E6, **15**) : 533 Sutter St. ☎ 415-391-2548. Lun-ven 9h30-17h ; sam-dim 10h-14h. Cash seulement. Pas de commission à partir de 100 $.

Consulats

■ **Consulat de France** (zoom centre détachable F6, **16**) : 88 Kearny St, suite 600. ☎ 415-397-4330. ● consulfrance-sanfrancisco.org ● Lun-ven 9h-12h30. Permanence tél en dehors des heures de bureau pour les urgences. Le consulat peut vous assister juridiquement en cas de problèmes. Équipe efficace et site internet riche, notamment concernant l'actualité culturelle.

■ **Consulat honoraire de Belgique** (plan d'ensemble détachable D4, **17**) : 1663 Mission St, Suite 400. ☎ 415-861-9910. ● consubelsf@gmail.com ● Le consulat général le plus proche est à Los Angeles.

■ **Consulat de Suisse** (zoom centre détachable F5, **18**) : 456 Montgomery St, suite 1500 (15e étage). ☎ 415-788-2272. ● eda.admin.ch/sf ● Ne descendez pas dans la plaza, c'est la porte à droite. Lun-ven 9h-12h.

Centres français

■ **Alliance française** (zoom centre détachable D6, **11**) : 1345 Bush St. ☎ 415-775-7755. ● afsf.com ● Lun 11h-21h, mar-jeu 9h-21h, ven 11h-19h, sam 9h-17h. Située dans le centre, l'une des plus dynamiques Alliances françaises que l'on connaisse. Mais attention, l'Alliance n'est pas une agence de voyages destinée à résoudre vos soucis ou même à vous donner des conseils touristiques. C'est un centre culturel où les Américains viennent prendre des cours de français... et les Français des cours d'anglais. Les voyageurs et les expatriés peuvent aussi y retrouver un peu de ce qui fait leur identité profonde... La bibliothèque est, avec 20 000 ouvrages, la plus grande en langue française à l'ouest du Mississippi ! Les voyageurs y ont accès (ainsi qu'à l'Internet) s'ils prennent une carte au mois (10 $). Ciné-club gratuit le mardi soir (vers 18h45), avec verre de vin offert (petite donation appréciée). L'Alliance organise concerts et festivals (fête de la Musique, Bastille Day, etc.).

■ **Centre d'accueil et d'information des Français** (San Francisco Bay Accueil) **:** pas d'accueil du public, ni sur place ni par tél. ● sfbaccueil.org ● Association créée pour venir en aide aux Français désireux de s'installer dans la région et pour établir des liens et des échanges culturels. Son blog, Le Petit Débrouillard (● lepetitdebrouillard sanfrancisco.blogspot.com ●) contient plein d'infos utiles : démarches administratives, ouverture d'un compte bancaire, fiscalité, recherche d'emploi, logement, écoles, couverture sociale et centres médicaux, importation de véhicules, etc. Malheureusement, il n'a pas été mis à jour depuis 2009, donc les infos sont à vérifier auprès des institutions concernées.

Spectacles et matches

■ **Centraux de réservation : Ticketweb**, ☎ 1-866-777-8932. ● ticketweb.com ● **Tickets.com,** ☎ 1-800-352-0212. ● tickets.com ● **Ticketnetwork,** ☎ 1-888-456-8499. ● ticketnetwork.com ● **Live Nation,** ☎ 1-800-745-3000. ● livenation. com ● **Stubhub,** ☎ 1-866-788-2482. ● stubhub.com ● Achat des billets de concerts, théâtre, matches de football américain, base-ball (comme ceux des Giants ; voir ci-dessous) et autres sports populaires. Stubhub offre l'avantage de pouvoir revendre ses places si on a un empêchement (et donc d'en acheter en last minute).

■ **TIX Bay Area :** guichet sur Union Sq. (zoom centre détachable E6, 19) côté Powell St. ☎ 415-430-1140. ● tixbayarea.com ● Tlj 10h-18h. Également un kiosque en libre-service au Welcome Center du Pier 39 (Bldg B, level 2). Places de théâtre, de spectacles de danse et de concert à moitié prix pour le jour même (les billets pour les spectacles du lundi sont vendus le week-end). Un tableau affiche la liste des spectacles discountés. On paie cash et on ne peut les obtenir que sur place – le téléphone est réservé à l'achat de places plein tarif (payables par carte).

■ **Assister à un match de base-ball (équipe des SF Giants) à l'AT&T Park** (plan d'ensemble détachable G3-4,

20) **:** prendre le Muni Metro, ligne N et s'arrêter à Second and King Muni Metro Station. Les Muni buses 10, 30, 45 et 47 s'arrêtent aussi tout près. La saison dure d'avril à octobre environ. Compter entre 8 et 280 $ selon le match et la place ! Programme des festivités et vente des tickets sur ● san francisco.giants.mlb.com ●

Visites guidées

À pied

San Francisco est l'une des rares villes américaines que l'on se doit d'explorer à pied. Le Visitor Information Center dispose de dépliants gratuits en anglais proposant différents itinéraires de balades pédestres. Toutefois, pour des visites vraiment originales, on conseille vivement de consulter les adresses suivantes. Important : pour évaluer les distances, rappelez-vous que les blocs sont numérotés de 100 en 100. Évitez enfin de traîner vos basques le soir dans les parcs et dans certains quartiers comme Tenderloin et la partie sud de Mission.

■ **Free Walking Tours** (visites guidées gratuites) **:** organisés par **San Francisco City Guides,** l'association des amis de la San Francisco Public Library, 100 Larkin St (et Market St), au 6e étage. ☎ 415-557-4266. ● sfcitygui des.org ● Visite tlj (résa obligatoire pour les groupes de plus de 8 pers). Durée : 1h-2h. Chaque mois, l'association propose un superbe programme d'une trentaine de balades (davantage en été) permettant d'explorer toutes sortes de thèmes : peintures murales de Mission, Golden Gate Park (et Bridge), demeures victoriennes de Pacific Heights ou d'Alamo Square, escaliers de Russian Hill ou de Telegraph Hill, Chinatown, North Beach, souvenirs de la ruée vers l'or, etc. Programme sur Internet, à la bibliothèque et au Visitor Center. Les guides sont des bénévoles enthousiastes qui aiment leur ville. C'est gratuit, mais une contribution de soutien n'est jamais refusée !

■ **Foot Comedy Walking Tours :** ☎ 415-793-5378. ● foottours.com ● Compter env 15-45 $/pers selon le tour et le nombre de participants ; réduc. Résa obligatoire. Depuis plus de 10 ans, Foot ! organise des visites thématiques de San Francisco, guidées par des comédiens. Au programme : une chasse au dragon à Chinatown, les figures féminines marquantes de la ville, un *coming out* à Castro, sur les traces des snobs de Nob Hill et du séisme de 1906, etc. Bref, rien que du lourd !

■ *Victorian Home Walk :* ☎ 415-252-9485. • victorianwalk.com • *Env 25 $/ pers (CB refusées). Tlj à 11h. Rdv sur Union Square, au coin de Powell et Post, en face de Saks Fifth Ave. Balade sur un thème victorien pour découvrir les plus belles demeures des quartiers chic de Pacific Heights et de Cow Hollow. Vous verrez même la maison où a été tourné le film Mrs Doubtfire avec Robin Williams, au 2640 Steiner St, à l'angle de Broadway.*

À vélo ou à rollers

Presque tous les loueurs de vélos pratiquent les mêmes prix : à partir de 8 $/h et 32 $/j. Les compagnies se regroupent pour la plupart au Fisherman's Wharf et autour du Golden Gate Park (certaines avec des antennes au Downtown et à North Beach). Elles distribuent généralement des petits plans avec différentes propositions d'itinéraires et de tours autoguidés ou guidés. La balade la plus populaire mène du Fisherman's Wharf à Sausalito (voire au-delà) en longeant le littoral avant de traverser le Golden Gate ; le retour se fait en général en ferry. Une fort belle balade, entrecoupée de quelques côtes bien raides (!) à éviter les jours de grand vent – il souffle toujours de l'ouest et vous l'auriez en plein dans le nez... En tout état de cause, où que vous alliez, il sera bien difficile d'éviter les pentes ardues.

Les tarifs indiqués ci-dessous sont des prix de départ. On peut aussi louer tandems à 2 ou 3 places, carrioles, sièges pour enfants, tag-a-longs (vélos suiveurs) et souvent aussi des vélos électriques (2 fois plus chers). Si vous louez par l'intermédiaire d'une AJ, les prix sont divisés par 2.

■ *Golden Gate Park Bike & Skate* (plan d'ensemble détachable A4 et plan Le Golden Gate Park et le Presidio C3, **12**) : *3038 Fulton St (entre 6th et 7th Ave), en bordure nord du Golden Gate Park.* ☎ 415-668-1117. • goldengatepark bikeandskate.com • *Tlj 10h-18h (19h w-e) en été, jusqu'à 17h (18h w-e) en hiver. CB min 50 $.* Depuis 1978, tout ce qu'il faut pour se promener tranquillement dans le Golden Gate Park : vélos, roller-blades et roller-skates. Un des moins chers de la ville (5 $/h, 25 $/j. pour un VTT). Casque, antivol et plan fournis.

■ *Avenue Cyclery* (zoom H-Ashbury détachable B4-5, **13**) : *756 Stanyan St, face au Golden Gate Park (angle Waller, un bloc au sud de Haight St).* ☎ 415-387-3155. • avenuecyclery.com • *Tlj 10h-18h. Compter 8 $/h ou 30 $/j. ; intéressant tarif à la sem (à partir de 100 $).* Bon accueil et service pro. Antivol et casque fournis.

■ *Bay City Bike* (zoom centre détachable E4, **14**) : *2661 Taylor St (entre N Point et Beach St), au Fisherman's Wharf. Succursales au 1325 Columbus Ave (et Beach St) et au 501 Bay St (et Taylor St).* ☎ 415-346-BIKE (2453). • baycitybike.com • *Tlj 8h-20h30 (21h30 w-e) ; ferme 1h plus tôt en basse saison.* Casques, antivols, sacoche, gourde, sonnette et carte... compris. L'agence située au terminus du *cable car* Powell-Hyde, à Fisherman's Wharf, est bien pratique pour ceux qui viennent du Downtown ou de North Beach.

■ *Blazing Saddles :* *7 points de loc dont 5 au Fisherman's Wharf : Pier 41, 2555 Powell St, 2715 Hyde St, 721 Beach St (et Hyde) et 465 Jefferson St (et Hyde), à côté de l'hôtel Argonaut (le plus pratique pour arpenter ensuite la côte). Également une agence au 433 Mason St (Union Sq) et au 1095 Columbus Ave / angle Francisco St (N Beach).* ☎ 415-202-8888. • bla zingsaddles.com • *Tlj à partir de 8h. Réduc de 5 $ avec le CityPass et le coupon disponible dans le magazine Chaperon.* Grosse chaîne de vélos, si l'on ose dire ! Ils sont en excellent état et viennent avec antivol, casque et sacoche.

■ *Bike and Roll :* *6 points de loc dont 3 à Fisherman's Wharf (pier 43, 353*

*Jefferson St et 2800 Leavenworth St),
1 à North Beach (899 Columbus Ave et
Lombard St) et 1 à l'Embarcadero Center (Market St, entre Drumm et California).* ☎ *415-229-2000 ou 1-866-RENT-
A-BIKE.* ● *bikethegoldengate.com* ●
*Tlj 8h-20h30 (18h hors saison). Réduc
de 10 % sur Internet.* Les mêmes
prestations que les 2 précédents ou
quasiment.

■ *Park Wide : encore une autre
option, avec 4 stands placés stratégiquement à Union Square, à l'entrée
est du Golden Gate Park (au bout de
Haight St), à l'Embarcadero et au Fort
Mason. Drop off possible dans un autre
stand pour 10 $.* ☎ *415-671-8989.*
● *parkwide.com* ● *Tlj 9h-19h (17h oct-
mars). Un peu plus cher que les autres :
36 $/j. mais 46 $ pour 24h.*

Librairies et presse

■ *Smoke Signals (zoom centre détachable D5, 21) : 2223 Polk St (entre
Bonita et Vallejo St).* ☎ *415-292-6025.
Tlj 7h-19h (18h dim).* Un magasin tenu
par un Libanais parlant bien le français.
Propose un bon choix de journaux et
magazines francophones à des tarifs
encore abordables (3,50 $ le *Canard
enchaîné*).

■ *Café de la Presse (zoom centre
détachable E-F5, 22) : 469 Bush St
(angle Grant).* ☎ *415-398-2680. Tlj
7h30 (8h w-e)-21h30 (22h jeu-sam).*
Pour les nostalgiques du journal-café
crème, on y trouve la presse française,
plus ou moins récente, à prix élevé. Voir
« Où boire un verre ? » dans la section
consacrée au Downtown.

Journaux locaux

– *The San Francisco Bay Guardian :*
● *sfbg.com* ● Hebdo gratuit et branché, tendance libérale (de gauche
donc). Disponible à l'entrée de certains
bars, restos, dans des distributeurs de
rue ou chez les commerçants. Pluie
d'adresses et de commentaires avisés
sur les restos, spectacles, concerts,
films et boîtes de nuit en vogue. Programme des événements branchés
de la baie à ne pas rater. Également
quelques coupons de réduction. Notre
canard préféré.

– *SF Weekly :* ● *sfweekly.com* ● Autre
hebdo gratuit, jadis concurrent du précédent et désormais propriété de la
même maison. Connu pour ses vues
très indépendantes et critiques, il propose un agenda complet des sorties et
spectacles à San Francisco, ainsi qu'un
guide des restos.

– *San Francisco Chaperon :* ● *cha
peron.com* ● Édité chaque année par
l'office de tourisme local, c'est l'un
des meilleurs journaux gratuits d'information sur San Francisco, traduit en
plusieurs langues, dont le français. On
le trouve au *Visitor Information Center*
et dans de nombreux hôtels. Balades,
plans, infos pratiques, il regroupe un
peu tout le B.A.-BA de San Francisco
et de sa région. Également quelques
coupons de réduction pour certains
prestataires touristiques. Dans le
même genre, mais en anglais, le *Bay
City Guide,* disponible un peu partout.
● *baycityguide.com* ●

– *The San Francisco Visitors Planning Guide :* ● *sanfrancisco.tra-
vel* ● Brochure gratuite et très bien faite
éditée par le *Visitor Information Center.*
Plein d'adresses, des cartes, des infos
pratiques, listing des hôtels et restaurants, horaires des visites, quelques
coupons de réduction, etc.

– *The San Francisco Examiner :*
● *sfexaminer.com* ● Quotidien gratuit
(fondé en 1865) qui donne le vendredi
tous les événements, spectacles,
manifs de la semaine à San Francisco
et aux alentours. Critiques de restos
aussi.

– *The San Francisco Chronicle :*
● *sfgate.com* ● L'autre grand quotidien
de San Francisco (remontant lui aussi
à 1865) s'est peu à peu éloigné du
reportage traditionnel pour privilégier
les news locales (et surtout le sport),
ainsi que la scène culturelle et gastronomique. Il publie un agenda des événements du week-end (le jeudi) et des
sections *Food* et *Wine*.

– *Gay Pocket :* ● *gaypocketusa.com* ●
Disponible au *San Francisco Lesbian
Gay Bisexual Transgender Community
Center* (voir Castro plus loin). Héberge-
ment, restos, bars et sorties tendance
gay, quartier par quartier, à commen-
cer, bien sûr, par Castro (mais aussi
Polk, SoMa et le reste de la ville).

– **The Bay Area Reporter :** ● ebar. com ● Encore 1 hebdo homo que l'on trouve gratuitement dans certaines boutiques de vêtements (notamment sur Haight St).

Santé, urgences médicales

Si vous avez un pépin de santé et un peu de temps devant vous, contactez le consulat de France pour obtenir la liste des médecins conseillés. Sinon, hôtels et auberges de jeunesse peuvent généralement vous indiquer un médecin ou un service médical. Des flyers disponibles dans les AJ proposent même une remise de 50 $ sur la première consultation... mais demandez quand même le tarif avant de prendre rendez-vous !

⊞ Traveler Medical Group (zoom centre détachable E6, **23**) : 490 Post St, suite 225 (2e étage), Downtown. ☎ 415-981-1102. ● travelerme dicalgroup.net ● Service 24h/24. CB acceptées. Centre de soins destiné aux touristes. On y parle plusieurs langues (un peu le français) et on peut même se déplacer à votre domicile.

■ The House Doctor : ☎ 415-834-5364. ● thehousedoctor.com ● Service 24h/24. CB acceptées. Propose un service semblable à SOS Médecins : ils viennent vous soigner à votre hôtel sur simple appel.

⊞ St. Mary's Medical Center (plan d'ensemble détachable B4, **24**) : 450 Stanyan St, en bordure nord-est du Golden Gate Park. ☎ 415-668-1000. ● stmarysmedicalcenter.org ● Urgences 24h/24. Pour s'y rendre, bus nos 5 (d'Union Square), 21 (de Market St et du Civic Center) ou 33 (de Mission et Castro).

⊞ Health Right 360 (zoom H-Ashbury détachable **25**) : 558 Clayton St (et Haight). ☎ 415-762-3700. ● heal thright360.org ● Lun-ven 8h45-12h et 13h-17h. Autre adresse au 1735 Mission St, à Mission. Héritier de la Haight-Ashbury Free Clinic née durant le Summer of Love, ce centre de soins reçoit tout le monde et module ses tarifs en fonction des capacités financières des patients. Tarif normal : env 200 $

la consultation. Mais si vous n'avez pas d'assurance de voyage... En cas d'urgence, ils sauront vous orienter sur d'autres centres plus spécifiques.

Achats

Reportez-vous à nos rubriques « Achats » dans chaque quartier. Attention si vous achetez de l'électronique, sachez que de nombreux touristes ont eu des problèmes. En règle générale, évitez les boutiques des quartiers touristiques (Chinatown par exemple) car derrière l'affaire en or se cache très souvent une arnaque en béton armé. Un classique : on vous montre un appareil neuf et on en glisse un d'occasion, plus ou moins bien maquillé (et fonctionnel) dans l'emballage...

Où dormir ?

La plupart des hôtels et auberges de jeunesse se regroupent dans le Downtown, les grandes chaînes au Fisherman's Wharf et les motels à Cow Hollow (vers Marina). On trouve aussi d'agréables bed & breakfast dans les quartiers périphériques, souvent installés dans des maisons victoriennes. Pour vous faire une idée du budget hébergement, nous vous indiquons des fourchettes de tarifs. Impossible, le plus souvent, d'être plus précis : **les prix varient considérablement en fonction du taux de remplissage des hôtels** – et donc de la saison. Il en coûte toujours plus cher le week-end, plus encore en juillet-août, ou quand d'importantes conférences ont lieu en ville. À l'inverse, prix minimum en semaine hors saison ; il vous sera alors souvent possible d'utiliser les coupons de réduction des magazines spécialisés, distribués un peu partout. À défaut, n'hésitez pas à marchander ; ça marche souvent si vous restez plusieurs nuits de suite en période creuse. Pour les hôtels haut de gamme, plutôt que de se pointer la bouche en cœur, il est toujours plus intéressant de passer par des sites spécialisés (● expedia.fr ● opodo.fr ● priceline.com ●, etc.) pour obtenir de substantielles réductions...

Mais sachez que, globalement, vous en aurez rarement pour votre argent ! Malgré les quelque 33 000 chambres d'hôtel disponibles en ville, leur prix moyen est de 190 $... Enfin, précisons que les petits hôtels bon marché ont souvent un moindre confort, moins d'atmosphère et moins de services que les AJ proposant des chambres privées. Dans cette catégorie, on vous recommande donc ces dernières, sauf si la vie communautaire vous rebute.

CAMPING

⊠ **Rob Hill Campground** (plan Golden Gate Park et Presidio B1, **40**) : dans le Presidio. ☎ 415-561-5444. Fax : 415-561-5445. ● presidio.gov/explore/Pages/rob-hill-campground.aspx ● Ouv avr-oct. Sur résa slt, en renvoyant par e-mail (● events@presidiotrust.gov ●) ou fax le formulaire rempli, à partir de mi-janv pour l'année en cours (voire quelques j. plus tôt). Emplacement : 125 $, max 30 pers (paiement par CB), 5 nuits max. C'est à peine croyable et pourtant c'est vrai : on peut camper à San Francisco même ! Certes, les conditions sont particulières : le camping ne dispose que de 4 sites réservés exclusivement aux groupes. Donc si vous voyagez en groupe (et seulement dans ce cas précis)... les résas se font dès la mi-janvier pour l'année en cours et tout part très vite, surtout le week-end (1er arrivé, 1er servi), alors soyez dans les starting-blocks. Le camping est situé en pleine forêt, dans le parc du Presidio, au-dessus de Baker Beach !

Downtown et Tenderloin
(plan d'ensemble détachable E3 et zoom centre détachable E5-6)

La plus grande concentration d'hôtels de San Francisco se trouve dans le Downtown, aux abords d'Union Square et en allant vers ouest, en direction du Tenderloin. Autant vous prévenir : certaines rues de ce quartier sont le rendez-vous des homeless (SDF). De nombreux anciens hôtels bon marché y ont été reconvertis en foyers et tous ceux qui n'ont pas pu y accéder demeurent dans la rue, dans un état de déchéance particulièrement sordide. Certains s'en trouveront avec raison gênés, voire effrayés, mais les *street people* ne sont en général pas dangereux (évitez simplement de montrer des signes extérieurs de richesse et ignorez les alcooliques...). Les routards apprécieront les qualités habituelles du Downtown : son animation dans la journée et sa situation centrale.

De bon marché à prix moyens (AJ)

🏠 **USA Hostels** (zoom centre détachable E6, **41**) : 711 Post St (et Jones). ☎ 415-440-5600 ou 1-877-483-2950. ● usahostels.com ● Réception 24h/24. Lits en dortoir env 40-50 $, doubles 105-115 $, petit déj inclus. Parking au 525 Jones (et O'Farrell) 19 $. 🖥 📶 Très bien tenue, située à 3 blocs d'Union Square, cette AJ baigne dans une ambiance conviviale, vraiment cool. Les dortoirs, lumineux, sont limités à 4 lits et certains ont une salle de bains attenante (petit supplément). Chambres jolies et impeccables. Bons services : cuisine équipée pour faire sa popote (le matin, on vous donne tout pour vous faire des gaufres et pancakes, à volonté siou plaît), laverie, TV et lecteur DVD, salon avec billard, minisalle de ciné avec pop-corn tous les soirs (sur demande), *walking tours* 3 fois par semaine, tout ça... inclus ! Accueil relax. Possibilité de logement gratuit contre heures de travail sur place.

🏠 **Adelaide Hostel** (zoom centre détachable E6, **42**) : 5 Isadora Duncan Lane, petite impasse donnant sur Taylor St (entre Post et Geary). ☎ 415-359-1915 ou 1-877-359-1915. ● adelaidehostel.com ● Lits en dortoir (4-10 lits) 23-35 $, doubles 80-110 $, bon petit déj inclus. 🖥 📶 Cette petite AJ située au calme (dans une impasse) est à la fois propre, bien équipée et confortable, à l'image de son salon commun douillet, avec cheminée, tapis et fauteuils rembourrés. Pour l'anecdote, la célèbre danseuse Isadora Duncan naquit à quelques mètres, au 501 Taylor, en 1877. Les chambres (dignes d'un petit hôtel et pouvant accueillir jusqu'à 4 personnes) et les dortoirs (avec lavabo, rideaux, *locker* sous le lit et lumière perso) sont fort bien tenus, tout comme les salles de bains communes. Si c'est plein, on vous dirigera sur le *Dakota Hotel* voisin ou le *Fitzgerald*, qui appartiennent tous deux au même proprio (voir plus loin). Plein de services : grande cuisine, *laundry*, petit *deck* à l'extérieur pour fumer sa clope, repas gratuit 3 fois par semaine *(lun, mer et ven)*, dégustation de vin et fromages, tournée des bars, location de vélos *(16 $/j.)*, parking *(16 $/24h)* et transfert vers l'aéroport *(9 $)* à prix réduits, *walking tours* gratuits *(5/sem)*...

🏠 **San Francisco Downtown Hostel** *(zoom centre détachable E6, 43)* : 312 Mason St. ☎ 415-788-5604. ● *sfhostels.com/downtown* ● *Lits en dortoir (4 lits) 30-45 $, doubles avec ou sans douche privée 90-135 $ selon saison, petit déj (bagels) inclus. Supplément de 3 $ pour les non-membres. Parking 20 $.* 🖥 🛜 Cette vaste AJ affiliée au réseau *Hostelling International* est très appréciée pour sa proximité avec Union Square (à 1 *block)* – et ce malgré le parking à étages qui se dresse devant (boules Quies fournies gratuitement à l'accueil, CQFD !). Le vieil immeuble, bien rénové, abrite quelque 336 lits, répartis en bons dortoirs (4-6 places) et chambres privées meublées façon Ikea, plus ou moins grandes, avec salle de bains privée ou non (toutes ont un lavabo). La moitié des dortoirs disposent de leur propre salle de bains et tous ont des *lockers*. Cuisine très bien équipée, machines à laver, *lounge* aux gros poufs mous et *TV-room* avec projection de films plusieurs fois par semaine (et pizza le mercredi) ! Et encore : *beer tastings*, *pub crawl* (tournée des bars), *walking tours* et de nombreuses autres activités. Pour un petit déj plus costaud, le *Café Mason* et le *Pinecrest Diner* sont à deux pas.

🏠 **Orange Village Hostel** *(zoom centre détachable E6, 44)* : 411 O'Farrell St. ☎ 415-409-4000. ● *orangevillagehostel.com* ● *Lit en dortoir 25-45 $; doubles 70-130 $, petit déj inclus pour ts. Parking à proximité 15 $.* 🖥 🛜 Ce n'est pas la plus conviviale ni la plus festive des AJ, mais elle est propre et bien tenue, avec une centaine de chambres et dortoirs de 4 lits fonctionnels (lavabo, *lockers*), avec ou sans salle de bains privée. Attention, pas de dortoirs mixtes ! À disposition : cuisine, machines à laver et *lounge* à chaque étage. Bon accueil.

🏠 **Dakota Hotel** *(zoom centre détachable E6, 45)* : 606 Post St (et Taylor). ☎ 415-931-7475. ● *dakotahotelsanfrancisco.com* ● *Dortoir (4-12 pers) 20-35 $/pers, doubles 80-100 $, petit déj continental compris. Parking env 16 $.* 🖥 🛜 Cette dépendance de l'*Adelaide Hostel* occupe un immeuble ancien tout proche et accueille tous les *backpackers* en surnombre. Les parties communes et le mobilier sont un peu fatigués, mais les chambres se révèlent plutôt lumineuses et sont bien équipées : TV, frigo, micro-ondes, ventilo, sans oublier leurs agréables baignoires à l'ancienne mode. On y accède par un unique ascenseur (attention les doigts !). Un bémol côté insonorisation : on entend fort bien les bruits de la rue... On bénéficie de la plupart des services fournis par l'*Adelaide Hostel*. *Check-out* à 10h, mais on peut laisser ses bagages pour la journée à la réception. Accueil charmant.

De bon marché à prix moyens (hôtels)

Attention, même dans ces établissements un peu plus chers, les chambres peuvent partager les sanitaires. De plus, ils ne possèdent souvent pas de parking.

🏠 **Hotel Mayflower** *(zoom centre détachable E6, 46)* : 975 Bush St. ☎ 415-673-7010. ● *sfmayflowerhotel.com* ● *Doubles 90-160 $, petit déj continental inclus. Quelques familiales pour 4 pers à 145 $. Quelques places de parking gratuites pour petites voitures (1ᵉʳ arrivé, 1ᵉʳ servi) !* 🖥 🛜 Le lobby, datant de la construction de l'hôtel à la veille de la grande crise de 1929, lui donne une touche rétro nostalgique. Si le mobilier n'est pas du meilleur goût et les salles de bain souvent petites, les chambres, elles, sont assez spacieuses et bien équipées (TV écran plat, kitchenette dans la plupart, ou frigo et micro-ondes). Demandez-en une lumineuse et calme à l'arrière ; cela dit, celles côté rue ne sont pas trop bruyantes pour un citadin... Bon accueil.

🛏 **Grant Hotel** (zoom centre détachable E5-6, **47**) : 753 Bush St (entre Mason et Powell). ☎ 415-421-7540 ou 1-800-522-0979. ● granthotel. net ● ♿ Doubles 85-140 $, petit déj léger (muffins) servi dans le lobby ; réduc longue durée en réservant à l'avance. Réduc au parking d'en face (24 $). ⌨ ☎ Position très centrale, à deux pas d'Union Square, mais sans les tarifs parfois exorbitants du centre-ville. Chambres très propres (avec TV et coffre), aux sanitaires impeccables ; sèche-cheveux et frigo disponibles sur demande. On vous le concède : les dessus-de-lit ou le papier peint peuvent donner mal à la tête... Accueil un peu expéditif mais professionnel.

🛏 **Fitzgerald Hotel** (zoom centre détachable E6, **45**) : 620 Post St (et Taylor). ☎ 415-775-8100. ● fitzgeraldhotel. com ● Doubles 90-110 $, suites 130-150 $, petit déj inclus. Parking env 16 $. C'est un peu la 3e roue du carrosse, l'hôtel sur lequel se rabattre lorsque l'Adelaide Hostel et le Dakota Hotel voisin sont pleins. Tous appartiennent au même proprio. Rien d'exceptionnel, juste une grosse quarantaine de chambres à la déco chargée, un rien kitsch, suffisamment confortables et propres. Toutes ont la TV, un frigo et un micro-ondes. Celles avec un seul lit double sont minuscules, et vos pieds ont des chances de dépasser du sommier ! Le Barrel Room (tlj dès 17h), le bar à vins situé au rez-de-chaussée, est assez populaire dans le quartier.

De prix moyens à chic

🛏 **Golden Gate Hotel** (zoom centre détachable E5-6, **49**) : 775 Bush St (entre Mason et Powell). ☎ 415-392-3702 ou 1-800-835-1118. ● golden gatehotel.com ● Doubles 135-190 $, petit déj et afternoon tea inclus. Réduc au parking en face (30 $). ⌨ ☎ C'est une petite maison jaune centenaire,

non pas adossée à la colline, mais précédée d'un escalier métallique typique des immeubles américains. Aménagée en B & B, elle abrite un superbe ascenseur d'époque et 25 chambres, dont une quinzaine avec salle de bains privée (baignoire à pattes dans la plupart). Elles sont petites mais charmantes, avec une déco à la fois cosy et soignée. Dans les couloirs, plein de vieilles photos en noir et blanc ramènent au siècle passé. Bon accueil. Le manager du soir parle le français.

🛏 **Cornell, Hôtel de France** (zoom centre détachable E6, **50**) : 715 Bush St (et Powell). ☎ 415-421-3154 ou 1-800-232-9698. ● cornellhotel.com ● Doubles 130-180 $ selon taille et saison, petit déj américain compris. Possibilité de ½ pens en basse saison. Parking 24 $. ⌨ ☎ Appartenant à un couple d'Orléanais installés à San Francisco depuis les sixties, géré par un adorable manager mexicain francophone, cet hôtel de taille moyenne propose des chambres toutes mignonnes et très bien tenues ; même celles qui donnent sur la rue sont assez bien isolées pour être calmes. Attention, les plus petites n'ont qu'une douche (baignoire à pattes dans les autres) et pas beaucoup d'espace autour du lit : pas bien grave pour 1 ou 2 nuits, mais cela devient plus ardu pour un séjour prolongé, surtout si on a de gros bagages. On peut manger sur place, au Jeanne D'Arc, un resto dédié, vous l'aurez deviné, à la Pucelle : on se croirait revenu en 1400, dans un château médiéval. Murs en pierre, vitraux réalisés tout spécialement à Chartres, tapisseries, il ne reste plus qu'à revêtir sa plus belle armure et ses poulaines ! Les cuisiniers français préparent des plats typiquement de chez nous, du lapin chasseur au confit de canard (menu à prix fixe mar-sam, 17h30-21h30, env 42 $).

🛏 **Stratford on the Square** (zoom centre détachable E6, **51**) : 242 Powell St. ☎ 415-397-7080 ou 1-877-922-5928. ● hotelstratford. com ● Doubles 110-230 $, petit déj léger compris. Parking 35 $. ☎ Cet hôtel lambda, bien tenu et propre, offre une petite centaine de chambres, pas bien grandes et parfois un peu sombres, mais assez confortables. Un peu cher en saison pour les prestations, mais vous êtes à 20 m d'Union Square. Chambres familiales pour 6.

🛏 *Hotel Bijou (zoom centre détachable E6, 52)* : 111 Mason St (et Eddy). ☎ 415-771-1200 ou 1-800-771-1022. ● hotelbijou.com ● *Doubles 125-225 $ (parfois moins). Parking 32 $.* 📶 Le *Bijou* est l'un des premiers *boutique hotels* de San Francisco à avoir vu le jour. Son credo ? Le cinéma. Chaque chambre porte le nom d'un long métrage, des affiches et photos de films ornent les murs aux couleurs chaudes et, le soir, la petite salle de ciné, aux charmants fauteuils de théâtre, accueille des projections de *movies made in San Francisco*. Tout cela serait parfait si, malheureusement, l'hôtel ne tournait pas à la gloire fanée... Les chambres, petites, pas très bien insonorisées, sont assez défraîchies – à l'image des moquettes souvent tachées.

De chic à très chic

🛏 *White Swan Inn (zoom centre détachable E5-6, 53)* : 845 Bush St. ☎ 415-775-1755 ou 1-800-999-9570. ● whiteswaninnsf.com ● *Doubles 160-310 $, petit déj-buffet inclus.* 🖥 📶 Victorienne de corps, british de cœur, la maison dessine une parenthèse douillette, très campagne anglaise réinventée, avec ses salons feutrés, sa vieille horloge, sa porcelaine britannique et ses vitres gravées. Chaque chambre, spacieuse et confortable, dispose de sa propre salle de bains, d'une cheminée (à gaz), d'une grande TV écran plat et de peignoirs ; la plupart ont en outre une minikitchenette. *Cherry on the parfait...* euh, pardon, cerise sur le gâteau, on sert le thé avec cookies dans l'après-midi et, à partir de 17h, le *wine and cheese*. Mentionnons encore un petit *fitness room* et une terrasse en bois à l'arrière pour prendre le frais à l'ombre d'un bel arbre.

🛏 *Hotel Rex (zoom centre détachable E6, 54)* : 562 Sutter St. ☎ 415-433-4434 ou 1-800-433-3434. ● thehotelrex.com ● *Doubles 159-429 $; petit déj 15 $. Parking 42 $.* 🖥 *(gratuit 20 mn).* 📶 S'inspirant des salons

littéraires du San Francisco des années 1920-1930, cet hôtel de la chaîne *Joie de Vivre* avance un *lobby* élégant ouvert sur un beau *lounge*-bar baignant dans la pénombre, où sont diffusés chaque lundi soir des films tournés à San Francisco ; le vendredi, le lieu accueille des soirées jazz (gratuites). Au-dessus, on trouve une centaine de chambres bien décorées, avec des lampes fantaisie, des couleurs bordeaux et olive aux relents de boudoir, écran plat, *iPod dock, music box* MP3, baignoire et frigo. Celles côté rue sont un peu bruyantes, mais les fenêtres devraient être changées d'ici à 2014. Enfin, si vous êtes là un jeudi, vous pourrez participer au *French-speaking meeting* hebdomadaire !

🛏 *Hotel Abri (zoom centre détachable E6, 55)* : 127 Ellis St. ☎ 415-392-8800. ● hotelabrisf.com ● *Doubles 150-230 $, suites 40-60 $ de plus. Parking 40 $.* 📶 Brun, vert, touches de rouge cramoisi, les chambres de cet hôtel design, de très bon confort, sont accueillantes et d'un relativement bon rapport qualité-prix. Les moins chères sont petites, mais toutes disposent de (très) grandes TV à écran plat, baignoire ou douche, frigo, machine à café et sèche-cheveux. Celles de l'arrière sont certes plus sombres, mais bien calmes – ce qui, vous l'aurez compris, n'est pas le cas de celles côté rue... Accueil très bien.

🛏 *Hotel Vertigo (zoom centre détachable E6, 56)* : 940 Sutter St (et Leavenworth). ☎ 415-885-6800 ou 1-888-444-4605. ● hotelvertigosf.com ● *Doubles env 150-270 $ selon confort et saison. Parking 35-40 $.* C'est dans la chambre n° 501 de cet établissement, ex-*Hotel Empire*, qu'Hitchcock tourna la scène où Judy-Kim Novak sort de la salle de bains en Madeleine blonde « ressuscitée » (d'ailleurs, elle y résida pendant le tournage). Du coup, on en a fait un hôtel à thème ! Derrière la jolie façade à l'ancienne avec escaliers de secours se cache un *lobby* d'un blanc immaculé, avec moulures, grand balcon, fauteuils et banquettes orange immenses. Bien sûr, les films de Hitch passent en boucle. Dans les chambres, même tonalité, du blanc et des taches orange, plus des tableaux inspirés des spirales du graphiste Saul Bass. Salles de bains immaculées, station iPod et... lampes de chevet tête de cheval ! Bon, pas de quoi avoir le vertige non plus, mais l'idée reste sympathique.

🏠 **Handlery Union Square** (zoom centre détachable E6, 57) : 351 Geary St (entre Mason et Powell). ☎ 415-781-7800 ou 1-800-995-4874. ● handlery.com ● Doubles env 169-279 $. Parking 42 $. 🖥 🛜 Très central, l'hôtel se divise en 2 bâtiments encadrant une cour intérieure paisible, où l'on ira piquer une tête dans la piscine, ou se reposer sur un transat entre 2 courses à Union Square. Les chambres du bâtiment original de 1908, aux tons marron et beige, sont les moins chères mais restent de bon confort, quoique les salles de bain commencent à dater un peu. La section « Premier », plus onéreuse et spacieuse, comprend toutes sortes de petits plus (peignoirs de bain, frigo, iPod dock...). Demandez une chambre avec balcon donnant sur la piscine (elles sont au même prix). Sauna gratuit (sur résa) et fitness center.

🏠 **Hotel Union Square** (zoom centre détachable E6, 58) : 114 Powell St. ☎ 415-397-0000 ou 1-800-553-1900. ● hotelunionsquare.com ● Doubles 190-315 $. 🛜 Cet hôtel centenaire, bâti pour la Pan Pacific Exposition de 1913, abrita un speakeasy (bar clandestin) pendant la Prohibition. Il a les avantages et les inconvénients de son âge : le charme de l'ancien revisité par une designeuse sur des notes modernes aux tons rouges et sombres, de vieux radiateurs en fonte, des murs en brique rhabillés de couleur, des lits très confortables et de grandes TV à écran plat... ainsi que des gargouillis de plomberie et une ventilo envahissante, sur fond d'insonorisation un peu légère. Les chambres donnant sur Powell Street sont très bruyantes : le cable car passe juste au pied. Celles de l'intérieur sont plus calmes, mais souvent petites et sombres – certaines n'ont de vue que sur un mur... Pour les fans des Giants, une suite à thème, tout en orange et noir !

🏠 **Sir Francis Drake Hotel** (zoom centre détachable E6, 59) : 450 Powell St (entre Sutter et Union Sq). ☎ 415-392-7755 ou 1-800-795-7129. ● sir francisdrake.com ● Doubles 155-370 $ selon confort et saison. Parking 50 $. 🛜 Construit en 1928, cet hôtel a conservé son style Art déco d'origine et affiche aujourd'hui une touche insolite un tantinet démonstrative. Lobby monumental (surdimensionné, on va même dire !) aux allures de palais, avec marbre, colonnettes torsadées, dorures et lustres dégoulinant de cristal, bar aux fauteuils en faux serpent doré, sur lequel veille une statue géante de beefeater de la couronne anglaise... et son double vivant pour accueillir les clients à l'entrée. Cela serait parfait si les quelque 400 chambres, quoique confortables (bonne literie), étaient globalement moins petites, plus calmes et mieux tenues. L'organisation et l'accueil pêchent aussi un peu. Au 21e étage, le Starlight Room (mar-sam à partir de 18h) surplombe la ville, avec DJs, musique live épisodique et brunch animé par des drag queens le dimanche... Pas idéal si vous avez demandé un étage élevé pour la vue !

Encore plus chic

🏠 **The Inn at Union Square** (zoom centre détachable E6, 60) : 440 Post St (entre Mason et Powell). ☎ 415-397-3510. ● unionsquare.com ● Chambres 220-420 $ selon taille et saison, petit déj inclus. Parking 41 $. 🛜 Ce charmant petit hôtel n'offre pas tant d'espace que de confort, avec 30 chambres et suites très accueillantes, au mobilier en bois sombre contrastant avec des couleurs chaudes d'or et de rouge. À disposition : écran plat, bonne literie, peignoirs, sèche-cheveux, journal du jour, parapluie, etc. Les tarifs sont certes élevés, mais incluent, outre le petit déj, un apéro autour d'un verre de vin, cirage des chaussures (!), café, thé et pommes toute la journée, bouteille d'eau et petits chocolats sur l'oreiller le soir...

🏠 **Petite Auberge** (zoom centre détachable E5-6, 53) : 863 Bush St. ☎ 415-928-6000 ou 1-800-365-3004. ● peti teaubergesf.com ● Réserver bien à l'avance. Doubles 210-530 $, petit déj inclus. Parking 32 $. 🖥 🛜 Voisine et

SAN FRANCISCO

sœur jumelle du *White Swann Inn* (voir plus haut), la *Petite Auberge* possède une déco assez similaire, qui se veut représentative du romantisme provincial à la française, mais prend en fait des atours assez british, avec meubles anciens, tissus fleuris, petit ourson sur le lit et cheminée à gaz (sauf pour les moins chères). On profite d'une salle de petit déj ouvrant sur un jardinet et d'un salon cosy avec cheminée, où l'on sert le thé, puis l'apéro *(wine and cheese)* en fin de journée. Boissons chaudes et fraîches sont disponibles 24h/24. Un peu cher quand même, d'autant que les chambres côté rue peuvent se révéler assez bruyantes.

🛏 *Clift Hotel* (zoom centre détachable E6, 62) : 495 Geary St (angle Taylor). ☎ 415-775-4700 ou 1-800-606-6090. ● clifthotel.com ● Doubles 230-400 $. Parking 57 $... Parking public à deux pas, sur Taylor (entre Post et Geary St) 37-42 $. 🖥 🛜 Cet hôtel extravagant a été aménagé dans un immeuble ancien par une pléiade de créateurs internationaux, dont notre Philippe Starck national. Le *lobby* est particulièrement décalé : canapé à l'africaine avec des cornes de buffle, fauteuil de géant, cheminée à gaz qui illumine l'atmosphère sombre (tons gris et bois rouge) et un brin feutrée... Un ascenseur vert ou bleu mène aux 372 chambres, suites, lofts et studios, aux tons lavande et beige clair. Affirmant un confort dépouillé (mais avec station *iPod*), elles commencent pour certaines à dater un peu et ont, pour la plupart, des salles de bains très petites. Choisir de préférence les étages élevés, plus lumineux, les premiers niveaux donnant, selon l'orientation, sur les murs des immeubles ·voisins. Au rez-de-chaussée, un bar très tendance, *The Redwood Room* et un resto, *The Velvet Room* (cuisine californienne bio), fréquentés par la jeunesse dorée. Bref, un hôtel on ne peut plus tendance.

Civic Center *(plan d'ensemble détachable D-E3-4 et zoom centre détachable E6)*

Passé le Tenderloin et ses nombreuses résidences pour SDF, le Civic Center dresse ses grands édifices institutionnels au cœur d'un quartier assez froid, touchant au nord à Little Saigon (mini-quartier vietnamien).

De bon marché à prix moyens

🛏 *San Francisco City Center Hostel* (zoom centre détachable E6, 63) : 685 Ellis St (entre Larkin et Hyde). ☎ 415-474-5721. ● sfhostels.com/city-center ● Ouv 24h/24. Lits en dortoir 28-42 $ selon saison, doubles avec sdb 90-125 $ selon taille, petit déj compris. Supplément 3 $/j. pour les non-membres. Parking 24 $. 🖥 🛜 Cette AJ pimpante, membre de *Hostelling International*, s'est installée dans un hôtel des années 1920 aux plafonds à moulures et lobby cosy. Tout est impeccable, qu'il s'agisse des dortoirs (4-5 lits ; avec salle de bains attenante et *lockers*), des chambres rénovées, de la cuisine vaste 'et moderne, très bien équipée, ou des salons agréables en mezzanine. Nombreux services : ATM, téléphone local gratuit, café en libre service à la réception, excursions et activités quasi quotidiennes, transferts aéroport discountés... Le *Ivy's Place (tlj 18h-minuit)* est le bar attenant à l'hôtel. Un très bon choix malgré le quartier un peu glauque.

De prix moyens à chic

🛏 *Phoenix Hotel* (zoom centre détachable E6, 64) : 601 Eddy St (angle Larkin St). ☎ 415-776-1380 ou 1-800-248-9466. ● thephoenixhotel.com ● Doubles 120-299 $, petit déj léger autour de la piscine inclus. Parking gratuit. 🛜 Devinette : quel est le point commun entre Keanu Reeves, Vincent Gallo, les Red Hot Chili Peppers, Pearl Jam ou The Shins ? Ils sont tous, à un moment ou un autre, descendus dans ce *motor lodge* à la déco tropicale, réaménagé en hôtel branché, où l'on est accueilli par une statue de grenouille jouant de la guitare... On se croirait presque revenu dans les sixties à Palm Springs. *Check-in* effectué (tatouages temporaires à disposition), on fonce vers la piscine chauffée, entourée de chaises longues, avant de gagner le bar branché *(Chambers Eat + Drink)* attenant à l'hôtel... Les chambres, taille motel, sont confortables ; les familles trouveront des suites, mais elles sont bien chères. Accès gratuit aux bains communautaires de Japantown (à proximité).

SoMa *(plan d'ensemble détachable E-F3-4 et zoom centre détachable F6)*

Le côté brouillon du quartier, réputé pour ses bars et boîtes, est compensé par la proximité du Downtown.

De prix moyens à très chic

🛏 *The Mosser Hotel (zoom centre détachable F6, 65) :* 54 4th St. ☎ 415-986-4400 ou 1-800-227-3804. ● the mosser.com ● Doubles env 80-300 $ selon saison et confort (les moins chères avec sdb partagée) ; muffins au petit déj. Également des packages spéciaux. Parking 35 $. 📶 Face à l'onéreux *Marriott,* l'ancien *Keystone Hotel* de 1913 offre des chambres agréables avec un petit cachet rétro qui nous a plu. À vrai dire, les plus valables sont les *Queens* avec bow-windows autour de 130 $, plutôt jolies, aux tons brun et vert, avec écran plat et sèche-cheveux. Les standard, les moins chères, avec bains partagés, sont vraiment très petites. Tiens, l'hôtel abrite aussi un studio d'enregistrement... C'est le moment d'enregistrer votre 1er album si vous vous sentez prêt ! Sinon, postulez d'abord à *American Idol...* Wine hour le vendredi soir.

Financial District *(plan d'ensemble détachable F2-3 et zoom centre détachable E-F5-6)*

Le quartier financier s'étend juste à l'est du Downtown, en direction des quais de l'Embarcadero. Il est délimité au nord-ouest par Chinatown et s'étend, au sud, au-delà de Mar-

ket Street, jusqu'à Folsom Street et 4th Street.

Bon marché

🛏 *Pacific Tradewinds Backpacker Hostel (zoom centre détachable F5, 66) :* 680 Sacramento St (et Kearny). ☎ 415-433-7970 ou 1-888-SFHO-STEL. ● san-francisco-hostel.org ● Lits en dortoir 30-50 $. Parkings publics à proximité, env 30 $. 💻 📶 Cette petite AJ située à l'orée de Chinatown se fait discrète : sonnez à l'interphone au pied de l'enseigne du *Henry's Hunan Restaurant,* puis montez à la réception, au 3e étage. À l'intérieur, 6 dortoirs bleu et blanc de 5-8 lits, vite remplis même si certains n'ont pas de porte, se partagent des salles de bains communes bien tenues. Atmosphère chaleureuse entre routards venus des quatre coins du globe. Cuisine conviviale très bien équipée et machines à laver à disposition (7 $), consigne (1 $/j.), thé et café en libre service, serviette fournie. Le tout avec le sourire et de précieux conseils.

De prix moyens à chic

🛏 *Hôtel des Arts (zoom centre détachable F5, 67) :* 447 Bush St (entre Grant et Kearny St), à côté de l'entrée de Chinatown. ☎ 415-956-3232. ● sfhoteldesarts.com ● Doubles 100-220 $ avec sanitaires communs ou privés, selon période ; petit déj continental inclus ; tarifs à la sem. Parking 26 $. 📶 Ce petit établissement très central hésite entre sa vocation de galerie d'art et d'hôtel. La plupart de ses chambres ont vu leurs murs décorés par des artistes locaux, dont les œuvres exposées dans les couloirs sont à vendre. Certaines sont vraiment originales, d'autres moins et quelques-unes ne sont même pas peintes (celles-ci, avec sanitaires communs, sont louées pour 7 jours minimum). En tout état de cause, on est loin du luxe. Attention, pour les chambres peintes, il faut impérativement appeler l'hôtel pour préciser vos préférences. Évitez celles donnant sur le café voisin (bouche d'aération bruyante).

SAN FRANCISCO

De chic à très chic

🛏 *Hotel Triton* (zoom centre détachable F5, 68) : 342 Grant Ave (et Bush). ☎ 415-394-0500 ou 1-800-800-1299. ● hoteltriton.com ● Doubles 170-320 $ selon saison, suites 250-400 $. Parking 40 $. 🛜 Idéalement situé face à la porte de Chinatown, ce luxueux hôtel design, membre de la chaîne Kimpton, dénote par son excentricité. Le lobby donne le ton, avec son décor baroque et psychédélique, mélange de Versace et de Gaudí. En tout, 140 chambres, belles et confortables (les standard rooms sont certes un peu petites), que les super-branchés affectionnent pour leur caractère tantôt design, tantôt rétro-chic, façon cottage en Nouvelle-Angleterre (avec murs lambrissés peints, ardoise au mur pour vous souhaiter la bienvenue et pot de crayons sur le bureau...). La suite Häagen Dazs dispose d'un frigo avec crèmes glacées à discrétion ! Rassurez-vous, les autres y ont droit aussi, mais il faut aller le demander à la réception. En fin d'après-midi, un verre de vin est servi dans le lobby, devant la cheminée.

🛏🍴 *The Palace Hotel* (zoom centre détachable F6, 69) : 2 New Montgomery St. ☎ 415-512-1111. ● sfpalace.com ● Doubles 185-360 $, suites 305-1 100 $ (!) selon confort et saison. 🛜 Pour une fois, le nom n'est pas usurpé : il s'agit bien d'un palace, une grande dame comme aiment à dire les Américains, fondé en 1875, qui a survécu au séisme de 1906 et traversé le XXe s en prenant soin de ses plus beaux atours : colonnes de marbre et lustres, jolie piscine intérieure sous verrière, bar cosy à l'ambiance très san-franciscaine et sublime Garden Court pour le petit déjeuner (non compris), sous sa propre verrière colorée (voir « Où manger ? »). Ajoutez à cela des chambres de bon confort (normal à ce prix !) quoique un peu petites et sombres pour les moins chères, et une salle de fitness. Service pro, un peu guindé naturellement.

Encore plus chic

🛏 *Hotel Vitale* (zoom centre détachable F-G5, 70) : 8 Mission St. ☎ 415-278-3700 ou 1-888-890-8688. ● hotelvitale.com ● Doubles et suites 240-1000 $; pas de petit déj sf packages spéciaux. Parking 50 $. 🛜 À peine si on remarque cette bâtisse minérale où se mêlent pierre de Jérusalem et bois clair. Un vrai lieu de relaxation malgré la taille (environ 200 chambres) avec, au menu, des cours de yoga inclus (le matin) et un spa (payant) bénéficiant de 2 jacuzzis perchés sur le toit. Les brins de lavande, qui viennent du Farmer's Market voisin, sont l'emblème de l'hôtel. Chambres spacieuses et tout confort, épurées, aux lits dodus et salles de bains lumineuses, dans des tonalités beige, blanc cassé ou gris clair, avec de beaux couvre-lits et de jolies tables de chevet aux galets de verre. Les plus chères offrent même de généreuses perspectives sur le pont d'Oakland et la baie. De quoi prendre le large sans bouger de son lit ! Service aux petits soins, mais décontracté.

🛏 *Hotel Griffon* (zoom centre détachable G5, 71) : 155 Steuart St (entre Mission et Howard). ☎ 415-495-2100 ou 1-800-321-2201. ● hotelgriffon.com ● Doubles 250-410 $. Parking 40 $, gratuit pour les véhicules hybrides ! 🛜 Dissimulé dans une rue calme juste en retrait de la baie, cet hôtel de standing se distingue par son atmosphère intime et sa dominante dorée dans la déco – y compris le griffon qui semble attendre l'ascenseur (pour rejoindre Harry Potter ?). Les bibelots choisis donnent une atmosphère chaleureuse aux parties communes, tandis que les 62 chambres, certaines aux murs de brique apparente, baignent dans des tons plutôt olive et marron. Seules 2 sont tournées vers la baie dans chaque aile ; les autres, intérieures, sont assez sombres, mais des spots extérieurs recréent le lever et le coucher du soleil pour réveiller les hôtes en douceur ! Salles de bains un poil datées.

Chinatown (plan d'ensemble détachable E2 et zoom centre détachable E-F5)

Coincée entre Broadway (au nord) et Bush (au sud), Kearny (à l'est) et

Powell (à l'ouest), Chinatown compte quelques hôtels, pas trop chers mais globalement assez bruyants, pour ceux qui voudraient se retrouver au cœur de l'animation.

De bon marché à prix moyens

🛏 *Astoria Hotel (zoom centre détachable E-F5, 72) :* 510 Bush St. ☎ 415-434-8883 ou 1-800-666-6696. • hotelastoria-sf.com • Doubles 50-100 $, avec ou sans sdb, avec ou sans petit déj ; attention, les moins chères ne se réservent qu'en ligne ! Tarif à la sem pour celles-ci : 450 $. Parking à proximité (450 Sutter St) 26 $. 📶 Il ne paie pas de mine, cet hôtel vieillot à deux pas de la porte de Chinatown, mais il offre un confort correct, au cœur de la ville, à des tarifs rarement vus. Aucune déco, juste des chambres avec salle de bains commune ou privée selon le prix. Accueil brut de décoffrage.

🛏 *Grant Plaza Hotel (zoom centre détachable E-F5, 73) :* 465 Grant Ave (et Pine), à l'entrée de Chinatown. ☎ 415-434-3883 ou 1-800-472-6899. • grantplaza.com • Doubles 70-160 $. Parking 28 $. 💻 📶 N'imaginez pas un palace, c'est un petit hôtel banal, mais d'un assez bon rapport qualité-prix. Au programme : 71 chambres sans charme, pas bien grandes mais fonctionnelles, confortables et assez bien tenues. Celles qui donnent sur la cour intérieure sont sombres mais calmes ; les autres ouvrent sur l'animation de Chinatown. Celles du dernier étage sont les plus vastes... et les plus chères, évidemment. Vous noterez, à cet étage, la coupole en vitrail qui rappelle qu'il y avait une discothèque ici, il y a un bail. Accueil correct.

De chic à très chic

🛏 *SW Hotel (zoom centre détachable E5, 74) :* 615 Broadway (à la limite de Chinatown et North Beach). ☎ 415-362-2999 ou 1-888-595-9188. • swhotel.com • Doubles 110-250 $, petit déj continental inclus. Parking 30 $. 📶 Ouvert en 1958 par une famille chinoise et rénové de fond en comble, cet hôtel confortable, très bien situé, offre un bon rapport qualité-prix. Les chambres sont assez spacieuses en plus d'être assez joliment décorées, avec des meubles d'inspiration asiatique. Toutes ont frigo, TV écran plat et fer à repasser. Les chambres côté rue sont assez bruyantes, donc préférez celles situées à l'arrière pour plus de calme, mais moins de clarté. Accueil pro.

🛏 *Orchard Garden Hotel (zoom centre détachable F5, 75) :* 466 Bush St. ☎ 415-399-9807 ou 1-888-717-2881. • theorchardgardenhotel.com • ♿ Doubles 135-335 $ selon confort et saison, junior suite 230-390 $. Parking 45 $. 💻 📶 Bien placé à l'entrée de Chinatown, l'*Orchard Garden* est le 1er hôtel éco-certifié de San Francisco. Ses 86 chambres, au style contemporain élégant, bénéficient d'éclairages LEED, de draps en coton égyptien et de poubelles de recyclage. Le bâtiment lui-même est en béton en partie réutilisé ! Coin de terrasse fleuri de géraniums en bacs sur le toit, abusivement promu sous le nom de *roof garden*... Attention, ne confondez pas avec l'*Orchard Garden,* appartenant au même groupe, mais situé plus loin *(665 Bush St).*

Nob Hill et Russian Hill
(plan d'ensemble détachable D-E1-2 et zoom centre détachable E5)

Le coin idéal pour prendre de la hauteur. Pas trop excentrés, les deux quartiers, BCBG et essentiellement résidentiels, n'offrent que peu d'options d'hébergement.

🛏 *Annie's Cottage (zoom centre détachable E5, 76) :* 1255 Vallejo St. ☎ 415-923-9990. • anniescottage.com • Compter 185-195 $. Min 2 nuits. 📶 Loin de la foule, le studio d'Annie, caché derrière une façade anonyme, dessine une enclave de sérénité au cœur du quartier résidentiel de Russian Hill. Chambre, salon, kitchenette (frigo et micro-ondes) et salle de bains donnent l'impression d'être chez soi, quelques jours durant, en bénéficiant – chose rare – d'un terrasson en bois donnant sur un gentil jardinet bien arrangé. Mobilier en bois chiné et *extra bed* si besoin *(15 $/pers supplémentaire)*. Thé, café, céréales et lait sont à disposition pour le petit déjeuner. Le *cable car* (ligne Powell-Hyde) passe à moins de 100 m.

🛏 🍸 **Huntington Hotel** *(zoom centre détachable E5, 77)* : 1075 California St. ☎ 415-474-5400. ● *huntington hotel.com* ● Doubles 195-525 $, suites 430-985 $. Parking 45 $. 📶 Bâti en 1924 au sommet de Nob Hill, ce gros hôtel de brique dressé en vis-à-vis de la Grace Cathedral se fait le chantre d'une élégance un peu désuète qui ne manque pas de charme. Portier en livrée, moquettes épaisses, grands lits, salles de bains en marbre, fauteuils chesterfield, tableaux aux murs, oreillers satinés, ce luxe suranné – et un peu daté – s'impose dans toutes les chambres, ou presque (méfiez-vous des quelques canards boiteux). Piscine intérieure (pas bien chaude) interdite aux moins de 16 ans, jacuzzi, spa. Le *cable car* de California Street passe au pied, ce qui n'est pas inutile pour éviter la longue remontée le soir ! Le *Big Four Bar*, bercé par les souvenirs des magnats des chemins de fer, est une véritable institution (voir « Où boire un verre ? »).

North Beach *(plan d'ensemble détachable F2 et zoom centre détachable E-F4-5)*

À la fois central et agréable, North Beach est dynamique en diable, avec moult bars et restaurants. Les hébergements n'y sont en revanche guère nombreux – et d'autant plus prisés.

Bon marché

🛏 **Green Tortoise Hostel** *(zoom centre détachable F5, 4)* : 494 Broadway (et Kearny). ☎ 415-834-1000 ou 1-800-867-8647. ● *greentortoisehostel. com* ● En dortoir (4-7 lits) env 30-43 $/pers, doubles env 80-100 $, petit déj inclus... et dîner offert lun, mer et ven (plats végétariens slt) ! Parking 20 $

(demander le coupon de réduc à la réception). 🖥 📶 Cette célèbre AJ à l'ambiance routarde, brouillonne mais conviviale et fraternelle, séduira tous ceux qui rêvent de rencontres, de voyages au long cours et de soirées festives, entre concerts endiablés (lundi) et tournois de billard (jeudi). On est dans l'ambiance beatnik qui a fait la réputation du quartier (d'ailleurs, le *Beat Museum* n'est pas loin). Un peu trop peut-être, si l'on recherche des nuits calmes, des dortoirs et des chambres absolument nickel ou repeints la veille... Nombreuses activités et longue liste de petits plus : sauna et repas gratuits 3 fois par semaine, grande cuisine, consigne, laverie... Immense salle commune (ex-salle de bal) au plafond stuqué. L'agence de voyages maison organise de super *road trips* (voir « Comment se déplacer à San Francisco et dans sa région ? »).

De bon marché à prix moyens

🛏 **Hotel North Beach** *(zoom centre détachable E-F5, 78)* : 935 Kearny St (et Columbus). ☎ 415-986-9911. ● *hotel northbeach.com* ● Doubles 80-140 $; à partir de 285 $/sem. Parkings publics à proximité, env 25 $. 🖥 📶 Stratégiquement situé en bordure de Chinatown et North Beach, cet hôtel en grande partie rénové propose des chambres petites mais proprettes, avec parquet ou moquette, lavabo et sanitaires partagés nombreux et bien tenus. Elles sont plutôt bien équipées : TV, micro-ondes et frigo. Accueil et atmosphère très impersonnels, mais idéal pour les petits budgets qui veulent s'installer dans le quartier. Pas de petit déj, mais un *Happy Donuts* au pied de l'hôtel, ouvert 24h/24.

🛏 🍽 **San Remo Hotel** *(zoom centre détachable E4, 79)* : 2237 Mason St. ☎ 415-776-8688 ou 1-800-352-REMO. ● *sanremohotel.com* ● Doubles 70-130 $ selon confort et saison. Parking 16-19 $ à 2 blocks. 🖥 📶 Proche de la ligne du *cable car*, à 4 blocs de Fisherman's Wharf, cet hôtel italo-victorien datant de 1906 a conservé une atmosphère *old fashioned* plutôt amusante, avec 62 chambres vraiment pas bien grandes, disposant de curieux bow-windows ou de trompe-l'œil lorsqu'elles n'ont pas de fenêtres sur l'extérieur. Elles sont assez bien tenues, avec ou sans lavabo, et meublées à l'ancienne de lits en cuivre, mobilier de brocante et vieux bibelots (ni télé ni téléphone). Salles de bains communes pour tout le monde, où l'on risque de faire la queue le matin si c'est plein... Sur le toit, la *penthouse* dispose en plus d'une baignoire, de la TV et d'un frigo, mais elle est très chère pour un confort tout de même assez modeste. Au rez-de-chaussée, le resto *Fior d'Italia*, qui affirme être le plus vieil italien d'Amérique (mais vient juste de rouvrir...), n'est pas mal, mais quand même assez cher pour la qualité.

De chic à très chic

🏠 **Hotel Bohême** (*zoom centre détachable E5, 80*) **:** 444 Columbus Ave (entre Green et Vallejo). ☎ 415-433-9111. ● hotelboheme.com ● Doubles 195-245 $ selon taille et saison. Parking 29 $. 🖥 📶 Il n'est pas certain que Kerouac et sa bande retrouveraient leur notion de la bohème dans ce petit hôtel feutré au charme intime, mais les routards argentés prendront plaisir à y bivouaquer. Il occupe un vénérable immeuble de 1907, où l'on ne dénombre qu'une quinzaine de chambres pas bien grandes, mais très coquettes, meublées à l'ancienne : lits en cuivre, tons chauds, objets des années 1950, jolies salles de bains, douce atmosphère... Pour éviter le tapage des noctambules, mieux vaut occuper l'une des chambres qui ne donnent pas sur Columbus – contrairement au poète beat Allen Ginsberg, qui exigeait toujours la vue sur la rue. Accueil soigné.

🏠 **Washington Square Inn** (*zoom centre détachable E4, 81*) **:** 1660 Stockton St, à la limite de North Beach et Telegraph Hill. ☎ 415-981-4220 ou 1-800-388-0220. ● wsisf.com ● Doubles 200-300 $, suite 350 $, petit déj compris. Min 2-3 nuits le w-e. Parking 25 $. 🖥 📶 Fort bien situé face au Washington Square, ce petit hôtel de charme, cossu à souhait, se distingue par un beau *lobby* avec cheminée et mobilier de style, au diapason des chambres douillettes, à la déco soignée (mais parfois bien petites). Atmosphère cosy et feutrée, une vraie bonbonnière dans l'esprit d'un *B & B* anglais, à l'image de délicates attentions comme l'*afternoon tea* avec gâteaux ou snacks et la collation, avec verre de vin et fromage.

Fisherman's Wharf (plan d'ensemble détachable D-E1 et zoom centre détachable D4)

On y trouve essentiellement de grands hôtels de chaîne, mais aussi quelques perles rares, tendance très chic.

Très chic

🏠 **Argonaut Hotel** (*zoom centre détachable D4, 83*) **:** 495 Jefferson St. ☎ 415-563-0800 ou 1-800-790-1415 ou 1-866-415-0704. ● argonauthotel. com ● Doubles 230-690 $. 📶 Attenant à la *Cannery*, ce fort bel établissement occupe les anciens entrepôts en briques de la *Haslett Warehouse* (1907). Si les poutres en bois et métalliques rivetées restent, le lieu a été totalement réinventé, avec des chambres design, spacieuses et très réussies, d'un confort exquis. Leurs grands miroirs ronds façon hublot, leur bleu marin, leurs coussins et motifs en étoile (façon ligne de paquebot), les parties communes et le bar, décoré de flotteurs de verre et de cordages, rendent un hommage vibrant à l'océan tout proche – que les plus chanceux contempleront par leur fenêtre. Retour sur terre, le soir, avec *wine and cheese hour*. Service impeccable.

🏠 **Suites at Fisherman's Wharf** (*zoom centre détachable D4, 84*) **:** 2665 Hyde St. ☎ 415-771-0200 ou 1-866-678-3321. ● shellhospitality. com ● Doubles 210-270 $. Parking 23 $. 📶 Le bâtiment, situé presque en face du départ du *cable car Powell-Hyde*, n'est pas très beau, mais il abrite 24 suites très spacieuses, d'un très bon niveau de confort et d'un excellent rapport qualité-prix pour San Francisco. Réparties autour d'un patio intérieur, elles disposent d'une cuisine complète, de 1 ou 2 chambres, d'un salon (avec canapé lit) et d'une salle de bains, le tout joliment arrangé et avec 2 grandes TV à écran plat (câblées) et un lecteur de DVD. Certaines ont en plus un balcon tourné vers la mer. Sinon, tout le monde peut accéder au toit-terrasse aménagé avec des chaises longues. Seul bémol : l'emplacement est assez bruyant.

Marina et Cow Hollow
(plan d'ensemble détachable C1-2 et zoom centre détachable D4-5)

C'est ici que se regroupent la plupart des motels, bien pratiques si vous arrivez de nuit par le nord (Highway 101). Les motorisés y apprécieront le *parking gratuit,* une rareté à San Francisco, mais devront s'accommoder d'alentours bruyants, en particulier pour les adresses situées sur Lombard Street. Attention, ici, les tarifs jouent particulièrement au yoyo (du simple au triple !). Venez en basse saison et passez votre chemin au plus fort de l'été.

De bon marché
à prix moyens (AJ)

🏠 **San Francisco Fisherman's Wharf Hostel** *(zoom centre détachable D4, 82)* : 240 Fort Mason (tt au fond, sur les hauteurs), à l'ouest du Fisherman's Wharf (accès au fort angle Bay et Franklin St). ☎ 415-771-7277. ● sfhostels.com/fishermans-wharf ● Du terminal Greyhound (Transbay Terminal), prendre le bus n° 30 sur 3rd St, et descendre sur Van Ness et North Point ; l'entrée de Fort Mason est à un block à l'ouest. Ouv 24h/24. Venir très tôt en été ou réserver (en donnant votre numéro de CB), c'est plus sûr. Env 30-42 $ en dortoir 4-24 lits (14 nuits max), doubles 75-110 $, petit déj compris. Parking gratuit. 💻 📶 Un point de chute idéal pour les amateurs de tranquillité : cette vaste et très agréable AJ, membre de *Hostelling International,* occupe de vieux baraquements balayés par la brise marine,

perchés sur une colline plantée d'eucalyptus, face à la baie et au Golden Gate Bridge. Dortoirs et chambres privées sont assez basiques, avec lits superposés et sanitaires communs plus ou moins bien tenus, mais on trouve un salon commun convivial, une cuisine (avec billard) et un café très agréable où l'on sert des petits plats midi et soir. Et encore : casiers, ATM et laverie. À quelques minutes à pied du Fisherman's Wharf en longeant la mer (mais au retour ça grimpe sec !). Propose toutes sortes d'activités *(1-2 choix/j. en été).*

De bon marché à chic
(motels)

🏠 **Greenwich Inn** *(plan d'ensemble détachable C2, 85)* : 3201 Steiner St (angle Greenwich). ☎ 415-921-5162. ● greenwichinn.com ● Env 79-159 $. Boissons chaudes et pâtisseries préemballées à la réception le mat. Parking gratuit (1er arrivé, 1er servi). 📶 Ce motel classique (ex-*Motel 6*) partagé en 2 bâtiments, de part et d'autre de Steiner St, cumule 2 avantages : sa situation dans une rue calme, gage de nuits paisibles, et des tarifs raisonnables. Certes, les salles de bains sont un peu spartiates, la moquette est fatiguée, et la façade mériterait un coup de frais, mais les chambres sont propres, avec (vieille) TV, clim, cafetière et frigo (et parfois aussi un micro-ondes). Toutes sont au même prix, mais certaines sont plus grandes que d'autres.

🏠 **Coventry Motor Inn** *(plan d'ensemble détachable C2, 86)* : 1901 Lombard St. ☎ 415-567-1200. ● coventrymotorinn.com ● ♿ Doubles 85-165 $. Pas de petit déj mais quelques pommes à l'accueil... Parking gratuit. 📶 Lombard Street est très passante et bruyante mais, pour ceux que cela n'effraye pas, ce motel constitue une bonne alternative. Ses chambres sont assez spacieuses et bien propres, avec bons lits, baignoire, grande TV à écran plat et sèche-cheveux. Certes le mobilier est un peu daté... Très similaire, le *Cow Hollow Motor Inn & Suites* (☎ 415-567-5800 ; ● cowhollowmotorinn.com ●), situé un peu plus haut sur l'avenue, au n° 2190 *(plan d'ensemble détachable*

C2, 87), appartient aux mêmes proprios ; tarifs identiques.

🛏 *Motel Capri (plan d'ensemble détachable C2, 88)* **: 2015 Greenwich St.** ☎ 415-346-4667 ou 1-877-671-0772. ● sfmotelcapri.com ● *Doubles 90-170 $ selon saison. Parking gratuit.* 🖥 📶 En retrait de Lombard, donc au calme. Ce bon gros motel tout droit sorti des sixties, dans les tons vert-jaune-marron un peu délavés, propose des chambres impeccables avec moquette neuve, draps d'un blanc immaculé et grande TV à écran plat. Le parking est un peu étroit : n'arrivez pas trop tard, vous risqueriez de le trouver plein. Café ou thé le matin. Bon accueil. Comme quoi, le *Capri,* on ne peut pas dire qu'il soit fini...

🛏 *Redwood Inn (zoom centre détachable D4, 89)* **: 1530 Lombard St.** ☎ 415-776-3800 ou 1-800-221-6621. ● sfredwoodinn.com ● *Réception ouv 24h/24. Doubles 75-200 $, donuts et pâtisseries au petit déj. Parking gratuit.* Difficile de trouver un motel abordable, avec parking gratuit, plus près de Fisherman's Wharf (à 6 blocks). Ce sont d'ailleurs là ses principales qualités ! Pour le reste, les chambres sont un peu datées mais propres et d'un confort très honnête, avec 1 ou 2 lits, clim-chauffage, TV câblée, cafetière et micro-ondes sur demande. Côté bruit, demandez-en une au fond, en attendant l'hypothétique installation de doubles vitrages. Excellent accueil de Mr Cheung.

De prix moyens à très chic

🛏 *Marina Motel (plan d'ensemble détachable C2, 90)* **: 2576 Lombard St (et Broderick St).** ☎ 415-921-9406 ou 3430 et 1-800-346-6118. ● marinamotel.com ● *Doubles 130 $ (80 $ parfois)-270 $ selon localisation et période (moins cher sur l'avenue), familiales et suites jusqu'à 490 $. Parking gratuit.* 🖥 📶 À condition d'éviter les chambres côté rue, terriblement bruyantes, on découvre avec surprise un motel hors norme, ouvert en 1939 (pour l'inauguration du Golden Gate Bridge !) par le fils d'un chercheur d'or ayant fait fortune. C'est toujours la même famille qui tient l'affaire. Les bâtiments d'inspiration méditerranéenne, noyés de plantes et fleurs, abritent des chambres mignonnes, claires et bien tenues, avec frigo ou kitchenette – et même une cuisine équipée dans la plupart des familiales. Le garage fermé sous chaque logement libère agréablement la cour des véhicules. Pas de petit déj sur place, mais on vous remet un coupon de réduction pour *Judy's Café,* situé sur Chestnut St (voir « Où manger ? » dans la Marina). Une excellente adresse, quoique un peu chère.

🛏 *Hotel del Sol (plan d'ensemble détachable C2, 91)* **: 3100 Webster St (entre Greenwich et Lombard).** ☎ 415-921-5520 ou 1-877-433-5765. ● hoteldelsol.com ● *Doubles 120-350 $, suites jusqu'à 410 $ selon situation et saison, petit déj léger inclus. Parking gratuit.* 🖥 📶 Cet ancien motel revu et corrigé par la chaîne *Joie de Vivre* arbore désormais une tenue plus colorée qu'une palette de peintre : chambres confortables (clim et chauffage, coffre, TV, musique), dans un style contemporain bariolé, et grande cour ensoleillée où palmiers, bambous et orangers ombragent une petite piscine (chauffée) bordée de transats. Un côté vacances sous les tropiques, surtout depuis les hamacs suspendus aux palmiers ! Reste que les tarifs estivaux sont vraiment très élevés...

Pacific Heights *(plan d'ensemble détachable C-D2)*

Chic et résidentiel, le quartier offre quelques fort belles adresses sur ses hauteurs, avec vues panoramiques.

De chic à très chic

🛏 *Jackson Court (plan d'ensemble détachable D2, 92)* **: 2198 Jackson St (angle Buchanan).** ☎ 415-929-7670. ● jacksoncourt.com ● *Résa conseillée (10 chambres slt). Doubles 180-235 $ selon confort, petit déj et teatime compris. Le w-e, 2 nuits min.* 📶 Ce *B & B* cossu est parfaitement à sa place dans ce quartier résidentiel chic. Il occupe une grande maison 1900 aux aménagements luxueux : superbe salon aux lambris de bois sombre et beaux objets d'art, chambres spacieuses, confortables et de bon goût, dans un esprit *townhouse* californienne à la déco penchant vers le style victorien. Le matin, le petit déj est servi dans une cuisine comme à la maison (ou dans la chambre) et, l'après-midi, à l'heure du thé, un bon feu crépite dans la cheminée, sur fond de musique classique. Une adresse de charme, idéale pour les escapades amoureuses (même si l'accueil est un peu *snobby*).

🏠 *Union Street Inn* (plan d'ensemble détachable C2, **93**) : 2229 Union St. ☎ 415-346-0424. ● unionstreetinn. com ● *Réserver au moins 1 mois à l'avance en été. Doubles 220-330 $, bon petit déj inclus. Parking 15 $ (à 2 blocks).* 📶 Posé au cœur de la principale rue commerçante du quartier, ce charmant *B & B*, tenu par des proprios anglo-irlandais, occupe une maison victorienne qui cache un petit trésor : un jardinet très fleuri. Les 5 chambres de la maison principale, cosy et très confortables, ont chacune leur salle de bains et sont toutes décorées de mobilier ancien et de tableaux. Notre préférée reste cependant la *Carriage House*, cachée au fond du jardin, avec ses beaux parquets et son caractère plus intime. *Wine and cheese* le soir.

🏠 *Hotel Drisco* (plan d'ensemble détachable C2, **94**) : 2901 Pacific Ave. ☎ 415-346-2880. ● hoteldrisco.com ● *Doubles 245-425 $, suites jusqu'à 795 $ env, petit déj inclus.* 🖥 📶 Hors du temps, hors de l'agitation de la ville, le *Drisco* se perche en sentinelle au plus haut point de Pacific Heights, avec vue panoramique. De l'ancienne pension bâtie en 1903 restent des salons baignés de musique classique et le sentiment d'ouvrir une porte sur le San Francisco d'autrefois. Les chambres, à l'avenant, offrent un confort parfait, avec mobilier ancien, salles de bains spacieuses avec baignoire et *pillow menu* qui vous permettra de choisir le moelleux de votre oreiller ! Quitte à venir jusque-là, assurez-vous d'en avoir une avec *city view*. Vu l'âge de l'édifice, il n'y a pas de clim, mais des ventilos sont à disposition. Nombreux services inclus : station *iPod*, vin et fromage servis en fin de journée, navette pour Union Square toutes les 30 mn le matin (7h-9h30) et *pass* pour le centre sportif de la *YMCA* du Presidio (piscine, tennis, etc.). Le personnel, très prévenant, peut même déplacer votre voiture toutes les 3h pour respecter les consignes de stationnement du quartier !

Western Addition (plan d'ensemble détachable C-D3 et zoom centre détachable D6)

Au pied de Pacific Heights et à l'ouest du Downtown, passé Van Ness, Western Addition englobe une multitude de micro-quartiers, parmi lesquels Fillmore et Japantown. Le secteur est déjà un peu excentré, mais on y trouve quelques adresses intéressantes – et la desserte en bus est bonne.

De prix moyens à très chic

🏠 *Tomo Hotel* (plan d'ensemble détachable D3, **95**) : 1800 Sutter St. ☎ 415-921-4000 ou 1-888-822-8666. ● jdvhotels.com/tomo ● *Doubles 105-495 $ selon saison. Parking 29 $.* 📶 Face au torii (portique) marquant l'entrée dans Japantown, cet hôtel à thème a épousé la cause des mangas et dessins animés nippons, qui ornent le plafond du *lobby* et un pan entier de chaque chambre, selon 6 motifs différents du designer Hesuke Kitazawa. De quoi se faire plein de nouveaux *tomo* (amis) ! Pour le reste, les chambres sont confortables et très bien équipées, avec mobilier en bois clair tendance scandinave, salle de bains avec baignoire, grande TV à écran plat, station *iPod* et machine à expresso. Pour les fondus, une suite à 500 $ avec une salle de jeux (Playstation et écran de cinéma) ! Resto spécialisé dans le *shabu shabu* (fondue).

🏠 *Queen Anne Hotel* (zoom centre détachable D6, **96**) : 1590 Sutter St. ☎ 415-441-2828 ou 1-800-227-3970. ● queenanne.com ● *Doubles 130-240 $, petit déj-buffet inclus. Parking 20 $.* 🖥 📶 Dans Lower Pacific Heights, cet ancien pensionnat de jeunes filles, datant de 1890, a été reconverti en hôtel victorien de charme. Dès l'entrée, de lourdes tentures s'entrouvrent comme au théâtre pour dévoiler de superbes boiseries et un magnifique salon meublé dans un style Napoléon III. On y prend le thé et le sherry de 16 à 18h, entre les 2 cheminées qui flambent et le piano, avant de se retrancher dans le fumoir ou d'aller picorer des *little cookies, my dear,* dans la salle à manger. Chambres plus sobres, sauf pour la *Garden Suite,* assez chargée, pour ne pas dire kitsch, avec 2 cheminées (rien que ça !), lit à baldaquin, tapis et tissus un brin tape-à-l'œil. Rien n'a été laissé au hasard, jusqu'à l'ascenseur agrémenté de boiseries, d'un banc et d'un miroir ! Si vous logez dans la chambre n° 410, vous croiserez peut-être le fantôme de Miss Mary Lake, l'une des enseignantes du pensionnat.

■ *Majestic Hotel (zoom centre détachable D6, 97) : 1500 Sutter St (angle Gough).* ☎ 415-441-1100 ou 1-800-869-8966. ● *thehotelmajestic.com* ● *Doubles et suites 120-350 $ selon saison. Parking env 25 $.* 🖥 📶 Lui aussi situé dans Lower Pacific Haights, à deux pas de Japantown, le *Majestic* a été construit en 1902 pour un magnat des chemins de fer. Ce bel hôtel victorien à la façade blanche ornée de bow-windows et de stucs a été la résidence de l'actrice Olivia de Havilland durant près de 10 ans. Passé le superbe *lobby* Belle Époque, on découvre 58 chambres confortables, certaines avec lit à baldaquin et meubles de style ; les moins chères sont cependant assez petites. Les draperies et les tapisseries anciennes créent une atmosphère à la fois surannée et élégante. Gros bémol tout de même : l'hôtel, situé à un angle de rue très passant, est vraiment bruyant.

Hayes Valley et Alamo Square *(plan d'ensemble détachable C-D3-4)*

Ces deux quartiers s'étendent en fait au sud du Western Addition. On navigue ici entre le trendy chic de la Hayes Valley et les belles maisons victoriennes d'Alamo Square.

De bon marché à prix moyens

■ *Hayes Valley Inn (plan d'ensemble détachable D4, 98) : 417 Gough St (et Hayes).* ☎ 415-431-9131 ou 1-800-930-7999. ● *hayesvalleyinn.com* ● *Doubles 75-125 $, petit déj continental inclus. Parking 20 $ à côté.* 🖥 📶 Ce vénérable hôtel de quartier début XXe s, rénové et décoré à la façon d'un B & B à l'anglaise, exsude un certain charme. Les chambres, plutôt douillettes, avec lavabo, peignoirs et sèche-cheveux, doivent se contenter de douches et w-c communs – la structure de l'hôtel ne permettait pas de gros travaux –, mais on se console avec la cuisine-salle à manger conviviale, comme à la maison, et le salon commun, très cosy avec sa baie vitrée en angle sur le carrefour. Idéal pour l'*afternoon tea* (16h-22h) et les cookies offerts par la maison. Ceux qui ont le sommeil léger demanderont de préférence une chambre à l'arrière.

De prix moyen à très chic

■ *Château Tivoli B & B (plan d'ensemble détachable C3, 99) : 1057 Steiner St, tt près d'Alamo Sq.* ☎ 415-776-5462 ou 1-800-228-1647. ● *chateautivoli.com* ● *Doubles 115-300 $ selon confort et j. de la sem, petit déj compris et champagne-brunch le w-e.* Cette superbe bâtisse victorienne, l'une des plus belles *painted lady* de San Francisco, s'impose de loin avec ses couleurs rose brique et vert, ses moulures dorées et ses 2 tours pittoresques. Bâtie en 1892 pour un magnat du bois et armateur originaire d'Oregon, elle passa, 6 ans plus tard, aux mains de Mrs Ernestine Kreling, propriétaire de l'Opéra Tivoli. Survivant au séisme de 1906, elle accueillit acteurs et chanteurs lyriques jusqu'en 1917 – certaines des 9 chambres et suites portent leurs noms. Aussi cossues qu'élégantes, elles arborent un décor 1900 de bon ton. Seules 2 d'entre elles partagent une salle de bains ; les autres ont toutes la leur, même si elle n'est pas contiguë. Les 2 suites du second, donnant sur les tours, sont les plus belles, en particulier la *Luisa Tetrazzini Suite*. Le lit à baldaquin, racheté dans une vente aux enchères, appartenait à de Gaulle en personne ! Les 2 suites du rez-de-chaussée sont peu lumineuses, mais vraiment très grandes, avec leur propre entrée (l'une a une petite cuisine)... et nettement moins chères. Ajoutez à cela le vin et le fromage en début de soirée, un personnel très accueillant et vous aurez tout réuni pour un séjour mémorable. La vie de château en somme !

Mission *(plan d'ensemble détachable D-E5-6)*

Peu d'options à Mission, mais un superbe *B & B* victorien !

🛏 **The Inn San Francisco** *(plan d'ensemble détachable E5, 100)* : 943 South Van Ness Ave. ☎ 415-641-0188 ou 1-800-359-0913. ● innsf.com ● Doubles 135-385 $ *selon confort et saison, avec ou sans sdb, bon petit déj inclus. Parking 18 $.* 📶 Ce n'est pas une plaisanterie à la Mister Bean : cette superbe bâtisse victorienne rose de 27 pièces a été bâtie en 1872 pour un certain John English, *« potato king »* de son état... Le bonhomme et ses successeurs avaient un sacré bon goût si l'on en juge par le festival de hauts plafonds à moulures, cheminées, gravures, baignoires à pattes et salons feutrés – où café, thé, eau, sherry et porto sont servis à volonté. Les tonalités sont très victoriennes, elles aussi : vert sapin, bordeaux, rouge brûlé et cramoisi. Les chambres sont toutes différentes. Certaines riquiqui, avec sanitaires partagés, d'autres spacieuses et avec bains privés : voilà qui permet de faire son marché en fonction de son budget. Pour couronner le tout, n'oublions pas de mentionner le petit toit-terrasse panoramique, l'accueil à la fois professionnel et délicat, et... l'adorable petit jardin où se niche un jacuzzi. Une perle rare, on vous dit !

Castro *(plan d'ensemble détachable C4-5 et zoom Castro-Lower H)*

Quelques *B & B* invitent à rester dans le quartier gay au-delà du dîner ; vous ne le regretterez pas.

De prix moyens à chic

🛏 **The Willows B & B Inn** *(zoom Castro-Lower H détachable 101)* : 710 14ᵗʰ St. ☎ 415-431-4770 ou 1-800-431-0277. ● willowssf.com ● Doubles 120-165 $, bon petit déj continental (végétarien) inclus. Min 2 nuits le w-e (1 sem pour la Gay Pride). 📶 Ce B & B assurément gay-friendly possède une douzaine de chambres accueillantes et de bon confort (sans être luxueuses), toutes avec lavabo, TV câblée, frigo et kimonos, partageant 4 salles de bains parfaitement tenues sur 2 étages. Les cocktails servis le soir sont les bienvenus, l'accueil est chaleureux et le tram F est à deux pas pour gagner le centre-ville.

🛏 **Casa Luna** *(zoom Castro-Lower H détachable 102)* : 4058 17ᵗʰ St. ☎ 415-738-8121. ● casalunasf.com ● Studio et appartements 200-385 $/nuit, auxquels s'ajoutent 150 $ de cleaning fee. 📶 Après avoir longtemps habité en Suisse, le proprio est rentré au pays pour retaper de fond en combles cette belle maison en bois de 1885. Résultat ? Un studio et 3 superbes appartements d'un excellent niveau de confort, très bien équipés, avec beau parquet ou sol en pierre, cuisines luxueuses et élégantes salles de bain aux douches en pavé de verre. Notre préférée occupe la maison au fond du jardinet, encore plus intime. Certes, les tarifs sont élevés, mais la qualité est assurément au rendez-vous, et on loge facilement à 4 dans les apparts – ce qui permet de partager les frais à 2 couples ou de venir en famille. Cerise sur le gâteau, les proprios sont toujours sur le qui-vive pour satisfaire leurs hôtes. Le tram F passe tout près.

Lower Haight *(plan d'ensemble détachable C-D4 et zoom Castro-Lower H)*

Prix moyens

🛏 **Metro Hotel** *(zoom Castro-Lower H détachable 103)* : 319 Divisadero St (angle Oak). ☎ 415-861-5364. ● metrohotelsf.com ● Réserver au moins 1 mois avt en haute saison.

Doubles 100-160 $, familiale (4 pers) 175 $. 🛜 La recette est simple et imparable : ce petit hôtel de 23 chambres avec salle de bains privée a été modernisé de fond en comble en 2011, avec une déco presque design, des lits très confortables, des tarifs raisonnables et un accueil au poil. Résultat : c'est plein presque tout le temps, malgré la localisation assez excentrée. Petit patio à l'arrière partagé avec le resto voisin. Pas de petit déj, mais le *Vinyl*, à deux pas *(plan d'ensemble détachable C4, 120)*, fait un excellent café filtre et propose burritos et bagels à grignoter dans un grand canapé en skaï orange. *Tlj 7h (8h w-e)-23h (minuit ven-sam).*

Haight-Ashbury *(plan d'ensemble détachable B-C4-5 et zoom H-Ashbury)*

Essentiellement marchand et baigné de nostalgies hippies, le quartier compte très peu d'hébergements. Celui que nous vous proposons n'a pourtant pas son pareil en ville.

De prix moyens à chic

🏠 |●| **The Red Victorian B & B Peace Center** *(zoom H-Ashbury détachable 104)* : 1665 Haight St (et Belvedere). ☎ 415-864-1978. ● *redvic.com* ● *Doubles env 100-190 $ selon saison et confort (sdb privée ou non), petit déj compris ; réduc selon durée.* Cette petite institution au caractère insolite rappelle l'époque mythique du *Flower Power*. La proprio, Sami Sunchild, artiste et social innovator – aujourd'hui très âgée –, a créé ce B & B au-dessus de son *Peace Center*, installé dans la dernière maison victorienne de Haight Street (1904), un ancien hôtel du *Summer of Love* de 1967. Elle a décoré ses chambres d'une façon très personnelle. Certaines ne cassent pas trois pattes à un canard, soyons clair, mais d'autres possèdent un charme original, comme la *Flower Child Room,* pour vivre une grande histoire d'amour en technicolor, la *Japanese Tea Garden* avec sa fenêtre donnant sur un mini jardin japonais, ou encore la vaste *Peacock Suite,* avec sa fenêtre ronde ouverte sur la

baignoire, ses tentures et sa déco de paons très indienne. Dans l'*Aquarium Bathroom,* la chasse d'eau est un vrai aquarium... mais rassurez-vous, les poissons ne font pas un grand tour de manège à chaque fois ! Tout cela commence à dater un peu, mais le charme opère encore. Café-boutique et petite galerie d'art au rez-de-chaussée. État d'esprit très communautaire (petits déj « en famille »).

Presidio *(plan d'ensemble détachable A-B2)*

Cette adresse élégante conviendra à ceux qui recherchent le calme, à l'écart du centre-ville.

De chic à très chic

🏠 **Inn at the Presidio** *(plan d'ensemble détachable A2, et plan Le Golden Gate Park et le Presidio C1, 105)* : 42 Moraga Ave. ☎ 415-800-7356. ● *innatthe presidio.com* ● *Doubles et suites 195-350 $, petit déj continental et wine and cheese du soir inclus. Parking 6 $.* 🖥️ 🛜 Membre des *Historic Hotels of America,* l'établissement occupe le centre administratif de l'ancien camp militaire du Presidio, un bel édifice en brique de 1903, délaissé par l'armée en 1994. Il a été très élégamment restauré en 2011 et abrite aujourd'hui 5 chambres et 17 suites (avec cheminée à gaz) de très bon confort, lumineuses à souhait (frigo, cafetière, station MP3, TV écran plat, peignoirs, etc.). Avis aux randonneurs, des sentiers partent à l'assaut des pentes boisées du parc du Presidio juste à l'arrière de l'hôtel ! Le lieu est très excentré, mais des navettes permettent de parcourir le secteur et de rejoindre le centre-ville (comptez 45 mn). Reste qu'il vaut mieux être motorisé pour séjourner ici.

Hôtels à la semaine et au mois

Voici quelques établissements relativement proches du centre. Ne vous attendez pas à des miracles, ni en terme de confort ni en terme de prix. Appelez à l'avance pour voir si une chambre ou un appartement se libère.

Certains de nos hôtels bon marché proposent également des tarifs à la semaine.

🏠 *Balmoral Hotel North III* (zoom centre détachable F5 **106**) : 640 Clay St (entre Kearny et Montgomery). ☎ 415-989-3568. ● sfbalmoral.com/hotels ● Réception 9h-17h. Pas de résa : 1er arrivé, 1er servi ! Compter 180-200 $/sem et par pers pour une chambre partagée avec sanitaires communs, lavabo et TV, micro-ondes et frigo en option ; 270-320 $/sem pour 2 avec sdb privée (2 chambres slt). Caution 50 $. CB refusées. 📶 Au nord du Financial District et aux portes de Chinatown, cette résidence hôtelière sans charme propose plus de 120 chambres vraiment bon marché. Évidemment, à ce prix-là, elles sont vieillottes et petites (sauf quelques-unes un peu plus chères). Les proprios possèdent 4 autres résidences du même type en ville.

🏠 *Vantaggio Suites at Turk* (zoom centre détachable D6, **107**) : 835 Turk St (entre Franklin et Gough). ☎ 415-922-0111. ● vantaggiosuites.com/sf-turk ● Doubles avec sdb 425-475 $/sem (1 220-1 450 $/mois) selon taille, petit déj inclus ; également des shared rooms 190-265 $/sem (495-725 $/mois) pour les étudiants. Ajouter 5 % juin-août. 🖥📶 Dans l'esprit d'une résidence étudiante, une centaine de chambres au mobilier utilitaire (lit métallique et petit bureau), plus ou moins grandes et donc plus ou moins chères, sans charme mais correctement entretenues – toutes avec douche, w-c, frigo, micro-ondes et TV. Machine à laver et cuisine communes. Le ménage est fait une fois par semaine (clean-up fee supplémentaire de 25 $ pour tout séjour au mois). Vantaggio possède 2 autres résidences, l'une au 580 O'Farrell, l'autre au 246 McAllister, rénovées plus récemment et un peu mieux équipées (TV écran plat, sèche-cheveux), avec même un poil de déco ; elles sont aussi plus chères, naturellement. Les deluxe du 246 McAllister ont même une kitchenette.

🏠 *Monroe Residence Club* (zoom centre détachable D5, **108**) : 1870 Sacramento St (entre Van Ness et Franklin). ☎ 415-474-6200. ● monro

eresidenceclub.com ● Résa (par mail slt) avec 100 $ d'arrhes (très conseillée en été car vite complet). Compter 275-325 $/sem et par pers (960-1 140 $/mois) en chambre partagée, avec ou ss sdb, doubles 750-1 000 $/sem (2 760-3 560 $/mois) ; petit déj et dîner inclus (donuts et brunch le dim). 📶 À l'orée de Pacific Heights, ce bâtiment historique de 1906 possède une façade banale, mais un lobby au luxueux décor de boiseries sculptées (la plupart des bois viennent d'Europe, via le cap Horn !), une salle à manger ornée de fresques amusantes, une cheminée en acajou et une salle de jeux avec moulures au kilomètre... Les chambres (frigo, vieilles baignoires) ne reflètent pas le même luxe. Certaines sont mignonnes, d'autres basiques, toutes plutôt bien tenues, même si certaines mériteraient d'être rénovées. Laverie, billard, ping-pong. Ambiance familiale pas désagréable. Une bonne option.

🏠 *Kenmore Residence Club* (zoom centre détachable D6, **96**) : 1570 Sutter St (entre Gough et Octavia). ☎ 415-776-5815. ● kenmorehotelsf.com ● Résa conseillée (100 $ d'arrhes requis par CB). Compter 530-690 $/sem pour 2, avec ou ss sdb et selon taille (1 920-2 440 $/mois) ; petit déj et dîner compris lun-sam, petit déj et brunch dim. Dans un quartier tranquille et sans souci, la maison abrite près de 80 chambres plus ou moins vieillottes, plus ou moins rénovées (mais toutes avec TV écran plat et frigo), à un peu tous les prix en fonction du confort. Au choix : salle de bains privée, sanitaires à l'étage ou partagés avec juste la chambre voisine. Salle de jeux, salon TV et laverie. Repas basiques, mais très corrects, servis dans la cafétéria. Accueil agréable et efficace. Un assez bon rapport qualité-prix.

🏠 *The Steinhart Hotel* (zoom centre détachable E6, **110**) : 952 Sutter St. ☎ 415-928-3855 ou 1-800-553-1900. ● steinharthotel.com ● Studios et appartements 170-350 $/j. Séjour min 5 j. Tarifs à la sem et au mois. 📶 Le bâtiment, datant de 1910, a été entièrement rénové, mais a conservé certains de ses papiers peints d'origine et son vénérable ascenseur. Il mène à une kyrielle de studios et appartements de très bon standing (l'un dispose de 2 chambres), spacieux et pour la plupart très lumineux, avec *full kitchen* et beaux parquets. Les salles de bains sont en revanche petites. Laverie.

Où camper dans les environs ?

Si vous n'êtes pas un groupe et que vous n'avez pas pu vous installer au *Rob Hill Campground*, dans le Presidio (voir plus haut « Camping » dans « Où dormir ? »), il reste quelques options pour camper aux environs de San Francisco. Certes, il faut être motivé et ne pas craindre de faire de la route, même pour trouver commerces et restos.

⚴ Ceux qui se déplacent en camping-car pourront s'installer au *Candlestick RV Park,* au sein du parc du même nom, QG de l'équipe de foot des 49ers, situé à 4 miles au sud-est du centre *(hors plan d'ensemble détachable par G6, 111)* : 650 Gilman Ave. ☎ 415-822-2299 ou 1-800-888-2267. ● *sanfranciscorvpark.com* ● Depuis la Hwy 101, prendre la sortie 429A. Compter tt de même 75-80 $ pour 2, *selon taille du camping-car, voire davantage s'il y a un match des 49ers...* De mi-nov à mi-avr, 4 nuits pour le prix de 3. 📶 C'est le plus proche du centre de San Francisco. Ne vous attendez pas à voir un beau parc gazonné. Il s'agit essentiellement d'un grand parking, avec une mini aire de pique-nique et une navette (12 $ aller-retour) qui permet de rejoindre le centre toutes les heures, de 9h à 13h (12h en hiver) et de 17h30 à 21h30 (20h30 en hiver). En bus, c'est un peu compliqué, sauf à vouloir rejoindre le Golden Gate Park et Baker Beach (n° 29 Sunset). Laverie et épicerie.

⚴ *Golden Gate National Recreation Area :* juste au nord du Golden Gate, prendre la 1re sortie sur la Hwy 101. ☎ 415-388-2070. ● *nps.gov/goga/ planyourvisit/outdooractivities.htm* ● Résa obligatoire. Camping gratuit, sf à Kirby Cove (25 $/emplacement) ; 3 nuits max dans ts les cas. Ouvert

tte l'année et ne peut être réservé que par téléphone. Voici la plus belle option de camping aux portes mêmes de San Francisco. Réputé pour ses points de vue sur le Golden Gate, le parc dispose de 4 terrains, 2 rudimentaires (*Haypress* et *Hawk*), accessibles uniquement aux randonneurs, et 2 en bord de mer, d'autant plus demandés qu'ils ne disposent que de quelques emplacements ! Celui de Bicentennial, dominant Bonita Cove, est accessible en voiture par Conzelman Road. Celui de Kirby Cove, absolument génial, se niche entre cyprès et eucalyptus, face au Golden Gate ! On y accède par une petite route partant de Conzelman Rd au niveau de la Battery Spencer. Il n'est ouvert que d'avril à octobre et doit être réservé au ☎ 1-877-444-6777 ou par Internet sur ● *recreation.gov* ● *Max 10 pers/site.* Dans un cas comme dans l'autre, on trouve sur place w-c, tables de pique-nique et barbecue, mais ni eau ni douches.

⚴ *Mount Tamalpais State Park :* 801 Panoramic Hwy, après *Mill Valley.* ☎ 415-388-2070 ou 1-800-444-7275 (résas). ● *parks.ca.gov/?page_ id=471* ● À env 15 miles au nord de San Francisco par le Golden Gate et la Hwy 101 ; prendre la sortie pour Stinson Beach. Réserver bien à l'avance en été pour une cabin ; 1er arrivé, 1er servi pour le camping. Compter 25 $/emplacement et 100 $/cabin, max 5 pers et une voiture. Adjacent au *Muir Woods National Monument,* ce parc offre un joli cadre de nature pour planter la tente sans être trop éloigné de San Francisco (40-45 mn de route environ). Randonneurs et VTTistes y trouveront quelque 90 km de pistes et sentiers, certains avec vue magnifique sur la côte pacifique. Tables de pique-nique, stand vendant des encas, toilettes mais pas de douches.

⚴ *Anthony Chabot Campground :* 9999 Redwood Rd, à *Castro Valley.* ☎ 510-544-3196 ou 1-888-327-2757, option 2. ● *ebparks.org/parks/ anthony_chabot* ● *reserveamerica. com* ● Dans l'Anthony Chabot Regional Park, à 45-60 mn de San Francisco, voire plus aux heures de pointe. Quitter San Francisco par l'Oakland Bay Bridge ; à la sortie du pont, prendre *l'Interstate 580 E, la Freeway 24 (direction Berkeley), puis la Freeway 13 S (direction Hayward) et sortir à Redwood Rd ; 10 miles de virages et vous arrivez à l'entrée du parc. Liaison en 30 mn avec le BART (station la plus proche : Castro Valley, à 4 miles, soit 15 mn en voiture). L'enregistrement peut se faire à partir de 14h. Attention, le portail ferme à 19h (22h ven-sam) : ne rentrez pas trop tard, vous trouveriez porte close ! Résa conseillée avr-sept (jusqu'à 12 sem à l'avance). Emplacement de tente (pour 8 pers !) 22 $ la nuit, 30 $ en camping-car ; ajouter 8 $ de frais de résa.* On dort au milieu d'une forêt d'eucalyptus et l'on en prend plein les narines. Parmi les 75 emplacements, les plus agréables sont les 10 *walk-in sites* (on gare sa voiture en retrait). Douches chaudes, barbecue, lac, sentiers de balade superbes, centre équestre, club de golf... et quel calme ! Après une journée dans Downtown, ça fait du bien de se griller un bon steak au feu de bois (en vente à l'entrée).

✕ *Angel Island State Park :* voir « Dans les environs de San Francisco ».

SAN FRANCISCO QUARTIER PAR QUARTIER

DOWNTOWN ET LE TENDERLOIN (plan d'ensemble détachable E3 et zoom centre détachable E6)

Au cœur de toutes choses, Union Square définit le centre de gravité du **Downtown,** avec sa pléiade de grands magasins chic, ses théâtres et ses innombrables hôtels. Desservie par le fameux *cable car,* l'esplanade, touristique en diable, est animée à toute heure. Chinatown se trouve juste au nord, au pied des premières collines, les buildings du Financial District se dressent à l'est, et les grandes institutions se regroupent à l'ouest, au Civic Center. D'ici là, il faut traverser le **Tenderloin,** le moins attrayant des quartiers centraux. Vous serez frappé par le nombre de *homeless* (SDF) qui y ont élu domicile – vision pathétique encore renforcée si vous passez devant la *Glide Memorial Church* (300 Ellis Street), où une file impressionnante de pauvres hères à moitié groggys attend un bol de soupe ou un petit job. Certains poussent un chariot qui leur permet de transporter toute leur fortune et de tendre une couverture pour dormir et s'isoler sur le pas de la porte des magasins qui ouvrent tard. Le secteur a mauvaise réputation, en particulier le soir et la nuit. Pour tenter de redonner un peu de lustre au sud du Downtown, la municipalité va s'embarquer, d'ici à 2015, dans un grand programme de réhabilitation – déjà très controversé – de Market Street. Cette artère majeure, qui sépare le Downtown du quartier de SoMa (South of Market), va se voir adjoindre de plus larges voies cyclables et sera peut-être même interdite à la circulation, véhicules publics exceptés.

Où manger ?

Spécial petit déjeuner

Le matin, attendez-vous à faire la queue ou arrivez tôt...

🍴 *Taylor Street Coffee Shop* (zoom centre détachable E6, **121**) : 375 Taylor St (et O'Farrell). ☎ 415-567-4031. C'est la porte juste à droite du Mark Twain Hotel. Tlj 7h-14h. Plats env 10-15 $. On fait parfois la queue pour entrer dans ce tout petit couloir jaune, le temps d'essayer de planter son épingle sur la mappemonde pour dire d'où l'on vient (mais bon, laissez tomber, la France est trop petite sur la carte pour y planter encore quoi que ce soit !). La salle ne paie pas de mine, mais les assiettes, copieuses, sont garnies de pancakes irrésistibles, d'omelettes baveuses, de bons *French toast,* et surtout de fruits frais généreusement servis ! Impeccable pour bien démarrer la journée.

🍴 *Sears Fine Food* (zoom centre détachable E6, **122**) : 439 Powell St (entre Sutter et Post). ☎ 415-986-0700. Tlj 6h30-22h. Compter 9-15 $ au petit déj ; sandwichs, salades et plats

11-19 $. Depuis 1938, habitués et touristes en goguette font la queue pour pénétrer dans cette salle chaleureuse et bruyante, façon brasserie rétro, avec box dans la salle en sous-sol. Fondée par un ancien clown, la maison a long-temps garé 2 Cadillac roses devant l'entrée – avec chauffage et radio allumés ! – pour servir de salle d'attente... La spécialité qui a fait la réputation de l'endroit, ce sont les « mini-pancakes à la suédoise » (de la taille d'une pièce d'un dollar, servis par 18 !), plus petits et plus légers que les traditionnels. Des sortes de petits blinis en fait. Les omelettes sont bien aussi.

🍴 **Pinecrest Diner** *(zoom centre détachable E6, 123) : 401 Geary St (angle Mason).* ☎ *415-885-6407. Ouv 24h/24. Petit déj 8-16 $, servi tte la journée.* Depuis 1969, ce vieux café US attachant n'a guère changé, avec ses box et ses tabourets accolés au comptoir... d'où l'on observe en direct les piles de *hashbrowns* (patates râpées) en train de rissoler. Rétro et populaire en diable, graillonneux à souhait ! On y trouve bien sûr les grandes spécialités du breakfast à l'américaine, invariablement copieuses. Pas d'une grande finesse, certes, et le service est un peu expéditif, mais c'est aussi ça, l'Amérique !

🍴 **Olympic Café** *(zoom centre détachable E6, 124) : 555 Geary St (et Shannon).* ☎ *415-885-0984. Tlj 6h-16h. Plats env 7-9 $.* Encore un *breakfast joint* des fifties-sixties, avec ses *booths* (alcôves) en skaï beige et son sol à damiers ! Sa grande salle totalement désuète est aussi émouvante que son vieux cuisinier fatigué qui officie aux fourneaux. Celui-ci mettra pourtant son cœur à l'ouvrage pour vous concocter l'une des 30 omelettes (à 3 œufs) affichées au-dessus des plaques de cuisson, servies du matin jusqu'à la fermeture. On garde également un souvenir ému des pancakes aux *blueberries...* à déguster en admirant la belle façade meringuée de l'autre côté de la vitrine.

🍴 **Café Mason** *(zoom centre détachable E6, 125) : 320 Mason St (entre Geary et O'Farrell).* ☎ *415-544-0320. Ouv 24h/24. Petit déj et lunch 8-16 $, 10-17 $ le soir.* Ce n'est pas un café historique, mais une cafétéria moderne, typiquement fréquentée par les familles de la classe moyenne américaine. Dans un décor aux couleurs chaudes, on vous servira tous les classiques : des œufs en pagaille (omelettes, *huevos rancheros, Benedict,* etc.), accompagnés de toasts, frites maison, tomate aillée ou fruit ; les habituels pancakes, *French toast,* un plateau de fruits avec yaourt... Plus tard débarquent crêpes salées, sandwichs, quesadillas et autres burgers, servis jusqu'au bout de la nuit. Service à la fois brouillon et efficace, allez comprendre !

🍴 En cas de soudaine nostalgie, le *Café de La Presse (zoom centre détachable E-F5, 22)* vous donnera l'occasion de commander un café-croissants à la parisienne : voir plus loin dans « Où boire un verre ? ».

Dans le Downtown

Bon marché

🍴 **Pearl's Deluxe Burgers** *(zoom centre détachable E6, 126) : 708 Post St.* ☎ *415-409-6120. Lun-sam 11h-22h, dim 12h-21h. Burgers 7-9 $.* C'est un mini fast-food, rien de bien séduisant en terme de cadre, mais on y prépare parmi les meilleurs burgers du Downtown à des prix ultra raisonnables. Ils sont énormes, et les ingrédients bien frais. Attention, vous êtes sûr de vous repeindre la cravate si vous n'êtes pas précautionneux ! Parmi nos préférés : le poulet-avocat. Miam !

De bon marché à prix moyens

🍴 **The Cheesecake Factory** *(zoom centre détachable E6, 127) : Union Sq, 251 Geary St, au 8e et dernier étage du magasin* Macy's. ☎ *415-391-4444. Lun-jeu 11h-23h, ven-sam 11h-0h30, dim 10h-23h (brunch 10h-14h). Env 7-10 $ pour un cheesecake.* Prenez l'ascenseur, faites la queue, inscrivez-vous et on vous appellera, comme on dit à Pôle Emplois... mais avec un *pager* ! Voici le kitschissime palais du cheesecake... Choix gargantuesque de parts de cheese-cakes (35 !), tous plus spectaculaires les uns que les autres et pas des plus light pour votre régime – à l'image du chocolat-beurre de cacahuète... On peut préférer l'original, simple et bon, à emporter ou à savourer sur la terrasse, très touristique, mais offrant une vue extra sur Union Square. Sinon, grand choix de salades, pizzas, burgers, pasta et autres omelettes – rien de bien diététique non plus.

I●I Lori's Diner (zoom centre détachable E6, **128**) : 500 Sutter St (et Powell). ☎ 415-981-1950. Ouv 24h/24. Plats 9-17 $. Back in the fifties ! Empruntez la machine à remonter le temps et pénétrez dans cet amusant décor juxtaposant néons, grosses banquettes de moleskine rouge, mini juke-box sur les tables et carrelage black and white Oh ! une moto au-dessus du comptoir ! Oh ! un gros juke-box perché au-dessus de la salle ! Les bons vieux tubes rock résonnent en cadence... Oh ! happy days !... Les serveuses ont même remis le petit nœud dans les cheveux. La carte est à l'image du contenant : pancakes et omelettes au petit déj, burgers, salades et sandwichs le reste du temps – le tout copieux à défaut d'être fin. La maison possède 2 autres adresses : l'une au 336 Mason St (zoom centre détachable E6, **125**), à deux pas, elle aussi ouverte 24h/24, avec sa calandre de Cadillac turquoise dardée vers la rue, et une 3e au Fisherman's Wharf, au décor moins exubérant (mais avec vue sur mer).

I●I Osha Thai Noodle Café (zoom centre détachable E6, **130**) : 696 Geary St (et Leavenworth). ☎ 415-673-2368. Tlj 11h-1h (3h ven-sam). Plats env 8-22 $. CB à partir de 15 $. Cette petite chaîne de restos thaïs (7 adresses au compteur) est née ici. Malgré son décor un peu design et son fond musical, ce local a conservé un peu de son ambiance de « resto de quartier », avec ses baies vitrées donnant sur le carrefour pour observer l'animation – les autres succursales ayant, elle, largement succombé aux sirènes de la branchitude. La cuisine est simple et bonne, un peu chère peut-être : salade de papaye verte et crabe, salade de mangue aux crevettes, soupes de nouilles, currys, plats de riz nourrissants et abordables. Le tout à arroser d'un bon thé thaï glacé (sucré) pour éteindre l'éventuel incendie dû au piment (même si on demande son plat « just a little bit spicy » !).

I●I Café Zitouna (zoom centre détachable D6, **131**) : 1201 Sutter St. ☎ 415-673-2622. Mar-dim 11h30 (14h ven)-21h. Plats 9-17 $. Juste à côté de la petite mosquée Masjeed al-Tawheed, à l'ouest du Downtown, ce resto tunisien vous transporte de l'autre côté de la Grande Bleue pour une pause thé à la menthe et baklava, une limonade maison, un bon gros falafel ou un kebab, voire un couscous ou un tajine « comme là-bas »... Très copieux et bien frais. Tables posées face aux fourneaux et coin de banquette, assidument fréquentés par un grand nombre d'habitués venus de tous horizons.

De prix moyens à très chic

I●I Scala's Bistro (zoom centre détachable E6, **132**) : 432 Powell St. ☎ 415-395-8555. Tlj 7h (8h w-e)-10h30, 11h30-16h et 17h15-23h (minuit ven-sam) ; brunch le w-e 10h30-14h. Résa conseillée. Plats 14-32 $. Ce bistrot chic à l'européenne, genre brasserie des beaux quartiers, haut de plafond et aussi bruyant que la Scala de Milan au moment de l'entracte, baigne dans une ambiance tamisée et s'orne de grands tableaux en clair-obscur. Assidument fréquenté par les businessmen le midi et la bonne société san-franciscaine le soir, il sert une cuisine italienne fraîche, acceptable sans être géniale, avec une préférence pour les pâtes al dente et les risottos (pardon, risotti). Desserts décevants, en revanche, et pas de tiramisù, enfin un scandale à la Scala ! Si vous aimez ce style rétro grandiloquent, la maison possède aussi le Grand Café (501 Geary St, angle Taylor), dont on apprécie les viandes et les plats californiens.

I●I Farallon (zoom centre détachable E6, **133**) : 450 Post St (entre Powell et Mason). ☎ 415-956-6969. Tlj 17h30 (17h dim)-21h30 (22h ven-sam). Plats 11-55 $. Chaque soir, businessmen, top-models et autres yuppies se pressent à l'entrée de cette gigantesque salle aux lumières tamisées, inspirée de *Vingt Mille Lieues sous les mers*. Observez les lampes en forme de méduses, le bar façon grotte marine, les colonnes lumineuses et allez jeter un œil à l'étonnante *Nautilus Room*... Bref, c'est déjà un spectacle en soi de voir le gratin franciscain sur son trente-et-un. Côté papilles, la carte change régulièrement et se concentre évidemment sur les spécialités de la mer. Privilégiez omble chevalier fumé, huîtres de la baie, caviar de polyodon (un poisson géant du Mississipi) et autres poissons grillés. Cela dit, les portions sont petites et, si vous n'êtes pas en fonds (marins, évidemment), vous risquez de couler votre budget... Pour voir et être vu avant tout !

Dans le Tenderloin

Bon marché

L'ensemble de ces adresses se situe dans Little Saigon, le mini quartier vietnamien de San Francisco.

|●| *Saigon Sandwich Shop* (zoom centre détachable E6, **134**) : 560 Larkin St. ☎ 415-474-5698. Tlj sf dim 7h30-17h. Sandwich env 4 $. Parfait pour caler un creux si vous passez dans le coin : les 5 options de sandwich baguette ne vous coûteront que quelques dongs... euh, pardon, quelques dollars. En vedette : le *bánh mì gá*, au poulet rôti, avec légumes marinés (un poil relevés). À part ça : quelques boissons au frigo, des pâtisseries étranges sur le comptoir et 2 chaises coincées contre un mini-comptoir, côté fenêtre. La plupart des clients emportent leur commande.

|●| *Mangosteen* (zoom centre détachable E6, **135**) : 601 Larkin St (angle Eddy St). ☎ 415-776-3999. Tlj sf dim 10h-22h. Plats 7-10 $. Ce petit resto vietnamien à la salle aérée et aux murs vert amande a ses fidèles. Au menu, savoureux *bún bò huê*, chapelet de nouilles sous toutes leurs formes, sautées, en soupe, à l'ail, au poulet, au bœuf, etc. Le tout parfumé, tendance épicé, de bonne tenue générale, copieux et pas cher.

|●| *Turtle Tower* (zoom centre détachable E6, **136**) : 645 Larkin St. ☎ 415-409-3333. Tlj sf jeu 8h-17h. Sandwichs et plats 5-10 $. CB refusées. La queue, le midi, s'allongerait presque jusqu'au Civic Center... et on exagère à peine ! Prophète de la cuisine nord-vietnamienne, *Turtle Tower* est particulièrement réputé pour ses *phᵭ* aux nouilles fraîches épaisses et au bouillon bien parfumé ; celui au poulet est très bon. 3 autres adresses, dont une au 501 6th St (SoMa ; fermé dim).

De bon marché à prix moyens

|●| *Golden Era* (zoom centre détachable E6, **137**) : 572 O'Farrell St. ☎ 415-673-3136. Tlj sf mar 11h-21h. Plats 8-14 $ – la plupart dans les 9 $. La salle sans lumière naturelle n'est pas très drôle malgré ses grosses colonnes un peu kitsch, mais la cuisine végane (sans aucun produit animal) tient bien la route. De nombreux plats, épicés ou non, intègrent fausse viande ou faux poisson faits à partir de tofu ou de gluten. C'est bon, c'est copieux, très copieux même. Service souriant et rapide.

|●| *Lers Ros Thai* (zoom centre détachable E6, **138**) : 730 Larkin St (entre O'Farrell et Ellis). ☎ 415-931-6917. Tlj 11h-minuit. Plats 8-17 $. Répertorié parmi les 100 meilleurs restos de la ville par le *San Francisco Chronicle,* ce petit resto thaï propose des plats typiques très bien exécutés et pleins de saveurs lointaines. On a particulièrement aimé la salade de papaye verte aux crevettes et les brochettes de poulet à la sauce cacahuète. Les curieux tenteront l'alligator à la thaï, le lapin à l'ail et au poivre ou les cuisses de grenouilles au basilic. Le tout est bien relevé, donc n'oubliez pas de préciser « mild » si vous êtes sensible. Une autre adresse plus chic au 307 Hayes St (plan d'ensemble détachable D4, **139**), dans Hayes Valley.

|●| *Brenda's* (zoom centre détachable D6, **140**) : 652 Polk St. ☎ 415-345-8100. Lun-mar 8h-15h, mer-sam 8h-22h, dim 8h-20h. Plats 7-13 $ le midi, 11-17 $ le soir. D'origine asiatique, Brenda a grandi en Louisiane et, après une décennie passée dans les cuisines des restos *fusion* de la ville, elle est revenue à ses souvenirs d'enfance. L'attente est souvent longue pour goûter à ses *po'boy* (sandwich) aux huîtres ou au poisson-chat, ses *red beans and rice* à l'andouille et autre *fried chicken* avec *cole slaw* et *biscuit* si sudiste. Le tout est servi sur fond de bon vieux jazz (évidemment !) dans une belle salle tendance, aménagée dans un hangar reconverti, avec des murs de béton brut, où trône... une écrevisse géante (au menu en beignets).

Où boire un verre ?

🍸 ♪ **Tunnel Top** (zoom centre détachable E5, 280) : 601 Bush St (angle Stockton). ☎ 415-722-6620. Tlj sf dim 17h-2h. CB refusées. Un de nos bars préférés dans le quartier. On pourrait le dépasser sans même l'apercevoir, tant sa façade étroite suspendue au bord du pont paraît décrépite. Le *Tunnel Top* est le refuge de ceux qui fuient l'atmosphère lissée d'Union Square – et ils sont nombreux ! On s'y retrouve dans une ambiance fraternelle, accoudé au comptoir ou sur la galerie métallique encerclant un impressionnant sèche-bouteilles transformé en lustre ! Le lieu s'anime au gré de soirées à thème : bossa nova, salsa, hip hop, DJ pour épicer le tout en fin de semaine, mais dans une limite sonore raisonnable. Attention, les cocktails arrachent !

🍸 |◉| **Jasper's Corner Tap** (zoom centre détachable E6, 281) : 401 Taylor St. ☎ 415-775-7979. Tlj 11h30-minuit (1h jeu-sam). Jasper's, c'est un peu l'adresse à tout faire du quartier, le lieu où se retrouver, devant une bonne bière (belge, pourquoi pas), un verre de vin, un burger ou même un cocktail détonnant. La grande salle vitrée tournée vers la rue est sans chichis, mais toujours super *busy*. Ambiance bon enfant.

🍸 **Redwood Room** (zoom centre détachable E6, 62) : au Clift Hotel, 495 Geary St (angle Taylor). ☎ 415-929-2372. Tlj 17h (16h ven-dim)-2h. Théâtral depuis ses origines, avec ses murs couverts de panneaux de séquoia, redécoré par Philippe Starck,

ce bar mi *old-school* mi-tendance baigne dans des tons rouge diabolique... On s'y perd dans des fauteuils trop grands pour être vrais, où défilent pas mal de poseurs et de gracieuses silhouettes, dans une ambiance raisonnablement feutrée – mais bruyante. Un DJ fait battre le cœur de ce beau monde le week-end. Vous vous en doutiez, on le confirme : les cocktails sont chers.

🍸 **Bourbon & Branch** (zoom centre détachable E6, 282) : 501 Jones St (angle O'Farrell). ☎ 415-346-1735. Tlj 18h-1h15 (23h45 dim) ; Library mer-sam slt, 18h-1h45. Sur résa. Aucun panneau, pas même un numéro ne l'indique. Discrétion oblige : *Bourbon & Branch* se veut une version revisitée du *speakeasy* (clandé) qui se trouvait ici au temps de la Prohibition... Loin du vieux rade crado, on y vient plutôt sur son trente-et-un, après avoir réservé un créneau horaire précis et en susurrant son mot de passe à la porte ! À défaut, reste la bien-nommée *Library*, aux murs couverts de bouquins, accessible aux têtes en l'air *(standing room only)*. Le décor est superbe : sombre à souhait, murs de brique et papiers peints sang-de-bœuf, plafond en métal martelé, vieux sols patinés, box au cuir mat. Le fond musical ramène aux années 1920-1930, et la carte décline une invraisemblable collection de whiskys, cocktails, rhums et même absinthe !

🍸 **Wilson & Wilson** (zoom centre détachable E6, 282) : 505 Jones St. ● thewilsonbar.com ● Mer-sam 18h-2h. Attenant au *Bourbon & Branch* (tout aussi discret) et appartenant aux mêmes proprios, *Wilson & Wilson* joue une autre carte thématique : celle de l'agence de détective privé. On y retrouve la même ambiance de sombre discrétion et les mêmes *mixologists* de talent, qui vous proposeront un « menu » de 3 cocktails pour 30 $. Essayez donc le Charlie Chan, à base de thé.

Où sortir ?

🍸 ♪ **Café Royale** (zoom centre détachable E6, 283) : 800 Post St (et Leavenworth). ☎ 415-441-4099. ● caferoyale-sf.com ● Tlj 16h-2h (sf certains lun). Surveillez bien le programme de ce café d'angle : il s'y passe quelque chose tous les soirs, ou presque – jazz, karaoké Beatles, DJ certains week-ends, *trivia quizzes*, *comedy nights* assez... interactives et autres *events* parfois improbables, comme le *Drunken Spelling Bee* (en d'autres termes : épelez quand vous êtes bourré !). Bien aussi pour une bière pression et une partie de billard.

♪ *Biscuits & Blues* (zoom centre détachable E6, *284*) : 401 Mason St (angle Geary). ☎ 415-292-2583. ● biscuit sandblues.com ● Tlj sf lun à partir de 18h. Entrée env 12-24 $ selon notoriété du chanteur ou du groupe. Min 2 boissons. Ce temple du blues californien se trouve en sous-sol... idéal pour le son, mais dommage que les moquettes soient aussi imprégnées de toutes les odeurs du passé ! Au programme, tout le Sud dans l'assiette et dans les oreilles. Évitez la nourriture (à moins d'être fan du *fried chicken*) et les cocktails (chers) et privilégiez les concerts. Même si on ne retrouve plus trop les grandes pointures d'antan, il reste du bon, entre gros blues électrique, presque rock, et guitaristes plus subtils.

♪ *Great American Music Hall* (zoom centre détachable D6, *285*) : 859 O'Farrell St (entre Polk et Larkin). ☎ 415-855-0750. ● slimspresents. com ● Billets 13-26 $ en général. Restaurant, salle de concert, bordel... le lieu a connu ses heures de gloire de 1907, date de sa construction (après le séisme), jusqu'à la Grande Dépression. C'est aujourd'hui le plus ancien *music hall* en activité de San Francisco. Des pointures comme Sarah Vaughan, Duke Ellington, mais aussi Van Morrison et Grateful Dead s'y sont produits. La pâte d'un architecte français se retrouve à travers balcons ornementés, colonnes de marbre et fresques au plafond, que complémentent tables de saloon et parquet en chêne. Une belle ambiance feutrée, idéale pour apprécier un concert de blues ou voir un héritier de Bob Dylan – même si la programmation, aujourd'hui assez variée, inclut des groupes latinos ou même punk !...

♪ *The Ruby Skye* (zoom centre détachable E6, *286*) : 420 Mason St (entre Post et Geary). ☎ 415-693-0777. ● rubyskye.com ● Ouv mer-dim 19h-4h. Entrée parfois gratuite, souvent env 20-30 $ (selon renommée des DJ), boissons env 10 $. Cet ancien théâtre métamorphosé, où eut lieu la première du film *Vertigo* de Hitchcock en 1958, abrite l'une des boîtes de nuit incontournables de la vie nocturne de San Francisco, comme en témoignent les longues files d'attente le week-end... Des étudiants lookés et chicos aux quadras refusant d'abdiquer, on s'y lâche alors sur des rythmes EDM (Electronic Dance Music) totalement mitonnés par les meilleurs DJs du moment ! *Special events* certains mercredi, jeudi et dimanche.

Achats

Vous trouverez, dans Downtown, les grandes enseignes de prêt-à-porter américain (*Levi's*, *Banana Republic*, *Gap*, *Old Navy*, *Van's*, *Timberland*, *Ralph Lauren*...).

❀ *The Levi's Store* (zoom centre détachable E6, *400*) : Union Sq. Lun-sam 10h-21h, dim 11h-20h. Cet énorme magasin de 4 étages rappelle que *Levi's* est né à San Francisco, au moment de la Ruée vers l'or. On peut y acheter des jeans aux coupes courantes autour de 60 $, s'offrir un *vintage* (jean d'époque) à des prix exorbitants ou encore faire customiser son denim en choisissant broderies et transferts à l'atelier de l'entresol.

❀ *Gap* (zoom centre détachable E6, *401*) : 890 Market St (et Powell). ☎ 415-788-5909. Tlj 10h-21h (20h dim). Plus cher que sa filiale *Old Navy* (voir ci-dessous), *Gap* a aussi été fondé à San Francisco. Le choix est immense et la qualité vraiment top !

❀ *Old Navy* (zoom centre détachable E-F6, *402*) : 801 Market St (angle 4th St). ☎ 415-344-0375. Lun-sam 9h-21h, dim 10h-20h. Chaîne de prêt-à-porter pour toute la famille, à des prix très raisonnables. Rayon de soldes permanentes.

❀ *The North Face* (zoom centre détachable F6, *403*) : 180 Post St (et

Grant). ☎ 415-433-3223. Lun-sam 10h-20h, dim 11h-18h. La boutique de la célèbre marque de vêtements et accessoires de montagne et de loisirs. Sur 2 niveaux, sacs à dos, polaires, parkas, matériel de rando... Très bonne qualité, pas donné, mais un peu moins cher qu'en France.

⊛ *Anthropologie (zoom centre détachable E6, 401) :* 880 Market St. ☎ 415-434-2210. Tlj 10h-21h (19h dim). À côté de *Gap,* cette grande boutique sur 2 niveaux mélange joyeusement vêtements, linge de maison et vaisselle. Grand choix de chemisiers et robes à fleurs dans un style vintage-

hippie chic, le tout coloré, chatoyant et original. Également des couvre-lits, des bijoux fantaisie, des bougies et plein de petites idées de déco.

⊛ *Abercrombie and Fitch (zoom centre détachable E6, 404) :* 865 Market St, *dans le Westfield Shopping Center.* ☎ 415-284-9276. Tlj 10h-20h30 (19h dim). Musique assourdissante, parfums entêtants pschittés à tout-va, posters de jeunes mâles imberbes sur les murs : les moins de 30 ans s'y pressent pour acheter les vêtements marqués du fameux sigle *A & F,* du hoodie tout doux au jean slim en passant par les chemises à carreaux.

À voir

🎿🎿 *Union Square (zoom centre détachable E6) :* voici le centre névralgique de San Francisco, avec ses enseignes chic, ses grands magasins – dont *Macy's, Saks, Tiffany, The Levi's Store,* etc. – et ses hôtels de luxe : le *Saint Francis,* le *Sir Francis Drake.* L'esplanade, dessinée en 1901, est dominée par une colonne commémorant la victoire américaine à Manille lors de la guerre hispano-américaine, 3 ans plus tôt. À l'origine, il n'y avait là qu'une haute dune, transformée en parc public dans les années 1850 : les manifestations unionistes qui s'y déroulèrent durant la guerre de Sécession donnèrent son nom au lieu. Bordée par les voies du *cable car* remontant Powell Street, Union Square bourdonne d'activité dès les premiers rayons du soleil. Des manifestations et des spectacles s'y déroulent régulièrement. On peut y louer un vélo, acheter ses billets de théâtre ; on s'y donne rendez-vous à la terrasse de son café. Depuis quelques années, l'esplanade est délimité par quatre énormes cœurs (un à chaque angle), décorés chaque année par un artiste différent. Ils sont ensuite vendus aux enchères et les bénéfices reversés à l'hôpital général de San Francisco.

🎿 *San Francisco History Museum (zoom centre détachable E6, 440) :* 449 Powell St, 4e étage. ☎ 415-986-8696. ● sfhistorymuseum.com ● Tlj 9h-17h. *Entrée : 5 $, réduc ; on trouve des flyers pour une entrée gratuite.* Ce musée privé récent occupe le 4e étage d'un bâtiment regroupant aussi resto et centre d'infos. Beaucoup de pièces et de vidéos, mais pas énormément de choses à voir, sauf si vous accordez de l'importance aux robes de Liz Taylor, aux poupées Shirley Temple et aux collections de vieux bandits manchots.

🎿 *Glide Memorial Church (zoom centre détachable E6) :* Taylor St (angle Ellis), *dans Tenderloin.* Cette petite église méthodiste de quartier est très active dans l'aide aux sans-abri, mais aussi célèbre pour son atmosphère *gay friendly* et ses formidables messes célébrées en musique. Elle fut d'ailleurs à l'affiche dans *À la poursuite du bonheur* (2005) qui raconte l'histoire d'un SDF qui a fait fortune dans la finance, incarné par Will Smith. Si la curiosité vous pique, les offices sont célébrés à 9h et 11h le dimanche. Arrivez en avance si vous voulez avoir une place assise. En général, les touristes montent au 2e étage. Chorale de gospels, avec solistes talentueux et orchestre au complet : un vrai concert ! Dans la salle, tout le monde reprend les paroles en chœur en se donnant la main. Les enfants courent dans les travées, les uns s'embrassent, les autres pleurent, chantent, rient. Pas difficile de les accompagner : les paroles défilent sur un écran géant, comme pour un karaoké ! Possibilité d'acheter les CD des chorales. Le reste du temps, les *homeless* dorment sur le trottoir face à l'église.

CIVIC CENTER (plan d'ensemble détachable D-E3-4 et zoom centre détachable E6)

Cœur monumental des institutions, le Civic Center se dresse au sud-ouest du Downtown proprement dit, passé le Tenderloin, dans le « coin » formé par Market Street et Van Ness Avenue. Bordant une immense esplanade, on trouve le très monumental City Hall (hôtel de ville), construit dans un style inspiré du classicisme français du XVIIe s (dôme de 94 m de haut). C'est dans ce bâtiment que furent assassinés le conseiller municipal Harvey Milk (voir le chapitre consacré au quartier de Castro) et le maire de San Francisco George Moscone en 1978. En face, l'*Asian Art Museum* et la bibliothèque municipale ; côté sud, le *Bill Graham Civic Auditorium* (concerts) ; côté nord, le *State Building*. Ajoutez à cela, plus à l'ouest, passé Van Ness, l'*Opéra* et la rotonde du *Davies Symphony Hall*. Le tout en pierre grise, à la fois austère et grandiloquent ! *Pour se rendre au Civic Center : métro MUNI, station Civic Center ; bus n°s 5 ou 21 (parmi d'autres).*

SAN FRANCISCO

Où manger ?

Bon marché

|●| Ananda Fuara (plan d'ensemble détachable E4, **141**) : 1298 Market St (angle Larkin). ☎ 415-621-1994. Lun 11h-15h, mar-ven 11h-20h, sam 9h-20h, dim 9h-15h. Fermé en général les 2e et 3e sem d'avr et les 3e et 4e sem d'août pour l'anniversaire du gourou Sri Chinmoy ! Plats 6-12 $. Brunch le w-e. Ultra populaire le midi pour ses excellents petits plats végétariens et véganes à bon prix, l'*Ananda Fuara* semble baigner dans une heureuse béatitude. Ses serveuses sont habillées en sari et affichent, au coin des lèvres, un sourire bienveillant. Peut-être est-ce dû au thé du yogi ou aux lassis à la mangue ? À moins que ça ne soit l'effet de la musique indienne planante, ou d'un régime alimentaire libéré de tout produit animal ? Allez savoir... Une chose est sûre : le *meatloaf*, ici, n'a rien à voir avec le bon vieux « pain de viande » traditionnel. À base de céréales, d'œufs, de ricotta, de tofu et d'épices, cuit en galettes, il fait un excellent sandwich qu'on vous conseille les yeux fermés – à moins que vous ne préfériez *wraps*, falafels, salades fraîches, currys et autres samosas. Salle claire et agréable, bleue comme une église grecque.

Très chic

|●| Jardinière (plan d'ensemble détachable D4, **142**) : 300 Grove St (angle Franklin). ☎ 415-861-5555. Tlj 17h-22h (22h30 jeu-sam). Résa impérative (jusqu'à plusieurs sem à l'avance). Menu lun 49 $ (vin inclus), sinon menu 130 $ (+ 70 $ pour le vin), carte env 70 $. On aime beaucoup le cadre spatial de ce resto installé dans un vieil entrepôt alliant harmonieusement brique et fer forgé design. Le bar, en rotonde, est surmonté d'une galerie où s'alignent les tables, accessibles par un bel escalier. Lumière tamisée, plafond étoilé et notes de jazz distillées par un petit orchestre achèvent de rendre l'atmosphère suave et intime. Côté fourneaux, « la chef », Traci Des Jardins, mitonne une cuisine californienne très fine, savoureuse et mâtinée d'une *French touch* apprise chez les frères Troisgros. Les plats, présentés avec beaucoup de soin, sont mis en valeur par une superbe carte des vins. Service plutôt discret (tant mieux !). Une adresse idéale pour les amoureux qui ont les moyens. Les moins fortunés pourront apprécier un échantillon de la cuisine de la chef en sirotant un verre au *lounge* accompagné d'une petite salade, d'un burger ou d'un assortiment de fromages – ou profiteront du menu du lundi, à prix intéressant. Dans tous les cas, venez sur votre trente-et-un !

Où voir un spectacle ?

∞| War Memorial Opera House (plan d'ensemble détachable D4) : 301 Van

Ness Ave. ☎ 415-864-3330 (opéra) et 415-865-2000 (ballet). ● sfopera. com ● sfballet.org ● Box office tlj sf dim 10h-18h (17h lun). L'opéra de San Francisco accueille la 2e plus grande compagnie d'opéra d'Amérique du Nord et la 3e plus importante troupe de ballet. Vous y verrez à la fois des représentations des grands classiques et des spectacles plus innovants.

∞ **San Francisco Symphony** (plan d'ensemble détachable D4) : Louise Davies Symphony Hall, 201 Van Ness Ave. ☎ 415-864-6000. ● sfsymphony. org ● L'orchestre symphonique de la ville est réputé pour les productions plutôt avant-gardistes de son directeur musical, Michael Tilson Thomas, très attaché à l'œuvre des grands compositeurs américains contemporains.

À voir

SAN FRANCISCO

🏃🏃🏃 **Asian Art Museum** (plan d'ensemble détachable E3) : 200 Larkin St. ☎ 415-581-3500. ● asianart.org ● Mar-dim 10h-17h (21h jeu). Entrée : 12 $ (+ 5-10 $ en cas d'expo temporaire) ; 5 $ jeu après 17h ; réduc ; gratuit 1er dim du mois. Audioguide en français gratuit (payant pour l'expo temporaire). Visites guidées gratuites. Le musée occupe l'ancienne bibliothèque, vaste bâtiment de style Beaux-Arts datant de 1917. L'architecture intérieure, signée Gae Aulenti (maître d'œuvre du Musée d'Orsay), met magnifiquement en valeur sa fantastique collection de près de 15 000 pièces, retraçant 6 000 ans d'art asiatique. Celle-ci est considérée comme la plus riche des États-Unis. Les œuvres se répartissent en sept sections très didactiques, au gré de deux étages (on commence par le niveau supérieur) : Asie du Sud, Perse, Asie du Sud-Est, Himalaya et monde bouddhiste tibétain, Chine, Corée et Japon. Une partie des œuvres tourne régulièrement en raison de l'importance du fonds. Voici néanmoins une sélection d'incontournables :

Niveau 3
– Salles 1 à 6 : l'Asie du Sud. Le parcours débute il y a 2 000 ans dans le royaume bouddhiste de Gandhara (actuels Pakistan et Afghanistan), avec un ensemble de très beaux bas-reliefs et un étonnant linga (symbole phallique) greffé d'un visage féminin (rare), datant du Ve s apr. J.-C. Salle 2, le Bouddha cohabite avec diverses divinités hindoues. Un remarquable ensemble de bas-reliefs et statuaire indienne s'impose ensuite, conduisant aux bronzes des salles 5-6 et à un trône-éléphant des années 1900, en bois peint à l'argent. Il voisine avec d'autres souvenirs indiens.
– Salle 7 : le monde perse en une seule salle, avec de très belles poteries et des bronzes zoomorphes.
– Salles 8 à 11 : l'Asie du Sud-Est. L'apport conjoint du bouddhisme et de l'hindouisme s'impose à travers les superbes bas-reliefs d'Angkor – dont un peuplé de singes illustrant un épisode du Ramayana. Citons, au fil de la visite, un grand tambour de bronze vietnamien, des fixations de palanquins khmères travaillées, des urnes funéraires provenant des Philippines, des têtes de Bouddha (vers 1350-1400) provenant du royaume thaï d'Ayutthaya (salle 10) et encore, dans le couloir, une belle collection de dagues et de kriss, ces somptueux poignards malais et indonésiens à lame serpentine, aux fourreaux et manches pour certains sertis de pierres précieuses. La salle 11 (après 1800) expose des marionnettes du théâtre d'ombre indonésien, un trône bouddhique birman, des diadèmes et bijoux en or provenant des îles de la Sonde.
– Salle 12 : le monde himalayen et tibétain. Beaux bouddhas népalais en cuivre repoussé, autel tibétain aux 15 niches occupées par des statuettes, tankas, statue laquée chinoise de Simhavaktra Dakini, déesse à tête de lion aux airs démoniaques (dont la chevelure en feu symbolise la sagesse). Un drôle de petit cabinet à offrandes a été peint de morceaux de corps humain démembré : bras et jambes, yeux, etc.
– Salle 13 : consacrée au jade dans la culture chinoise, elle expose des dizaines de petits objets précieux, tous plus raffinés les uns que les autres. Noter les curieux

disques de jade, lisses comme des miroirs : symboles de pouvoir, ils sont ronds comme la représentation du ciel et solides comme l'immortalité que les souverains chinois espéraient s'approprier.

– *Salles 14 à 16 :* la Chine ancienne. Salle 14, la vaisselle en bronze, datée des XIVe au IIIe s av. J.-C., comprend un extraordinaire récipient rituel en forme de rhinocéros, d'une incroyable ressemblance. À croire que le fondeur en avait vu un de près ! La salle 15 présente de grandes terres cuites faïencées typiques de l'époque tang : gardiens de tombeaux terrassant des démons, belles statuettes funéraires et superbe chameau blatérant. Mentionnons aussi ce très rare *money tree* en bronze, évoquant des pièces de monnaie, qu'on plaçait dans les tombes, dans la région du Sichuan (dynastie Han), pour assurer la richesse du défunt dans l'au-delà... Salle 16, statues et stèles témoignent de l'arrivée du bouddhisme en Chine entre le IIIe et le VIe s. Voir notamment la superbe tête d'*arhat* en bois et le boddhisattva qui conserve des traces de couleurs.

Niveau 2

– *Salles 17 à 19 :* la Chine de 960 à 1911, à travers objets d'art, porcelaines, ivoires ciselés, bruloirs à encens en forme d'animaux, délicats flacons à parfum, mobilier (Ming notamment, reconnaissable à ses lignes sobres et déjà très modernes...), peinture chinoise, paravents ornementés, vases, etc. L'ensemble est un peu disparate et moins intéressant.

– *Salles 21 à 23 :* la Corée. Délicates boîtes incrustées de nacre, poteries domestiques des XIIe et XIIIe s rappelant les céladons chinois. De moins en moins flamboyant...

– *Salle 24 :* petite salle d'expo temporaire, généralement consacrée à un artiste coréen ou japonais contemporain.

– *Salles 25 à 29 :* le Japon. On commence par les poteries de l'époque Jomon (les plus anciennes au monde) pour découvrir ensuite les étonnantes statues anthropomorphes de la période Kofun (300-552), qui étaient placées dans les tumulus. Salles 27 et 28, on admire de nombreux objets du quotidien : armes, armure de samouraï à la Dark Vador (ou est-ce l'inverse ?), paravents, palanquins, faïences, *netsuke*, cloches de bronze, mais aussi des statues funéraires en forme de guerriers et de shamans *(haniwas)*. Pour finir, la cérémonie du thé.

Rez-de-chaussée

Très intéressantes expos temporaires de peintures et d'aquarelles. Boutiques.
🍴 *Café Asia :* ☎ 415-581-3630. Tlj sf lun 9h30-16h30 (19h30 jeu). Plats 10-14 $. Una cafétéria améliorée plus qu'un vrai resto, pas trop chère et sympa, aux notes logiquement asiatiques.

SOMA (plan d'ensemble détachable E-F3-4 et zoom centre E-F6)

Situé au sud de Market Street, comme son nom l'indique (South of Market), ce quartier, longtemps abandonné aux boîtes gay (très cuir) et aux SDF, connaît une renaissance progressive depuis la construction dans les années 1980-1990 du *Moscone Convention Center* (Centre de convention), du musée d'Art moderne et de son pendant, les *Yerba Buena Gardens.* S'il reste encore quelques entrepôts délabrés et pas mal de *homeless*, SoMa est devenu le terrain de sortie des yuppies branchés. On y trouve donc des restaurants, des bars et les boîtes en vogue – en particulier au sud, près de l'autoroute. C'est un quartier qui vit beaucoup la nuit. Dans le sillage de la jeunesse san-franciscaine, la vie se réinstalle : boutiques, fleuristes se réapproprient peu à peu les coins de rue. Déjà, tout le nord de SoMa, jusqu'à 4th Street, a été avalé par l'extension du Financial District (FiDi pour les intimes). En 2008, les fédéraux se sont même installés sur 7th Street, dans un immeuble moderne d'une élégance toute discutable, qui n'a pas manqué de créer la polémique... Au-delà, sans cesse, les vieux immeubles tombent et d'immenses complexes voient le jour, abritant bureaux et appartements de luxe, ce qui donne au premier abord au quartier un aspect plus moderne et plus froid qu'ailleurs. Mais c'est bien connu, la chaleur est à l'intérieur... surtout pour ceux qui aiment la fête. Les autres se contenteront de visiter le secteur nord, présenté avec le Financial District.

Où manger ?

Spécial petit déjeuner

☝ *Dottie's True Blue Café* (zoom centre détachable E6, **143**) : 28 6th St (entre Market et Mission). ☎ 415-885-2767. Tlj sf mar-mer 7h30-15h (16h w-e). Formules 11-14 $, œufs seuls dès 7 $. L'une des très bonnes références en ville pour le petit déjeuner et le brunch. N'oubliez pas votre journal ou venez tôt : parfois, les queues légendaires vous laisseront le temps de l'éplucher jusqu'au bout... L'attente est récompensée par des omelettes géantes aux olives, à l'andouille, au fromage de chèvre, au porc et oignons rôtis, sans oublier de savoureux *French toast*, des pancakes au gingembre et à la cannelle, ou aux myrtilles avec sirop d'érable, et les *specials* du jour, à consulter sur l'ardoise. Très belle salle aux murs de brique, décorés de grandes photos noir et blanc, et service attentif.

☝ ☕ *Blue Bottle Coffee C°* (zoom centre détachable E6, **144**) : 66 Mint Plaza (angle Jessie). ☎ 415-495-3394. Lun-ven 7h-19h, w-e 8h-18h. Quoi de plus hype qu'une tasse de café ? Mais pas n'importe quel café : un breuvage de compétition, crémeux à souhait, qui pousse les San-Franciscains à se lever à l'aube le week-end pour endurer une queue impressionnante... Tout ça pour du café ? Oui, mais du café servi dans un décor moderne et éthéré, entre baies vitrées et hauts plafonds, préparé dans une batterie de 5 brûleurs à l'ancienne *made in Japan* sous lesquels dansent les flammes (pensez à Gabin dans *La Traversée de Paris*)... On peut accompagner son (très) cher breuvage de gaufres, bagel ou donut maison, mais la pression des aficionados en manque de caféine finira bien par vous chasser des tables. Le sucre et le lait sont bio – fallait-il préciser ?

☝ ▮●▮ *Red's Java House* (zoom centre détachable G6, **145**) : Pier 30, The Embarcadero (au niveau de Bryant St). ☎ 415-777-5626. Tlj 7h (9h w-e)-17h. Plats env 6-11 $. Les nostalgiques du *Old Frisco* des années 1950 ne peuvent décemment pas ignorer cette vieille baraque en bois au bord du quai, aux planchers vermoulus et aux tabourets rouges déglingués. Des générations de dockers râblés et de marins bourrus ont défilé au comptoir, attirés par les burgers graillonneux, les frites graisseuses, le *fish and chips* du vendredi et la bière bon marché. Le panneau le proclame : *we don't serve lettuce or tomato*... Pas de verdure ici ! Le vieux port n'est plus, mais la vue est toujours là et ce survivant d'une époque révolue fait toujours salle comble durant la saison de base-ball des Giants (le stade est à trois pas). Le phénomène devrait encore s'accentuer avec la construction, sur les piers 30 et 32, d'un nouveau stade pour l'équipe de basket des Golden State Warriors d'ici à 2017.

De bon marché à prix moyens

▮●▮ *SoMa Streat Food Park* (plan d'ensemble détachable E4, **146**) : 428 11th St (et Division). Lun-ven 11h-15h, 17h-21h ; sam 11h-22h ; dim 10h-17h. Env 8-15 $. Happy hours lun-ven 16h-19h. 🛜 (gratuit). Devant la popularité grandissante du phénomène *street food*, cet espace vide, coincé au pied de l'autoroute, est maintenant réservé à une douzaine de *food trucks* qui changent tous les jours. On peut manger bio, coréen, vietnamien, japonais, italien, mexicain, indien, du bacon, des hot dogs, des *pierogi*, des gaufres belges... Il y en a vraiment pour tous les goûts. On trouve même un *food truck* – pardon, un *drink truck* – spécialisé dans les bières pression et la sangria ! L'avantage, c'est qu'on peut s'asseoir dans la cahute centrale et même y regarder un match à la télé, voire participer au quiz du mardi soir ou assister aux concerts et *events* épisodiques. On y vient en famille, malgré le caractère un peu glauque du lieu.

|●| *Manora's* (plan d'ensemble détachable E4, 147) : 1600 Folsom St (angle 12th St). ☎ 415-861-6224. Lun-ven 11h30-14h30, 17h30-22h30 ; sam 17h30-22h30. Formule déj 9 $, sinon plats env 8-14 $. Vous ne viendrez pas ici par hasard, mais vous ne regretterez pas ce petit repaire de la gastronomie thaïlandaise. Dans un cadre agréable de boiseries ciselées, fleurs fraîches, sculptures et peintures en provenance du royaume du Siam, la carte combine habilement 1 001 saveurs. Ail, lait de coco, épices, fruits de mer, volailles, nouilles, le chef s'amuse avec tous les plats traditionnels (poulet à l'ail, curry de bœuf, etc.). Un régal. Les habitués, la lippe ravie, ne nous contrediront pas !

De prix moyens à chic

|●| *54 Mint* (zoom centre détachable E6, 148) : 16 Mint Plaza. ☎ 415-543-5100. Lun-sam 11h30-14h30, 17h30-22h (22h30 ven-sam). Happy hours tlj 16h-18h. Menu midi 16 $, soir plats 16-28 $. Le nom ne le laisse en rien deviner, mais ce restaurant-bar à vins véritablement italien se veut le chantre d'une authenticité de carte postale, au point d'oser le bar-épicerie, les miroirs baroques et les jambons secs pendus au-dessus du bar – un contraste singulier avec les lampadaires design et la clientèle un poil trendy ! La cuisine, sans chichis, est joliment tournée et ne déçoit pas – on se croirait presque à Rome.

Très chic

|●| ▼ *AQ* (plan d'ensemble détachable E3, 149) : 1085 Mission St. ☎ 415-341-9000. Mar-dim 17h30-23h. Brunch dim 11h-14h. Menu à prix fixe 68 $ (tte la table incl le prendre) + vins env 45 $. Petits plats 9-36 $. Pour souligner sa volonté de respecter les rythmes naturels et la fraîcheur des produits (évidemment locaux), *AQ* a fait un pas de plus : au-delà de la carte et des cocktails, le resto change aussi de décor au fil des saisons ! Branches de cerisier au printemps, verdure en été, feuillages à l'automne, cadre blanc plus éthéré l'hiver... même le dessus du bar fait peau neuve, passant du cuivre au marbre ! Le lieu figure naturellement en bonne place sur la *play-list* des bobos locaux. Bien sûr, on pourrait trouver les petits plats un peu chiches et s'offusquer de la tendance des serveurs à pousser le menu à prix fixe, mais il reste que la cuisine, volontiers inventive sans être trop complexe, est intéressante pour son recours éclairé aux légumes. Un bon endroit pour prendre un verre aussi.

Où boire un verre ?

▼ *Brainwash Laundromat* (plan d'ensemble détachable E4, 290) : 1122 Folsom St (et Langton). ☎ 415-861-FOOD ou 415-431-WASH. ● brainwash.com ● Tlj 7h (8h dim)-22h (23h ven-sam). Une idée simple : pendant que les gens font leur lessive, ils pourraient boire un coup et avaler un morceau en écoutant autre chose que des tambours... Le *Brainwash* était né ! Cette authentique laverie est devenue un haut lieu artistique alternatif et l'un des meilleurs endroits pour écouter de la poésie, des concerts acoustiques (le mardi), participer à des soirées cinéma thématiques ou découvrir des expos d'artistes locaux. Du mardi au jeudi, on retrouve toujours un peu les mêmes (petits groupes et humoristes locaux), mais ça change ensuite. Hyper chaleureux et fraternel. Le plus fou, c'est qu'on continue à venir y laver son linge ! Dernière lessive à 20h30 !

▼ *Bloodhound* (plan d'ensemble détachable E4, 291) : 1145 Folsom St. ☎ 415-863-2840. Tlj 16h-2h. Pas de sang sur les murs ni même de fin « limier », juste un bar aux faux airs de saloon, avec un plafond coiffé d'un chandelier en bois de cerfs, où l'on se retrouve devant une bonne mousse, au billard, ou affalé sur les banquettes moelleuses, sur fond de country et de vieux rock plus ou moins remixés. C'est gentil, c'est joyeux et ça ne prend pas la tête. Tentez le *bloodhound* au pamplemousse, vodka et Campari, servi dans un bocal à confiture.

🍸 *Bar Agricole* (plan d'ensemble détachable E4, 293) : 858 Folsom St. ☎ 415-355-9400. *Tlj 18h-22h (17h30-23h ven-sam) ; bar dès 17h. Brunch dim 11h-14h.* Cette enclave chic et trendy, toute de bois et de béton brut, brille comme un phare au milieu de cette rue sombre du *club corridor* où résonnent les basses des boîtes. La bonne bourgeoisie de la ville y vient en taxi, colonise le bar de la salle immense, éclairée par des luminaires géants en plexi thermoformé, ou son appendice habillé de bois dans le patio de l'entrée. À défaut d'y manger (bio, certes, mais à ce prix...), prenez y un verre ou un rhum (agricole, bien sûr), avant de vous aventurer dans les bars un peu moins bien léchés du quartier.

Où sortir ? Où écouter de la musique ? Où danser ?

SoMa est indéniablement *le quartier le plus branché de San Francisco by night,* avec une concentration importante de clubs et de discothèques en tout genre. Des soirées sont en outre organisées plusieurs fois par semaine par des DJs de renom, soit dans des boîtes, soit dans des salles louées pour l'occasion. Autant dire que l'idéal, pour attraper la dernière vague, est encore de se renseigner sur place, au dernier moment. On trouve un peu partout des *flyers* (prospectus) annonçant les *parties* à venir. Attention, les *moins de 21 ans* n'ont aucune chance de rentrer dans les boîtes. Et puis un conseil : ne traversez pas SoMa à pied la nuit à la sortie des clubs. Rentrez en voiture ou en *taxi,* car *le quartier n'est pas toujours très sûr.*

🍸 🎵 *Butter* (plan d'ensemble détachable E4, 294) : 354 11th St (entre Folsom et Harrison). ☎ 415-863-5964. ● *smoothasbutter.com* ● *Mer-sam*

18h-2h, dim 20h-2h (karaoké). Entrée : à partir de 5 $ (parfois gratuit). À l'intérieur d'une petite maison jaune, une salle farfelue aménagée comme si le mur avait été défoncé par un *trailer* (le mobile home dans lequel vivent de nombreux Américains désargentés) ! Excellente musique mixée par le DJ dans son îlot central et ambiance souvent drolatique, à coup de *jello shots* (boissons alcoolisées à base de gélatine sucrée) de toutes les couleurs... Le RV ? Pas un mobile home (se dit aussi *Recreational Vehicle* en anglais), non, mais un Red Bull-Vodka. Attention à la méprise ! *Great vibe,* comme on dit ici.

🎵 🎵 *The DNA Lounge* (plan d'ensemble détachable E4, 295) : 375 11th St. ☎ 415-626-1409. ● *dnalounge.com* ● *Jusqu'à 2h (3h w-e). Entrée : env 5-20 $ selon concert, DJ et j., moins cher en achetant son billet à l'avance ; parfois gratuit. CB refusées.* Malgré les 3 salles (aux sons différents), malgré l'immensité du *main room* au décor industriel, on se marche invariablement sur les pieds lors des soirées *Bootie* (samedi). Le 2e samedi du mois, le *DNA* se vante même d'organiser la « greatest mashup party in the universe», c'est vous dire ! Il s'agit de remix de plusieurs tubes en même temps, du style mélanger un morceau d'AC/DC et de Cher ou de Madonna et Lady Gaga... Sinon, il y en a pour tous les goûts : pop, house, électro, métal, soirée gothique... avec plusieurs concerts *live* par semaine. Un petit creux ? La *DNA Pizza*, à côté, est ouverte 24h/24.

🎵 *The Stud* (plan d'ensemble détachable E4, 296) : 399 9th St (et Harrison). ☎ 415-863-6623. ● *studsf. com* ● *Tlj sf lun 17h-2h (4h w-e). Entrée : 7 $ le w-e.* L'un des piliers de la communauté gay du quartier depuis 1966, le *Stud* s'est un peu assagi (on a dit : un peu), sans pour autant se départir de sa déco bien kitsch (miroirs et lit à barreaux au centre !). Côté platines, top 40, mash-ups, mais ce sont ses soirées à thème délirantes qui lui valent toujours un franc succès, surtout parmi la clientèle gay et lesbienne – mais pas uniquement. Soirée cabaret le mardi, karaoké le mercredi (à 22h), avec *comedy club* auparavant les 2e et 4e mercredi du mois, drag-queens le vendredi, et soirée costumée le 2e samedi du mois. Fous rires garantis ! ♪ ♪ **Slim's** *(plan d'ensemble détachable E4, 297) : 333 11th St (entre Folsom et Harrison).* ☎ *415-255-0333.* ● *slimspresents.com* ● *Entrée : env 15-30 $ selon concert.* Logé dans un entrepôt brut en brique, le club a été fondé par une star du R & B, Boz Scaggs, et a notamment accueilli Prince et Radiohead... Aujourd'hui, des concerts y ont lieu 2-3 fois par semaine, plus généralement les vendredi et samedi. Consultez le programme sur Internet : vous pourrez écouter des morceaux des groupes programmés pour vous faire une idée. D'une fois sur l'autre, l'ambiance peut être assez différente, parfois assez sage, parfois beaucoup moins. Reste que si le concert est *sold out*, 400 personnes dans cet espace, ça fait beaucoup ! Mais les fans apprécieront de pouvoir être près de la scène.

♪ **The Endup** *(plan d'ensemble détachable E4, 298) : 401 6th St (et 995 Harrison).* ☎ *415-646-0999.* ● *theendup. com* ● *Entrée : env 10-20 $ mais souvent gratuit avt 23h (quand il n'y a personne !).* Fondée en 1973, cette boîte mythique de San Francisco, ouverte non-stop du samedi soir au dimanche soir, est réputée pour ses nuits chaudes qui n'en finissent pas. Les *clubbers* rappliquent pour un *after* déjanté sur de rythmes house intenses jusqu'au petit jour. Vers 2h, la queue pour entrer peut dépasser 100 m ! La sélection étant moins sévère, l'ambiance est parfois un peu (beaucoup) électrique, surtout en fin de nuit. Pour se remettre un peu, il y a le patio en plein air avec sa petite fontaine et un lounge aux canapés blancs moelleux.

∞ ♪ **Asia SF** *(plan d'ensemble détachable E4, 299) : 201 9th St (et Howard).* ☎ *415-255-2742.* ● *asiasf. com* ● *Shows mer-dim, boîte ven 20h-2h, sam 18h-2h. Entrée 25-70 $ avec dîner selon j. et heure (réserver) ; boîte seule 10 $. Asia SF* résume la diversité de San Francisco en un seul lieu : où, ailleurs, pourrait-on imaginer une boîte coréenne où les serveuses sont des trans qui se doublent de *showmen (showwomen ?)* avertis... ? Il faut dîner sur place pour assister au spectacle (entre chaque plat !), mais, sachez-le, la cuisine n'est pas extra. On peut rejoindre directement la boîte, au sous-sol, mais alors pas de show... Le lieu, très prisé pour les anniversaires et les enterrements de vie de jeune fille, est animé dès le début de la soirée.

Fête et manifestation

La **Folsom Street Fair** (● *folsomstreetfair.org* ●) est l'une des plus délirantes de la ville ... et du monde ! Organisée depuis 1984 le dernier dimanche de septembre, elle réunit chaque année environ 400 000 personnes dans la rue Folsom, bloquée en principe entre les 7e et 12e rues (mais ça peut changer)... Au programme : concerts indie et underground et défilés de jeunes aux looks outranciers, avec une nette tendance piercing, gay, *hardcore*, cuir et SM. Ce serait même la plus grande « fête du cuir » au monde, si vous voyez ce qu'on veut dire ! Ça pourrait paraître effrayant, mais c'est à la fois drôle, plein de vie et complètement fou : des gens se promènent à poil, d'autres avec des fouets, certains dans des cages... Les stands proposent bijoux, tatouages, cuisine du monde entier... et autres objets que la décence nous interdit de décrire. Certains y voient toute la décadence de l'Amérique ou le miroir de sa sauvagerie naturelle, d'autres l'expression d'une totale liberté en même temps qu'un pied de nez à la société actuelle. Un seul conseil : n'y emmenez pas les enfants !

À faire

– **City Kayak** *(zoom centre détachable G6, 441) : South Beach Harbor, The Embarcadero at Townsend (au-delà de SoMa).* ☎ *415-357-1010.* ● *citykayak.com* ●

Locations (chères) tlj sf mar 11h-17h. Excursions w-e, compter env 40-80 $. Une approche... différente de la ville, en kayak, pour découvrir le skyline du large, l'Oakland Bay Bridge, le Golden Gate ou Alcatraz. Original.

FINANCIAL DISTRICT *(plan d'ensemble détachable F2-3 et zoom centre détachable F5-6)*

Le Financial District a grandi sur des terres gagnées sur la mer entre 1878 et 1924, en lieu et place de l'ancien port de San Francisco. Sagement ancré sur l'avenue de l'Embarcadero, qui longe tout le front de mer jusqu'au Fisherman's Wharf, le *Ferry Building,* coiffé par son emblématique tour d'horloge, témoigne encore des activités maritimes jadis florissantes. En retrait, se dressent les principaux gratte-ciel de la cité, certains centenaires, d'autres plus récents, à l'image de la pyramide de verre du *Transamerica Building.* C'est logiquement ici, près du port, que s'implantèrent les banques au moment de la ruée vers l'or ; elles y sont toujours. Bourdonnant d'activité au moment du lunch, lorsque les *golden boys* et les employés de bureau foncent écumer *delis* et restos du quartier, le Financial District se vide peu à peu à partir de 17h. Il fut un temps où, la nuit et le week-end, il n'offrait plus que le visage lugubre d'une cité de béton désertée. C'est désormais moins le cas, avec de plus en plus d'*after-work* pour prendre un verre. Vous les trouverez toutefois plutôt aux marges du quartier, en direction d'Union Square, de North Beach et de SoMa.

Où manger ?

Spécial petit déjeuner

☙ **Garden Court** *(zoom centre détachable F6, 69) :* au Palace Hotel, 2 New Montgomery St (et Market). ☎ 415-546-5089. *Breakfast buffet 32 $ (lun-ven 6h30-10h30, sam 6h30-11h, dim 7h-10h). Jazz brunch 85 $ (dim 10h30-13h30) et afternoon tea 45 $ (sam 13h-14h30) sur résa (obligatoire).* Historic tour & lunch 25 $ mar, jeu et sam. Le *Garden Court* possède sans doute le cadre le plus majestueux de la ville : immense verrière de style victorien, lustres en cascade et colonnes pseudo-corinthiennes aux chapiteaux dorés composent un décor cossu et rétro idéal pour un somptueux petit déjeuner. Si vous n'êtes pas prêt à dépenser une petite fortune, la visite guidée accompagnée d'un déjeuner léger peut faire l'affaire. Mais le must c'est, chaque dimanche, cet orchestre de jazz qui accompagne le brunch et ajoute encore à la magie du lieu. Su-bli-me !

Bon marché

|●| **Super Duper Burgers** *(zoom centre détachable F6, 150) :* 721 Market St.

☎ 415-538-8600. *Lun-ven 8h-22h30, w-e 8h30-22h. Burgers 6-7 $.* Le concept est osé : des burgers, frites et *shakes* typiques des fast-foods, préparés façon *slow food* ! En pratique, on n'attend guère plus qu'ailleurs, mais tous les produits sont bio et locaux – sans pour autant être hors de prix. On ne peut qu'encourager une telle initiative, qui ne laisse pas insensible, y compris côté palais. Il y a même des burgers végétariens, avec houmous et concombre, et des *egg sandwiches* (bio) au petit déj pour trois fois rien. Finalement, la seule chose qui fasse fast-food, c'est la salle, moche et bruyante... 2 autres adresses, à Castro *(2304 Market St, tlj 11h-23h)* et à Marina *(200 Chesnut et Pierce, tlj 10h30-23h).*

|●| **Gott's Roadside** *(zoom centre détachable F5, 151) :* 1 Ferry Building (aile gauche), The Embarcadero. ☎ 415-318-3423. *Tlj 7h-22h. Burgers env 7-11 $.* Passé les habituels 50 m de queue le midi (rapide *turn over*), on pénètre dans cette immense salle digne d'un entrepôt revisité façon design, avec un gros « EAT » au fronton de la cuisine. Là, on commande son burger et ses frites maison, version normale, aillée, patate douce ou pimentée, avant de se voir remettre, non pas un

oscar, mais un bipeur. Une fois servi (« Come and Gott it ! »), on s'installe sur la terrasse face aux tours étincelantes du Financial District. Là, on comprend mieux ce qui fait la réputation de la maison : tous les produits sont frais, cuisinés à point et associés au gré de recettes aussi bonnes qu'originales. La qualité du burger tient aussi à son pain, préparé avec des œufs, ce qui le rend extra moelleux. Bonne atmosphère. Autres adresses à Napa et St Helena.

I●I *The Sentinel (zoom centre détachable F6, 152) :* 37 New Montgomery St. ☎ 415-284-9960. *Lunven 7h30-14h30. Sandwichs 8-9 $,* lunch special 13 $. CB 10 $ min. Une cahute minuscule, sentinelle propre et moderne à l'image du quartier, où l'on vend chaque jour de la semaine des sandwichs frais (chauds et froids), souvent originaux, et un menu complet à emporter. Faites comme les employés du coin (qui passent commande par téléphone) : piqueniquez sur l'apaisante terrasse de la *Crocker Galleria* (voir plus loin), située à deux pas...

De bon marché à prix moyens

I●I *Tropisueño (zoom centre détachable F6, 153) :* 75 Yerba Buena Lane. ☎ 415-243-0299. *Tlj à partir de 11h. Plats 6-12 $ à midi, 11-19 $ le soir.* Happy hours *lun-ven 16h-18h. Taqueria* le jour, restaurant plus raffiné le soir, l'endroit ne manque pas de charme et d'entrain. À midi, on commande au comptoir avant de se trouver une place dans cette ruche en ébullition – à moins qu'une table sur la ruelle piétonne ne se libère. Tous les classiques du genre, *burritos, enchiladas, quesadillas, fajitas* sont servis avec efficacité et un grand sourire. Cols blancs, touristes et familles latinas se mélangent joyeusement. Le soir, c'est *antojitos* (tapas) et plats plus recherchés, avec notamment un bon choix de poissons et fruits de mer.

I●I *Crocker Galleria (zoom centre détachable F6, 154) :* 50 Post St. Au 2ᵉ étage de la galerie marchande qui relie Sutter et Post St, entre Montgomery et Kearny. *Ouv midi en sem.*

Farmer's Market *ts les jeu 11h-15h (et mar d'été).* Plein de petits self-services de cuisine du monde (asiatique, mexicaine, italienne), un *soup bar* et, au rez-de-chaussée, des *cupcakes* et même un Léonidas ! Le bon plan consiste à s'installer sur le *roof garden* pour pique-niquer au calme, à l'ombre des gratte-ciel.

I●I *Rincon Center (zoom centre détachable F5, 155) :* 121 Spear St *(entre Mission et Howard) ;* autre accès depuis Steuart St. ☎ 415-777-4100. *Tlj 10h-16h.* Un *food court* au cœur d'un vaste ensemble de bureaux, où se pressent les cols blancs. Grand patio pimpant et assez bruyant, où une fontaine d'eau tombée du ciel sert joliment d'attraction locale. Parfois, il y a même un pianiste. Une dizaine de petits restaurants servent des repas rapides et bon marché, du thaï à l'indien en passant par le coréen et le mexicain, sans oublier les *dim sum* à emporter de *Yank Sing* (voir plus bas).

De prix moyens à chic

I●I *The Plant Café Organic (zoom centre détachable F5, 156) :* Pier 3, sur Embarcadero, au nord du Ferry Building. ☎ 415-984-1973 ou 0437. *Café tlj 7h30-20h (21h w-e), resto 11h (10h w-e)-14h30 et 17h-20h (dernière commande). Plats 12-23 $.* On retrouve au menu tous les classiques de la cuisine bobo bio proposée par la maison mère à Marina (voir plus loin) : salades, sandwichs, rouleaux de printemps revus et corrigés, pizzas au feu de bois, burgers, quinoa au gingembre, *udon* (nouilles japonaises) et autres paninis, le tout concocté avec des produits la plupart du temps locaux, de saison et bio. Cette succursale se veut un peu plus chic, grâce à son emplacement privilégié : sa terrasse couverte offre une belle vue sur la baie de San Francisco et quelques gros bateau. Intéressante petite carte de cocktails.

I●I *City View (zoom centre détachable F5, 157) :* 662 Commercial St. ☎ 415-398-2838. *Tlj 11h (10h w-e)-14h30.* Nous voilà en pleine transition géographique et culturelle entre le FiDi et Chinatown. La salle simple mais un peu élégante, veillée par une longue peinture représentant les montagnes de Guilin, fait de l'œil aux businessmen du coin. La table, elle, fait honneur au caviar de la cuisine cantonaise : les *dim sum.* Ces bouchées légères, pour la plupart cuites à la vapeur, sont proposées en une quarantaine de variétés – parfois surprenantes, souvent excellentes – servies sur l'indémodable chariot. Essayez donc les rouleaux de nouilles de riz au bœuf, les gâteaux de navet, le *fun gao* au porc et cacahuète ou... le petit pain aux pattes de poulet !

|●| Osha Thai (zoom centre détachable F6, 158) : 149 2nd St. ☎ 415-278-9991. Lun-sam 11h-23h, dim 16h30-23h. Compter 15-25 $. Au pied de l'hôtel Hyatt, ce rejeton de la chaîne Osha Thai s'affirme plus chic que l'original du Downtown (voir plus haut), comme si le petit resto de quartier avait connu ici le destin de Cendrillon... Voici une salle élégante, comme baignée d'or et vêtue de brique et de bois, avec de belles statues et des objets bien chinés. La cuisine thaïe est raffinée, avec tous les classiques siamois (soupes, salades, nouilles), et même des recettes nouvelles, plus fusion, puisant aux sources des différentes cuisines asiatiques. Six autres adresses à SF.

|●| Ferry Building (zoom centre détachable F5, 151) : tt au bout de Market St. Site d'un pittoresque *Farmer's Market* les mardi, jeudi et samedi matin, l'ancien terminal des ferries abrite dans son hall magnifiquement restauré plusieurs boutiques d'alimentation et de nombreux restos (voir *Gott's*, plus haut) – dont certains offrent la jouissance d'une terrasse avec vue. On y achète de bonnes petites choses, puis on part se restaurer sur les bancs face au port. La *Cowgirl Creamery* propose d'excellents produits italiens et fromages du monde entier (y compris d'Auvergne) et son voisin *Acme Bread* tout ce qu'il faut pour en faire de bons sandwichs ! Vous en trouverez d'autres, tout faits, à base de salami et de jambon italien, chez *Boccalone*. Pour une touche d'originalité ou pour ramener à la maison, *Stonehouse* vend de délicieuses huiles d'olive fabriquées en Californie (pas données). Sinon, pas

mal de *coffee shops* et de restos chic, dont le *Slanted Door* (voir ci-dessous) et le *Hog Island Oysters,* un bar à huîtres et à palourdes en provenance directe des parcs. Excellent, mais pas donné ! Pour terminer en douceur, une glace onctueuse chez *Ciao Bella* (36 choix de parfums), où les gens se marchent sur les pieds pour atteindre le comptoir...

De chic à très chic

|●| Yank Sing (zoom centre détachable F5-6, 159) : 49 Stevenson St (et 1st). ☎ 415-541-4949. Lun-ven 11h-15h, w-e 10h-16h. Dim sum env 6-10 $ la portion, plats 15-25 $. C'est ici, dans cette rue très discrète et ce cadre aseptisé bien éloigné de Chinatown que vous découvrirez les meilleurs *dim sum* de San Francisco. Cuites à la perfection, ces délicieuses spécialités à la vapeur (bouchées, raviolis, minipâtés, petits pains fourrés et autres boulettes en forme de poisson rouge...) vous feront très vite oublier le décor et la musique d'ascenseur. Un régal, pour ne pas dire un supplice chinois, tant il est difficile de choisir parmi la centaine de spécialités ! Un conseil : y aller au moins à 2 pour pouvoir partager plus de saveurs (spécialités souvent proposées en 3 ou 4 pièces). Attention, résistez au passage des chariots roulants, car l'addition peut vite grimper ! Autre adresse au *Rincon Center* (voir précédemment).

|●| Tadich Grill (zoom centre détachable F5, 160) : 240 California St (entre Battery et Front). ☎ 415-391-1849. Tlj sf dim 11h (11h30 sam)-21h30. Pas de résa. Plats 19-36 $. Au milieu des buildings modernes, ce vénérable resto ouvert en 1849 par des immigrés croates est tout simplement le plus ancien de Californie. Au gré des séismes et des opérations immobilières, il a déménagé 7 fois, pour finir par adopter l'actuelle salle tout en longueur au décor de bois sombre, avec un immense comptoir central, où l'on s'installe au coude à coude, et quelques box latéraux. Rien ne semble avoir changé depuis les années 1920, un peu à l'image de l'armée de serveurs en blouse blanche... On y déguste, suivant les conseils des habitués, un bon poisson grillé ou un *seafood Cioppino*, rappelant la bouillabaisse.

|●| *Slanted Door* (zoom centre détachable F5, *151*) : 1 Ferry Building, au bout de Market St. ☎ 415-861-8032. Tlj 11h (11h30 dim)-14h30 (15h dim) et 17h30-22h. Résa incontournable. Le midi : plats 11-36 $, menu 48 $; le soir : plats 11-45 $, menu 53 $. Au sein du *Ferry Building*, ce resto vietnamien, idéalement situé face à la baie, est l'un des meilleurs de la ville. Le cadre de métal et de verre, résolument contemporain, dessine une atmosphère aérienne et trendy idéale pour déguster la belle et inventive cuisine de Charles Phan. Toute la ville résonne de l'*American dream* de cet ancien tailleur débarqué en 1977 pour devenir l'un des chefs les plus cotés de la région, partisan d'une cuisine traditionnelle revisitée et inventive, imprégnée par les saisons... Un élégant *lounge bar* vous permettra de patienter (ce qui ne manquera pas d'arriver) en attendant, peut-être, une table en terrasse (chauffée s'il fait frais). Belle sélection de thés.

|●| *La Mar* (zoom centre détachable F5, *161*) : Pier 1.5, Embarcadero. ☎ 415-397-8880. Tlj 11h30-14h30 et 17h30-21h30 (22h jeu-sam). Plats 14-29 $. Ceux qui ont déjà visité le Pérou connaissent la qualité de sa cuisine et la renommée de Gaston Acurio, le plus célèbre de ses chefs. Au nombre de ses créations, *La Mar* se fait le chantre de la plus incontournable et de la meilleure des spécialités péruviennes : le *cebiche*, un plat de poisson cru en dés, mariné au *leche de tigre* (citron, oignons, coriandre, céleri). Le bâtiment du front de mer, entièrement restauré sur des tonalités de bleu, avec poutres blanches et sols en bois, se prête idéalement à ce voyage gastronomique. Reste que l'on pourra aussi craquer pour les classiques *anticuchos* (brochettes), *causas* (purée au crevettes ou de légumes), *empanadas* (chaussons frits) et autres *lomo saltado*, un excellent plat de bœuf en lamelles sauté aux oignons et légumes frais.

Très chic

|●| *Boulevard* (zoom centre détachable F-G5, *162*) : 1 Mission St (et Steuart). ☎ 415-543-6084. Lun-ven 11h30-15h et tlj 17h30-22h (22h30 ven-sam). Résa impérative. Plats : 16-26 $ le midi, 30-45 $ le soir. Installée dans un charmant édifice rescapé du désastre de 1906, le très *frenchie* Audiffred Building, cette superbe adresse est célèbre pour son cadre Belle Époque très réussi (luminaires 1900, mosaïques, fer forgé), signé par le designer adulé Pat Kuleto, et la cuisine inspirée de Nancy Oakes, qui a notamment suivi les conseils de Guy Savoy et de Joël Robuchon. Ici, il n'y a que des fans qui viennent et reviennent, la lippe gourmande, pour des plats tendant vers une cuisine de fusion, entre touches méditerranéennes, françaises et asiatiques. Des produits venus des quatre coins du Pacifique s'y marient avec sobriété et originalité (c'est compatible !), dans un bal de saveurs sans cesse renouvelé. Une valeur sûre.

|●| *Kokkari* (zoom centre détachable F5, *163*) : 200 Jackson St. ☎ 415-981-0983. Lun-ven 11h30-22h (23h ven), sam 17h-23h. Mezze 6-13 $, plats 21-45 $. Le tour du monde gastronomique se poursuit, cette fois sur les rivages méditerranéens, du côté d'une taverne de l'île de Samos – que tente d'évoquer le décor, avec sa cheminée (idéale pour griller agneau et cochon de lait !), ses tapis, ses fauteuils de style et ses chaises en bois – comme l'imaginent les Américains. Coqueluche de la ville, *Kokkari* réalise avec brio tous les grands classiques de la cuisine grecque et plus encore. Avez-vous jamais entendu parler du *pikti* (terrine de tête et pieds de cochon), avez-vous jamais goûté la *bizelosalata* (aux petits pois, féta, échalote et aneth) ? Pour le dessert, laissez-vous tenter par le *kataïfi* (aux cheveux d'ange).

|●| *Campton Place* (zoom centre détachable E6, *164*) : 340 Stockton St (et Post). ☎ 415-781-5555. Tlj 11h30 (12h sam)-14h et 18h-21h (21h30 ven-sam). À midi (carte resserrée), plats 24-31 $. Soir, compter env 60-80 $. Menus dégustation 85 $ (+ 85-105 $

pour les vins). Ce rejeton de la chaîne d'hôtels indienne *Taj* offre un cadre sophistiqué et un service hors pair à une clientèle huppée de connaisseurs appréciant la sérénité de l'atmosphère et le savoir-faire du sommelier. On est loin de la branchitude bruyante. Tant mieux, car il faut jouir en toute quiétude de la subtile et moderne cuisine de Srijith Gopinathan, grand maître ès-fourneaux passé par les cuisines du *Manoir aux Quat'Saisons,* à Oxford (doublement étoilé). La cuisine est créative, intelligente, utilise de superbes produits et possède un réel sens des saveurs, entremêlant de délicates fragrances méditerranéennes, californiennes et indiennes.

|●| ♪ **♀ Bix** *(zoom centre détachable F5, 165)* : 56 Gold St (ruelle reliant Montgomery et Sansome, entre Jackson et Pacific). ☎ 415-433-6300. *Tlj à partir de 17h30 (18h dim) ; ouv à midi slt le ven. Env 50 $ (moitié moins le ven midi).* Installé dans un ancien entrepôt de brique (qui fut un *Gold Center Exchange* au XIXe s), ce resto vous charmera par son décor, figé quelque part entre les années 1930 et 1940, comme une réminiscence posthume et chic de la prohibition. L'immense salle aux airs de paquebot s'orne de peintures, de colonnes dorées, d'un bar en acajou et d'un plafond vitré qui diffuse une douce lumière orangée. Les couples apprécieront l'intimité de la mezzanine. Service stylé pour une clientèle sophistiquée, venue savourer la cuisine indubitablement californienne et l'atmosphère très club due aux formations de jazz qui se produisent tous les soirs.

Où boire un café ou un thé (en mangeant un morceau) ?

♀ |●| *Café de la Presse* (*zoom centre détachable E-F5, 22)* : 352 Grant Ave (angle Bush). ☎ 415-398-2680. *Plats 10-38 $. Lun-ven 7h30-21h30, sam-dim 8h-12h.* En plein cœur du mini-French Quarter – ce discret noyau français matéria-

lisé par l'église Notre-Dame-des-Victoires –, ce simulacre de bistrot parisien se dresse face à la porte de Chinatown et aux délirantes boutiques de déco de *Michael*... Une vraie carte postale pour Américains, un lieu apprécié pour fixer un rendez-vous en savourant un petit noir et en épluchant son journal préféré (presse française vendue sur place), le tout sur un air de chez nous. On peut naturellement y manger, mais ce n'est pas donné.

☛ |●| *Samovar Tea Lounge* (*zoom centre détachable F6, 300)* : 730 Howard St. ☎ 415-227-9400. *Tlj 8h-20h (21h). Plats 11-16 $. Food and tea 19-24 $.* C'est avant tout pour sa situation que nous vous le conseillons : merveilleusement installé sur la terrasse supérieure des Yerba Buena Gardens, en retrait du brouhaha de la ville, cet élégant *tea lounge* propose un petit choix de plats, sandwichs et salades typiquement californiens, à dévorer au soleil. La spécialité de la maison, cependant, c'est le thé : thés verts, oolong, puer, chai, tisanes et même des menus associant petits plats et thé.

Où boire un verre ?
Où sortir ?

♀ *View Lounge* (*zoom centre détachable F6, 301)* : 55 4th St, au Marriott Marquis. ☎ 415-896-1600, ext. 6442. *Tlj 16h-1h (1h30 jeu-sam).* Ne vous laissez pas intimider par l'interminable façade de béton et la queue-de-pie du concierge : grimpez au 39e étage pour profiter de la vue spectaculaire sur la ville qu'offre ce bar vitré aux moquettes parfaitement psychédéliques. À l'heure du goûter, vous profiterez du soleil déclinant sur la ville et d'une bonne crème brûlée ; le soir, vous la verrez s'illuminer comme un sapin de Noël, un cocktail à la main. Bon choix de vins californiens au verre, éminemment (évidemment) chers.

♀ ♪ *111 Minna Gallery* (*zoom centre détachable F6, 289)* : 111 Minna St (angle 2nd). ☎ 415-974-1719. ● 111minnagallery.com ● Consulter le programme sur Internet pour connaître les événements et les horaires. Hybride et volontiers débridé, ce lieu atypique façon loft rassemble tous les branchés en fonction de son calendrier plein de bonnes surprises. Dès l'apéro, on y croise les équipes des cabinets d'architectes du coin, le petit monde des arts et les musiciens du moment, tous réunis pour boire un verre au bar, découvrir la nouvelle expo, participer aux vernissages, aux démonstrations de peinture, collages, assemblages... le tout entre concerts et rythmes électro assenés par d'excellents DJs invités. Un bar multiple à l'image de San Francisco.

♼ |●| The Irish Bank (zoom centre détachable F5, **302**) : 10 Mark Lane. ☎ 415-788-7152. Dans une ruelle entre Bush et Grant, accessible entre les nos 431 et 445 de Bush (près angle Kearny). Tlj 11h30-2h (cuisine servie jusqu'à 22h45). Au cœur du Financial District mais bien caché (pour vivre heureux, sans doute !), ce pub de compétition décline boiseries patinées, vraie brocante d'objets hétéroclites dans tous les coins, alcôve pour les amoureux dans une sorte d'ancien confessionnal (!), cheminée pour les soirées d'hiver dans la salle de resto du fond et terrasse tranquille dans la ruelle. Bref, l'Irlande n'a pas à rougir de son rejeton. Beaucoup d'ambiance à la sortie des bureaux et les soirs de match, alors imaginez à la Saint-Patrick... Côté ventre, bons burgers traditionnels, fish and chips, en passant par le pub grub. Et pour faire glisser le tout, une bière bien tirée ! « Lovely day for a Guinness », affirme le panonceau.

♼ ♪ Rickhouse (zoom centre détachable F5, **303**) : 246 Kearny St. ☎ 415-398-2827. Lun 17h-2h, mar-ven 15h-2h, sam 18h-2h. Derrière les (fausses) portes en bois s'ouvre un bar au look rétro, coincé entre murs de brique et mur... de whiskys ! La sélection est impressionnante. Les cocktails (chers) élaborés par les mixologistes maison ont fort bonne réputation, tout comme les punchbowls (à partir de 3 personnes) – servis dans de grands saladiers gorgés de fruits frais et de jus naturels. Pour échapper à la foule des fins de semaine, on peut tenter de dénicher un

recoin en mezzanine, ou dans le back room, envahi par un fond de rock british un peu trop loud. Musique live le samedi (22h-1h) et le lundi (20h-22h), sans cover.

♼ ♪ |●| Pied Piper Bar & Grill (zoom centre détachable F6, **69**) : au Palace Hotel, 2 New Montgomery St. ☎ 415-546-5089. Tlj 11h30 (11h sam, 10h dim)-minuit. Jazz ven 19h-23h. Murs de bois sombre, grands booths en cuir noir, sols en mosaïques, grand tableau éponyme du « joueur de flûte » au-dessus du bar, le lieu a indubitablement du style. Pas guindé pour autant, on y savoure un martini, un Manhattan ou tout autre cocktail en bonne compagnie. Par chance, le barman ne se sent pas obligé, ici, de mixer jus de betterave et sang de tarentule.

♼ |●| Press Club (zoom centre détachable F6, **304**) : 20 Yerba Buena Lane. ☎ 415-744-5000. Lun-jeu 16h-23h, ven-dim à partir de 14h. Happy hours lun-ven jusqu'à 18h. Parfaitement en adéquation avec ce quartier de verre et d'acier, le Press Club offre l'image d'un bar à vins hautement épuré, quasi chirurgical, aux airs de loft scandinave (qui a dit froid ?), doté de multiples espaces de béton brut et de bois. Les San-franciscains adorent y amener leurs invités pour une première approche des vins de la Napa et de Sonoma. Des dégustations permettent de faire connaissance avec différents producteurs locaux, présentés par roulement chaque mois. Des petits plats mettent en valeur les différents choix mais, attention, la note grimpe vite !

♼ |●| Gitane (zoom centre détachable F5, **305**) : 6 Claude Lane. ☎ 415-788-6686. Tlj sf dim 17h30-minuit (dim 14h jeu-sam). Rien ne ressemble à Gitane. Ses grandes draperies rouges, ses tableaux aux cadres dorés et aux scènes de corps de femmes entremêlés, ses lustres aux lumières tamisées, ses mosaïques évoquent une sorte de lupanar classieux dérivant quelque part au large de l'Andalousie. On y picore un petit assortiment de tapas authentiques, à déguster un verre de tempranillo en main, à moins que l'on ne craque pour un sherry – que l'on devrait sans doute appeler xérès.

SAN FRANCISCO

Une salle de resto plus formelle se cache à l'étage, où l'on sert un menu dégustation.

🍸 🎵 🎵 **The Bubble Lounge** (zoom centre détachable F5, **306**) : 714 Montgomery St. ☎ 415-434-4204. Tlj sf dim-lun 17h30 (18h30 sam)-1h (2h jeu-sam). Coupe à partir de 16 $, cocktails dès 12 $. Happy hours 17h-19h (23h mar). Avis aux noctam... bulles, la spécialité de ce bar, c'est le champagne ! Sans doute la façade orange, couleur Veuve Clicquot, vous avait-elle déjà mis sur la voie. Si le lieu se veut sophistiqué, c'est sans trop de chichis qu'on vient y boire une coupe entre copines ou collègues en fin de journée. Le soir, les fauteuils moelleux et les canapés rembourrés (on n'a pas dit « le canapé rend bourré ») sont investis par la jeunesse dorée de San Francisco, qui, c'est bien connu, vit dans sa bulle. Pour vous mettre au diapason : robe de soirée très échancrée, high heels (talons hauts) et business attire tendance cool pour les messieurs. La soirée débute tôt le vendredi (18h), avec jazz, bossa nova ou samba live (no cover), pour se poursuivre dans la cave-boîte, étouffante à souhait, aux rythmes du top 40 et de mash-ups très hip hop. Le DJ fait un comeback le samedi (toujours sans cover) et musique live le mercredi.

🍸 🎵 🍴 **Bix** (zoom centre détachable F5, **165**) : 56 Gold St. ☎ 415-433-6300. Tlj à partir de 17h30 (18h dim) ; ouv à midi slt le ven. Au-delà du restaurant, un lieu bien sympathique pour prendre un verre en écoutant les orchestres de jazz, tous les soirs. Voir ci-dessus au « Où manger ? Très chic ».

À voir

Au nord de Market Street

🏛 **Frank Lloyd Wright Building** (zoom centre détachable E-F6) : 140 Maiden Lane, petite rue reliant Stockton et Grant, entre Post et Geary. Conçu en 1948 par Frank Lloyd Wright, architecte anticonformiste connu pour avoir défendu le courant organique, ce bâtiment, à l'extérieur simplissime (cube en brique), servit de projet préalable au fameux musée Guggenheim de New York. Mettez-vous sur votre trente-et-un et poussez la porte de la très chic Xanadu Gallery (mar-sam 10h-18h), qui y a élu domicile, pour découvrir sa superbe rampe en hélice surmontée par une verrière. C'est la seule œuvre du maître à San Francisco.

🏛 **Le cœur du Financial District :** à parcourir de préférence en semaine, de 11h à 15h ; le soir et le week-end, c'est complètement mort. Au gré de la balade, on notera quelques beaux spécimens architecturaux, comme le Hallidie Building, 130-150 Sutter St (zoom centre détachable F5, **442**), récemment restauré. Datant de 1917-1918, il arbore une étonnante façade entièrement vitrée, ornée de ferronneries visiblement inspirées par l'Art Nouveau. À deux pas, 235 Montgomerery St, le Russ Building (zoom centre détachable F5, **443**) est rigolo avec ses éléments néogothiques. Au moment du lunch, beaucoup d'employés du quartier filent à la Crocker Galleria (zoom centre détachable F6, **154**), qui relie Sutter et Post Street, entre Montgomery et Kearny (voir « Où manger ? » plus haut). Du toit-terrasse de cette galerie marchande assez chic, genre hall de gare moderne, vous aurez une belle vue sur les buildings environnants.

🏛🏛 🚶 **Wells & Fargo Bank History Room** (zoom centre détachable F5) : 420 Montgomery St (à la hauteur de California). ☎ 415-396-2619. ● wellsfargohistory.com ● Tlj sf w-e et j. fériés 9h-17h. Entrée et audioguide (en anglais) gratuits. Deux étages présentent les souvenirs de la Wells & Fargo, fondée en 1852 dans le sillage de la ruée vers l'or. On y voit en particulier l'une des célèbres diligences qui ouvrirent la route de l'Ouest d'une façon aussi efficace que la carabine Winchester (voir encadré). C'est quasiment à l'emplacement du musée que la banque démarra, offrant aux prospecteurs une variété de services : banque et messageries, achat d'or, dépôts de valeurs, transferts de fonds... Trois ans après, la *Wells & Fargo* comptait déjà 55 succursales (en 1890 : 2 600, en 1918 : 10 000 !). En 1861 était créé le célébrissime *Pony Express*, entre Sacramento et Salt Lake City ; l'envoi d'une lettre coûtait la somme faramineuse d'1,20 $ mais elle traversait le pays en 10 jours seulement, une prouesse ! On ne peut s'empêcher de rappeler la devise de la maison en pleine période ascen-

BOILED BEANS BLUES

Datant de 1867, la diligence présentée au *Wells & Fargo Museum* transportait jusqu'à 18 personnes, dont 6 sur le toit ! Chacun avait droit à 18 kilos de bagages, armes (conseillées) incluses. Serrés comme des sardines, enveloppés de poussière, soumis à des cahots constants, les passagers arrivaient rarement à dormir. Impossible de se laver. Pire encore, les repas se résumaient à des haricots bouillis ! Et on ne vous parle même pas des attaques des bandits et des Indiens...

dante : *Work is a very necessary and good habit*. Aujourd'hui, on retire encore de l'argent dans les nombreux ATM de la *Wells Fargo* partout en ville (mais pas à cheval, évidemment !). À voir, en vrac : vieilles calculettes d'époque, balances pour peser l'or, pépites, télégraphes, vieux courriers, une petite section consacrée aux femmes de la *Wells Fargo* et une photo de Black Bart, gentleman cambrioleur qui, entre 1875 et 1883, n'attaqua pas moins de 27 diligences dans le nord de la Californie et le sud de l'Oregon – pour se venger, affirma-t-il, d'employés de la *Wells & Fargo* qui l'avaient chassé de sa concession. Réputé élégant, ce fils d'immigrants britanniques, un temps soldat pour l'Union, laissait des poèmes sur place à chacun de ses forfaits ! La *Wells* offrit 250 $ pour sa capture (un beau pactole pour l'époque !).

SAN FRANCISCO

🍴 Union Bank of California *(zoom centre détachable F5)* **:** *400 California St (et Sansome)*. Contrastant avec les grandes tours voisines, ce bâtiment néoclassique de 1907, à la façade appuyée sur de puissantes colonnes corinthiennes, abrite une des toute premières banques de Californie. Si elle appartient aujourd'hui au groupe japonais Mitsubishi, elle a financé en son temps les lignes de diligence, les *cable cars* et le *Central Pacific Railroad*... Au sous-sol, à gauche en entrant, un petit musée *(lun-ven 9h-16h30 ; GRATUIT)* retrace l'histoire de la société : collection de vieilles photos et de monnaies, quelques mini lingots et pas mal de pépites. Pas très excitant, mais cela donne l'occasion de jeter un coup d'œil à la salle du coffre avec, pour le coup, une porte très impressionnante.

🍴🍴 Transamerica Pyramid *(zoom centre détachable F5)* **:** *600 Montgomery St (entre Clay et Washington)*. Conçu par l'architecte William Pereira, le building le plus haut de la ville (260 m) est aussi le plus étonnant avec sa forme élancée, plus proche d'un obélisque que d'une pyramide, reconnaissable à plusieurs kilomètres à la ronde. Édifié en 1972 pour la *Transamerica Corporation*, c'est l'un des emblèmes de San Francisco, malgré les nombreuses controverses à l'époque. On dit que sa forme permet aux étages inférieurs de bénéficier de la lumière du jour. Ne se visite pas (il n'y a que des bureaux).

🍴 Jackson Square Historic District *(zoom centre détachable F5)* **:** cœur de l'ancienne *Barbary Coast*, le quartier chaud de San Francisco au XIXe s, Jackson Square s'étend sur quelques blocks au nord du FiDi. Le secteur est jalonné de plaques commémoratives ouvrant autant de fenêtres sur son passé. Les n°s 700 de *Montgomery Street* (entre Jackson et Washington) regroupent plusieurs édifices de l'époque de la ruée vers l'or, comme les n°s 722-728 (1851-53), en brique rouge. De nombreux antiquaires et galeries d'art se sont installés tout près, dans les n°s 400 de Jackson Street. Aux n°s 432-436, l'un des plus beaux édifices en brique de la rue, construit en 1906. Le n° 441 date de 1861, les n°s 445-451-463-473 des années 1860, le n° 472, en brique et fonte, de 1850. Aux n°s 415-431, la première usine de chocolat *Ghirardelli*, remonte, elle, à 1853.

🏃 ***Hyatt Regency*** *(zoom centre détachable F5) :* au bout de Market St, vers l'Embarcadero. Ne pas confondre avec le Grand Hyatt, situé sur Union Sq ! Pas besoin d'avoir usé ses fonds de culotte sur les bancs d'une école d'architecture pour apprécier la beauté intérieure de cet hôtel. Au centre de l'atrium de 17 étages, une sculpture géante baigne dans un bassin où s'écoule constamment de l'eau. Mais comment tout cela tient ? Prendre l'ascenseur permet une vue plongeante (les derniers étages ne sont accessibles qu'avec une carte magnétique). C'est là qu'a été tourné *High Anxiety (Le Grand Frisson)* de Mel Brooks, et *La Tour infernale* (1974) avec Steve Mc Queen et Paul Newman. Récemment, le lobby accueillait une exposition intéressante consacrée à Alcatraz. Dans le parc au pied de l'hôtel, côté Embarcadero Center, belle sculpture de Jean Dubuffet.

🏃 ***Ferry Building et The Embarcadero*** *(plan d'ensemble détachable F-G5) :* tt au bout de Market St. BART-MUNI : Embarcadero. Avec le transfert des activités portuaires vers les rivages plus favorables d'Oakland et la démolition de la *freeway* qui balafrait le front de mer, la municipalité s'est retrouvée confrontée à des kilomètres de quais désaffectés. L'essor du *Financial District* apporta la réponse : en quelques années, de nombreux entrepôts ont été réhabilités pour accueillir bureaux, restaurants et même logements, tandis qu'on aménageait progressivement les quais en promenades, – très appréciées des joggeurs et cyclistes. Même le vieux Ferry Building (1898), surmonté d'une tour d'horloge copiée sur celle de la cathédrale de Séville, a dû revoir sa feuille de route ! Fini le temps où 50 millions de passagers y transitaient annuellement. Si l'on continue d'y prendre le bateau pour Sausalito, Larkspur, Tiburon, Oakland, Alameda ou Vallejo, ce beau bâtiment abrite aujourd'hui surtout une galerie commerciale de luxe, largement dédiée à la gastronomie, et de bons restaurants (voir « Où manger ? »). Le très réputé *Farmer's Market* s'y tient 3 fois par semaine, les mardi (10h-14h), jeudi (idem) et plus encore le samedi (8h-14h), lorsque les étals débordent jusque sur les quais. À droite, le récent Pier 14 en bois donne aux badauds l'occasion de s'avancer en mer, pour mieux détailler la courbe du proche Oakland Bay Bridge.

🏃 ***San Francisco Railway Museum*** *(zoom centre détachable F5, 444) :* 77 Steuart St. ☎ 415-974-1948. ● streetcar.org ● Tlj (sf lun sept-mai) 10h-18h. GRATUIT. Ce mini-musée a été fondé par l'association à l'origine de la restauration des *cable cars* et tramways historiques. Pas grand-chose à voir, sinon quelques maquettes, panneaux et écrans tactiles permettant de visionner de vieilles photos.

🏃🏃 ***La ligne F :*** ligne de tramway historique sur Market St, reliant Fisherman's Wharf à Castro via l'Embarcadero. Fonctionne tlj de 5h10-5h45 à 0h40-1h10 selon l'arrêt. Accessible avec le CityPass et les pass MUNI. Billet : 2 $. Les voitures viennent des quatre coins du pays : San Francisco, Los Angeles, New York, Chicago, Louisville, Kansas City... Les grands jours, on sort même les plus exotiques, originaires d'Italie, du Japon, d'Australie, de Russie... Seuls les machines et essieux ont été adaptés à leur nouveau parcours. Pour le reste, les couleurs des voitures, les affiches publicitaires de l'époque ont été conservées. Moyen très pratique et ludique de se rendre de Market à Castro/Mission ou à Fisherman's Wharf.

Au sud de Market Street

🏃🏃 ***Contemporary Jewish Museum*** *(zoom centre détachable F6) :* 736 Mission St (entre 3rd et 4th St). ☎ 415-655-7800. ● thecjm.org ● Lun-mar et ven-dim 11h-17h ; jeu 13h-20h ; fermé mer et pdt les fêtes américaines et juives. Entrée : 12 $; réduc ; 5 $ jeu après 17h ; gratuit 1er mar du mois. Voici l'un des derniers bijoux créés par l'architecte Daniel Libeskind. Après le *Jüdisches Museum* de Berlin et le premier projet de reconstruction de Ground Zero à New York (finalement attribué à un autre cabinet d'architecture), Libeskind s'est attelé à la rénovation de cette ancienne usine électrique de 1907, restaurée juste ce qu'il faut pour en garder l'armature métallique. La « patte » Libeskind est pourtant bien là, des murs à l'oblique jusqu'aux fauteuils penchés. Cet écrin pour les expositions dédiées à la culture juive est délimité à l'ouest par un cube d'acier bleuté, posé sur l'une de ses pointes, comme ouvert vers le ciel – un des rares édifices modernistes de la ville. Cet espace vertical rompt magnifiquement l'horizontalité de l'ancienne bâtisse. Il règne un vrai sentiment de quiétude dans cet univers dédié à l'art contemporain juif, interrogeant l'identité, le passé, les formes d'art, les idées et les perspectives d'avenir, sur 2 étages, à travers de nombreuses expos temporaires. Boutique.

|●| Wise Sons Jewish Deli : ☎ 415-655-7887. *Lun, mar et ven 11h-16h ; jeu 13h-16h ; mer et ven 8h-15h ; w-e 9h-15h.* L'occasion de goûter des spécialités de delicatessen juives, rappelant celles que l'on peut trouver sur la côte est.

🍖 Museum of the African Diaspora *(MoAD ; zoom centre détachable F6, 445)* : *685 Mission St (et 3rd St).* ☎ *415-358-7200.* ● *moadsf.org* ● *Mer-sam 11h-18h, dim 12h-17h ; fermé lun-mar. Entrée : 10 $; réduc.* En façade se dégage un visage de petite fille ghanéenne, composé de 2170 photos. Vibrant hommage à l'héritage africain des États-Unis, ce musée très moderne est avant tout un lieu de mémoire et de partage. Les expos interactives, quoique bien conçues, s'appuient presque exclusivement sur des témoignages vidéo ou audio destinés à mettre en lumière les origines et l'apport culturel de la diaspora africaine. On peut ainsi entendre des récits d'anciens esclaves, voir des vidéos consacrées au *Freedom Movement* ou à Nelson Mandela. L'idée est intéressante, mais on peut regretter l'absence de toute collection... autre que virtuelle. Expos temporaires d'art contemporain et de photos tous les 3 à 6 mois.

🍖 Cartoon Art Museum *(zoom centre détachable F6, 446)* : *655 Mission St (entre 3rd et New Montgomery).* ☎ *415-227-8666.* ● *cartoonart.org* ● *Tlj sf lun et j. fériés 11h-17h. Entrée : 7 $; réduc. Le 1er mar du mois : payez ce que vous voulez !* Ce petit musée (5 salles) de la B.D. intéressera les fans. L'un des principaux aux États-Unis, il regroupe une collection de quelque 6 000 planches originales, dont quelques grands classiques connus outre-Atlantique (Popeye, Charlie Brown, etc.). Elles sont présentées au gré d'expositions temporaires changeant tous les 4 mois. Boutique intéressante.

🍖🍖 SFMoMA *(San Francisco Museum of Modern Art ; zoom centre détachable F6)* : *151 3rd St (entre Mission et Howard).* ☎ *415-357-4000.* ● *sfmoma.org* ● *Fermé jusqu'en 2016.* Après 60 années passées dans le Veterans Building sur Van Ness Avenue, le San Francisco Museum of Art, devenu « Modern » en 1960, a rouvert ses portes en 1995 à deux pas du Yerba Buena Center. On doit sa réalisation à l'architecte suisse Mario Botta. Avec un mur aveugle de brique surmonté d'un cylindre biseauté et bicolore, la façade surprend, mais s'intègre bien dans son environnement de buildings. Le musée est en cours d'agrandissement et de rénovation, avec l'ajout d'un bâtiment réservé à la collection Fisher, qui compte près de 1 100 œuvres. Donald Fisher est le fondateur du premier magasin *Gap* à San Francisco en 1969. Sa fortune lui permit d'acquérir, entre autres, des œuvres de De Kooning, Rauschenberg, Warhol, Louise Bourgeois et Roy Lichtenstein.

🍖 🧍 Yerba Buena Gardens *(zoom centre détachable F6)* : *tlj du lever du soleil à 22h.* Face au SFoMA, ces jardins très urbains offrent une pause verdoyante au milieu des buildings. Les San-Franciscains adorent y prendre le soleil sur le tapis de gazon, au pied de la fontaine commémorative dédiée à Martin Luther King. De là, un joli point de vue se révèle sur la petite église néogothique en brique Saint Patrick's, contrastant avec l'architecture moderne du quartier. La terrasse supérieure du parc abrite deux bars-restos, dont le *Samovar Tea Room*, parfait pour une escale au soleil, avec quelques coussins moelleux (voir ci-dessus « Où boire un verre, un thé ou un café ? »). Les Yerba Buena Gardens accueillent

des animations les fins de semaine de mai à octobre : festivals communautaires, concerts, démonstrations de hula (danse hawaïenne), leçons de danse, etc.
Une passerelle piétonne franchissant Howard Street mène au *Children's Creativity Museum* (zoom centre détachable F6) : ☎ 415-820-3320. ● creativity.org ● *Mer-dim 10h-16h, l'été mar-dim mêmes heures. Entrée : 11 $ à partir de 2 ans.* Plus qu'un musée, c'est une sorte de *playground* géant destiné à favoriser l'expression des enfants. Pour les plus petits, un espace pour dessiner et découper et un *Imagination Lab*. Pour les 5 ans et plus, un studio d'animation : on crée des personnages à l'aide de fil de fer et de pâte à modeler, puis on les met en scène dans un petit film que l'on peut graver sur DVD ou s'envoyer par e-mail. On peut aussi s'initier à la retouche d'image au *design studio*, ou faire sa rock star au *music studio*. Juste à côté, magnifique manège de chevaux de bois *(tlj 10h-17h ; 3-4 $)*. Le *Moscone Center* attenant abrite une patinoire et un bowling.

CHINATOWN
(plan d'ensemble détachable E2 et zoom centre E-F5)

On y pénètre par Chinatown Gate, un portique en forme de pagode dressé à l'intersection de Grant Avenue et de Bush Street. Avec une population estimée entre 100 000 et 150 000 habitants, le quartier abrite aujourd'hui la 2e plus grande communauté chinoise hors d'Asie, après New York. Les trois quarts de ses résidents sont nés à l'étranger, en particulier dans la région de Canton en Chine ; une fois établis, la plupart quittent en général les lieux pour des quartiers à la densité moindre.
Il existe en fait deux Chinatown. Le premier, autour de Grant Avenue, délibérément rebâtie dans un style chinois après le séisme de 1906, compte plus de maga-

BONNE FORTUNE

Les fortune cookies, ces petits gâteaux secs servis traditionnellement dans les restos chinois des États-Unis avec l'addition (de moins en moins souvent, malheureusement), sont garnis d'une bandelette de papier portant un message porte-bonheur, une prédiction, une maxime humoristique, voire, pour la version adults-only, une blague coquine ! Découlant sans doute d'une tradition nippone, ils auraient été inventés à San Francisco par le jardinier-paysagiste du Japanese Tea Garden, dans le Golden Gate Park, au début du XXe s – quoique Los Angeles en revendique aussi la paternité. Nul ne sait vraiment comment ils atterrirent dans l'assiette des restaurants chinois...

sins de souvenirs que d'échoppes traditionnelles. Les toits des bâtiments, les lampadaires, les cabines téléphoniques, les noms des rues, tout prend ici des allures de Chine très photogénique. Un pâté de maisons plus haut, Stockton Street offre un autre visage, plus authentique, avec sa profusion de marchands de fruits et de légumes (faites une cure de nashis !), de crevettes et de concombres de mer déshydratés, ses poissonneries, ses herboristeries, ses rôtisseries, ses pharmacies traditionnelles aux bocaux bien alignés renfermant de mystérieux remèdes. Pour mieux saisir l'atmosphère de ce morceau d'Asie, l'idéal est de venir faire son marché le samedi ou le dimanche matin, tôt, en même temps que les habitants du quartier.

UN PEU D'HISTOIRE

Les premiers immigrants chinois sont arrivés dès 1848, fuyant la famine et les conséquences de la première guerre de l'Opium, pour s'installer autour de Portsmouth Square. Des milliers d'entre eux débarquèrent dans les années 1850, attirés par la ruée vers l'or (ils représentaient 25 % des orpailleurs) – pour souvent se retrouver quelques années plus tard sur les chantiers de construction du chemin de fer transcontinental. Les vieilles photos ne le montrent pas, mais 9 ouvriers sur 10 (12 000 en tout) étaient chinois ! Ceux restés en ville montèrent des commerces (chaque clan avait les siens) dans la confection, la restauration, la pêche et, bien sûr, la blanchisserie.

Très vite, la forte cohésion de la communauté, ses habitudes vestimentaires, la présence d'opium aussi, fit naître un sentiment de méfiance : les enfants chinois furent cantonnés à leur propre école *(Chinese only)*, une taxe anticoolie fut adoptée (1862), le port de la natte fut interdit, puis une série de lois californiennes restreignit l'immigration chinoise, jusqu'au *Chinese Exclusion Act* fédéral de 1882 – qui ne fut abrogé qu'en 1943. Les choses ont aujourd'hui bien changé : en 2011, un Sino-Américain, Edwin Lee, a été élu pour la première fois maire de San Francisco.

Où manger ?

Chinatown est LE quartier pour manger pas cher. Certes, la qualité n'est pas toujours au rendez-vous, mais nous avons essayé de vous dénicher le meilleur du lot ! Notez que la plupart des petites adresses ne prennent pas les cartes de paiement.

De très bon marché à bon marché

|●| *Dol Ho* (zoom centre détachable E5, *166*) : 808 Pacific Ave. ☎ 415-392-2828. Tlj 11h-15h. On mange pour 5-6 $. CB refusées. Ici, on ne joue pas à être : on est. On mange. On déglutit, on aspire, on soupire (de contentement). L'atmosphère est pourrie, disent les hipsters, le décor aussi, et la note est parfois un peu floue, mais les *dim sum* de la maison valent bien ces petits désagréments. Qu'importe si les serveurs ne parlent guère que le chinois : ils comprendront bien *pork* ou *shrimp* quand vous montrerez ce que vous avez repéré du doigt au passage du chariot fumant. Une authentique plongée dans Chinatown.

|●| *Wing Sing Dim Sum* (zoom centre détachable E5, *167*) : 1125 Stockton St. ☎ 415-433-5571. Tlj 7h-18h. Compter 1,90 $ les 3 dim sum ; plats moins de 5 $. CB refusées. Ce minuscule resto au cœur de l'animation de Chinatown est envahi à midi. Il vous faudra sans doute jouer un peu des coudes pour accéder au comptoir et commander *dim sum* bien parfumés et plats de riz simples mais nourrissants, avec viande et/ou légumes. On a bien aimé le *lotus bun,* un petit pain blanc fourré d'une pâte rappelant un peu la crème de marron. Parfait pour observer le centre névralgique de Chinatown sans se ruiner.

|●| *Vietnam* (zoom centre détachable E5, *168*) : 620 Broadway St. ☎ 415-788-7034. Tlj 9h30-3h du mat ! CB refusées. Plats et ph⬚ env 7 $. Réputé pour ses *ph⬚* au bœuf et autres soupes parfumées, ce petit *hole-in-the-wall* vietnamien est fréquenté par une clique d'habitués en chaussures de sécurité et autres ouvriers du coin. Au menu, également : rouleaux de printemps confectionnés sous vos yeux, plats de riz à la viande et tofu sauté aux légumes pour les végétariens. Simple et copieux. La déco ? Quelle déco ? Vous voulez sans doute parler des 3 autocuiseurs et du fourneau, où s'alignent autant de grosses casseroles, face au vieux comptoir...

De bon marché à prix moyens

|●| *Capital* (zoom centre détachable E5, *169*) : 839 Clay St (et Waverly Place). ☎ 415-397-6269. Tlj 11h-21h15. Plats 7-13 $. CB refusées. Les habitants du quartier, fidèles, affirment qu'on y mange comme à la maison : une cuisine simple donc, déclinée en 160 plats (un vrai bottin !). Autant on vous déconseille les galettes de porc au poisson salé (très gras), autant les ailes de poulet frites (relevées), les *chow mein* et *claypots* tiennent plutôt bien la route (pour un Occidental). On

s'installe à l'une des grandes tables rondes en formica (à plateau central pivotant) ou au comptoir, face aux 4 étages de théières.

|●| House of Nanking (zoom centre détachable E-F5, **170**) : 919 Kearny St (et Columbus). ☎ 415-421-1429. Tlj 11h (12h w-e)-22h (21h30 dim). Plats env 10-14 $. Connu pour ses files d'attente, ce petit resto chinois très animé (comprenez : bruyant) a su faire la transition vers un cadre croquignolet qui plaît aux Occidentaux : céramiques, bouteilles et jarres aux murs, coup d'œil sur la cuisine où flamboient les woks et pile de Tsingtao dépassant savamment sur les 2 mini-salles... C'est charmant, ça sent l'authentique, malheureusement la cuisine est en baisse et les prix en hausse. D'ailleurs, les Chinois ont commencé à déserter. On vous le signale donc plus pour son caractère incontournable que pour vous conseiller d'y manger.

De prix moyens à chic

|●| R & G Lounge (zoom centre détachable F5, **171**) : 631 Kearny St (entre Clay et Commercial). ☎ 415-982-7877. Tlj 11h-21h30. Plats env 11-28 $. Ce vaste resto chic sur 3 niveaux, avec plusieurs petits salons privés, est une véritable institution. Une institution bourdonnante, toujours noire de monde (mais ça dépote), aux lumières un peu glauques, au service efficace, pour ne pas dire (trop) empressé (les serveurs sont équipés d'oreillettes !), mais dont la cuisine reste une valeur sûre. Les Chinois viennent en bande autour de grandes tables rondes dotées d'un plateau tournant central pour partager des spécialités cantonaises. La seafood tient le haut de l'affiche, avec en vedette le live crab with salt and pepper (prix au poids). Quelques plats rares et chers, comme le canard laqué, et d'autres plutôt bon marché et néanmoins savoureux (beef and rice vermicelli in clay pot). La salle du sous-sol est amusante avec ses viviers.

|●| Great Eastern Restaurant (zoom centre détachable E-F5, **172**) : 649 Jackson St (entre Grant et Kearny).

☎ 415-986-2500. Tlj 10h (9h sam-dim)-minuit. Plats env 9-41 $. Ouvert en 1955, ce grand resto chinois haut de gamme se reconnaît à son fronton en forme de pagode. On s'y presse d'autant plus depuis que Barack Obama y est passé lors de sa 2e campagne présidentielle. Le menu est un véritable livre de recettes... Si l'ampleur du choix vous effraie et que votre bourse n'est pas très élastique, tenez-vous-en aux dim sum (pas de chariot ici, mais un menu qui permet de faire son choix plus sereinement). Si vous commandez crabe ou poisson frais, il a toutes les chances de vous être présenté après avoir été tiré des viviers alignés sur le mur du fond. Attention, comme souvent, la seafood est facturée selon les cours du jour (pareil au R & G).

Où boire un verre ?

♟ Li Po Cocktail Lounge (zoom centre détachable E5, **307**) : 916 Grant Ave. ☎ 415-982-0072. Tlj 14h-2h. CB refusées. Une porte rouge chinoise, aux faux airs de grotte, s'ouvre sur un troquet un peu caverneux, décoré pour séduire tout ce que Chinatown compte de touristes aventureux : autel au Bouddha, lanterne géante, dragon de papier et odeurs d'encens. La house pompe fort, jusqu'à faire vibrer les murs et les coudes se lèvent en cadence pour la seule spécialité de la maison : le mai tai à la chinoise. Une dose quasi létale de 3 rhums et de liqueur chinoise, à peine coupés d'un peu de jus d'ananas...

Achats

☸ Red Blossom Tea Company (zoom centre détachable E5, **405**) : 831 Grant Ave (entre Washington et Clay). ☎ 415-395-0868. Tlj 10h-18h30 (18h dim). Cette petite boutique de thés assez chic est connue pour son sérieux et son accueil délicat et personnalisé. Vous pourrez y acheter les fleurs de jasmin qui s'ouvrent en corolle dans la théière. N'hésitez pas à demander conseil et regardez bien les prix car certaines variétés sont très chères. Également un beau choix de théières et de nécessaires à thé. La maison ne fait pas salon de thé mais on vous offrira volontiers une dégustation. Au fond, les plantes médicinales.

⚜ **Old Shanghai** *(zoom centre détachable E5, 406)* : 645 Grant Ave *(entre California et Sacramento).* ☎ 415-986-1222. Tlj 10h-21h30 *(22h ven-sam)*. Cette boutique un peu chic se démarque par sa sélection un brin plus rigoureuse et de meilleure qualité. En plus des habituels gadgets bon marché (il faut bien vivre !), elle offre un large choix de meubles (assez chers), bibelots, services à thé et surtout de vêtements de bonne facture mais pas toujours donnés : robes brodées chatoyantes très *In the Mood for Love*, adorables tenues pour les enfants.

⚜ **Peking Bazaar** *(zoom centre détachable E5, 407)* : 826-832 Grant Ave *(entre Clay et Washington).* ☎ 415-982-9847. Tlj 10h-21h30 *(22h ven-sam)*. Cette grande boutique sur 2 niveaux, appartenant aux mêmes proprios qu'*Old Shanghai*, est remplie à ras bord de chinoiseries en tout genre : vêtements en soie ou en coton, théières, grand choix de vaisselle en sous-sol, mobilier et babioles diverses. Qualité standard mais petits prix.

⚜ **Stylers Art Gallery** *(zoom centre détachable E-F5, 408)* : 661 Jackson St *(et Grant).* ☎ 415-788-8639. Tlj 11h-17h30. Cette boutique anonyme, spécialisée dans la calligraphie et la peinture chinoise, propose quelques belles estampes, des nécessaires d'écriture, des pinceaux et des tampons à faire graver à votre nom.

À voir

··

🎎🎎 *Chinese Historical Society of America Museum (zoom centre détachable E5)* : 965 Clay St. ☎ 415-391-1188. ● chsa.org ● Mar-ven 12h-17h, sam 11h-16h ; fermé dim-lun et j. fériés. Entrée : 5 $; réduc ; gratuit le 1er jeu du mois. Organise des visites guidées de Chinatown sur rdv (min 10 pers). Ce petit musée est logé dans une partie indépendante de la YMCA de Clay St. Assez moderne, il présente une expo intéressante sur l'histoire de l'immigration chinoise dans l'Ouest américain et à San Francisco en particulier, à l'aide de nombreux panneaux explicatifs. Originaires principalement de la région de la rivière des Perles au Guangdong (région de Canton), ravagée par les famines, arrivés dans des conditions de voyage pires que celles des émigrants européens, les premiers immigrants Chinois étaient employés (et exploités) dans l'agriculture, les travaux hydrauliques, la blanchisserie et surtout pour la construction du chemin de fer. On leur réservait les travaux les plus dangereux, comme le délicat transport de la nitroglycérine, destinée à creuser les tunnels (avec la promesse de les autoriser à faire venir leurs familles). Des centaines y laissèrent leur peau... mais pas leurs os, renvoyés en un seul ballot en 1870. À cette époque, 10 % de la population californienne était d'origine chinoise (mais à raison de 27 hommes pour une seule femme !). Des panneaux racontent aussi la xénophobie des syndicats, dont la propagande les qualifiait de « mangeurs de rats ». Des textes de lois ont même été votés par la Chambre des représentants pour interdire aux Chinois certains domaines d'activités. Ce racisme d'État perdura, en partie, jusque dans les années 1960.

Balade dans le quartier

En venant d'Union Square, vous pénétrerez dans le quartier par la *Chinatown Gate*, située à l'angle de Bush et Grant Avenue. Elle a été offerte en 1969 par la République populaire de Chine à la diaspora locale. De là, il faut remonter Grant, véritable colonne vertébrale de ce quartier très vivant, coloré et pittoresque.

➤ *Old St. Mary's Church (zoom centre détachable E5)* : 660 California St *(angle Grant).* Tlj 7h-15h15. Première cathédrale de San Francisco, Old St. Mary's a été construite en 1854 sur le modèle d'une église gothique espagnole par des ouvriers chinois qui n'étaient pas encore partis pour la ruée vers l'or… Elle a brûlé lors du tremblement de terre de 1906, mais ses murs sont restés debout. Certains diront que c'est parce qu'elle est construite en granit venu de Chine – et en brique apportée comme ballast de Nouvelle-Angleterre par les navires contournant le cap Horn. À cette époque, elle avait déjà été délaissée pour la cathédrale de Van Ness Avenue, située dans un quartier où les maisons de passe étaient moins nombreuses… À l'entrée, de vieilles photos illustrent le séisme de 1906.

➤ Au niveau du pâté de maisons suivant, tournez à droite dans Sacramento pour découvrir, au n° 755, le charmant bâtiment de la petite **Nam Kue Chinese School** (*zoom centre détachable E-F5, 447*). Blanc et rouge, au toit turquoise évoquant lui aussi une pagode, il date de 1925 et abrite une école chinoise, qui accueille les enfants du quartier après les cours de l'école américaine.

➤ Revenez sur Grant. Un demi pâté de maisons plus avant, à gauche (n° 745), le **Ying on Merchants and Labor Benevolent Association** (*zoom centre détachable E5, 448*) arbore une belle façade chinoise moderne, étroite et colorée. Cette organisation *(tong),* née au XIXe s, avait aussi bien pour vocation d'assister les nouveaux arrivants que de défendre les intérêts d'un clan ; comme toutes les autres sociétés plus ou moins secrètes de ce type, elle fut, au cours de son histoire, impliquée dans diverses affaires criminelles. Les *tong* ont aujourd'hui un rôle plus culturel, pour la promotion de cours de chinois, par exemple.

➤ Juste à côté, la façade du **Far East Flea Market** est orange et turquoise, rehaussée de colonnes dorées ! En face, une belle fresque dépeint Bouddha, grues du Japon et dragons.

➤ Passez la grosse boutique du *Peking Bazaar* (voir « Achats »), puis tournez à droite dans Washington pour découvrir, presque immédiatement (n° 743), le superbe édifice en forme de petite pagode de l'**EastWest Bank** (*zoom centre détachable E5, 449*), datant de 1909. Les curieux peuvent assister aux entraînements en plein air de tai-chi et autres arts martiaux juste en contrebas, à **Portsmouth Square,** très tôt le matin ou encore le soir.

➤ De là, remontez Washington vers Grant, puis **Waverly Place,** première ruelle à gauche, pour voir ses balcons richement décorés. L'immeuble du n° 127 abrite, perché au 3e étage, le **Tin How Temple** (*zoom centre détachable E5, 450*) de 1852, dédié à la Reine du Ciel et des Sept Mers, protectrice des marins.

➤ Presque dans le prolongement de Waverly, du côté nord de Washington, se dessine la discrète **Ross Alley,** très typique elle aussi avec ses échoppes traditionnelles. Au n° 56, on peut assister à la confection traditionnelle des *fortune cookies* dans une petite fabrique qui existe depuis 1962 *(tlj 8h-17h30).* Typique, mais ça vous coûtera 50 cents la photo !

➤ Plus au nord, Grant rejoint l'angle de Broadway, où l'on peut voir une pittoresque grande **fresque** (*zoom centre détachable E5, 451*) représentant des musiciens, des vues de la ville, des pêcheurs et des joueurs de *bocce.* Voilà qui signale l'entrée du quartier italien de North Beach (voir plus loin).

NOB HILL ET RUSSIAN HILL (plan d'ensemble détachable D-E1-2 et zoom centre détachable D-E4-5)

Nob Hill, la plus haute colline de la ville (115 m), n'est autre qu'une allusion aux *nobs* – les « richards », magnats des chemins de fer et de l'industrie minière enrichis par la ruée vers l'or, qui à la fin du XIXe s y dressèrent leurs villas fastueuses. Elles furent presque toutes détruites par l'incendie consécutif au séisme de 1906. Aujourd'hui, le quartier, résidentiel et chic, révèle des demeures cossues, des hôtels historiques comme le *Fairmont* (quasiment le seul rescapé du séisme de 1906 dans le coin) et le *Mark Hopkins,* dont le resto-*lounge* panoramique offre une vision à 360° sur la ville. Le *cable car* se hisse sur les pentes pour poursuivre son chemin vers Russian Hill, au nord, en direction du Fisherman's Wharf. Le nom ne désigne pas des montagnes russes (pourtant, il pourrait !), mais rappelle que des tombes de marins et de trappeurs russes furent découvertes dans le quartier à la fin du XIXe s. Ces collines, les plus célèbres de San Francisco avec Telegraph Hill, affichent des déclivités carrément folles. La portion de Taylor entre Broadway et Chestnut est l'une des plus spectaculaires, avec une vue imprenable sur Alcatraz en toile de fond ; elle servit en partie de décor à la fameuse course-poursuite de *Bullitt* ! Les randonneurs urbains trouveront aussi à Russian Hill de mystérieux et attachants petits passages ombragés, prolongés par des escaliers, et de fort belles demeures avec vue.

Où manger ?

À Nob Hill

Bon marché

🐕 |●| **Nook Cafe** (zoom centre détachable E5, **173**) : 1500 Hyde St (angle Jackson). ☎ 415-447-4100. Tlj 7h (8h w-e)-22h (21h dim). Plats dans les 8 $. 🛜 C'est un peu le *Friends* du coin, le *neighborhood cafe* où l'on passe en coup de vent pour acheter un bagel en route, où l'on s'attable au soleil, sur le trottoir, devant un sandwich ou une salade le midi, où l'on se retrouve entre potes devant un verre de vin après le travail. Rien d'extraordinaire, non, juste un petit coin cosy, dans un cadre aéré et lumineux, pour caler un creux et respirer l'air de Nob Hill sans se ruiner. Pas si évident, par ici !

Prix moyens

|●| **Swan Oyster Depot** (zoom centre détachable D5, **174**) : 1517 Polk St (et California). ☎ 415-673-1101. Lun-sam 10h30-17h30. Fermé 1 sem autour du 4 juil. Env 15-25 $. CB refusées. Attendez-vous à faire la queue ! Cela dit, le lieu est de la patience à revendre. La caisse enregistreuse fatiguée donne une idée de l'âge de la boutique, née à l'aube du XXe s. Rien n'a vraiment changé depuis. Cette petite poissonnerie, tenue par sept frères, déniche toujours les meilleurs produits, qu'elle sert sans chichis à ses adorateurs agrippés au vieux comptoir de marbre. Après le rituel de l'excellente soupe de palourdes *(clam chowder)*, commence un festival d'huîtres locales, de crevettes, de crabes, ou même de homard

(prévoir assez de dollars pour le coup), tous d'une fraîcheur et d'une qualité irréprochables. Avec un verre de blanc et une tartine beurrée, c'est le bonheur assuré !

|●| **Nob Hill Café** (zoom centre détachable E5, **175**) : 1152 Taylor St (et Sacramento). ☎ 415-776-6500. Tlj 11h-15h et 17h-22h. Brunch le w-e. Plats 10-18 $. Ce petit bistrot tout mignon, situé à mi-chemin de la *Grace Cathedral* et du *Cable Car Museum*, est fréquenté par une clientèle d'habitués venus en voisins. La carte décline pizzas et spécialités du nord de la Botte très correctes (quoique assez américanisées), servies avec le sourire, dans 2 salles coquettes ou en terrasse. Le service est souriant, et le fond jazzy adoucit les mœurs. Pour l'anecdote, jetez un œil à la vitrine du pressing voisin, où la patronne apparaît en photo, très fière, aux côtés de Clint Eastwood...

À Russian Hill

Spécial petit déjeuner

🐕 **Caffe Sapore** et aussi **Pesce** pour le brunch le week-end (lire ci-après).

Bon marché

|●| **Caffe Sapore** (zoom centre détachable E4, **176**) : 790 Lombard St (angle Taylor). ☎ 415-474-1222. Tlj 7h-20h30. Plats env 5-10 $. 🛜 Situé en bas de la fameuse descente filmée dans *Bullitt*, ce *deli* bien tranquille occupe une place de choix à deux pas de nombreux centres d'intérêt... C'est en terrasse (ensoleillée le midi, côté Lombard Street) qu'on ira déguster les salades fraîches, *focaccie* et bagels

SAN FRANCISCO

garnis, un œil sur les hortensias de Lombard Street. Parfait pour une petite pause dans le coin... et pour s'imaginer en cascadeur intrépide sans bouger de sa chaise. Accueil tristounet.

I●I The Café, SFAI *(zoom centre détachable E4, 177)* : *800 Chestnut St (et Jones), dans le San Francisco Art Institute ; autre accès par un escalier en béton depuis Francisco St.* ☎ 415-749-4567. *En sem slt 8h30-16h30. Fermé fin mai-début juin et pdt les vac scol. Petits plats env 6-9 $.* C'est le café de l'institut d'Art moderne (lire « À voir »). Qui l'eût cru, la cafétéria de cette école offre sans doute l'un des meilleurs points de vue sur North Beach et Alcatraz ! Alors on n'hésite pas à jouer les étudiants le temps d'une pause panoramique, à l'intérieur ou sur la terrasse, pour grignoter une salade ou un sandwich.

De prix moyens à chic

I●I Aux Délices *(zoom centre détachable D5, 178)* : *2327 Polk St (entre Union et Green).* ☎ 415-928-4977. *Lun, jeu et ven 11h30-15h et tlj 17h (16h w-e)-22h. Plats env 8-19 $.* Une belle découverte que ce restaurant vietnamien dont le nom français évoque le souvenir de la colonisation. On y sert des spécialités indochinoises, tout en saveurs, finesse et légèreté, d'un excellent rapport qualité-prix. Soupes, *spring rolls*, tout est délicieux. Service délicat et prévenant. Pas étonnant que la salle soit souvent comble et que les locaux soient parfois nombreux à patienter devant le bouddha doré de l'entrée.

Très chic

I●I Pesce *(zoom centre détachable D5, 179)* : *2227 Polk St (entre Green et Vallejo).* ☎ 415-928-8025. *Ouv ts les soirs 17h-22h (23h ven-sam). Brunch le w-e 12h-16h. Addition env 30 $.* Ce joli restaurant tout bleu, orné d'un beau poisson en façade, se spécifie dans les produits de la mer (pêche durable) préparés à la vénitienne. Sa spécialité ? Les *cicchetti*, des petites assiettes de produits de saison, à partager entre amis. Il faut quand même en prendre

2 ou 3 chacun, plus éventuellement un dessert (délicieux !), pour faire un repas complet. Excellents risotto à l'encre, spaghettis à la langouste et *crab tower, as well* ! Carte de vins italiens et californiens.

Où manger une glace ?

♥ Swensen's Ice Cream *(zoom centre détachable D5, 308)* : *1999 Hyde St (et Union), à Russian Hill.* ☎ 415-775-6818. *Tlj sf lun 12h-22h (23h ven-sam). Dès 3 $. CB refusées.* Dans le quartier, ce glacier ouvert depuis 1948 est presque aussi mythique que les hortensias de Lombard Street. Les cornets sont maison et le lychee est un vrai régal. Bref, ça vaut le coup de grimper la côte, même s'il n'y a aucun banc ni aucune chaise pour s'asseoir sur place !

Où boire un verre ?

À Nob Hill

♥ ♪ Top of The Mark *(zoom centre détachable E5, 309)* : *au 19e étage du Mark Hopkins Intercontinental, 999 California St.* ☎ 415-616-6916. *Cocktails tlj 14h30 (17h dim)-23h30 (0h30 ven-sam). Compter env 13-15 $; si un orchestre joue, droit d'entrée en sus 5-15 $ (mer 18h30-23h30, jeu 19h30-23h30, ven-sam 21h-0h30). Dim brunch au champagne 10h-13h, env 80 $!* Au sommet du *Mark Hopkins,* un hôtel historique reconstruit en 1939. Là-haut, la vue, spectaculaire, s'étend quasiment sur 360° ! Armez-vous de patience le week-end pour obtenir une table – celles proches des fenêtres sont toujours réservées. Si vous réussissez à vous installer, vous pourrez choisir entre plus de 100 martinis. Pour les fauchés, on peut admirer gratuitement une partie de la ville depuis la fenêtre à droite en sortant des ascenseurs.

♥ I●I The Big 4 *(zoom centre détachable E5, 77)* : *1075 California St, The Huntington Hotel.* ☎ 415-771-1140. *Tlj 16h-minuit.* Il y a le restaurant, très coté et très cher, mais c'est du bar que nous voulons avant tout vous parler : un lieu magnifique, tout de boiseries sombres et sculptées, évoquant un club de gentlemen avec sa cheminée et ses serveurs cravatés. Les Big 4 font allusion aux 4 grands magnats des chemins de fer du siècle passé, dont Huntington, qui bâtit l'hôtel, et son voisin Mark Hopkins, qui construisit le sien à deux pas... Des pianistes se produisent tous les soirs, de 17h30 à 23h30.

À Russian Hill

♈ The Café, SFAI (zoom centre détachable E4, 177) : voir « Où manger ? » plus haut.

♈ |●| Café Meuse (zoom centre détachable D-E5, 310) : 1400 Pacific Ave. ☎ 415-928-6674. Tlj 17h-23h (minuit ven-sam), cuisines fermées 1h plus tôt. Happy hours 17h-19h. Réduc de 25 % sur ttes les bouteilles le lundi. Envie d'un plateau de fromages ou de charcuterie accompagné d'un bon Zinfandel californien ou d'un malbec argentin ? Vous voilà servi. Selon votre humeur, vous pourrez choisir entre rouges gouleyants (on the lighter side) ou corsés (big and bold), entre blancs secs (crisp, dry and lean) et vins de dessert (stickies). Seule une partie est proposée au verre, dommage. Les tables de l'intérieur fabriquées en

caisses de vin recyclées sont jolies, mais celles posées dans la rue sont irrésistibles par beau temps. Musique live le jeudi.

♈ Royal Oak (zoom centre détachable D5, 311) : 2201 Polk St (angle Vallejo). ☎ 415-928-2303. En général 17h-2h. Portes sculptées, superbe comptoir, lampes Tiffany, belles boiseries et tapis anciens dotent ce bar cosy en diable d'une délicieuse touche Années folles. Mais attention, si les soirées débutent dans le calme, ça ne dure jamais très longtemps. Top 40, house, hip hop poussent à se lever pour danser entre les canapés vintage bien kitsch, façon Autant en emporte le vent. 2 points positifs de plus : les barmen sont sympa et il y a même de la Chimay (belge) à la pression, une rareté...

♈ Green Sports Bar (zoom centre détachable D5, 312) : 2239 Polk St (entre Vallejo et Green). ☎ 415-775-4287. Lun-ven 16h-2h, w-e 10h-2h. Un sports bar tapageur, très populaire et plein à craquer les soirs de grandes compétitions. Normal, on y diffuse tous les matchs possibles sur une quinzaine d'écrans (dont 2 géants), le tout suspendu parmi les affiches, casquettes, drapeaux des équipes et planche de surf. Sacré boucan, sacrée ambiance, dynamisée par une vingtaine de bières pression...

À voir

....

À Nob Hill

Le quartier est délimité par Bush au sud, Powell à l'est, Broadway au nord et Van Ness à l'ouest. Résidentiel et chic, mais un peu froid, il est tout en pentes et en côtes : ménagez-vous quelques haltes pour ne pas succomber en chemin !

♘ Grace Cathedral (zoom centre détachable E5) : à l'angle de Taylor et California St. Tlj 7h (8h w-e)-18h (19h dim). Entrée libre, mais donation « suggérée » de 10 $! Massif, cet édifice néogothique bâti entre 1928 et 1964 s'inspire, dit-on, de Notre-Dame de Paris. La ressemblance n'est pas flagrante, et l'ensemble est très gris et plutôt lourd. La copie de la superbe Porte du Paradis en bronze sculpté, de Ghiberti (Florence), est davantage réussie. À l'intérieur, sur le côté droit en entrant, se trouve la petite Aids Interfaith Chapel, dédiée aux victimes du sida, dans laquelle sont exposés un retable en bronze de l'artiste Keith Haring (1958-1990) représentant la vie du Christ, achevé 2 semaines avant sa mort, et un morceau du Aids Memorial Quilt (patchwork).

♘♘ ♟ Cable Car Museum (zoom centre détachable E5) : 1201 Mason St (angle Washington). ☎ 415-474-1887. ● cablecarmuseum.org ● Tlj 10h-18h

SAN FRANCISCO

(17h oct-mars). GRATUIT. Le musée s'est judicieusement installé dans le centre nerveux des *cable cars,* un vaste bâtiment rassemblant les hangars, les ateliers et tout le système d'exploitation. Dans un rugissement métallique et une odeur de graisse venus du fin fond de l'ère industrielle, d'immenses roues y entraînent encore sans relâche les épais câbles déroulés le long des collines de San Francisco – on peut même voir les engrenages au sous-sol.
L'expo permet, elle, de remonter le temps jusqu'à ce jour de 1873 où Andrew Hallidie, un immigrant britannique un peu ingénieur, horrifié d'avoir vu un attelage à cheval dévaler une pente à reculons sans pouvoir s'arrêter, inventa le *cable car.* Devant le succès de ce nouveau moyen de transport, les compagnies proliférèrent : on n'en comptait pas moins de 9 dans les années 1890, exploitant plus de 600 *cable cars* et 22 lignes – aux écartements différents pour empêcher les concurrents de les emprunter ! Certaines desservaient le Presidio, le Golden Gate Park et jusqu'à Noe Valley au sud. Les 5 lignes du *Market Street Cable Railway* offraient alors une cadence d'un *cable car* toutes les 15 secondes en période de pointe (ça a bien changé depuis !). L'arrivée en 1893 des tramways, beaucoup moins chers à fabriquer et à exploiter, la destruction d'un grand nombre de lignes lors du séisme de 1906, puis la mise en service des bus contribuèrent tous à la disparition progressive des *cable cars.* En 1947, le maire Roger Lapham tenta de mettre les derniers au rancart, mais un groupe d'action civique composé de 27 femmes organisa un référendum pour les sauver ! Aujourd'hui, il ne reste que 7,5 km des 120 km de lignes de jadis (3 lignes) ; 40 *cable cars* ont survécu, dont 26 circulent encore quotidiennement. Vous verrez un exemplaire retraité dans l'expo, aux côtés de quelques souvenirs, outils et uniformes. Une visite indispensable ! Pour attendre l'ouverture du musée ou pour une pause après la visite, le *Gallery Café,* juste en face, permet de reprendre son souffle.

CHEVAL DE FER

Avant le cable car, pour grimper les collines de San Francisco, il y avait le horse car, un wagon circulant sur des rails, tiré par un cheval. Dans les pentes, les animaux étaient cruellement fouettés. Dans les années 1860, des dizaines de horse cars circulaient en ville, déposant au fil de la journée des tonnes de crottin et des bassines d'urine... Les derniers horse cars ne disparurent pas avec l'arrivée du cable car, mais en 1913. Ils avaient simplement été affectés aux lignes les moins rentables.

À *Russian Hill*

Mythique Russian Hill ! Ce superbe quartier résidentiel, parmi les plus élevés de la ville, livre de prodigieux panoramas sur la baie, sur l'île d'Alcatraz, les maisons victoriennes de Pacific Heights, sur le centre, la Coit Tower, l'Oakland Bay Bridge... C'est ici que l'on rencontre la rue la plus abrupte du centre ville : entre Leavenworth et Hyde, **Filbert** atteint une pente de 31,5 % ! Vous en aurez déjà conclu que la marche ne peut pas tout et qu'il peut être judicieux de faire appel au *cable car.*

Lombard Street (zoom centre détachable D4, **452**) : on

SANS TRUCAGES

C'est dans les rues pentues de Russian Hill que fut tournée, en 1968, la fameuse course-poursuite de Bullitt, devenue un classique du 7e art américain. Trois semaines furent nécessaires pour réaliser cette scène hallucinante qui dure à l'écran près de 10 mn. Steve McQueen, en grande forme, assura lui-même les cascades, au volant d'une Ford Mustang Fastback vert foncé lancée à près de 160 km/h. Pour remercier monsieur le maire, il exigea de la Warner qu'elle construise une piscine pour la ville ! Mécontent, le studio mit fin au contrat qui le liait à l'acteur...

l'appelle the Crookedest Street (la rue la plus tortueuse). Reliant Hyde et Leavenworth, elle est l'une des plus célèbres au monde, représentée dans un nombre incalculable de poursuites de voitures au cinéma. À l'origine, ce n'était pas de la frime : décidé en 1922, ce parcours très particulier permit de ramener à 16 % la déclivité de la pente (qui en faisait 27), de sorte que la rue puisse être empruntée par les chevaux. Lombard est extrêmement fleurie à la belle saison. On doit ses somptueux massifs d'hortensias à un Français, originaire du Limousin, qui habitait au n° 1010 de la rue et qui, le premier, planta ces fameuses fleurs (bientôt imité par ses voisins). Bien sûr, la rue est très touristique, et surtout très appréciée des conducteurs qui s'aventurent dans ses boucles comme dans des montagnes russes... au grand dam des riverains dont les réclamations pour la fermeture définitive de la rue n'aboutissent jamais.

🎿 **San Francisco Art Institute** (zoom centre détachable E4) **:** 800 Chestnut St (et Jones). ☎ 415-771-7020. ● sfai.edu ● Tlj 9h-17h. Bien dissimulée par de hauts murs bordés d'ifs, cette aimable école, une fois le porche franchi, révèle une jolie cour carrée inspirée de l'architecture hispanique, avec son bassin glouglouttant et ses galeries. L'ensemble du bâtiment est ouvert aux visiteurs et l'on peut se promener dans les différents ateliers – plus sympa en semaine, quand ils fonctionnent, mais attention de ne pas déranger les cours. Deux galeries présentent des œuvres d'artistes déjà reconnus. Dans l'une, on peut voir une vaste fresque du fameux muraliste mexicain Diego Rivera (1931) sur le thème de l'édification d'une ville et... de la réalisation d'une peinture murale ! L'artiste s'est représenté de dos, assis au centre de l'échafaudage, une palette et un pinceau à la main. Sinon, ne manquez pas le superbe point de vue sur North Beach, Fisherman's Wharf et la baie de San Francisco depuis la grande terrasse en béton, où est installé le *café,* au fond de l'institut (voir « Où manger ? », plus haut).

Balade autour de Green Street

🎿🎿 Les trekkeurs urbains qui n'ont pas peur des marches à répétition et des pentes abruptes s'offriront une délicieuse promenade sur le flanc est de Russian Hill, à la découverte de superbes demeures. Plusieurs se regroupent sur Green Street, entre Leavenworth et Jones (zoom centre détachable E5, 453). D'abord, au n° 1088, une maison de 1907 (classée) d'un style normand, au toit en ardoise. Puis quatre édifices intéressants côte à côte, sur le trottoir opposé : au n° 1067, l'originale *Feusier Octagon House* de 1858 ; au n° 1055, une maison de 1866 ; puis une autre de la même époque, au n° 1045, recouverte de bardeaux, avec un miniclocher. À côté, le n° 1039-43, en bois, avec escalier extérieur et bow-windows, date de 1885.

➤ On peut redescendre par **Macondray Lane,** la célèbre *Barbary Lane* des *Chroniques de San Francisco* d'Armistead Maupin. Les fans seront peut-être déçus car le n° 28 du roman n'existe pas ! Mais la ruelle est un îlot de verdure absolument délicieux, avec même une fontaine gargouillant veillée par un Bouddha et de splendides fougères arborescentes. *Pour y accéder, du carrefour de Green et Jones, descendre quelques mètres très raides ; Macondray Lane débute juste là, à droite. Elle débouche par un escalier de bois sur Taylor Street.*

➤ Autre alternative : du carrefour de Green et Jones, remonter Jones jusqu'à Vallejo (1 block) et prendre à gauche. Encore un petit effort et vous arriverez au sommet de Russian Hill. Le panorama est imprenable. De là, un escalier dévale vers North Beach, entre hortensias et hydrangeas.

NORTH BEACH ET TELEGRAPH HILL (plan d'ensemble détachable E-F1-2 et zoom centre détachable E-F4-5)

Juste au nord de Chinatown, Columbus Avenue marque à la fois la « frontière » ouest et le cœur animé de North Beach. Le quartier s'étend, au nord, en direction

SAN FRANCISCO

du Fisherman's Wharf et, à l'est, déborde vers l'Embarcadero, avec la belle et sauvage Telegraph Hill (83 m), surmontée de la fameuse Coit Tower.

North Beach fut longtemps le quartier de l'immigration italienne. En 1889, on y recensait 5 000 Italiens ; en 1939, ils étaient 60 000. Ils sont bien moins nombreux aujourd'hui, remplacés en partie par la population chinoise débordant de Chinatown et un nombre croissant de yuppies. Restent quelques églises, un vieux delicatessen sauvé des eaux, des *panifici*, d'innombrables *trattorie* et *pizzerie* à même d'entretenir la nostalgie – même si bon nombre de cuistots qui y officient sont aujourd'hui mexicains !

Si l'on sait que Haight-Ashbury fut le foyer du mouvement hippie, peu se souviennent que la Beat Generation est née à North Beach. Dans les années 1950, les Italiens les plus aisés partaient en banlieue, laissant nombre de logements vacants à petits prix. Les jeunes *beat* investirent alors ce quartier vivant et accueillant. C'est ainsi que North Beach devint le haut lieu de la bohème littéraire et musicale (en même temps que Greenwich Village à New York et Venice à Los Angeles). Des margeous aux cheveux gris, qui hantent certains bars, sont là pour nous le rappeler. North Beach reste l'un des quartiers les plus intéressants pour sortir le soir. On y trouve un nombre impressionnant de restos (branchés, familiaux, touristiques) et de bars, plantés dans une atmosphère de fête et de néons colorés. Les néons des club de strip-tease... héritage du quartier chaud de la Barbary Coast, qui s'étendait jadis jusqu'aux abords de Broadway.

Avant de vous y aventurer, sachez que North Beach est le quartier le plus cauchemardesque de San Francisco pour se garer. Au lieu de tourner pendant des heures, il est préférable de s'y rendre à pied, en bus ou en *cable car*.

LE DERNIER POUR LA ROUTE

En 1960, Jack Kerouac passa une nuit mémorable au Vesuvio, à North Beach. Son ami Ferlinghetti l'avait convaincu d'aller à Big Sur rendre visite à Henry Miller, très désireux de lire son nouvel opus, Les Clochards célestes. *Un verre en entraînant un autre, Ferlinghetti appela le vieil écrivain pour lui dire qu'ils auraient un peu de retard. Puis, de verre en verre, il appela Miller toutes les heures pendant toute la nuit... Finalement, Kerouac et Miller ne se virent pas cette nuit-là... ni jamais d'ailleurs !*

Où manger ?

Spécial petit déjeuner

☞ **Mama's** (*zoom centre détachable E4, 180*): *1701 Stockton St (angle Filbert).* ☎ 415-362-6421. *Tlj sf lun 8h-15h. Plats env 7-22 $. CB refusées.* Tout le monde connaît *Mama's* : pour sa petite salle qui semble sortie d'un bled du MidWest et ses fenêtres donnant sur le charmant Washington Square, mais surtout pour ses breakfasts de compétition ! Grand choix d'omelettes, succulents *eggs Benedict,* pancakes, *French toast* au chocolat et à la cannelle, tout est frais du jour, préparé avec talent et joliment présenté. Même la confiture est maison. La queue le week-end (parfois plus d'une heure) est évidemment à la hauteur de sa réputation : formidable. Un conseil, apportez votre journal ou les mémoires du général de Gaulle !

☞ **Pat's Café** (*zoom centre détachable E4, 181*): *2330 Taylor St (et Columbus).* ☎ 415-776-8735. *Tlj 7h30-14h30. Brunch sam-dim. Plats env 8-13 $.* 🛜 (*gratuit*). Au rez-dechaussée d'une charmante maison victorienne, une tranquille petite adresse de quartier, d'où l'on regarde passer le *cable car* Powell-Mason (le terminus se trouve juste à côté). Déco orangée et petite expo d'artistes. Ici aussi, la spécialité maison, ce sont les *eggs Benedict,* fort bien préparés et déclinés de plusieurs façons. *French toast,* moelleux à souhait, omelettes, crêpes fourrées et pancakes sont également au menu, ainsi que sandwichs, salades et burgers toute la journée. Avec un petit supplément, on peut remplacer le sirop de poteau (faux sirop d'érable) par du vrai ! Accueil et service efficaces et agréables.

🌿 Et aussi *La Boulange* : voir plus loin.

Bon marché

|●| *Molinari Delicatessen* (zoom centre détachable E5, *182*) : 373 Columbus Ave. ☎ 415-421-2337. Tlj sf dim 9h-18h (17h30 sam). Fondée en 1896, cette épicerie fine italienne semble sortir tout droit d'un film de Cinecittà. Boîtes de tomates empilées comme à la foire, huiles d'olive sur plusieurs étages, coppas pendues au-dessus du comptoir comme autant de tuyaux d'orgue, c'est beau comme dans un rêve d'Italie. Vous pourrez repartir avec des raviolis frais (encore faut-il pouvoir les cuisiner), du gorgonzola ou un bon sandwich bien costaud. À la belle saison, on peut grignoter son butin sur les quelques tables posées sur la rue.

|●| *Liguria Bakery* (zoom centre détachable E4, *183*) : 1700 Stockton St. ☎ 415-421-3786. Tlj sf dim 8h (7h sam)-14h. Focaccia 4-5 $. Comment ça, il n'y a plus rien ? C'est que vous n'êtes pas venu(e) assez tôt. Derrière leur devanture anonyme où languissent vieilles balances et caisses enregistreuses, mère et fille débitent des *foccacie* à gogo – et rien que ça. Au choix : une dizaine de parfums : oignon, ail, olives noires, champignons et, pour plaire aux Ricains, fromage au *jalapeño*. Quand c'est fini, le rideau tombe jusqu'au lendemain. *E basta !*

|●| *La Boulange* (zoom centre détachable E5, *184*) : 543 Columbus Ave. ☎ 415-399-0714. Tlj 7h-18h. Sandwichs 8-11 $. Les Américains raffolent de cette chaîne locale de boulangeries-salons de thé, créée par un boulanger français, qui a fait fortune avec son savoir-faire, tant et si bien que la chaîne de cafés *Starbucks* a racheté *La Boulange* en 2012 pour la bagatelle de 100 millions de dollars ! Pains de tradition cuits au four, croque-monsieur, sandwichs, salades fraîches, quiches, viennoiseries et pâtisseries (dont un fondant choco vraiment fondant)

séduiront les gourmands pris du mal du pays. La star du petit déj, c'est le café au lait, servi dans un grand bol en faïence comme à la campagne (meilleur que le *cappuccino*...). Nombreuses succursales en ville.

De prix moyens à chic

|●| *Caffè Baonecci* (zoom centre détachable E5, *185*) : 516 Green St. ☎ 415-989-1806. Tlj sf dim 17h (12h sam)-21h30. Salades 9-13 $, pizze 16-19 $. Si on vous dit que Stefania vient de Lucques et que ses pizzas ont une vraie pâte fine croustillante et de la mozzarella fraîche sans excès, vous pouvez nous croire. La pizza, ici, est 100 % italienne, et l'accent de la patronne le prouve ! Ça change de tous ces restos italiens aux plats concoctés par des cuistots mexicains... Accompagnez votre margherita ou votre Monte Bianco d'une salade *caprese* et finissez par un bon petit expresso. Le bonheur assuré.

|●| *The House* (zoom centre détachable E5, *186*) : 1230 Grant Ave. ☎ 415-986-8612. Tlj sf dim midi 11h-14h et 17h-22h (23h ven-sam). Plats env 10-24 $. On n'ira pas jusqu'à prétendre qu'on s'y sent comme à la maison, mais ce minuscule resto d'une (trop ?) grande sobriété dégage une atmosphère bienveillante. Le service est tout sourire, à l'image de la cuisine *fusion* maison, naviguant allégrement entre Asie et Californie. La carte, tout en saveurs, se fait le chantre de ces mariages réussis, sans cesse renouvelés, où sucré et salé se mêlent, où sauce de soja et wasabi se confrontent aux steaks et aux poissons grillés. Un ban pour les talentueux Angela et Larry Tse.

|●| *Sotto Mare* (zoom centre détachable E5, *187*) : 552 Green St. ☎ 415-398-3181. Lun-sam 11h-21h30. Salades et plats 9-23 $. Une fois n'est pas coutume, ce petit restaurant spécialisé dans les poissons et fruits de mer sert une excellente cuisine à des prix très raisonnables. La valeur étalon de la maison, c'est le *cioppino*, sorte de bouillabaisse tomatée à l'italienne, gorgée de moules, coques, crabe et autres

crevettes. À 38 $, il nourrit deux personnes (bavoir inclus !). On vous offrira un verre de vin le temps de braver la liste d'attente dans les frimas san-franciscains. Oh ! et puis, goûtez aussi les huîtres, la sole, le risotto, les linguine !... La carte est resserrée, mais les déceptions sont rares. En revanche, ne cherchez pas de dessert : y en a pas !

I●I Tony's Pizza Napoletana (zoom centre détachable E5, **188**) : 1570 Stockton St (et Union). ☎ 415-835-9888. Mer-dim 12h-23h. Pas de résa. Pizzas env 15-25 $ selon taille. D'un côté le resto, situé sur le côté de Washington Square, avec comptoir et banquettes dignes d'un pub de province gallois, de l'autre, le take-away (comptoir) pour les parts de pizza à l'unité. Vous voilà dans l'antre de Tony Gemignani, le premier Américain à avoir gagné le championnat du monde de la pizza à Naples, en 2007 – sans compter 8 titres de pizza acrobat... Depuis, il est à la tête de 5 restos et 3 écoles de pizzaiolos ! Mais, au fait, que vaut-elle, cette fameuse margherita au feu de bois, qui lui permit de remporter le trophée ? C'est vrai qu'elle est bonne et tendre, cette napolitaine à pâte épaisse. Et grande aussi (30 cm de diamètre). Sachez tout de même que Tony a décidé de limiter sa production à 73 margherita par jour... Superstitieux ou businessman averti, le Tony ? Également des boulettes de viande et des calamars frits, qu'on déguste en parlant fort sur les quelques tables installées sur le trottoir aux beaux jours.

I●I Tommaso's (zoom centre détachable F5, **189**) : 1042 Kearny St (et Broadway). ☎ 415-398-9696. Mar-sam 17h-22h30, dim 16h-21h30. Pas de résa. Plats 14-22 $, pizzas 17-28 $, pâtes 14-20 $. Ouvert depuis 1935, Tommaso's est l'un des plus vieux restaurants italiens de North Beach, et toujours un des plus authentiques. Ses pizzas fines, croustillantes et généreusement garnies (attention, la small est déjà énorme !) sortent du four à bois, qui selon la légende introduisit la pizza sur la côte ouest. Même abondance pour les spaghettis marinara et les raviolis maison. Au final, rien n'a vraiment changé, sauf le prix de la pizza (vendue 75 cents avant-guerre)...

Rançon de ce succès mérité, la petite salle en demi sous-sol, décorée d'une fresque napolitaine par un des artistes de la Coit Tower, est comble tous les soirs. Si vous êtes gentil, l'accueillante famille Crotti vous fera sans doute patienter un verre de vin à la main...

I●I Trattoria Contadina (zoom centre détachable E5, **190**) : 1800 Mason St (angle Union). ☎ 415-982-5728. Tlj 17h-21h (21h30 ven-sam), brunch le w-e 10h-14h. Pasta 15-21 $, autres plats 24-27 $. Un peu en retrait de North Beach et du circuit touristique, cette trattoria à la déco familiale, très appréciée des habitués, mitonne les classiques de la cuisine italienne, mijotés à la perfection et servis généreusement. Les pâtes fraîches, specialità della casa, sont divines, de même que les plats plus conséquents, comme le veau saltimbocca et le poulet au marsala. Et ce tiramisù... hmm ! Ambiance très chaleureuse en prime – certains diront : un peu bruyante.

I●I Caffé DeLucchi (zoom centre détachable E5, **191**) : 500 Columbus St (angle Stockton). ☎ 415-393-4515. Tlj 10h-22h (23h ven-sam) ; brunch le w-e 8h-14h. Paninis, pâtes et pizzas 10-16 $ le midi, 14-25 $ le soir. Bien que situé dans un coin très touristique, vous apprécierez ce bistrot tranquille et un brin design (tableaux modernes aux murs), où la cuisine, tutta italiana, est préparée avec soin. Dans l'assiette : pizzas, pasta, panini, insalate, etc. Également réputé pour ses brunchs le week-end. Quelques tables dehors, mais la rue est quand même très passante. Dommage que l'accueil soit irrégulier.

I●I Original US (zoom centre détachable E5, **192**) : 515 Columbus Ave. ☎ 415-397-5200. Tlj 11h-22h. Sandwichs 8-12 $, plats 12-28 $. La façade n'est pas reluisante et la salle, décorée du drapeau de la Trinacrie (Sicile) ne vaut guère mieux. Reste que, pour être plantée en plein secteur touristique de North Beach, la maison propose un excellent choix de pâtes : pappardelle, lasagnes, gnocchis et autres agnolotti maison (gros raviolis aux épinards), servis sans chichis. Ce qui est original et US, ici, c'est la bande son : standards des années 1950-1960 diffusés en boucle.

De chic à très chic

I●I *Albona (zoom centre détachable E4, 193)* : 545 Francisco St. ☎ 415-441-1040. Tlj 17h-22h. Plats 17-33 $. *Albona* est une perle rare aux 2 sens du terme. D'abord parce qu'une bonne table à quelques pas du Fisherman's Wharf, ce n'est guère courant... Ensuite, parce qu'on ne mange pas istrien tous les jours. L'Istrie ? C'est cette grosse péninsule située à l'ouest de la Croatie, qui fut longtemps italienne et en a gardé les traditions culinaires, mâtinées de spécificités locales. On a apprécié, entre autres, le lapin aux baies de genièvre et sucre roux, et les raviolis aux 3 fromages, pignons de pin et muscade. Le plus drôle, c'est que le chef est... mexicain. Après avoir passé 20 ans aux côtés du fondateur, il a repris le flambeau, remplit lui-même les verres, ouvre les bouteilles, retourne en cuisine, revient, repart... offre parfois une salade ou un petit marsala selon l'humeur.

I●I *È Tutto Qua (zoom centre détachable E5, 194)* : 270 Columbus Ave (et Broadway). ☎ 415-989-1002. Tlj 17h-23h30 (1h ven-sam). Plats et pizzas env 17-28 $. Ce n'est pas la modestie qui l'étouffe : « C'est ici que ça se passe », proclame le nom du restaurant ! Ce vaisseau lumineux qui semble enfoncer un coin entre le *City Lights Bookstore* et le *Beat Museum* baigne dans un décor un peu tape-à-l'œil et séduira ceux qui ont davantage envie d'une soirée chic et festive sous les projecteurs que d'une retraite intime et sereine au coin du feu. Reste que la cuisine est authentiquement italienne, le pain et les pâtes faits maison et que les pizzas à pâte fine, croustillantes, sont cuites au feu de bois et bonnes. Au mur, un écran diffuse *Cinema Paradiso* ou un vieux film italien. Bon service.

Pâtisseries

☛ *Italian French Bakery (zoom centre détachable E4, 270)* : 1501 Grant Ave (et Union). ☎ 415-421-3796. Tlj 6h-18h. CB refusées. Une vraie boulangerie, plutôt italienne d'ailleurs, où l'on aperçoit les boulangers à travers la porte ouverte, derrière le comptoir. Outre le pain pour un sandwich, on repartira avec une *focaccia* ou de bons petits *amaretti, biscotti* et macarons, à déguster sur la proche pelouse de Washington Square. Tenez-vous en aux classiques, ceux aux canneberges ne sont pas les meilleurs. Comptoir avec quelques tabourets pour ceux qui préfèrent prendre un café (au thermos) sur place.

☛ *Stella Cafe and Pastry (zoom centre détachable E5, 80)* : 446 Columbus Ave (entre Stockton et Green). ☎ 415-986-2914. Lun 7h30-20h, mar-jeu et dim 7h30-22h, ven-sam 7h30-minuit. *Stella* a une cour de vrais aficionados, conquis par son tiramisù (bon), ses *biscotti* (pas trop croquants) et sa *sacripantina*, une génoise au sabayon, à la crème et au rhum, spécialité maison déposée ! On aime moins les *cannoli* avec pépites de chocolat. Ne tardez pas, le choix est nettement meilleur le matin.

Où prendre un verre ou un café ? Où manger un morceau (en journée) ?

North Beach a conservé toute une série d'anciens bars, bistrots, rades et autres troquets, dont les proprios n'ont pas changé un bouton de porte – adresses immuables, chaleureuses et conviviales. Depuis quelques années, les *sidewalk cafés* sur le modèle européen (du Sud), avec terrasse sur rue, se multiplient. Lieux en général très sympas et relax, avec la garantie d'y boire quelque chose qui ressemble à du café.

🍴 ☛ ♪ *Caffe Trieste (zoom centre détachable E5, 313)* : 601 Vallejo St (angle Grant). ☎ 415-392-6739. ● caffetrieste.com ● Ouv 6h30-23h (minuit ven-sam). Concerts réguliers, en particulier 1 sam/mois 13h-17h, ainsi que certains jeu soir et sam mat. CB refusées. Photos de joyeuses soirées, portraits de clients célèbres

(Pavarotti...), fresques patinées, vieux poêle, piano... On adore cette adresse pour son ambiance et son état d'esprit, généreux et ouvert sur les autres, avec régulièrement des petits bœufs improvisés ou qui semblent l'être... De plus, c'est un véritable café italien, fondé en 1956, où l'*espresso* est considéré par certains comme le meilleur en dehors de la Botte. Même les pâtisseries sont de là-bas (et pourtant elles sont fraîches !). Les habitants de North Beach y prennent leur breakfast en pianotant sur leur ordi, les poètes, les écrivains ou les philosophes y viennent en pèlerinage sur les traces des *beat days*. Coppola y résida presque en continu pendant un an le temps d'écrire *Le Parrain*... Quant aux touristes, ils affluent un samedi après-midi par mois (voir les dates sur le site) pour les airs d'opéra chantés à tue-tête par des amateurs pleins de bonne humeur. Pas très académique, et c'est pour ça qu'on l'aime. *Mamma mia !*

▼ |●| Vesuvio *(zoom centre détachable E5, 314)* : *255 Columbus Ave (et Jack Kerouac Alley).* ☎ 415-362-3370. Tlj 6h-2h. Situé juste à côté de la légendaire librairie *City Lights*, ce bar ouvert depuis 1948 a toujours été l'un des principaux repaires beatniks. Comme le raconte fièrement la maison, Neal Cassady, qui inspira le personnage de Dean Moriarty dans *Sur la route*, de Kerouac, fit une halte au *Vesuvio* le 17 octobre 1955. À quelle heure ? On ne sait pas, mais c'était sûrement pour prendre une cuite avec son pote Kerouac, un habitué des lieux ! La superbe déco n'a pas bougé depuis ses premières heures : lampes Tiffany, boiseries, peintures, photos jaunies, souvenirs divers, collages... un vrai inventaire à la Prévert ! Dylan Thomas y écrivait des poèmes jusqu'à épuisement. Aujourd'hui, habitués aux cheveux longs et lunettes rondes, et touristes béats, se partagent le bar et les box en bois sur un petit air jazzy, un verre à la main ou autour d'une partie d'échecs. Une adresse comme on les aime.

▼ |●| Café Zoetrope *(zoom centre détachable E-F5, 315)* : *916 Kearny St (angle Columbus).* ☎ 415-291-1700. Tlj 11h30 (12h w-e)-22h (21h dim) ; brunch dim 12h-16h. Plats 9-25 $, vins au verre 7-15 $. Le café s'est installé au rez-de-chaussée du *Sentinel Building*, un superbe immeuble de 1904 de couleur bronze, avec bow-windows (photo à ne pas rater avec la *Transamerica Pyramid* derrière), dont la structure métallique résista au séisme de 1906. Il abrite désormais le café-restaurant-boutique de Francis Ford Coppola, extension de son vignoble californien. Pour les fans, le pèlerinage s'impose : les scénarios d'*Apocalypse Now*, *Rumble Fish* et *Conversation secrète* furent écrits dans le bureau du maître, au-dessus. Le bistrot, chic, à la mode franco-italienne, est décoré d'affiches de cinéma, dont plusieurs de films de Jacques Tati, de portraits des copains (Scorsese, Spielberg, Lucas...) et de Sofia (la fille réalisatrice). On y déguste un choix de crus californiens, au verre ou par *set* de 3 (15-18 $). La célèbre *Caesar salad* ayant été inventée dans ces murs en 1924, elle figure logiquement au menu, parmi les *antipasti*, pâtes et autres pizzas. Pour finir, ou juste pour une pause plaisir dans la journée, un vrai *espresso* servi avec un petit *amaretto* (gâteau sec à l'amande).

▼ |●| Grumpy's *(zoom centre détachable F5, 316)* : *125 Vallejo St (et Battery).* ☎ 415-434-3350. Lun-ven 8h-22h. Happy hours 17h-19h. Plats 8-11 $. Ce pub d'Embarcadero étant fréquenté en majorité par les employés des bureaux voisins, on comprend mieux pourquoi il est fermé le week-end ! On est dans un « American pub », rien à voir avec ceux de la City londonienne. Décor emprisonné dans des murs en brique, avec plafond punaisé de billets de 1 $, ambiance bruyante et joviale, pas du tout *grumpy* (grincheuse), comme le gros chien de l'enseigne pourrait laisser croire... Si vous passez dans le coin à l'heure du déjeuner, les burgers et les sandwichs chauds sont originaux, goûteux, juteux à souhait... et d'un excellent rapport qualité-prix. Souvent plein comme un œuf.

Où sortir ?

▼ The Spec's *(zoom centre détachable E5, 317)* : *12 William Saroyan Pl,* dans un minuscule recoin qui donne sur Columbus (entre Broadway et Pacific St, presque en face du Vesuvio). ☎ 415-421-4112. Tlj 16h30 (17h w-e)-2h. Une vénérable institution conservée dans son jus depuis plusieurs décennies. Déco chargée à mort, sol brut et murs incrustés de nostalgie, souvenirs exotiques et maritimes rapportés par des bourlingueurs au long cours, bière qui coule à flots, blues sans discontinuer, le *Spec's* accueille depuis toujours les poivrots, les écrivains et les artistes de North Beach (et quelques écrivains poivrots aussi). Tout au début, ce fut même un temple chinois puis un club de danse du ventre... Un des piliers de la Beat Generation, le *Spec's* n'a toujours pas dit son dernier mot, même s'il a pris un p'tit coup de vieux comme tout le monde...

♀ Tosca Café (zoom centre détachable E5, 317) : 242 Columbus Ave. ☎ 415-986-9651. Tlj sf lun 17h (19h dim)-2h. CB refusées. Ce vieux bar historique plein d'âme, totalement patiné, déroule un immense comptoir en bois et aluminium et des banquettes de moleskine rouge. Certains soirs, dans le calme avant le rush, on se croirait presque dans le célèbre tableau d'Edward Hopper, *Nighthawks*... On y boit le *house cappuccino* : un étonnant mélange de chocolat chaud et de brandy, spécialité de la maison, qui lui permit de survivre discrètement à la Prohibition. Mettez une pièce dans le juke-box des années 1960 pour réveiller la Tosca et sublimer l'atmosphère. Sean Penn et Depardieu y sont passés et l'équipe de *L'Étoffe des héros* (avec Sam Shepard) en fit son QG pendant le tournage du film. Comme dirait un habitué rencontré aux *restrooms*, « ici, on pisse sous le portrait de Marylin, du coup on pisse en l'air ! ». La classe !

♀♪ The Saloon (zoom centre détachable E5, 319) : 1232 Grant Ave (entre Columbus et Vallejo). ☎ 415-989-7666. Tlj 12h-2h. L'un des plus vieux rades en activité, fondé en 1861 par un Alsacien. Les mauvaises langues racontent que si le bâtiment survécut au grand incendie de 1906, c'est parce que les pompiers voulaient sauver les prostituées qui travaillaient au-dessus du saloon ! Bien sombre, usé jusqu'à

la trame et mal peigné, il rassemble autour du comptoir habitués hors d'âge et touristes curieux. Mais ce qui garantit vraiment une excellente ambiance, ce sont les concerts de rock années 1960 ou de blues incandescent (1 groupe chaque soir, et 2 pour le prix d'1 jeu-dim). Et chacun de reprendre en chœur les vieux tubes tout en poussant les tables pour esquisser trois pas de danse. Une institution dans le genre ! Au juke-box, les CD (en vente sur place) des types qui ont enregistré sur place, notamment The Doors-lammers, qui se produisent ici certains dimanches soir, mais aussi Ron Hacker, Cathy Lemons, Dave Workman...

♀♪ Savoy Tivoli (zoom centre détachable E5, 320) : 1434 Grant Ave (et Union). ☎ 415-362-7023. Tlj sf dim-lun 18h (17h jeu-ven, 15h sam)-2h. CB refusées. Voilà un lieu plutôt sage, avec une grande salle ouverte sur la rue dotée de 2 grands bars, autant de tables de billards et des palmiers métalliques qui contrastent avec le plafond rouge sang. Le *Savoy* n'est pas en tête de liste des tournées nocturnes, mais peut faire un bon *starting point* – d'autant que les boissons n'y sont vraiment pas chères. Le samedi après-midi (15h-18h), on tombe sur le *Mal Sharps Big Money Jazz Band*, une formation de vieux jazzmen assez émouvants...

♀ 15 Romolo (zoom centre détachable E5, 321) : 15 Romolo St. ☎ 415-398-1359. Tlj 17h-2h ; brunch w-e 11h30-15h30. Accès par une ruelle très pentue partant de Broadway, au niveau des clubs de strip-tease. La patine du temps n'en a pas encore fait un classique, mais on y vient déjà presque religieusement savourer les cocktails (pas donnés) mixés par certains des meilleurs *bartenders* de la ville. Confiez-leur vos envies et laissez les faire. La musique plutôt rétro et la pénombre n'empêchent pas de discuter, bien au contraire. *Cool vibe*, un poil classy. Le brunch du week-end est réputé pour ses *waffle shots*.

♀♪ Comstock Saloon (zoom centre détachable E-F5, 322) : 155 Columbus Ave. ☎ 415-617-0071. Tlj 16h (12h ven)-1h45. Happy hours 16h-19h. Les vieilles légendes de North Beach affirment qu'à l'époque de Pigeon-toed Sal et des nuits agitées de la *Barbary Coast* Jack Dempsey (le champion de boxe) y fut videur. Contrairement aux autres vieux rades du quartier, le *Comstock* a subi une petite cure de jeunesse. Les plus beaux éléments du décor, comme ces ventilos à l'indienne centenaires au-dessus du bar en bois sombre, se glissent désormais dans un décor de papiers peints bleus recréé pour avoir l'air vieux – avec, dans un coin, l'auge où les clients bourrés... pissaient. Le lieu exsude un joli charme classique, indéniablement yuppifié, mais pas désagréable pour autant – surtout aux *happy hours,* lorsque les orchestres de jazz débarquent.

∞ ♪ ♫ *Bimbo's 365 Club* (zoom centre détachable E4, *323*) : *102 Columbus Ave.* ☎ *415-474-0365.* ● *bimbos365club.com* ● *Prix des billets selon notoriété des artistes : 20-150 $.* Pas de bimbos ici, le nom fait en réalité allusion au fondateur de cette salle de concerts et de spectacles super classieuse, Agostino Giuntoli, alias Bimbo (« garçon » en italien). Le cadre est superbe, avec ses sirènes du vestibule (les bimbos de l'époque ?), ses bars en bois sombre, ses chandeliers et sa grande salle drapée de velours, aux sols en damier noir et blanc. Elle se partage entre la scène,

un petit espace pour danser et tout un ensemble de tables où s'installer – un peu comme au Lido. Pas de *private tables* à des tarifs démesurés ici, elles sont disponibles selon le principe du « 1er arrivé, 1er servi » – ce qui explique aussi les queues parfois faramineuses 3h avant le début d'un show (2 drinks minimum, pas donnés)... La salle accueille principalement des concerts de chanteurs bien établis, mais aussi des spectacles ; on y a même vu Gad Elmaleh !

∞ *Club Fugazzi* (zoom centre détachable E5, *324*) : *678 Green St.* ☎ *415-421-4222.* ● *beachblanketbabylon. com* ● *Mer-ven à 20h, sam à 18h30 et 21h30, dim à 14h et 17h ; mar à 20h également en juil. Compter 25-60 $.* Ceux qui causent bien l'anglais (et les autres aussi) prendront plaisir à découvrir ici la comédie musicale de *Beach Blanket Babylon,* véritable incarnation de l'esprit de San Francisco. Présenté non-stop depuis 4 décennies, le show, aux costumes et perruques délirants, évoque le parcours de Blanche Neige en quête de son prince charmant... et toutes les rencontres fortuites (et drolatiques) qu'elle fait en chemin. Personnages du show-biz, politiciens, phénomènes littéraires ou de mode sont tous mis à contribution en fonction de l'actualité.

À voir

North Beach

🏃 *Washington Square* (zoom centre détachable E4-5) : voici le cœur de North Beach, une vaste esplanade aux pelouses bondées les beaux jours d'été – sympa pour faire une pause avant ou après l'ascension de la Coit Tower (voir plus bas). Tôt le matin, il est courant d'y voir les habitants de Chinatown faire leurs exercices de tai-chi, à côté de la statue de... Benjamin Franklin (mais où est George Washington ?). L'esplanade est dominée par l'*église Saints Peter & Paul* qui, de l'extérieur, ressemble à une grosse pâtisserie. L'intérieur mérite le coup d'œil pour son dôme en mosaïque dorée et le maître-autel en marbre étonnant, qui évoque une basilique coiffée de minicoupoles. Marilyn Monroe et Joe DiMaggio furent immortalisés sur le parvis le jour de leurs noces, bien que le mariage ait été prononcé civilement seulement (ils étaient divorcés tous les deux). Les messes sont dites en anglais, italien, chinois... et latin une fois par mois !

🏃 *Porziuncola Nuova* (zoom centre détachable E5, *454*) : *624 Vallejo St* (et Columbus). *Tlj sf lun 10h-17h.* Porziuncola signifie « petit carrefour du monde ».

On ne vous parle pas de l'église Saint-François d'Assise, attenante, mais du bâtiment coincé à gauche, dans un renfoncement. Il abrite une réplique (aux trois quarts) de l'église d'Assise, en Italie, que saint François avait lui-même reconstruite – et qu'il aimait au point d'exiger d'y mourir. Les matériaux ont tous été importés d'Italie. Une pierre symbolique envoyée par les Franciscains après le séisme de 1997 est conservée avec son sceau à gauche de l'autel. On ressort par une boutique religieuse malicieusement appelée *Francesco Rocks* (« trop cool saint François »)...

🏃 *City Lights Bookstore* (zoom centre détachable E5, *455*) : *261 Columbus Ave (entre Broadway et Jack Kerouac).* ☎ *415-362-8193.* ● *citylights. com* ● *Tlj 10h-minuit.* Créée en 1953, cette librairie est le creuset du mouvement *beat* (voir dans l'intro « San Francisco, berceau de Jack London et des beatniks »). C'est effectivement le poète et fondateur de la boutique, Ferlinghetti, qui prit l'initiative de publier *Howl* d'Allen Ginsberg. Ce poème révolutionnaire qui prit vite l'allure d'un manifeste fut à l'origine d'un mouvement de rupture et de ralliement. Depuis, Ginsberg est considéré comme un classique de la littérature américaine, ainsi que ses copains Kerouac et Burroughs.

L'ARROSEUR ARROSÉ

Lorsque Howl, *d'Allan Ginsberg, est publié par City Light en 1956, le tirage, confidentiel, est vite épuisé. L'éditeur Ferlinghetti en commande alors un second en Angleterre. Manque (ou coup ?) de chance, il est retenu par la douane américaine, qui juge le texte « obscène ». Un procès est intenté. L'histoire intéresse les journaux. Un troisième tirage, bien américain celui-là, décuple la diffusion ! Ferlinghetti, arrêté par la police de San Francisco, est finalement relâché et gagne en justice. La liberté d'expression est reconnue. Même au pays du premier amendement, rien n'est jamais gagné.*

Longtemps fréquentée par les seuls intellos et les alternatifs de tout poil, enfants de la contre-culture en général et de la culture beatnik en particulier, *City Lights* s'est peu à peu ouverte à tous les publics. On y trouve encore néanmoins pas mal d'ouvrages « parallèles » (non commerciaux), qu'il s'agisse de philosophie, de psychologie, d'anti-impérialisme, d'anarchisme et de sciences politiques, d'écologie ou de féminisme. *City Lights* est aussi une maison d'édition (une petite dizaine de titres par an), qui publie, outre les ouvrages de la Beat Generation, toutes sortes d'écrivains philosophiquement proches du mouvement et de jeunes auteurs underground. Lectures de poèmes et de textes, débats, signatures sont régulièrement organisés.

🏃 *Beat Museum* (zoom centre détachable E5, *456*) : *540 Broadway (et Columbus), juste en face du* City Lights Bookstore. ☎ *415-399-9626.* ● *kerouac.com* ● *Tlj 10h-19h (approximatif). Entrée : 8 $; réduc.* Une visite pour les nostalgiques, à caser entre une escale au *City Lights Bookstore* et un verre au *Vesuvio*, situés juste à côté. Ne vous attendez pas à des flots d'émotions ni à une surprise-partie improvisée : si on y rencontre parfois encore quelques allumés, ce gentil musée présente surtout une panoplie d'objets collant aux basques de la Beat Generation. Ici, le miméographe (ronéotypeuse, l'ancêtre de la photocopieuse) de Ginsberg, son orgue à l'étage, quelques éditions originales de *On the Road* de Jack Kerouac (Jean-Louis de son vrai prénom), qui mit 7 ans pour trouver un éditeur, et aussi son blouson, des photos avec sa sœur et sa mère Gabrielle « Mémère » Kerouac. Dans une autre vitrine est présentée une édition annotée de *Howl,* d'Allan Ginsberg, etc. En redescendant au rez-de-chaussée, on pourra assister à la projection de films et documentaires sur la Beat Generation. On ressort par une mini-librairie spécialisée, où est exposée la Hudson 1949 utilisée pour l'adaptation cinématographique de *On the Road* en 2012 – avec la poussière originale du tournage !

Telegraph Hill

Au nord-est de North Beach, Telegraph Hill (83 m) est coiffée par la fameuse Coit Tower. La balade est sympa, le panorama superbe, mais il serait dommage de s'en tenir là. Largement épargné par l'incendie qui suivit le séisme de 1906, le coin est semé de maisons en bois du XIXe s dominant de superbes perspectives sur la baie. Sur le flanc nord, la pente se fait trop raide et la nature reprend un instant ses droits : des ratons laveurs vivent là, en pleine ville, et une colonie de petits perroquets sud-américains (conures à tête rouge), sans doute échappés ou relâchés par leurs propriétaires, y a élu domicile ! Côté est, quelques escaliers merveilleux dévalent à travers un fouillis végétal aux airs de grand jardin. Cachés sous les arbres, quelques maisons sommeillent ; intellos et architectes y ont remplacé les capitaines de marine de jadis.

🚶🚶 *Coit Tower* (zoom centre détachable E4) : Telegraph Hill Blvd. Bonne balade à faire à pied, mais ça grimpe sec, sinon bus n° 39 depuis Washington Sq. ☎ 415-362-0808. Tlj 10h30-17h30 (9h-16h30 nov-fév). Entrée : 7 $; réduc. On y monte pour le beau panorama sur la ville, la baie, son port et ses bateaux, mais aussi pour la tour elle-même – étrange tour Art déco érigée en 1933. On raconte qu'à l'âge de 7 ans, la petite Lillie Hitchcock aurait échappé à un incendie où périrent plusieurs de ses amies. En tout cas, elle se prit de passion pour une brigade de pompiers, qui la prit sous son aile. Première femme pompier volontaire, elle participa des années durant à leurs interventions et devint leur mascotte. Allergique à l'autorité, elle se mit à fumer le cigare et à fréquenter les saloons, où elle pariait, déguisée en homme... Contre le gré de ses parents, elle épousa le fortuné Howard Coit, qui prit son nom, puis son argent une fois devenue veuve... Après une tentative d'assassinat, elle émigra à Paris, où elle passa de nombreuses années, en particulier dans l'entourage de Napoléon III. Elle revint à San Francisco en 1923 pour y mourir 6 ans plus tard, à l'âge de 86 ans. Dans son testament, elle avait prévu de léguer le tiers de sa fortune pour que soit érigé un monument à la gloire de ses héros de jeunesse : les pompiers. Celui-ci devait symboliser leur instrument de prédilection, c'est-à-dire... la lance à incendie. Le problème, c'est que la généreuse donatrice s'appelant Coit, le nom de la tour prête à confusion... La pauvre Lillie Hitchcock, qui n'avait aucune parenté avec sir Alfred, n'aurait jamais pu deviner que sa Coit Tower servirait de symbole phallique dans le film du maître, *Vertigo*, représentant à chaque plan l'impuissance sexuelle du héros joué par James Stewart... Bref, un vrai vertige psychanalytique ! On peut voir en accès libre, au rez-de-chaussée de l'immeuble, des fresques murales industrielles des années 1930. Les thèmes inspirés par la lutte des classes, dans la veine de Diego Rivera, ne plurent pas à tous et l'inauguration de la tour fut même reportée de six mois à cause de l'une de ces peintures, censurée, qui avait pour titre *Workers of the World, Unite* (« Travailleurs de tous les pays, unissez-vous »). Un petit clin d'œil ironique de l'artiste néanmoins : repérez le pickpocket qui braque un bourgeois devant un kiosque à journaux tandis qu'un autre lui fait les poches. Signalons enfin que les fresques sont commentées chaque samedi à 11h (gratuit).

🚶🚶🚶 On peut redescendre de la Coit Tower vers l'Embarcadero par les escaliers en bois des *Filbert Steps* (à droite en sortant). Une promenade charmante et bucolique le long de maisons de rêve noyées dans une végétation luxuriante et odorante : citronniers, chèvrefeuilles, rosiers, jasmins, fuchsias, agapanthes, capucines, framboisiers... On passe deux ruelles privées, Darrell Place et Napier Lane, avant de dévaler vers Levi's Plaza, occupée par le siège de Levi's, fondé à San Francisco.

🚶🧍 *Exploratorium* (zoom centre détachable F4) : The Embarcadero, Pier 15. ☎ 415-528-4444. ● exploratorium.edu ● Tlj sf lun 10h-17h (nocturne 18h-22h jeu pour les plus de 18 ans). Entrée : 25 $; réduc ; enfants 6-17 ans, 19 $. Inclus dans le CityPass. Créé en 1969, l'Exploratorium est un musée scientifique réputé, installé depuis le printemps 2013 au cœur du *waterfront,* dans d'anciens hangars s'avançant sur l'eau – un projet de rénovation de quelque 300 millions de dollars. Fonctionnant sur le principe de la cité des Sciences et de l'Industrie, à Paris, il regroupe six galeries proposant quelque 600 expériences à tenter, à la fois distrayantes, fascinantes et... magiques (pas étonnant qu'il y ait autant d'enfants). Certaines sont vieilles comme Hérode, d'autres à la pointe de la technologie, mais toutes permettent d'expérimenter et de mettre en lumière un très grand nombre de lois scientifiques de manière ludique et interactive. On explore ainsi tour à tour le comportement humain et notre façon de voir les autres, la perception du son et de l'image (illusions d'optique), la physique, les ondes... Des miroirs concaves donnent l'impression de se voir en 3D (mais en image inversée). Une fontaine à eau en forme de toilettes teste la capacité de chacun à adapter sa psychologie aux nouvelles réalités. Une section permet aux enfants de concevoir eux-mêmes des expériences... avec l'aide des parents, bien sûr. On comprend, alors, le goût des petits Américains pour toutes les choses scientifiques.

Un peu différente, l'*East Gallery* met en lumière le milieu naturel local, avec une batterie de tuyaux d'orgue en plexiglas retraçant l'évolution de la marée sous le Pier. Vous pourrez même y disséquer un œil de bœuf (*so much fun !*). À l'étage, la *Bay Observatory Gallery* sert de poste d'observation de la baie, mais aussi du paysage urbain. La visite se termine par l'*Outdoor Gallery,* le long du quai, où sont mis en lumière quelques phénomènes météo (avec un sacré brouillard artificiel).

FISHERMAN'S WHARF *(plan d'ensemble détachable D-E1 et zoom centre D-E4)*

Ancien quartier des pêcheurs et des conserveries réhabilité, le Wharf s'est trans-formé en formidable piège à touristes (*tourist trap,* en patois local), attirant des millions de visiteurs chaque année. Wharf-wharf, comme on dit par ici... S'il reste une raison de s'y rendre, c'est pour voir les otaries du Pier 39 (en oubliant ce qu'il y a autour), les vieux bateaux et, bien sûr, voguer vers Alcatraz.

Où manger ?

Spécial petit déjeuner

🍴 **Hollywood Cafe** *(zoom centre déta-chable E4, 195)* : 530 North Point St. ☎ 415-563-3779. Tlj 7h (7h30 dim)-13h45. C'est un vrai miracle : émergeant de la médiocrité générale des restos du wharf, ce café ensoleillé agrémenté d'une terrasse sur la rue (chauffée l'hiver) sert d'ex-cel-lents petits déjeu-ners. On s'y bouscule pour profiter des plats d'œufs très copieux, éventuelle-ment agrémentés de fruits en place des *hashbrowns,* on y dévore les tartines beurrées qui remplacent les habituels toasts et on se pâme devant ces panca-kes noyés sous les fraises, framboises, bleuets et cerises... Venez vite inscrire votre nom sur la liste d'attente.

🍴 **Buena Vista :** lire « Où boire un verre ? Où faire une pause ? » plus loin.

Bon marché

On trouve, à l'extrémité nord de Taylor Street, face au Pier 45, une flopée de stands vendant *clam chowder,* crabe, calamars et autres fruits de mer en bar-quettes, à manger sur le pouce et sur les quais. Sinon, une enfilade de petits restos aux consonances italiennes tenus par des Asiatiques, proposent sandwichs et *fish and chips,* à empor-ter ou à consommer sur place pour moins de 10 $.

|●| **Codmother** *(zoom centre déta-chable E4, 196)* : 2824 Jones St. ☎ 415-606-9349. Tlj 11h30 (12h lun) jusqu'à 18h30 lun, 17h30 mar, 20h mer-sam et 19h dim. Fish & chips env 10 $. Ce n'est qu'un stand au bord du trottoir, avec quelques tables et chaises posées devant, mais c'est indéniable-ment le meilleur *fish & chips* du coin (et peut-être même de la ville). D'ailleurs, l'Union Jack y flotte fièrement.

I●I *Boudin Bakers Hall* (zoom centre détachable E4, **197**) : devant Pier 43 ½, en retrait de Jefferson St. Tlj 8h-21h30 (22h ven-sam). Attenant au très chic *Bistro Boudin* (voir ci-après), on y vend toutes sortes de sandwiches, ainsi que, pour environ 9 $, la fameuse *clam chowder* (soupe crémeuse aux palourdes), servie dans une boule de pain au levain maison qui fait office de bol. On mange d'abord la soupe à la cuillère avant de croquer dans le pain tout imbibé. Surtout nourrissant. Succursales au Pier 39, à Union Square (Macy's), au 619 Market Street, etc.

De chic à très chic

I●I 🏃 *Bistro Boudin & Bar* (zoom centre détachable E4, **197**) : 160 Jefferson St (et Taylor). ☎ 415-351-5561. Tlj 11h30-21h30 (22h ven-sam). Sandwichs et salades 16-20 $, plats 21-36 $. Ce vaste entrepôt réhabilité abrite à l'étage le resto chic de la boulangerie Boudin, du nom d'un émigrant français, Isidore Boudin, arrivé avec la ruée vers l'or. Il ne s'est pas trompé puisque, aujourd'hui, on y vend son fameux pain au levain (sourdough) comme des petits pains et quasiment au prix de l'or (on exagère un peu). Une institution du Wharf évidemment architouristique. Vaut au moins le coup d'œil pour son immense salle style loft, avec de très beaux volumes, ses corbeilles à pains qui se baladent dans les airs et sa vue panoramique sur le port. Carte variée : *seafood* bien cuisinée (excellent *dungeness crabcake*), grillades et la fameuse *clam chowder* (« chaudrée de palourdes ») servie dans la boule de pain avec 2 accompagnements au choix (hmm, les frites à l'ail et au persil). Le bar du rez-de-chaussée et le Bakers Hall, à côté, (voir « Où manger bon marché ? ») proposent une petite carte moins chère. Petit musée (11h30-21h) pour assister à la fabrication des fameux pains (en forme de homard, de crabe...), mais on peut aussi bien jeter un œil à travers la vitre, depuis la rue.

I●I *Scoma's* (zoom centre détachable D4, **198**) : Al Scoma Way, Pier 47 (ruelle presque dans le prolongement de Jones St). ☎ 415-771-4383 ou 1-800-

644-5852. Tlj 11h30-22h (22h30 ven-sam). Plats 15-50 $. Il a bien changé depuis 1965, le petit café de 6 tables des frères Scoma, qui servait uniquement le petit déj et des burgers aux marins du coin ! Aujourd'hui, c'est un des restos de poisson parmi les plus réputés (et chers) du quartier, une belle affaire familiale directement installée sur ce qu'il reste du port de pêche. Un monde fou à l'heure des repas : il faut souvent prendre son mal en patience pour décrocher une table. Grand choix de poissons du jour préparés sur des notes italiennes et servis copieusement, mais également d'excellents *crabcakes* et *cioppino* (bouillabaisse californienne) qu'on déguste sans hâte face aux grandes fenêtres, le nez dans les haubans... Bien cher toutefois. Succursale à Sausalito.

Encore plus chic

I●I *Gary Danko* (zoom centre détachable D4, **199**) : 800 North Point St. ☎ 415-749-2060. Tlj 17h30-22h. Menus 3-5 plats 73-107 $, ajouter 73 $ pour les vins ! Le cadre sombre est classe et le service impeccable, mais ce qui retient l'attention avant tout tient dans l'assiette. Parmi les plus cotés des restaurants gastronomiques de la ville, le *Danko*, affilié à *Relais et Châteaux* (seulement une quarantaine d'établissements le sont dans tous les États-Unis) se fait le chantre d'une cuisine contemporaine sophistiquée. Sur une base méditerranéenne, française et californienne, le chef invite à sa table le meilleur des produits de saison et toute une palette de saveurs subtiles souvent puisées en Orient. C'est fin, c'est frais, c'est bon, très bon même et le sommelier est une vraie pointure. On peut juste regretter le caractère un peu bruyant de la salle principale. Pour les grandes occasions.

Où boire un verre ?
Où faire une pause ?

🍷 ☕ I●I *Buena Vista Cafe* (zoom centre détachable D4, **325**) : 2765 Hyde St (angle Beach). ☎ 415-474-5044. Tlj 9h (8h w-e)-2h. Env 8 $ l'Irish coffee. Plats 7-25 $. Ice cream parlor sous la Prohibition, le Buena Vista se vante d'avoir initié les États-Unis à l'Irish coffee en 1952. Un café trempé de 2 sucres, une bonne rasade de whisky, le tout coiffé d'une mousse de lait, on vous contera l'histoire de ce célèbre breuvage... par le menu. Depuis, ça ne désemplit pas ! Les habitués et les touristes viennent s'y humecter le gosier et parler fort, au rythme de 2 000 cafés irlandais par jour, tout en profitant d'une vue imprenable sur le terminal des cable cars et la baie. Bons petits déj servis toute la journée, burgers et sandwichs à prix acceptables. Au comptoir, la potion magique faisant son effet, rencontres fraternelles toujours possibles. Service un peu brusque.

♦ Norman's Ice Cream and Freezes (zoom centre détachable D4, 326) : 2801 Leavenworth St (suite 40). ☎ 415-346-3046. Planquée dans le centre commercial de The Cannery, côté patio, cette mini-boutique propose les excellentes glaces Mitchell's, fabriquées à San Francisco. Certains parfums détonnent aux côtés de la mangue et de la coco, comme l'ube (igname) mais ce n'est rien encore face au halo halo philippin (glace pilée et haricots sucrés) et au root beer float soooo américain... Avis aux aventuriers du palais.

♥ ♦ Ghirardelli (zoom centre détachable D4, 327) : Ghirardelli Sq, 900 North Point. ☎ 415-474-3938. Tlj 9h-23h (minuit ven-sam). D'accord, le chocolat brassé dans de grandes cuves n'est là que pour le folklore, mais on aurait tort de se priver d'une pause gourmande dans la plus vieille chocolaterie de Californie (lire Ghirardelli Square dans « À voir. À faire »). Pyramides de ganache, palets, glaces ou même sundaes raviront les vrais becs sucrés. On ne trouve pas moins de 3 ice cream et chocolate shops Ghirardelli sur le Square !

|●| Kara's Cupcakes (zoom centre détachable D4, 327) : Ghirardelli Sq (au niveau de la place principale). ☎ 415-563-2223. Tlj 10h-20h (21h ven-sam). Les cupcakes, ce sont ces petits gâteaux ronds très à la mode, nappés d'un glaçage crémeux, parfois coloré dans des tons acidulés. Ceux de Kara's, vendus dans un cadre design rose bonbon, sont frais du jour et confectionnés avec de bons produits locaux, bio pour la plupart. À savourer sans modération, sur les petites tables en terrasse. La maison mère est dans Marina (3249 Scott Street et Chestnut).

Achats

⚜ International Spy Shop (zoom centre détachable E4, 409) : 555 Beach St (entre Jones et Leavenworth). ☎ 415-775-4779. Dim-jeu 11h-19h, ven-sam 10h-22h. Une boutique spécialisée dans l'espionnage, il n'y a que les Américains pour s'aventurer sur ce genre de terrain ! Aux côtés d'objets douteux, comme ces armes factices à l'air bien réel et ces fioles de liquide « revenge chemicals », vous trouverez des gadgets marrants comme ces caméras nanoscopiques pour espionner ses voisins ou ces lunettes enregistreuses et stylos appareil photo... Discrétion assurée. D'ailleurs, on ne vous expliquera pas comment poser des micros espions, c'est illégal !

À voir. À faire

🏃 The Cannery (plan d'ensemble détachable D4) : occupe le pâté de maison délimité par Beach, Leavenworth, Jefferson et Hyde ; plusieurs entrées. Cette ancienne conserverie, dont on ne garda que quelques murs de brique rouge, a été transformée en un centre commercial plutôt réussi, avec un grand patio. L'été, concerts gratuits dans la cour. Le pittoresque terminus de la ligne du Powell-Hyde Street cable car se trouve juste à côté : on y voit les conducteurs retourner les wagons à la main, sur une plate-forme pivotante – vous aurez plus que le temps de les observer, vu le temps d'attente moyen...

🚶🚶 👫 *San Francisco Maritime National Historical Park Visitor Center* (*zoom centre détachable D4, 457*) : The Cannery (*entrée angle Jefferson et Hyde St, à côté de l'Argonaut Hotel*). ☎ 415-447-5000. ● *nps.gov/safr* ● *Tlj 9h30-17h (17h30 en été)*. GRATUIT. Installé dans un recoin de Cannery, ce centre des visiteurs du service des parcs nationaux, rattaché aux *Historic Ships* voisins, se double d'un intéressant musée. La première partie présente, en avant-goût, l'univers des marins et de la navigation ; on peut y voir exposée la superbe lentille du phare des îles Farallon. C'est toutefois l'exposition principale, consacrée à l'histoire de San Francisco et de la région de la baie à travers leur lien au monde de la mer, qui retient le plus l'attention. Particulièrement claire et bien conçue, elle passe en revue la vie à l'époque des peuples amérindiens, l'arrivée des colons, la pêche, le développement de la fameuse *Barbary Coast*, l'immigration (chinoise et d'ailleurs), le développement des infrastructures, etc. L'occasion d'apprendre, par exemple, que tous les bateaux de pêche ont été regroupés au Fisherman's Wharf en 1901 et que la plupart des pêcheurs étaient alors Italiens – et plus précisément Siciliens. Vraiment très bien fait.

🚶🚶🚶 👫 *Historic Ships* (*San Francisco Maritime National Historical Park ; zoom centre détachable D4*) : Hyde St Pier. ☎ 415-447-5000. ● *nps.gov/safr* ● *Tlj 9h30-17h30 (17h sept-mai) ; dernier ticket 30 mn avt. Entrée gratuite pour accéder au Pier, 5 $ pour pénétrer dans les bateaux (ticket valable 7 j.) ; gratuit moins de 16 ans.* Interagency Annual Pass *accepté.* Le Hyde Street Pier, bâti en 1922 pour les bateaux qui reliaient San Francisco à Sausalito avant la construction du Golden Gate, accueille aujourd'hui un superbe alignement de bateaux anciens admirablement restaurés. Une escale incontournable pour les amoureux de la mer, qu'apprécient toujours les enfants. Le premier à s'imposer, l'*Eureka,* est un colossal navire à aubes (1890) à la coque en bois, conçu à l'origine pour transporter des trains (!) puis devenu un temps le plus gros ferry du monde (2 300 passagers et 120 véhicules !). On découvre quelques belles voitures anciennes alignées comme à la parade sur le pont inférieur, les salles des passagers et le poste de pilotage, nid de pie perché au sommet de la montagne flottante.

Presque en face, le *C.A. Thayer* est une superbe goélette à trois mâts (1895) qui transporta du bois de construction, puis du saumon et de la morue en barriques, des hommes et des marchandises sur la route de l'Alaska. À deux pas s'amarre le fleuron de la collection, le *Balclutha,* splendide trois-mâts anglais à la coque en acier, lancé en Écosse en 1886 pour transporter le blé californien en Europe. Il a survécu à 17 passages du Horn et à un échouage. Les quartiers du capitaine, splendides, tout en bois verni, contrastent singulièrement avec le confort rudimentaire auquel étaient soumis les matelots... Sur le pont, le *pig pen* rappelle que cochon et poulets étaient embarqués à bord pour être sacrifiés lors des repas de fête ! Descendez dans les cales pour admirer la structure splendide de la coque et les cargaisons reconstituées. On s'y croirait.

Quelques autres navires plus petits complètent la collection : le croquignolet *Hercules* (1907), petit remorqueur qui écuma les eaux du Pacifique, d'Alaska jusqu'au Panamá ; l'*Eppleton Hall* (1914), qui traversa l'Atlantique tout seul comme un grand en 1969 ; le chaland à voile *Alma*, qui naviguait dans la baie et sur ses affluents, et quelques autres encore. D'ici à ce que vous lisiez ces lignes, d'autres se seront peut-être ajoutés : l'atelier de restauration du quai (ouvert aux coups d'œil) travaille sans relâche à la préservation du patrimoine maritime local.

➤ Immédiatement à l'ouest du Hyde Street Pier, on découvre une jolie *plage,* le long de laquelle se dresse le *Dolphin Swimming & Boating Club*, à l'élégante architecture de bois blanc suranné. Croyez-le ou non, certains se baignent malgré la fraîcheur des eaux... en combi en général ! Une agréable *promenade* longe cette section du front de mer, dans une atmosphère de farniente assez étonnante pour une grande ville. Des étudiantes bien sages viennent y bouquiner, quelques jeunes allumés s'élancent sur leurs rollers et de nombreux touristes s'embarquent pour une journée de vélo jusqu'à Sausalito en franchissant le Golden Gate.

🎣 **Aquatic Park Bathhouse** (Maritime Museum ; zoom centre détachable D4) : 900 Beach St ; en bas de Polk St, face à la plage. ☎ 415-447-5000. Tlj 10h-16h. Ce beau bâtiment récemment restauré, géré par le National Park Service, devrait devenir musée maritime après avoir accueilli la remise des trophées de l'America's Cup. En attendant, on profite de son architecture Art déco évoquant un paquebot et de la vaste terrasse donnant sur la plage. À l'intérieur, on peut admirer les fresques aquatiques d'un certain Hilaire Hiler (eh oui !), réalisées dans les années 1930, dans un style largement inspiré par l'œuvre de Salvador Dalí. Certaines sont censées représenter l'Atlantide et le continent perdu de Mu...

🎣 **Ghirardelli Square** (zoom centre détachable D4) : occupe le pâté de maisons délimité par Beach, Polk, North Point et Larkin St. Domingo Ghirardelli ne reconnaîtrait pas son business. D'origine italienne, cet artisan chocolatier avait commencé à travailler dans des petits ateliers à Jackson Square, au moment de la ruée vers l'or. Ses enfants déménagèrent la chocolaterie Ghirardelli ici, dans une ancienne usine, en 1893, et lui ajoutèrent plus tard la Clock Tower (au coin de North Point et Larkin), inspirée, paraît-il, du château de Blois... Quand l'usine ferma ses portes, un milliardaire de bon sens, amoureux de cette remarquable architecture de brique rouge, la racheta et décida d'en faire un complexe commercial. On y trouve aujourd'hui une vingtaine de boutiques (chic) et de restaurants, répartis au gré de terrasses paisibles. De la chocolaterie, restent deux stands et un petit magasin très touristique avec salon de thé-cafétéria, où vous pourrez contempler les grandes cuves remplies de chocolat (voir « Où boire un verre ? Où faire une pause ? » plus haut).

➤ Repassez devant la Cannery pour rejoindre le Pier 45 par Jefferson Street. Vous pourrez voir ce qu'il reste du port de pêche de San Francisco et de sa flotte. Sur les centaines de bateaux en activité il y a 30 ans, moins de 50 travaillent encore. Pour assister au débarquement et à la vente du poisson, venir de très bonne heure le matin (à 9h, c'est fini).

🎣 🚶 **Le Musée mécanique** (zoom centre détachable E4) : à l'entrée de Pier 45, juste avt l'accès au USS Pampanito. ☎ 415-346-2000 ● museemecaniquesf. com ● Tlj 10h-19h (20h w-e et j. fériés). GRATUIT (mais jeux payants ; pièces de 5, 10 ou 25 cts). On doit ce musée à Edward Zelinsky (1922-2004) qui, à l'âge de 11 ans, gagna le grand prix d'un bingo game consistant en cinq... bidons d'huile de moteur. Il le revendit à son prof de piano et avec les 75 cents acheta son premier jeu mécanique. Il fit jouer ses copains et, avec les gains, démarra sa collection ! Aujourd'hui, ce musée-salle de jeux insolite rassemble une superbe collection de plus de 200 machines, du XIXe s à nos jours, toutes en état de marche ! Les plus anciennes sont naturellement les plus surprenantes : diseuses de bonne aventure, bras de force, lanternes magiques, automates, pianos mécaniques, jeux de tirs, Kiss-o-meters... Au centre trône une étrange steam powered motorcycle, une moto à vapeur de 1912 pour laquelle on lui a fait une offre de 250 000 $! Voici enfin l'occasion de vous débarrasser de toutes vos piécettes accumulées au fond de vos poches... et de retrouver un peu de votre âme d'enfant dans cet univers de fêtes foraines. Dans un registre plus récent, flippers et jeux vidéo au fond.

🎣 🚶 **USS Pampanito** (zoom centre détachable E4) : Pier 45. ☎ 415-775-1943. ● maritime.org ● Tlj à partir de 9h, heure de fermeture variable (entre 17h et 20h selon j. et saison). Entrée : 12 $; audioguide 3 $; réduc. Étroit et fuselé comme une torpille, ce sous-marin opérationnel pendant la Seconde Guerre mondiale dévoile toutes les facettes de sa mécanique subtile... et donne une idée de la vie hors norme des équipages. Il faut plonger dans les entrailles du vaisseau, se courber pour passer de la salle des machines aux dortoirs, longer la cuisine de poche et les douches minuscules, ou encore traverser le poste de commandement, pour entrevoir le quotidien des 70 marins et 10 officiers stationnés à bord pendant un mois et demi. Pour compenser un peu, le chef cuistot faisait des merveilles et la machine à glaces fonctionnait à plein pour faire sourire les hommes. Sans compter les films et... les pin-up placardées sur les parois, pour aider à tenir le coup ! Le USS Pampanito envoya par le fond six navires japonais et en endommagea quatre autres.

Jeremiah O'Brien (zoom centre détachable D-E4) : Pier 45. ☎ 415-544-0100. ● ssjeremiahobrien.org ● Le navire est amarré juste derrière le USS Pampanito. Tlj 9h-16h, parfois plus tard. Entrée : 12 $; réduc. Demander la brochure en français. Le Jeremiah O'Brien est l'un des deux derniers liberty ships de la Seconde Guerre mondiale (sur 2 710) qui soit encore en état de fonctionnement. Ces navires furent les piliers de la logistique du débarquement en Normandie en juin 1944. Construit un an plus tôt, en seulement 56 jours, le Jeremiah O'Brien traversa l'Atlantique à plusieurs reprises, puis onze fois la Manche – avant d'appareiller pour le Pacifique, où les combats contre les Japonais perduraient. Mis au rencart, il reprit du service en 1994 pour le 50e anniversaire du débarquement, qui lui valut de retrouver la Normandie ! Que trouve-t-on à bord ? Pas mal d'espaces vides, un petit musée et, plus rigolo, un ensemble de cabines qui semblent encore occupées, avec leurs couvertures et oreillers froissés, leurs casques, gilets de sauvetage, ventilos, cadenas aux armoires métalliques et cintres qui pendouillent... Des bonnes odeurs de café émanent de la cuisine, où des bénévoles s'affairent pour nourrir d'autres bénévoles, burettes à la main. Pour finir, la vertigineuse descente vers la salle des machines donne vraiment l'impression de s'enfoncer dans les entrailles du navire. Parfaitement entretenu, le Jeremiah O'Brien part régulièrement en croisière (de quelques heures) ; renseignez-vous si cela vous intéresse (env 100 $).

Pier 39 (zoom centre détachable E4) : de mi-mars à début nov, boutiques en général tlj 10h-21h (22h ven-sam) ; restos 11h30-22h (23h ven-sam). Avançant sur la mer, ce village de maisonnettes en bois forme le centre commercial à ciel ouvert le plus populaire du Wharf. Tout est factice, tout est coloré et... tout est bon pour attirer le touriste ! Bref, on serait presque tenté d'appeler ça « la politique du Pier ». L'été, manèges, clowns, musicos, bateleurs entrent dans la danse dans une ambiance de fête foraine. Il n'y a qu'une vraie bonne raison de venir ici : pour voir la colonie d'otaries fort peu farouches qui ont élu domicile sur les pontons situés à l'ouest du quai – auparavant réservés aux plaisanciers (on leur a demandé de plier bagages !). La date de l'arrivée des premiers pinnipèdes, entre le 17 et le 20 janvier 1990, est célébrée chaque année ! Au nombre de 300 au début, ils sont désormais le double en hiver. L'été, beaucoup migrent vers les îles au large de Santa Barbara, à l'exception d'un petit groupe de résidents (payé par l'office de tourisme ?). Le week-end, le Marine Mammal Center, basé dans le Golden Gate Recreational Area, organise des talks à 11h et 17h.
Sur le Pier 39 également, l'Aquarium of the Bay, sans oublier un point de ramassage (gratuit) pour ceux qui voudraient survoler la ville en hydravion avec la compagnie San Francisco Seaplane Tours ; décollage de Sausalito à 6,5 km au nord du Golden Gate Bridge. ☎ 415-332-4843 ou 1-888-SEAPLANE. ● seaplane.com ● Lire nos infos dans « À voir. À faire » à Sausalito, plus loin.

Aquarium of the Bay (zoom centre détachable E4) : Pier 39. ☎ 415-623-5300 ou 1-888-SEA-DIVE. ● aquariumofthebay.org ● Fin mai-début sept, tlj 9h-20h ; le reste de l'année, les horaires changent très fréquemment, les consulter sur Internet. L'aquarium ferme rarement avt 18h (hiver) ou 19h (mars-mai et sept-oct). Entrée : 18 $; 3-11 ans 10 $; forfait famille (2 adultes, 2 enfants) 50 $. Inclus dans le CityPass. D'abord, une mise en garde : si vous envisagez de visiter la California Academy of Sciences, dans le Golden Gate Park, il est sans doute inutile de venir ici ; leur aquarium est plus intéressant – et celui de Monterey Bay mieux encore ! Attendez-vous, ici, à un gentil voyage au cœur de la faune marine de la baie de San Francisco. Quelques temps fort : un amusant aquarium cylindrique rempli d'anchois argentés qui tournent toujours dans le même sens, un long tunnel vitré entouré d'eau présentant les espèces vivant sous le Wharf, puis celles de la haute mer – requins, raies, esturgeons, etc. Après cette courte balade sous-marine, retour en surface pour une séance de découverte tactile des poissons pour les enfants (raies et... requins, mais tout petits !). Films à thème maritime en supplément (6-10 $)...

➤ 🕺 **Balade en bateau dans la baie de San Francisco** (zoom centre détachable E4, **458**) : Pier 39, avec **Blue & Gold Fleet, Bay Cruise Adventure.** ☎ 415-705-8200. ● blueandgoldfleet.com ● Départs env ttes les heures 10h45-19h, de mi-mai à août (16h hors saison) en sem, 10h15-17h le w-e et les j. fériés. Tarif : 28 $, réduc ; family ticket 81 $ (2 adultes et 4 enfants) ; diverses réducs et moins cher si résa par Internet. Inclus dans le CityPass. Nous vous indiquons cette excursion dans la mesure où elle est comprise dans le City Pass, mais sachez, si vous ne l'avez pas, que bien d'autres compagnies proposent des sorties similaires.
Une autre façon d'aborder San Francisco et de découvrir la ville et la baie depuis le large. Le tour de 1h mène près d'Alcatraz (une petite consolation si vous n'avez pas pu réserver vos billets !) et passe sous le Golden Gate Bridge et retour. Vous aurez peut-être la chance d'apercevoir des phoques ou des dauphins. Commentaires en anglais uniquement, très scénarisés, avec pas mal d'humour. N'oubliez pas vos jumelles et un bon coupe-vent (fait frisquet sur l'eau !). Et renseignez-vous sur la météo avant de prendre vos billets, car cela ne vaut pas le coup s'il y a trop de brume.

🔺🔺🔺 **Alcatraz :** il y eut d'abord un phare (1854), puis un fortin avec une garnison au moment de la guerre de Sécession. Confédérés, mutins, membres des tribus amérindiennes, Espagnols capturés lors de la guerre hispano-américaine y furent tout à tour emprisonnés. En 1907, Alcatraz devint prison militaire, accueillant déserteurs et objecteurs de conscience pendant la Première Guerre mondiale, puis passa en 1934 au gouvernement fédéral. C'est alors qu'elle entra dans la légende, avec l'arrivée de l'ennemi public numéro un, Al Capone « Scarface », sous le matricule AZ 85. Il y passa 4 ans et demi. D'autres suivirent, parmi lesquels Machine Gun Kelly et Robert Stroud,

PRISONNIERS DES EAUX

En 29 années de fonctionnement en tant que pénitencier fédéral, Alcatraz a connu 14 tentatives d'évasion concernant 36 prisonniers. Officiellement, toutes échouèrent. La traversée n'était pas si considérable (2 km) pour un bon nageur, et il n'y eut jamais de requins. Les principaux ennemis des candidats à la belle étaient en fait les courants traîtres et l'eau froide (10 à 12 °C). Pour empêcher les prisonniers de s'y habituer, on leur donnait systématiquement des douches bien chaudes... sans omettre de faire courir des rumeurs sur la présence de nombreux squales !

« The Birdman of Alcatraz ». Devenu le pénitencier le plus célèbre des États-Unis, « The Rock » (d'où le titre du film avec Sean Connery), posé au milieu de la baie, était particulièrement redouté des criminels pour ses conditions de vie pénibles et son isolement – sans perspective raisonnable d'évasion. Certains ont-ils réussi ? Le débat perdure. Theodore Cole et Ralph Roe, qui sautèrent à l'eau un jour d'hiver brumeux de 1937, n'ont jamais été retrouvés. Frank Morris et les frères Anglin non plus. Incarnés à l'écran par Clint Eastwood, Fred Ward et Jack Thibeau dans *L'Évadé d'Alcatraz,* sont à l'origine de la tentative d'évasion la plus rocambolesque. Ils passèrent des semaines à creuser le béton endommagé par l'humidité d'un bout de couloir mal éclairé, à l'aide d'une perceuse de fortune bricolée avec un moteur d'aspirateur ! Pour ne pas se faire repérer, ils ne s'attelaient à la tâche qu'1h par jour, pendant la séance de musique, et prirent soin de reconstituer de fausses parois pour dissimuler leurs petits travaux. Le jour J, ils laissèrent sur leur lit des têtes en papier mâché et savon les représentant, pour ne pas alerter les gardes ! Partis avec des vêtements de pluie, ils en firent des radeaux et disparurent dans la nuit... Longtemps, les autorités ont affirmé qu'ils s'étaient noyés. Des documentaires récents laissent cependant penser qu'ils parvinrent à gagner

SAN FRANCISCO

Angel Island, où un radeau et des empreintes auraient été retrouvés. On signale le vol d'une voiture dans le secteur cette même nuit et, dans les années qui suivirent, des cartes postales envoyées à leur famille. Officiellement, le dossier ne sera pas refermé avant leur centième anniversaire (soit 2026, 2030 et 2031) !

En 1963, Robert Kennedy décida de fermer Alcatraz, trop vétuste – et surtout trop chère à faire fonctionner. En 1969, période de forte contestation sociale, l'île fut occupée par une centaine de membres de tribus amérindiennes, la plupart étudiants ou professeurs à UCLA, qui proposèrent au gouvernement fédéral de la racheter contre des perles de verre... histoire de bien souligner l'appropriation illégale de leurs terres par les colons au fil des siècles. L'occupation dura 19 mois, jusqu'à ce que les protestataires soient évacués de force par les troupes d'assaut. Peu importe : leur message avait résonné aux oreilles du monde. Des traces de leurs graffitis sont encore visibles.

Intégré au Golden Gate National Recreation Area, formé en 1972, Alcatraz est aujourd'hui un musée d'État, géré par le service des parcs nationaux américains (● *nps.gov/alca* ●). Beaucoup de monde s'y rend, bien sûr, surtout à la belle saison. Vous ne pourrez pas dire que vous étiez à l'isolement car Alcatraz, c'est aujourd'hui 1,4 million de visiteurs par an... Vous verrez peut-être même d'anciens détenus qui viennent régulièrement dédicacer leurs bouquins.

➤ Pour aller sur l'île, s'adresser à la compagnie *Alcatraz Cruises,* la seule habilitée à gérer les visites :

■ **Alcatraz Cruises** *(zoom centre détachable F4) :* au Pier 33. Infos : ☎ 415-981-7625. ● *alcatrazcruises. com* ● *Plusieurs excursions possibles.* **Day Tour,** *départ ttes les 30 mn env, 9h10-15h50, du Pier 33 ; retour 9h55-18h30. Horaires restreints fin oct-début mars. Pour l'excursion classique, on revient à terre quand on veut, mais comptez env 2 à 3h de visite selon votre curiosité.* **Résa indispensable plusieurs j. avt** *(plusieurs sem min en été, car c'est archibondé), possible via Internet. Compter env 30 $. Family ticket, env 90 $ (2 adultes et 2 enfants 5-11 ans), mais pas d'achat en ligne pour ce billet, slt au téléphone ou sur place...* **Night Tour :** *2 départs à 17h55*

et 18h30, env 37 $; durée : 2h30. Enfin, combiné **Alcatraz-Angel Island** *tlj en saison à 9h30 et 9h40, 62 $; durée : 5h30. Celui-ci a généralement plus de disponibilités en haute saison. Pour ts les tours, audioguide en français compris et réduc. Prévoir une petite laine (toute l'année), car il peut faire frais à bord et le vent souffle fort sur le rocher.*

Quelques tuyaux : le premier tour de la journée *(early bird)* est le plus tranquille puisque vous serez « seuls » sur l'île pendant la première demi-heure, et le *Night Tour* est le plus complet, avec des commentaires et des visites thématiques en plus, notamment sur l'occupation amérindienne.

La visite

En débarquant sur l'île après 20 mn de traversée, un *ranger* vous fera un petit topo sur les conditions de visite. Ensuite, vous aurez un aperçu des anciennes casernes (film historique et salles d'exposition avec des vidéos, plus un film intéressant sur l'histoire d'Alcatraz), des casemates où veillaient les pièces d'artillerie du temps de l'armée et des quartiers réservés aux familles des gardiens. Car il y avait de la vie sur l'île : une salle commune, une boutique, des jardins et des habitations dignes d'une petite banlieue proprette. Rien à voir avec l'atmosphère sinistre qui régnait à l'intérieur de la prison, perchée au sommet du rocher...

Procurez-vous ensuite l'audioguide gratuit (45 mn) qui délivre d'excellents commentaires en français très scénarisés, avec des interviews d'anciens gardiens et de prisonniers sur leurs conditions de vie dans le pénitencier, accompagnés de bruits de gamelles, de serrures qui grincent, de portes qui claquent... La discipline était d'une dureté extrême : interdiction de parler, un prisonnier par cellule, extinction des feux à 17h et un gardien pour trois détenus ! Les prisonniers n'avaient droit qu'à deux douches par semaine. Quatre blocs distincts, de A à D (le plus dur, pire que les quartiers de haute sécurité) abritaient 450 cellules de 4 m² (il n'y eut jamais plus de 250 prisonniers en même temps), où ils mijotaient jusqu'à 23h par jour ! Les plus chanceux n'en passaient que 17 et travaillaient au réfectoire ou à la bibliothèque.

La visite se termine logiquement par... la boutique de souvenirs, la plupart d'un goût un peu particulier : les clés de prison, le savon ou la gamelle du détenu, qui dit mieux ?

– Ami, si tu es fauché (ou si l'idée de visiter Alca te rase), contente-toi du ferry qui va à Sausalito : très belle vue sur la baie et le Golden Gate Bridge.

MARINA, COW HOLLOW ET PACIFIC HEIGHTS (plan d'ensemble détachable C-D1-2 et zoom centre détachable D4-5)

À l'ouest du Fisherman's Wharf, le quartier de Marina a vu le jour à l'occasion de l'exposition « Panama Pacific International », organisée en 1915 pour prouver au monde entier que San Francisco n'était plus un champ de ruines... Ironie du sort, tous les bâtiments érigés pour l'occasion ont été démolis, à l'exception du monumental *Palace of Fine Arts*. Après l'expo, les familles italiennes descendues de North Beach ont donné à l'endroit un cachet méditerranéen que l'on ressent toujours.

Marina est prolongé par le corridor de Cow Hollow où, jadis, paissaient les vaches. Ce mini quartier, où se regroupent la plupart des motels de la ville, est délimité, grosso modo, par Lombard Street au nord et Union Street au sud.

Au-delà, les pentes se redressent, offrant une vue splendide sur la baie. Pacific Heights est parmi les quartiers les plus chic, les plus huppés et les plus chers de tout San Francisco : une maison y coûte en moyenne 3 millions de dollars ! Dès la fin du XIXe s, les nouveaux riches s'y installèrent, Nob Hill et Russian Hill étant déjà trop construits. Grand bien leur fit, car ils échappèrent ainsi aux incendies consécutifs au tremblement de terre de 1906. En se promenant dans le quartier, délimité par Van Ness Avenue à l'est, le Presidio à l'ouest et California Street au sud, on découvre des maisons victoriennes et d'étonnantes villas aux multiples styles architecturaux. Le long de Fillmore se regroupent bars, cafés et boutiques.

Où manger ?

À Marina et Cow Hollow

Spécial petit déjeuner

☞ |●| **Home Plate** (plan d'ensemble détachable C2, **200**) : 2274 Lombard St (et Pierce). ☎ 415-922-4663. Tlj 7h-15h. Plats env 6-10 $. Ce *coffee shop* de quartier typique, à la petite salle anonyme, est renommé pour la qualité de ses petits déj (queue assurée le week-end). On vient en particulier pour les œufs, préparés de toutes les manières : on peut composer son omelette à partir d'une trentaine d'ingrédients différents, ou choisir parmi les *frittatas* et *specials* du jour. Chaque plat est accompagné d'un toast, de *hashbrowns* ou d'une galette de carottes et pommes de terre (ça change !). À midi, sandwichs et burgers sont tout aussi abordables.

☞ **Judy's Café** (plan d'ensemble détachable C2, **201**) : 2268 Chestnut St (et Avila). ☎ 415-922-4588. Tlj 7h30-15h15 (16h30 sam-dim et j. fériés). Plats 10-16 $. CB refusées. La petite salle serrée et la terrasse ensoleillée ont longtemps eu les faveurs des gens du coin, mais ils sont moins nombreux depuis que les prix ont passablement augmenté. Restent de savoureuses omelettes déclinées de multiples façons (les *hashbrowns* sont en option) et de bons *French toast* accompagnés de fruits frais. Chaque assiette s'accompagne d'un muffin ou de *pumpkin loaf* (pain à base de potiron). Portions copieuses et bons jus de fruits pressés. Lent, mais service stylé (en cravate !). Bon, on reste quand même sur l'impression que tout est trop cher...

|●| ☞ **La Boulange** (plan d'ensemble détachable C2, **202**) : 1909 Union St (et

SAN FRANCISCO

SAN FRANCISCO

Laguna), presque en face de Perry's.
☎ 415-440-4450. Tlj 7h-19h. Voir « Où
manger ? » à North Beach et Telegraph Hill.
– Et aussi : *The Plant Café Organic*
pour son brunch et *Mel's Drive In* (lire
plus loin).

De bon marché
à prix moyens

|●| 🐦 The Plant Café Organic
(plan d'ensemble détachable C2,
203) : 3352 Steiner St (et Chestnut). ☎ 415-931-2777. Tlj 9h-21h30
(21h w-e). Brunch w-e 9h-14h. Plats
7-15 $. 🛜 A fond dans la tendance
locavore, née à San Francisco, ce beau
petit resto bobo-bio, tout en bois d'hic-
kory recyclé, provenant d'une ferme
de 1886, met à l'honneur des produits
équitables et locaux. Au menu : de
belles salades composées, des sandwichs tout frais et savoureux, des jus
de fruits et légumes pas donnés mais
vraiment originaux. Goûtez donc *le*
plant burger, à base de lentilles, champignons, betteraves, noix de cajou et
boulgour, et accompagnez-le d'une
green infusion, mêlant jus de céleri, de
chou frisé, de brocoli, carotte, bette-
rave et gingembre. Excellent brunch le
week-end, avec tous les classiques du
genre, revus à la mode de la nouvelle
cuisine californienne. Écolo jusqu'au
bout des ongles, la maison livre... en
vélo ! Succursales dans le Downtown,
au 101 California Street (entre Front et
Pine) et sur Embarcadero (Pier 3).

|●| Tacolicious *(plan d'ensemble déta-*
chable C2, **204***) :* 2031 Chestnut St (et
Fillmore). ☎ 415-346-1966. Tlj 11h30-
23h (minuit jeu-sam). Pas de résas.
Compter 4 $ pour 1 taco, 14 $ pour 4
et 33 $ pour 10. Fini le fast-food et les
stands de rue : le taco intègre la cour
des grands et se chiquifie sacrément. Ici,
les petites galettes de maïs renferment
morue, poulet sauté à la bière et même
du filet mignon aux oignons caramélisés ! Les économes prendront 4 tacos
pour 2 : pour un *lunch* rapide, c'est parfait. Plein d'autres plats d'inspiration
mexicaine aussi, avec l'incontournable
guacamole préparé à la commande.
Les yuppies adorent et l'endroit
est plein à craquer ; attendez-vous

à vous retrouver au bar ou à vous battre
pour les tables sur rue.

|●| Mel's Drive In *(plan d'ensemble*
détachable C2, **205***) :* 2165 Lombard St
(et Fillmore). ☎ 415-921-2867. Dim-
mer 6h-1h ; jeu 6h-2h ; ven et sam
24h/24. Plats env 8-12 $. 🛜 Ce vrai
diner, parmi les plus anciens de la
ville, semble sortir de *Happy Days* ou
d'*American Graffiti* avec ses chromes,
ses banquettes en skaï et ses tables
en formica vert et crème, ses petits
juke-box juste au-dessus, ses vieilles
photos en noir et blanc aux murs et ses
serveurs coiffés d'un calot en carton
très, très fifties ! Au menu : panoplie
habituelle des burgers, *pies,* salades,
plats du jour, auxquels s'ajoutent de
bons *sundaes* pour les mômes et un
grand choix de breakfasts. Un peu
graillonneux tout cela, mais ô combien
pittoresque ! On peut y venir en famille
ou se contenter d'y siroter un milk-
shake dans la journée. Plusieurs succursales en ville, à SoMa (801 Mission
et 4th), au 1050 Van Ness Ave et au
3355 Geary Blvd.

|●| Roam Artisan Burgers *(zoom cen-*
tre détachable D5, **206***) :* 1785 Union St
(entre Octavia et Gough). ☎ 415-440-
7626. Tlj 11h30-22h. Compter 12-16 $.
Des burgers-frites ? Oui, mais à base
de produits triés sur le volet : viande
d'animaux élevés en plein air, salades
et tomates cultivées dans le coin et
pain d'une boulangerie locale. Il ne
vous reste qu'à choisir le type de
viande (bœuf, dinde, bison, élan) ou
l'option végétarienne, les ingrédients
(fromage, avocat, œuf, bacon, champignons...) et les frites (patate douce
ou pommes de terre, oignons et cour-
gettes). Les milk-shakes au lait bio
sont délicieux, surtout surmontés d'un
chamallow grillé. Même les sodas sont
faits maison ! Le tout se déguste sur
la grande table commune, en terrasse
ou au bar en regardant le base-ball. Un
peu cher, quand même. Succursale au
1923 Fillmore St, entre Bush et Pine
(mêmes horaires).

De prix moyens à chic

|●| Greens *(plan d'ensemble détacha-*
ble C1, **207***) :* Fort Mason, building A ;

accès par Beach et Laguna. ☎ 415-771-6222. Tlj sf lun midi 11h45-14h30 et 17h30-21h ; brunch sam 11h-14h, dim 10h30-14h. Take-out 8h30 (9h dim)-17h (16h w-e), mais ça varie un peu au gré des saisons. Menu 56 $ sam soir (+ 33 $ pour les vins), sinon plats 13-18 $ le midi, 17-24 $ le soir. Attention, commande min 15 $ (sf take-away). Un must dans la cuisine végétarienne à San Francisco. Niché dans un ancien entrepôt du fort Mason, devant le Pier 1, ce vaste loft aux allures d'atelier d'artiste profite d'une belle situation avec ses immenses baies vitrées face aux bateaux du port de plaisance et les haubans du Golden Gate Bridge en guise de ligne d'horizon ! Une mise en condition idéale pour découvrir un savant mélange de saveurs végétales au gré de l'humeur du chef (le menu est imprimé 30 mn avant le service !). Tous les produits proviennent de fermes bio du Marin County, juste au nord de la ville. Les vins (très chers) sont eux-mêmes bio. Très bobo, à l'image du design de certaines tables et de la colossale sculpture sylvestre à l'entrée.... Également un *Greens to go* si vous préférez pique-niquer sur les pelouses du fort Mason ou à Crissy Field. On y propose les mêmes produits frais qu'au resto, mais sous forme de paninis, sandwichs et soupes.

Très chic

|●| *Isa Restaurant* (plan d'ensemble détachable C2, **203**) : 3324 Steiner St (entre Lombard et Chestnut). ☎ 415-567-9588. Tlj 17h30 (17h w-e)-22h (21h dim). Résa conseillée. Repas env 30-40 $; menu prix fixe dim-jeu slt 37 $ (3 plats). Apôtre de la cuisine californienne, relevée de quelques notes *Frenchy*, Luke Sung est l'un des jeunes chefs les plus prometteurs de Californie. Il a développé un concept original. Tout est présenté en petites portions (style tapas) à partager avec la personne qui vous accompagne. Ainsi, on peut toucher à toutes les facettes de l'inventivité du chef que l'on voit s'activer dans la cuisine centrale. Entre volaille, viande rouge, poisson et fruits de mer, il y en a pour tous les goûts !

Les desserts maison sont excellents et le cadre, chic et design, charmant. À l'arrière, un patio bâché, chauffé lorsque cela s'impose.

|●| *Betelnut Pejiu Wu* (plan d'ensemble détachable C2, **209**) : 2030 Union St (et Buchanan). ☎ 415-929-8855. Tlj 11h30-22h (23h ven-sam). Plats 12-26 $. Le lieu pour voir et être vu par excellence ! Chaque soir, sa grande salle boisée, élégante et sophistiquée (ouverte sur la rue aux beaux jours), est submergée par la foule des yuppies venus faire leur show. Serveurs en tenue aux petits soins, *punkahs* (ventilos géants) au plafond et comptoir laqué rouge évoquent une atmosphère de brasserie coloniale très singapourienne. Côté fourneaux, c'est un condensé de la cuisine de rue asiatique revue et corrigé : chinois, vietnamien, thaï, malais, indonésien, sri lankais, etc. Beaucoup de bonnes surprises, parfois bien relevées.

À Pacific Heights

Spécial petit déjeuner

|●| 🐦 *La Boulange* (plan d'ensemble détachable C3, **210**) : 2043 Fillmore St (entre California et Pine). ☎ 415-928-1300. Tlj 7h-19h. Voir « Où manger ? » à North Beach et Telegraph Hill.
– Et aussi : *The Grove* (lire plus loin).

De bon marché à prix moyens

|●| 🌸 *Whole Foods Market* (zoom centre détachable D5, **213**) : 1765 California St. ☎ 415-674-0500. Tlj 8h-22h. Ce n'est pas un resto mais une chaîne de supermarchés bio, très en vogue depuis quelques années aux États-Unis. Étalages somptueux de fruits et légumes d'une grande fraîcheur, gâteaux, superbe section *deli* où l'on se sert au poids, fruits secs, sushis, soupes, salades composées... Tout ce qu'il faut pour prévoir son pique-nique mais, attention, les prix sont élevés ! On trouve quelques tables au *coffee shop* en sous-sol, mais elles sont un peu glauques, face à l'entrée du parking.

🍴 🍸 *The Grove* (plan d'ensemble détachable C3, **211**) : 2016 Fillmore St (et Pine). ☎ 415-474-1419. Tlj 7h (8h w-e)-23h. Plats 8-13 $. 🛜 Notre endroit préféré à Pacific Heights. Ce grand *coffee shop* rustique et chaleureux, baigné par un fond musical très rock, adopte une déco tendance western, avec (fausse) cheminée sur mur en pierre comme à la montagne, sols en bois patiné comme dans un vieux saloon et coin salon aux canapés et fauteuils tendus de peau de vache. Les yuppies s'y enfoncent benoîtement, un verre de vin dans une main, l'ordinateur portable dans l'autre – à moins qu'ils ne profitent du soleil en terrasse. On y est bien pour prendre le petit déj, juste un café, dévorer de bons gros sandwichs ou une salade, quelques plats chauds et des gâteaux maison. Une autre adresse au 301 Hayes Street (Hayes Valley).

🍴 *La Méditerranée* (plan d'ensemble détachable C2, **212**) : 2210 Fillmore St (angle Sacramento). ☎ 415-921-2956. Tlj 11h-22h (22h30 ven-sam). Sandwichs et plats env 8-14 $. Ce petit restaurant, à la salle chaleureuse bien décorée et étirée en longueur, a été fondé par un Français d'origine arménienne. La carte est riche des saveurs de toute la *mare nostrum* et s'ouvre aux spécialités arméniennes, aussi rares sur la scène gastronomique que bonnes à déguster. Citons le poulet à la grenade *(pomegranate)* et les beignets au poulet *Cilicia,* aux amandes, raisins et pois chiches. Et puis, on retrouve les hors-d'œuvre méditerranéens, *houmous,* caviar d'aubergine *(baba ghanoush),* taboulé, *dolma* ou encore *tzatziki,* à prendre en entrée ou en *mezze.* Le *Middle Eastern plate* permet d'en goûter 3. Terminez par un baklava et un petit café bien serré, à déguster en écoutant Aznavour(ian)... Devant le succès, le patron a ouvert 2 autres restaurants, à Castro *(288 Noe St, angle Market)* et à Berkeley *(2936 College Ave).*

Où manger une glace ou un *frozen yogurt* ?

À Marina et Cow Hollow

🍦 *Cultivé* (plan d'ensemble détachable C2, **328**) : 1998 Union St (angle Buchanan). ☎ 415-345-8865. Tlj 11h-23h (minuit ven-sam). Mais pourquoi son p'tit nom est-il un joli participe passé à la française ? Parce que cette chaîne de *frozen yogurt* prend bien soin de... cultiver les probiotiques, ces micro-organismes vivants, sortes de levures dans le yaourt qui permettent de se faire une belle flore intestinale. Le principe : prendre 2-3 mini-*cups* en carton pour goûter aux différents parfums en se servant soi-même aux machines, puis une *cup* normale une fois son choix fixé, ajouter les *toppings* désirés et faire peser. Pas donné-donné mais amusant et savoureux (en particulier le *Heath toffee*).

Où boire un verre (en mangeant éventuellement un morceau) ?

🍸 *Black Horse London Pub* (zoom centre détachable D5, **329**) : 1514 Union St (et Van Ness). ☎ 415-928-2414. Tlj 17h (14h ven, 11h w-e)-minuit. CB refusées. Sans doute le plus petit pub de la côte ouest, d'une largeur à peine supérieure à celle d'un ventilo. À l'origine, il n'y avait là qu'une ruelle ! James, le boss, a tout de même réussi à caser le bar et l'indéboulonnable jeu de fléchettes. Évidemment, dans ces conditions extrêmes, on a tôt fait de se faire des amis autour du comptoir, harponné par tous les amateurs de bonnes bières du canton. Au fait, vous avez remarqué... la bière ? Dans la baignoire ? Une pépite !

🍸 🍴 *The Brixton* (plan d'ensemble détachable C2, **330**) : 2140 Union St. ☎ 415-409-1114. Tlj 11h-2h. Happy hours *lun-ven* 11h-19h. Parmi les incontournables du quartier, le *Brixton* navigue quelque part entre pub à l'anglaise (papier peint noir et blanc, tabourets de bar en cuir, souvenirs aux murs) et bar américain (hauts plafonds et salle grande ouverte sur la rue). Si certains y mangent, on vient avant tout pour les cocktails (chers) et pour se montrer. La terrasse est une scène où se joue et se trame la vie du petit monde de Marina. Service moyen.

♀ IOI **A16** *(plan d'ensemble détachable C2, 331)* : 2355 Chestnut St *(entre Divisadero et Scott).* ☎ 415-771-2216. *Déj mer-ven slt 11h30-14h30 ; dîner tlj 17h30- (17h dim)-22h (23h ven-sam).* Rien à voir avec une autoroute (encore qu'aux heures de pointe...), il s'agit d'un restaurant-bar à vins italien, *trendy* à souhait et fréquenté assidûment par les *beautiful people* du quartier. Accoudé au comptoir minimaliste, ce petit monde insouciant sirote les nectars de Campanie (9-17 $ le verre !) dans une atmosphère joyeuse et bourdonnante. Bonnes pizzas napolitaines, *pasta,* assiettes de charcuterie, servies dans une salle cosy et lumineuse à l'arrière. Pour être à la page !

♀ *Betelnut Pejiu Wu (plan d'ensemble détachable C2, 209) : 2030 Union St (et Laguna).* Voir « Où manger ? ». Débauche d'excellents cocktails, bière maison et exhaustive sélection de thés chinois.
– Et aussi : *The Grove* (voir « Où manger ? »).

Où sortir ?

À Marina et Cow Hollow

♀ *Bus Stop (plan d'ensemble détachable D2, 332) : 1901 Union St (angle Laguna).* ☎ 415-567-6905. *Tlj 10h (9h*

w-e)-2h. Happy hours *lun-ven 16h-18h.* Le *sports bar* par définition, installé dans un vieux saloon de 1900. Vous n'y trouverez peut-être pas Marilyn dès le premier soir mais un juke-box, des TV un peu partout et des jeunes Américains déchaînés les jours de match. Selon l'actualité, une salle dédiée corps et âme au football, une autre au baseball ou encore au hockey, etc. Dans ces cas-là, la bière coule à flots dans une ambiance bon enfant. Également pas mal de *specials* (breuvages du jour) inscrits à l'ardoise. À l'entrée, T-shirts de la maison autographiés par des sportifs, professionnels ou amateurs comme le couple Clinton. Signalons 2 billards dans la salle du fond.

À Pacific Heights

♀ ♪ *Harry's Bar (plan d'ensemble détachable C3, 333) : 2020 Fillmore St.* ☎ 415-921-1000. *Lun-jeu 16h-2h, ven 11h30-2h, sam 11h-2h, dim 11h-minuit.* Beau pub classique, à la fois classe et chaleureux, organisé autour d'un interminable et superbe bar en bois sculpté sur fond de colonnes corinthiennes, provenant paraît-il d'un vieux saloon d'Alaska ! Idéal pour boire un verre en fin de journée ou tard le soir mais, attention, c'est vraiment bruyant. Soirées DJ du jeudi au samedi. Certains soirs, le public pousse même les tables pour danser. On peut également y manger un bout (burgers réputés).

SAN FRANCISCO

À voir

Pacific Heights possède certaines des plus fastueuses résidences de la ville. Autour du parc Lafayette, au 2150 Washington Street (et Octavia), on pourra, par exemple, jeter un coup d'œil à l'ancienne demeure de J. D. Phelan, maire de 1894 à 1902 *(plan d'ensemble détachable XX).* En brique, elle s'inspire d'une villa romaine ! Au 2080, la *Spreckels Mansion* (1913) fut bâtie pour l'ancien administrateur du musée de la Légion d'honneur. En forme de palais néoclassique, elle compte 55 pièces et 26 salles de bains ! Elle appartient aujourd'hui à l'auteure de romans à l'eau de rose Danielle Steele, qui a fait pousser de grandes haies pour se cacher – dissimulant la partie basse de la façade.

🏯 *Haas-Lilienthal House (zoom centre détachable D5) : 2007 Franklin St (entre Washington et Jackson).* ☎ 415-441-3000. ● sfheritage.org ● *Mer et sam 12h-15h, dim 11h-16h.* Mieux vaut téléphoner avt de venir. Visite guidée slt, env ttes les 20-30 mn (durée 1h) : 8 $; réduc. Construite en 1886, cette magnifique villa de style victorien (Queen Anne) en bois gris perle a fière allure avec sa tourelle, son fier perron coiffant un haut escalier et son petit jardin qui la distingue de ses voisines. Elle échappa au grand incendie de 1906. De taille exceptionnelle, c'est la seule ouverte au public. Superbe mobilier qui donne une petite idée du quotidien de la bourgeoisie au XIXᵉ s.

🏃 **Octagon House** (zoom centre détachable D5) : 2645 Gough St (entre Union et Green). ☎ 415-441-7512. Ouv 12h-15h les 2ᵉ et 4ᵉ jeu et le 2ᵉ dim de chaque mois ; dernière entrée 15 mn avt. Fermé en janv et les j. fériés. Sur les cinq maisons octogonales construites au milieu du XIXᵉ s à San Francisco, il n'en reste que deux : la *Feusier Octagon House* sur Green Street (voir Russian Hill), et celle-ci, édifiée en 1861 en forme de phare et meublée en style colonial. Selon une croyance en vogue à l'époque, ce plan à huit côtés aurait eu une excellente influence sur la santé, la lumière du soleil pouvant ainsi mieux circuler à l'intérieur. La demeure est précédée d'un mignonnet jardinet aux buis taillés, où s'épanouissent agapanthes et hibiscus.

🏃🏃 À **Cow Hollow** (plan d'ensemble détachable C2, **459**), à l'intersection de Filbert et Webster, se dresse une des demeures les plus délirantes, avec une loggia de style mauresque, un festival de toits et de coupoles bulbeuses et une tour crénelée...

🏃 **Le fort Mason** (plan d'ensemble détachable D1) : ☎ 415-345-7500. ● fortma son.org ● Veillé par une petite colline littorale boisée, directement à l'ouest du Fisherman's Wharf, le Fort Mason fut durant la Seconde Guerre mondiale le principal port militaire de la côte ouest américaine. Démilitarisé et intégré au *Golden Gate National Recreation Area*, il abrite un parc agréable, avec pas mal de dénivelés, où s'escriment joggers et cyclistes le week-end. En contrebas, sur les *piers 1, 2* et *3*, les anciennes casernes ont été reconverties en commerces culturels, avec des librairies, des compagnies de danse et de théâtre, des ateliers d'artistes et un beau et bon resto (*Greens* ; voir « Où manger ? »). On y trouve aussi deux petits musées communautaires gratuits, le *Museo ItaloAmericano* (☎ 415-673-2200 ; mar-dim 12h-16h), dans le bâtiment C, et, en face, dans le bâtiment D, le *Mexican Museum* (☎ 415-202-9700 ; mer-dim 12h-16h). Tous deux proposent de jolies expos temporaires. Enfin, notez qu'un *Farmer's Market* a lieu sur le vaste parking le dimanche de 9h30 à 13h30.

WESTERN ADDITION (plan d'ensemble détachable C-D3 et zoom centre détachable D6)

Développé au tournant du XXᵉ s à l'ouest de Van Ness Avenue et au pied de Pacific Heights, ce secteur aux frontières imprécises englobe le quartier de Fillmore et l'enclave de Japantown. Le secteur fut tour à tour un bastion juif, japonais et noir (Ella Fitzgerald y chantait dans les années 1940), avant de se voir en grande partie rasé et truffé de grands bâtiments résidentiels communs dans les années 1950 – pas une grande réussite... On s'aventure surtout dans le coin pour jeter un coup d'œil à Japantown, ou pour ses boîtes et restos.

Où manger ?

De bon marché à prix moyens

|●| **Tommy's Joynt** (zoom centre détachable D6, **214**) : 1101 Geary Blvd (angle Van Ness). ☎ 415-775-4216. Tlj 10h (resto 11h)-1h45. Env 5-13 $.

CB refusées. Caché derrière une immense enseigne peinturlurée, ce self-service pittoresque ouvert en 1947 fait désormais partie des classiques. On y vient avant tout pour sa déco amusante (tête de taureau, lampes Tiffany, crosses de hockey pendant du plafond...) et son atmosphère bon enfant, mais aussi pour ses sandwichs, ses spécialités à base de viande de bison (le *buffalo chili* est un régal), son plat du jour et autres assiettes copieuses et bon marché apportées par des serveurs en toque vichy et tablier rouge – directement sortis de *La Belle et le Clochard*. On y trouve un invraisemblable choix de bières du monde (de la Tsingtao chinoise à la Hinano tahitienne) et de *microbrews* californiennes. Pas toujours très fin, mais idéal pour une soirée amusante en famille.

De prix moyens à très chic

|●| *Dosa* (plan d'ensemble détachable C3, **215**) : 1700 Fillmore St (et Post). ☎ 415-441-3672. Tlj (sf à midi lun-mar) 11h30-14h30 (15h w-e) et 17h30-23h (minuit ven-sam). Résa conseillée. Plats env 10-16 $ le midi, 10-30 $ le soir ; menu 3 plats 39 $ (+ 20 $ pour les vins). Aux marges de Japantown, ce grand resto indien, une fois n'est pas coutume, affiche tous les atours de la branchitude. Voici une vaste salle avec une sacrée hauteur de plafond et un beau look design. Comme son nom l'indique, la cuisine, principalement végétarienne, s'inspire des spécialités du sud de l'Inde, avec essentiellement une carte de *dosas* et d'*uttapams* – énormes crêpes à l'indienne dont l'apparence semble avoir inspiré la forme des lampadaires orange haut perchés... Originalité du lieu, les produits utilisés sont le plus possible bio et écolos. Une authentique enclave bobo, baignant dans une bonne atmosphère malgré le brouhaha. La maison mère se trouve au 995 Valencia Street (et 21st), à Mission.

|●| *Benihana* (plan d'ensemble détachable D3, **216**) : 1737 Post St (entre Buchanan et Webster), dans le Japan Center. ☎ 415-563-4844. Tlj 11h30 (12h w-e)-22h (23h ven-sam, 21h dim). À midi, lunch boat dès 10 $ ou plats env 10-15 $; le soir, plats 19-45 $. On trouve de nombreux restos japonais dans le *Japan Center* et alentour, mais ce resto de chaîne spécialisé dans le teppanyaki se distingue par son côté ludique, bref américain, qui plaira aux familles, aux enfants et aux bandes de copains. Chaque groupe s'installe à une table commune, où se trouve intégrée une vaste plaque de cuisson.

Là, un chef, pas toujours japonais, vient vous saluer, lit les commandes et commence sous vos yeux un petit numéro de voltige avec ustensiles et ingrédients ! En général, à force d'en faire trop, il y a toujours un morceau de carotte qui tombe dans la poche d'un client ou un œuf qui se casse à côté du bol. On vous fera sans doute le coup du volcan en rondelles d'oignon et le cœur battant en riz. Bref, c'est bon enfant et, de plus, c'est bon (même sans enfant). Cher le soir, cela dit.

|●| *State Bird Provisions* (plan d'ensemble détachable C3, **217**) : 1529 Fillmore. ☎ 415-795-1272. Tlj sf dim 17h30-22h (23h ven-sam). Compter min 30 $/pers. Les Américains ont le chic pour inventer des trucs qui n'existent nulle part ailleurs... Voilà qu'ils ont mélangé le principe des tapas et celui des *dim sum* chinois. Résultat ? Des petites assiettes 100 % californiennes, à base de produits du marché, concoctées sous vos yeux, derrière le bar, et passées en salle sur un plateau jusqu'à épuisement ! Bœuf grillé aux champignons *maitake* et *bok choy* (chou chinois), bouchée de thon cru au sésame, tarte au chocolat fondant à la pistache, figues infusées au poivre de Cayenne et touche d'huile d'olive ? Attendez, je termine d'abord mes fleurs trempées dans une crème fraîche relevée ! Vraiment bon et original, super trendy et... très dispendieux. Ne craquez pas à chaque passage ou la note risque de grimper au plafond.

Très, très chic (et inoubliable)

|●| *Kappa* (plan d'ensemble détachable D3, **218**) : 1700 Post St (angle Buchanan), au 1er étage (même entrée que le Milo Lounge). ☎ 415-673-6400. Réserver au moins 24h avt. Lun-sam 18h-21h. Menu prix fixe (omakase) 85 $. Après le fun, l'authentique... Ultra discret et formel, ce minuscule restaurant (12 places), tenu par un couple japonais accueillant, se fait le porte-parole d'une cuisine haut de gamme, peu connue chez nous : le *koryori*. On pourrait résumer en disant qu'il s'agit d'un menu dégustation, à cela près que le chef ne se concentre pas que sur

l'harmonie des goûts et des textures, mais aussi sur celle des couleurs et de l'apparence des mets. Une haute gastronomie nippone, donc, à l'esthétisme consommé et à la fraîcheur extrême. Le service est élégant (en kimono) et l'absence de fond musical permet de se concentrer sur l'essentiel : la cuisine.

Où sortir ?

♪ **The Fillmore** (plan d'ensemble détachable C3, **334**) : 1805 Geary Blvd (angle Fillmore). ☎ 415-346-6000. ● thefillmore.com ● Concerts 15-50 $ en général (vers 20h-21h). Salon de danse à l'italienne fondé en 1912 (avec bal masqué le mercredi), le Fillmore vient de fêter un siècle de musique ! C'est la salle de concerts mythique de San Francisco, rendue célèbre par le producteur Bill Graham, où débuta toute la scène hippie dans les années 1960. Janis Joplin et Jefferson Airplane y firent leurs premières vocalises... Plus tard, Miles Davis et Carlos Santana y enregistrèrent des disques live ! Nombre de têtes d'affiche en tournée mondiale passent encore ici : les grands groupes rock, mais aussi les meilleurs DJs électro, les stars de la world music et des groupes parfaitement inconnus chez nous. Toujours des programmations de qualité, à des prix raisonnables ; tablez sur 1 à 2 scènes par semaine, davantage au printemps et à l'automne, plutôt moins en été en en hiver.

♪ ♫ **Boom Boom Room** (plan d'ensemble détachable C3, **335**) : 1601 Fillmore St. ☎ 415-673-8000. ● boomboomblues.com ● boom boomtickets.com ● Tlj sf lun 16h-2h

(2h30 ven-sam) ; happy hours jusqu'à 20h. Entrée 5-25 $ en général ; gratuit le dim soir. Non loin du Fillmore, ce club ouvert par l'immense John Lee Hooker, porte le nom du plus grand succès du bluesman décédé en 2001. Il serait sans doute aux anges de voir que sa maison, rebaptisée « San Francisco's home to live roots music », présente encore de bons concerts de blues, de soul, de groove, de boogie et de funk. Pas mal de bluesmen noirs-américains dans la programmation. Ajoutez à cela, le 1er mercredi du mois, une Caribbean dance party mémorable.

Achats

À Japantown

☺ **Nijiya Market** (plan d'ensemble détachable C-D3, **410**) : 1737 Post St (angle Webster). ☎ 415-563-1901. Tlj 10h-20h. Le meilleur moyen d'appréhender le quotidien du petit Japantown san-franciscain est encore de visiter son supermarché le plus fréquenté. Vous y trouverez toutes sortes de produits invitant à se perdre dans la culture japonaise, ainsi que des sushis, sashimis et salades (essayez celle de wakame, d'excellentes algues croquantes) pour un déjeuner sur le pouce.

☺ **Maido** (plan d'ensemble détachable C3, **411**) : Japan Center, au 1581 Webster St. ☎ 415-567-8901. Tlj 11h-19h (20h ven-sam). Au rez-de-chaussée du Japan Center, boutique d'objets fantaisie (gadgets, poupées, articles pour jeunes filles) en provenance du pays du Soleil-Levant. Plein d'autres magasins tout autour, librairie, coiffeur, fleuriste (bonsaïs), restos...

À voir

🎭🎭 **Cathedral of St. Mary of the Assumption** (zoom centre détachable D6) : 1111 Gough St (et Geary). En général, tlj 6h45-17h ou 17h30. L'intérieur est fabuleux. Construite en 1970, la cathédrale s'élance en forme de cloche, ses parois griffées de quatre longs bandeaux de vitraux se rejoignant au sommet, à 60 m au-dessus du sol, pour dessiner une croix. Le bâtiment est revêtu de travertin d'Italie (la pierre utilisée pour le Colisée à Rome). Admirez les superbes orgues, qui ne comptent pas moins de 4 842 tuyaux ! Au-dessus de l'autel, une tour de Babel composée de centaines de pics métalliques, complètement ahurissante, éclairée pour les grands services, représente la foi s'élevant vers le ciel. Pas très rassurant quand même !

🏃 Japantown (zoom centre détachable D6) : bus n° 38 ou 38L de Geary St, jusqu'à Buchanan ou Fillmore St, ou n°s 2 ou 3 sur Sutter St, jusqu'à Buchanan. Japantown (Nihonmachi) n'est pas Chinatown, elle a beaucoup moins de charme. Si on trouvait dans les années 1910-30 une importante population nippone dans le quartier, beaucoup partirent après avoir été internés, pendant la Seconde Guerre mondiale, dans les camps dressés par le gouvernement américain pour tous les citoyens japonais ou américains d'origine japonaise (une réalité largement oubliée). Cela dit, il serait dommage de ne pas se balader un moment à travers les vastes centres commerciaux du *Japan Center,* où fleurissent les bons restaurants nippons et les magasins. Sur les franges de la Peace Plaza, la Peace Pagoda en béton culmine à 30 m.

HAYES VALLEY ET ALAMO SQUARE *(plan d'ensemble détachable C-D3-4)*

À mi-chemin du Civic Center et des célèbres maisons victoriennes d'Alamo Square, Hayes Valley s'étend sur quelques blocks, de part et d'autre de la rue éponyme. Fini le temps où SDF et drogués y battaient le pavé : la destruction lors du séisme de 1989 de la *Central Freeway,* l'autoroute qui balafrait le quartier, a ouvert la voie à une renaissance spectaculaire. Aujourd'hui, le coin abonde en restos chic, galeries, magasins de déco et de fringues à la mode – créateurs inclus. Bref, Hayes Valley est un peu le SoHo de San Francisco.

Où manger ?

De bon marché à prix moyens

🏠 ❙●❙ Beans Bag Cafe (plan d'ensemble détachable C4, **219**) : 601 Divisadero St. ☎ 415-563-3634. Tlj 7h (7h30 sam, 8h dim)-22h. Plats 6-8 $. 🛜 Baignant dans une gentille atmosphère de quartier, ce coffee shop accueillant est fiable pour un bon petit déj, un simple bagel ou, plus tard dans la journée, salades, burgers, sandwichs, crêpes salées et sucrées, voire un smoothie s'il fait enfin chaud. Certes, avec la foule des hipsters qui ne cesse de débarquer dans le quartier, les prix ont un peu augmenté – mais ils restent encore très démocratiques, d'autant que l'happy hours s'étend de 16h à 22h !

🏠 ❙●❙ Arlequin Café (plan d'ensemble détachable D4, **220**) : 384A Hayes St. ☎ 415-626-1211. Tlj 8h (9h w-e)-20h (19h lun, 17h dim). Petit déj 5-10 $, plats 8-16 $. 🛜 Les San-Franciscains lui trouvent un petit côté européen.

Est-ce le *wine store* attenant ? Est-ce le jardin communautaire à l'arrière, avec sa vingtaine de tables et chaises posées dans la verdure ? Une chose est sûre, les deux se marient parfaitement pour un break paresseux autour d'une bouteille de vin *(corkage fee 5 $)* et de sandwichs et salades très honorables. Pâtisseries du jour et quelques petits plats aussi. Pas mal de queue le midi, et le service s'en ressent parfois (on commande au comptoir).

Très chic

❙●❙ 🍷 Rich Table (plan d'ensemble détachable D4, **221**) : 199 Gough St. ☎ 415-355-9085. Tlj 17h30-22h (22h30 ven-sam). Résa impérative. Plats 15-30 $. Certains diront : encore un resto chic et bio, déclinant les produits de saison au gré de recettes de semi-fusion typiquement californiennes... C'est vrai. Les murs sont en bois recyclé, les tables communes, la salle est naturellement ouverte sur les cuisines et le bar s'ingénie à inventer des cocktails toujours plus extravagants.

Dans l'assiette, on se laisse surprendre. Par ces chips de sardine servies en *appetizer*. Par une soupe de popcorn bien relevée. Une bonne petite salade de melon aux calamars frits et oignons. Un poulet mariné... au lichen. Innovateur et tendance : l'adresse du moment à essayer.

|●| 🍸 **Nopa** (*plan d'ensemble détachable C4, 222*) : 560 Divisadero St. ☎ 415-864-8643. Tlj 18h-1h (bar dès 17h). Brunch w-e 11h-14h30. Emblématique de ces nouvelles adresses smart qui surgissent dans la Hayes Valley, Nopa a élu domicile dans un vaste hangar reconverti. Le long bar de granit et les cuisines ouvertes sont surmontés d'une mezzanine haut perchée, au mur orné d'une longue fresque évoquant San Francisco et ses quartiers. Pas touristique pour autant, la maison se veut le rendez-vous privilégié des yuppies du quartier, pour un *after-work* ou un *early dinner*. Au menu : viandes grillées, pâtes maison et pas mal de produits bio et locaux. Pas de résa ? *Never mind*. Une table est réservée aux têtes en l'air, qui s'y serrent au coude à coude avec des inconnus.

|●| **Zuni** (*plan d'ensemble détachable D4, 223*) : 1658 Market St (angle Rose). ☎ 415-552-2522. Tlj sf lun 11h30 (11h dim)-23h (minuit ven-sam). Résa conseillée (tt le temps bondé). Plats env 8-30 $. Très en vogue depuis les années 1980, cet hybride de resto et de galerie a eu l'idée de génie de proposer des poulets entiers rôtis dans son four en brique (par 19 !). Nourri par la pile de bûches attenantes, il trône au milieu de la grande salle lumineuse à 2 étages, passablement bruyante. Le *one-hour-chicken* (cuit 1h, donc) nourrit facilement 4 personnes. En attendant, vous pourrez commander une bonne *Caesar salad* (tradition maison) ou vous intéresser aux huîtres. Venues de toute la côte ouest et même de Nouvelle-Angleterre, elles se commandent à l'unité à des prix ne défiant pas toute concurrence... Pour le reste, la carte montre beaucoup d'inspirations méditerranéennes (la chef est passée par la maison Troisgros). Belle carte des vins, de malts et de scotchs. Idéal pour faire des rencontres, car il est de bon ton de discuter d'une table à l'autre.

Où manger une glace à l'hydrogène liquide ?

♦ **Smitten Ice Cream** (*plan d'ensemble détachable D4, 336*) : 432 Octavia St (et Linden). ☎ 415-863-1518. Tlj 12h (11h30 w-e)-22h (22h30 ven-sam). Lait bio, sucre roux, caramel salé... les glaces sont préparées ici sous les yeux des clients, à la commande, dans de drôle d'engins fonctionnant à l'hydrogène liquide et fumant comme autant de cheminées ! L'avantage ? Des cristaux plus petits, paraît-il, et donc une glace plus onctueuse. La boutique, née dans la rue, s'est installée dans un container réaménagé et propose désormais davantage de parfums, variant au fil des saisons.

Où boire un bon café ?

☕ **Blue Bottle Coffee C°** (*plan d'ensemble détachable D4, 337*) : 315 Linden. Tlj 7h (8h w-e)-18h. C'est ici, dans ce garage caché en retrait de Hayes Street, qu'est né le chouchou des torréfacteurs de San Francisco. Rien n'a changé, ou presque : on y commande son café au comptoir et on va le boire sur l'unique banc posé en face, sur le trottoir (s'il est libre !). Si vous venez avec votre compagnon à 4 pattes, il aura droit à un *dog treat*...

☕ **Ritual Roasters** (*plan d'ensemble détachable D4, 336*) : 432B Octavia St. Tlj 7h-19h. Même principe que chez *Blue Bottle* : un café-filtre préparé dans un comptoir-container (tout rouge, celui-là !), vendu au prix de l'ambroisie... On choisit la provenance, puis on pioche parmi les croissants, scones et *jam bars*. Quelques chaises devant, sinon on s'assied dans le petit parc attenant.

Où boire un verre ?

🍸 **Biergarten** (*plan d'ensemble détachable D4, 339*) : 424 Octavia St (entre Linden et Fell). ☎ 415-252-9289. Mer-sam 15h-21h, dim 13h-19h. Les traces de peinture au sol délimitent encore l'emplacement des places de parking, mais on y gare désormais de grosses tables en bois, où l'on s'accoude à qui-mieux-mieux, chopine – *half pint* ou *stein* (litre) – en main. Des couvertures sont à disposition pour les soirées fraîches et le *food truck*, garé au fond, débite sans discontinuer *bratwurst*, *frankfurters*, pickles et autres *pork belly sliders*. Attendez-vous à une belle queue le week-end. *Prost !*

▼ **Smuggler's Cove** (plan d'ensemble détachable D3, **340**) : 650 Gough St. ☎ 415-869-1900. Tlj 17h-1h15. Nous n'y avons pas vu de contrebandiers, mais pas mal de fanfreluches à thème maritime, façon bateau pirate, et une jeunesse dorée bien dans ses baskets, venue fêter anniversaires et diplômes sur des airs de rhum (plus de 200 choix au menu). Le liquide ambré alimente des myriades de *punchbowls* à partager, joliment kitsch, en forme de tête de mort ou de volcan enflammés – que le barman se fera un plaisir de transformer en authentique éruption ! Au choix, 3 espaces, rez-de-chaussée pour se retrouver, sous-sol pour les festivités et recoin cosy en mezzanine. Si vous tardez à venir, vous pourriez bien faire un petit brin de queue...

▼ **Hotel Biron** (plan d'ensemble détachable D4, **341**) : 45 Rose St (ruelle cachée derrière le resto Zuni). ☎ 415-703-0403. Tlj 17h-2h. Seul un gros B cerclé l'indique aux initiés. Discret en diable, ce petit *wine bar*, aux murs de brique accueillant des mini-expos, n'a rien d'un hôtel, mais tout d'un recoin pour amours (in)fidèles. Un vrai *secret spot*, avec juste ce qu'il faut de hip, parfait pour boire un bon verre de vin (californien ou français surtout) à la lumière des bougies, accoudé au minibar ou noyé dans le moelleux d'un micro-canapé. Quelques en-cas pour les fringales.

▼ Et aussi **Nopa** (voir ci-dessus).

Où écouter du jazz ?

∞ ♪ **SFJazz** (plan d'ensemble détachable D4, **342**) : 201 Franklin St (et Fell). ☎ 415-398-5655. ● sfjazz.org ● Ouv mer-dim. Billets 20-50 $ en général. Inauguré début 2013, ce centre moderne et vitré, entièrement consacré au jazz, regroupe un *concert hall* de 700 places, un studio numérique et plusieurs salles de répétition. L'acoustique est excellente et l'espace conçu de manière à offrir une vue dégagée pour tous. Au programme : jazz et blues, *big bands* locales et pointures internationales.

Achats

Le quartier regorge de boutiques-galeries proposant objets de déco, fringues, mobilier ou bijoux design. Poussez par exemple la porte de **Lavish**, (540 Hayes St), ou de **Propeller**, (au no 555), ou encore de **Shoppe Unusual**, (345 Gough St).

⊛ **Residents Apparel Gallery** (plan d'ensemble détachable D4, **412**) : 541 Octavia St. ☎ 415-621-7718. Tlj 11h30-19h. Une centaine de designers et d'artistes sont représentés – et présentés – chez *RAG*, le spécialiste de la mode et de la déco *made in California*. L'occasion de trouver des souvenirs originaux et quelques pièces uniques ou fabriquées en très petites séries. Le quart environ des objets est issu de matériaux recyclés.

SAN FRANCISCO

À voir

XXX **Alamo Square** (plan d'ensemble détachable C4) : de Downtown (Market St), on accède à Alamo Square par le bus n° 21 West en direction du Golden Gate Park. De Hayes Valley, il suffit de remonter Hayes Street sur 4-5 blocks. Ce charmant parc haut perché donne définitivement envie de vivre à San Francisco. C'est là que l'on retrouve l'alignement de maisons victoriennes le plus célèbre de la ville, les fameuses *Seven Painted Ladies* (plan d'ensemble détachable C4), sur Steiner Street, à l'angle de Grove. En fond, à vos pieds, se détachent les buildings du centre-ville. Pour la photo-carte postale, c'est en fin de journée que la lumière est la plus belle. Le gazon est aussi idéal pour un pique-nique. Mentionnons encore quelques très belles maisons de l'autre côté du parc, à l'angle de Fulton et Scott.

MISSION (plan d'ensemble détachable D-E5-6)

Historiquement, Mission District est le premier quartier de San Francisco. En 1776, les franciscains espagnols y célébrèrent la première messe, en même temps que les militaires s'installaient au fort du Presidio. Quinze ans plus tard, la mission Dolores (toujours présente) était construite. Aujourd'hui encore, le caractère hispanique du quartier demeure, nourri en permanence par l'immigration mexicaine et centre-américaine.

Délimité par Church et Dolores Street à l'ouest (Castro), Mission s'étend entre 16th et 26th Street, pour se perdre à l'est vers la Highway 101, SoMa et le quartier résidentiel *middle-class* de Potrero Hill. C'est l'un des plus grands quartiers de la ville, l'un des plus animés et des plus colorés aussi. D'innombrables façades et allées discrètes s'y couvrent de peintures murales souvent superbes, aux thèmes volontiers contestataires, racontant les luttes latinas ou l'histoire de la ville.

Dans les années 1990, de nombreux artistes, attirés par les loyers bas, se sont installés au nord de Mission. Peu à peu, les librairies et les galeries ont chassé les dealers de crack et le coin est devenu fréquentable. Les jeunes branchés, moins intellos et plus hip que 20 ans en arrière, déferlent désormais sur « The Mish » tous les week-ends, avec un épicentre festif situé autour de la 16e rue. Résultat ? Un drôle de mélange, où cohabitent *taquerías* et bistros élégants, bars à bière et épiceries nicaraguayennes, salles de concert alternatives et sex-shop de luxe (voir plus loin). Plus au sud, Mission est 100 % hispano. Tout cela en fait l'un de nos quartiers préférés.

➤ *Du Downtown, bus n° 14 West jusqu'à 16th Street, ou ligne J du MUNI Metro jusqu'aux stations 16th Street ou 24th Street.*

Où manger ?

Spécial petit déjeuner

☆ |●| **Tartine Bakery & Café** (plan d'ensemble détachable D5, **224**) : 600 Guerrero St (et 18th). ☎ 415-487-2600. Lun 8h-19h, mar-mer 7h30-19h, jeu-ven 7h30-20h, sam 8h-20h, dim 9h-20h. Viennoiseries et gâteaux 4-7 $, sandwichs 12,50-14 $ (cher !). Tartine ne fait pas les choses à moitié : en plus de délicieuses quiches, viennoiseries, croque-monsieur et bons sandwichs au pain de campagne, confectionnés à partir de produits largement bio, cette boulangerie-salon de thé propose au petit déj des cafés au lait et des chocolats chauds servis dans de grands bols, comme à la maison. Également quelques pâtisseries et du muesli. Le week-end, l'attente peut être interminable : on se croirait presque revenu en URSS dans les années 1980 ! Une annexe plus cossue, *Bar Tartine* (plan d'ensemble détachable D5, **225**), au 561 Valencia Street, entre 16th et 17th, propose des sandwichs originaux (mer-dim 11h-15h) et un brunch (w-e 11h-14h30), ainsi qu'une cuisine californienne assez inventive au dîner, tendance très « *farm fresh* »(tlj 18h-22h ; ven-sam 18h-23h). Des chefs européens viennent régulièrement y faire démonstration de leurs talents.

☆ **Boogaloos** (plan d'ensemble détachable D6, **226**) : 3296 22nd St (angle Valencia). ☎ 415-824-4088. Tlj 8h-15h. Plats 8-12 $. L'ancienne pharmacie a été reconvertie en café *arty*, aux murs parsemés d'œuvres réalisées par des personnes handicapées. Qui de la poule ou de l'œuf était là avant ? Ici, on a décidé que c'était l'œuf, et il est servi sous toutes ses formes. On peut faire son propre mélange pour l'omelette, et il y a des *specials* le week-end. Filez vite mettre votre petit nom sur le carnet de résas à l'entrée...

☆ |●| **Wise Sons Delicatessen** (plan d'ensemble détachable E6, **227**) : 3150

24th St (angle Shotwell). ☎ 415-787-3354. Mer-dim 8h (9h w-e)-15h. Sandwichs et plats 7-13,50 $. Fondé en 5771 ?! La date laisse un instant pantois, avant de réaliser que ce *deli* juif de quartier, tendance hip, fait référence à l'Ancien Testament. Qu'y trouve-t-on ? Des *French toasts* au *challah* (pain tressé), du *kugel* de pâtes au sirop d'érable chaud, du *babka* (sorte de kouglof), des *rugelach* (petites pâtisseries fourrées aux raisins, noix, cannelle et/ou graines de sésame) et autres spécialités ashkénazes. À midi, on s'intéressera aux bagels à la truite fumée, aux sandwichs au *pastrami* (tranches de bœuf fumé), au *reuben* (cornedbeef et choucroute) ou au foie haché avec œufs et oignons... Une vraie petite aventure culinaire, à conduire dans la salle décorée de vieilles photos de famille, ou sur l'une des 3 tables posées sur le trottoir, au pied d'une fresque invitant à respecter l'harmonie sur terre et les autres cultures. Annexe au *Contemporary Jewish Museum*.
– Voir aussi **Ritual Roasters** et **Four Barrel Coffee** dans « Où boire un café ou un chocolat ? ».

Bon marché

I●I *Valencia Whole Foods* (plan d'ensemble détachable D5, **228**) : 999 Valencia St (et 21st St). ☎ 415-285-0231. Lun-ven 8h15-21h, w-e 9h-21h. Barquette env 9 $/livre. Avant de partir en quête des peintures murales du quartier ou pour grignoter dans le parc Dolores, vous trouverez ici un petit choix de bons produits bio pour casser une graine (de tabouré par exemple) : *salad bar*, fromage, yaourts et sandwichs pré-emballés.

I●I *Bi-Rite* (plan d'ensemble détachable D5, **229**) : 3639 18th St. ☎ 415-241-9760. Tlj 9h-21h. Dernier né des supermarchés bio-bobo de la ville, *Bi-Rite* est assurément le plus fréquenté et le plus chic. On y trouve, dans un cadre d'épicerie de quartier, de magnifiques fruits et légumes, du pain frais, du fromage à la coupe, du salami, des salades, des sushis... Bref, tout ce qu'il faut pour aller pique-niquer dans le Dolores Mission Park voisin. C'est

même devenu un rituel pour de nombreux habitants du quartier.

I●I *La Taquería* (plan d'ensemble détachable E6, **230**) : 2889 Mission St (et 25th). ☎ 415-285-7117. Tlj 11h-21h (20h dim). Plats 4-7 $. CB refusées. Tacos, burritos, quesadillas fourrées de *carne asada*... Derrière sa lumineuse arcade blanche, tout le Mexique en *comida rapida* pour un prix dérisoire, mais surtout d'une qualité et d'une fraîcheur inespérées pour ce type d'établissement. Cadre tendance fast-food, mais les nombreux habitués à la mine réjouie n'en ont cure. L'un des meilleurs rapports qualité-prix de la ville.

I●I *Taquería Can-Cún* (plan d'ensemble détachable D5, **231**) : 2288 Mission St (et 19th). ☎ 415-252-9560. Ouv 10h-1h (2h ven-sam, 1h30 dim). Env 3-8,50 $. CB refusées. Habitués fauchés et *clubbers* en goguette savent qu'ils trouveront ici, au coude à coude autour de tables communes, l'un des meilleurs *burritos* de San Francisco et l'un des moins cher. Le *numero uno*, c'est l'énorme *burrito mojado*, recouvert de fromage fondu et de sauce très piquante. Sinon, classiques *quesadillas suizas*, super *nachos*, etc., le tout très copieux. Les familles américaines adorent les *tortilla chips* gratos (même pour un unique taco), les papiers découpés multicolores au plafond et les *canciones* (chansons) à fond la caisse... Succursales au 1003 Market St (et 6th) et 3211 Mission St (et Valencia).

I●I *Pancho Villa Taquería* (plan d'ensemble détachable D5, **232**) : 3071 16th St (entre Valencia et Mission). ☎ 415-864-8840. Tlj 10h-minuit. Plats env 3-11 $. Happy hours *sur les tacos* (1,50 $) lun-ven 15h-17h. Grand drapeau mexicain et portrait de Pancho Villa veillent sur l'immense salle très haute de plafond, balayée par des lumières assassines. N'empêche, ce self-service mexicain est une petite institution à Mission ! On y fait la queue dans la fumée de la viande qui grille, sous l'œil indifférent des cuistots et serveurs en gilet bleu et casquette rouge, façon pompistes des années 1950. Tacos (grand choix) et *burritos*, appréciés pour la fraîcheur des produits et la largesse des portions, se vendent comme des petits pains, mais

SAN FRANCISCO

on peut aussi opter pour *chiles rellenos, fajitas, tamales* et même un inattendu... *tofu ranchero*, concession à la mode californienne. Accompagnez-les d'une bonne bière *Negra Modelo*, histoire d'amortir le brouhaha permanent de ce grand hall de gare.

I●I & Herbivore *(plan d'ensemble détachable D5, 228)* : 983 Valencia St. ☎ 415-826-5657. *Ouv 9h-22h (23h ven-sam). Plats env 8-11 $.* La cuisine ouverte prend l'essentiel de l'espace, le cadre est minimaliste et la cuisine 100 % végane. Le tofu s'impose en maître, des sandwichs et soupes aux salades (aux consonances asiatiques) en passant par les lasagnes et les currys. Il y a même un *tofu scramble* au petit déj pour remplacer les œufs (interdits de séjour chez les véganes) ! Au-delà, la carte puise à toutes les sources, avec une présence remarquée de plats exotiques à base de quinoa et de nouilles. C'est sain et globalement bon, *with some ups and downs*... un peu comme le service, d'ailleurs, plutôt approximatif. Agréable patio un peu planqué au fond. *Succursales au 531 Divisadero St (et Hayes) et à Berkeley.*

De bon marché à prix moyens

I●I Tacolicious *(plan d'ensemble détachable D5, 234)* : 741 Valencia St. ☎ 415-626-1344. *Tlj 11h30-minuit. Compter 4 $ pour 1 taco, 14 $ pour 4 et 33 $ pour 10 ; autres plats 8-12 $.* Petit (ou grand) frère du *Tacolicious* de Marina, celui de Mission ne désemplit pas le week-end. Joliment servis et arrangés, les tacos intègrent ici la cour des grands, avec des *fillings* (garnitures) chic – attirant une clientèle jeune et branchée –, dans un cadre à l'avenant. C'est un peu plus cher que dans les *taquerías* voisines, mais les produits sont de meilleure qualité (souvent bio, élevage raisonné), et l'ambiance est autrement plus smart. Quelques salades, plantains, calamar grillé et autres *tostadas* au thon complètent le menu. Si la sauce prend, vous pourrez passer dans la pièce voisine, où le bar *Mosto* s'est fait une spécialité des alcools d'agave (voir « Où boire un verre ? »).

I●I Puerto Alegre *(plan d'ensemble détachable D5, 235)* : 546 Valencia St *(entre 16th et 17th)*. ☎ 415-255-8201. *Lun 11h-22h, mar 17h-23h, mer-dim 11h-23h. Brunch w-e 11h-14h. Happy hours 15h-18h en sem. Plats env 8-18 $.* Au-delà du simple resto, Puerto Alegre offre une image d'Épinal très *fiesta mexicana*... Les Américains adorent. Calés dans les box ou sur les banquettes de moleskine, riant aux éclats, ils descendent en cadence des pichets de margarita au citron ou à la fraise, un œil distrait accordé aux mariachis (le week-end). Calez vous au bar : si on vous dit que la tequila coule à flot, vous verrez que ce n'est pas une simple image ! La cuisine est presque hors sujet, mais n'est pas mauvaise pour autant – et bien consistante. Au menu : *grilled chicken burrito, quesadilla* à l'avocat et aux crevettes, *fajitas, enchiladas, mole poblano*... trop chers mais, on se répète, l'ambiance festive fait la différence.

I●I Frjtz *(plan d'ensemble détachable D5, 236)* : 590 Valencia St *(et 17th)*. ☎ 415-863-8272. *Tlj 9h-22h (23h ven-sam, 21h dim). Plats env 7-14 $.* Derrière ce nom imprononçable se cache l'un des rares restos belges de San Francisco, à la salle cool rehaussée de papiers peints, mosaïques et chandeliers kitsch. Bien sûr, sa réputation s'est faite sur les spécialités du pays : les frites, les gaufres et les moules ! De pommes de terre ou de patates douces, les frites sont servies dans un cornet comme il se doit, accompagnées de tout un choix de bonnes petites sauces (essayez la mayo orange gingembre). Au-delà des clichés, la carte propose aussi des crêpes salées et sucrées généreusement garnies, des burgers, sandwichs et salades – à commander au comptoir. Dommage que la propreté des lieux et l'accueil laissent autant à désirer.

Prix moyens

I●I Mission Cheese *(plan d'ensemble détachable D5, 237)* : 736 Valencia St. ☎ 415-553-8667. *Tlj sf lun 11h-21h (22h ven-sam). Assortiments de fromage ou charcuterie 9-12 $.*

Ce pourrait n'être qu'un bar, mais c'est un bar à fromages ! À l'entrée, 2 ardoises s'offrent à vous. La 1ʳᵉ liste les options de plateaux de fromage (plus de 50 productions artisanales américaines en stock) et charcuterie, servis sur des planchettes en bois, à accompagner éventuellement d'une petite salade. La 2ᵈᵉ détaille les crus du jour. On commande au comptoir et on s'assied, en terrasse si possible. C'est aussi simple que cela – mais très hype.

|●| Pizzeria Delfina (plan d'ensemble détachable D5, **229**) : 3611 18ᵗʰ St. ☎ 415-437-6800. Lun 17h-22h, mar-jeu 11h30-22h, ven 11h30-23h, sam 12h-23h, dim 12h-22h. Pizzas 12-16 $. Cette annexe de la célèbre trattoria du même nom (attenante) ne désemplit pas, en salle ou en terrasse toute mimi. Le cadre clinique très urbain, noyé par un fond rock très présent, peut désappointer les tenants de la tradition, mais ils se consoleront avec de délicieuses pizzas à la pâte fine et croustillante. Les antipasti, choisis au gré des saisons et du marché, ne sont pas mal, mais chers. Prévoir de l'attente (c'est riquiqui !). Choix de vins italiens au verre (chers aussi). Succursale dans Pacific Heights, au 2406 California St (et Fillmore).

|●| Namu Gaji (plan d'ensemble détachable D5, **239**) : 499 Dolores St. ☎ 415-431-6268. Mer-dim 11h30-16h et dîner tlj sf lun 17h-22h (23h ven-sam). Plats 9-18 $ (la plupart). On mange rarement coréen. Et plus rarement encore goûte-t-on une nouvelle cuisine coréenne inspirée par les produits bio et frais de Californie. Sans références connues, difficile de faire son choix entre les tacos coréens au kimchi (chou mariné à la sauce épicée), emballés dans une feuille de nori (algues), le bibim (grosses nouilles froides aux noix, tofu et concombre) ou l'okonomiyaki, ce pancake d'origine japonaise à la bonite et aux légumes râpés. On s'installe sur la longue table centrale commune taillée dans un tronc ou sur un des tabourets alignés le long de la vitrine, face au gril. L'espace est un peu confiné et bruyant.

|●| ♪ Bissap and Little Baobab (plan d'ensemble détachable D-E5, **240**) : 3372-88 19ᵗʰ St (et Mission St). ☎ 415-643-3558. Tlj sf lun 17h30-22h (resto), ven-sam 22h-2h pour le dancing. Happy hours 17h30-19h. Plats env 9-17 $. Décidément, Mission réserve bien des surprises : voici maintenant un resto-bar sénégalais, où l'on parle volontiers le français. La cuisine décline des saveurs bien épicées (mafé, yassa avec viande ou... tofu !), atténuées par une bonne Gazelle fraîche si le patron n'est pas en rupture de stock. Le service est attentif, un poil brouillon, mais si souriant. En fin de semaine, l'atmosphère passe sans prévenir du décontracté au chaud-bouillant lors des soirées Paris-Dakar, aux rythmes 100 % africains. D'un jour à l'autre (lundi excepté), live music, salsa et tango (avec cours de danse), cumbia, reggae, tambour et même flamenco se succèdent.

De prix moyens à chic

|●| Little Star Pizza (plan d'ensemble détachable D5, **241**) : 400 Valencia St (angle 15ᵗʰ). ☎ 415-551-7827. Tlj 12h-22h (23h ven-sam). Pizzas : 8-9 $ à midi (petites), 18-26 $ le soir (grandes). Happy hours lun-ven 15h-18h. Une adresse toute discrète de l'extérieur, derrière une façade en angle aux vitres teintées. À l'intérieur, c'est tout l'inverse, ça papote sec et fort autour des 2 succès de la maison : les pizzas Chicago style, bien épaisses, et les pizzas à pâte fine ou croustillante, garnies avec de bons produits bien préparés. Portions énormes le soir, la plus petite vaut pour 2. S'il reste de la place, bon cheesecake maison. Décor de « brique » et de broc, rehaussé d'œuvres d'artistes du quartier. Succursale au 846 Divisadero, dans le Western Addition (lun-jeu 17h-22h, ven-sam 12h-23h, dim 12h-22h).

|●| Limón Rotisserie (plan d'ensemble détachable E5, **242**) : 1001 South Van Ness Ave. ☎ 415-821-2134. Tlj 12h-22h (22h30 ven-sam). Menus à prix fixe 27-30 $, poulet entier env 20 $, petits plats 7-10 $. Dernière incursion exotique de notre liste, le Limón se fait le chantre d'un mets désormais classé trésor national au Pérou : le pollo a la brasa, un poulet mariné et rôti à la flamme. Comme là-bas (mais pour bien plus cher...), on le commande en quart, en demi ou bien entier, à partager. Ajoutez à cela *ceviches*, *anticuchos* (brochettes), *empanadas* (chaussons frits), *seco de costilla* (bœuf en sauce) et autres *lomito saltado* (bœuf émincé aux oignons et frites), grands classiques péruviens. Vous pourrez les accompagner d'une *chicha morada Inca Blue*, boisson à base de maïs. Le cadre est chic et contemporain, sur des notes sud-américaines. Service irrégulier en revanche. *Annexe plus populaire au 512 Valencia St (plan d'ensemble détachable D5, 243).*

De chic à très chic

|●| Foreign Cinema (plan d'ensemble détachable D5-6, *244*) : 2534 Mission St (entre 21st et 22nd). ☎ 415-648-7600. ● foreigncinema.com ● (horaires des films). Tlj 18h (17h30 ven-dim)-22h (23h ven-sam), plus « champagne brunch » le w-e 11h-15h. Plats 22-32 $. Un dîner original en perspective dans la « salle obscure » de ce resto excentrique et ouvertement bobo ; entendez un patio avec mur blanc sur lequel sont projetés des films américains (souvent des classiques) et français. La grande salle, elle, mélange savamment tables en bois et murs en béton, dans une ambiance feutrée et élégante. Pas d'attrape-gogo, on y déguste une cuisine californienne inventive, prompte aux mélanges sucré-salé, que l'on déguste à la lueur d'une bougie. Citons le lapin aux chanterelles, à l'huile de lavande et condiment à la fraise, ou ce magret de canard aux lentilles, navets grillés, pâté de foie et mûres ! Fait aussi bar à huîtres et fruits de mer (cher). Service très aimable. Vous pouvez finir la soirée à côté, au très branché *László Bar* (même maison), où des DJs mixent chaque soir.

Où manger une bonne tarte ?

☞ Mission Pie (plan d'ensemble détachable D-E6, *271*) : 2901 Mission St (et 25th). ☎ 415-282-1500. Tlj 7h (8h sam, 9h dim)-22h. Env 4-5 $ pour une part de tarte. CB refusées. ☞ Avec un nom pareil, on imagine bien que l'on vient ici manger des tartes pour changer du régime taco-burrito. Voici un agréable *coffee shop* à la grande salle lumineuse, parfait pour une pause entre 2 *murales* à voir dans le quartier. Très beau choix de tartes et gâteaux qui changent tous les jours, la plupart aux fruits venant des vergers de la baie de San Francisco (rhubarbe, abricots, pêches...) et à base de produits bio et équitables. Jolies tables en bois comme à la maison.

Où manger une bonne glace ?

♀ Bi-Rite Creamery & Bakeshop (plan d'ensemble détachable D5, *343*) : 3692 18th St. ☎ 415-626-5600. Face au Dolores Mission Park. Tlj 11h-22h (23h ven-sam). Les queues les après-midi d'été battent des records... pire que la soupe populaire durant la crise de 1929 ! Lait, crème et œufs bio font, aux dires des locaux, les meilleures glaces de toute la Californie. Au miel et à la lavande, au basilic, au cheesecake et à la rhubarbe, au caramel salé, au gingembre, à la banane rôtie... On peut aussi craquer pour les sundaes noyés sous le chocolat chaud, les tartes glacées et les *popsicles* (esquimaux). *Une autre adresse au 550 Divisadero (tlj 9h-21h).*

♀ Humphry Slocombe (plan d'ensemble détachable E6, *344*) : 2790 A Harrison St (et 24th St). ☎ 415-550-6971. Tlj 12h-21h (22h ven-dim). Un autre glacier à la mode, comme en atteste l'habituelle file de gourmands qui attendent devant la porte. Le quartier est loin d'être « hype », mais les parfums étonnants, toujours changeants, ont fait la réputation de la maison. Jugez plutôt : Guinness, estragon, prosciutto, chèvre-confiture de fraise, sésame, réglisse salée... Pour les plus conservateurs, il y a toujours de la vanille. À déguster en admirant les fresques de Balmy Alley, juste à côté (voir plus loin).

Où boire un café ou un chocolat ?

☕ 🍵 *Ritual Roasters* (plan d'ensemble détachable D5-6, **345**) : 1026 Valencia St (entre 21st et 22nd). ☎ 415-641-1011. Tlj 6h (7h w-e)-22h (21h dim). 📶 Tenant de la *coffee culture*, réputé dans toute la ville et au-delà pour ses cafés à l'arôme et au goût un peu plus puissants, *Ritual Roasters* attire foule malgré les 4 mn d'attente nécessaires pour que le café passe à travers le filtre (comme chez grand-mère)... Très chic, le café-filtre ! Bon choix de pâtisseries.

☕ 🍵 *Four Barrel Coffee* (plan d'ensemble détachable D5, **346**) : 375 Valencia St (et 15th). ☎ 415-252-0800. Tlj 7h-20h. Concurrent de *Ritual Roasters*, *Four Barrel* fait les choses en grand : le café, ici, est servi dans un décor industriel très aéré et dans de vraies tasses en porcelaine (adieu carton). Il s'accompagne de donuts au bacon et sirop d'érable et, au mur, de quelques peintures modernes. À l'arrière, les sacs en provenance de toute l'Amérique latine s'empilent au pied des torréfacteurs.

☕ 🍫 *Dandelion* (plan d'ensemble détachable D5, **347**) : 740 Valencia St (entre 18th et 19th). ☎ 415-349-0942. Mer-dim 10h-20h. C'est une chocolaterie mais, comme les Américains ne font rien comme tout le monde, ils ont mélangé l'atelier et le salon de thé ! On y déguste donc chocolat noir, chocolat chaud ou froid et pâtisseries (au chocolat, évidemment !) devant les machines à torréfier et les sauciers géants qui tournent en rond. Un petit étal à l'entrée vous donnera l'occasion de montrer aux enfants une vraie cabosse de cacao. La plupart proviennent de fermes bio et équitables situées au Venezuela. Une escale incontournable (mais chère) pour les *chocoholics*, comme on dit ici.

Où boire un verre ?

🍸 *Zeitgeist* (plan d'ensemble détachable D4, **348**) : 199 Valencia St (angle Duboce Ave, niveau 13th St). ☎ 415-255-7505. Tlj 9h-2h. Happy hours lun-ven 9h-20h. À voir sa façade fripée, on n'imagine pas le trésor que cet ancien repaire de *bikers* renferme : un gigantesque *beer garden* un peu déglingué, inondé de soleil en journée et de rock le soir, avec une fresque revisitant la *Naissance de Vénus* de Botticelli, en version trash – difficilement visible le soir tant la foule est compacte. Les étudiants débarquent en masse dès le printemps, partageant les pichets de bière accoudés aux tables communes, un œil sur le gril où rôtissent burgers et saucisses. On adore !

🍸 *Elixir* (plan d'ensemble détachable D5, **349**) : 3200 16th St (angle Guerrero). ☎ 415-552-1633. Tlj 15h (13h sam, 12h dim)-2h. Happy hours 15h-19h en sem et 23h-2h dim-mar. Voici un vieux saloon de 1858 reconverti en pub classique, pas trop grand, bourré d'habitués (et non l'inverse, encore que...), idéal pour un *drink* avant ou après dîner – essayez la vodka au concombre ! Super ambiance en fin de semaine et lors des soirées à thème (cocktail club le jeudi, *game night* le dimanche). Si on gagne le quiz du mardi, les consommations sont offertes ! Le week-end (12h-18h), pendant la saison de football américain, le *bloody mary bar* vous permet de concocter vous même votre propre boisson.

🍸 🍽 *The Monk's Kettle* (plan d'ensemble détachable D5, **350**) : 3141 16th St (angle Albion). ☎ 415-865-9523. Tlj 12h-2h. C'est un *gastropub*, mais c'est aussi et surtout l'un des meilleurs bars à bière de la ville, avec plus de 200 « broues » (pas données) méticuleusement sélectionnées – certaines locales et quelques autres à la pression. Les Belges peuvent être fiers, au décompte final, ils coiffent de loin les autres nations ! Le week-end, une foule jeune et smart colonise le comptoir, les tables, le trottoir, pour finir par se garer en double file, au milieu de la pièce, jusqu'à ce qu'on ne puisse plus bouger un orteil. Pour ne rien gâcher, la bouffe est bonne et le service éclairé.

🍸 *Mosto* (plan d'ensemble détachable D5, **234**) : 741 Valencia St. ☎ 415-626-1344. Tlj 17h-minuit. Attenant au très trendy restaurant

SAN FRANCISCO

Tacolicious (on passe de l'un à l'autre), *Mosto* offre un choix de plus de 300 sortes d'alcools distillés à base d'agave, présentés dans un menu long comme un demi-bottin ! Tequilas, mezcal et *sotol* (originaire du Chihuahua) se boivent *straight* ou en cocktails, avec un en-cas de guacamole *y queso* ou de bons *tacos al pastor* (à l'ananas). Un lieu apprécié des jeunes branchés, qui y tuent l'attente pour une table au *Tacolicious*.

Trick Dog (plan d'ensemble détachable E5, **351**) : 3010 20ᵗʰ St. ☎ 415-471-2999. Tlj 15h-2h. Aux limites orientales de Mission, au milieu de nulle part, *Trick Dog* fait de l'œil à tous les amateurs de cocktails sérieux avec ses mix sortant de l'ordinaire craftés par des barmen souvent tatoués. Le menu est présenté sur un nuancier façon magasin de bricolage (pas très pratique), où pointent aussi quelques *bar bites* améliorés et inventifs (6-12 $). L'ambiance est souvent chaude et la musique envahissante, mais les hipsters ne manqueraient ça pour rien au monde.

Dalva (plan d'ensemble détachable D5, **352**) : 3121 16ᵗʰ St, à côté du Roxie. ☎ 415-252-7740. Tlj 16h-2h. Vite bondé, assourdissant et sombre à souhait, ce bar-couloir, où s'agglutinent les 25-35 ans, débouche sur un discret *backroom*, le *Hideout*, très apprécié des amateurs de cocktails. Il n'ouvre qu'à 19h, mais il vaut mieux arriver tôt pour espérer décrocher une place en mezzanine, le must. Pour le reste, on trouve quelques bières rares à la pression, *Prohibition Ale*, *Lunatic Lager*, *Death and Taxes* et, aux murs, des furets et lièvre (à cornes) empaillés... Ah bon ?

Kilowatt (plan d'ensemble détachable D5, **353**) : 3160 16ᵗʰ St. ☎ 415-861-2595. Tlj 16h30 (13h w-e)-2h. CB refusées. Il manque indubitablement quelques kilowatts à ce grand espace tamisé (y a-t-il un électricien dans la salle ?) permettant tous les excès, où se coltinent tatoués, barbus, cougars en maraude, filles sages (ou pas) et joueurs de fléchettes. Voilà qui repose un peu des poseurs en tous genres du quartier. On vient y voir un match, faire un billard (2 tables) et, surtout, descendre une bière à la pression, à choisir au tableau noir.

Cha-Cha-Cha (plan d'ensemble détachable D5, **354**) : 2327 Mission St. ☎ 415-824-1502. Tlj 17h-23h (1h ven-sam). Tapas 7-11 $, plats 11-20 $. C'est le petit frère de celui de Haight, en plus bruyant. Côté cadre : grand volume, murs de brique rouge ornés de vieilles affiches et immense bar en U où s'agglutine une clientèle jeune et joyeuse sur fond de musique à tue-tête. La carte navigue entre tapas et plats caraïbes, mais les habitués apprécient avant tout la sangria maison (pas forcément mémorable).

Où sortir ?

Amnesia (plan d'ensemble détachable D5, **355**) : 853 Valencia St (entre 19ᵗʰ et 20ᵗʰ). ☎ 415-970-0012. ● amnesiathebar.com ● Tlj 18h-2h. Entrée gratuite ou 5-10 $ selon les groupes. Ce petit club cosy drapé de rouge satiné, dont l'interminable bar est envahi le soir pour son atmosphère festive et sa sélection de bières (40, dont 25 à la pression), l'affirme sans détour : les jeunes bourrés ne sont pas les bienvenus, ici ce sont leurs parents qui s'éclatent. Le son fluctue d'une nuit sur l'autre avec, toujours, un lundi bluegrass et un mercredi jazz ; les autres soirs, ça peut aller jusqu'à l'électro-disco en passant par la folk acoustique, sans oublier les DJs du samedi. Super ambiance. Au final, une adresse qu'on n'oublie pas.

Elbo Room (plan d'ensemble détachable D5, **356**) : 647 Valencia St (et Sycamore, entre 17ᵗʰ et 18ᵗʰ). ☎ 415-552-7788. ● elbo.com ● Tlj 17h-2h. Happy hours 17h-21h (un des plus tardifs de la ville, bière à 2 $!). Entrée : env 5-20 $ selon concert. Bon pied bon œil, cette ancienne boîte de nuit réservée aux femmes (!) est devenue un grand bar américain à étages qui continue d'attirer les noctambules mélomanes pour son décor cosy et ses concerts de qualité, presque tous les soirs à 21h ou 22h : rock, indie, hip-hop, jazz, funk, soul, groupes alternatifs... Tamisé à souhait et pas trop bruyant.

∞ *Roxie (plan d'ensemble détachable D5, 352) :* 3117 16th St (et Valencia). ☎ 415-863-1087. ● roxie. com ● Première séance à 19h lun-ven, dès 11h30 sam, 15h dim. Env 8-10 $; réduc. On aime beaucoup ce vieux théâtre fondé en 1909, reconverti en salle de cinoche d'art et d'essai – parmi les dernières indépendantes. Remarquable programmation par thèmes, hommages à des cinéastes oubliés ou à découvrir, cinéma des pays lointains et festivals attirant foule, comme l'Indiefest et le Docfest.

Achats

❀ *Good Vibrations (plan d'ensemble détachable D5, 413) :* 603 Valencia St. ☎ 415-522-5460. ● goodvibes.com ● Tlj 10h-21h (23h ven-sam). Attention, ceci n'est pas un sex-shop... comme les autres ! Cette belle boutique, vaste et cosy comme une librairie à thème, est une institution à San Francisco depuis 1977. Tout le monde connaît. Même les bourgeoises y font leurs courses, c'est vous dire... La fondatrice des lieux, Joani Blanks, auteur d'ouvrages sur la question, s'est faite le chantre de la libération sexuelle et de l'épanouissement du corps, sans tabous ni provocation outrancière. On trouvera donc ici des vidéos « éducatives » et des manuels pratiques sur des sujets que la morale a longtemps réprouvés, mais aussi des préservatifs pour tous les goûts et surtout une collection de *sex toys* dont on n'aurait même pas soupçonné l'existence... jusqu'à des pâtes en forme de pénis pour vos dîners coquins ! Le plus sympa, c'est de voir des jeunes couples essayer très sérieusement des harnais, des femmes élégantes hésiter devant différents *vibrators* et de voir tout ce petit monde faire la queue à la caisse, si l'on ose dire, sans aucune honte. Bref, c'est le sex-shop version *Gap* ou *Banana Republic*. Une visite aussi instructive qu'amusante, qui en dit long sur les contradictions et les fantasmes de ce pays décidément pas

comme les autres. Organise conférences et ateliers.

❀ *Modern Times (plan d'ensemble détachable E6, 414) :* 2919 24th St (entre Florida et Alabama St). ☎ 415-282-9246. ● mtbs.com ● Tlj 11h-21h (20h dim). Dans cette librairie, aux côtés des *paperbacks* classiques, se côtoient tous les sujets sulfureux dont on n'a pas fini de parler : anarchisme, philosophie, impact du capitalisme et de la globalisation, histoire et politique américaines, section gay, etc. Livres neufs ou d'occasion. Section en langue espagnole et nombreux DVD. Toutes les semaines ou presque, rencontre avec un auteur.

❀ 🏃 *826 Valencia Pirate Supply (plan d'ensemble détachable D5, 415) :* 826 Valencia St (et 19th). ☎ 415-642-5905, ext 201. ● 826valencia.org/store ● Tlj 12h-18h. Attention, apprentis pirates, voici votre antre ! Cette boutique archiconnue dans toute la Californie, qu'on adore, stocke yeux de verre, bouteilles à la mer, drapeaux tête-de-mort, longues-vues et tout le nécessaire pour partir à l'abordage ! Décor à la hauteur du thème. Ateliers pour enfants *(fluent in English)*. La boutique de la porte d'à côté, *Paxton Gate* (tlj 11h-19h ; ☎ 415-824-1872 ; ● paxtongate.com ●) n'est pas mal non plus dans le genre cabinet de curiosités. On y trouve les outils du parfait taxidermiste, entomologiste, jardinier et autres plaisirs naturels, preuves à l'appui (squelettes, cristaux, massacres, etc.). Également une boutique pour les enfants au n° 764 de la rue, un peu plus loin. Les amis des animaux ne seront pas réjouis.

❀ *Dog Eared Books (plan d'ensemble détachable D5, 416) :* 900 Valencia St. ☎ 415-282-1901. ● dogea redbooks.com ● Ouv 10h-22h (21h dim). Une autre librairie bien calée dans les matières alternatives, avec le *Kapital* en rayon, des bouquins sur le Che et les Anonymous, sans oublier des sections *queer studies* (gay), religions du monde, littérature beat et même jardinage ! Petit choix de bouquins d'occase en français.

À voir

Mission est un quartier qu'il faut parcourir à pied. Sa mauvaise réputation n'a plus guère de raison d'être, surtout depuis que Mark Zuckerberg (le jeune patron de Facebook) s'y est installé, achevant de boboifier le coin. Bref, vous ne risquez plus grand-chose à parcourir ses rues appareil photo à la main. Évitez juste les coins solitaires (surtout au sud) le soir.

🏃🏃 *La mission Dolores* (*San Francisco de Asís ; plan d'ensemble détachable D5*) : *3321 16th (et Dolores).* ☎ *415-621-8203. Tlj sf certains j. fériés 9h-17h. Entrée : env 5 $. Brochure en français.* C'est ici qu'est né San Francisco, lorsque fut célébrée la première messe de la région, le 29 juin 1776. Moins d'une semaine plus tard, à l'est du continent, les colons américains proclamaient leur indépendance. La mission San Francisco d'Assise, de son vrai nom, date en réalité de 1791. Elle est la 6e des 21 missions fondées tout au long du Camino Real, qui reliait San Diego à Sonoma, sur près de 1 000 km. En arrivant, l'œil est d'abord attiré par la grande basilique (1918) qui,

de l'extérieur, évoque un peu une église mexicaine avec ses ornementations churrigueresques. La chapelle proprement dite, bien plus petite, fut achevée en 1791 par des ouvriers indiens. Les poutres (peintes) en séquoia de la charpente sont reliées entre elles par des lanières en cuir, ce qui a sans doute permis à l'édifice de résister au tremblement de terre de 1906... Ce modeste sanctuaire abrite un maître-autel du XVIIIe s importé du Mexique, assez baroque, et deux autres plus petits, sur les côtés, contrastant avec la sobriété des murs blancs.

À la sortie, une grande maquette présente la mission à ses origines. On peut ensuite accéder à la basilique (moche) puis à un mini-musée (une toute petite salle) exposant des objets liturgiques et rappelant l'existence des Ohlone, la tribu amérindienne qui peuplait jadis la région. Vient ensuite le charmant cimetière, temps fort de la visite où, entre les rosiers, figuiers, agapanthes et palmiers, s'égrènent des pierres tombales portant de nombreux patronymes irlandais et quelques français. Au milieu, une hutte ohlone, un peu incongrue, a été reconstituée. Une des scènes de *Sueurs froides*, d'Hitchcock, a été tournée ici (voir encadré). Les cinéphiles sont nombreux à chercher la (fausse) tombe de Carlotta Valdés (l'esprit qui hante Madeleine, jouée par Kim Novak). Laissée un temps sur place après le tournage, elle a été déplacée par respect pour les vrais morts enterrés à côté...

🏃 🏃 *Mission Dolores Park* (*plan d'ensemble détachable D5*) : *à 2 blocs au sud de la mission.* C'est un parc au frais gazon, avec un très beau point de vue, depuis son sommet, sur Downtown et ses gratte-ciel. Aux beaux jours, on se croirait sur une plage de La Grande-Motte : la pelouse est prise d'assaut par les adeptes du bronzage, ce qui vaut à l'endroit d'être surnommé « Dolores Beach ». À chacun son secteur : Gay Beach sur les hauteurs, Hipster Hill plus bas, latinos vers l'aire de jeux... Tout ce beau monde converge vers la *Bi-Rite Creamery* (voir

« Où manger une bonne glace ? ») et l'épicerie bio du même nom, à deux pas, pour acheter de quoi concocter un pique-nique de pain artisanal et fromage local, accompagnés d'une *craft beer*...

🏃 **Bernal Heights** *(plan d'ensemble détachable D5)* **:** *au sud de Mission, dans le prolongement de Folsom St.* La colline, nue à l'exception d'un bouquet d'arbres et d'une antenne radio, offre une vue panoramique sur la ville. Le lieu est nettement moins fréquenté que Twin Peaks.

Balade spéciale peintures murales

🏃🏃🏃 Le quartier prend dans certains secteurs de vraies allures de galerie d'art à ciel ouvert. Interdiction de passer à côté ! Nous vous indiquons les plus belles fresques mais, pour une visite complète, vous pouvez vous rendre au *Precita Eyes Mural Arts and Visitors Center* *(plan d'ensemble détachable E6, 26)*, *au 2981 24th St.* ☎ 415-285-2287. ● *precitaeyes.org* ● *Lun-ven 10h-17h, sam 10h-16h, dim 12h-16h.* En plus de vendre tous les pigments dont ont besoin les muralistes, la boutique organise des visites guidées (15-20 $) le week-end (à 11h et 13h30) autour de ces véritables œuvres d'art. Il suffit de se présenter à l'heure dite. Possible aussi en semaine, mais pour un minimum de 60 $. Plus simple : y acheter une carte (5 $) répertoriant tous les *murales* les plus intéressants. Ça change beaucoup : si certaines sont restaurées, d'autres disparaissent et de nombreuses sont créées chaque année !

➢ **Balmy Alley** *(plan d'ensemble détachable E6, 460)* **:** à deux pas de *Precita Eyes*, cette petite allée très étroite et fleurie, reliant 24th et 25th Street, entre Treat et Harrison, abrite l'une des plus grosses concentrations de peintures murales de la ville. Hyper-photogénique ! On y croise Quetzalcóatl le serpent emplumé mexicain, la Vierge en plusieurs exemplaires, le dalaï-lama, Michael Jackson, l'accouchement dans la tradition huichole, le combat des femmes indiennes dans les plantations de thé pour plus de justice, des hommages aux victimes du sida, aux combattants des causes amérindiennes et à l'archevêque Oscar Romero, qui défendit pour les droits de l'homme dans le Salvador ensanglanté par la dictature. L'immigration est un thème récurrent, avec une touchante lettre écrite par un *wetback* (clandestin) à sa femme et son fils restés au pays, et un slogan affirmatif : *Aquí estamos y no nos vamos* (« On y est, on y reste ! Plus loin, une fresque décrit les ravages de Wall Street et du capitalisme, avec des CRS débarquant dans le jardin d'Éden... Bref, des peintures plutôt militantes.

➢ Revenez vers Mission Street par 24th Street. Juste avant d'y parvenir, vous verrez, sur la gauche, se dessiner une longue ruelle étroite, **Lilac Street,** un peu plus trash et taguée, mais riche de nombreuses peintures. Sur le parking, à l'angle de la rue *(plan d'ensemble détachable E6, 461)*, se regroupent les *murales* les plus militants. La plupart en appelle à la solidarité et rendent hommage aux combats populaires. Le Che s'y cache derrière un arbre, à côté de Quetzalcóatl (symbole du pouvoir amérindien) et d'une inscription : *We didn't cross the border, the border crossed us !* (« nous n'avons pas traversé la frontière, c'est elle qui nous a traversés »). Et encore : manifestants, *concherías*, soldats en armes, gangs et appel à l'autodétermination palestinienne. Des thèmes carrément inattendus dans cette Amérique si droitière et rangée. Plus avant, les tags le disputent à quelques jolis personnages presque poétiques et à de bons vrais monstres, aussi. En sortant au niveau de la 26e rue, une autre belle fresque s'orne d'une charmante danseuse à tête de lion... sur la façade d'une épicerie où, en plus des fruits et des légumes, on vend des piñatas accrochées au plafond.

➢ Remontez Mission Street jusqu'à l'angle de 23rd Street. Côté droit, avant Capp Street *(plan d'ensemble détachable E6, 462)*, la façade se couvre d'un grand paysage symboliste sur lequel voisinent Sierra, forêt de pins et désert semé de cactus. Au centre, un personnage énigmatique et solitaire, reflet de tout un chacun. Le coiffeur d'à côté (n° 3284) a peint sa boutique de médaillons représentant des portraits de personnalités engagées : Gandhi, Frida Kahlo, Mandela, le Che, Zapata, Sandino, Pancho Villa... Le *Community Music Center Orchestra* se produit fréquemment dans l'église recouverte de bardeaux située en face. À l'angle de Capp, à droite, une autre fresque assez naïve et touchante dépeint la vie du quartier avec ses vendeurs de fruits, de glaces, de fleurs, de *tamales*... sur fond de grande rue américaine.

➢ À l'angle de Shotwell et 23rd Street *(plan d'ensemble détachable E6, 463)*, le thème de l'immigration, avec le départ de l'être aimé, très poignant dans un ciel rougeoyant à la nuit tombante.

➢ De retour sur Mission, remontez d'un pâté de maisons, puis tournez à gauche sur 22nd. À l'angle de Bartlett, le mur latéral du *Revolution Café (plan d'ensemble détachable D6, 464)* voit les Indiens débarquer... À côté, l'arrière du **Mission Market** (petit *foodcourt*) se couvre d'oiseaux multicolores et de fleurs, d'entre lesquels émerge un renne rouge (du Père Noël ?).

➢ Un pâté de maisons plus au nord, près de l'angle de 21st et Mission *(plan d'ensemble détachable D5, 465)*, voici mariachis et musiciens se détachant sur fond de Golden Gate et *Transamerica Pyramid*. .

➢ Rejoignez Valencia Street, deux blocks à l'ouest, et remontez la jusqu'à la 18e rue. Moins de 100 m à gauche, au n° 3543, entre Lapidge et Linda Streets *(plan d'ensemble détachable D5, 466)*, tout le bâtiment du *Women's Building*, haut de 3 étages, est recouvert de fresques colorées rendant hommage aux femmes du monde entier (maternités, portraits, etc.). À notre avis, les plus belles de toutes. Couronnant l'édifice, une peinture représente une femme enceinte avec son fœtus par transparence.

➢ De retour sur Valencia, continuez votre marathon-fresques jusqu'à la petite Sycamore Street, un demi-block plus haut. On y voit quelques oiseaux bleus au milieu de fleurs roses un tantinet psychédéliques. Juste après, *Clarion Alley (plan d'ensemble détachable D5, 467)*, étirée entre Valencia et Mission, montre, pêle-mêle, une profusion de visages très graphiques, un tigre et des lions, deux éléphants indiens et quelques *murales* à thème politique. Pas mal de femmes nues et bien en chair aussi, dont une aux ailes d'aigles et une autre démembrée. Une citation de Jean Genêt surgit : « *Prison serves non purpose* (La prison ne sert à rien). » Un peu plus loin, la fin du capitalisme est annoncée au-dessus d'un champ de fleurs... *if you want it.*

➢ Et encore, 2 blocks plus au nord, à l'angle de 15th Street et Valencia *(plan d'ensemble détachable D5, 468)*, un tigre affublé d'une casquette de base-ball et des requins un peu marteaux. À 50 m, au niveau de Caledonian Street (n° 1672) : jeu d'éventails et femme asiatique.

CASTRO ET NOE VALLEY *(plan d'ensemble détachable C-D5-6 et zoom Castro-Lower Haight détachable)*

Castro, la grande Mecque des homos ! À l'origine, la densité des homosexuels n'y était pas supérieure à la moyenne nationale, mais la plus grande tolérance des Californiens a attiré les gays de tout le pays – et plus encore des États conservateurs comme le Texas... Délimité à l'est par Church Street et au sud par la 21e rue, le *Gay Village* se centre sur Market Street, entre la 14e et la 17e rue et, bien sûr, sur Castro Street.

Le quartier est prolongé au sud par Noe Valley, très tranquille et résidentiel, partagé entre gays et *straight*, yuppies et familles des classes moyenne à supérieure. Il ne s'y passe pas grand-chose. Les commerces s'y regroupent sur deux secteurs : 24th Street et Church Street (entre les 24e et 30e rues).

➢ *De Downtown (Market St) ou de l'Embarcadero, le tramway historique F conduit directement à Castro (son terminus), de même que le métro (lignes K, L ou M). Pour Noe Valley, mieux vaut prendre la ligne J, qui revient en surface et dessert tte une série de stations le long de Church Street.*

Miss Liberty

On est loin de l'époque (1966) où le cardinal Spellmann demandait à ses curés d'inscrire les noms des fidèles qui entraient dans les cinémas voir des films considérés comme « licencieux »... L'année suivante, le *Summer of Love* change San Francisco pour toujours. Parmi les dizaines de milliers de jeunes débarqués de tout le pays, certains sont homosexuels. Ils se regroupent peu à peu à Castro où, déjà, s'étaient installés de nombreux marines homos, chassés de l'armée après la Seconde Guerre mondiale en raison de leur orientation sexuelle. Du début des années 1970 au début des années 1980, la communauté gay connaît un extraordinaire développement. Une multitude de boutiques, restos, boîtes et lieux culturels voient le jour. En 1972, San Francisco est la première ville américaine à publier une loi interdisant toute discrimination dans l'emploi et le logement sur les bases d'un choix de mode de vie ou d'orientation sexuelle. En 1973, l'Association psychiatrique américaine supprime l'homosexualité de sa liste des maladies mentales ! Cette même année, Harvey Milk, un jeune gay, patron d'un magasin de photo, s'engage en politique dans l'espoir d'accélérer le mouvement : trop de bars gays sont encore la cible récurrente de la police. C'est un échec, mais, 3 ans plus tard, Milk est nommé *city commissioner* par le maire George Moscone, devenant ainsi le premier militant gay à occuper un poste officiel. En janvier 1978, il est élu – une première encore – au *Board of Supervisors* de la ville. Il n'y restera pas longtemps : moins d'un an plus tard, il est assassiné en même temps que le maire par un autre superviseur dépressif, Dan White. La cause gay y trouve son premier martyr. La condamnation à 7 ans et 8 mois de prison seulement de Dan White, pour « homicide involontaire », en 1979, ravive la blessure : des émeutes éclatent au Civic Center et à Castro. Elles sont sévèrement réprimées par la police.

CONNAISSEZ-VOUS UN ENDROIT GAY ?

L'homosexualité n'a pas toujours été légale aux États-Unis : il fallut attendre 2003 pour que la Cour suprême déclare anticonstitutionnelles les lois antihomosexuelles encore en vigueur dans... 13 États. Un homme n'avait pas le droit de tenir la main d'un autre homme en public. Pour aborder sans danger ceux qu'ils voulaient draguer, les intéressés utilisaient un mot de passe : « Connaissez-vous un endroit gay ? », c'est-à-dire gai, cool... Cette phrase anodine pour un hétéro (et sans danger sauf si, par malheur, on avait affaire à un policier) annonçait la couleur pour celui qui était concerné. Peu à peu, ça s'est su, et gay est devenu synonyme d'homosexuel.

La parenthèse du sida

En 1906, le tremblement de terre avait été considéré comme une malédiction de Dieu, punissant les habitants de San Francisco d'avoir trop toléré lieux de débauche et de plaisir. Avec le sida *(Aids)*, plusieurs ligues de vertu ressortent l'argumentaire de la main céleste vengeresse. Dès 1984, la mairie prend l'initiative de fermer tous les bains publics, lieux de rencontre favoris de nombreux homosexuels. Des campagnes de prévention promouvant le *safe sex* sont lancées, relayées efficacement par la communauté. Malgré cela, les morts s'accumulent : elles atteignent aujourd'hui le chiffre d'environ 20 000 victimes – les trois quarts d'entre elles étant gays. Très vite, la communauté a mis en place services de conseil et d'entraide pour les malades, structures d'accueil et d'assistance diverses pour les plus atteints. Information et solidarité ont permis d'apprendre à vivre avec le sida, en partie à travers la création, en 1993, du *Lesbian and Gay Center*. Graduellement, le mode de vie des hommes s'est modifié : réduction significative de l'activité sexuelle, utilisation des préservatifs et retour à la monogamie. Aujourd'hui : une nouvelle page se tourne : dans les rues, les T-shirts à la mode portent un slogan tout simple : *I love my daddies*. La cause gay est à l'ère de la parentalité.

Pour un oui, pour un non

La population homo représente aujourd'hui environ 25 % de la population de San Francisco. Activistes militants, personnalités homosexuelles connues et reconnues sont régulièrement élus ou réélus à des postes très importants comme les *Education boards*. Dans la société civile, les gays sont partout acceptés : même le très chic magasin *Sak's* met en vitrine ces couples homos le jour de la Gay Pride ! À l'été 2011, une loi californienne contre la discrimination de l'histoire des homosexuels dans les livres scolaires a été adoptée. Mais une frontière est longtemps restée infranchissable : le mariage. La Californie de l'intérieur, conservatrice, s'oppose ici à celle du littoral, plus libérale.

L'ORIGINE DU *RAINBOW FLAG*

Impossible de ne pas remarquer le gigantesque drapeau arc-en-ciel à l'angle de Market et Castro St. Créé en 1978 par l'artiste san-franciscain Gilbert Baker, il arborait à l'origine huit couleurs : fuchsia (sexualité), rouge (vie), orange (guérison), jaune (lumière), vert (nature), turquoise (magie et art), indigo (sérénité et harmonie) et violet (esprit). Pour des raisons pratiques de production de masse, le rose et le turquoise ont été enlevés, et le drapeau ne comporte plus que six bandes de couleur. En juin, Market Street se pare de drapeaux arc-en-ciel pour célébrer le « Mois des Fiertés », qui se conclut par la Pride Parade, *rassemblant plus d'un million de personnes.*

Des années durant, les multiples initiatives de référendums demandant la légalisation en Californie du mariage entre personnes de même sexe sont bloquées. En mai 2008, enfin, l'État l'autorise et ouvre même la nouvelle législation aux couples d'autres États (contrairement au Massachusetts qui autorise les mariages de même sexe à ses seuls résidents). Coup de théâtre : plus de 4 000 mariages sont célébrés à la mairie de San Francisco, avant que la « Proposition 8 », déclarant que « seul le mariage entre un homme et une femme est valide ou reconnu en Californie » ne soit adoptée par 52 % des électeurs de l'État en novembre. Seule concession : les couples déjà mariés le restent aux yeux de la loi.

En 2010, deux couples homosexuels portent plainte contre le gouverneur de Californie : contre toute attente, le juge tranche en faveur du mariage homo et proclame que la Proposition 8 est contraire à la Constitution des États-Unis. Comme toujours en justice, rien n'est encore joué. Les opposants font appel. En toile de fond, l'opinion américaine évolue ; à l'image de Barack Obama qui se prononce officiellement « pour » en pleine campagne présidentielle de 2012, 50 % des Américains sont désormais favorables au mariage gay, contre 43 % en 2008. À San Francisco, au printemps 2013, les manifestations s'enchaînent : on voit de nombreux militants gays parcourir les rues de la ville à vélo, tout nus, pour attirer l'attention sur leur cause. Le 28 juin 2013, finalement, la décision tombe : l'appel est rejeté et le mariage pour tous légalisé une fois pour toutes par la cour suprême.

Cachez ce sexe que je ne saurais voir

Jusqu'à l'automne 2012, il n'était pas rare que les touristes en goguette autour de Market Street et Castro croisent des individus en tenue d'Adam, portant parfois juste des chaussures. Ce mouvement de nudistes urbains, né à Castro, revendique ouvertement l'ultra-liberté. Malgré l'ouverture d'esprit de la majorité des San-Franciscains, certaines voix se sont élevées pour exiger de ces hommes nus qu'ils couvrent leurs parties intimes, en particulier dans la rue et les transports en commun. Le conseil municipal a même adopté un décret interdisant aux plus de 5 ans (!) le nudisme dans la rue. La mesure, décriée par les partisans du naturisme, prévoit quand même quelques exceptions, notamment pendant la Gay Pride ou la course *Bay to Breakers* (pour laquelle aucun vêtement n'est exigé), ainsi que sur les plages, soumises aux lois fédérales et non municipales.

Names project aids memorial quilt

Ce projet, démarré en 1987, en pleine période noire de l'épidémie du sida, avait pour but d'attirer l'attention sur la gravité de la situation en demandant aux amis, aux familles des victimes de confectionner un morceau de tissu (de 1,80 m sur 0,90 m) avec le nom du disparu et des souvenirs de sa vie. Chacun d'entre eux fut ensuite intégré à un *quilt*, qui est, aujourd'hui, devenu immense. D'abord composé de plusieurs dizaines, plusieurs centaines, puis plusieurs milliers de morceaux de tissu, cet impressionnant patchwork fut déployé pour la première fois sur Capitol Mall à Washington en octobre 1987 ; il couvrait alors l'équivalent de deux terrains de foot (avec 1 920 contributions). Ensuite il fut exposé dans d'autres villes du pays, augmentant sans cesse en taille au fur et à mesure que l'épidémie s'étendait. Deux ans plus tard (en 1989), il fut même nominé pour le prix Nobel de la paix. Ce travail énorme de sensibilisation a amené le patchwork à plus de 48 000 morceaux aujourd'hui, représentant plus de 94 000 victimes du sida, sur une surface de 12 hectares. S'il devait être entièrement réuni, le *quilt* pèserait près de 54 t et, mis bout à bout, il mesurerait plus de 150 km de long. Le choc psychologique créé est à la hauteur de la gravité de la maladie. C'est en outre un moyen d'agitation culturelle particulièrement efficace pour obtenir des fonds pour la recherche médicale et l'aide aux malades. Le *quilt* a reçu près de 20 millions de visiteurs. Le Q.G. du projet, longtemps situé à Castro, a malheureusement fermé par manque de soutien financier. Pour toute information : ● *aidsquilt.org* ●

Adresse utile

■ **The San Francisco Lesbian Gay Bisexual Transgender (LGBT) Community Center** (plan d'ensemble détachable D4, **27**) : 1800 Market St (et Octavia). ☎ 415-865-5555. ● sfcenter. org ● Lun-ven 12h-22h, sam 10h-18h. Vous ne pourrez manquer l'élégante architecture moderne et colorée de ce centre qui se fixe comme objectif de centraliser tous les services et infos en faveur de la communauté homo de la ville. C'est aussi, on l'aura compris, une machine de combat politique. Anime un intéressant programme culturel.

Où manger ?

Dans Castro

Spécial petit déjeuner

🍞 **Thorough Bread and Pastry** (zoom Castro-Lower H détachable, **245**) :

248 Church St (entre 15th et Market). ☎ 415-558-0690. Mar-sam 7h-19h, dim 8h-18h. Env 2-10 $. Échappant à la multiplication des petits pains (pas de chaîne ici !), cette boulangerie-pâtisserie, parmi les meilleures de la ville, propose d'excellents croissants aux amandes, des *sticky buns*, muffins, scones et même chouquettes, gougères et pains aux raisins – en français dans le texte. On peut également acheter du pain, se faire préparer un savoureux sandwich ou même un ban bagnat. Les diplômés du *San Francisco Baking Institute* viennent y faire leurs armes avant de se lancer dans leur propre aventure pâtissière. Petit patio agréable aux beaux jours.
☞ Voir aussi plus loin **Squat & Gobble**, **Café Flore** et **Chow** à Castro, **Savor** à Noe Valley.

De bon marché à prix moyens

🍴 **Harvest Ranch Market** (zoom Castro-Lower H détachable, **246**) : 2285 Market St. ☎ 415-626-0805.

SAN FRANCISCO

Tlj 8h30-23h. 10 $ pour une livre de salade. Le *salad bar* de cette petite épicerie fine pas donnée propose une quinzaine de plats froids classiques, des salades de nouilles aux légumes grillés en passant par le quinoa, pour partir arpenter le quartier la panse remplie. Également des fromages, falafels et sandwichs tout prêts, boissons et gâteaux appétissants. Quelques bancs sur la rue.

|●| *Ike's Place* (zoom Castro-Lower H détachable, *247*) : 3489 16th St. ☎ 415-553-6888. Tlj 10h-19h. Sandwichs 8-13 $, voire jusqu'à 20 $. Il nous a rarement été donné de voir un tel choix : pas moins de 80 sortes de sandwich *deluxe,* dont une vingtaine sont proposés en tout temps. Certains sont affublés de drôles de noms – *fat bastard, ménage à trois* ou bien *kryptonite* (avocat, bacon, corned-beef, fromage, *pastrami*, roastbeef, salami et dinde !). Rassurez-vous, les végétariens ne sont pas oubliés, et chaque commande s'accompagne d'un petit paquet de chips. Le meilleur dans tout ça, c'est que les sandwichs sont excellents. Quelques chaises et une banquette pour attendre sa commande plus que pour manger sur place (direction : Mission Park).

|●| 🍴 *Squat & Gobble* (zoom Castro-Lower H détachable, *248*) : 3600 16th St. ☎ 415-552-2125. Tlj 8h-22h. Env 8-13 $. 📶 Petite chaîne locale (5 adresses) de cafés-crêperie sans génie, mais agréable pour se sustenter sans ostentation, à toute heure de la journée, dans une ambiance reposante. Au menu : petit déj, omelettes, crêpes exotiques sucrées ou salées, sandwichs, salades, soupe du jour, bagels, pâtes et gros gâteaux... Le plus de cette adresse : une belle terrasse face à la salle ouverte sur la rue. Musique agréable en fond.

|●| 🍴 *Café Flore* (zoom Castro-Lower H détachable, *249*) : 2298 Market St (et Noe). ☎ 415-621-8579. Tlj 7h-22h, bar jusqu'à 1h (2h w-e). Plats env 9-17 $; brunch dim 8h-16h. Café des temps héroïques (depuis 1973) à l'allure très parisienne, le *Flore* déroule l'une des terrasses les plus agréables du quartier. Gays et *straights* s'y côtoient, entre plantes vertes et belles plantes (!), pour le petit noir du matin (à recommander) accompagné d'une viennoiserie, pour le brunch dominical très populaire, ou pour un gros sandwich, une soupe, une salade ou un plat chaud – à commander au comptoir du fond. Simple et correct. Un incontournable très castropratin !

|●| 🍴 *Chow* (zoom Castro-Lower H détachable, *250*) : 215 Church St. ☎ 415-552-2469. Ouv 8h-23h (minuit ven-sam). Plats env 7-16 $. Où trouver un petit resto simple, sympa, un peu joli et pas ruineux ? Même si les prix ont pas mal augmenté ces derniers temps, *Chow* répond encore assez bien à la question, avec ses serveurs sympa, ses pancakes ricotta-framboise au petit déj, ses excellentes tartes maison, son style café' en bois, ses photos d'art ou peintures modernes aux murs, ses produits largement bio utilisés dans la confection des sandwichs du jour, des salades fraîches (en 3 tailles), des pâtes, pizzas au feu de bois et autres grillades.

|●| *La Méditerranée* (zoom Castro-Lower H détachable, *251*) : 288 Noe St (et Market). ☎ 415-431-7210. Tlj 11h-22h (23h ven-sam) ; brunch w-e 11h-15h. Plats 9-16 $. Ce havre de paix intime et chaleureux est le petit frère des restaurants *La Méditerranée*, de Pacific Heights et Berkeley. On y trouve les mêmes recettes arméniennes, libanaises et moyen-orientales (excellents *mezze*). Pour plus de détails, voir à Pacific Heights. Aux beaux jours, quelques tables dehors, mais le midi... le soleil est au *Flore* en face !

|●| *Harvey's* (zoom Castro-Lower H détachable, *252*) : 500 Castro St (angle 18th St). ☎ 415-431-4278. Tlj 11h-23h (9h-1h w-e) ; brunch tlj jusqu'à 15h ; happy hours lun-ven 15h-19h. Plats env 9-16 $. Son nom est évidemment un hommage à Harvey Milk, la légende locale, martyr de la cause gay, dont on découvre de grandes photos en noir et blanc sur les murs bordeaux. Ce grand bistrot moderne et chaleureux propose à midi des burgers, salades, sandwichs, *wraps* et paninis et, le soir, quelques plats un peu plus élaborés. Rien d'extraordinaire, mais l'atmosphère est bonne, surtout avec

un bloody mary ou un martini en main. Pour le reste, le service manque de constance.

Dans Noe Valley

Une gentille balade architecturale, une atmosphère séduisante, beaucoup de *coffee shops*, quelques petits restos. Voici quelques bonnes adresses pour baliser l'itinéraire.

Spécial petit déjeuner

☞ *Savor :* voir ci-après.

De bon marché à prix moyens

|●| *Eric's* (plan d'ensemble détachable D6, 253) : 1500 Church St (et 27th). ☎ 415-282-0919. Ouv 11h (12h sam, 12h30 dim)-21h15 (22h ven-sam). Formule midi env 7 $, plats 8-12 $. Ce petit resto chinois, joliment décoré d'orchidées, offre un cadre lumineux et agréable pour une fort bonne cuisine du Hunan, copieuse, à prix d'avant la guerre de Corée (ou presque). Pour une fois, le menu ne fait pas 28 pages ! Essayez donc les crevettes aux noix, le poulet aux noix de cajou ou le bœuf à l'orange. Les voisins prennent leurs plats à emporter pour éviter l'attente... Service efficace (normal, à des prix pareils, faut que ça tourne !).

|●| ☞ *Savor* (plan d'ensemble détachable D6, 254) : 3913 24th St (et Sanchez). ☎ 415-282-0344. Tlj 8h-22h (21h dim). Plats env 10-21 $. Le gentil petit patio fait de l'œil en été, et le brunch continue d'attirer de nombreux fidèles, qui savent y trouver des crêpes salées et sucrées copieusement garnies de saveurs du monde entier : la *Kyoto* au tofu grillé, la *Milano* aux cœurs d'artichauts, aubergines et poivrons grillés, la *Bombay* au poulet au curry... En général, l'attente n'est pas trop longue. Également des omelettes, salades et sandwichs, le tout servi avec le sourire par un personnel à tu et à toi. Le soir, plats plus élaborés et très copieux (*satay thaï, lamb shank*, poulet rôti) servis dans une ambiance feutrée. Excellents muffins aux fruits.

De chic à très chic

|●| *Firefly* (plan d'ensemble détachable C6, 255) : 4288 24th St (angle Douglass). ☎ 415-821-7652. Tlj 17h30-21h30 (22h ven-sam). Résa nécessaire. Menu fixe 38 $ dim-jeu, plats 20-27 $. Connue des aficionados et des voisins immédiats, cette charmante adresse à l'enseigne en forme de grosse luciole et aux lumières tamisées, réserve un accueil élégant et chaleureux. Assis dans l'une des salles à la déco simple ou au comptoir, on goûte une cuisine de saison sans frontières, bien maîtrisée. L'agneau rôti au babeurre et au miel, avec sa compotée de cerises, fait écho au flétan d'Alaska avec purée de pois et artichaut farci. Gardez de la place pour les excellents desserts et écoutez bien les conseils éclairés du sommelier si vous envisagez de partir sur la route des vins californiens...

Où boire un verre ou un café ?

☛ *Café Flore* (zoom Castro-Lower H détachable, 249) : voir « Où manger ? » plus haut.

☛ *The Castro Coffee Company* (zoom Castro-Lower H détachable, 358) : 427 Castro St (et 17th). ☎ 415-552-6676. Tlj 7h (8h sam, 9h dim)-21h (20h dim). Ce minuscule café *takeaway*, tenu par 2 cousins et cousines palestiniens très accueillants, embaume l'angle de Castro et de Market avec ses cafés en provenance du monde entier. Au choix : 8 sortes de cafés chaque jour. Propose également du thé et quelques pâtisseries.

♟ *Twin Peaks* (zoom Castro-Lower H détachable, 359) : 401 Castro St (angle 17th). ☎ 415-864-9470. Stratégiquement placé au terminus du tram F, le *Twin Peaks* est un pionnier : c'est le 1er bar homo de Castro à être sorti de l'ombre pour prendre l'apparence d'un café de quartier cosy. On l'appelait à l'époque le *Cheers* gay ! Son bar orné de boiseries, ses lampes Tiffany et ses banquettes latérales semées de coussins dessinent un cadre chaleureux encore très populaire pour une bière ou un verre de vin – et pas seulement auprès des gays.

SAN FRANCISCO

SAN FRANCISCO

Où sortir ?

Castro est bien sûr un quartier qui bouge la nuit, et toutes les nuits. Une tendance : clientèle plus jeune dans les bars sur Upper Market que sur Castro.

🍷 ♪ ♫ **The Café** (zoom Castro-Lower H détachable, 360) : 2369 Market St (au 1er étage). ☎ 415-834-5840. Tlj 17h (15h w-e)-2h. Entrée : env 5 $. Dans un décor aux tons argentés un peu frisquet, cette petite institution locale offre une piste de danse prise d'assaut tous les soirs (après minuit) par de beaux garçons et des couples de filles (mais tout le monde est le bienvenu). Musique à fond et cocktails décoiffants. Soirée *Boy Bar* le vendredi avec gogo boys. Le dimanche, grand drag show vers 21h30. Billard.

🍷 ♫ **Badlands** (zoom Castro-Lower H détachable, 361) : 4121 18th St. ☎ 415-626-9320. Tlj 15h (14h ven-dim)-2h. Happy hours lun-sam 15h-18h. Entrée : souvent gratuit, sinon 3-5 $. CB refusées. On danse tous les soirs sous la boule à facettes du *Badlands*, bercé par les chansons à répétition de Madonna, Rihanna et Lady Gaga – plus un peu de Kylie et Beyonce, mais ça ne rime pas. Les jeunes mâles n'hésitent pas à tomber la chemise pour attirer les regards, au détriment des vidéos musicales qui, elles aussi, passent en boucle les tubes des icônes gays. Bien des filles y vont aussi, pour guincher en paix, sans dragueurs.

♪ ♫ **Café du Nord** (zoom Castro-Lower H détachable, 362) : 2174 Market St. ☎ 415-861-5016. • cafedunord.com • Tlj dès 19h-21h selon spectacle. Entrée : env 8-20 $. Installée en sous-sol du *Swedish American Hall*, cette belle boîte sombre et cosy offre assez d'intimité pour résonner au rythme des groupes qui y jouent presque tous les soirs, mais aussi suffisamment d'espace pour danser. Beaucoup de références de la musique *indie-rock* et *indie-pop*, mais aussi du bluegrass, de la country, de l'électropop, etc. Ambiance hétéro (d'ailleurs, c'est plein de jolies filles !) et... archibondée le week-end. Billard.

∞ 🍷 **The Castro Theatre** (zoom Castro-Lower H détachable, 363) : 429 Castro St (et Market). ☎ 415-621-6120. • castrotheatre.com • Entrée : env 20 $. La salle de ce cinéma, véritable institution locale, date des années 1920. Elle est superbe avec ses peintures aux murs, ses fauteuils rouges rénovés et ses lourds rideaux de velours. Chaque jour, avant la première séance de la soirée, un petit récital d'orgue met dans l'ambiance. Quelle classe ! La programmation comprend films étrangers (dont français) et classiques hollywoodiens. Organise également de nombreux festivals, notamment un superbe festival du Film noir fin janvier sur une dizaine de jours.

Achats

🌐 **Cliff's Variety** (zoom Castro-Lower H détachable, 417) : 479 Castro St. ☎ 415-431-5365. Lun-ven 8h30-20h ; sam 9h30-20h ; dim 11h-18h. Ce magasin de bricolage se double d'une boutique d'objets loufoques qui collent à la peau du quartier : drapeaux et flamants roses arc-en-ciel, boas et perruques fluo, bijoux fantaisie et autres masques emplumés pour les soirées folles...

À voir. À faire

➤ **Cruisin' the Castro** : rdv tlj sf mer et dim, à 10h, à l'angle de Castro et Market (zoom Castro-Lower H détachable), face à l'arrêt du tram F et à la station de métro. ☎ 415-255-1821. • cruisinthecastro.com • Durée : 2h. Résa obligatoire par tél ou via le site internet. Compter 30 $ la visite ; réduc. Intéressante balade à travers le quartier, en individuel ou en petit groupe, pour tout apprendre sur les origines de La Mecque des gays. Pour info, *cruise* signifie « draguer »...

🕯 **Castro Street** (zoom Castro-Lower H détachable) : de Market Street à 20th Street, Castro et ses abords sont considérés comme le centre de la communauté gay, avec une concentration maximale de bars et boutiques dédiés à cette clientèle. Près de l'arrêt du tram F, à l'orée de la 16e rue (face à Pond Street), ne manquez pas la grande fresque peinte en hommage à Harvey Milk. Sur Castro, au n° 429 (*zoom Castro-Lower H détachable, 363*), jetez un coup d'œil au **Castro Theatre,** un vieux cinéma qui a conservé son beau décor (façade et intérieur) inspiré de l'architecture hispanique (voir ci-dessus « Où sortir ? »). Au n° 575 (*plan d'ensemble détachable C5, 469*), **le magasin de photo et l'appartement d'Harvey Milk,** qui abrite aujourd'hui la boutique de l'association *Human Rights Campaign* (tlj 10h-20h), servit de QG de campagne à Milk lorsqu'il se présenta aux élections municipales.

En 1972, Harvey Milk s'installe à Castro avec son compagnon. Dans les années qui suivent, il s'impose comme un des leaders de la communauté gay et y gagne le surnom de « maire de Castro Street ». Grâce à lui, les homosexuels, bisexuels et transsexuels obtiennent le droit d'enseigner en Californie. Moins d'un an après son élection au conseil municipal, début 1978, Milk est abattu. Une des cassettes audio retrouvées chez lui après son assassinat contient la phrase suivante : « Si une balle devait traverser mon cerveau, laissez-la aussi briser toutes les portes de placard », allusion à tous les homos qui redoutaient alors de faire leur coming-out. Le 22 mai, jour de sa naissance, est devenu le Harvey Milk Day.

Une plaque insérée sur le trottoir rappelle ses combats passés. La boutique vend surtout des fringues, sans oublier quelques *Teddy bears* en costume arc-en-ciel !

🏃 **GLBT History Museum** (*zoom Castro-Lower H détachable*) : 4127 18th St (entre Castro et Collingwood St). ☎ 415-621-1107. ● glbthistorymuseum.org ● *Lun-sam 11h-19h, dim 12h-17h. Entrée : 5 $; réduc. Gratuit le 1er mer du mois.* Le premier musée sur l'histoire du mouvement gay aux États-Unis a été inauguré en janvier 2011 à San Francisco par la *GLBT Historical Society*. Ce n'est que le deuxième établissement de ce genre dans le monde après celui de Berlin, créé en 1985. Un lieu très symbolique donc, qui retrace les réalités, les combats et le quotidien des homosexuels au cours du siècle passé – mais aussi leurs victoires peu à peu acquises et l'évolution des mentalités, dans la communauté comme à l'extérieur. L'exposition, intitulée *Our Vast Queer Past*, se présente sous la forme d'un kaléidoscope narratif ; on circule de témoignage en témoignage pour découvrir des histoires individuelles, prétextes à explorer différentes thématiques – histoire cachée des gays, violences et traumatismes, Guerre des Sexes des Lesbiennes, etc. La collection présente aussi quelques objets ayant appartenu à Harvey Milk (voir encadré ci-dessus).

🏃 **La maison bleue de Maxime Le Forestier** (*zoom Castro-Lower H détachable*) : 3841 18th St (entre Church et Sanchez St). Voir encadré dans l'introduction sur San Francisco.

➤ **Petite balade architecturale dans Noe Valley :** au sud de Castro, le quartier de Noe Valley, vertébré par 24th Street et Church Street, se compose d'une succession de collines couvertes de vieilles maisons de bois et de pavillons. C'est un quartier mixte de gays et de familles friquées, réputé pour son calme et sa qualité de vie. Sur Liberty Street, entre Noe et Castro (bloc des numéros 500), vous découvrirez une très belle rangée de demeures aux couleurs pastel, avec d'élégantes vérandas et de hauts escaliers (*plan d'ensemble détachable C5, 470*). La plupart des façades sont enluminées de stucs. Juste en contrebas, sur Castro, un autre joli alignement se révèle du n° 713 au n° 737 (entre Liberty et 20th Street).

Fêtes gays

– Les fêtes de **Pâques** sont célébrées d'une drôle de manière par les Sœurs de l'Indulgence Perpétuelle, une association d'hommes travestis en bonnes sœurs façon drag queens... L'association milite contre l'homophobie et le sida.

SAN FRANCISCO

– **The San Francisco Pride Parade :** *dernier w-e de juin.* Une des journées les plus animées et les plus folles de San Francisco. Organisée chaque année depuis 1972, elles déplace aujourd'hui des centaines de milliers de personnes. Toutes les chapelles de la communauté défilent : gays, lesbiennes, drag queens, *leather contingent* (les amateurs de cuir SM), etc. La parade n'a pas lieu à Castro, mais dans le Downtown. Partant de Market Street, au niveau de Front Street, dans le Financial District, elle s'achève au Civic Center. Trans et motards *(Dyke March)* organisent leurs propres parades. *Infos : SF Pride, 1841 Market St, 4ᵉ étage.* ☎ *415-864-0831.* ● *sfpride.org* ●

– **The Castro Street Fair :** *1ᵉʳ dim d'oct.* Fête gay très réputée, créée en 1974 par Harvey Milk. De multiples attractions tout au long de Castro Street. ● *castros treetfair.org* ●

LOWER HAIGHT *(plan d'ensemble détachable C-D4 et zoom Castro-Lower Haight détachable)*

Entre Castro (au sud) et Alamo Square (au nord), le petit quartier de Lower Haight s'étend autour de la partie basse de Haight Street. Le secteur, jadis bourgeois, a décliné à partir de la crise des années 1930, tandis que se construisaient des *housing projects* vite devenus ghettos. Contrairement à Haight-Ashbury, qui s'étend plus à l'ouest, Lower Haight n'a joui d'une certaine renommée que dans les seventies, grâce à des artistes d'avant-garde, apôtres de la contre-culture, membres de la génération X et fidèles de Kerouac. Si Upper Haight (Haight-Ashbury) s'est un peu embourgeoisé au fil des ans, Lower Haight est resté plus proche de son récent passé : contre-culture *grungy*, nombreux bars et magasins underground moins commerciaux. Pour une pause, le Duboce Park offre ses tapis de gazon, bordés de ruelles où se dressent de jolies maisons de bois.

➤ *De Downtown, bus n° 6 sur Market St. Il remonte tt Haight St jusqu'à Haight-Ashbury.*

Où manger ?

Spécial petit déjeuner

🐦 **Kate's Kitchen** *(zoom Castro-Lower H détachable,* **256***) :* *471 Haight St (et Fillmore).* ☎ *415-626-3984. Lun 9h-14h45, mar-ven 8h-14h45, w-e 8h30-15h45. Plats env 6-10 $. CB refusées.* Commencez d'abord par foncer sur la liste pour inscrire votre nom : dénicher une table le week-end relève du défi ! Les brunchs légendaires excitent la convoitise de tous les affamés, autant pour les généreuses portions que pour la qualité des plats : du classique *Big Guys Breakfast* (pancakes, pommes de terre, bacon, œufs, saucisse...) à la célèbre *French toast orgy* avec fruits, granola, yaourt et miel, tout est frais et cuisiné dans les règles (américaines !). Cadre sympa de petit café avec mappemonde et nappes à carreaux rouge et blanc.

🐦 Et aussi : **Squat & Gobble, Bean There** et **Café International** : voir ci-dessous.

Bon marché

🍴 **Rosamunde Sausage Grill** *(zoom Castro-Lower H détachable,* **257***) :* *545 Haight St. (entre Fillmore et Steiner)* ☎ *415-437-6851. Tlj 11h30-22h (23h jeu-sam). Env 6-7 $. CB refusées.* Idéale pour manger sur le pouce, cette minuscule échoppe propose une douzaine de sortes de saucisses, servies façons hot dog : italienne, allemande, hongroise, cajun (andouille), au sanglier avec pommes et piment, au canard avec figues... et même une végétarienne au tofu, que l'on recouvre comme les autres de choucroute, oignons, piments doux ou épicés, ou de bœuf haché assaisonné façon chili. À emporter toute fumante dans le parc voisin ou à manger sur place, une fesse posée sur un tabouret. Bon et pas cher.

Succursale avec une belle terrasse au 2832 Mission St (plan d'ensemble détachable D6, 258), entre 24th et 25th St ; tlj 11h30 (10h w-e)-minuit (23h dim-lun).

De bon marché à prix moyens

|O| ☞ **Squat & Gobble** (*zoom Castro-Lower H détachable, 259*) : *237 Fillmore St (entre Haight et Waller).* ☎ 415-487-0551. *Tlj 8h-22h. Plats env 8-13 $.* Même chaîne que ceux de Castro et Upper Haight. Des crêpes copieuses de bonne facture et des omelettes accompagnées de pommes de terre sautées, des bagels, des sandwichs, des pâtes, etc. Bon rapport qualité-prix. Cadre convivial avec de grandes tables en bois et une petite terrasse donnant sur la rue calme.

|O| **Axum Café** (*zoom Castro-Lower H détachable, 260*) : *698 Haight St (angle Pierce).* ☎ 415-252-7912. *Tlj 17h-22h. Plats env 8-15 $.* Nouvelle aventure culinaire : ce petit resto brut de décoffrage, nommé d'après la ville tigréenne d'Aksoum, vous donnera l'occasion de goûter à la cuisine éthiopienne, réputée pour son caractère inflammable (prévenez si vous êtes sensible !)... Au programme : des plats avec ou sans viande et poisson, comme le *tibsie lamb*, *beef* ou *chicken*. Pour une vue générale, demandez le plateau dégustation de 5 spécialités. Tous sont servis avec l'*injera*, le pain non levé éthiopien (sorte de grosse crêpe), traditionnellement utilisé en guise de couvert. À tester : la bière *Harar* ou *Hakim* (une stout) et le *Tej* (honey wine).

De prix moyens à chic

|O| **Thep Phanom** (*zoom Castro-Lower H détachable, 261*) : *400 Waller St (et Fillmore).* ☎ 415-431-2526. *Tlj 17h30-22h30. Résa conseillée le w-e. Plats env 11-17 $; tlj menu prix fixe 20 $.* Ce restaurant, parmi les meilleurs thaïs de San Francisco est recensé dans tous les guides gastronomiques américains pour sa cuisine fraîche et de haute volée, servie dans une charmante salle, nichée dans une maison de bois caractéristique de San Fran-

cisco, avec une jolie fresque au mur. Excellente salade au bœuf très épicé (*crying tiger*), soupes au lait de coco, currys tout en saveurs, *Thaitanic beef* (ou saumon)... Service délicat, en tenue traditionnelle.

|O| **Indian Oven** (*zoom Castro-Lower H détachable, 259*) : *233 Fillmore St (entre Haight et Waller).* ☎ 415-626-1628. *Tlj 9h45-23h (1h ven-sam). Plats env 10-21 $.* Ce resto indien un peu chic et élégant, spécialisé dans la cuisine du nord de l'Inde, est une référence locale. Ses plats délicats et parfumés attirent toujours autant de monde, et l'attente est parfois de mise pour goûter aux tandooris dorés doucement au four (celui au poisson est excellent), au *paneer*, aux nombreuses spécialités végétariennes... Attention, les riz, à commander à part, peuvent alourdir l'addition – celui en version cachemiri, avec fruits et noix, est excellent.

Où boire un verre en journée ? Où grignoter ?

|O| ☂ ☞ **Café International** (*zoom Castro-Lower H détachable, 364*) : *508 Haight St (et Fillmore).* ☎ 415-552-7390. *Lun 7h-16h, mar-ven 7h-22h, w-e 8h-22h. CB refusées.* ☞ *Coffee house* décontractée, où artistes et étudiants refont le monde bien calés dans les vieux canapés du salon ou dans le patio intérieur – petite oasis décorée d'une superbe fresque *world music* qui résume parfaitement l'esprit de la maison. Sur les murs courent des œuvres d'artistes locaux. Excellente musique (reggae, Afrique, jazz, etc.). On peut y grignoter quelques délicieux petits plats du Moyen-Orient : *houmous*, taboulé, *falafel, babaganoush,* ainsi que salades, sandwichs et bagels.

|O| ☞ **Bean There** (*zoom Castro-Lower H détachable, 365*) : *201 Steiner St (angle Waller).* ☎ 415-255-8855. *Tlj 6h (6h30 w-e)-19h.* ☞ Proche du parc Duboce, ce *coffee shop* de quartier est parfait pour se réveiller en douceur devant un vrai café et un muffin,

ou pour grignoter un morceau en journée. Quelques tables à l'extérieur permettent de prendre le soleil à travers le feuillage des arbres. Parfois, on sort les jeux de société. Service parfois expéditif, cela dit...

Où sortir ?

☥ The Mad Dog in the Fog (zoom Castro-Lower H détachable, **366**) : 530 Haight St (entre Fillmore et Steiner). ☎ 415-626-7279. Lun-ven 11h30-2h, w-e 7h-2h. CB refusées. Ce bar British très populaire, au décor de bois et de brique, sert notamment une bonne Spaten Pils et quelque 150 autres variétés de bière, d'ici et d'ailleurs (dont 25 à la pression). Elle coule à flot pour les matchs de rugby, de Coupe d'Europe et le championnat anglais en direct – un peu moins pour Wimbledon et le Tour de France. Dans un genre très différent, les mardi et jeudi sont consacrés aux quiz days : tous les clients peuvent participer à une sorte de grand Trivial Pursuit rigolo sur fond de musique à fond les gamelles. En journée, on profite de l'agréable courette au fond et, le soir, on se vautre sur les banquettes en arc de cercle, au pied de la cabine téléphonique rouge, sooooo British. Billard à l'entrée (indisponible les soirs de quiz).

☥ Toronado (zoom Castro-Lower H détachable, **369**) : 547 Haight St. ☎ 415-863-2276. Tlj 11h30-2h. CB refusées. Bercé de hard rock, Toronado débite depuis plus de 2 décennies une cinquantaine de bières à la pression (et bien d'autres en bouteilles), attirant une foule dense d'amateurs éclairés (ou non). Pas de Bud ou de Miller ici, mais des microbrews et craft beers élaborées dans l'intimité. Un petit creux ? Le stand de saucisses de Rosamunde est juste à côté. En février, la maison organise le Barleywine Festival, dédié aux « broues » à fermentation haute, crémeuses et cuivrées (et un peu traîtres aussi... ça cogne !).

☥ Molotov's (zoom Castro-Lower H détachable, **366**) : 582 Haight St. ☎ 415-558-8019. Tlj 14h (12h w-e)-2h. CB refusées. Ce dive bar au décor

stendhalien ou jeannemassien (en rouge et noir, quoi), pas bien lumineux, ne désemplit pas. La meilleure raison ? La bière y est bon marché. Les habitués s'y sentent comme chez eux, installent leur chien aux tabourets du bar et s'affirment en maîtres des lieux. Côté bande son, la tendance est au hard rock et au punk rock (Iggy Pop, The Clash). Pour se divertir : jukebox, flippers (souvent squattés) et festival de tronches déjantées. Pas de risque de voir débarquer un yuppy ici.

☥ Noc-Noc (zoom Castro-Lower H détachable, **369**) : 557 Haight St. ☎ 415-861-5811. Tlj 17h (15h30 ven, 15h w-e)-2h. Happy hours jusqu'à 19h. Noc-Noc ? Pas la peine de frapper, il n'y a pas de porte, juste une grotte à bière (pas bien chère) un peu étrange, tendance Mad Max réincarné en cyberpunk : peintures primitives, sculptures aliens, recoins hétéroclites, mobilier zoulou, lumières glauques. Un côté fin du monde baroque ou futuriste cool, selon l'humeur et la musique du moment... Un peu comme un voyage dans les entrailles d'un animal mort...

Achats

✿ Costumes on Haight (zoom Castro-Lower H détachable, **418**) : 735 Haight St (entre Pierce et Scott). ☎ 415-621-1356. Lun-sam 11h-19h, dim 12h-18h. Cette boutique complètement folle propose des panoplies géniales de parfait petit fêtard : postiches, masques, chapeaux, perruques multicolores, vêtements excentriques... mais aussi des casques de cosmonaute, des costumes de lapin rose géant, des têtes en peluche géantes, des chaussures de clown, et même de vrais uniformes de pompier et de flic ! Idéal en cas de soirée à thème impromptue ou juste pour le coup d'œil...

✿ Rooky Ricardo's Records (zoom Castro-Lower H détachable, **419**) : 448 Haight St (entre Fillmore et Webster). ☎ 415-864-7526. Tlj 12h-18h. La boutique de ce disquaire d'occasion n'est pas aussi grande que celles de

Haight-Ashbury, mais les DJs viennent s'y fournir, c'est dire si le choix est pointu pour ceux qui aiment la musique des 50's et des 60's. 2 platines, au centre du magasin, permettent d'écouter avant d'acheter.

HAIGHT-ASHBURY *(plan d'ensemble détachable B-C4-5 et zoom H-Ashbury détachable)*

À 10 blocs de Lower Haight en direction du Golden Gate Park, ce quartier mythique de San Francisco a vu germer de nombreux mouvements culturels – hippies en premier lieu, skinheads, raves... Mais revenons un peu en arrière. À la fin du XIXe s, Haight-Ashbury est un quartier résidentiel huppé, investi par les plus riches familles attirées par la proximité du Golden Gate Park. Le tremblement de terre de 1906 l'éprouve, mais la plupart des belles demeures victoriennes passent l'épreuve du feu. Elles sont encore nombreuses aujourd'hui le long des rues pentues. Après la Seconde Guerre mondiale, la communauté noire se

JOYEUX LURONS

Annonçant le développement imminent du phénomène hippie, le groupe des Merry Pranksters ("Joyeux Farceurs") naît vers 1964 autour de l'écrivain Ken Kesey (l'auteur du génial Vol au-dessus d'un nid de Coucou)*, de Neal Cassidy (figure emblématique de la Beat Generation) et des Grateful Dead. Sillonnant le pays dans un vieux bus scolaire affublé de peintures psychédéliques, ils organisent, de ville en ville, des acid parties qui déplacent la foule. Le LSD est de toutes les fêtes. On danse entre sculptures, jeux de lumières, projections de films et déclamations d'Allen Ginsberg — lui aussi de la partie.*

développe. L'*upper class* s'en va, les loyers chutent – et plus encore lorsqu'un projet d'autoroute traversant le quartier est officialisé (elle ne sera jamais construite). Au début des années 1960, les premiers hippies s'installent, fuyant North Beach devenu trop cher et trop touristique. Une maison à Haight-Ashbury pour une douzaine de personnes se loue alors moins de 60 $ par mois ! Les médias s'emparent du phénomène et le popularisent indirectement aux quatre coins du pays. Les jeunes affluent. En mai 1967, le journaliste Hunter Thompson trouve un surnom de circonstance à ce quartier où l'on fume pétard sur pétard : Hashbury. En vérité, toutes sortes de drogues y circulent, en particulier le LSD – pourtant déclaré illégal en octobre 1966. Quelques mois plus tôt, le Trips Festival, le plus grand des *acid tests* jamais organisés à San Francisco, avait un peu trop attiré l'attention des autorités...

Des concerts généralement gratuits marquent cette période, respectant le mot d'ordre des Diggers : « Le monde est à toi. » En 1967, Haight-Ashbury connaît son apothéose avec le *Summer of Love*, qui attire plusieurs centaines de milliers de jeunes en quête de nouvelles expériences. En juin, le festival de Monterey consacre Jefferson Airplane, Janis Joplin, Jimi Hendrix, Ravi Shankar, The Mamas and Papas, et Scott McKenzie avec sa chanson « San Francisco ». Le rock psychédélique s'invite sur les ondes de toutes les radios du pays. Paradoxalement, c'est un peu le chant du cygne. La popularité énorme du mouvement l'étouffe. À Haight-Ashbury, l'afflux massif de nouveaux arrivants crée de gros problèmes d'hébergement. Le taux de criminalité augmente. Certains repartent.

En octobre 1967, une cérémonie de 3 jours décrète la fin du mouvement hippie. Très peu de temps après, Haight-Ashbury sombre pour de bon dans des problèmes de violence liés principalement à la consommation d'héroïne par des vétérans de la guerre du Vietnam. En 1969, le meurtre de la femme de Roman Polanski, Sharon Tate, sur ordre de Charles Manson, un illuminé raciste qui constitue une secte à Haight-Ashbury durant le *Summer of Love*, achève de discréditer les hippies.

Que reste-t-il du quartier aujourd'hui ? Des *coffee shops* (pas dans le sens hollandais du terme), des petits restos pas trop chers, des boutiques de fringues et de disques qui ouvrent et ferment au rythme des modes, quelques SDF aussi, des musiciens qui improvisent des petits concerts sur les trottoirs. La jeunesse branchée de San Francisco, piercings bien en vue, déambule à longueur de week-end le long de Haight Street, en un concours de looks sans cesse renouvelé. Mais au fond, on ne peut s'empêcher de penser que le rêve de « Hippyland » a cédé la place au matérialisme du nouveau millénaire.

➤ *De Downtown, bus n°s 6 ou 71 sur Market St jusqu'au carrefour de Haight St et Masonic Ave. De Marina (Lombard St ou Fillmore angle Chestnut), bus n° 43 très pratique.*

Où manger ?

Spécial petit déjeuner

☛ |●| *Pork Store Café* (zoom H-Ashbury détachable, **263**) : *1451 Haight St.* ☎ *415-864-6981. Lun-ven 7h-15h30, w-e 8h-16h. Plats env 7-10 $.* Il n'y a pas de grand méchant loup dans ce minuscule café à la déco hors d'âge, mais une meute d'affamés accourus pour engloutir de bons gros plats à base de porc, y compris au petit déj. Un « concept » inventé dans le quartier par un couple de Tchécoslovaques en 1916 ! Et comme dans le cochon, tout est bon, il y a l'embarras du choix pour satisfaire petits et gros appétits. Omelettes, pancakes, sandwichs et burgers (au bœuf !) sont également au menu. Pas mal d'attente pour le brunch du week-end. Une institution locale, mais attention à vos artères, on ne fait pas dans le léger. Succursale au 3122 16th Street (angle Albion Street), dans le quartier de Mission.
☛ Et aussi *Squat and Gobble Café* et *Café Cole* : voir ci-dessous.

Bon marché

|●| *Burger Urge* (zoom H-Ashbury détachable, **264**) : *1599 Haight St (et Clayton).* ☎ *415-522-0122. Lun-ven 11h-21h30, w-e 11h-22h. Env 7-11 $.* Impossible de rater la fresque du *Summer of Love* sur le côté et l'énorme burger de 35 kg qui surplombe l'entrée. Avec des champignons, du cheddar, de l'avocat et de l'alfalfa, ou de l'ananas, les burgers, généreusement garnis d'un steak de 220 g, se déclinent selon envies et appétit. Pour les aventuriers en manque de cholestérol, *The Elvis,* au bacon et mousse de beurre de cacahuète et banane, ou l'*Ultimate,* avec oignons grillés, gouda fondu, bacon, aïoli empilés sur 3 steaks d'une demi-livre (30 $ quand même !). Quelques salades et burgers *veggy* pour se donner bonne conscience. Bon, on a trouvé les prix un peu élevés quand même (les frites le sont en plus).

|●| ☛ *Squat and Gobble* (zoom H-Ashbury détachable, **265**) : *1428 Haight St (entre Hashbury et Masonic).* ☎ *415-864-8484. Tlj 8h-22h. Plats env 8-13 $.* On vous le signale plus par habitude que par conviction – et parce que le coin est un peu pauvre en options. L'éternelle petite chaîne locale de cafés-crêperie, sans génie mais pas désagréable, pour se sustenter au cours de ses pérégrinations. Petit plus : une petite cour couverte. Au menu, comme d'hab : petit déj, omelettes, crêpes sucrées ou salées, sandwichs, salades, bagels, pâtes et gâteaux...

De bon marché à prix moyens

|●| ♦ *Cha-Cha-Cha* (zoom H-Ashbury détachable, **266**) : *1801 Haight St (angle Shrader).* ☎ *415-386-7670. Tlj 11h30-16h et 17h-23h (23h30 ven-sam). Plats env 7-11 $ le midi, 9-20 $ le soir.* Les années passent, et *Cha-Cha-Cha* reste. Populaire en diable, bondé aux heures de pointe, le bar (survolé par quelques angelots potelés...) ne cesse d'absorber une foule compacte rêvant d'une table au pied des Vierges et des palmiers. Le cadre est exotique et clinquant à souhait pour ce resto

calé en spécialités hispanisantes et des Caraïbes, servies sur un air de reggae ou de transe latino : *ceviche, raciones* d'*arroz con pollo* ou de *jerk chicken* (bien épicé), paella aux fruits de mer et bananes plantains frites – le tout de préférence sous forme de tapas, à partager avec le reste de la tablée entre 2 rasades de sangria. Très bonne atmosphère, parmi les plus sympas du quartier. *Succursale au 2327 Mission St (entre 19th et 20th St), dans le quartier de Mission ; tlj 17h-23h (1h le w-e).*

Où prendre un café ? Où boire un verre (en mangeant un morceau) ?

Y IOI ☙ Café Cole *(zoom H-Ashbury détachable, 370) :* 609 Cole St *(et Haight).* ☎ 415-668-7771. *Tlj 6h30 (7h dim)-20h (21h ven-sam). CB refusées.* 📶 Un endroit vraiment *cole,* pardon *cool,* comme on les aime, à mi-chemin entre la petite épicerie d'antan et le café traditionnel. Quelques tabourets à l'intérieur et tables dehors pour déguster un *latte,* des jus de fruits et légumes frais (pressés sous vos yeux) et de délicieux *smoothies.* Les plus courageux goûteront au jus de blé vert (*wheat grass juice*) : l'herbe ne se fume pas seulement, elle se boit aussi ! En plus, c'est plein de protéines et excellent pour la santé. On peut également commander d'excellents bagels et des sandwichs (certains végétariens). Accueil sympa.

Y IOI The Alembic *(zoom H-Ashbury détachable, 371) :* 1725 Haight St *(entre Cole et Shrader).* ☎ 415-666-0822. *Tlj 12h-2h (cuisines jusqu'à 23h).* Sous une devanture banale, l'intérieur de ce gastro-pub ne manque pas de caractère avec son décor de bois sombre bien patiné et ses petites touches design. On y distille soir après soir des cocktails préparés dans les règles de l'art, à accompagner de mini-assiettes façon tapas haut de gamme – un peu chères quand même. Les aventuriers se laisseront tenter par les cœurs

de canard épicés (très hype) ! On y a croisé un cow-boy qui avait pris l'endroit pour un vrai restaurant (« *It's a tourist trap, God damn it !* »). Sans aller jusque-là, on peut se contenter d'y boire un verre !

Y IOI Magnolia Pub & Brewery *(zoom H-Ashbury détachable, 372) :* 1398 Haight St. ☎ 415-864-7468. *Tlj 11h (10h w-e)-minuit (1h ven-sam). Pas de résas. Plats 12-14 $ au lunch, 14-25 $ le soir.* 3 en 1, c'est plus malin ! Le Magnolia est un *gastropub* : un bar doublé d'un resto doublé, dans le cas présent, d'une brasserie. Voilà, en fait, la meilleure raison d'y venir : la bière. Les choix du jour s'affichent au tableau noir. Levez le doigt, comme à l'école, et goûtez-en une ou deux. Conservées en tonneau, elles sont plutôt originales, tout comme les sous-bocks servis avec, tous différents. Bonne *white ale.* Pour le reste, la cuisine est variable, le service médiocre et l'atmosphère, bruyante, encombrée de hipsters.

Y IOI Cha-Cha-Cha *(zoom H-Ashbury détachable, 266) :* voir « Où manger ? », plus haut. Un resto latino-caraïbe à la déco assez délirante, réputé pour sa sangria !

Où sortir ?

Y Hobson's Choice *(zoom H-Ashbury détachable, 373) :* 1601 Haight St *(angle Clayton).* ☎ 415-621-5859. *Tlj 14h (12h w-e)-2h. Happy hours lun-ven 17h-19h.* En anglais, *Hobson's choice* désigne un choix qui n'en est pas un, quand une seule option est offerte. C'est un peu le cas ici. Ceux qui affluent dans ce bar aux banquettes mollassonnes et aux tables en bois hors d'âge viennent se frotter à un unique adversaire : le rhum. Certes, il se décline en une centaine de versions, plus ou moins arrangées, provenant de toute la Caraïbe et au-delà – tiens, du rhum Clément ! Au moment des *happy hours,* on commande de pleins saladiers de punch corsé, à partager à 4, 5 ou plus si affinités. Très convivial et un tantinet agité en soirée.

Y ♪ Club Deluxe *(zoom H-Ashbury détachable, 374) :* 1511 Haight St *(et*

Ashbury). ☎ 415-552-6949. ● liveat
deluxe.com ● Tlj 16h (14h w-e)-2h.
CB refusées. Déco rétro de box rouges
et de murs en bois clair pour ce sympathique club de jazz à l'ancienne mode.
Des *big bands* envahissent la salle
tous les soirs vers 21h et mettent une
énorme ambiance. Parfois aussi de la
bossa nova, du blues, du be-bop... Le
3e lundi du mois, soirée *monday night
comedy*... pour ceux qui maîtrisent bien
la langue !

Achats

Pour plus de commodité, les boutiques
suivantes sont présentées dans l'ordre
où elles vous apparaîtront si vous
venez de Lower Haight ou du centre.

● *Bound Together Bookstore*
(zoom H-Ashbury détachable, **420**) :
1369 Haight St (entre Central et
Masonic). ☎ 415-431-8355. Tlj
11h30-15h30 et/ou 15h30-19h30.
Cette librairie anarchiste plus que
trentenaire, à l'atmosphère révolutionnaire intacte, est tenue par
des bénévoles (d'où les heures fluc-
tuantes). On y trouve avant tout des
livres d'histoire et de politique, mais
aussi des affiches anars, des magazines, des T-shirts aux slogans sans
concessions. Participe au salon
annuel *Bay Area Anarchist Book Fair*,
qui a lieu tous les ans en mars-avril,
où convergent pas mal de sympa-
thisants venus de tout le pays.

● *Pipe Dreams* (zoom H-Ashbury
détachable, **421**) : 1376 Haight St
(entre Central et Masonic). ☎ 415-
431-3553. ● pipesinthecity.com ● Ouv
11h-18h30 (19h30 ven-sam). Un de
nos *smoke-shops* préférés et l'un des
plus anciens de San Francisco, dont
la devanture colorée et farfelue est
déjà un poème. Mais pas de méprise :
malgré l'ambiance hippie, on ne vend
pas de drogue, juste des ustensiles,
en particulier des pipes en verre souf-
flé de toutes les couleurs, fabriquées
localement... Bien sûr, on milite aussi
un peu pour la légalisation de la marijuana ! Si vous voulez rapporter des
cadeaux pour votre petit frère néobab,
c'est l'endroit rêvé.

● *Recycled Records* (zoom
H-Ashbury détachable, **420**) :
1377 Haight St (et Masonic). ☎ 415-
626-4075. Lun-ven 10h-20h, sam
10h-21h, dim 11h-19h. Achat et vente
de disques d'occase souvent introuvables, tous genres confondus. Beaucoup de vinyles, des K7, CD et DVD.

● *Haight Ashbury Tattoo & Piercing* (zoom H-Ashbury détachable,
423) : 1525 Haight St (et Ashbury).
☎ 415-431-2218. Tlj 12h-19h. La plus
ancienne boutique de tatouage du
quartier. Un bric-à-brac de publications
sur le sujet, de journaux érotiques des
années 1950, de revues d'épouvante,
bijoux, accessoires, etc. Au fond, bien
sûr, un atelier de tatouage.

● *Held Over* (zoom H-Ashbury détachable, **423**) : 1543 Haight St (entre
Ashbury et Clayton). ☎ 415-864-0818.
Tlj 11h-19h (20h ven-dim). Sur fond de
musique rétro, on trouve ici une grande
variété de vêtements *vintage*, des plus
classiques aux plus originaux, avec
beaucoup de fripes datant des *70's* et
des *80's*, des chemises hawaïennes
en pagaille, des robes de communion
froufroutantes, des *tux* (smokings) et
borsalinos, etc. Bien classé par thèmes
et époques, et prix corrects. Pour
ceux qui voudraient comparer avant
de se décider, il y a d'autres boutiques
du même style dans la rue, notamment *Buffalo Exchange*, juste à côté
(n° 1555 ; tlj 11h-20h) et *Wasteland*, au
n° 1660.

● *Decades of Fashion* (zoom
H-Ashbury détachable, **424**) : 1653
Haight St (et Belvedere). ☎ 415-551-
1653. ● decadesoffashionsf.com ● Tlj
11h-19h. Cette boutique vaut le coup
d'œil pour son incroyable inventaire
de vêtements des années 1880 à nos
jours. Ils sont classés par décennie,
et c'est un plaisir pour les yeux que
de parcourir cette histoire de la mode.
Un coin entier est dédié aux robes de
mariée. Les prix sont élevés, mais la
très bon état général des vêtements le
justifie. Attention, les enfants (et leurs
petites mains craspouettes) ne sont
pas forcément les bienvenus.

● *Loved to Death* (zoom H-Ashbury
détachable, **425**) : 1681 Haight St (et
Cole). ☎ 415-551-1036. Tlj 11h30
(12h dim)-19h (20h ven-sam). Un

cabinet de curiosités plutôt morbide, dans la grande tradition victorienne : on y trouve des squelettes à gogo, des cœurs de cochon dans le formol, des crânes de fœtus, des têtes réduites jivaros à la pelle, des croix pour derniers sacrements, des bagues à tête de mort... et quelques bijoux plus classiques, aussi. On est presque soulagé de retrouver la foule bigarrée du dehors après cette incursion dans le royaume de la mort. La patronne anime une émission sur le surnaturel !

⊛ *Amoeba Music* (zoom H-Ashbury *détachable, 426) : 1855 Haight St (entre Shrader et Stanyan).* ☎ *415-831-1200.* ● *amoeba.com* ● *(commande en ligne). Tlj 11h-20h.* Amateurs de musique, impossible de rater cet étalage gigantesque de disques, abrité dans un ancien bowling ! *Amoeba* est le plus grand disquaire indépendant des États-Unis. Tous les genres musicaux sont représentés, aux prix les plus bas, des occases et des raretés en CD, vinyles, cassettes. Également des chanteurs étrangers, de A comme Afrique à W comme World music, en passant par une petite section consacrée à la France. La collection de plus de 40 000 DVD est également impressionnante. Une partie des bénéfices est reversée à *Rainforest Action Network* pour la conservation des forêts tropicales. Une autre boutique à Berkeley, au 2455 Telegraph Avenue, et une autre à... Hollywood !

À voir

Petite promenade architecturale

Haight-Ashbury conserve un grand nombre d'élégantes demeures victoriennes épargnées par le séisme de 1906. S'il est bien sûr impossible de toutes les citer, voici un petit itinéraire à la découverte des plus beaux fleurons du quartier. Commençons à l'ouest de Haight Street, côté Golden Gate Park.

➤ Sur Cole Street, à l'angle de Haight (zoom H-Ashbury détachable, **370**), une *peinture murale* symbolise l'évolution de l'univers, du chaos originel à celui qui nous attend. De loin, cela ressemble à un arc-en-ciel pas très bien exécuté. De plus près, de nombreux détails apparaissent : symboles religieux, animaux, monstres, etc.

➤ Sur Haight, au n° 1665, *The Red Victorian Bed, Breakfast and Art* (zoom H-Ashbury détachable, **104** ; voir « Où dormir ? ») possède une des façades les plus colorées du quartier, en rouge et vert. En face, au n° 1660, se dresse un ex-vieux cinéma reconverti en boutique de fringues, le *Wasteland,* à l'architecture très rococo punk – avec puma et grotesques peints en façade.

➤ Continuez de descendre Haight vers l'est sur deux pâtés de maisons, puis remontez à droite dans Ashbury. Un peu plus haut, juste après Waller, vous verrez, au n° 710 (zoom H-Ashbury détachable, **471**), la jolie maison victorienne gris violacé des *Grateful Dead,* groupe symbolique de San Francisco, à l'instar des Beatles à Liverpool. Presque en face, au n° 715, l'ancien quartier général des *Hells Angels.* On ne dirait pas, aujourd'hui, à ses airs coquets...

➤ Suivez Waller Street sur un pâté de maisons vers l'est, jusqu'à l'angle de Masonic. Aux n°s 1301-27 (zoom H-Ashbury détachable, **472**), superbe série de *victoriennes* aux façades ornementées, perchées au-dessus de grands escaliers, dont il faut détailler le décor extérieur.

➤ Redescendez vers Haight par Masonic. Là se dresse un joli tir groupé de cinq *maisons victoriennes* (zoom H-Ashbury détachable, **473**).

➤ La balade se poursuit (si vous le souhaitez) vers l'est de Haight-Ashbury, toujours par Haight Street. Ne ratez pas la plus belle brochette de *maisons*

SAN FRANCISCO

victoriennes, pastel et pimpantes, grimpant sur Central Avenue. Au block suivant, prenez à gauche sur Lyon. **Janis Joplin** habita au n° 112 *(zoom H-Ashbury détachable, 474)* de 1967 jusqu'à sa mort, en 1970. C'est une belle maison, encadrée de deux autres du même tonneau. À 100 m à l'est *(plan d'ensemble détachable C4, 475)*, Page croise Baker ; le carrefour est entouré de belles **demeures victoriennes.** Contrairement à ce que certains racontent, la grande maison bleue n'est pas celle de la chanson de Maxime Le Forestier, cette dernière se situant dans le quartier de Castro ! La maison du n° 1262 de Page Street s'enveloppe de couleurs particulièrement inhabituelles : bleu, rose et violet ! Sur le trottoir, une inscription, qui disparaîtra sans doute avec le temps : *You know you're rich when you don't have curtains* – « vous savez que vous êtes riche quand vous n'avez pas (besoin) de rideaux »... Vérification faite : toutes les maisons des environs en ont ! CQFD.

➤ Remontez par Baker sur Haight Street. Là, du n° 1128 au 1146, se révèle intéressante série de trois façades. Notez le travail de déco, les baies arrondies, les perrons classiques. Au n° 1080, la plus imposante de toutes, **Spencer House** *(plan d'ensemble détachable C4, 476)*, présente une somptueuse décoration extérieure, naviguant entre styles néoclassique et néomauresque.

➤ Au-dessus de Haight se dessine le grand **Buena Vista Park** *(plan d'ensemble détachable C4-5)*, fréquenté assidûment par les *dog-keepers,* mais pas trop conseillé la nuit. Beaucoup d'arbres touffus, dont un grand nombre de cyprès plantés il y a une centaine d'années, couvrent cette ancienne colline sablonneuse. Des escaliers raides grimpent vers le sommet, d'où l'on devine une jolie vue sur la ville et sur le Golden Gate Park à travers les branches.

➤ Juste au sud du parc de Buena Vista, on peut encore grimper au sommet de la colline dénudée de **Corona Heights** *(zoom H-Ashbury détachable)*, d'où se révèle une vue panoramique dégagée sur presque tous les quartiers de la ville : le Downtown d'un côté, le Wharf et la baie au loin, Mission et Castro au sud.

➤ Autres lieux mythiques pour les collectionneurs de stars : la maison de **Jefferson Airplane** (130 Delmar), celle où vécut un moment **Jimi Hendrix** (142 Central), ou encore celle où habita le poète et romancier **Richard Brautigan** (2500 Geary), auteur, entre autres, de l'indispensable *Dreaming of Babylon* (*Un privé à Babylone,* éd. 10/18).

COLE VALLEY *(zoom Haight-Ashbury détachable)*

Situé juste au sud de Haight-Ashbury, jusqu'à la 17e rue et un peu plus avant, ce quartier longtemps méconnu est symbolique de San Francisco : de belles maisons calmes et ombragées, des bois d'eucalyptus sur les hauteurs, une vie de quartier tranquille, des *coffee shops,* une très belle vue du haut de Tank Hill et aucun. Bref, une ambiance à découvrir pour ceux qui ont du temps à revendre, en déambulant tranquillement sur Cole Street et Belvedere Street. Très belles maisons à la hauteur de Grattan Street.

Où manger ?

De prix moyens à chic

|●| 🍴 **Zazie** *(zoom H-Ashbury détachable, 267)* : 941 Cole St. ☎ 415-564-5332. *Brunch lun-ven 8h-14h, w-e et j. fériés 9h-15h ; dîner tlj à partir de* 17h. *Plats 11-15 $ le midi, 18-24 $ le soir.* Les riverains ont tranché : pour un bon brunch comme pour un joli dîner en amoureux, Zazie fait parfaitement l'affaire. La cuisine franco-méditerranéenne, appuyée sur d'excellents produits frais californiens, fait mouche avec ses belles grandes salades, son poulet grand-mère, son saumon en papillote, ses tartines de chèvre frais

aux figues grillées. La salle aux murs de brique et jaune soleil est enjouée, et la mini-terrasse débordant sur la rue ajoute sa pierre à l'édifice. Seul hic : il n'est pas rare d'attendre plus que de raison. Venez tôt... ou tard !

Où déguster une glace ?
Où boire un vrai soda ?

♀ ♟ |●| **The Ice Cream Bar** (zoom H-Ashbury détachable, **375**) : 815 Cole St (et Carl). ☎ 415-742-4932. Tlj 12h-22h. Sandwichs 7-9,50 $, sodas 5-10 $. Sautez dans la machine à remonter le temps et branchez le compteur sur 1930. Vous voici revenu au temps du jazz, de l'Art déco et des *soda fountains*. Le Coca n'avait pas encore conquis le monde et l'on mixait alors, dans les arrière-boutiques, l'eau gazeuse et les composants carbonés des sodas à la main. Le voyage temporel n'est pas donné, mais l'expérience vaut d'être tentée : sous vos yeux, le *soda jerk* (même pas une insulte !), calot en tête, mélange eau, sucre et extraits alignés sur le comptoir... un peu de salsepareille, de concentré de cerise, de la *root beer* ou même une note de parfum de tabac ! Surprenant, au goût un peu médicinal... Pour décliner jusqu'au bout le thème de la *soda fountain*, on peut craquer pour une dizaine de parfums de glaces bio plutôt classiques (mais qui changent régulièrement), servies dans des cornets craquants ou sur un brownie encore tiède. Les tartes sont tout aussi excellentes, surtout servies *a la mode* (avec boule de glace). Tout est fait sur place, y compris le pain des sandwichs et des hot dogs.

À voir

♦♦ Tank Hill Park (plan d'ensemble détachable B5) : on y accède à pied (escaliers au niveau de Twin Peaks Blvd) ou en voiture par Belgrave Ave. Si vous êtes motorisé, garez-vous dans le cul-de-sac de Belgrave Ave, puis empruntez le minuscule sentier à flanc de colline situé sur la gauche du cul-de-sac. Attention aux buissons de *poison oak*, extrêmement urticants. Moins élevée mais aussi moins fréquentée que Twin Peaks, cette colline a l'avantage d'offrir une superbe vue sur le Golden Gate Bridge et sur le Downtown, Mission et Castro. Très couru pour les feux d'artifice du 4 juillet.

♦♦ Twin Peaks (plan d'ensemble détachable B6) : au sud de Tank Hill Park. Accès par une route sinueuse partant de Clarendon Avenue (accessible par 17th St). Sinon, prendre la ligne K, L ou M du métro, direction Outbound, jusqu'à la station Forest Hill ; traverser la rue et sauter dans le bus n° 36 North ; descendre au carrefour de Skyview et Marview Street, puis suivre cette dernière presque jusqu'à Fairview Court ; peu avt, sur la droite, on trouve le sentier montant à Twin Peaks. Attention, l'ensemble représente tout de même une bonne trotte. Culminant à 281 m, ces deux collines jumelles, largement dénudées et vierges de constructions, offrent l'un des plus beaux panoramas sur la ville – quoique assez distant du littoral.

LES PARCS ET MUSÉES À L'OUEST DU CENTRE

Longtemps restée en marge du développement de la ville, la façade pacifique de San Francisco, accidentée, voit se succéder une immense plage (Ocean Beach) et trois grands parcs, tous tournés au moins partiellement vers l'océan. Du nord au sud : le *Presidio*, qui donne sur le Golden Gate Bridge, avec la superbe Baker Beach ; le *Lincoln Park* avec la Cliff House ; et le *Golden Gate Park*, le plus populaire des trois. Ces magnifiques poumons verts, très appréciés des promeneurs, cyclistes et joggers, abritent certains des plus grands musées de la ville.

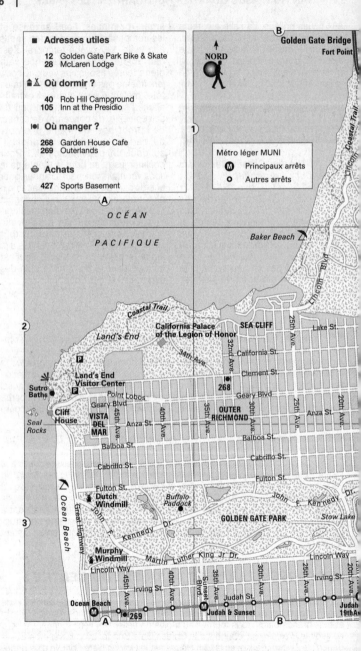

SAN FRANCISCO

■ **Adresses utiles**

12 Golden Gate Park Bike & Skate
28 McLaren Lodge

🏠⛺ **Où dormir ?**

40 Rob Hill Campground
105 Inn at the Presidio

🍴 **Où manger ?**

268 Garden House Cafe
269 Outerlands

🛍 **Achats**

427 Sports Basement

Métro léger MUNI

Ⓜ Principaux arrêts
◯ Autres arrêts

Golden Gate Bridge
Fort Point

NORD

A

OCÉAN

PACIFIQUE

Baker Beach

Coastal Trail

California Palace
of the Legion of Honor

SEA CLIFF

Land's End

Lake St.

25th Ave.

34th Ave.

California St.

32nd Ave.

Clement St.

Land's End
Visitor Center

268

Geary Blvd.

OUTER
RICHMOND

Point Lobos

Sutro
Baths

Geary Blvd.

VISTA
DEL
MAR

Anza St.

40th Ave.

45th Ave.

35th Ave.

30th Ave.

25th Ave.

20th Ave.

Anza St.

Cliff
House

Seal
Rocks

Balboa St.

Cabrillo St.

Balboa St.

Cabrillo St.

Fulton St.

Fulton St.

Ocean Beach

Dutch
Windmill

Buffalo
Paddock

John F. Kennedy Dr.

Stow Lake

John F. Kennedy Dr.

GOLDEN GATE PARK

Great Highway

Murphy
Windmill

Martin Luther King Jr. Dr.

Lincoln Way

Lincoln Way

Irving St.

45th Ave.

40th Ave.

35th Ave.

Sunset
Blvd.

30th Ave.

25th Ave.

Irving St.

20th Ave.

Judah St.

Ocean Beach

269

Judah & Sunset

Judah
19th A

A

B

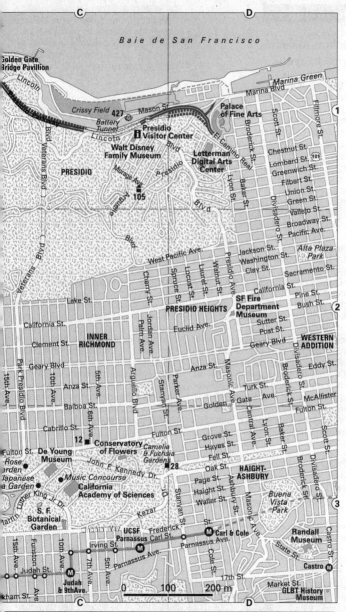

Baie de San Francisco

Golden Gate Bridge Pavillion

Lincoln

Crissy Field 427

Mason St.

Battery Tunnel

Lincoln

Presidio Visitor Center

Walt Disney Family Museum

PRESIDIO

Moraga Ave.

105

Arguello

Blvd.

Veterans Blvd.

Blvd.

West Pacific Ave.

Lake St.

California St.

Clement St.

INNER RICHMOND

Geary Blvd

Anza St.

Balboa St.

Cabrillo St.

Fulton St.

12

De Young Museum

Rose Garden

Japanese Garden

Tea Garden

Music Concourse

John F. Kennedy Dr.

California Academy of Sciences

S.F. Botanical Garden

Martin Luther King Jr. Dr.

15th Ave.

10th Ave.

7th Ave.

5th Ave.

Kezar Dr.

Funston Ave.

Judah St.

Irving St.

Judah & 9th Ave.

ckham Ave.

0   100   200 m

Park Presidio Blvd.

15th Ave.

10th Ave.

5th Ave.

6th Ave.

Park Presidio Blvd.

Cherry St.

Spruce St.

Jordan Ave.

Palm Ave.

Arguello Blvd.

Stanyan St.

Parker Ave.

Walnut St.

Locust St.

Laurel St.

Presidio Ave.

PRESIDIO HEIGHTS

Euclid Ave.

Anza St.

Conservatory of Flowers

Camelia & Fuchsia Gardens

Grove St.

Hayes St.

Fell St.

Oak St.

Page St.

Haight St.

Waller St.

Frederick St.

UCSF Parnassus

Carl St.

Parnassus Ave.

Irving St.

17th St.

Market St.

Masonic Ave.

Masonic Ave.

Golden Gate Ave.

Turk St.

Central Ave.

Lyon St.

Baker St.

Broderick St.

Divisadero St.

Scott St.

Carl & Cole

Cole St.

Stanyan St.

Ashbury St.

Masonic Ave.

HAIGHT-ASHBURY

Buena Vista Park

Randall Museum

State St.

Castro St.

GLBT History Museum

Castro

28

Palace of Fine Arts

El Camino Real

Letterman Digital Arts Center

Presidio Blvd.

Baker St.

Lyon St.

Marina Blvd

Marina Green

Fillmore St.

Scott St.

Broderick St.

Chestnut St.

Lombard St. 101

Greenwich St.

Filbert St.

Union St.

Green St.

Vallejo St.

Broadway St.

Pacific Ave.

Jackson St.

Washington St.

Clay St.

Sacramento St.

California St.

Pine St.

Bush St.

Sutter St.

Post St.

Geary Blvd

Eddy St.

McAllister

Fulton St.

Divisadero St.

Broderick St.

Baker St.

Lyon St.

Alta Plaza Park

WESTERN ADDITION

Divisadero St.

Broderick St.

Scott St.

SF Fire Department Museum

1

2

3

C

D

C

D

LE GOLDEN GATE PARK ET LE PRESIDIO

SAN FRANCISCO

Où manger ?

De bon marché à prix moyens

I●I Garden House Cafe (plan Le Golden Gate Park et le Presidio B2, **268**) : 3117 Clement St. ☎ 415-668-1640. Lun-sam 6h30-19h30, dim 7h-19h. Plats 7-8 $. CB refusées. 📶 En balade du côté de Land's End et du California Palace of the Legion of Honor ? Si une fringale vous prend, poussez la porte de ce gentil coffee shop de quartier bercé par un fond de musique classique, où enfin l'on ne se marche pas sur les pieds. Le rythme est assurément laid-back, la patronne est accueillante, les sandwichs et les pâtisseries sont bons (il y a aussi des salades), et le patio-jardin est bien appréciable s'il fait beau.

I●I Outerlands (plan Le Golden Gate Park et le Presidio A3, **269**) : 4001 Judah St. ☎ 415-661-6140. Mar-sam 11h-15h et 18h (17h30 ven-sam)-22h, dim 10h-15h. Plats 7-16 $. Vous ne viendrez pas ici spécialement mais, si vous traînez dans le coin d'Ocean Beach ou à l'ouest du Golden Gate Park, n'hésitez pas. Même si la mer est à 4 blocks, les embruns semblent voler jusqu'ici sans entrave. Derrière le bar, entre murs et sols en bois flotté, des serveurs tatoués, blonds et aux cheveux longs, jouent les affiches vivantes

de la cool attitude. La cuisine est à l'avenant : saine, à demi-végétarienne, gorgée de légumes et de fruits – sans oublier quelques calories, on est en Amérique quand même ! Terrasse sur rue très prisée le week-end.

Achats

❀ Sports Basement (plan d'ensemble détachable A1 et plan Le Golden Gate Park et le Presidio C1, **427**) : 610 Old Mason St, en contrebas du Presidio, face à Crissy Field. ☎ 1-800-869-6670 ou 415-437-0100. Bus n° 30 jusqu'au terminus, puis 15 mn de marche le long de Mason St. Lun-ven 9h-21h ; w-e 8h-20h. Parking gratuit. Les grandes marques de vêtements de sport et loisir pour adultes et enfants (North Face, Columbia...) sont vendues au bas mot 20 % moins cher qu'ailleurs, de même que le matériel de camping, vélo, ski, rando, fitness, maillots de bain... Ambiance cool et routarde, avec coin jeux pour les enfants, vieux canapés de récup' et espace communautaire pour échanger des tuyaux entre sportifs. On y trouve aussi des cartes détaillées pour les randos dans les parcs californiens (à droite de l'entrée) et on peut y louer matériel de camping, de ski et wetsuits (combis). Un vrai bon plan. Succursale au 1590 Bryant St (et 15th St), au sud de SoMa, ouv aux mêmes horaires.

À voir

🎥🎥🎥 🚶 Golden Gate Park (plan d'ensemble détachable A-B4-5 et plan Le Golden Gate Park et le Presidio A-B-C3) : à env 3 km à l'ouest du Civic Center. Pour s'y rendre : de Market St, bus n°s 5 jusqu'à Fulton St (limite nord du parc), ou n° 21 par Hayes Street jusqu'à l'entrée est, sur Stanyan. Le 71 Haight passe par Haight St et Stanyan, avt de longer la limite sud du parc par Lincoln Way. Encore une option : la ligne N du Metro, direction Outbound, jusqu'au carrefour d'Irving et 9th ; le parc est situé à un pâté de maisons vers le nord.

Limitrophe du quartier de Haight-Ashbury, ce magnifique parc, encore plus beau et plus grand que Central Park à New York, s'étire sur 5 km de long et 800 m de large (450 ha). Lorsqu'il fut créé en 1870, San Francisco ne s'étendait pas encore jusque-là. Il ne s'agissait alors que d'une vaste étendue de dunes... Les paysagistes voulurent faire mieux que le bois de Boulogne et plantèrent un million d'arbres. On y découvre aujourd'hui pas moins de 6 000 variétés de plantes de toutes les régions du globe et une multitude de jardins, de bois, de prairies où pique-niquer, d'aires de jeux, d'infrastructures sportives et culturelles. Certains secteurs sont très fréquentés (surtout à l'est), d'autres le sont beaucoup moins (à l'ouest). Mieux vaut éviter le secteur la nuit, car des *homeless* y campent.

Le Golden Gate Park est si immense qu'il est préférable de louer un vélo pour le parcourir. Plusieurs loueurs se regroupent sur Stanyan Street (à l'est, côté Haight-Ashbury) et Fullton Street (au nord). Vous bénéficierez de plus de 10 km de pistes cyclables et trouverez des garages à vélos où attacher votre petite reine le temps de visiter les musées. Sinon, il existe un service de navette gratuite (☎ 415-831-2727) qui sillonne le parc de bout en bout le week-end et les jours fériés, de 9h à 18h. Il dessert tous les sites intéressants. *Attention si vous venez en voiture le dimanche : une bonne partie des voies de circulation passant dans le parc sont alors fermées !* C'est assurément le meilleur moment pour visiter le parc et percevoir son ambiance. Des milliers de familles y pique-niquent, jouent au foot, au base-ball, au frisbee, avec des bateaux télécommandés, à la pétanque (les Français !), font du roller, de la musique... On a même vu une jeune femme et son vélo revêtus de rose à paillettes lâchant des bulles de savon...

– On peut entrer dans le parc par n'importe quel côté : en dehors de quelques secteurs spécifiques, aucune clôture ne le délimite. Si vous arrivez de Haight-Ashbury, faites une halte au QG du parc, au *McLaren Lodge (plan Le Golden Gate Park et le Presidio C-D3, 28)*. Vous y trouverez une carte sommaire pour mieux vous repérer. D'autres, plus détaillées, sont en vente dans certaines attractions, comme le proche *Conservatory of Flowers*.

– Passé le McLaren Lodge et Conservatory Drive, on trouve les *Camelia* et *Fuchsia Gardens (plan Le Golden Gate Park et le Presidio C-D3)*. Les premiers fleurissent soit au printemps, soit à l'automne (selon les espèces), les seconds tout au long de l'été. Pas très propre dès qu'on quitte les sentiers principaux.

– Juste après, voici la serre du *Conservatory of Flowers (plan Le Golden Gate Park et le Presidio C3)* : ☎ 415-831-2090. *Mar-dim 10h-16h. Entrée : 7 $; réduc.* Cette superbe structure de bois et de verre typiquement victorienne est inspirée des Kew Gardens londoniens. Pas moins de 16 800 carreaux diffusent une douce lumière sur un carré de forêt tropicale grimpant jusqu'aux voûtes. Le ballet arc-en-ciel des papillons vivants s'ajoute aux couleurs chatoyantes des multitudes de fleurs. Superbe.

– De l'autre côté de John F. Kennedy Drive : des fougères arborescentes, puis le coin des rhododendrons dont John MacLaren, le grand paysagiste écossais, était amoureux.

– On rejoint ensuite l'immense esplanade plantée séparant le *De Young Museum* (au nord) de la *California Academy of Sciences* (au sud). Voir plus loin les infos sur ces musées.

– Le *Music Concourse (plan Le Golden Gate Park et le Presidio C3)*, au sud de la *California Academy of Sciences*, accueille des concerts gratuits de la fanfare du parc le dimanche vers 13h – parfois aussi des groupes de rock. Au même moment, à deux pas, certains s'en donnent à cœur joie sur des rythmes de swing *(11h-14h, avec leçons pour débutants à midi).* ● lindyinthepark.com ●

– Notre endroit préféré, le *Japanese Tea Garden (plan Le Golden Gate Park et le Presidio C3)*, inauguré en 1894, se trouve juste à l'ouest du *De Young Museum*. *Tlj 9h-18h (16h45 nov-fév). Entrée : 7 $; réduc ; gratuit lun, mer et ven 9h-10h.* On déguste un excellent thé au jasmin (ou thé vert, «3 $) dans cet endroit ciselé comme une gravure : des pagodes, des bonsaïs fabuleux, des ruisseaux et des bassins où barbotent des *kois* (carpes), des petits ponts, des écureuils qui courent partout et même un bouddha assez important remontant au XVIIIe s... C'est le créateur du jardin qui aurait importé à San Francisco la mode du *fortune cookie*, ce petit gâteau sec contenant une prédiction.

– *San Francisco Botanical Garden (Strybing Arboretum ; plan Le Golden Gate Park et le Presidio B-C3) :* 9th Ave et Lincoln Way. ☎ 415-661-1316. ● *sfbotanicalgarden.com* ● *Tlj 9h-18h (dernière entrée) du 2e dim de mars à sept ; 9h-16h du 1er dim de nov à janv ; 9h-17h le reste de l'année. Entrée : 7 $; réduc ; gratuit 2e mar du mois.* Cette fabuleuse oasis étendue sur plus de 22 ha abrite quelque

8 000 espèces de plantes provenant du monde entier. Elles sont présentées par secteurs géographiques et biotopes : Méditerranée, rhododendrons, Australie, Nouvelle-Zélande, forêt andine, camélias, forêt des nuages, sans oublier un poétique *jardin des parfums (Garden of Fragrances)*.

– Le *jardin de roses (plan Le Golden Gate Park et le Presidio C3)* situé un peu après le *De Young Museum,* sur John F. Kennedy Way, ne mérite pas forcément un détour. Joli, oui, mais les bruits de la circulation gâchent sacrément la sérénité des lieux.

– Plus à l'ouest, les visiteurs se font moins nombreux. On atteint le **Stow Lake** *(plan Golden Gate Park et le Presidio B3),* au centre duquel flotte l'île de Strawberry Hill, couverte de pins, acacias et eucalyptus. Possibilité de manger un morceau au snack et de louer canots et embarcations à pédales – mais c'est cher *(14-19 $/h)*.

– Dans la partie ouest du parc, l'**enclos à bisons** *(Buffalo Paddock ; plan Le Golden Gate Park et le Presidio A3)* existe depuis1890.

– Juste derrière se trouve un *terrain de pétanque* où, parfois, le dimanche, les Français de San Francisco se retrouvent.

– Passé le golf, enfin, on atteint l'angle nord-ouest du parc, veillé par un *moulin hollandais,* le **Dutch Windmill** *(plan Le Golden Gate Park et le Presidio A3)*. À ses pieds, cela va de soi, se trouve un beau jardin de tulipes ! Un autre moulin, le **Murphy Windmill** *(plan Le Golden Gate Park et le Presidio A3),* occupe l'angle sud-ouest du parc. L'un et l'autre servaient jadis à pomper les eaux souterraines.

– Au-delà, le parc s'ouvre sur **Ocean Beach,** la plus longue plage de San Francisco (voir plus loin).

🐾🐾🐾 **De Young Museum** *(plan Le Golden Gate Park et le Presidio C3)* : 50 Hagiwara Tea Garden Dr, Golden Gate Park. ☎ 415-750-3600. ● deyoung.famsf.org ● D'Union Sq, prendre la ligne N du métro jusqu'à Irving St et 9ᵗʰ Ave, le musée est à 4 blocs à pied, ou continuer en bus ligne 44. Sinon, bus n° 5 depuis Market jusqu'à la hauteur de la 8ᵉ ou 10ᵉ avenue. ♿ Mar-dim 9h30-17h15 (20h45 ven avr-nov) ; dernière entrée 1h avt. Entrée : 10 $; réduc (dont 2 $ si vous avez votre billet MUNI) ; gratuit 1ᵉʳ mar du mois (sf expo temporaire) ; compter env 21 $ supplémentaires pour les expos temporaires. Inclus dans le CityPass. Le billet permet l'entrée gratuite le même j. au California Palace of the Legion of Honor (va pas falloir traîner !).

Endommagés par le tremblement de terre de 1989, les bâtiments ont été rasés pour faire place à un ensemble futuriste érigé en 2005 par les architectes suisses Jacques Herzog et Pierre de Meuron, à qui l'on doit notamment la géniale Tate Modern de Londres. Avec sa façade recouverte d'une peau en cuivre, on croirait qu'un porte-avions rouillé s'est échoué dans le Golden Gate Park ! Cela dit, avec le temps, le cuivre devrait virer au vert pour se fondre dans la végétation. Le De Young possède des collections aussi diverses qu'intéressantes, même si la muséographie peut sembler déroutante. En effet, les œuvres sont classées à la fois par thèmes et par donateurs pour ne pas froisser les susceptibilités et les bonnes volontés...

– Le **rez-de-chaussée** est divisé en quatre ensembles de taille inégale. L'un est dédié à l'art contemporain américain, représenté par Willem De Kooning, Richard Diebenkorn, Edward Hopper, Robert Motherwell, Stella, Mark Rothko, etc. Du classique en somme, avant de faire le grand écart historique et culturel en abordant les collections consacrées aux cultures amérindiennes. D'abord, une très jolie petite galerie d'art inuit, avec des pièces rarement vues, comme cette splendide boîte en bois incrustée d'animaux en ivoire de morse. Derrière s'ouvre une petite salle de poterie pueblo moderne. Vient ensuite le plus beau : une section d'art précolombien de l'Amérique centrale et andine. On y trouve de véritables trésors. Mentionnons cette splendide petite figurine en mosaïque de pierres huari (Pérou), de superbes ornements en or, un couteau cérémoniel mixtèque (Mexique) en obsidienne au manche en mosaïque de turquoise, des anneaux de jeu de balle ciselés d'une rare beauté, des encensoirs et un vaste ensemble de poterie polychromes mayas, sans oublier un masque en jadéite, et encore une collection admirable de

fresques murales rapportées de Teotihuacán... Même les musées spécialisés sur le sujet peinent à présenter des pièces d'une telle beauté : rien que du premier choix.
– Le *1er étage* est particulièrement intéressant pour les passionnés d'art primitif. Les collections, parfaitement mises en valeur, se décomposent en fonds africain et océanien, d'une rare richesse. On y croise pêle-mêle de fort beaux objets dogons (Mali), d'innombrables masques à tête d'animaux, un curieux tabouret de chef ghanéen représentant deux jambes se disputant un ballon de foot (vers 1920), un cercueil ghanéen) en forme de cabosse de cacao, des statuettes de l'île de Pâques, des tikis maoris et tahitiens, puis une énorme collection provenant de Papouasie-Nouvelle-Guinée – des boucliers, des têtes d'ancêtre reliquaires, de très grands *yipwon* (représentations d'esprits guerriers ou de la chasse) sculptés en crochets, des planches votives ... plus de 400 objets en tout, rien que pour cet espace culturel. On passera plus rapidement dans la section des arts décoratifs, inégale, pour aller faire un tour du côté de l'art américain, des origines jusqu'au XXe s. La salle 28 regroupe les plus beaux tableaux, des portraits par Robert Henri et John Singer Sargent *(Le Verre de porto)*.
– Essayez aussi de consacrer du temps aux excellentes expositions tournantes de photographies (le fonds est énorme). Au gré du calendrier, vous aurez peut-être la chance de découvrir les clichés de Diane Arbus, Imogen Cunningham, Richard Avedon, Warhol, Brassaï, Atget et Nadar.
– Du sommet de la *De Young Tower*, accessible par des ascenseurs depuis le rez-de-chaussée, on bénéficie d'une vue saisissante, à 360°, sur San Francisco, de Twin Peaks au Golden Gate et d'Ocean Beach à la *Transamerica Pyramid*. Si le brouillard se lève en traître, on se consolera avec une belle photo satellitaire pour mesurer tout ce qu'on rate !
I●I ♟ Situé à l'arrière du bâtiment, un *café*, aux baies vitrées ouvrant sur le parc, offre une halte bien agréable ; petits plats bio, un peu chers. *Ferme à 16h30 (20h ven avr-nov).*

🎭🎨 ⚅ *California Academy of Sciences (plan Le Golden Gate Park et le Presidio C3) :* 55 Music Concourse Dr, Golden Gate Park, face au De Young Museum. ☎ 415-379-8000. ● calacademy.org ● *Bon plan : si vous venez en bus ou à vélo, réduc de 3 $ sur l'entrée (conservez le billet). Tlj 9h30 (11h dim)-17h. Entrée : env 35 $ fin mai-début sept (Memorial Day à Labor Day), 30 $ le reste de l'année ; réduc. Le supplément de prix en hte saison (!) ne s'applique pas si on achète le billet sur Internet. Inclus dans le CityPass. Soirée spéciale ts les jeu 18h-22h pour plus de 21 ans avec conférence, projection au planétarium, musique et cocktails (entrée : 12 $). Attention, ce musée connaît un franc succès alors pensez à arriver le plus tôt possible !*
Dix ans de travaux et 500 millions de dollars ont été nécessaires à la renaissance de ce musée, endommagé par le tremblement de terre de 1989. Rouvert en 2008, il fait concurrence à son voisin le *De Young* par l'originalité de son architecture, en particulier son toit vallonné et paysagé, œuvre de l'architecte italien Renzo Piano. Tout a été pensé pour en faire un modèle de design éco-énergétique : de vieux jeans servent à l'isolation, des panneaux solaires fournissent une partie de l'énergie, et le bâtiment est soutenu par de l'acier recyclé. Le toit, étendu sur 1 ha, est laissé à la nature : les graines apportées par le vent y prennent racine sous le contrôle vigilant des jardiniers (on peut y monter par un ascenseur et profiter de la vue).
– En pénétrant dans le musée, deux sphères vous font face : à gauche le planétarium, à droite la bulle vitrée de la forêt tropicale humide. Le *planétarium* abrite le plus grand dôme numérique au monde ; on y projette au moins six fois par jour un film en images de synthèse assez époustouflant sur les tremblements de terre, en faisant voyager les spectateurs au-dessus de la faille de San Andreas. *Conseil :* allez chercher les billets d'entrée au planétarium (gratuits) dès votre arrivée, car leur nombre est limité ; on peut les retirer près de l'entrée de celui-ci, face à la grande girafe empaillée ; au passage, admirez sous vos pieds les raies nageant dans le récif corallien philippin.

– La visite de la **forêt tropicale humide** (Rainforest, 10h-16h slt) est originale, même si le lieu est assez petit : une passerelle hélicoïdale permet de découvrir les différents étages de végétation de ce milieu commun, entre autres, à l'Amazonie, Bornéo, Madagascar et le Costa Rica. De nombreux papillons volettent librement et des vivariums présentent insectes et reptiles. Parvenu en haut, un ascenseur vitré permet de plonger directement au sous-sol, dans la partie immergée de la forêt, où nagent piranhas, anguille électrique et gigantesques *arapaimas* longs de 2 m – prélude au *Steinhart Aquarium*.

– Le **Steinhart Aquarium** présente 900 espèces d'animaux marins. Passé la zone amazonienne, une grande section est consacrée aux eaux de la Californie du Nord, avec un vaste aquarium peuplé de myriades de poissons et d'oursins violets. Les mérous géants du Pacifique peuvent vivre un siècle ! Après les eaux froides, les eaux chaudes : un immense aquarium très profond recrée intégralement un récif philippin. Tout autour sont présentés dragons des mers, poissons-archers, rares nautiles, poissons bioluminescents, etc. Les enfants peuvent toucher coquillages et étoiles de mer.

– De retour au rez-de-chaussée reste à voir deux expositions de long terme. Derrière le planétarium, le **Kimball Museum of Natural History** regroupe une galerie africaine, où lions, guépard, dikdiks et autres antilopes empaillés côtoient des pingouins sud-africains bien vivants, et des expos consacrées à la faune et à la flore, endémiques de Madagascar et des Galápagos. Dans un coin, un marais habité par un curieux alligator albinos.

– Derrière la forêt tropicale, l'exposition **Earthquake** présente les risques de séismes auquel est soumis San Francisco. Les visiteurs se pressent surtout dans la petite **Shake House**, où vous pourrez revivre (en deux temps) les tremblements de terre de 1989 (6,9 sur l'échelle de Richter), puis 1906 (7,9). Soudain, les murs se mettent à trembler, le chandelier oscille et le poisson rouge est sur le point de tomber de son bocal. Rassurez-vous, toutes les mesures à prendre en cas de tremblement de terre sont détaillées dans le reste de l'expo !

|●| ☕ Un **café** offre des petits plats variés, à des prix raisonnables. Pour les plus fortunés, il y a aussi un vrai **restaurant,** le *Moss Room (tlj 11h-15h),* mais il est situé en sous-sol, sans un brin de lumière naturelle...

🏄 **Ocean Beach** (plan Le Golden Gate Park et le Presidio A3) : bordant toute la côte ouest de San Francisco, la plage s'étire sur 6,5 km entre Cliff House (au nord) et les abords du lac Merced (au sud). On pourrait imaginer une plage ensoleillée envahie de baigneurs, mais il n'en est rien : entre le brouillard qui colonise la côte tout au long de l'été, le vent, les courants dangereux et la température de l'eau (9-12 °C), les amateurs sont rares. Seuls les surfeurs se jettent à l'eau, à leurs risques et périls. Chaque année, plusieurs d'entre eux y laissent leur vie.

🏄 **Cliff House** (plan Le Golden Gate Park et le Presidio A2) : 1090 Point Lobos Ave. Bus n° 38 ou 38L de Geary St (dans le Downtown) jusqu'au terminus. ☎ 415-386-3330. ● cliffhouse.com ● La Cliff House est surtout intéressante pour son histoire rocambolesque, que l'on découvre grâce aux photos anciennes exposées au bar et dans le *Visitor Center* situé un peu plus haut sur Point Lobos Avenue (voir ci-dessous). Construite en 1858 avec la cargaison de bois d'un navire naufragé sur le site même, à une époque où le secteur était encore totalement vierge, elle fut endommagée lorsque la goélette *Parallel* vint se fracasser au pied de l'édifice, ses soutes bourrées de dynamite... Réparée, elle brûla entièrement en 1894. Adolph Sutro (voir ci-après) la reconstruisit 2 ans plus tard. Survivant au tremblement de terre de 1906, elle brûla à nouveau en 1907... Le bâtiment actuel, récent, a été restauré pour ressembler à la Cliff House reconstruite à cette époque. Il abrite un restaurant cher, très touristique et de qualité controversée, et un bistrot un peu plus accessible. On peut éventuellement y prendre le petit déj, histoire de bénéficier de la belle vue sur les Seal Rocks. Le bar (sans vue) est sympa aussi, avec son énorme comptoir en bois français du XIXe s et son dallage à petits carreaux.

🏃 Sutro Baths *(plan Le Golden Gate Park et le Presidio A2)* **:** en contrebas de la Cliff House, côté nord, se détachent les vestiges de cet ensemble de loisirs construit par le millionnaire Adolph Sutro. Né en Prusse, celui-ci fit fortune dans les années 1860 en installant un système de ventilation et d'évacuation des eaux dans les mines d'argent de Comstock, au Nevada, permettant ainsi leur exploitation. Premier maire juif de San Francisco (1894-1896), il fit construire sur ses deniers un établissement balnéaire où les San-Franciscains pouvaient profiter de sept piscines d'eau douce et salée, un théâtre, un musée et même une patinoire. Un petit train fut aménagé pour transporter les visiteurs jusqu'aux bains. Pour des raisons financières, les Sutro Baths furent fermés dans les années 1960 et détruits par le feu (décidément, c'est une épidémie) en 1966. Cliff House et Sutro Baths font aujourd'hui partie du *Golden Gate National Recreation Area,* géré par le service des parcs nationaux. Le *Visitor Center* raconte leur histoire *(680 Point Lobos Ave ;* ☎ *415-426-5240 ; tlj 9h-17h).*

🏃🏃 Land's End *(plan Le Golden Gate Park et le Presidio A2)* **:** du *Visitor Center* des Sutro Baths part l'un des plus beaux sentiers de balade de la côte. Relativement plat dans sa première partie, il offre de très belles vues (par temps dégagé bien sûr) sur les bains, les Seal Rocks, les îles Farallon au loin, Marin Headlands et, plus avant, le Golden Gate et l'entrée de la baie de San Francisco. À marée basse, on peut apercevoir les restes de quelques-uns des nombreux bateaux qui se sont échoués au pied de ces falaises. Des escaliers vous permettront de descendre jusqu'à la petite plage isolée de Mile Rock et une branche vous mènera vers le Camino del Mar et jusqu'au musée de la Légion d'honneur. Attention, une partie du sentier est inaccessible aux vélos (marches). Pour plus d'infos : ● *nps.gov/goga/ planyourvisit/landsend.htm* ●

🏃🏃🏃 California Palace of the Legion of Honor *(plan Le Golden Gate Park et le Presidio A-B2)* **:** 100 34th Ave, dans Lincoln Park (par Clement St). ☎ *415-750-3600.* ● *legionofhonor.famsf.org* ● ⚒ *Du Downtown, bus n° 38 ou 38L sur Geary St jusqu'à 33rd Ave, puis 10 mn à pied en traversant le golf (ou changer pour le n° 18) ; également bus n° 1 depuis Chinatown ou Embarcadero via California St. Tlj sf lun 9h30-17h15. Entrée : 10 $ (plus cher avec l'expo temporaire) ; réduc, dont 2 $ en montrant votre billet de bus ; gratuit 1er mar du mois (sf expo temporaire). Inclus dans le CityPass. Le billet permet l'entrée gratuite le même jour au De Young Museum. Audioguide 7 $ pour les expos. Nombreuses visites guidées (gratuites), tlj 10h30-14h (durée 30 mn-1h).*

L'architecture de ce très beau musée d'Art s'inspire librement de celle de l'hôtel de Salm à Paris, qui abrite le musée de la Légion d'honneur, d'où le nom de l'endroit et la devise au fronton en français, *Honneur et Patrie.* À l'entrée, dans une cour cernée de colonnes, *Le Penseur* annonce l'une des plus belles collections de Rodin au monde. Par sa belle situation dans le parc Lincoln, son architecture, la richesse de ses collections et la qualité de leur présentation, ce musée est l'un des plus beaux de San Francisco. Attention, comme souvent aux États-Unis, les œuvres tournent régulièrement ; certaines expos temporaires s'étendent parfois jusque dans les salles permanentes, reléguant un temps leurs collections dans les réserves.

Rez-de-chaussée
Prendre à gauche après la billetterie et rejoindre les salles du fond pour suivre l'ordre chronologique en commençant par la petite salle des antiquités (n° 1), assez fourre-tout. Au centre, une superbe couronne de laurier en or du IIIe s. av. J.-C.
– *Salle 2 :* primitifs toscans, belle Vierge à l'Enfant de Taddeo di Bartolo, petit Fra Angelico, bas-relief en albâtre catalan du XIVe s où Adam ressemble étrangement au Christ et un beau couronnement de la Vierge anglais, aussi en albâtre.
– *Salle 3 :* lever la tête pour admirer la belle coupole de style mudéjar (Espagne, XVe s) en bois polychrome, madones typiques du gothique espagnol, flamand et germanique : *Madone et Enfant* de Dierick Bouts, *Vierge à l'Enfant* du maître de la

légende de Sainte-Lucie (fin travail sur les drapés, rouges éclatants). Splendides éléments de retable dont on retiendra surtout le panneau des *Damnés de l'enfer*, avec tous ces rois, moines et archevêques attendant d'expier leurs fautes dans d'atroces souffrances... Beaux portraits de femmes, dont un tableau de Salomé attribué à Cranach (1537) auquel répond une Lucrèce de Joos van Cleeve.
– *Salle 4 :* œuvres de la Renaissance florentine et vénitienne, avec une *Vierge à l'Enfant* en céramique de della Robbia, beau candélabre en bronze du XVIe s de Ravenne.
– *Salle 5 :* Renaissance et maniérisme avec des tableaux de l'école de Fontainebleau, un buste en marbre de Cosme Ier (de Médicis) par Cellini, saint François et saint Jean-Baptiste par le Greco et surtout un magnifique trio de portraits de Lorenzo Lotto, du Titien et du Tintoret. Ajoutez quelques beaux émaux.
– *Galerie George et Mary Hecksher (salle 6) :* le baroque français et italien s'exprime au travers d'œuvres comme *Samson et le Nid d'abeilles* du Guerchin, *Saint Jean-Baptiste prêchant* de Mattia Preti, un *Martyr de saint Bartholomé* en clair obscur de Luca Giordano et une vue du Tivoli du Lorrain. Notez aussi cet impressionnant cabinet français du XVIIe s.
– *Galerie Robert Dollar (salle 7) :* pas mal de mobilier français baroque, dont un joli cabinet du XVIIe s en ébène, écailles de tortue, ivoire et bois précieux. Le XVIIIe s français est représenté par Nattier, Van Loo, Fragonard, Boucher (oh, les belles bacchantes... et les très érotiques compagnes de Diane chasseresse)... Mentionnons aussi l'*Empire de Flore* de Tiepolo, aux grassouillets chérubins, gentiment kitsch.
– *Salles 8, 10 et 12 :* consacrées à la sculpture de Rodin, elles abritent quelque 80 œuvres du maître. Parmi elles : Victor Hugo, plâtres et modèles préparatoires pour les *Bourgeois de Calais* et pour le décor inachevé du musée des Arts décoratifs de Paris. Notons aussi un superbe *Rodin* par Camille Claudel.
– *Salle 9 :* un salon de 1740, entièrement reconstitué après avoir été démonté dans un château rouennais, sert d'écrin aux arts décoratifs français de l'époque rococo.
– *Salles 11 et 13 :* récemment en travaux, elles devraient accueillir la reconstitution du beau *Salon Doré* de l'ancien hôtel parisien de La Trémoille, démoli en 1905.
– *Salle M. et A. Naify (salle 14) :* chefs-d'œuvre de la peinture baroque hollandaise et flamande (XVe et XVIIe s). Au menu : la *Sainte Famille* de Jacob Jordaens, *Le Christ et le denier de César (The Tribute Money)* de Rubens, *Marie-Claire de Croy* de Van Dyck, le portrait de Joris de Caulerii par Rembrandt.
– *Salle 15 :* peinture flamande du XVIIe s (suite), avec Jan Steen, Dirck Hals (élégant gentilhomme), un petit village de Bruegel l'Ancien et quelques portraits d'une austérité glaçante.
– *Salle 16 :* le néoclassicisme français, avec Greuze, David, Vigée-Lebrun... Buste de femme par Houdon.
– *Salle 17 :* les réalistes, pré-impressionnistes et l'école de Barbizon avec Corot, Jongkind et Courbet, une belle tête de christ de Manet et un invraisemblable tableau du Russe Makovski (mouvement des Ambulants) dépeignant avec une foison de détails les préparatifs d'un mariage. Au passage, un joli *Wagon de troisième classe* de Daumier.
– *Salle 18 :* rapide passage chez les Victoriens.
– *Salle 19 :* on termine par les peintres impressionnistes, dont une belle série de Monet entre nymphéas, Venise et océan, Degas (voir aussi le bronze de cheval trottant), Renoir, etc. Dans la même pièce, un très beau portrait par Modigliani, deux Dalí, un Picasso... un peu décousu tout ça.

Sous-sol
C'est ici que se tiennent les grandes expos temporaires. Restent, également, un ensemble de vitrines présentant des antiquités – assyriennes, égyptiennes, perses, grecques, étrusques et romaines –, et une galerie de porcelaines, en majorité anglaises (magnifiques majoliques italiennes néanmoins).

|●| **Museum Cafe :** *mar-dim 9h-16h30. Plats 7,50-13 $.* Un lieu agréable, avec terrasse aux beaux jours. On y grignote salades, quiches et sandwichs.

⚔ Presidio *(plan d'ensemble détachable A-B C-D1-2 et plan Le Golden Gate Park et le Presidio B-D1) :* Visitor Center, *105 Montgomery St (et Lincoln Blvd), sur le Parade Ground.* ☎ 415-561-4323. ● *nps.gov/prsf* ● *Jeu-dim 10h-16h. GRA-TUIT. Accès par les bus MUNI n°s 28, 29 et 43, ou par le PresidioGo shuttle, un bus gratuit, à prendre au Transbay Terminal, à la station BART de l'Embarcadero, ou à l'angle d'Union St et Van Ness Ave. Attention, ce dernier n'est accessible aux visiteurs qu'en sem, les j. ouvrables, 9h30-16h30 et 19h30-20h30 ; dernier retour à 20h. Passage ttes les 30 mn à 1h. Il dessert le Transit Center, situé à côté du* Visitor Center *et du* Walt Disney Family Museum. *De là, le PresidioGo Around the Park, un autre bus gratuit, effectue 2 boucles à travers tt le parc du Presidio, permettant de gagner ses différents centres d'intérêt sans efforts (Baker Beach pour une ligne, Golden Gate Bridge pour l'autre). Ttes les 30 mn, lun-ven 6h30-19h30, w-e 11h-18h30 slt. Infos pour les transports au* ☎ 415-561-5300. ● *presidio.gov* ●

Occupant un immense territoire (1 491 ha) accidenté et boisé au nord-ouest de la ville, face au pont du Golden Gate, ce parc doit son nom au fort qu'y construisirent les Espagnols en 1776 – aujourd'hui disparu. Cet emplacement stratégique gardant l'entrée de la baie de San Francisco a été occupé jusqu'en 1994 par l'armée. Il est désormais géré par le service des parcs nationaux. Si les abords du *Visitor Center* ont gardé leur caractère très militaire (entendez : pas grand intérêt, sauf à venir voir le *Walt Disney Family Museum* – voir plus loin), les sentiers (40 km) et pistes cyclables (22,4 km) offrent l'occasion de belles balades entre pins, cyprès et eucalyptus, jusqu'à découvrir de très beaux panoramas sur le Golden Gate Bridge à l'extrémité nord-ouest du parc. Mais sachez-le : ça grimpe ! Une balade très populaire à faire en vélo (éventuellement à pied) : partir du Fisherman's Wharf pour rejoindre Sausalito via le Golden Gate, en passant par Crissy Field et Fort Point, situés dans les limites du parc du Presidio. On peut aussi rejoindre la belle plage de Baker Beach par le superbe *Coastal Trail*. Ce parc est considéré par les rangers comme étant sûr durant la journée.

Voici les principaux centres d'intérêt, présentés d'est en ouest :

– **Letterman Digital Arts Center** *(plan Le Golden Gate Park et le Presidio D1) :* 1 Letterman Dr, *accès par Lombard St, à l'est du Presidio.* Ces locaux abritent les différentes sociétés de George Lucas. Les mordus de *Star Wars* y croiseront Yoda en haut d'une fontaine, Dark Vador et plein d'accessoires de la saga *Star Wars* dans le lobby du bâtiment B.

– **Crissy Field** *(plan Le Golden Gate Park et le Presidio C1) : le long de la baie, à la hauteur du* Palace of Fine Arts. On s'y promène à vélo ou à pied le long de la plage et d'un marais côtier restauré, où s'ébattent quelques aigrettes. La zone servit de piste d'atterrissage militaire de 1919 à 1936. Très belle vue sur le Golden Gate. Une petite faim ou soif ? Le *Beach Hut Cafe* se dresse à l'est de la plage *(tlj 9h-17h).*

– **Fort Point National Historic Site** *(plan Le Golden Gate Park et le Presidio B1) :* Marine Dr, *au pied du pilier sud du Golden Gate Bridge.* ☎ 415-556-1693. ● *nps. gov/fopo* ● *En été, tlj 9h-17h (19h w-e) ; le reste de l'année, ven-dim 10h-17h. GRATUIT.* Ce serait le seul bâtiment de ce genre à l'ouest du Mississippi. Construit en 1853-61, ce vieux fort en brique assurait la défense de la baie conjointement avec le bastion d'Alcatraz et le Fort Mason (plus à l'est, dans le quartier de Marina). Dans les années 1930, devenu obsolète, il servit de QG aux ingénieurs du Golden Gate, qui lui passe juste au-dessus de la tête. Les salles d'expo semées au gré des couloirs venteux se consacrent à ces deux périodes, à travers vieux uniformes, magasins à munitions, photos anciennes et autres. Dans la cour, le vieux canon de San Martín, fondu au Pérou en 1684, appartenait au vieux fort espagnol (disparu) dressé en ces lieux à la fin du XVIIIe s. Ne manquez pas de monter sur la terrasse supérieure : de là, on peut presque toucher le Golden Gate ! Les cinéphiles reconnaîtront l'endroit où Kim Novak se jette dans la baie dans le film d'Hitchcock

SAN FRANCISCO

Sueurs froides ; aujourd'hui, ce sont les surfeurs qui se lancent à l'eau, histoire de dire qu'ils ont fait une session sous le pont !

– **Golden Gate Bridge Pavilion** *(plan Le Golden Gate Park et le Presidio B1)* **:** *au-dessus de Fort Point (ça grimpe sec !).* C'est avant tout un point de vue sur le Golden Gate, avec petit centre d'infos-boutique du parc du Presidio, bus de touristes et bibelots en tous genres.

– **Coastal Trail** *(plan Le Golden Gate Park et le Presidio A-B1-2)* **:** soulignant la côte ouest du parc du Presidio, il relie (en 4,4 km) le Golden Gate Bridge à Baker Beach, offrant des points de vue spectaculaires sur le pont – particulièrement en fin de journée. Une section a été récemment endommagée par les tempêtes hivernales, obligeant à quelques détours moins évocateurs dans l'intérieur des terres.

– **Baker Beach** *(plan Le Golden Gate Park et le Presidio B2)* **:** soulignant le sud-ouest du parc du Presidio, cette jolie plage offre l'un des plus beaux points de vue de San Francisco sur le Golden Gate – particulièrement au coucher du soleil. Aux beaux jours, elle est fréquentée dans sa partie nord par les nudistes (gays surtout). Les bronzeurs plus « traditionnels » se regroupent plus près du parking. Pas de baignade.

🎭🎭 Palace of Fine Arts *(plan Le Golden Gate Park et le Presidio D1)* **:** *à l'extrémité nord-est du Presidio, à la limite du quartier de Marina.* Dernier vestige grandiloquent de la *Panama-Pacific Exposition* de 1915, organisée pour montrer la renaissance de San Francisco après le séisme de 1906, il est précédé d'une rotonde aux colonnades néoclassiques monumentales se mirant dans un petit plan d'eau.

🎭🎭🎭 🚶 Walt Disney Family Museum *(plan Le Golden Gate Park et le Presidio C1)* **:** *104 Montgomery St, dans le Presidio.* ☎ *415-345-6800.* ● *waltdisney.org* ● *Pour les transports en commun, voir infos du Presidio, ci-dessus. Tlj sf mar et certains j. fériés 10h-18h ; dernière entrée 16h45. Entrée : 20 $; 12 $ 6-17 ans ; gratuit en dessous. Résa conseillée via Internet ; parfois quelques tickets disponibles sur place mais sans garantie. Photos interdites.* Inauguré en 2009 dans un des anciens bâtiments militaires du Presidio, c'est le premier musée du monde dédié à Walt Disney, sa vie, son œuvre. La famille du dessinateur, notamment sa fille Diane, est à l'origine de ce vaste projet qui a coûté quelque 100 millions de dollars (et on n'en est pas peu fier !).

Au rez-de-chaussée

Le parcours commence par les nombreux prix et oscars reçus par le maître du dessin animé. Puis, de nombreux panneaux et saynètes à l'ancienne retracent l'histoire familiale, de la naissance à Chicago en 1901 à la ferme du Missouri, du rachat du *Kansas City Star* que le petit Walt vend par tous les temps aux petits boulots à Chicago dans la *jelly factory,* à la poste ou dans des trains, en passant par ses premières caricatures qui lui permettent de se faire coiffer gratuitement, jusqu'à son engagement dans la Croix-Rouge en France pendant la Première Guerre mondiale (il ment sur son âge pour pouvoir partir !). À son retour, cet admirateur de Charlie Chaplin trouve un job à 50 $ par mois, s'achète sa première caméra et filme sa famille tout en inversant les images pour créer des effets humoristiques au fond de son garage. Des petites vidéos sympas illustrent cette période, ainsi qu'une ambulance de la Croix-Rouge grandeur nature datant de 1914-1918.

À l'étage

On vous racontera au moyen de jolies animations comment, arrivé à Hollywood avec 40 $ en poche, il décroche un contrat pour ses petits *cartoons (Alice Comedies)...* Mais aussi comment il pensait être arrivé trop tard sur le marché face à la concurrence de *Felix the Cat* et à l'indifférence des grandes *majors.* Il crée tout de même un nouveau personnage, *Oswald the Lucky Rabbit,* qui connaît un franc succès. Mais, à son grand désespoir, il se fait totalement spolier par son producteur ! Dans le train du retour entre New York et Los Angeles, Walt Disney, animé d'un sentiment de revanche, crée enfin son personnage fétiche, Mickey Mouse (qui faillit s'appeler Mortimer Mouse !), afin de remplacer Oswald... dont il s'est d'ailleurs inspiré. Cette fois, il monte son propre studio. La légende se met enfin en place... Ne pas manquer son premier dessin animé avec son synchronisé (en 1928), *Steamboat Willie* : sur un pan de mur entier, les 348 agrandissements de planches que vous voyez correspondent à une minute d'action seulement. Possibilité de s'essayer à l'exercice de la synchronisation entre le son et l'image (pas facile !). Puis on découvre des vitrines remplies de Mickey sous toutes ses formes, prémices du *merchandising,* ses premiers *cartoons* en couleur et l'importance grandissante que Disney accordait à la musique de ses films. De nombreux écrans présentent des extraits de dessins animés et le maître lui-même donnant quelques secrets de fabrication. Ne pas louper la vidéo consacrée à la naissance de la musique de *Who's afraid of the big bad wolf ?* (Qui a peur du grand méchant loup ?), particulièrement réjouissante. On passe ensuite en revue tous les grands classiques, tous des chefs-d'œuvre il faut bien le dire, des *Trois petits cochons* à *Blanche-Neige et les Sept Nains.* Ça vous rappellera votre jeunesse !

Dans la partie suivante, les studios Walt Disney ont bien grandi et fait fortune grâce au succès de Blanche-Neige, un très gros... carton. Le génie se lance dans la réalisation de *Pinocchio, Fantasia* et *Bambi.* Il lance l'énorme Burbank Studio en 1940. La dimension familiale s'estompe, et certains artistes s'assoupissent un peu dans l'anonymat... Pourtant, un certain Salvador Dalí y travaille quelque temps. Disney embauche même Stravinsky pour la musique de *Fantasia,* créant ainsi le premier son polyphonique *(Fantasound)*

POURQUOI MICKEY N'A-T-IL QUE QUATRE DOIGTS ?

Quand Disney l'inventa en 1928, tous les dessins étaient faits à la main. Même à 12 images/seconde (rythme de l'époque), le travail était énorme, donc on simplifiait au maximum les traits. Les personnages les plus anciens comme Pinocchio et les sept nains de Blanche-Neige n'ont eux aussi que quatre doigts. Et ça passe comme un gant à l'écran !

porté à l'écran. Des extraits de l'œuvre sont projetés sur grand écran (dommage que les sons se chevauchent entre les animations). Puis c'est la saison des déboires... La Seconde Guerre mondiale gèle l'activité des studios, poussant Disney dans le film de propagande *(Der Fuehrer's Face, Victory through Air Power).* Une grève de 3 mois achève de le faire enrager : c'est d'ailleurs, dit-on, à cause de ce conflit social, qu'il ne digéra jamais, que Walt Disney aurait dénoncé trois de ses employés, tous syndicalistes, lors d'une audition en 1947 auprès de la Commission des activités antiaméricaines, annonciatrice du sinistre maccarthisme. Une affaire bien peu glorieuse que le musée se garde de raconter en détail... Finalement, après la guerre, les studios se lancent dans le tournage de « vrais » films, tournés avec des acteurs.

La visite se termine par une batterie de vieux écrans projetant des vidéos, de vieilles caméras, un gros œil tournant, une maquette géante du Disneyland rêvé par le maître, le train miniature Lilly Belle construit par Disney en personne, un *optical printer* original expliqué par une animation et le récit du tournage de *Mary Poppins,* qui engloutit toutes les réserves financières de la compagnie... et obtint finalement cinq oscars. L'épilogue, évidemment, c'est la mort, le 15 décembre 1966, du « Showman of the world »... pleuré par de nombreuses unes de journaux et magazines avec Mickey en larmes !

l●l *Café-resto* sur place.

🔥 *San Francisco Fire Department Museum (plan d'ensemble détachable B3) : 655 Presidio Ave (entre Pine et Bush), au nord-est du Golden Gate Park, en direction du Presidio. ☎ 415-563-4630. ● guardiansofthecity.org/sffd ● Jeu-dim sf j. fériés 13h-16h. GRATUIT (donation appréciée).* Nos lecteurs fascinés par les soldats du feu découvriront des pompes à main, des voitures à incendie, une intéressante expo de photos sur l'incendie qui ravagea San Francisco à la suite du tremblement de terre de 1906, et un ensemble de souvenirs de Lillie Hitchcock Coit, l'héritière qui s'enflamma tant pour cette héroïque corporation (lire « À voir » à North Beach et Telegraph Hill).

♟♟♟ Golden Gate Bridge (plan Le Golden Gate Park et le Presidio B1) : le plus célèbre des ponts suspendus, mis en service en 1937, fut conçu et réalisé en moins de 5 ans ! Long de 2 737 m très précisément (1 280 m pour la partie suspendue), il enjambe la baie pour relier San Francisco au comté de Marin, au nord. L'architecte Joseph Strauss le dota d'un petit côté Art déco subtil.

Chaque semaine, 25 peintres utilisent environ 2 t de minium pour l'entretien ininterrompu de la structure métallique. Celle-ci est soutenue par de colossaux câbles dont tous les filins mis bout à bout s'étendraient sur... 129 000 km ! Un chiffre qui rassure lorsque, par mauvais temps, le pont oscille de 7 m ! Les véhicules paient 6 $ pour entrer en ville par le Golden Gate

ET ON JOUA LA SÉCURITÉ

Pour la première fois, les ouvriers durent obligatoirement porter un casque de sécurité. On s'inspira aussi des trapézistes de cirque pour installer un immense filet de sécurité qui sauva 19 ouvriers.

(voir nos informations très importantes à ce propos dans « Comment se déplacer à San Francisco et dans sa région ? Location de voitures »), mais c'est gratuit pour en sortir. Les fauchés revendront donc leur voiture de l'autre côté ! Les piétons et les cyclistes peuvent l'emprunter sans problème, à l'aller comme au retour, et peuvent combiner leur balade avec un trajet en bus (qui acceptent les vélos) ou un retour en ferry de Sausalito (5 km plus avant). Attention, le dernier bateau part à 20h le week-end et les jours fériés, 20h20 en semaine.

➤ *En transports en commun, prenez le bus n° 101 du Golden Gate Transit au Transbay Terminal (tarif : 4,25 $), ttes les 1h env, 6h-20h. Autre option : une combinaison du North Bound 30 MUNI dans le Downtown (angle Market et Kearny) jusqu'au carrefour de Chestnut et Laguna, à Marina, puis changer pour le South Bound 28 jusqu'à Toll Plaza (le péage du Golden Gate).*

LE PONT DES DERNIERS SOUPIRS

Le Golden Gate est tristement célèbre pour les suicides et se place au 2ᵉ rang mondial derrière le pont sur le Yang-Tsé-Kiang de Nankin, en Chine. Parmi les quelque 1 500 personnes à s'être jetées des 75 m du tablier, seuls 26 ont survécu. En 1979, après son saut, un jeune homme nagea jusqu'à la côte et gagna lui-même l'hôpital avec sa voiture !

➤ Ceux qui disposent d'un véhicule doivent absolument faire la route panoramique, au nord du Golden Gate Bridge. Vue fantastique sur le pont et San Francisco en arrière-plan. Sortir de la 101, juste après le Vista Point, et suivre la direction « Golden Gate National Recreation Area ». Un endroit super pour pique-niquer (voir « Sausalito – À Voir – Marin Headlands »).

– Autre point de vue idéal pour admirer le coucher de soleil sur le pont : Baker Beach, à l'ouest du Presidio. Au lever, on privilégiera plutôt Crissy Field ou le San Marin Vista Point, à droite après avoir franchi le pont (par la Hwy 101).

LA BAIE DE SAN FRANCISCO

TREASURE ISLAND

Le nom fait déjà rêver... l'île au Trésor ! Ne fantasmez pas trop, ce gros caillou jeté au beau milieu de la baie sert avant tout d'ancrage à l'Oakland Bay Bridge. Pourquoi y venir alors ? Pour une seule et unique bonne raison : le panorama extraordinaire sur le Downtown au lever et au coucher du soleil. Face à vous, tout le skyline

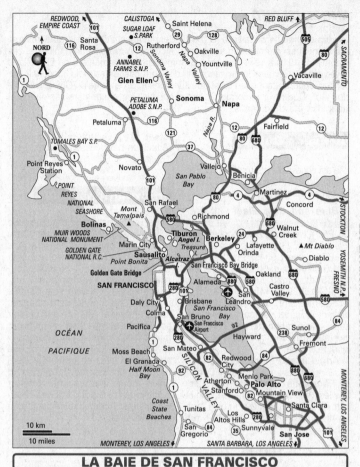

LA BAIE DE SAN FRANCISCO

de la ville se déroule jusqu'au Golden Gate, avec les gratte-ciel du Financial District et le phare de la *Transamerica Pyramid* particulièrement bien visibles de nuit. Pour l'anecdote, sachez que Treasure Island est entièrement artificielle – seule l'île de Yerba Buena, par laquelle on y accède en sortant de l'autoroute, est naturelle ! Bien avant Dubaï, les Américains avaient donc déjà leur île surgie des eaux. Bâtie pour les *flying boats* (hydravions) de la *Pan American World Airways,* elle accueillit l'exposition internationale de 1939, avant de devenir base navale. Rendue aux civils en 1997, elle commence tout juste à sortir de sa torpeur. Un grand marché aux puces y est organisé le dernier week-end du mois, de 9h à 16h, sur l'Avenue of the Palms *(entrée : 3 $).* Quelques restos y ont vu le jour, ainsi que des caves de dégustation, à l'image de la *Winery,* où les barriques s'empilent dans un grand hangar *(jeu-dim 12h-17h ; 10 $ pour une sélection de rouges ou de blancs, 15 $ les 2).* Mais de grands projets sont en cours : on parle déjà de trois hôtels, d'un centre commercial et de 8 000 résidences.

ANGEL ISLAND

La plus grande île de la baie (3,1 km²) n'est ni aussi accessible que Treasure Island, ni aussi connue que sa voisine, Alcatraz. Autrefois camp militaire, elle a abrité de 1910 à 1940 un centre d'immigration, à la manière du Ellis Island new-yorkais. Certains immigrants chinois y ont passé des mois, jusqu'à 2 ans parfois, en attendant que l'on statue sur leur sort à l'époque du *Chinese Exclusion Act*. Durant la Seconde Guerre mondiale, les prisonniers allemands et japonais y étaient détenus.

Arriver – Quitter

L'île est accessible par ferry depuis San Francisco et Tiburon. Dans les 2 cas, les tarifs incluent l'entrée du parc.

■ **Blue and Gold Fleet :** ☎ 415-705-5429. ● *blueandgoldfleet.com* ● Du Pier 41 à **San Francisco,** de mi-mai à fin oct, 2 bateaux/j. vers 9h45 et 13h05 en sem ; 9h45, 11h45, 14h20 et 17h45 le w-e. Retours à 10h20, 13h55 et 15h20 lun-ven ; 10h20, 12h25, 15h20 et 14h30 le w-e. Trajet : 25 mn. Tarif : 9 $ par trajet (pas de tarif A/R). La compagnie propose aussi une rotation de/vers Vallejo et une autre de/vers Alameda et Oakland, le w-e slt.
■ **Angel Island Ferry :** ☎ 415-435-2131. ● *angelislandferry.com* ● Départ de **Tiburon** tte l'année. Mai-sept, ferry ttes les 1h le w-e et à 10h, 11h, 13h et 15h en sem ; retours 20 mn plus tard. En hiver, les rotations n'ont lieu que le w-e (4/j.). Compter 13,50 $ l'A/R, réduc. On peut passer son vélo pour 1 $ slt !

Informations utiles

Angel Island est aujourd'hui un parc d'État, que l'on peut visiter. On y trouve un centre d'informations (☎ 415-435-5390 ; ● *parks.ca.gov/ ?page_id=468* ● ; *ouv de 8h au coucher du soleil*), 4 campings et 2 restaurants : le *Cove Café* et la *Cantina (tlj 10h-15h),* logiquement chers et assez moyens. Mieux vaut prévoir son pique-nique ! Les restos sont gérés par l'*Angel Island Company* (☎ 925-426-3060), qui propose aussi des visites en trottinette électrique ou en Segway (50-68 $ pour 2h), à moins que vous ne préfériez le minibus (15 $ pour 1h). Les réservations (par Internet seulement) sont conseillées en été.

À voir. À faire

Idéale pour une belle promenade, avec des points de vue sur toute la baie de San Francisco, l'île peut aussi se parcourir à vélo *(loc sur place, 12,50 $/h ou 40 $/j., mais il faut rendre le vélo à 15h en sem et 16h le w-e ; pas de sièges enfants disponibles).* Cela dit, le mieux est bien encore de se balader à pied. On choisit entre 2 itinéraires principaux : *Perimeter Road* (8 km), qu'empruntent aussi les vélos (env 2h30 à pied) et *Fire Road,* plus haut sur les pentes du mont Livermore (238 m) et plus ardue – d'où l'on peut gagner le sommet. Bien sûr, le centre d'immigration a été restauré et abrite un petit *musée (*☎ *415-435-5537 ; tlj 11h-15h ; entrée 5 $, réduc).* À pied, on s'y rend en 30-40 mn depuis le débarcadère situé à Ayala Cove (15-20 mn en vélo). Sinon, il y a une navette (5 $) 2 fois/j. en été, vers 10h30 et 12h30, depuis le café.

SAUSALITO (7 140 hab.)

Située au nord-ouest de la baie de San Francisco, de l'autre côté du Golden Gate Bridge, Sausalito fut un bastion hippie dans les années 1970. De cette époque heureuse demeure un quartier entier de *houseboats* (maisons sur l'eau) et une multitude de demeures charmantes entourées de jardins foisonnants émaillant les collines. Pour le reste, Sausalito accueille plutôt aujourd'hui des gens qui se prennent pour des hippies, des yuppies en quête de calme et des hordes de touristes... Le coin est joli, mais attention à votre bourse : les boutiques sont luxueuses, les hôtels hors de prix et les restos inabordables. Reste la très jolie balade en ferry depuis San Francisco.

LA CEINTURE DE BANANES

Dans les années 1870, les collines ensoleillées de Sausalito voient débarquer résidents britanniques et riches San-Franciscains attirés par cette enclave échappant au brouillard estival. Son climat et ses plantes tropicales la font vite surnommer « Banana Belt » ! Dans les années 1890, les fêtes fastueuses dans les villas incarnent le chic ultime de l'époque victorienne. William Randolph Hearst s'installe avec sa maîtresse, mais se voit boudé par la haute société locale : sa liaison extraconjugale choque les bonnes mœurs.

Arriver – Quitter

Avant toute chose, éviter d'y aller le week-end en été, c'est archibondé ! Le matin, à la belle saison, le brouillard envahit encore souvent la baie ; pour économiser quelques sous, on peut venir en bus (par le Golden Gate Bridge) et attendre que le temps se lève pour rentrer en ferry dans l'après-midi.

En bus

■ *Golden Gate Transit :* ☎ 511 ou *415-455-2000.* ● *511.org* ● *goldengate.org* ● De San Francisco, prenez le bus n° 10 à l'angle de Mission et 1st ou de Market et 7th. Ttes les 30 mn (parfois) à 1h (plus généralement), 6h39-18h34 en sem ; ttes les 1h, 8h22-18h22 le w-e ; retours 6h52-18h59 en sem, 7h56-17h56 le w-e. Trajet : 45 mn à 1h. Tarif : 4,75 $, réduc. Autres options : n°s 2 ou 92 (mais ils sont peu fréquents). Attention, le *pass MUNI* et le CityPass ne sont pas valables.
➤ *Bolinas :* avec *Marin Transit* (☎ *415-520-3239 ;* ● *marintransit.net* ●). Bus n° 61 depuis l'office de tourisme w-e et j. fériés, ttes les 2h env, 11h15-20h35 ; retours 8h35-19h56. Sinon, 4 bus/j. lun-ven au *Marin City Hub,* Donahue St et Terners Dr, à 2 km au nord du centre, vers 8h20, 11h45, 15h35 et 19h15 ; retours vers 6h55, 9h40, 13h30 et 18h. Tarif : 2 $.

En ferry-boat

Le ferry est tout aussi valable que l'excursion dans la baie en bateau et nettement moins cher ! Compter 30 mn de traversée.

■ *Golden Gate Ferry :* Ferry Building, au début de Market St. ☎ *511,* ou *415-455-2000.* ● *goldengateferry.org* ● En sem, départ de San Francisco à 7h40, puis ttes les 1h-1h30 env, 10h-19h55 ; w-e et fêtes, 8 départs/j., 10h40-18h45. Retours de Sausalito : en sem 7h10-19h35, w-e et fêtes 11h20-19h30. Pas de bateau à Thanksgiving, à Noël et le 1er janv. Prix : 10,25 $; réduc. Trajet : 30 mn. On peut embarquer son vélo, sauf s'il est électrique.
■ *Blue and Gold Fleet :* départs de Fisherman's Wharf, Pier 41, mais les billets peuvent aussi être achetés au Pier 39, à bord ou sur Internet. ☎ *415-705-8200.* ● *blueandgoldfleet.com* ● De mi-mai à fin oct, 6-7 bateaux/j. en sem, départs 10h55-18h15 (20h40 le ven) ; w-e et fêtes, départs 10h55-19h25. Retour de Sausalito en sem 11h35-20h20 (21h40 le ven) ; w-e et fêtes 11h35-20h. Un poil plus cher qu'avec Golden Gate Ferry : 11 $.

Adresses utiles

🛈 *Sausalito Visitor Center :* 780 Bridgeway, juste en bordure du Sausalito Yacht Harbor. ☎ *415-332-0505.* ● *sausalito.org* ● Tlj sf lun 11h30-16h. Carte gratuite avec liste des hôtels, restos et galeries d'art, infos sur les loisirs dans la baie... Abrite une petite expo historique sur Sausalito (gratuite), dans laquelle on suit l'évolution du village, des premiers explorateurs à la Seconde Guerre mondiale, à travers photos, documents et objets anciens. Tenu par des bénévoles, pas toujours compétents.

■ *Location de vélos* : 1201 Bridgeway. ☎ 415-887-9549. ● *sausalitobikeco. com* ● Tlj à partir de 8h. À env 10 mn à pied au nord du ferry. Compter 50 $/j. (quand même !). Un conseil : ne vous attaquez pas aux Marin Headlands en vélo, vous pourriez le regretter : les pentes sont très raides.

Où dormir ?

Dormir à Sausalito lorsqu'on visite San Francisco, c'est la cerise sur le gâteau. Il y a peu d'hôtels, souvent complets longtemps à l'avance, et surtout très chers. Reste l'AJ de Marin Headlands (si vous êtes motorisé de préférence).

▲ *Hostelling International Marin Headlands* : building 941, Fort Barry, à l'extrémité ouest de la péninsule de Marin, dans le Golden Gate National Recreation Area. ☎ 415-331-2777. ● norcalhostels.org/marin ● Voiture quasi obligatoire : de Sausalito, suivre Marin Headlands, passer sous un tunnel à sens unique. De San Francisco, prendre la sortie Alexander Ave, après avoir passé le Golden Gate Bridge, puis tourner à gauche sur Bunker Rd, en suivant le panneau Marin Headlands ; l'AJ se trouve à 5 km, juste au-dessus du Visitor Center. Sinon, depuis SF (Downtown, angle Sutter et Sansome), bus nº 76X, ne circulant que w-e et j. fériés, ttes les 1h, 9h30-17h30 (retours 10h30-18h30). Réception ouv 7h30-11h30 et 15h30-22h30. Résa conseillée (2 sem à l'avance en été). Nuit en dortoir 25-30 $/pers selon taille du dortoir et saison, doubles env 87-122 $ (pour 2 à 5 pers). CB acceptées. ☐ ☎ Respirez ! Cette AJ s'est installée dans l'ancien hôpital en bois du Fort Barry, construit en 1907, au beau milieu d'une nature sauvage et tranquille. Quelques 170 lits, répartis dans des dortoirs de 4 à 22 personnes (évitez le plus grand, sombre) et 7 chambres doubles ou familiales, notamment dans une annexe spacieuse. Sanitaires à l'étage. Parties communes tout aussi vastes, avec poêle et bons gros canapés ; cuisine et machine à laver. On est de loin de l'ambiance militaire ! Pas de nourriture sur place, à part quelques snacks en dépannage (s'il en reste). Attention : à proximité, la mer est DANGEREUSE et la baignade interdite ! Carte avec idées de balades dispo à la réception.

▲ *Hotel Sausalito* : 16 El Portal (et Bridgeway). ☎ 415-332-0700 ou 1-888-442-0700. ● hotelsausalito. com ● ☒ Doubles 165-305 $, petit déj inclus. Min 2 nuits le w-e. Parking public (payant) attenant. ☎ Cher, oui, et néanmoins le meilleur rapport qualité-prix de Sausalito ! Dressé à deux pas (littéralement) du ferry, ce charmant hôtel familial aux airs de B & B abrite tout juste 16 chambres colorées joliment arrangées – quoique pas bien grandes pour les moins chères. Rideaux épais, grands miroirs, lits très confortables en font de vrais petits cocons. Agréable petite terrasse fleurie à l'étage.

▲ *The Gables Inn* : 62 Princess St. ☎ 415-289-1100 ou 1-800-966-1554. ● gablesinnsausalito.com ● ☒ Doubles 225-495 $, petit déj inclus. Parking 20 $. ☐ ☎ Ce petit nid douillet occupe 2 anciennes maisons réunies, légèrement au-dessus du centre. Construit en 1869, ce fut le 1er hôtel de Sausalito, successivement utilisé comme mairie, hôpital et église, avant d'être rénové pour retrouver sa fonction initiale. Ses 15 chambres aux noms d'arbres et aux tons beiges disposent de grands lits moelleux, d'un canapé (dépliant parfois), écran plat, baignoire d'antan ou thalasso. Certaines ont en plus un balcon, d'autres un patio, les deux tiers une cheminée (à bois ou à gaz). Accueil aux petits soins, fromage et vin offerts entre 17h30 et 19h autour de la cheminée à l'entrée. Atmosphère chaleureuse et très zen.

Où prendre le petit déjeuner ? Où manger ?

Sausalito, Fisherman's Wharf, même combat : tout est très cher ou médiocre – et souvent les deux. Les fauchés se ravitailleront dans le petit supermarché situé sur California Street.

IOI ⛄ Fred's Coffee Shop : *1917 Bridgeway.* ☎ *415-332-4575. À env 1 km au nord du ferry. Tlj 7h-14h30. Plats 6-16 $.* Certes, le port est un peu loin, mais *Fred's* est l'un des rares restos du coin qui ne se moque pas du monde. On y prend un plantureux petit déj à base d'œufs (à toutes les sauces) en regardant les cuistots mexicains faire rissoler le bacon et les *hash-browns*. Plus tard, misez sur un bon *homemade chili* servi avec la soupe du jour, un burger ou un sandwich. Pour ceux qui insistent, il y a aussi des pancakes et des salades. Rien de bien fin, mais c'est bon, copieux et servi avec le sourire. Petit plus : le jus d'orange est fraîchement pressé.

IOI The Trident : *558 Bridgeway.* ☎ *415-331-3232. Tlj 11h (10h30 w-e)-21h (22h ven-sam). Happy hours lun-ven 16h-18h. Plats 12-30 $ le midi, 18-39 $ le soir.* Voici la plus centrale de nos adresses (à 5 mn du ferry). Occupant une grosse baraque en bois jetée sur l'eau, le *Trident* a connu sa période de gloire à l'époque hippie – les fresques psychédéliques du plafond en témoignent encore. Janis Joplin y avait sa table, Joan Baez et Clint Eastwood ont fréquenté les lieux et Woody Allen l'a immortalisé dans *Tombe les filles et tais toi*... Le temps a un peu oublié le *Trident*, mais il reste de jolies lignes courbes rétro dans un cadre tout en bois, de vastes baies vitrées, une terrasse sur la baie et des banquettes en bois

formant comme des petites alcôves qui plairont aux amoureux. Dans l'assiette, une cuisine sans génie, mais qui tient la route, plutôt tournée vers les produits de la mer. Musique live du jeudi au samedi soir.

IOI Sushi Ran : *107 Caledonia St.* ☎ *415-332-3620. En venant du port par Bridgeway, en direction du nord, prendre Pine à gauche et Caledonia tt de suite à droite. Lun-ven 11h45-14h30 et tlj 17h-22h (23h ven-sam). Bento 14-23 $ au lunch, le soir compter min 50 $/pers.* Autant *Fred's* est abordable, autant *Sushi Ran* est cher, sachez-le ! Cela dit, quitte à dépenser une petite fortune pour se nourrir, autant le faire en beauté. La cuisine, ici, est à l'image de l'équipe : américano-nippone. Les sushis traditionnels, exquis, y côtoient des *rolls* nettement plus innovateurs et une cuisine naviguant entre corne d'abondance californienne et préparations japonaises, appuyée sur des produits d'une rare fraîcheur. Les poissons viennent par avion du célèbre marché tokyoïte de Tsukiji 2 fois par semaine ! Au déjeuner, on vous conseille le *bento* (boîte-repas) avec morue glacée au *miso*.

Où manger une glace ?

⛄ Lappert's Ice Cream : *689 Bridgeway. En été, tlj 9h-19h30 (21h ven-dim) ; ferme vers 17h en basse saison.* Rien de tel qu'un bon cornet avec sa crème épaisse pour affronter l'air de la baie. Bon choix de parfums *typically American* et quelques autres plus exotiques (lychee, thé vert...). Insolite et patriote : pour nos lecteurs vétérans de l'armée américaine, ici, les glaces sont gratuites ! Les queues sont parfois phénoménales en été. Pour ne pas trop attendre, remontez un peu la rue jusqu'au n° 813 : moins de choix, mais moins de monde.

À voir. À faire

➤ **Traverser le Golden Gate à vélo depuis San Francisco** : une petite balade très sympa pour gagner Sausalito autrement (13 km ; 1h30). Il suffit de louer un

VTT en ville (voir « Comment se déplacer dans San Francisco et sa région ? » plus haut). Plan détachable, itinéraires et infos sur les sites à découvrir sont fournis par les loueurs, et on peut aussi s'inscrire pour un tour guidé. Attention, ne vous prenez pas pour Lance Armstrong sur le pont, ça souffle pas mal ! Ensuite, on suit la même route que les voitures. Et on repart en ferry avec son vélo. Possibilité de poursuivre vers Tiburon (10 km de plus).

🔌 **Les houseboats :** *à 2,4 km au nord du ferry en suivant la côte par Harbor Dr ; tourner à droite dans Gate Five Rd au niveau du nᵒ 3030 Bridgeway Ave. En voiture, n'allez pas jusqu'au centre de Sausalito : une fois arrivé le long de la mer, à la sortie de l'autoroute, tournez à gauche.* De toutes les tailles et de toutes les couleurs, ces maisons sur l'eau forment un gentil village flottant. On en compte près de 400, certaines particulièrement belles et originales. Les *houseboats* sont construits sur des barges de débarquement héritées des chantiers navals qui cessèrent leurs activités après la Seconde Guerre mondiale. Jack Kerouac et d'autres écrivains de la Beat Generation y séjournèrent. Otis Redding aurait écrit les paroles de « Dock of the Bay » depuis Waldo Point. Aujourd'hui les *houseboats* valent une petite fortune.

➢ *Petit tour au-dessus de la ville en hydravion :* avec *Seaplane Adventures.* ☎ 415-332-4843 ou 1-888-SEAPLANE. ● seaplane.com ● *Départ du Commodore Center Seaplane Base, à la sortie nord de Sausalito. En venant de San Francisco par la 101, sortir à Stinson Beach-Mill Valley, env 6 km après le Golden Gate ; prendre, tt de suite à droite, une petite rue au début de la sortie ; d'ailleurs, on voit les hydravions au bord de la 101. Sinon, on peut venir vous chercher à San Francisco (Pier 39) pour un supplément de 15 $, pour les vols de 10h45, 13h et 15h15 (45 mn avt). Vols 180-280 $/pers mais réduc de 10 % sur présentation de votre guide préféré (penser à la demander à la résa !).*
Quatre vols différents sont proposés, tous exigeant un minimum de 2 personnes. Le *Golden Gate Tour,* le plus court (30 mn) et le plus abordable est, à notre avis, largement suffisant pour prendre son pied. Il est rare de pouvoir passer au-dessus d'une ville à cette altitude. L'alignement des rues, les différents quartiers apparaissent clairement. On tutoie du regard le centre-ville, mais aussi Alcatraz et le Golden Gate Bridge (de très près). On vole sur un *Cessna 172* (trois passagers), ou sur un puissant *Beaver* (six passagers), l'avion mythique des aventuriers... *Vols tlj, ttes les 45 mn, en général 10h-16h.* Les fous amoureux ou les futurs mariés réserveront le *Sunset Champagne Tour* (40 mn ; 239 $) avec une coupe de champagne par personne et coucher de soleil sur le Golden Gate. Rien de tel pour déclarer sa flamme ! N'oubliez pas votre passeport, obligatoire pour embarquer, et pensez à l'appareil photo ! Après le vol, un certificat de baptême de l'air est délivré. Les pilotes qui font ça sont très sympas et compétents. Si la météo n'est pas optimale et surtout, en cas de brouillard, remettez plutôt au lendemain.

À voir. À faire dans les environs

🔌 *Bay Area Discovery Museum :* au Fort Baker, 557 McReynolds Rd. ☎ 415-339-3900. ● baykidsmuseum.org ● *À 3 km au sud de Sausalito, en contrebas du Vista Point sur le Golden Gate Bridge (sortie Alexander Ave depuis la 101). Tlj (sf lun de sept à fin mai) 9h-17h. Entrée : 11 $; gratuit le 1ᵉʳ mer du mois.* Installé dans un ancien fort, ce musée pour enfants est en fait une sorte de parc de jeux et de découverte, où les moins de 8 ans s'adonnent à des activités créatives, apprennent à comprendre les vagues, construisent des cabanes géantes, se prennent pour des marins ou des pêcheurs, etc.

🔌🔌 *Marin Headlands :* Marin Headlands Visitor Center, Fort Barry Chapel. ☎ 415-331-1540. ● nps.gov/goga ● *Tlj sf Thanksgiving et Noël 9h30-16h30. GRATUIT. De Sausalito, accès par un tunnel depuis Alexander Ave, peu avt de rejoindre* la Hwy 101 à l'entrée nord du Golden Gate. En arrivant de San Francisco, prendre la sortie Alexander Ave juste après le pont ; tourner à gauche en direction de la 101 S/San Francisco pour passer sous l'autoroute, puis prendre à droite Conzelman Rd, route magnifique surplombant tte l'entrée de la baie. Accès par le bus 76X depuis Downtown San Francisco les w-e et j. fériés slt, ttes les heures, 9h30-17h30 (retours 10h30-18h30). La large péninsule de Marin Headlands, qui ferme la baie de San Francisco par l'ouest, est l'un des joyaux du Golden Gate National Recreation Area. À peine franchi le Golden Gate Bridge se déroule un vaste territoire de collines sèches et accidentées, de côtes sauvages et de falaises, quasi vierge d'empreinte humaine. Un petit miracle ! Ce territoire, battu par les vents une bonne partie de l'année, est assez austère. On peut y randonner si l'on ne craint pas de rencontrer un puma (!) et même y camper (voir « San Francisco – Où camper dans les environs ? »). La plupart des visiteurs, cependant, se contentent des panoramas sublimes sur le Golden Gate et la ville en toile de fond, que l'on découvre depuis Conzelman Road, à peine quitté la Hwy 101 à Alexander Avenue (prenez à gauche vers le parc). Les plus belles photos du pont, juré, craché ! Au-delà, on découvrira :

– **Point Bonita :** à l'extrémité ouest de Conzelman Rd ; les derniers 800 m pour accéder au phare se font à pied. Ouv sam-lun 12h30-15h30. Le phare du même nom, planté à l'extrémité sud-ouest des Marin Headlands, a été construit en pleine ruée vers l'or. Il balise l'entrée nord de la baie de San Francisco, tandis que celui de Fort Point indique le sud. Une fois pénétré dans la goulet, le phare d'Alcatraz aide aussi les bateaux à se diriger dans le brouillard épais. Malgré ce dispositif, près de 300 bateaux ont fait naufrage dans le secteur entre 1850 et 1906. En 1901, le vapeur City of Rio de Janeiro, qui reliait Hong Kong à San Francisco, coula juste au pied du phare : 128 passagers périrent, 85 furent secourus. Ce lieu sauvage est certainement l'un des plus romantiques de toute la côte ; on y accède par un pont suspendu, après avoir traversé un tunnel (fermé en dehors du week-end et du lundi). La superbe lentille en verre de Fresnel éclaire à 30 km à la ronde quand le temps est dégagé. Le phare fonctionne toujours, mais il est automatisé depuis 1980. Beaucoup de vent et de brouillard en été, couvrez-vous !

– **The Marine Mammal Center :** 2000 Bunker Rd, Fort Cronkhite. ☎ 415-289-SEAL. ● marinemammalcenter.org ● De Point Bonita, prendre Field Rd sur env 1 km jusqu'au Visitor Center, puis à gauche vers Rodeo Beach sur la route principale ; à droite, un embranchement mène au centre. Tlj 10h-17h. GRATUIT. Audioguide 7 $. Visites guidées (1h) 2-3 fois/j. en été, ven-lun slt en basse saison. Une statue grandeur nature d'un éléphant de mer accueille les visiteurs sur le perron : le ton est donné. Phoques, lions de mer, otaries, baleines, dauphins et même loutres de mer, le Marine Mammal Center récupère tous les animaux blessés sur 1 000 km de côtes californiennes, pour les remettre sur pattes (ou palmes, ou nageoires) ici avant de les relâcher. 18 000 d'entre eux ont déjà bénéficié de leurs soins attentifs (soit 600 à 800 par an) ! La plupart sont victimes de maladies, pris dans des filets et même, croyez-le ou non, régulièrement utilisés comme cible par des tartarins... L'association veille aussi au bien-être des otaries du Pier 39, à San Francisco, et organise des actions de prévention et de formation, notamment grâce à son Whale Bus qui circule auprès des écoles de la région. Que peut-on voir sur place ? Les cuisines où les bénévoles préparent les repas des pensionnaires, le laboratoire où sont réalisés les tests sanguins et même la salle des autopsies ! La visite se termine par la terrasse supérieure, avec vue sur les enclos et les bassins. Si jamais vous trouvez un animal blessé, appelez-les. Pour la peine, vous aurez le droit de lui donner un nom !

– **Rodeo Beach :** à 500 m du Marine Mammal Center. La route longe une lagune fréquentée par oiseaux d'eau et migrateurs pour parvenir à cette belle plage sauvage battue par les vents. Trois gros rochers pointus s'y dressent, les pieds dans l'eau. L'eau est froide, les courants sont violents, mais quelques surfeurs émérites bravent le danger omniprésent.

TIBURON (9 060 hab.)

Tiburon, le « requin » en espagnol, n'a rien de terrifiant. Agrippée à une péninsule s'avançant dans la baie de San Francisco, au nord-est de Sausalito, cette baie s'avère au contraire plutôt charmante. Cet ancien nœud ferroviaire abrite aujourd'hui une foule de résidences luxueuses, pour partie dissimulées dans une végétation luxuriante. Le week-end, les étudiants viennent s'y encanailler. Un ferry reliant le port à San Francisco et à Angel Island, on peut imaginer une excursion d'une journée alliant les deux escales. Sur place : boutiques et marchands de glace.

Arriver – Quitter

Certains viennent jusque-là en vélo depuis San Francisco, après la traversée du Golden Gate, mais ça commence à faire loin (en plus, la route depuis Sausalito est très passante).

■ *Blue and Gold Fleet : départs de Fisherman's Wharf, Pier 41, mais les billets peuvent aussi être achetés au Pier 39, à bord ou sur Internet.* ☎ *415-705-8200.* ● *blueandgoldfleet.com ● En sem, départ 7-8 fois/j., 10h50-16h25 (20h40 ven), retours 11h15-20h de Tiburon (21h20 ven). Le w-e, 6 bateaux/j. slt, 9h45-19h25, retour 10h40-20h15. Trajet 30 mn. Prix : 11 $ l'aller simple, réduc. Plus d'infos sur la ville ● townoftiburon.org ●*

Où manger ?

|●| 🐾 *New Morning Cafe : 1696 Tiburon Blvd.* ☎ *415-435-4315. Tlj 6h30-14h30 (16h w-e). Plats 7-14 $.* À 30 m de Main Street, en léger retrait du front de mer, ce sympathique café, aux murs d'un jaune heureux et aux tables recouvertes de nappes à carreaux bleus, sert d'excellents petits déjeuners (pancakes aux pommes et noix de pécan, gaufres, œufs bénédictine, etc.). À midi, on y

trouve bons sandwichs, burgers et salades à des prix très raisonnables pour l'endroit.

|●| 🍷 *Sam's Anchor Cafe : 27 Main St.* ☎ *415-435-4527. Tlj 11h (brunch dès 9h30 le w-e)-22h ; bar ouv jusqu'à 1h30. Plats 13-25 $ le midi, 17-30 $ le soir.* Durant la Prohibition, une trappe dans le sol permettait de décharger le whisky de contrebande directement des bateaux. Un des plus vieux restos de Tiburon, ouvert depuis 1920, *Sam's* vaut surtout pour sa grande et belle terrasse en bois où l'on avale son burger ou ses pâtes aux fruits de mer les yeux dans les mâts des voiliers. Quand il fait frais, des chaufferettes entrent en action. Pour le reste, les chaises sont en plastique et la cuisine est quand même assez moyenne pour des prix trop élevés – comme souvent dans le coin. Et si on n'y prenait qu'un verre, finalement ?

Où manger une glace ?

🍦 *The Grass Shack : 1694 Tiburon Blvd.* ☎ *415-789-5228. Tlj 12h-20h (22h ven-sam).* Les habitués ne tarissent pas d'éloge sur les glaces bio de la marque *Three Twins*. Nous, on a particulièrement aimé le sorbet à la framboise. Pas donné, certes. Quelques tables et bancs au soleil.

À voir dans les environs

🦌 *San Rafael : à env 16 km au nord de Sausalito. De San Francisco, prendre le Golden Gate Ferry* (☎ *415-923-2000) au Ferry Building, pour Larkspur, au sud de San Rafael. Env 20 départs/j. lun-ven 6h20-21h35, retours 6h50-22h05 ; 4 départs slt les w-e et j. fériés, 12h40-19h25, retours 13h30-20h10. Env 9,50 $. Sinon bus nos 70/80 depuis San Francisco, ttes les 30 mn à 1h (env 5,75 $). De Sausalito, bus n° 22 ttes les 30 mn à 1h, 6h42-19h52 (w-e, ttes les 1h, 6h50-20h50) ; retours 5h32-20h30 (w-e 7h30-20h30).* Cette grosse ville plutôt agréable a été fondée en 1817 autour de la mission San Rafael Arcangel, l'une des plus septentrionales de Californie. Située au 1104 5th Avenue (et A St), à côté d'une jolie église rose bonbon aux airs vaguement Art déco, elle est ouverte à la visite *(tlj 6h30-17h – 8h30 sam, 9h dim)* et possède un petit musée *(lun-ven 10h-16h, dim 11h-16h)*. En contrebas, la rue principale a été choisie par George Lucas pour tourner des scènes d'*American Graffiti* en 1972 ; les gastronomes y trouveront quelques bons restaurants. À 1,5 km au nord par la Highway 101, la N San Pedro Rd conduit au *Marin County Civic Center,* pointe levée vers le ciel, à la façon d'un Mandarom californien ! Ce bâtiment ultra-futuriste, tout en longueur, qui devait « se fondre dans les collines écrasées de soleil », semble sorti d'un film de science-fiction. Œuvre de Frank Lloyd Wright, il servit de décor dans le film *Bienvenue à Gattaca* avec Uma Thurman.

🦪🦪 *Muir Woods National Monument :* *à quelques km au nord de Mill Valley.* ☎ 415-388-2595. ● *nps.gov/muwo* ● *De la Hwy 101, sortez à Mill Valley-Stinson Beach (fléché). Le bus 66F y mène depuis l'office de tourisme de Sausalito mai-oct, w-e et j. fériés slt, ttes les 30 mn à 1h, 10h55-15h30 ; retours 11h45-17h50. Ouv 8h-20h en été et horaires graduellement réduits jusqu'à 8h-16h30 en hiver. Entrée : 7 \$, gratuit pour les moins de 15 ans, ainsi que de 8h-9h et 18h-20h en été. Interagency Annual Pass accepté. Visitor Center à l'entrée.*
Cette splendide forêt de séquoias côtiers *(redwoods),* dont certains atteignent 75 m de haut, doit son existence à un membre du Congrès, William Kent, et sa femme qui, au début du XXe s, rachetèrent cette vallée isolée qui n'avait pas encore succombé aux haches des bûcherons. La démarche n'aurait sans doute pas abouti sans un coup de pouce du président Roosevelt. Une sacrée bonne idée lorsque l'on sait qu'il ne subsiste plus aujourd'hui que 5 % des séquoias qui existaient alors ! Kent fut quelques années plus tard à l'origine de la loi instituant le service des parcs nationaux américains.
Plusieurs sentiers permettent de se balader à travers les arbres, vieux pour certains de 600 ans, plus hauts et plus fins que les séquoias géants. Le plus populaire remonte la vallée, formant trois boucles plus ou moins longues de 30 mn, 45 mn et 1h30. Observez la manière qu'ont les arbres de souvent former des cercles : en fait, l'arbre initial, au centre, est mort, mais ses racines ont redonné naissance à plusieurs autres arbres tout autour ! L'*Ocean View Trail* (4,2 km, soit env 2h) forme une autre boucle qui grimpe au-dessus de la vallée : l'occasion de découvrir une vue plongeante sur la forêt, avec l'océan en toile de fond. Superbe.
La visite de ce parc, très fréquenté en été (longues files d'attente pour le parking), se combine idéalement avec une journée sur le sable de Muir Beach et/ou Stinson Beach à quelques kilomètres de là – parfaits pour un pique-nique.

Où aller à la plage ?

⌂ *Muir Beach :* *env 3 km en contrebas de Muir Woods par Muir Woods Rd. Sinon, prenez la 101 et sortez à Mill Valley-Stinson Beach, pour rejoindre Muir Beach par la route 1. Au creux de la vallée, une petite pancarte sur la gauche indique la plage.* Adossée à une petite zone humide, elle est jolie et plutôt sauvage, cette plage, avec les maisons du village accrochées aux pentes de la colline, côté nord. Sur le sable, quelques barbecues à demeure composés de pierres empilées invitent à griller un bon steak s'ils ne sont pas squattés. À droite de la plage, passé les rochers, les adeptes du grand air trouveront une bande de sable plus petite où l'on peut enlever le bas.

🛏 ●I● ▾ *Pelican Inn :* 10 Pacific Way, à Muir Beach, au croisement de la route 1 et de la rue menant à la plage. ☎ 415-383-6000. ● *peli* caninn.com ● *Doubles 205-290 \$, petit déj inclus. Plats 16-34 \$.* 🛜 On adore ce lieu hors du temps et loin du monde, transplanté comme par magie depuis l'Angleterre victorienne. C'est un cottage à colombages, un vrai pub anglais, avec des chambres au-dessus, de la *Guinness pie,* des *bangers and mash* servis au bar, cosy comme une cabine de bateau après la tempête. À côté, le resto ronronne face à une immense cheminée, au conduit incrusté de morceaux de verre pour mieux décourager les sorcières de tenter d'y pénétrer. Le décor n'a pas seulement *l'air* vrai, il l'est vraiment.

L'essentiel provient d'un hôtel britannique du XVIIᵉ s, transplanté jusqu'ici par les ancêtres du fondateur de l'auberge ! La cuisine est simple et bonne et les chambres, au-dessus, sont élégantes et confortables. Cela dit, outre les prix élevés, le service est souvent d'une lenteur désespérante et la musique live, certains soirs, peut décourager les candidats à une bonne nuit de sommeil... Mais venez au moins y boire une pinte !

– **Muir Beach Overlook :** *à env 1,5 km à la sortie nord de Muir Beach, sur la route 1.* Ce point de vue grandiose, ancien site d'observation de l'armée américaine, est à couper le souffle (au sens propre comme au figuré, ça souffle fort !). Le poste est évacué, à vous de jouer la vigie. Un court sentier entrecoupé de marches se laisse happer par le vide jusqu'à une pointe avancée, dardée vers l'océan. Par beau temps, la vue porte au sud jusqu'à San Francisco, avec Muir Beach au premier plan et, au nord, jusqu'à Point Reyes. La faille de San Andreas, ici encore marine, passe juste sous vos yeux. Priez pour que la terre ne tremble pas tout de suite ! L'hiver, il n'est pas rare de voir des baleines en hiver. Pique-nique possible.

⌲ **Tennessee Valley Road :** *à la sortie Mill Valley-Stinson Beach, en allant vers le nord. Tt de suite après être passé sous le pont, prendre la 2ᵉ à gauche, comme pour se diriger vers Mill Valley. Après quelques centaines de mètres, indication sur la gauche pour la Tennessee Valley Rd.* Une petite route serpente jusqu'à un parking. De là, une piste fermée à la circulation, paradis des joggeurs et des *bikers,* conduit à une charmante plage encaissée 3 km plus loin. Paysage et balade agréables, sauf si le brouillard ne veut pas se lever... Calme total.

⌲ **Stinson Beach :** *encore plus loin sur la côte, mais la route est magnifique.* Superbe plage de 1,5 km, la plus connue et la plus prisée des San-Franciscains. Beaucoup mieux aménagée que les autres, avec petits restos de fruits de mer et location de surfs. Les week-ends d'été, beaucoup de monde, mais c'est vraiment convivial : glacière, volley-ball et crème à bronzer. Toute cette région du nord de San Francisco échappe parfois à la nappe de brouillard qui s'abat sur la ville certaines journées d'été.

BOLINAS

À env 50 km au nord de San Francisco. Après Sausalito, sortir de la Hwy 101, puis prendre la route nº 1 vers le nord. Ne pas aller jusqu'à Mill Valley mais tourner à gauche à la station Arco, face au magasin de tapis d'Orient. Bolinas est à env 11 km au nord de Stinson Beach, sur la gauche de la route nº 1 (juste après la fin de la lagune). Au croisement suivant, à gauche. Pas évident du tout à trouver, car les habitants enlèvent régulièrement les panneaux indicateurs, histoire de ne pas être dérangés, et ce, depuis le XVIIIᵉ s ! Le village de Bolinas est en effet un repaire d'anciens hippies, l'un des plus mythiques de Californie et probablement le seul à être resté quasi intact...

Les maisons anciennes ont été préservées, et le calme règne dans ce petit village d'irréductibles, installé dans un cadre superbe, au bord d'une lagune envahie par les oiseaux, avec les montagnes en toile de fond. Ajoutez à cela quelques maisons de pêcheurs sur pilotis et vous comprendrez pourquoi les petits veinards qui vivent ici ne veulent pas de touristes, malgré la présence d'un musée et d'une poignée de galeries d'art. Plage au bout de Wharf Road à côté de l'estuaire de la lagune. Quand nous avons cherché le chemin du village, un paysan a longuement hésité

avant de nous l'indiquer, puis il nous a prévenus : « *They don't need trouble...* »
Étonnant vraiment comme ce village conserve encore toute sa fraîcheur.

Où dormir ? Où manger ? Où boire un verre ?

🛏 ☍ *Smiley's Schooner Saloon & Hotel :* 41 Wharf Rd. ☎ 415-868-1311. ● smileyssaloon.com ● *Dans la rue principale. Doubles 105-125 $.* 📶 Le slogan de cet établissement créé en 1851 veut tout dire : « *Before Lincoln was President, before base-ball was a game, before Jingle Bell was a song... there was Smiley's !* » Voici donc un authentique saloon digne d'un vieux western, auréolé de son drapeau « Peace », proposant 6 chambres basiques mais propres (avec salle de bains) dans 2 bâtisses sur l'arrière. Déco un peu vieillotte et mobilier d'un autre âge. Pas de télé ni de téléphone. Possibilité de prendre un petit déj au saloon. Même si vous n'y dormez pas, venez y prendre un verre pour le coup d'œil sur les habitués, avec quelques personnages hauts en couleur. Bâti

durant la ruée vers l'or, le saloon, pourtant situé sur la faille de San Andreas, survécut au tremblement de terre de 1906 et prospéra sous la Prohibition (un barbier servait de couverture au bar). *Live music* régulièrement en soirée, concerts de qualité (programme sur le site).

🍴 *Coast Café :* 41 Wharf Rd, face au Smiley's. ☎ 415-868-2298. *Sem (sf lun) 11h-15h, 17h-20h (21h en été) ; sam-dim 7h30-15h, 17h-21h. Compter 10 $ le midi, 15 $ le soir.* Située à un carrefour stratégique, sa petite terrasse permet d'observer la rue principale de Bolinas. Carte variée et portions copieuses à prix modiques : breakfast, burgers, plats mexicains, salades, sandwichs le midi, steaks et fruits de mer le soir. Poisson fourni par les pêcheurs du coin. Barbecue d'huîtres le week-end en été. Épicerie juste à côté si vous préférez pique-niquer... Se fait un devoir d'acheter aux fermiers locaux des produits frais et bio. Un lieu plein de saveurs.

À voir à Bolinas et dans les environs

🏛 *Bolinas Museum :* 48 Wharf Rd, face au Smiley's Schooner Saloon & Hotel. ☎ 415-868-0330 ● bolinasmuseum.org ● *Ven 13h-17h, sam-dim 12h-17h. GRATUIT.* Trois petites salles consacrées à la peinture et à des artistes contemporains et, derrière, un autre bâtiment dédié à l'histoire de la région, avec une exposition de souvenirs de marins, d'outils utilisés à l'époque des pionniers, etc.

➤ En continuant la route n° 1 vers le nord, on parvient à *Bodega Bay* : on en parle plus loin dans « La route du Vin ». Quant aux habitants de Bolinas, ils aiment bien aller à *Bass Lake* (tourner à gauche en sortant du village). Belles balades dans la nature. Demander, tout le monde connaît.

BERKELEY (112 000 hab.)

À l'est de San Francisco (East Bay). L'une des plus célèbres universités au monde, qui compte pas moins de huit Prix Nobel et quatre Prix Pulitzer. Pas étonnant, avec une moyenne de 35 000 étudiants par an, ça laisse des chances !
Le campus de Berkeley a aussi été le temple de la contestation des sixties (voir plus haut l'intro à San Francisco). Ça s'est quand même bien assagi depuis, mais la petite ville de Berkeley reste extraordinairement jeune et vivante. Plein de petits restos, souvent bon marché. Mais surtout, ici, quand on n'étudie pas, on fait la fête, notamment dans les maisons qui hébergent les étudiants. Souvent montées sous forme d'associations, elles ont pour nom une lettre grecque (phi, kappa, oméga... accrochée sur la façade) et sont rarement mixtes. Elles sont le théâtre,

tout l'été, d'immenses *parties,* où sont conviés les associations du sexe opposé et souvent quiconque passe devant la porte (vous, avec un peu de chance !). À moins qu'on ne monte une tente au coin de la rue le soir venu, et qu'on improvise un petit bar pour rencontrer d'autres étudiants venus du monde entier. Chaleureux en diable.

Berkeley est en activité permanente. Allez-y surtout pour faire des rencontres, pour comprendre comment vit la jeunesse californienne d'aujourd'hui, ce qu'elle pense des problèmes de société ou des relations internationales du moment... D'autant que bon nombre d'étudiants parlent un français quasi parfait. En cherchant un peu, vous y passerez les nuits les plus dingues de votre existence.

Arriver – Quitter

Situé de l'autre côté de la baie par rapport à San Francisco (à 15 km env).
– Infos : ☎ 511 ou ● 511.org ●
➤ Le plus simple pour y aller est de prendre le *BART* (RER local) au bas de Powell St (au centre de San Francisco) en direction de Richmond et jusqu'à Downtown Berkeley Station (sur Shattuck Ave). Fonctionne jusqu'à 1h.
➤ *En voiture :* traverser le Bay Bridge (gratuit dans ce sens) et prendre la Hwy 80 East. Sortie : Berkeley University ; prendre ensuite University St et tourner au croisement de Shattuck Ave. Suivre « Center ». Parking malaisé (et cher), et attention, on ne plaisante pas, des « voiturettes à amendes » patrouillent sans cesse !
➤ *En bus :* ligne FS au Transbay Terminal (angle de Mission et 1st St). *Compagnie* AC Transit *:* ☎ 510-891-4700 ou 511, dire « AC Transit » puis « Customers Relations ». Prix : 4,20 $. Durée : 30 mn.

Comment visiter Berkeley ?

On distingue trois avenues, représentant des quartiers différents.
La plus connue : *Telegraph Avenue* (sud de l'université), une rue vraiment sympa avec ses bars, ses restos, ses disquaires (neuf et occase), ses libraires, ses magasins de fripes, ses hippies vendeurs de bijoux... Une ambiance *crazy* et un monde où les jeunes sont rois.
Ensuite, dans un genre très différent, au nord de l'université *Euclid Avenue* fréquentée par les étudiants pour son caractère calme et intimiste (entourée de rues résidentielles), plus propice à la lecture et à l'étude.
Enfin, *Shattuck Avenue* où se suivent, sur quelques numéros, des boutiques et restos pour les fines gueules, et qui est surnommée le « Gourmet Ghetto ». C'est là que la nouvelle cuisine californienne est née, dans les cuisines du restaurant d'Alice Waters « Chez Panisse ».

Adresses utiles

🛈 *Berkeley Convention & Visitor Bureau :* 2030 Addison St (entre Shattuck et Milvia). ☎ 510-549-7040 ou 1-800-847-4823. ● visitberkeley.com ● Lun-ven 9h-13h, 14h-17h. Bonne doc sur la ville et un plan gratuit très bien fait. Tous les tuyaux possibles sur les événements, les horaires des musées, les transports, restos, logements, boutiques, loueurs de vélos, etc., à Berkeley. Excellent accueil.
✉ *Poste :* 2000 Allston Way. ☎ 510-649-3155. Lun-ven 9h-17h, sam 9h-15h ; fermé dim. Autre *bureau de poste* près de Telegraph Ave, dans un renfoncement au 2515 1/2 Durant Ave. Lun-ven 9h-17h.

Où dormir ?

Prix moyens

⌂ *Berkeley Downtown YMCA :* 2001 Allston Way (et Milvia St). ☎ 510-848-6800 ou 510-848-9622. ● ymca-cba.org/downtown-berkeley/ ● *Entrée sur Milvia St. Parkings pas trop chers* *juste à côté. Compter 50-65 $/pers et doubles 80-95 $; sdb communes.* Ouverte depuis 1910, cette YMCA, la plus grande des États-Unis, occupe tout un bloc. Sûrement la formule la plus économique de la ville, mais réservée aux plus de 18 ans. Complètement rénovée en 2008, cette « Y » toute jolie, toute propre, est très accueillante, et donne accès au club de gym voisin avec 3 piscines, salle de muscu, cuisine commune, Internet, etc. Difficile de se garer dans les environs ; parking gratuit dans la rue 18h-8h ; sinon une quinzaine de dollars par jour dans le parking voisin.

🛏 *Chambres d'étudiants : sur le campus, possibilité de louer de juin à mi-août des chambres avec 2 lits, sdb communes. Infos auprès du* Conference Services : ☎ 510-642-1676. ● *conferenceservices.berkeley. edu/summervis_rates_amenities. html* ● *Résa obligatoire.* 65 $/pers, 390 $/sem. Idéal pour faire plein de rencontres.

Plus chic

🛏 *Bancroft Hotel : 2680 Bancroft Way (et College Ave).* ☎ 510-549-1000 ou 1-800-549-1002. ● *bancrofthotel. com* ● *Doubles 120-170 $, petit déj continental compris. Parking de nuit 10 $.* 🛜 Très bel hôtel de style grande villa italienne, ancien *women's club* du coin. Construit en 1928, le bâtiment est maintenant classé. Une vingtaine de chambres confortables et pleines de charme. Elles ont récemment été rénovées, dans un souci de respecter l'environnement : draps en coton bio, serviettes en bambou, rideaux en polyester issu du recyclage de bouteilles plastiques. Pas d'ascenseur. Grande salle de bal-bibliothèque et vue sur le Golden Gate depuis la terrasse (accès libre). Accueil courtois.

🛏 *The Rodeway Inn : 1461 University Ave.* ☎ 510-848-3840. ● *berke leyri.com* ● *Double env 190 $, petit déj copieux compris.* 🛜 Assez banal, ce motel totalement rénové et bien arrangé présente pourtant bien des avantages : chambres vastes, réparties autour d'un parking en U gratuit (un vrai plus à Berkeley !), assez silencieuses malgré la route, propres, fonctionnelles, avec TV, micro-ondes et frigo. La salle du petit déj est minuscule, mais le choix de pâtisseries varié. Accueil souriant.

🛏 *The French Hotel : 1538 Shattuck Ave (entre Vine et Cedar St).* ☎ et fax : 510-548-9930. *Doubles 105-145 $. Parking à côté de l'hôtel.* Dans une ancienne blanchisserie française, 18 chambres coquettes et claires, réparties sur 3 niveaux. La déco est assez soignée, et l'on peut profiter du petit balcon attenant à chacune d'elles. Éviter celles du rez-de-chaussée, qui donnent sur un parking de supermarché. Le petit déj n'est pas inclus, mais vous pouvez prendre un café accompagné de croissants ou de cookies au *French Hotel Café (tlj 6h-20h).*

Où manger ?
Où déguster une glace ?

Sur Telegraph Avenue et environs *(sud du campus)*

🍴 *Smart Alec's : 2355 Telegraph Ave.* ☎ 510-704-4000. *Tlj 10h30-21h (11h le w-e). Env 4-8 $.* Le paradis du sandwich, du classique burger-frites au casse-croûte aubergine-fromage fondu. On peut aussi choisir une combinaison ½ sandwich et salade ou soupe du jour, le tout servi dans les petits paniers en plastique très « Happy Days ». Pour les « herbivores », les *veggies burgers* (steaks à base de légumes et de graines) sont tout bonnement bluffants : on dirait de la viande, ça a le goût de la viande, mais c'est meilleur pour la santé ! Ambiance bruyante et chaleureuse.

🍴 *Tako Sushi : 2379 Telegraph Ave (et Durant).* ☎ 510-665-8000. *Tlj sf dim 11h-22h.* Pour les amateurs de cuisine japonaise, une bonne petite adresse de *sushis*, de plus bon marché. Propre, portions généreuses. Grand choix de *maki* et de *nigiri* et un intéressant *sashimi special* (sélection de poissons crus), un des meilleurs (et moins chers) jamais mangés *(env 13-14 $).*

|●| *Food Court :* 2519 Durant Ave. Tlj midi et soir. Moins de 10 $, cash slt dans la plupart des enseignes. Le long d'une galerie en bois, plusieurs petits restos exotiques sans prétention : chinois, japonais, coréen, thaï, vietnamien et même italien ! Le *Mandarin House* a beaucoup de succès. Pour tous les goûts et à portée de toutes les bourses ! Très agréable en été. Mais c'est vite pris d'assaut, et les places assises sont limitées...

☗ *Yogurt Park :* 2433 Durant et Telegraph Ave. ☎ 510-549-0570. Tlj 11h-minuit. Depuis 1977, on fait la queue devant la fenêtre de cette institution de Berkeley pour déguster une succulente glace au yaourt. La mode du *frozen yogurt* battant son plein depuis quelques années, d'autres enseignes ont fleuri un peu partout, mais cette petite échoppe fait toujours recette. On peut choisir entre 6 parfums qui changent tous les jours, et que l'on peut agrémenter de différents *toppings*. Attention, les portions sont plus que généreuses.

Sur College Avenue
(sud du campus)

|●| *La Méditerranée :* 2936 College Ave. ☎ 510-540-7773. Tlj 10h-22h (23h ven-sam, 21h30 dim). Formules 9-13 $ le midi, repas env 15 $. Mezze pour 2 (assortiment de hors-d'œuvre chauds et froids) 17 $/pers. Brunch le w-e. Le petit frère des restaurants *La Méditerranée*, ouverts par un Français d'origine arménienne, dans les quartiers de Pacific Heights et de Castro, (voir « Où manger ? » dans ces 2 quartiers à S.F.). On y trouve exactement les mêmes recettes excellentes, qui plairont plus particulièrement aux amateurs de sucré-salé. Plein de saveurs. Cadre aéré vraiment agréable (ventilos) et terrasse sur rue protégée. *Anoush ella* (demandez la traduction sur place) !

|●| *AG. Ferrari Foods :* 2905 College Ave (et Russell St). ☎ 510-849-2701. Tlj 9h30-20h30 (19h le dim). Grosse épicerie italienne depuis 1919, qui s'est transformée en petite chaîne régionale. Produits frais, pas mal de choix. Une poignée de tables pour se restaurer. Réputé pour ses généreux sandwichs et paninis confectionnés devant le client. Également salades et fromages.

Sur Euclid Avenue
(nord du campus)

|●| *La Val's :* 1834 Euclid Ave. ☎ 510-843-5617. Tlj 11h-22h. Env 8 $, tranche géante de pizza 4 $. Lunch special moins de 6 $ (boisson comprise), 11h-22h. Ce resto sans aucun charme, qui existe depuis plus de 50 ans, est devenu une institution. On y vient pour manger d'excellentes pizzas, pâtes, salades et autres sandwichs, accompagnés d'une bonne bière à la pression.
Au fond de la galerie, si c'est complet, la *Burrita* sert l'un des meilleurs *burritos* de la ville.

Le « Gourmet Ghetto », sur Shattuck Avenue
(North Shattuck Village)

|●| *Saul's :* 1475 Shattuck Ave (et Vine). ☎ 510-848-DELI. Tlj 8h-22h. Compter un bon 10 $. Très populaire, le meilleur de la cuisine juive, dirigé de surcroît par un ancien chef de *Chez Panisse*. Vaste cadre aéré. Aux murs, photos en noir et blanc sur l'histoire du lieu. Un *delicatessen* (à la fois épicerie et resto) réputé pour ses excellents breakfasts (servis jusqu'à 14h en semaine, 15h le week-end), en particulier sa spécialité, le *Challah French toast* (on peut, moyennant supplément, le recouvrir de fraises et de chantilly). Sinon, belles omelettes, fromages blancs à différents parfums et carte bien remplie (soupes, salades, bagels, *deli sandwiches* copieux et *knishes*). Le tout confectionné avec des produits locaux, souvent bio et issus de l'agriculture durable.

|●| *The Cheese Board :* 1504 Shattuck Ave (et Vine). ☎ 510-549-3183. Lun 7h-13h (pas de fromage à la coupe ce jour-là) ; mar-ven 7h-18h ; sam 8h-17h (pas de petit déj ce jour-là). Le comptoir à fromages sert dès 10h. Une authentique fromagerie où les nostalgiques pourront assouvir leurs envies de bleu d'Auvergne, brie, cantal, époisses, crottin, ou autres variétés de fromages italiens ou hollandais...

Au tableau, à la craie, le *chabichou du Poitou*, *lingot du Quercy* et autres merveilles de gueule. Également de bons muffins, *pecan rolls*, scones, etc. Ils font leur pain (*focaccia*, baguettes) eux-mêmes et disposent d'une excellente petite pizzeria *The Cheeseboard Collective* (sur la gauche, tlj sf dim-lun 11h30-15h, 16h30-20h) avec quelques tables et même... un piano ! Un seul choix par jour sur la carte mais les produits sont ultrafrais et de saison, afin d'accompagner au mieux les fromages. Le tout en musique, avec un orchestre qui joue tous les jours.

|●| *Barney's* : 1600 Shattuck Ave. ☎ 510-849-2827. Lun-jeu 11h-22h, ven-sam 11h-22h30, dim 11h-21h30 (oct-avr, fermeture 30 mn plus tôt tlj). Compter 10 $. Coup de cœur pour cette chaîne de burgers originaux. Pas moins de 30 sortes à la carte des classiques au bœuf (viande bio), dinde ou poulet, en passant par le *Maui Waui burger* (à l'ananas), le *Popeye burger* (aux épinards bien sûr !), et même au tofu pour les *veggies* ! Portions de frites énormes, une pour deux suffit. Grande salle aérée, petite terrasse éclairée à la nuit tombée.

Sur 4th Street (est du campus)

☙ *Bettie's Oceanview Diner* : 1807 4th St. ☎ 510-644-3230. De la I-80 E, sortir sur University Ave, puis suivre Frontage Rd, puis 4th St. Tlj 6h30-14h30 (16h sam-dim). Compter 15 $. Pas de vue sur l'océan comme le laisse présager le nom, mais un des meilleurs brunchs du coin. En moyenne, temps d'attente de 45 mn, alors inscrivez votre nom sur la liste, et profitez-en pour vous balader dans les boutiques qui bordent cette ancienne zone industrielle très joliment réhabilitée. À votre retour, soit dans la salle 60's avec son sol à damier et son juke-box, soit en terrasse, vous dégusterez *French toast* moelleux, omelettes bien baveuses, saucisses accompagnées de compote, ou la spécialité, le pancake soufflé aux fruits. Si vous êtes pressé, vous pouvez aussi commander des sandwichs « to go », avec de bonnes pâtisseries maison pour le dessert au comptoir juste à côté. Accueil joyeux du patron allemand.

🍸 *Caffè Strada* : 2300 College Ave (et Bancroft). ☎ 510-843-5282. Juste à côté de l'hôtel Bancroft. Tlj 6h-minuit. Un *coffee shop* plein d'étudiants. Grande terrasse ombragée très recherchée. Bon café et excellentes pâtisseries. Un endroit vraiment agréable et insolite, où tout le monde joue à cache-cache derrière son écran d'ordinateur portable (prises au pied des arbres !).

🍸 *Brewed Awakening* : 1807 Euclid Ave. ☎ 510-540-8865. Tlj 7h-19h (18h sam-dim). Bar alliant déco de brique et jolies gravures. Grand choix de cafés et *smoothies* (fruits entiers mixés). Également des pâtisseries. Ambiance studieuse une fois de plus. Tout le monde pianote sur son ordi (accès Internet).

🍸 *Triple Rock* : 1920 Shattuck Ave, à 150 m du carrefour avec University Ave. ☎ 510-843-2739. Tlj 11h30-1h (2h jeu-sam, minuit dim). Une dizaine de bières brassées sur place, dont la fameuse Red Rock, font la réputation de cette micro-brasserie : brune, blonde ou ambrée, à déguster à la pinte ou au litre pour les plus assoiffés ! On peut aussi manger (sandwichs, burgers, salades, *nachos*, etc.). Belle collection de plaques émaillées et plateaux de différentes marques.

🍸 *Café Milano* : 2522 Bancroft Ave. ☎ 510-644-3100. Lun-jeu 7h-minuit, ven 7h-22h, w-e 8h-22h. Encore un petit bar-cantoche avec mezzanine, où les étudiants révisent leurs cours sous une charpente de bois, amovible aux beaux jours. Également des sandwichs, salades et pâtisseries. Expos de peintures. Juste à côté, une boutique vend des vêtements marqués aux armes de l'université de Berkeley.

Librairies

Amis papivores et autres bibliophiles, Berkeley, avec ses dizaines de librairies et bouquinistes, est pour vous ! Voici nos deux préférées :

✺ *Shakespeare and Co Books* : 2499 Telegraph Ave (angle Dwight

LES ENVIRONS DE SAN FRANCISCO

Way). ☎ 510-841-8916. ● *shakespea reandcobooks.tumblr.com/info* ● *Lun-jeu 10h-20h, ven-sam 10h-21h, dim 11h-20h*. Cette librairie est littéralement inondée de bouquins et revues, avec un petit faible pour tout ce qui touche à l'écologie, la marginalité, l'homosexualité, la métaphysique, la religion, etc.

☸ *Moe's Books :* 2476 Telegraph Ave (à la hauteur de Dwight). ☎ 510-849-2087. ● *moesbooks.com* ● *Tlj 10h-22h*. Une librairie où il faut se précipiter. Bouquins neufs et d'occase, avec une section de livres rares au 4e étage (12h-18h).

Disques et divers

☸ *Rasputin :* 2401 Telegraph Ave. ☎ 1-800-350-8700. *Tlj 11h (10h30 sam ; 12h dim)-20h (21h ven)*. Rasputin est la plus ancienne chaîne de disquaires indépendants de la région, fondée en 1971 à Berkeley, mais le magasin d'origine se trouvait alors sur le trottoir d'en face. Énorme boutique de disques (neufs et d'occase) à l'architecture originale. Également des vidéos.

☸ *Amoeba :* 2455 Telegraph Ave. ☎ 510-549-1125. *Lun-sam 10h30 (8h ven-sam)-22h, dim 11h-20h*. Un autre disquaire bien connu dans la région. Créée par d'anciens employés de son voisin et concurrent *Rasputin*, l'enseigne de Berkeley est bien plus modeste que celle de Haight Ashbury à San Francisco, mais propose tout de même une large sélection de disques, vinyles et DVD neufs et d'occasion.

☸ *Kathmandu Imports :* 2515 Telegraph Ave. ☎ 510-665-8970. *Lun-sam 11h-18h, dim 12h-18h30*. En direct du Népal : saris, bijoux fantaisie, T-shirts, lampions, statuettes, encens... Bref, très Berkeley dans l'âme tout ça !

☸ *Berkeley Bowl Market :* 2020 Oregon St (entre Milvia et Adeline St). ☎ 510-843-6929. *Lun-sam 9h-20h, dim 10h-19h*. Tous les locaux ne jurent que par ce marché couvert qui propose la meilleure sélection de fruits et légumes, bio ou non, à des prix très raisonnables. Viandes, poissons et pains sont aussi excellents, tout comme les fromages. Le tout vendu dans une ambiance très zen, avec des vendeurs un peu planants parfois. L'étape indispensable avant un pique-nique sur le campus par exemple. Une autre succursale au 920 Heinz Ave.

À voir

🚶🚶 *Visite du campus :* avec l'*UC Campus Visitor Center*, situé à l'entrée de l'université, 101 Sproul Hall (intersection Bancroft Way et Telegraph Ave). ☎ 510-642-5215. ● *berkeley.edu/visitors* ● *Visite guidée par des étudiants anglophones ; pour une visite guidée en français, compter 50 $ (!) et résa au moins 2 sem à l'avance (● tour@ berkeley.edu ●) : lun-sam en principe vers 10h ; dim à 13h. Compter 1h30 ; départ en sem au Visitor Center, le w-e du campanile (Sather Tower) au milieu du campus*. Vaut vraiment le coup si on se demande à quoi ressemblent ces fameux campus américains. Une vraie ville, avec ses rues, ses parcs, son stade, ses piscines, ses tennis, ses musées, ses bibliothèques, son hôpital, ses écureuils, etc. ! L'endroit idéal pour faire ses études... si papa-maman ont les moyens : il en coûte la bagatelle de presque 30 000 $ par an les quatre premières années, puis de 33 000 $ (pour les Californiens) à 50 000 $ (pour les autres) si vous souhaitez obtenir un Master ou une thèse *(Ph.D.)* ! Mais c'est encore bien moins cher que Harvard. Ouf ! En sillonnant le campus de l'université fondée en 1868, vous pourrez discuter assez librement avec les étudiants, savoir comment ils vivent les problèmes de leur société, ou les relations internationales actuelles. Et puis, appréciez juste le campus, très vert, avec ses 2 000 arbres dont le plus vieux a... l'âge de l'université, près du Giannini Hall. Berkeley conserve, depuis les sixties, son petit côté rebelle.

🚶🚶 🚶 *Visite de la Sather Tower :* n'hésitez pas à monter sur la tour du campus. Architecture inspirée du Campanile de Saint-Marc à Venise. Pas cher (3 $) et ça vaut le coup d'œil *(lun-ven 10h-15h45 ; sam 10h-16h45 ; dim 10h-13h30, 15h-16h45 ; dernier ascenseur 15 mn avt la fermeture)*. Vue imprenable sur S.F., sa baie et les collines. Concerts de carillons *(3 fois/j. tlj à 7h50, 12h et 18h, et à 14h le dim)*.

🎥🎥 *Berkeley Art Museum* : 2626 Bancroft Way, entre College et Telegraph Ave. ☎ 510-642-0808. ● bampfa.berkeley.edu ● Entrée au 2621 Durant Ave également. Tlj sf lun-mar et j. fériés 11h-17h. Entrée : 10 $; réduc ; gratuit 1er jeu du mois.
Derrière ce gros bloc de béton pas bien engageant se cache un des plus importants musées universitaires du monde : le BAM possède une belle collection d'art s'étendant de la Renaissance au XXe s. Intéressants expos d'art contemporain.
Le fonds permanent est exposé par roulement. Selon l'accrochage du moment, on peut y voir : *Passages East, West II* de Raymond Saunders, *Chanting* de Sylvia Lark, *Goddesi* de Nancy Spero. Puis *Number 207* de Mark Rothko, *Study for Figure V* de F. Bacon, *Number 6* de Pollock. Également Joan Mitchell, Sam Francis, Richard Diebenkorn, Elmer Bishoff... Salle où sont exposées des œuvres de Fernand Léger, Matta, *Surf* de Pierre Alechinsky, *Response Without Question* d'Asger Jorn, Tadeusz Kantor, Soulages, *Duo* et *Youth* de Magritte, dessins de Picasso, Klee, Matisse, Miró, Rouault, Max Beckmann, *Leipzigers* de George Grosz. Ensor, Rousseau et Max Weber font aussi partie du lot.
Salle Hans Hofmann (1880-1966) : nombreuses œuvres de ce peintre inventif, membre du mouvement de l'abstraction réelle, ami de Robert Delaunay, prof à Berkeley, s'exprimant en éclatantes couleurs et sachant parfois aussi être éclectique et peindre à la façon de Pollock ou de Kandinsky.
Galerie R. et R. Swig : *The Studio* de Daumier, *Deauville* de Boudin, encre de John Singer Sargent. Beaux paysages d'Albert Bierstadt (superbe *Yosemite Winter Scene*), *Self Portrait, Yawning*, un curieux Joseph Ducreux, *Madone et Enfant* de Titien. Remarquable *Road to Calvary* de Rubens (noter les multiples nuances de gris), *Sleeping Woman* de Renoir. Étrange *Hammering Man* de J. Borofsky. Également une très belle section d'art chinois et de miniatures indiennes. Remarquables expos temporaires thématiques.

|●| Possibilité de se restaurer au *Café Babette* (lun-ven 8h-16h30, w-e 11h-15h), petite cafétéria au calme, avec terrasse plein soleil et même des chaises dans le jardin du musée. Petits plats bio et bons cookies.

🚶🚶 *University of California Museum of Paleontology* : Room 1101, dans le Valley Life Sciences Building, à côté d'Oxford et University Ave. ☎ 510-642-1821. Lun-jeu 8h-22h, ven 8h-17h, sam 10h-17h, dim 13h-22h. GRATUIT. On signale ce musée (qui tient plus de la petite galerie) pour le plus vieil oiseau du monde, le ptéranodon, qui survole un T-rex au grand complet. Impressionnant ! Sinon, les plus belles pièces de la collection (l'une des plus belles d'Amérique du Nord), sont pieusement réservées aux chercheurs.

🚶🚶 *Lawrence Hall of Science* : 1 Centennial Dr, sous le Grizzly Peak Blvd, au nord-est du campus. ☎ 510-642-5132. ● lawrencehallofscience.org ● Tlj sf j. fériés 10h-17h. Entrée : 12 $ (+ 4 $ pour le planétarium) ; réduc. Pour nos lecteurs amateurs de musées scientifiques, une étape très intéressante, avec toujours le meilleur matériel technologique et pédagogique. Au rez-de-chaussée, expo fascinante avec une sphère qui devient Lune, Soleil, Terre, Jupiter ; on peut y découvrir les effets du réchauffement climatique, du tsunami de 2004 ou encore observer la dérive des continents. Les autres salles offrent plein d'activités interactives sur la gravité, l'apesanteur. Le planétarium propose des documentaires principalement sur les étoiles (13h, 14h, 15h, tlj en été, slt le w-e le reste de l'année). Au sous-sol, on peut admirer un crâne de T-rex, un fossile de triceratops et un squelette de mastodonte. Des tarentules bien vivantes, une famille de chinchillas et un gros iguane paresseux sont également présents. Une autre salle avec des cochons d'Inde, des geckos, des tortues n'ouvre elle que l'après-midi (tlj 13h30-16h en été, slt le w-e le reste de l'année), de même que l'Ingenuity Lab, où l'on peut laisser libre cours à sa créativité (w-e slt, 12h-16h). À l'extérieur, les enfants pourront escalader une molécule d'ADN ou chevaucher une sculpture de baleine. Superbe vue sur Berkeley et la baie de San Francisco.

🚶 *People's Park* : angle Telegraph et Haste. On y trouve une fresque militante rénovée régulièrement, à contempler dans la rue en bas du parc. Peinte en 1976, elle retrace de façon assez expressionniste les grands moments des sixties et des seventies, le *Free Speech Movement,* la guerre du Vietnam, les Black Panthers, le *Bloody Thursday* du 15 mai 1969 (manifs et féroces répressions), etc. C'est ici, sur cette esplanade mythique, qu'eurent lieu les grands rassemblements contestataires des sixties. Quelques potagers-jardins populaires semi-abandonnés, quelques pancartes, il ne reste, bien sûr, plus grand-chose de l'esprit de l'époque. Aujourd'hui, refuge des *homeless* de la ville (des associations étudiantes y distribuent des soupes populaires). La municipalité et les promoteurs convoitent cet immense espace en plein centre, mais n'osent toujours pas y toucher, de peur de réveiller les vieux démons. Il faut dire que, malgré l'apparente apathie politique des étudiants et professeurs, il semble que beaucoup tiennent encore à ce symbole. Les dernières menaces contre le *People's Park* ont d'ailleurs suscité une étonnante mobilisation.

%% *Berkeley Rose Garden :* 1200 Euclid Ave (et Eunice St). Tlj du lever au coucher du soleil. Ce parc floral situé au nord du campus, sur les hauteurs, présente plus de 3 000 roses provenant de 250 espèces différentes réparties dans un vaste amphithéâtre. Panorama magique sur la baie, Marin County et le Golden Gate Bridge, surtout au printemps.

LE WINE COUNTRY (NAPA ET SONOMA VALLEY)

Au nord de San Francisco, on entre dans le pays du vin *(Wine Country),* **composé de deux petites vallées mondialement réputées : Sonoma Valley et Napa Valley. Une agréable promenade en perspective, grâce à la diversité des paysages, qui intéressera bien sûr les amateurs de vin, mais aussi les lecteurs de Jack London, qui s'était réfugié dans le coin.**

Compter une bonne journée d'excursion depuis San Francisco. Si possible, éviter le week-end : beaucoup de monde, des embouteillages, les hébergements sont saturés, les prix explosent et les meilleures adresses sont pleines ; juillet et août sont également des mois très chargés. Les plus sportifs pourront sillonner cette très belle région vallonnée à vélo (en empruntant de préférence les chemins de traverse ou les petites routes qui grimpent joliment mais durement par endroits).

LE VIN CALIFORNIEN

Il y a encore quelques (rares) Français pour dire que le vin californien est imbuvable. Eh bien, qu'ils s'abreuvent de Coca-Cola (qui, soit dit en passant, est devenu depuis 1979 le plus gros négociant de vin américain avec sa filiale *Taylor*) ! Certains s'étonneront aussi peut-être de voir sur les étiquettes chardonnay, gamay, sauvignon, gewurztraminer ou riesling. En fait, les vins californiens proviennent essentiellement de plants européens.

Le vin californien est plus fort que le vin français (normal : il y a plus de soleil) et il est plus sucré : il peut donc être sournois. Conclusion : allez le déguster dans les

LE PHYLLOXÉRA : UN RENDU POUR UN PRÊTÉ !

Si l'on boit du vin en France, c'est grâce à la Californie : les cépages américains, beaucoup plus résistants, ont sauvé nos vignes complètement anéanties par le phylloxéra (qui nous venait de Californie ! Un point partout !), en 1875. Cruelle ironie de l'histoire, à leur tour les vignes californiennes subissent depuis quelques années les attaques du phylloxéra. Les autorités tentent de trouver une solution à ce qui pourrait devenir un désastre. Peut-être les vignes françaises, reconnaissantes, leur feront-elles un « La Fayette, nous voilà ! ».

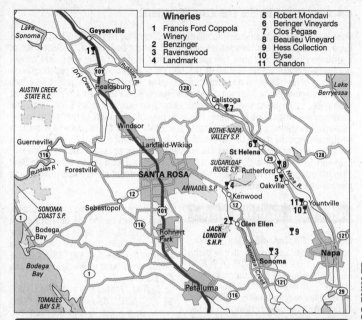

Wineries		
1 Francis Ford Coppola Winery	5 Robert Mondavi	
2 Benzinger	6 Beringer Vineyards	
3 Ravenswood	7 Clos Pegase	
4 Landmark	8 Beaulieu Vineyard	
	9 Hess Collection	
	10 Elyse	
	11 Chandon	

LE WINE COUNTRY, NAPA ET SONOMA VALLEY

endroits suffisamment près de votre hôtel pour rentrer à pied ! À notre avis, le pinot noir et l'*Emerald Grey* font partie des meilleurs, et certains blancs secs soutiennent la comparaison avec les nôtres.

Dommage que la nouvelle popularité des crus californiens ait entraîné une hausse considérable des prix. Le rapport qualité-prix en est parfois outrageusement mauvais ! En attendant une juste et raisonnable réévaluation des cours, on se contentera dans bien des cas d'une dégustation dans les domaines.

Important : dans la Napa et la Sonoma Valley, il n'est pas rare que les restos pratiquent le système du ***BYOB (Bring Your Own Bottle).*** Moyennant un droit de bouchon (*corkage fee*), vous avez le droit d'apporter votre bouteille de vin.

SONOMA

10 648 hab.

Située à une cinquantaine de kilomètres à peine au nord-est de San Francisco. Charmante et tranquille petite ville de style *pueblo* mexicain. Imaginez une grande place carrée (la plus grande de l'État) avec un îlot de verdure au milieu et quatre rues qui forment le centre névralgique de la ville avec une hôtellerie de charme, de beaux magasins et de nombreuses galeries d'art. Ambiance très campagne. Presque tous les endroits à visiter et nos meilleures adresses sont situés autour de la place, admirablement restaurée.

LA « RÉPUBLIQUE DE CALIFORNIE »

Voici un historique et curieux épisode local : la *Bear Flag Revolt*. En 1846, une tren-taine d'Américains, surnommés les « Ours » et venant de la région de Sacramento, s'emparent de Sonoma sans tirer un coup de feu, font prisonnier le général Vallejo, gouverneur mexicain de la ville, et ses hommes. Ils proclament la république de Californie et en hissent le nouveau drapeau (*Bear Flag*, orné d'un dessin de grizzli et de la mention écrite à la main *California Republic*) sur la Plaza. Un président est même élu. La république dure 25 jours, jusqu'à ce que, le 7 juillet 1846, la marine américaine s'empare de Monterey, siège du pouvoir mexicain, et que soit décidée l'intégration définitive de la Californie aux États-Unis. Deux jours plus tard, le lieutenant Revere (petit-fils du héros de l'indépendance, Paul Revere) arrive à Sonoma. Les insurgés acceptent la nouvelle situation et le remplacement de leur drapeau par le *Star and Stripes*. En 1911, l'Histoire leur rend grâce, puisque le *Bear Flag* est adopté comme drapeau de l'État. Un monument sur la Plaza rappelle cet insolite événement politique.

Adresses et infos utiles

🛈 *Visitor Center :* 453 E 1ˢᵗ St, dans une maisonnette plantée sur la place centrale (the Plaza). ☎ 707-996-1090 ou 1-866-996-1090. ● sonomavalley. com ● Tlj 9h (10h dim)-17h. Plan gratuit de la vallée et personnel compétent.

■ *Location de vélos : Sonoma Valley Cyclery,* 20091 Broadway St. ☎ 707-935-3377. ● sonomacyclery.com ● Sur la Hwy 12 en direction du sud (rue qui part de Sonoma Plaza). Tlj 10h-18h (16h dim). Location de tandems, VTT, etc.

➤ Pas de *Greyhound* à Sonoma. Pour rallier S.F., bus local *Sonoma County Transit* (☎ 707-576-RIDE ou 707-576-7433. ● sctransit.com ●) n° 30 pour Santa Rosa, ou n° 40 pour Petaluma. Là, changement de monture pour la ligne assurée par le *Golden Gate Transit* (● goldengate.org ●).

Où dormir ?

De chic à très chic

🏠 *Sonoma Hotel :* 110 W Spain St. ☎ 707-996-2996 ou 1-800-468-6016. ● sonomahotel.com ● À l'angle de la place. Doubles 110-250 $ selon moment de la sem et saison (avr-oct), petit déj compris. En hte saison, 2 nuits obligatoires le w-e. Ce petit hôtel bourré de charme revendique une atmosphère de chambres d'hôtes. À juste titre, si l'on prend en compte la qualité de l'ameublement ancien, la

déco personnalisée de chaque cham-bre (à grand renfort de bibelots et de coussins), l'apéro servi dans le *lobby* cosy... le tout dans un pittoresque bâtiment construit en 1880 par un immigrant allemand. Excellent accueil. On adhère !

🏠 *Swiss Hotel :* 18 W Spain St. ☎ 707-938-2884. ● swisshotelso noma.com ● Sur la Plaza. En saison, doubles 150-240 $ selon moment de la sem (un peu moins cher nov-avr), petit déj inclus. Avec seulement 5 chambres, l'appellation « hôtel » pour cette vieille bâtisse en adobe paraît un peu exa-gérée. Tant mieux cela dit, on gagne en intimité, et le soin apporté à l'entre-tien s'en ressent : chambres cossues pas bien grandes mais confortables et décorées avec goût. Mais la vraie bonne surprise, c'est l'accès à la galerie qui surplombe la grand-place. Impeccable à l'heure de l'apéro ! Éga-lement un resto et un bar pleins de charme, mais très touristiques (on y mange pizzas, pâtes... dans une jolie véranda). Le patron, italo-suisse, fait régner dans sa maison une ambiance douillette et raffinée.

🏠 *El Pueblo Inn :* 896 W Napa St. ☎ 707-996-3651 ou 1-800-900-8844. ● elpuebloinn.com ● À 9 blocs et demi à l'ouest de la Plaza ; à 5 mn en voiture du centre, sur la route de Santa Rosa. Doubles 150-270 $ selon confort et moment de la sem, petit déj inclus. 🛏 📶 Petit motel élégant à la belle architecture en bois et brique. Beaucoup de personnalité, à l'image de son jardin luxuriant agrémenté d'une fontaine, dont les allées conduisent à une séduisante piscine à l'abri des regards indiscrets. Les chambres se révèlent plus classiques, mais spacieuses et soignées.

Où manger ?

Spécial petit déjeuner

☝ *The Sunflower Coffee* et le *Basque Boulangerie Café* (lire ci-dessous).

De bon marché à prix moyens

|●| ☝ *The Sunflower Coffee* : 415 et 421 W 1ᵉʳ St. ☎ 707-996-6645. Tlj 7h-19h. Env 10 $. Une vraie poupée russe ! Dans l'ordre, on s'émerveille devant la belle bâtisse en adobe de 1846, puis on découvre les petites salles cosy, et enfin, muscles zygomatiques bloqués en position haute, on tombe sous le charme d'un superbe patio fleuri avec une fontaine et une tonnelle couverte de chèvrefeuille. Une halte de fraîcheur bienvenue pour déguster sans hâte les sandwichs frais, les salades colorées et les bons plats du jour.

|●| ☝ *Basque Boulangerie Café :* 460 E 1ˢᵗ St, en face du Visitor Bureau. ☎ 707-935-7687. Tlj 6h-18h (19h ven-sam). Bonne boulangerie avec pain maison cuit dans un grand fournil et un grand choix d'excellentes pâtisseries : cookies, muffins, *cinnamon rolls,* mais aussi croissants et gâteaux basques pour faire bonne mesure. Quelques tables dehors, face au square. Idéal pour prendre un petit déj ou un lunch sur le pouce, à base de croque-monsieur, salades et soupes du jour. Copieux, frais et savoureux.

|●| *Sonoma Cheese Factory :* 2 Spain St, sur la Plaza. ☎ 707-996-1931. Tlj 8h-18h. Grand *deli* très populaire pour son stand de sandwichs frais, son barbecue pour burgers bien *juicy,* et bien sûr son fromage de Californie fabriqué sur place (pâte cuite dont on a stimulé le goût avec tout un tas d'ingrédients). Vous en trouverez à l'ail, à l'oignon, au piment... Pour les goûter, il suffit d'ouvrir les boîtes en plastique sur les présentoirs... Possibilité de pique-niquer sous une longue tonnelle où des tables sont à votre disposition, ou bien dans le parc, juste en face (tables en bois et pelouse autorisée).

Très chic

|●| *The Girl and the Fig :* 110 W Spain St, à côté du Sonoma Hotel. ☎ 707-938-3634. Tlj 11h30-22h (23h ven-sam). Sunday brunch 10h-15h. Menu 3 plats 34 $ (change ttes les sem) ; sinon, repas env 40 $ (env 20 $ au lunch). Le nom intrigant préfigure la carte, une irrésistible sélection de plats à la française aussi originaux que bons. Et comme les produits sont rigoureusement sélectionnés chez les producteurs du coin, préparés avec soin et présentés avec la manière, cette table très coquette est devenue une référence pour tout le *wine country.* Un *flight tasting* là-dessus, et c'est le bonheur assuré !

|●| *Café Lahaye :* 140 E Napa St. ☎ 707-935-5994. Mar-sam 17h30-21h. Résa conseillée. Plats env 20-30 $ donc addition plutôt 40-50 $ sans boisson. Art et gastronomie se conjuguent à merveille dans le cadre adorable d'un resto de poche, où une poignée de tables seulement garantit l'intimité du lieu. Évidemment, seuls les heureux élus au portefeuille joufflu pourront goûter la belle cuisine californienne aux influences italiennes mitonnée avec les beaux produits du coin. Parmi les spécialités : le risotto dont la recette change chaque jour.

LE WINE COUNTRY

À voir. À faire

🎋 *Sonoma Walking Tour :* autour de la Plaza et des rues alentour, un intéressant itinéraire architectural, à la rencontre des anciennes demeures coloniales espagnoles. En particulier les maisons en adobe (brique en paille et boue séchée) dont Sonoma possède le plus grand nombre de la Californie du Nord. Plus tard viendront les demeures en rude pierre locale et les vérandas en bois (au début, les madriers venaient souvent de la côte est et passaient par le cap Horn).

Pour une petite mise en bouche : allez voir d'abord la **Hooker-Vasquez House** (de 1855), sur 1st Street East, cachée dans le *Paseo* (dans la rue qui passe devant le *Visitor Center*). C'est le siège de la *Sonoma League for Historic Preservation* (librairie-salon de thé). Prendre ensuite la East Spain Street pour la **Blue Wing Inn,** l'une des plus anciennes (1840). Elle fut d'abord une *boarding house* pour immigrants, puis elle se transforma en hôtel et reçut de célèbres clients : Kit Carson, les bandits Three Fingers Jack et Joaquin Murietta, et de jeunes officiers, en garnison ici, qui se firent plus tard une renommée historique pendant la guerre de Sécession, les généraux Grant et Sherman. Au début du XXe s, elle devint épicerie, puis cave à vins. En 1911, on pompa toutes les barriques pour éteindre le gigantesque incendie qui détruisit presque totalement la East Spain Street ! À côté, la **Pinni House** de 1903... Mais vous ne ferez pas l'économie de la brochure vendue au *Visitor Center,* car c'est vraiment une belle balade !

🦌 *Sonoma Historic Park :* se compose de la mission San Francisco Solano, des Sonoma Barracks et de Lachryma Montis. ☎ 707-938-9560. Tlj 10h-17h. Billet commun : 2 $.

– *La mission San Francisco Solano :* angle 1st St et E Spain St. Visite guidée gratuite ven-dim 11h-14h. Brochure en français. Dernière mission construite en Californie, en 1823, et la seule établie sous domination mexicaine, elle est aussi la plus au nord de Californie. Peu de choses à voir, si ce n'est une exposition d'aquarelles représentant les différentes missions de l'État et une jolie chapelle édifiée sur ordre du général Vallejo en 1841. Ne pas oublier de faire un tour dans la cour intérieure, pittoresque et très caractéristique de la période.

– *Sonoma Barracks :* E Spain St, sur la Plaza. Ce bâtiment en adobe austère, organisé autour d'une grande cour pour les dépendances, fut construit vers 1835 pour servir de caserne à la garnison mexicaine de la ville. Une salle abrite une reconstitution superficielle des quartiers des soldats, une autre propose une vidéo historique sur Sonoma et son emblématique gouverneur, Vallejo, une troisième rassemble un bric-à-brac de souvenirs sur les premiers colons américains, les guerres avec le Mexique, la *Bear Flag Revolt*... Un peu fourre-tout.

– *Lachryma Montis :* W 3rd St, accessible par la W Spain St depuis la Plaza. *Lachryma Montis,* traduction latine des « larmes de la montagne », en référence aux sources qui s'épanchent sur le domaine, n'est autre que le petit nom de la maison familiale des Vallejo. Un poète, ce général ! Pas seulement : sa maison très Nouvelle-Angleterre montre les facultés d'adaptation de l'ancien gouverneur mexicain, lorsque le pays passe sous domination américaine. Il sera d'ailleurs élu sénateur du nouvel État ! Pour le reste, le mobilier n'ayant pas bougé depuis lors, la balade dans cette jolie demeure donne une bonne idée du quotidien de la bourgeoisie rurale de l'époque. À côté, la grange typique abrite un petit musée.

Les *wineries*

Eh oui ! Y a pas que la Napa Valley, la Sonoma présente aussi quelques surprises très agréables, dont le *zinfandel,* cépage d'origine croate, suffisamment charpenté pour faire croire parfois (silence dans les rangs) à un bourgogne en bouche. Les visites sont plus chaleureuses que chez les voisins de la Napa et moins commerciales (quoique...). Bref, voici nos trois préférées :

– **Benzinger** (plan Wine Country, **2**) : 1883 London Ranch Rd, sur la 12, à l'est, pas loin du Jack London State Historic Park. ☎ 1-888-490-2739 ● benziger.com ● Visite-dégustation 11h-15h30, ttes les 30 mn (durée 45 mn) : 20 $. Une de nos caves favorites dans la vallée, avec des paons à l'arrivée. Des vins bio, en famille.

Agréable visite, dégustation francophile et francophone. Spécialités de pinot noir. Et d'autres pépites venues d'autres vallées, on vous laisse découvrir !

– **Ravenswood** *(plan Wine Country, 3) : 18701 Gehricke Rd. Au nord de Sonoma.* ☎ *1-888-669-4679* ● *ravenswood-wine.com* ● *Tlj 10h30-16h30. Dégustation à partir de 15 $ (4 vins), organise des tours mat et ap-m (avec fromage), 15-25 $.* Le slogan de la maison, c'est « Pas de vins poules mouillées ». Ce spécialiste du zinfandel est en effet loin de la jouer petit bras ! À essayer sur la terrasse, à l'ombre. Délicieux souvenir.

– **Landmark** *(plan Wine Country, 4) : 101 Adobe Canyon Rd. Sur la 12, vers le nord, en direction de Santa Rosa.* ● *landmarkwine.com* ● ☎ *707-833-0053. Tlj 10h-17h. Dégustation à partir de 15 $.* Une petite cave sans prétention, fréquemment primée pour ses chardonnays et son pinot noir, en effet très bons.

GLEN ELLEN

784 hab.

Petit village paisible situé à quelques kilomètres au nord de Sonoma. Son principal intérêt (et non des moindres) est d'avoir hébergé Jack London pendant sa courte retraite. Incroyable comme le moindre hôtel ou resto récupère le nom de l'écrivain. Ne pas manquer la visite du *Jack London State Historic Park.*
Le village, bien qu'assez cher, est également un excellent point de chute, avec tout le charme propre aux bourgades de l'arrière-pays.

Où dormir ?

De chic à très chic

🛏 **Jack London Lodge :** *13740 Arnold Dr.* ☎ *707-938-8510.* ● *jacklondonlodge.com* ● *Juste avt l'entrée du parc, sur la droite. Doubles 125-185 $, petit déj inclus.* 📶 Pour ceux qui souhaiteraient s'attarder quelque temps sur les lieux, petit motel fleuri sur 2 niveaux dans un coin tranquille. Chambres vastes et agréables, même si la déco un peu chargée ne fera sans doute pas l'unanimité. La rivière passe tout à côté et petite piscine à disposition.

Très, très chic

🛏 **Gaige House Inn :** *13540 Arnold Dr.* ☎ *707-935-0237 ou 1-800-935-0237.* ● *gaige.com* ● *À la sortie de Glen Ellen, sur la gauche. Doubles 275-375 $, jusqu'à 625-695 $ pour une suite, petit déj inclus.* 📶 Une adresse de charme pour hôtes de marque. Elle comprend une superbe maison du XIXᵉ s, une annexe de plain-pied et un beau jardin où l'on devine le disque étincelant de la piscine, tous repensés et aménagés dans un style contemporain épuré, aux délicates influences asiatiques. Salons et chambres rivalisent d'élégance. Pour les couples très fortunés en lune de miel, nous recommandons la *Gaige Suite*, avec immense lit à baldaquin et dentelle blanche, superbes tableaux, fauteuils Emmanuelle et gigantesque salle de bains bleue avec jacuzzi. Le rêve ! Tous les soirs, dégustation de vins et fromages.

Où manger ?
Où boire un verre ?

|●| 🍷 **Jack London Saloon :** *Arnold Dr, à côté du Jack London Lodge.* ☎ *707-938-8510.* Cette maison en brique construite en 1905 cache un authentique saloon de l'Ouest, avec sa grande salle agréable et sa clientèle d'habitués en rang d'oignons le long du comptoir, face à l'immense miroir de rigueur (pour voir venir l'ennemi !). Comme il se doit,

Jack London figure en bonne place sur les murs... Quand même quelques concessions au monde moderne : des ventilos, un billard et un écran géant pour les matchs de base-ball. Pour les amateurs, grand choix de whiskies. Quelques plats à déguster au bar ou dans le *beer garden* fleuri en surplomb de la rivière.

|●| ☗ The Fig Café : 13690 Arnold Dr. ☎ 707-938-2130. *Tlj 17h30-21h ; brunch le w-e 10h-15h. Plats 10-20 $.* Même maison qu'à Sonoma, mais dans une version réussie de bistrot contemporain chaleureux. La cuisine d'inspiration française suit le mouvement, plus simple (il y a aussi pizzas et burgers), mais toujours à base de bons produits mitonnés dans les règles. Gros point fort : pas de droit de bouchon ! Une aubaine dans la région.

|●| ☗ ✿ Garden Court Café and Bakery : 13647 Arnold Dr. ☎ 707-935-1565. *Tlj sf mar 8h30 (7h30 w-e)-14h. Env 10-15 $.* Cadre gentillet pour ce petit café lumineux aux meubles en bois. Gros sandwichs servis avec soupe, burgers, salades... Au petit déj, spécialité de *eggs Benedict* parmi les omelettes variées, pancakes et autres classiques US.

|●| Glen Ellen Inn : 13670 Arnold Dr. ☎ 707-996-6409. *Tlj 11h30-21h (le mer le soir slt). Plats env 12-14 $ au bar, 20-25 $ midi et soir au resto.* Petit resto mimi comme tout tenu par un jeune couple charmant. Difficile de ne pas trouver son compte entre la salle coquette et intime, la jolie véranda, et la terrasse romantique retranchée dans un jardinet où chantonne une fontaine. De quoi se mettre en condition pour goûter une cuisine californienne inventive à base de produits du jardin (entre autres) ou siroter un délicieux cocktail. Fait aussi hébergement.

À voir

JACK LONDON STATE HISTORIC PARK

🛉🛉 *Accès par la London Ranch Rd. Fléché depuis Glen Ellen. Pas très loin du centre.* ☎ 707-938-5216. ● *jacklondonpark.com* ● *Tlj sf mar-mer 10h-17h. Fermé à Thanksgiving, Noël et Jour de l'an. Entrée : 10 $/voiture. Plan à l'accueil.*

C'est dans la vallée de la Lune que Jack London, un des plus célèbres écrivains américains, choisit de s'installer. Il décida à 29 ans, en 1905, de poser son sac au milieu de superbes collines loin du bruit et de la fureur : « Je jetterai ici une ancre si lourde que le diable lui-même ne pourra la soulever », écrivait-il à ses amis. L'aventurier, le chercheur d'or, le pêcheur, le journaliste... voulait devenir fermier tout en continuant d'écrire de façon acharnée. Entre 1900 et 1916, il écrivit plus de 50 livres. Il faut « bêcher » sans cesse, répétait-il. Il s'astreignait à accoucher de 1 000 mots chaque matin... Il décide enfin de se faire bâtir une vaste demeure, une sorte de ranch composé de gros blocs de lave, d'énormes pierres brutes et de bois. En août 1913, juste avant qu'il ne s'installe avec sa femme à Wolf House (c'est le nom de la maison), celle-ci brûle complètement. Il y avait mis toute sa fortune et n'avait pas d'assurance. Quelques jours après, déprimé par ce coup du sort, il se remit cependant à écrire de plus belle. Avec les premiers 2 000 $ touchés pour un article pour *Cosmopolitan,* il rajouta un studio à la petite maison où il vivait depuis 1911, manifestant une énergie hors pair. London n'eut cependant pas le temps de rebâtir son rêve. Il mourut le 22 novembre 1916, sans doute d'une crise d'urémie gastro-intestinale. L'auteur à succès de *L'Appel de la forêt, Martin Eden, Le Talon de fer, Croc-Blanc, Jerry dans l'île, La Vallée de la Lune* venait d'avoir 40 ans.

Ce beau parc, créé en 1959, abrite un musée dédié à l'écrivain ainsi que les ruines de Wolf House, la maison qu'il n'habita jamais, et sa tombe. Non loin de là, on trouve le cottage en bois dans lequel il vécut et des installations agricoles. Tout autour, nombreux sentiers de balade. Outre les multiples souvenirs de l'écrivain, le parc offre donc aussi de belles occasions d'excursions, dans un cadre assez sauvage qui évoque parfois la brousse...

🐾 **Le musée :** installé dans la maison que la femme de Jack London, Charmian, fit construire en 1919 en l'honneur de son mari et où elle vécut jusqu'à sa mort. Plus petite, mais édifiée dans le même style que la maison qui brûla, c'est aujourd'hui un musée qui réunit nombre d'objets personnels de l'écrivain.

Vitrines de photos, maquette de son bateau le *Snark* (avec lequel il visita les îles du Pacifique avec sa femme), nombreux souvenirs des îles Salomon, meubles originaux et plein de petits objets insolites : machine à écrire portative, dictaphone, coquillages, pagaie, etc. Noter, dans une vitrine, cette lettre de refus d'un de ses premiers manuscrits et des épreuves d'imprimerie. Cocasse. Plus amère, cette dramatique lettre de démission du parti socialiste à qui il reproche sa tiédeur (*« lack of fire and fight »*). Également les articles sur les conflits qu'il couvrit comme correspondant de guerre (guerre russo-japonaise de 1904 et intervention de l'armée américaine à Vera Cruz en 1914).

🐾 **Les ruines de la Wolf House :** *par un petit chemin, à 1 km du musée.* De ce ranch imposant, caché dans un bosquet de séquoias, il reste les hauts murs de pierre, pathétiques. On devine encore l'organisation des espaces. Prendre l'escalier qui mène à une galerie de bois : on y trouve un plan de la maison telle que l'avait conçue l'écrivain. On remarquera qu'il avait prévu d'installer sa chambre dans une tour !

🐾 **La tombe :** *par un petit chemin, à proximité du musée et de Wolf House, sur une petite colline.* Simple, avec pour seule matérialisation un gros bloc de pierre retiré des ruines de sa demeure. Les cendres de Charmian rejoignirent celles de son mari en 1955. À côté, deux morceaux de bois indiquent la sépulture de deux enfants d'une famille de pionniers. Là aussi, un tête-à-tête émouvant avec l'immense écrivain.

🐾 **Le cottage :** *on y accède par un petit sentier à partir d'un autre parking que celui du musée. Bien indiqué sur la carte. Ouv slt le w-e. Entrée : 4 $; réduc.* C'est ici qu'à partir de 1911 Jack London écrivit ses romans les plus célèbres (et qu'il mourut, dans la petite véranda vitrée). Cette charmante maisonnette en bois, plutôt modeste, est donc plus ancrée dans la réalité quotidienne de l'écrivain que la légendaire Wolf House qu'il n'habita jamais. Tout autour du cottage, on trouve des granges, une ancienne distillerie, une écurie... Au-dessus du parking, une charmante aire de pique-nique.

DANS LES ENVIRONS DE GLEN ELLEN

🐾 Juste avant d'arriver à **Calistoga,** un **geyser** jaillit toutes les 7 à 15 mn.
– Les petites routes rejoignant la Sonoma Valley et la Napa Valley ne manquent vraiment pas de charme. La route entre Calistoga et Geyserville (au nord de Calistoga) se révèle également magnifique.
C'est aussi l'occasion de découvrir le magnifique domaine viticole du cinéaste Francis Ford Coppola à Geyserville.

🐾🐾🐾 **Francis Ford Coppola Winery** (plan Wine Country, **1**) **:** *300 Via Archimedes, à* **Geyserville.** *Sortie 509 Independence Lane sur la 101.* ☎ *707-857-1400.* ● *franciscoppolawinery.com* ● *Tlj 11h-18h. Dégustation des vins les plus courants en général gratuite. Sinon, env 10-14 $ pour 4 verres des cuvées les plus nobles. Pass piscine env 20 $/pers (résa indispensable).* Après le domaine Rubicon à Rutherford dans la Napa Valley, le célèbre réalisateur d'*Apocalypse Now* et du *Parrain* s'est offert l'ex Château Souverain dans la vallée de Sonoma. L'entrée par le grand escalier est grandiose, on sent déjà la mise en scène bien rôdée. On accède ensuite au bâtiment principal où se trouve la salle de dégustation. Le domaine produit une quarantaine de vins différents, syrah, malbec, pinot gris, muscat... On sirote son vin en admirant les nombreux objets tout droit sortis des films du maître : le bureau du *Parrain,* la voiture de *Tucker* et les nombreuses récompenses récoltées au fil des années. En été, le domaine attire de nombreuses familles, grâce à sa piscine gigantesque, entourée de petits bungalows à louer à la journée. Pour limiter l'affluence, la réservation est indispensable, souvent des semaines à l'avance. Sans résa, la seule solution est de s'inscrire sur une liste d'attente en arrivant, et si par chance des places se libèrent, on vous laissera accéder à la piscine à partir de 15h.

I●I ❢ Sur place, un **restaurant** à l'atmosphère *casual* (*Rustic, tlj 11h-21h*) sert les classiques de la cuisine italienne, mais aussi les recettes favorites du maître des lieux, ainsi que des grillades à la mode argentine (sur une vraie *parrilla*). Pizzas napolitaines, pâtes... env 12-20 $; 20-35 $ pour les plats plus travaillés. À la belle saison, possibilité aussi de manger un morceau au **Pool Café,** le bar de la piscine.

NAPA VALLEY

À l'est de la Sonoma Valley. Les domaines de la Napa Valley s'échelonnent le long de la Highway 29, entre Napa et Calistoga, sur plus de 50 km... Moins sauvage et moins belle que Sonoma, cette vallée est avant tout une terre de vignes. La région est un peu à la Californie ce que le Bordelais est à la France. Ici, les demeures et

> ### PIEUSE EXCUSE
>
> *La cave Beaulieu, fondée par un Français, fut l'une des seules de la région à produire son vin pendant la Prohibition, car son propriétaire prétendait que c'était du vin de messe. Ce mensonge ayant sauvé les emplois, Dieu est resté magnanime.*

les bâtiments des *wineries* **rivalisent de folie et de luxe. Certains n'hésitent pas à dépenser de véritables fortunes pour présenter leur « bébé », comme Robert Mondavi pour son fameux** *Opus One*. **Quant à Napa ville, si elle ne supporte pas la comparaison avec sa charmante rivale Sonoma, elle n'en demeure pas moins une bourgade proprette pas désagréable pour une étape, avec ses maisonnettes en bois colorées, ses demeures victoriennes héritées de l'âge d'or de la ville au XIXᵉ s et ses troquets accueillants.**

On le répète, le week-end et en juillet et août, la Highway 29 devient généralement une file ininterrompue de voitures avançant au pas (quand elles avancent !)... De quoi vous gâcher le plaisir des dégustations.

Adresse utile

🅸 **Visitor Information :** Town Center, à **Napa.** ☎ 707-226-7459. ● napavalley. com ● Bien fléché dès l'entrée de la ville. Tlj 10h-18h. Ce bureau tient à votre disposition quantité d'infos et de brochures sur les différentes *wineries*, ce qu'elles proposent, etc.

Où dormir ?

De prix moyens à très chic

🏠 **Redwood Inn :** 3380 Solano Ave, **Napa.** ☎ 707-257-6111 ou 1-877-872-NAPA. ● napavalleyredwoodinn.

com ● Sur la Hwy 29 North, sortie Redwood Rd – Trancas St. Doubles 75-150 $, petit déj inclus. 📶 Petit motel tout vert, avec une petite piscine sur le devant (donc un peu sur le parking !), proposant des chambres standard à prix raisonnables pour la région.

🏠 **The Chablis Inn :** 3360 Solano Ave, **Napa.** ☎ 707-257-1944 ou 1-800-443-3490. ● chablisinn.com ● Sur la Hwy 29 North, sortie Redwood Rd – Trancas St ; à côté du Redwood Inn. Doubles 110-170 $. 🖥 📶 Un motel, peut-être, mais plus accueillant que nombre de ses homologues. Il occupe un bâtiment à étage rouge, organisé autour d'une cour arborée. Chambres conventionnelles agréables, propres et de bon confort. Piscine de poche pour se rafraîchir et *hot tub*.

Encore plus chic

🛏 *Napa Valley Railway Inn :* 6503 Washington St, **Yountville.** ☎ 707-944-2000. ● napavalleyrail wayinn.com ● *Derrière le magasin Overland Sheepskin Co. Doubles 125-260 $.* Presque mieux que l'*Orient-Express* ! Car cet hôtel extravagant a reconverti 2 trains de la fin du XIXe s, à quai de part et d'autre d'une plate-forme à l'ancienne mode. Original, mais pas seulement : les chambres occupent chacune un wagon, bénéficient de tout le confort attendu, d'un coin salon et de mobilier d'époque (lits en cuivre). Dans le genre, ça rappelle un peu le salon ambulant de James West et Artemus Gordon dans *Les Mystères de l'Ouest* !

🛏 *Candlelight Inn :* 1045 Easum Dr, **Napa.** ☎ 707-257-3717 ou 1-800-624-0395. ● candlelightinn.com ● *De l'autre côté de la Hwy par rapport au centre-ville, dans le prolongement de 1st St ; 2e rue à droite après le pont. Doubles 170-390 $, petit déj inclus. Séjour min 2 nuits en sem, 3 nuits w-e.* 🖥 📶 En retrait dans un jardin soigné au bout d'une allée résidentielle, ce *B & B* de prestige occupe un pittoresque logis à colombages, à la toiture jalonnée de lucarnes. Beaucoup de confort : chambres coquettes à l'anglaise, copieusement pourvues en coussins et doubles rideaux à fleurs, *gourmet breakfast* servi en terrasse face à la piscine... Et, pour les amoureux (qui ne vivent pas que d'amour et d'eau fraîche !), un cottage cosy suspendu au-dessus du ravin encaissé de la *Creek River.*

🛏 *Cedar Gables Inn :* 486 Coombs St, **Napa.** ☎ 707-224-7969 ou 1-800-309-7969. ● cedargablesinn.com ● *Dans la vieille ville. Doubles 200-370 $, petit déj inclus.* Somptueuse demeure de 1892, de style Renaissance anglaise, couverte de bardeaux sombres et précédée par une élégante entrée à colonnes. À l'intérieur, tout n'est que luxe et raffinement, à l'image du vaste hall de réception tendu de velours rouge, des murs en bois de séquoia, des

riches tapis, du mobilier néogothique... Chambres spacieuses à la déco un rien chargée. Les plus chères, avec cheminée et *whirlpool hot tub.* Superbe petit déj en 3 actes et apéro servi le soir sur... un meuble d'église. Le genre de messe qu'on ne manque pas !

Où manger ?
Où boire un verre ?

|O| 🍴 *Alexis Baking Company :* 1517 3rd St, Napa. ☎ 707-258-1827. *Lun-ven 7h-15h, sam 7h30-15h, dim 8h-14h. Env 10-15 $.* 20 ans et pas une ride ! Ce petit café lumineux fait toujours salle comble pour ses bonnes salades, ses sandwichs frais qui ne manquent pas de bonnes idées et ses gâteaux à faire pâlir d'émotion les gourmands. Impeccable pour le petit déj ou se refaire une santé entre 2 dégustations corrosives !

|O| *Gott's Roadside :* 933 Main St, St Helena. ☎ 707-963-3486. *Tlj 7h-21h (22h en été). Env 11 $ (frites en sus).* Rien à voir avec une usine ou un garage auto, ce grand comptoir rutilant sert les meilleurs burgers de Californie. Il n'a rien à envier à son jumeau de San Francisco : les mêmes queues délirantes (rapide *turn over*) et la même qualité. Tous les produits sont frais, cuisinés à point et associés au gré de recettes aussi bonnes qu'originales. Même les frites font l'objet d'une attention toute particulière. Du gastro-burger en somme, d'autant plus qu'on peut même savourer son butin avec un cru de la vallée ! Pas de salle, mais une agréable terrasse.

|O| 🍷 *Downtown Joe's Brewery & Restaurant :* 902 Main St (et 2nd St), Napa. ☎ 707-258-2337. *Resto jusqu'à 22h (1h pour le bar). Env 12-20 $.* C'est le pub idéal pour tous les amateurs du genre. Sa grande salle rustique est souvent pleine à craquer d'habitués, qui écoutent d'une oreille distraite les concerts pop ou folk pas toujours géniaux mais enthousiastes. On y sert le *pub grub* classique et pas bégueule, à faire passer avec une pinte de bière brassée sur place. Et si d'aventure la musique s'avérait un peu trop forte, on

ira se réfugier dans l'agréable salle face à la rivière ou sur la grande terrasse.

|●| **Celadon** : *500 Main St,* **Napa.** ☎ 707-254-9690. *Dans le Historic Napa Mill. Tlj 11h30-21h, ven-sam 17h-22h. Lunch, plats 13-25 $, dîner 25-35 $. Également des small plates à partager façon tapas.* Une cuisine délicate et inventive, où se mêlent influences californiennes, italiennes et françaises. Les produits sont frais et vraiment bien travaillés, et la carte des vins ne dépare pas dans l'ensemble. Gardez une petite place pour les desserts d'une finesse inhabituelle. L'adresse est courue, et l'attente est parfois un peu longue pour s'installer sur la grande terrasse couverte sous une espèce de hangar à peine décoré, mais dont l'élégance est relevée par les tables nappées de blanc, la petite cheminée centrale et les guirlandes de lumière. La salle intérieure, aux murs crème décorés d'affiches bien françaises, est beaucoup plus classique et moins bohème.

Achats

⊛ **Napa Premium Outlets** : *sur la Hwy 29, depuis San Francisco, sortie First St Exit. ● premiumoutlets.com ● Lun-jeu 10h-20h, ven-sam 10h-21h, dim 10h-19h.* Une cinquantaine de boutiques (fringues surtout), à prix ultra-démocratiques : *Gap, Levi's, Brooks Brothers, Lucky Brand...*

Les *wineries*

– **Robert Mondavi** *(plan Wine Country,* **5***)* : *7801 St Helena Hwy,* **Oakville.** ☎ 707-226-1335 *ou* 1-888-766-6328. *● robertmondaviwinery.com ● Sur la route de Rutherford. Tlj 10h-17h. Visite-dégustation à partir de 15 $; résa conseillée.* Voici le domaine de l'homme qui a sorti les vins californiens de l'anonymat et les a hissés au niveau des meilleurs. Réputé pour son *Opus One* (fruit d'une collaboration avec Château Mouton-Rothschild, premier grand cru classé de Pauillac), mais aussi ses cabernets-sauvignons et son pinot noir (excellent millésime 1990). Malheureusement, succès oblige, l'endroit est sans doute le plus touristique de la vallée, et l'accueil snob et peu patient est vraiment peu en rapport avec la finesse et la beauté des crus du domaine.

– **Beringer Vineyards** *(plan Wine Country,* **6***)* : *2000 Main St,* **St Helena.** ☎ 707-963-8989 *ou* 707-708-9463. *● beringer.com ● Tlj 10h-18h (17h nov-mai). Fermé fêtes de fin d'année. Dégustations 20-30 $; visites et dégustations 25-45 $. Résa conseillée.* Célèbre pour son riche manoir à pignons, colombages et tourelles en pierre basaltique, réplique de la propriété familiale dans la vallée du Rhin, ce domaine fondé en 1876 est devenu avec le temps l'une des valeurs sûres de la vallée. Les visites font un détour par les vénérables caves voûtées où vieillissent les vins, tandis que les dégustations se déroulent dans le vieux cellier ou dans un bar très cossu niché dans le manoir. C'est là, accoudé aux belles boiseries, qu'on goûtera les meilleurs crus du domaine, comme le *Quarry Vineyard Cabernet Sauvignon* et le *Private Reserve Cabernet Sauvignon.* Accueil pro et enthousiaste.

– **Clos Pegase** *(plan Wine Country,* **7***)* : *1060 Dunaweal Lane.* ☎ 707-942-4981. *● clospegase.com ● Juste avt d'arriver à* **Calistoga,** *sur la droite. Tlj 10h30-17h. Dégustations env 15-25 $. Visite intéressante à prix modique, tlj 11h30 et 14h.* Domaine discret, en retrait dans un bel environnement de vignes où émergent quelques statues de Dubuffet, et accueil très sympa à la *tasting room.* De très bons vins, comme les riches *Cabernet Sauvignon Reserve.*

– **Beaulieu Vineyards** *(plan Wine Country,* **8***)* : *1960 St Helena Hwy.* ☎ 707-967-5230. *À proximité de* **Rutherford.** *Tlj 10h-17h. Visite-dégustation 20 $. Dégustation 15-20 $.* L'un des plus grands domaines de la Napa, et l'un des plus anciens, qui n'est pas pour autant prétentieux et inaccessible. Le staff sympathique et à l'écoute vous accueille même avec un verre de vin à l'entrée... histoire sans doute de se mettre dans le bain ! Parmi les beaux flacons, on a pris beaucoup de plaisir en goûtant le *Tapestry* et le *Dulcet.*

– **Hess Collection** (plan Wine Country, **9**) : 4411 Redwood Rd, **Napa**, au bout d'une adorable route serpentine. ☎ 707-255-1144. ● hesscollection.com ● Tlj 10h-17h30 (10h30-15h30 pour la visite). Visite libre gratuite ; dégustation 25 $. C'est un paradoxe : tout le monde connaît Hess, mais pas forcément pour ses vins ! Car le propriétaire, amateur d'art éclairé, a doté son domaine d'une galerie riche en œuvres contemporaines : Motherwell, Frank Stella, et même Francis Bacon ! Une des salles ouvre sur l'atelier de mise en bouteilles, une autre sur les cuves. Certaines cuvées du domaine méritent une petite dégustation au bar (comme le séduisant, mais cher, Hess Reserve Cabernet Sauvignon). N'oubliez pas de jeter un coup d'œil sur le chais : impressionnant.

– **Elyse** (plan Wine Country, **10**) : 2100 Hoffman Lane, à gauche avt d'arriver à **Yountville** (accessible par la route locale parallèle à la Hwy 29). ☎ 707-944-2900. ● elysewinery.com ● Théoriquement sur rdv (tlj 10h-17h). Dégustation env 10-15 $. Ici, on ne vient pas uniquement pour les vins du domaine, mais pour la spontanéité et la chaleur de l'accueil qui fait tant défaut à certains de ses prestigieux voisins. On aime beaucoup l'atmosphère sans chichis de cette petite propriété familiale, où les vignerons présentent eux-mêmes leurs différents crus. Et quitte à bien faire, ils proposent deux ou trois vins pas mal du tout, comme un bon chenin blanc ou un rosé inattendu ici.

– **Domaine Chandon** (plan Wine Country, **11**) : 1 California Dr, **Yountville**. ☎ 1-888-242-6366. ● chandon.com ● À l'entrée de Yountville (sur la gauche en venant de Napa). Domaine ouv 10h-17h. Fermé fêtes de fin d'année. Visite sans dégustation 15 $; dégustation seule 20 $. Différents tours-dégustations proposés. Moët et Chandon, agacé par la concurrence des mousseux américains, a acheté des terres dans la Napa Valley. On y produit un vin « méthode champenoise » appelé « Domaine Chandon ». Les visites comprennent une vidéo à la gloire de la maison, une présentation des cépages et une balade dans le domaine. Au bar, sobre et élégant, on goûtera dans une atmosphère un brin collet monté ces fameux sparkling wines, supposés offrir une alternative au vignoble champenois. Intéressant, assurément, convaincant, c'est plus discutable. Verre gravé offert. Resto (fermé mardi et mercredi) qui sert une excellente cuisine gastronomique avec une touche méditerranéenne et française.

LE WINE COUNTRY

BODEGA BAY

Au bord de l'océan, à 80 km au nord de San Francisco par la 101 North puis la Highway 1, Bodega Bay, c'est un peu le bout du monde : un petit village de pêcheurs construit autour d'une baie (on s'en serait douté) et souvent perdu dans le fog... Impression de fin du monde quand on arrive de nuit. Mais quand le brouillard disparaît, on découvre une nature superbe : dunes, falaises dominant la mer, criques, fleurs et rapaces. La pression touristique et immobilière se fait désormais beaucoup trop sentir, les établissements de luxe et les prix croissent rapidement. Évidemment, l'accueil s'en ressent, moins patient et peu amène...
Le lieu reste quand même l'endroit idéal pour se refaire une santé ou tout simplement si l'on en a assez des grandes villes. Les cadres californiens tendance écolo adorent venir se détendre à Bodega car les activités sportives y sont nombreuses : pêche, surf (sans oublier les plages) et observation des baleines à quelques kilomètres d'ici. Prévoir quand même des vêtements chauds, car les soirées sont fraîches... Pour ceux qui ont beaucoup de temps, magnifique route côtière (la One) de Bodega Bay à Legett. Sinueuse mais en bon état, elle surplombe généralement de belles falaises et offre de remarquables points de vue. Au passage, quelques colonies de phoques. De même, la portion qui serpente plein sud vers San Francisco mérite largement une balade, surtout pour le merveilleux Point Reyes National Seashore : paysages de forêts mamelonnées, interrompus brusquement par les rivages sauvages où s'ébattent de nombreux oiseaux marins. Plages d'une beauté à couper le souffle.

LES OISEAUX DE HITCHCOCK

Bodega Bay et le hameau voisin de Bodega (situé à quelques kilomètres dans les terres) sont des endroits mythiques pour les cinéphiles : c'est là que, en 1963, Hitchcock tourna *Les Oiseaux*. Au départ, c'était une nouvelle de Daphné du Maurier se déroulant dans un petit village de bord de mer anglais. Il employa un super casting : Rod Taylor, Jessica Tandy, Suzanne Pleshette et, bien

AMOUR VACHE

Hitchcock avait le béguin pour Tippi Hedren, mais ce n'était pas réciproque. Pour se venger, Alfred fut particulièrement dur avec elle dans les scènes d'attaque des oiseaux. Ce qui explique le réalisme hallucinant des scènes. La malheureuse était vraiment terrorisée par les bestioles.

sûr, Tippi Hedren (la mère de Mélanie Griffith).

La maison du film dut être détruite, car les inconditionnels du maître venaient par dizaines chaparder les pierres de la bâtisse. En revanche, on peut toujours voir l'école de l'extérieur (la *Potter Schoolhouse*) attaquée par les oiseaux, au 17110 Bodega Lane, à côté de l'église de Bodega (sur la route de Santa Rosa). Église fort bien conservée (se visite en principe le dimanche), juchée sur une colline bien verte, dans l'environnement photogénique à souhait de cet autre village du bout du monde.

Adresse utile

🛈 **Visitor Center :** *Bodega Bay Area Chambers of Commerce, 850 Coast Hwy 1.* ☎ *707-875-3866.* ● *bodega bay.com* ● *À l'entrée du village, à côté de la station-service. Tlj 9h (10h dim)-17h (18h ven). Riche en documentation. Très pratique : quand c'est fermé, une boîte extérieure contient des plans de la ville sur lesquels les adresses (hôtels, restos...) sont pointées. Ils peuvent également vous aider à trouver un logement.*

Où dormir ? Où manger ? Où boire un verre ?

Une vingtaine de logements seulement, du *B & B* au motel en passant par l'auberge de luxe, le cottage et la maison à louer. Le problème, c'est que tout est vite pris d'assaut, et les prix s'en ressentent...

⚠ On trouve plusieurs **campings** situés dans les parcs naturels de la baie et dans le **Point Reyes National Seashore.** Renseignements au *Visitor Center* de Bodega Bay ou à celui du Point Reyes National Seashore (*à Point Reyes Station ;* ☎ *415-464-5100.* ● *nps.gov/ pore/* ●). Cadre sauvage à souhait. Petit

hic, ils sont souvent complets en été et le week-end. De plus, l'endroit est particulièrement venteux ! Prévoir coupe-vent et duvet chaud.

Sur la route de Bodega

🛌 **Hostelling International Point Reyes :** *Limantour Rd, à 11 km de Point Reyes Station (bourgade sur la route côtière pour Bodega), au cœur du superbe National Seashore ; de la Hwy 1, prendre la direction de Point Reyes et du Lighthouse, puis suivre le fléchage.* ☎ *415-663-8811.* ● *norcalhostels.org* ● *Réception 7h30-10h, 16h30-21h30. Dès 24 $ en dortoir de 10 lits.* ⌨ *AJ assez incroyable, dans un ensemble de petits bâtiments bien insérés dans le paysage grandiose du parc. Petits dortoirs avec confortables lits superposés en bois, belle cuisine à disposition et salon commun très convivial façon chalet, avec tapis, bois de cerfs aux murs et bouquins pour les soirées d'hiver. Idéal pour les amateurs d'oiseaux, balades alentour superbes, plages immaculées, forêts, vastes prairies...*

🛌 🍽 **Valley Ford Hotel :** *14415 Coast Hwy 1,* **Valley Ford.** ☎ *707-876-1983.* ● *vfordhotel.com* ● *À env 11 km à l'est de Bodega Bay. Hôtel tlj ; resto mer-dim 17h-21h (dès 10h pour le brunch). Doubles 115-175 $, petit déj léger inclus.*

Resto 20-30 $. 🛜 Dans un hameau improbable typique de l'Ouest américain, un petit hôtel (6 chambres seulement) qui tient plutôt du *B & B*, tellement on s'y sent chez soi. C'est douillet, frais, les couleurs sont douces. Au rez-de-chaussée, la déco du resto à la carte chic et fine cultive l'ambiance ancien temps avec vieilles photos noir et blanc.

À Bodega Bay

🏠 **Bodega Harbor Inn :** *1345 Bodega Ave.* ☎ 707-875-3594. ● *bodegaharborinn.com* ● *Doubles 80-155 $, petit déj inclus ; cottages dès 135 $.* 🛜 Les chambres les moins chères de Bodega, mais très correctes, font le succès de ce petit hôtel en bois tout simple sur les hauteurs de la bourgade. Plus cher, dans de jolies maisons particulières, des chambres avec cheminée, jacuzzi, cuisine et vue sur la baie, et pouvant accueillir 2 à 8 personnes. Pour grandes familles ou petites bandes de copains, cette adresse reste une solution bien plus économique que les hôtels traditionnels. Dommage qu'on ait un peu l'impression de déranger...

🏠 🍴 **The Inn at the Tides :** *800 Coast Hwy 1.* ☎ 707-875-2751 ou 1-800-541-7788. ● *innatthetides.com* ● *Resto mer-dim 7h30-21h30 (22h ven-sam). Doubles 180-260 $ en sem, 240-290 $ w-e, petit déj inclus. Resto 20-25 $.* 🛜 *(à la réception).* Établissement réparti de part et d'autre de la route et aménagé à la façon d'un complexe touristique (cela fait un peu usine côté restaurant, on vous prévient). L'hôtel est constitué de maisonnettes dispersées à flanc de colline et entourant une jolie piscine. Le cadre, aéré et verdoyant, est vraiment agréable. Dommage que la déco des chambres, d'un très bon confort, commence à vieillir. Resto à recommander surtout pour sa vue sur la baie et son cadre élégant. Spécialités locales à base de poisson et fruits de mer, bien préparées. Dîner aux chandelles et service parfait. Cela dit, opportunément, il y a aussi un snack à prix corrects (plats dès 10 $) : *fish and chips, scallops and chips, barbecue oysters, cheeseburgers,* etc.

🍴 **The Sandpiper :** *1410 Bay Flat Rd, sur le port.* ☎ 707-875-2278. *Prendre E Shore Dr, puis à gauche Bodega Head. Tlj 11h45-20h (20h30 ven-sam). Plats 10-20 $.* Bistrot marin modeste, apprécié pour sa situation le nez dans les haubans et sa carte à tous les prix, proposant *breakfast, sandwichs, burgers, fish and chips,* soupes et salades. Surtout réputé pour ses poissons (*red snapper, halibut,* etc.).

LA SILICON VALLEY

C'EST QUOI EXACTEMENT ?

Son nom, apparu en 1971, est bien connu et pourtant peu de gens savent le localiser ; d'ailleurs elle ne figure pas sur les cartes routières. Selon ses habitants, c'est moins un lieu qu'un esprit d'innovation.
Quant aux technocrates, ils la décriraient comme un pôle de haute technologie couvrant une surface de 400 km², créé à une soixantaine de kilomètres au sud de San Francisco, dans une région autrefois couverte de vergers, de conserveries et de mines. L'ensemble a la forme d'un V, dont la pointe se situe vers San Jose, et le centre est occupé par le sud de la baie de San Francisco. Le tout est traversé dans sa longueur par la faille de San Andreas.
Le paysage n'a pas perdu son charme méditerranéen, parsemé de coquets petits

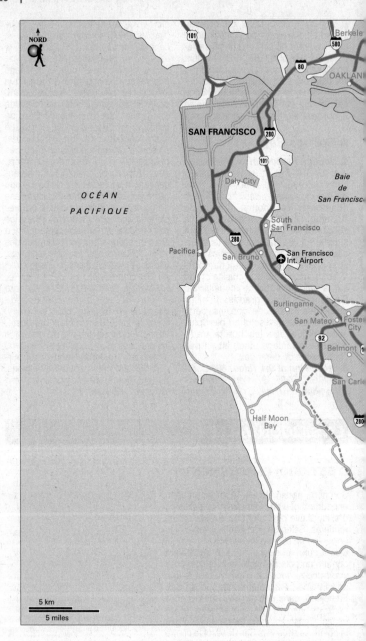

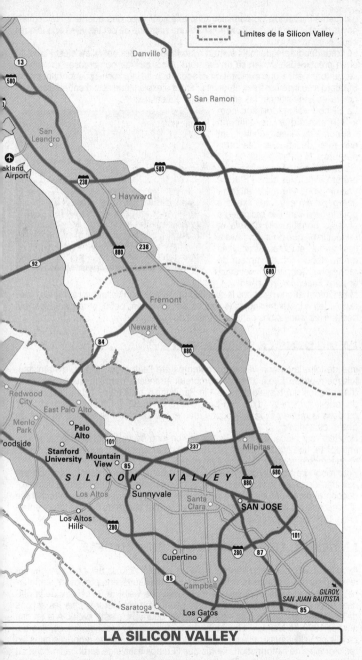

LA SILICON VALLEY

LA SILICON VALLEY

bâtiments industriels ou administratifs, alternant avec des quartiers résidentiels noyés dans la verdure, les *Downtowns* d'une vingtaine de petites villes et quelques centres commerciaux.

Le cœur géographique mais surtout historique de la Silicon Valley, c'est Palo Alto et sa prestigieuse université de Stanford. Alors que de nombreuses universités se cantonnaient à une exploitation académique de leur recherche fondamentale, Stanford a su insuffler à ses étudiants l'envie d'exploiter au sein d'entreprises leurs nouvelles acquisitions : les entrepreneurs étaient nés.

La Silicon Valley doit son nom à l'informatique (le silicium – *silicon* – représente un élément essentiel des puces des ordinateurs). N'en déplaise à Bill Gates et à son Microsoft qui ont préféré s'installer dans l'État de Washington, elle a été et reste une pépinière extraordinaire tant pour le hardware (les ordinateurs et leurs constituants, *Apple* et surtout *Intel*) que pour le software (les logiciels et toutes les activités qui en découlent, du moteur de recherche *Google* aux réseaux sociaux *Facebook* et *LinkedIn*...).

LE RÊVE AMÉRICAIN

C'est dans leur garage, en 1938, que Bill Hewlett et David Packard (les HP de votre PC), ont, à 26 ans et avec 538 $ en poche, lancé leur entreprise. Même si Hewlett-Packard rencontre quelques difficultés depuis la mort de ses fondateurs, elle a employé plus de 100 000 salariés à travers le monde et a valu jusqu'à 30 milliards de dollars. Pas étonnant que le fameux garage ait été promu Monument historique !

Mais l'informatique n'est pas le seul fleuron de la Silicon Valley ; il y aussi les « biotech », les nanotechnologies (sciences de l'infiniment petit), et la *cleantech*, qui désigne les innovations dans le domaine de l'énergie.

LA VIE DANS LA SILICON VALLEY

Vue de loin, la Silicon Valley a longtemps été l'eldorado : climat, dynamisme, fortune rapide... Elle a attiré de nombreux étrangers, parmi lesquels beaucoup d'Asiatiques qui n'avaient « que » le Pacifique à traverser. C'était l'expression de tous les mythes : le melting-pot, le rêve américain... On arrive de n'importe où dans le monde avec une bonne idée et l'on devient millionnaire au bout de quelques années.

Pourtant, sur place, la vie n'a jamais été un long fleuve tranquille. Démarrer une entreprise, une start-up, n'est pas une mince affaire. Il faut survivre à la compétition féroce et tout le monde ne tient pas : 80 % des start-up échouent...

Pour répondre à ce marché potentiel, les incubateurs apparaissent ; ils proposent aux start-up le gîte et le couvert : des locaux et du matériel informatique de reproduction et de communication à partager, une aide juridique et dans la recherche d'investisseurs, le tout moyennant loyer et surtout des parts dans la future entreprise. *Business is business !*

LA NOUVELLE ÉCONOMIE : LA SURCHAUFFE

Avec le développement d'Internet dans les années 1990, la Silicon Valley devient le royaume des entreprises virtuelles. Leurs sites fleurissent, proposant sur Internet services et matériel, à peu de frais, avec une visibilité à l'échelle de la planète. Beaucoup d'investisseurs se précipitent pour acheter très cher les actions de ces *dot-com* (en français « point-com ») : pour eux, c'est l'avenir. À la fin des années 1990, le Nasdaq, l'indice boursier des valeurs technologiques, flambe. La Silicon Valley aussi : elle représente alors 20 % de l'activité mondiale dans les technologies de l'information. Tandis que l'Europe essaie de sortir cahin-caha du chômage, toute la région de San Francisco traque du personnel partout : dans les universités avant même la fin des cycles d'études, à l'étranger, chez le concurrent voisin... On parle même de « chômage négatif ».

Conséquence : une augmentation terrible du coût de la vie et une crise du logement sans précédent. Loyers et prix de vente sont proposés à titre purement indicatif et les logements attribués au plus offrant ! Certaines villes construisent dare-dare des logements sociaux, seul moyen de garder leurs profs et leurs pompiers. Les nouveaux arrivants se logent où ils peuvent, souvent très loin ; les autoroutes de la région, chargées jour et nuit, passent en tête du hit-parade des embouteillages pour l'ensemble des États-Unis, le prix de l'essence aussi. La folie...

L'HIVER NUCLÉAIRE

Fin 2000, les résultats de la nouvelle économie s'avèrent des plus médiocres. Les investisseurs se hâtent de vendre leurs actions, le Nasdaq perdant 300 points certains jours. On parle tout simplement d'« hiver nucléaire ».

La spirale s'inverse. Les *dot-com* s'effondrent, entraînant dans leur sillage un millier d'entreprises plus classiques asséchées par le manque d'argent ambiant. Le choc du 11 septembre 2001 porte l'estocade à une Silicon Valley déjà très fragilisée.

UNE REPRISE DIFFICILE

Pertes de financements et de marchés entraînent des licenciements massifs et des faillites. Le taux de chômage atteint son record avec 8,4 % en 2002. Le coût de la main-d'œuvre locale (deux fois supérieur à la moyenne nationale) et les loyers exorbitants n'arrangent rien. Mais dès 2003, l'émergence des *biotech* et de la *cleantech* donne un second souffle, les capitaux affluent pour alimenter les centres de recherche et d'innovation. La crise financière mondiale qui démarre aux États-Unis dès 2008 frappe la Silicon Valley de plein fouet : les start-up voient leurs financements se tarir, on licencie en masse, y compris dans les très grandes entreprises. Le chômage monte jusqu'à 12 % mi-2009, le taux de faillites personnelles augmente de 50 %. Les premiers signes de reprise commencent à se faire sentir en 2010.

> ### MISE AU VERT
>
> *Pour tondre les 20 ha de pelouse du siège de* Google *dans la Silicon Valley, l'entreprise a décidé de se passer de tondeuses (trop bruyantes et polluantes) pour embaucher... des chèvres ! Près de 200 ruminants broutent ainsi le gazon de la société. Le coût de revient est équivalent à celui de machines électriques, mais les responsables trouvent que « les chèvres sont bien plus mignonnes à regarder ».*

L'embauche reprend lentement, surtout dans les entreprises spécialisées dans les énergies solaire *(Solar City, Nanosolar)* et électrique *(Tesla Motors)* : l'administration Obama apporte même un coup de pouce de 70 milliards de dollars. Le dynamisme de la région reste incontestable et permet de rebondir rapidement : le chômage décroît autour de 8 % fin 2011, avec 42 000 nouveaux emplois, et plus de 13 000 brevets déposés. Avec un PIB qui la place entre l'Irlande et la Finlande, elle possède toujours les atouts qui lui

> ### ÇA CHAUFFE !
>
> Google *est le plus grand consommateur d'électricité au monde ! Une simple recherche sur ce site dépense autant d'électricité qu'une ampoule allumée pendant une heure. Cela s'explique par toute la chaîne d'ordinateurs et de serveurs indispensables à la recherche et à l'affichage des résultats. L'entreprise envisagerait même de produire sa propre électricité.*

permettent de surmonter la crise, aussi grave fût-elle. Les laboratoires et centres de recherche restent à la pointe des nouvelles technologies, et des capitaux sont disponibles pour développer ces idées dans les entreprises. *Google*, installé à Mountain View, *Yahoo* à Sunnyvale, *Apple* à Cupertino, *Facebook* à Menlo Park et *Adobe* à San Jose drainent les meilleurs cerveaux mondiaux. L'esprit pionnier et créatif fait toujours recette.

PALO ALTO   64 000 hab.

À 55 km au sud de San Francisco et à 23 km de San Jose, Palo Alto est le berceau et le cœur de la Silicon Valley. Ici, il y a tellement de cerveaux au kilomètre carré, tellement d'énergie et d'argent dans les entreprises de haute technologie que cette ville méconnue a fini par battre le record du revenu familial annuel moyen le plus élevé des États-Unis pour une cité de plus de 50 000 habitants (autour de 56 000 $).

La ville s'étend entre la baie de S.F. et les Foothills, une barrière de collines d'allure méditerranéenne. Au milieu passe El Camino Real (« la voie royale »), une voie express au nom prédestiné ! Celle-ci trace une sorte de frontière entre le centre-ville et l'immense campus de l'université de Stanford, la pépinière des cerveaux de la vallée. D'un côté du Camino Real, on étudie d'arrache-pied. De l'autre, on vit, on mange, on dort, on sort (quand on a le temps). Et partout aux alentours, dans les usines et les laboratoires de recherche et de développement, on travaille dur, on invente l'avenir électronique et informatique dont le monde de demain sera fait.

Voilà Palo Alto : une bonne étape pour partir à la découverte de la Silicon Valley. À quelques kilomètres de là, East Palo Alto ne ressemble guère aux opulentes communes voisines, puisqu'elle détenait en 1992 le triste record américain du plus grand nombre d'assassinats... Latinos et Noirs en grande majorité, ses habitants ont été oubliés pendant longtemps, incapables de profiter de l'essor de la vallée.

PILE À L'HEURE !

Si vous regardez attentivement les pubs de la marque Apple*, vous remarquerez que l'heure indiquée sur les appareils est systématiquement 9h41. Ce n'est pas le fruit du hasard, c'est précisément l'heure à laquelle a été présenté officiellement l'iPad par Steve Jobs. Auparavant, les produits de la marque affichaient 9h42, heure de présentation de l'iPhone !*

De timides efforts de formation ont débuté, des commerces et un hôtel de luxe se sont implantés et emploient des « locaux », mais déjà les investisseurs immobiliers font grimper les loyers pour chasser les plus pauvres et récupérer les terrains. La poule aux œufs d'or de la Silicon Valley n'a pas fini de pondre...

UN PEU D'HISTOIRE (RÉCENTE)

Hormis Stanford, université centenaire, tout est neuf, tout va très vite. Ici, on est déjà bien ancré dans le troisième millénaire. Et pourtant, un petit retour en arrière s'impose, pour comprendre.

En 1941, le gouvernement américain constitue une équipe de 850 universitaires et militaires dont le but est de décrypter les systèmes de radars allemands. D'autres chercheurs rejoindront ensuite le projet, et donneront ainsi naissance à l'énergique Silicon Valley.

Palo Alto fut la première ville de la Silicon Valley à bénéficier, dès le départ, du tour-billon d'innovation technologique issu de Stanford dans les années 1940. Sa crois-sance économique, comme pour toute la vallée, est largement stimulée par cette fusion extraordinaire, en un même lieu, du capital, de la recherche et de l'esprit d'aventure. De nombreux étudiants et des professeurs de Stanford habitent à Palo Alto. Un quartier s'appelle même Professorville : il s'étend entre Lincoln, Kingsley, Waverley et Ramona Streets et est classé aujourd'hui district historique.

À Palo Alto vécurent David Packard et William Hewlett. En 1938, ces jeunes diplômés de Stanford inventèrent, dans un vieux garage d'Addison Avenue, leur premier audio-oscillateur électronique. Ce garage est aujourd'hui considéré par certains comme le lieu de naissance de l'essor de la vallée – qui ne s'appelait pas encore la Silicon Valley, puisque le développement de la recherche sur le silicium est postérieur (lire « À voir »). En quatre décennies, la compagnie *Hewlett-Packard* est devenue un géant de l'électronique (très concurrencé, il faut le dire), dont le siège se trouve toujours à Palo Alto.

Steve Jobs et Stephen Wozniak y travaillaient dans les années 1970, fréquentant le Homebrew Compu-ter Club de la ville, où se retrou-vaient les mordus d'informatique. En avril 1976, nos deux inconnus inventèrent le premier micro-ordi-nateur (Apple 1) dans le garage des parents de Steve Jobs (à Los Altos), ancêtre du *Macintosh*. Mais saviez-vous qu'il y avait un troisième larron au commen-cement de la saga Apple ? Ron Wayne décide 10 jours après la création de l'entreprise de reven-dre ses parts pour 800 $. S'il avait su que les 10 % retirés de l'affaire vaudraient aujourd'hui plusieurs milliards... Aujourd'hui, le siège

DE FACEMASH À FACEBOOK

C'est dans une chambre d'étudiant d'Harvard qu'est né Facebook, en 2004. Son créateur, Mark Zuckerberg, a failli se faire virer de l'université pour avoir hacké les données d'Harvard. Le concept de sa première mouture de Facebook (qui s'appelait Facemash), c'était de voter pour les personnes les plus « hot » des résidences universi-taires. Les photos mises en ligne furent consultées plus de 22 000 fois dans les 4 premières heures d'existence du site. Installé près de San Jose, le site compte désormais plus d'un milliard d'utilisateurs dans le monde.

d'*Apple* est à Cupertino, mais d'autres entreprises, comme *Hewlett-Packard, Tesla Motors, Varian, Pinterest et Skype* sont installées à Palo Alto.

Fin 2011, Facebook a quitté Palo Alto pour s'installer dans la ville voisine de Menlo Park, sur l'ancien campus de Sun Microsystems. L'entrée, au 1601 Willow Road, est signalée par un « *like* » géant.

Adresse et info utiles

🛈 **Visitor Center :** *400 Mitchell Lane.* ☎ *650-324-3121.* ● *destinationpaloalto. com* ● *Lun-sam 9h-17h.* Dans le même bâtiment que la chambre de commerce. Brochures et cartes utiles sur la ville. – **Site internet de Palo Alto :** ● *cityof paloalto.org* ●

Où dormir ?

La plupart des motels se situent au bord d'El Camino Real, la voie express qui sépare Palo Alto (la ville) du campus de Stanford. En venant du centre-ville, tour-ner à gauche avant l'entrée du campus et suivre El Camino Real sur quelques kilomètres en direction de San Jose. Les motels se suivent le long de la route. Attention, les prix grimpent mi-juin, en raison de la remise des diplômes à Stan-ford, ou lorsque l'université accueille des compétitions sportives de haut niveau.

De prix moyens à plus chic

🛏 **Motel 6 :** *4301 El Camino Real.* ☎ *650-949-0833 ou 1-800-4-MOTEL6.* ● *motel6.com* ● *Double env*

65 $. 📶 Un motel de chaîne certes, mais de loin le meilleur rapport qualité-prix du coin. Les chambres sont particulièrement grandes et si les couvre-lits criards ne sont pas une réussite, vous aurez néanmoins tout le calme et le confort nécessaires. Grande piscine.

🏠 **Hotel California :** 2431 Ash St. ☎ 650-322-7666. ● hotelcalifornia. com ● En venant de Stanford par El Camino Real, tourner à gauche sur California Ave ; l'hôtel se trouve à l'angle de la 1re rue à droite (Ash St). Doubles 100-120 $ selon taille du lit (double ou queen-size), petit déj inclus. 📶 Le tube des Eagles disait vrai : « Welcome to the Hotel California, such a lovely place... » Un coquet B & B, situé à deux pas des commerces et des restos de California Avenue. Les 20 chambres sont chaleureuses et très bien tenues, et si certaines sont un peu petites, d'autres donnent sur un patio où il fait bon lézarder. Cuisine et machine à laver à la disposition des hôtes. À noter : la proximité des arrêts de la Marguerite, navette gratuite pour Stanford, et du Caltrain, le train express pour se rendre à San Francisco ou San Jose.

🏠 **Travelodge :** 3255 El Camino Real. ☎ 650-493-6340 ou 650-600-8515. ● travelodgepaloalto.com ● Doubles 85-110 $ selon nombre de lits, pâtisseries et café inclus. Ce motel de 30 chambres, assez petites, dans les tons fuchsia et au confort standard (micro-ondes, frigo), ne se distingue que par son architecture d'inspiration hispanique, typique du coin. Petite piscine ouverte de mai à septembre.

Très chic

🏠 **Stanford Terrace Inn :** 531 Stanford Ave. ☎ 650-857-0333 ou 1-800-729-0332. ● stanfordterraceinn.com ● Rue perpendiculaire à El Camino Real, sur la gauche en venant de San Jose. Doubles 140-240 $ selon confort (et jusqu'à 350 $ pour une suite), petit déj très copieux inclus. 🖥 📶 Situé juste en face du campus de Stanford, cet hôtel traite ses clients comme des rois : les 80 chambres, très spacieuses, disposent au minimum d'un frigo et d'un

micro-ondes, et certaines ont même une kitchenette ; les plus luxueuses sont de véritables appartements, avec salon, salle à manger et console de jeux incluse ! S'ouvrant sur des cours intérieures, elles donnent sur la piscine ou sur un patio fleuri. Salle de gym, garage fermé et navette gratuite pour Palo Alto à disposition.

Où dormir dans les environs ?

🏠 **Hidden Villa (Los Altos Hills) :** 26870 Moody Rd, à Los Altos Hills. ☎ 650-949-8650. ● hiddenvilla.org ● De l'Interstate 280, prendre la sortie El Monte Rd, puis suivre Moody Rd vers l'ouest ; l'AJ (fléchée) se trouve à 3 km env après cette intersection. Réception 16h-20h. Attention : fermé juin-août ! Résa obligatoire. Dortoirs env 25 $; private cabins avec linge de lit fourni 42-55 $. Nichée dans un vallon tranquille, entourée de champs bio et de verdure, l'Hidden Villa est une ferme qui peut accueillir 34 personnes dans des bungalows tout en bois. Grande cuisine tout équipée et vaste salle à manger qui s'ouvre sur la vallée. Pour les amoureux de nature et de calme, plusieurs chemins de randonnée partent de l'hostel.

Où manger ? Où prendre un café ? Où boire un verre en mangeant un morceau ?

🍴 **The Counter :** 369 California Ave, au sud de Stanford, en suivant El Camino Real. ☎ 650-321-3900. À côté de l'Hotel California. Lun-sam 11h-22h (23h ven-sam), dim 11h30-21h. Env 10 $. Dans ce temple du burger à la déco moderne et nette, on n'hésite pas à faire la queue pour engloutir une des 312 000 combinaisons possibles de burgers, selon le concept « Build your *own* » : on choisit tout, du poids et du type de viande au pain, en passant par de multiples accompagnements (ananas, feta, piments, olives...). On peut même vous le servir sans pain, juste accompagné d'une grande salade.

|●| *Palo Alto Creamery Fountain and Grill* : 566 Emerson St (angle Hamilton). ☎ 650-323-3131. Tlj 7h (8h w-e)-22h (23h jeu, minuit ven-sam). Env 10 $. Welcome back to the 1950's ! Moleskine rouge, sols à damiers et juke-box, on se croirait dans *Happy Days*. On vient dans cette institution créée en 1923 pour un énorme burger, accompagné d'un milk-shake ou d'une part de *pie*. Pour les végétariens,

salades et pâtes. Également très réputé pour son brunch le week-end.

♟ *University Coffee Café* : 271 University Ave. ☎ 650-322-7509. Tlj 7h (8h le w-e)-21h (22h le ven). Sandwichs et salades env 9 $, pâtisseries env 7 $. Institution incontournable de la principale rue commerciale de Palo Alto, où il fait bon siroter son *latte* accompagné d'une bonne pâtisserie, en regardant les badauds déambuler sur University Ave. Le cadre aéré très plaisant rappellerait presque celui d'une bibliothèque dans la partie parquetée de la vaste salle, au plafond de laquelle tourbillonnent les ventilos. Petite terrasse sur le trottoir.

À voir

....

🦌 *Le lieu de naissance de la Silicon Valley (nº 1)* : 367 Addison Ave. C'est dans le garage de cette maison privée (fermée au public), située au fond du jardin, que David Packard et William Hewlett inventèrent en 1938 leur premier audio-oscillateur, point de départ d'une aventure industrielle qui a transformé la vallée en l'espace d'un demi-siècle. Une plaque devant la maison, rachetée puis retapée comme en 1938 par HP, indique que tout a commencé là : « *The Birthplace of Silicon Valley* ». Frederick Terman, professeur de génie électrique à Stanford, a joué un rôle déterminant en encourageant ses étudiants à créer dans la vallée leur propre société électronique, plutôt que de se faire engager dans des entreprises déjà établies, principalement sur la côte est. Terman, tel un mécène visionnaire, prêta même 538 $ à Hewlett et Packard pour qu'ils tentent l'expérience. Les grandes inventions se font souvent dans des endroits inattendus. Steve Jobs et Stephen Wozniak n'ont-ils pas eux aussi mis au point leur premier micro *Apple* dans un garage ?

🦌 *Le lieu de naissance de la Silicon Valley (nº 2)* : 391 San Antonio Rd, à **Mountain View** (quelques km au sud de Palo Alto). C'est dans ce supermarché mexicain que la Silicon Valley est techniquement née, puisque c'est ici que l'on peut localiser la mise au point du silicium en 1956 – à l'origine de l'industrie des semi-conducteurs –, sous la direction du professeur Shockley, Prix Nobel. Un panneau à l'extérieur du magasin le signale.

LA SILICON VALLEY

STANFORD UNIVERSITY

....

Au bout d'une allée monumentale bordée de palmiers s'étirent des bâtiments de pierre blonde, dans un air parfumé d'eucalyptus. Un cadre idyllique, situé à 55 km au sud de San Francisco, pour une des universités les plus prestigieuses au monde, qui rivalise avec Yale ou Harvard. Probablement le plus beau campus des États-Unis. Peu de béton, tout (ou presque) est bâti en vraie pierre ocre dans un style rappelant l'architecture hispanique des missions de Californie. Accolée à la ville de Palo Alto, Stanford s'étend sur plus de 3 300 ha. L'université n'était au départ qu'une vaste ferme appartenant au gouverneur de Californie, Leland Stanford, qui fit fortune dans les chemins de fer pendant la ruée vers l'or. En 1884, son fils unique, Leland Jr, est emporté par la fièvre typhoïde à l'âge de 15 ans, lors d'un voyage en Europe. Pour conjurer leur chagrin, Stanford et sa femme Jane décident, en 1886, de consacrer leur fortune à l'édification d'une université : « Les enfants de Californie seront nos enfants » est désormais leur raison de vivre. Les Stanford achètent un immense domaine (3 272 ha) à un Français, Pierre Coutts, ancien communard exilé en Californie après 1870. En 1891, l'université ouvre ses portes, extrêmement en avance sur les idées de son temps. Elle fut mixte, à une époque où la plupart des universités privées étaient réservées aux hommes. Et laïque, quand une majorité d'entre elles étaient soutenues par des Églises. Sa vocation initiale est la même aujourd'hui : « Produire des citoyens cultivés et utiles à la société. »

UNE VILLE DANS LA VILLE

Stanford compte désormais 65 disciplines enseignées dans 7 *schools* (médecine, sciences humaines, ingénierie, sciences de la terre, éducation, droit et business), une vingtaine de bibliothèques, un hôpital ultramoderne, une usine d'électricité qui lui permet d'être autosuffisante, 4 piscines, un stade de 50 000 sièges, un terrain de golf, 14 courts de tennis et 25 000 arbres, terrains de jeux favoris des nombreux écureuils et ratons laveurs qui peuplent le campus.

Qu'on soit une sommité intellectuelle ou un simple étudiant, tout le monde se déplace à vélo, rollers ou skate-board. Dès les premières chaleurs, en mars, tongs et minijupes sont de rigueur tandis que les pelouses se couvrent d'étudiants.

Beaucoup d'espace, un environnement agréable, d'énormes moyens de recherche et d'enseignement, c'est aussi cela la clé de la réussite à Stanford : offrir aux 15 000 étudiants et aux professeurs les meilleures structures possibles, tant dans le travail que pour leurs loisirs, afin d'atteindre un rendement maximal.

UNE PÉPINIÈRE DE CERVEAUX

L'autre atout de Stanford est d'avoir su, dès les années 1930, rapprocher dans un lieu enseignement et recherche, entreprises high-tech et capital. De cette fusion est née la Silicon Valley (voir « Un peu d'histoire (récente) » à Palo Alto).

Pas étonnant alors de trouver parmi les *anciens élèves de Stanford* les noms des dirigeants d'entreprises très florissantes : Carly Fiorina, ex-P-DG de *Hewlett-Packard,* qu'ont précédé, dans les années 1930, William Hewlett et David Packard, fondateurs de *HP* ; Philip Knight, fondateur et ancien P-DG de *Nike* ; Scott Mac-Nealy cofondateur de *Sun Microsystems* ; Jerry Yang, fondateur de *Yahoo* ; Sergey Brin et Lawrence Page, créateurs de *Google* ; Blake Ross, cocréateur de *Firefox*. Stanford compte aussi parmi ses anciens étudiants le golfeur Tiger Woods, John MacEnroe, l'ex-Premier ministre israélien Ehud Barak, l'écrivain John Steinbeck, Chelsea Clinton (la fille de Bill) et les acteurs Ted Danson, Jennifer Connelly et Sigourney Weaver.

Côté *professeurs,* la liste des célébrités qui enseignent à Stanford est tout aussi impressionnante : 19 Prix Nobel (principalement de physique, de chimie et d'économie), 4 lauréats du prix Pulitzer, sans compter les 263 profs membres de la fameuse *American Academy of Arts and Sciences*. Par ailleurs, le philosophe et écrivain français Michel Serres y donne des cours plusieurs semaines par an.

Sachez enfin que la première liaison historique du réseau Internet eut lieu en 1969, peu de temps après le festival de Woodstock, entre des ordinateurs installés à l'université de Californie à Los Angeles (UCLA) et l'institut de recherche de Stanford. Les expérimentateurs qui se parlaient par machines interposées furent aussi émus que les premiers hommes à avoir marché sur la Lune !

Cette qualité conjuguée d'enseignement, de recherche et de vie évidemment se paie, et cher. Car, contrairement à Berkeley, qui est publique, Stanford est une université privée. Aussi les frais de scolarité figurent-ils parmi les plus élevés des États-Unis et du monde (environ 35 000 $ par an, et autant pour se loger et se nourrir sur le campus !). Sans des parents très fortunés ou une bourse d'étude conséquente, il est impossible d'étudier à Stanford. N'a pas sa place au soleil qui veut...

Adresse utile

🛈 *Visitor Information Center* : 295 Galvez St (angle Campus D2). ☎ 650-723-2560. • stanford.edu/dept/ visitorinfo • Lun-ven 8h30-17h, w-e 10h-17h. À ne pas confondre avec le *Stanford Information Center*, qui est un centre d'infos destiné aux étudiants. On y trouve de la doc, un plan du campus et une fiche détaillée pour une visite à pied en libre-service. Le site internet du *Visitor Information Center* offre de nombreux liens avec d'autres sites web à l'université.

Où manger ?
Où boire un verre ?

|●| ♟ *Union Square* : la cafétéria principale, située à *Tresidder Union*, au cœur du campus. Lun-ven 7h30-16h. Env 10 $. 2 terrasses, de chaque côté du bâtiment, permettent de profiter du soleil toute l'année. L'endroit est très animé durant la période scolaire. Il y en a pour tous les goûts : chinois, sandwichs, pizzas, sushis, salades, grillades. À noter : plus de 30 petites cafétérias sont disséminées un peu partout sur le campus et sont souvent moins bondées que *Union Square*. Une des plus sympas est la *Coho*, juste à côté de *Union Square*, avec souvent des concerts et une bonne ambiance.
|●| *Cool Café* : dans le même bâtiment que le *Cantor Arts Center*. ☎ 650-725-4758. Mer et ven-sam 11h-17h, jeu 11h-20h. Env 10 $. Un havre de paix, situé à deux pas des *Portes de l'Enfer* de Rodin. La terrasse, baignée de soleil toute la journée, est le lieu idéal pour savourer une salade ou un sandwich moins aseptisés que d'habitude : ici, tout est bio, même le Coca !

À voir. À faire

➢ *Visites guidées du campus* : tlj à 11h et 15h15, en anglais, gratuites et guidées par des étudiants (env 1h10). Départ du Visitor Information Center, sur Galvez St. Visites en voiturette de golf également possibles, sur résa (5 $/pers ; nombre de places limité à 5). Tlj à 13h. GRATUIT.

🎋 *Palm Drive* : la manière la plus impressionnante de découvrir Stanford est d'emprunter en voiture cette route bordée de palmiers sur toute sa longueur, soit 1,6 km. Elle mène directement au Main Quad et à la Memorial Church.

🎋 *Main Quad* : cœur historique du campus, ce quadrilatère est constitué des premiers bâtiments de Stanford, construits en grès jaune entre 1887 et 1891. Les arcades qui bordent le Quad donnent l'impression d'être dans une hacienda mexicaine. Le plan de ces bâtiments fut dessiné par Frederick Law Olmsted, architecte de Central Park, à New York. Face à la Memorial Church, vous pourrez admirer les célèbres *Bourgeois de Calais* de Rodin, dont de nombreuses sculptures sont exposées au Rodin Sculpture Garden, près du *Cantor Arts Center*.

🎋 *Hoover Tower* : tlj (sf pdt examens de fin d'année, 1re sem de cours et j. fériés) 10h-16h. Visite : 2 $; réduc. Sorte de grand campanile de 85 m de haut, qui abrite (au rez-de-chaussée) la bibliothèque de l'institut Hoover, spécialisé dans la politique, et dont Condoleezza Rice fait partie. Ascenseur jusqu'au sommet, d'où l'on a une vue à 360° sur le campus (très vert et méditerranéen) et la Silicon Valley (en partie).

🎋 *Rodin Sculpture Garden* : plusieurs sculptures de Rodin se trouvent sur Lomita Drive (accès par Campus Drive West), près du *Cantor Center for Visual*

LA SILICON VALLEY

Arts. Il ne s'agit pas d'œuvres originales à proprement parler, mais de bronzes coulés (tardivement) dans des moules d'origine, parmi lesquels *Les Portes de l'Enfer* et *Adam et Ève*. Sur le flanc nord du Quad, copie étonnamment dissociée des *Bourgeois de Calais*. À noter que de nombreuses autres sculptures sont disséminées un peu partout sur le campus, notamment sur Santa Teresa et Lomita Drive, dans le *New Guinea Sculpture Garden*. Enfin, une des nombreuses reproductions du *Penseur* se trouve à l'intérieur du musée.

🕺 ***Memorial Church :*** *lun-ven 8h-17h, dim 11h30-15h30. Visite guidée ven 14h et dernier dim du mois 11h15 ; départ devant l'église.* Édifié en 1903 par Jane Lathrop Stanford, à la mémoire de son mari, Leland Stanford, décédé en 1893, ce lieu de culte œcuménique a beaucoup souffert des tremblements de terre de 1906 et de 1989. Après 3 ans de restauration, la « MemChu » a rouvert ses portes en 1993. La mosaïque qui orne son fronton a été réalisée par un maître italien du genre et comporte plus de 20 000 nuances de couleurs différentes. À l'intérieur, un buffet d'orgues composé de 7 777 tuyaux !

🕺 Pas très loin, sur Escondido Mall, se dresse un ***beffroi à horloge*** (*Clock Tower*) moderne, dont la base en verre révèle le mécanisme de son horlogerie.

🕺🕺 ***Cantor Arts Center :*** *sur Lomita D2.* ☎ *650-723-4177. Mer-dim 11h-17h, jeu 11h-20h. Visite guidée le w-e à 13h. GRATUIT.* Le musée d'Art de Stanford comporte une collection impressionnante d'objets issus de différentes cultures, de l'Antiquité à nos jours, de l'art asiatique à Jasper Johns. Ne pas manquer la section sur les Indiens, et les bronzes de Rodin, dont *Les Portes de l'Enfer,* situés à l'extérieur. Une visite très agréable.

🕺 ***SLAC*** (*National Accelerator Laboratory*) **:** construit en 1962, ce centre situé sur les hauteurs de Stanford, près de l'Interstate 280, est spécialisé dans la recherche sur les particules élémentaires ; trois chercheurs du SLAC ont d'ailleurs reçu le prix Nobel. Depuis l'autoroute qui l'enjambe, vous pourrez voir l'accélérateur de particules : avec ses 3 km, le bâtiment qui l'abrite est le plus long au monde !

🕺 ***Stanford Theatre :*** *221 University Ave.* ● *stanfordtheatre.org* ● Une des plus belles salles de cinéma de tous les États-Unis qui continue de projeter les grands classiques du septième art américain. En prélude à la séance de 19h, ne manquez pas le concert d'orgue, qui accompagne aussi les films muets.

– ***La remise des diplômes (Graduation) :*** si jamais vous vous trouvez à Stanford vers mi-juin, ne manquez pas la cérémonie de remise des diplômes, qui attire plus de 20 000 personnes chaque année. Vous pourrez assister au défilé de quelque 4 000 jeunes diplômés (les *Grads*), en costume et chapeau carré noirs, dans la plus pure tradition américaine.

DANS LES ENVIRONS DE STANFORD UNIVERSITY

🕺 ***Woodside :*** *au sud-ouest de Palo Alto. Accès par la route 84 de la 101 ou 280.* De ce village dans les montagnes, il est possible de rejoindre la côte (Half Moon Bay) par un bel itinéraire en suivant la route 35, puis 92. Cette route suit la ligne de crête puis sinue au milieu des chênes et des pins, qui forment un tunnel sombre, souvent noyé par le brouillard venu de l'océan. C'est dans cette ambiance de film fantastique, à l'abri des regards, qu'ont trouvé refuge quelques célébrités, comme feu Steve Jobs, Joan Baez et Neil Young. Ce dernier, comme tout le gratin de la high-tech, a ses habitudes chez :

🍽 🚶 ***Buck's :*** *3062 Woodside Rd.* ☎ *650-851-8010. Lun-ven 7h (8h le w-e)-21h. Env 10-25 $.* Bienvenue dans le repaire des geeks et le royaume du délire ! Accueilli par une Miss Liberty qui éclaire le monde avec une glace dégoulinante de chantilly, on déguste ici des burgers bien meilleurs que la moyenne, des salades, des *ribs* et autres viandes grillées, dans un capharnaüm décoratif : astronaute, zeppelin, hélicoptère sont accrochés au plafond, les lampes sont en forme de Stetson ou de santiags ! Réservez

une petite place pour les desserts, aussi délicieux qu'incroyablement copieux : même à 2, difficile de finir. Quand on pense que c'est sur ces tables que furent mis au point *Netscape, Hotmail* et *Paypal*... Mythique !

SAN JOSE
972 000 hab.

Située à environ 70 km au sud de San Francisco (et plus grande qu'elle !), San Jose est considérée comme la capitale « officielle » de la Silicon Valley. En réalité, cette grande agglomération plate et tentaculaire, occupant le fond de la baie de S.F., marque le début (ou le terminus, ça dépend du sens) de la fameuse vallée technologique. Grâce à l'expansion foudroyante de la région, la ville s'est développée très rapidement et est aujourd'hui la dixième ville américaine en termes de population. Même si San Jose fut la

IL FAUT DE TOUT POUR FAIRE UN MONDE...

En 1995, eBay réalisa sa première vente : un pointeur laser détérioré. Étonné par cette transaction, le créateur du site, Pierre Omidyar, contacta l'acheteur pour vérifier si celui-ci avait bien compris que l'objet était défectueux. Son interlocuteur répondit très sérieusement qu'il était collectionneur de pointeurs laser mais usagés seulement. Le fondateur réalisa alors le potentiel de son site internet. L'avenir lui donna raison !

première ville fondée en Californie en 1777, tout semble neuf, propre et un peu sans âme. Si l'on s'y presse la semaine pour travailler (*Adobe, eBay* et *Cisco Systems* y ont leurs sièges sociaux), le week-end, tout est désert, excepté le soir, quand les noctambules viennent repeupler le centre-ville.

Arriver – Quitter

➢ **En voiture :** de San Francisco, prendre l'Interstate I-280 vers le sud. Cette route, légèrement plus longue que la Hwy 101, est généralement plus rapide, car moins fréquentée. Sortir à San Jose Downtown, en prenant Guadalupe Parkway (route 87). Attention, circulation dense (env 1h30 de trajet).
🚆 **En train (Caltrain) :** ☎ 1-800-660-4287. ● *caltrain.com* ● *Gare au 65 Cahill St, juste à la hauteur du stade de l'Arena. Circule tlj. Les bus pour se rendre au centre-ville se prennent sur le parking voisin.* La liaison la plus rapide entre S.F. et San Jose : 1h30 en moyenne et moins de 1h avec le *Bullet,* la ligne express (11 départs/j., en sem slt, aux heures de pointe). Pour les lignes normales, un départ ttes les 10-30 mn 5h-minuit

(ttes les heures après 20h). Le w-e, un départ/h 8h15-minuit le sam et 8h15-21h15 dim. Env 8 $ le trajet San Jose-San Francisco.
✈ **En avion :** le *Mineta International Airport* se situe à env 3 km au nord de San Jose. ☎ 408-277-4759. ● *flysanjose.com* ● La plupart des compagnies américaines le desservent. De l'aéroport, le bus VTA 10 *(Airport Flyer)* fait gratuitement la liaison avec la station de Light Rail et celle de Caltrain de Santa Clara, départs ttes les 10 mn, tlj 4h30-23h30.

Circuler à San Jose

Pour ts rens sur les transports en commun ci-dessous : VTA, ☎ 408-321-2300. ● *vta.org* ●
➢ **En DASH** *(Downtown Area Shuttle) :* en service en sem slt,

6h15-19h15, avec des passages ttes les 10 mn en moyenne. Dessert gratuitement le centre-ville, le terminal des bus et la gare.

➤ *En bus ou trolley :* dessert la ville et la région proche. Trajet : env 2 $; *pass* journée : 6 $.

➤ *En Light Rail :* dessert San Jose, Mountain View, Milpitas et Santa Teresa. Tlj 5h-1h. Env 2 $; pass valable 8h, 4 $.

➤ *Navette gratuite* pour l'aéroport de San Jose *(Airport Flyer) :* tlj 4h30-23h30. Prendre le bus n° 10 à l'arrêt Metro/Light Rail Station.

➤ *En voiture :* nombreux parkings couverts du centre-ville gratuits dès 18h en sem et tt le w-e.

Adresse utile

🚹 *San Jose Visitor Information & Business Center :* 408 Almaden Blvd. ☎ 408-792-4173 ou 408-295-9600 ou 1-800-726-5673. ● sanjoseca.gov/ visitors ●ou teamsanjose.com Dans le même bâtiment que le Convention Center ; entrée sur Almaden Blvd. Lun-ven 8h-17h30, sam 11h-17h.

Où dormir ?

– *Les hôtels* situés dans le centre-ville de San Jose sont peu nombreux et chers. Il faut sortir de la ville pour trouver des prix plus intéressants.

– *Les motels* à prix sages se trouvent le long de The Alameda, entre le centre-ville et l'université de Santa Clara. Pour y aller, prendre Santa Clara Street vers l'ouest, qui devient ensuite The Alameda.

Où manger ?
Où boire un verre ?
Où écouter de la musique ?

De bon marché à prix moyens

|●| *Peggy Sue's :* 29 N San Pedro St. ☎ 408-298-6750.Tlj 8h-minuit (2h ven-sam). Env 10 $. Un *diner* typiquement américain, comme on les aime, avec ses murs en brique décorés de vieilles affiches, ses banquettes en moleskine et chaises à paillettes rouges. Au menu : une quarantaine de burgers, sandwichs et hot-dogs, accommodés comme vous l'entendez : à l'ananas, au bleu ou avec une petite louche de chili... Le tout accompagné d'un milkshake à la fraise ou à la banane, et vous voilà calé pour le reste de la journée !

|●| 🍷 ♪ *Gordon Biersch Brewery Restaurant :* 33 E San Fernando St. ☎ 408-294-6785. Tlj 11h30-22h30 (23h jeu, minuit ven-sam). Env 10-15 $ le midi et 15-20 $ le soir. Située en plein centre-ville, cette vaste brasserie très bruyante en soirée offre un grand choix de salades, sandwichs et pizzas le midi, et des spécialités de viande et de poisson plus élaborées le soir. Les portions sont copieuses et le service efficace. La bière est brassée sur place, et des concerts de jazz ou de *rhythm'n blues* sont donnés à partir de 21h, dans la cour extérieure, qui ressemble à s'y méprendre à un *Biergarten* allemand.

À voir

🐟 🚶 *Tech Museum :* 201 S Market St. ☎ 408-294-8324. ● thetech.org ● Tlj 10h-17h. Fermé à Thanksgiving et Noël. Entrée : 15 $ musée seul, 20 $ avec film Imax *dès 12 ans ; réduc.* Dans un bâtiment orangé tout en volume, aisément reconnaissable à son dôme, ce musée typique de la Silicon Valley s'articule en cinq galeries thématiques consacrées à la communication, l'exploration, l'innovation, la biotechnologie, le monde virtuel et l'imagination. Sur le principe de l'interactivité, on apprend tout en s'amusant. Ici, on peut programmer une puce informatique, dessiner un grand huit et l'expérimenter virtuellement, diriger un studio d'enregistrement virtuel, explorer les fonds marins du Pacifique en dirigeant un petit robot, découvrir les secrets de la génétique, voyager dans un fauteuil spatial, ou revivre un tremblement de terre grâce à un simulateur très impressionnant. Tout est très bien expliqué, et les bénévoles se font un plaisir de répondre aux questions. Ne manquez pas la projection du film en Imax. Au programme en général, un film très récent et un documentaire sur le sport, l'espace ou la nature.

🎬🎬 *Winchester Mystery House :* 525 S Winchester Blvd. ☎ 408-247-2001.
● winchestermysteryhouse.com ● Tlj : 8h-19h juin-août, 9h-17h sept-déc. 2 visites différentes : la classique (Mansion Tour) env 33 $, parcourant tte la maison en 1h05, et le Grand Tour à 40 $, qui combine le Mansion Tour avec le Basement Tour (écuries, bâtiments annexes, salle de bal inachevée et sous-sol) et la visite des jardins. Le Basement Tour (5 $) peut aussi être ajouté au Mansion Tour. Brochure en français. Photos interdites dans la maison. L'histoire de la construction de cette bâtisse victorienne est aussi étrange que son architecture. Éplorée par la mort de sa fille unique et de son mari, Sarah Winchester, veuve du célèbre fabricant de carabines, consulta un médium pour soulager sa peine. Celui-ci la convainquit que les vies de ces deux êtres chers avaient été prises par les esprits des morts tués par une winchester. Afin de conjurer ce mauvais sort, il lui suggéra de construire une maison à la mémoire de ces esprits. Durant 38 ans, jusqu'à la mort de Sarah en 1922, le bruit des marteaux résonna donc 24h/24 pour bâtir la demeure dont les plans étaient directement dictés à la veuve par les esprits. Le résultat est pour le moins délirant : 160 pièces, 2 000 portes (certaines s'ouvrent sur un mur, ou même sur deux étages de vide), 10 000 fenêtres, 47 escaliers qui, parfois, ne mènent nulle part ! Sarah consacra 5 des 20 millions de dollars de son héritage pour orner la maison de vitraux Tiffany, de parquets marquetés en bois précieux et importer du mobilier japonais. Autrefois entourée de vergers, la demeure s'est laissée rattraper par la ville et paie le prix de son succès touristique : boutique de souvenirs kitsch, stand de bretzels, sans oublier une reproduction des lieux en pain d'épice et bonbons...

DANS LES ENVIRONS DE SAN JOSE

🍴 *Los Gatos :* perchée dans les collines au-dessus de San Jose, cette jolie bourgade B.C.B.G., lieu de balade très populaire le week-end, abrite pléthore de boutiques, de galeries, de petits restos et de cafés sympas comme tout ainsi que le grand Vason Park pour s'aérer. N'hésitez pas à vous y arrêter le temps d'un déjeuner si vous poursuivez votre route vers Santa Cruz (par la Highway 880/17).

🍴 *Gilroy :* si votre nez commence à piquer, pas de doute, vous êtes bien arrivé ! Autoproclamée « capitale mondiale de l'ail », Gilroy, située à 52 km au sud de San Jose (35 mn par la Highway 101), ne craint ni les vampires ni la mauvaise haleine et célèbre chaque année sa culture emblématique par un festival dédié à l'ail sous toutes ses formes, le dernier week-end de juillet. Ne manquez pas l'élection de Miss Garlic !

🛍 Gilroy est aussi bien connue pour ses quelque 145 *magasins d'usine,* situés au 681 Leavesley Rd (depuis la 101, la sortie est indiquée), qui proposent les grandes marques comme *Boss, Nike, Levi's, Gap, Versace, Timberland...* à prix cassés. Tlj 10h-21h (17h dim).

🍴🍴 *San Juan Bautista :* à 80 km au sud de San Jose et 35 km au nord-est de Salinas. De la 101, accès par la route 156 entre Salinas et Hollister. Cette petite ville, située hors des sentiers battus, offre une étape charmante et chargée d'histoire. Au XIXᵉ s, pas moins de sept lignes de diligence s'y arrêtaient, sur la route entre le nord et le sud de la Californie. Mais, en 1876, le rail oublie San Juan Bautista, lui préférant Hollister ; la petite ville s'isole, plus personne ne s'y arrête. À la voir aujourd'hui, on dirait que San Juan Bautista n'a pas bougé depuis cette

LA SILICON VALLEY

époque : une rue principale un peu poussiéreuse, quelques saloons et, surtout, une magnifique *plaza* espagnole, qui vous semblera peut-être familière, puisqu'elle a servi de décor au célèbre *Vertigo* d'Hitchcock. Souvenez-vous, quand Kim Novak essaie de retrouver la mémoire pour vaincre ses démons et finit par se jeter du campanile d'une église (du moins, le croit-on) : la mission San Juan Bautista où a été tourné le film est devant vos yeux, le clocher en moins, puisqu'il s'agissait d'un décor. Fondée en 1797 par le frère Lasuen, elle est toujours en activité.

La visite de la **mission** *(tlj 9h30-16h30 ; entrée : 4 $)* n'est pas palpitante : maquette des lieux autrefois, vitrines avec costumes, bric-à-brac avec images votives... Seule l'église à trois nefs, avec son pavement ancien et ses autels latéraux en trompe l'œil, est digne de retenir l'attention. Adorable cour-jardin avec cactus géants.

En contrebas, à droite de la mission, passe un chemin, le Camino Real, qui reliait les 21 missions de Californie et qui est ici situé sur la faille de San Andreas, responsable de nombreux tremblements de terre.

– **San Juan Bautista State Historic Park** : *il s'agit de la place et des bâtiments qui l'entourent (excepté la mission).* Visitor Center *au rdc du* Plaza Hotel. *Rens :* ☎ 831-623-4881. ● plazahistory.org ● *Tlj sf lun 10h-16h30. Entrée : 3 $; gratuit moins de 16 ans.*

On peut visiter la collection d'attelages dans les écuries *(stables)*, le **Plaza Hall,** qui servait à la fois de salle municipale, de salle des fêtes et de lieu d'habitation pour Angelo Zanetta, un cuisinier italien qui avait fait ses classes à La Nouvelle-Orléans ; très beau mobilier et collection de vêtements d'époque. Le *Plaza Hotel,* qui accueille le *Visitor Center,* appartenait aussi à Zanetta : on peut encore visiter les chambres, la *Card Room,* où un brelan d'as côtoie whisky et cigarillos, la salle de billard, le bar de l'hôtel et la salle de resto, où est affiché un menu de cuisine française datant de 1985.

DE SAN FRANCISCO À LOS ANGELES PAR LA CÔTE

Si vous vous rendez de San Francisco à Los Angeles par la route, trois options s'offrent à vous : emprunter l'autoroute I-5, la plus rapide mais la moins intéressante ; prendre la route 101, une double voie qui suit la côte à distance via San Jose (lire « La Silicon Valley »), San Luis Obispo et Santa Barbara (elle emprunte le tracé de l'ancien Camino Real, la « voie royale » qui reliait un chapelet de missions sous la colonisation espagnole) ; ou encore descendre par la célèbre Highway 1. Les Californiens disent qu'il s'agit de la plus jolie route

côtière de la région. Ils ont raison. Chacun a ses tronçons de Highway 1 préférés. Pour beaucoup, les environs de Big Sur restent un must... avouons également un gros faible pour la portion San Francisco-Santa Cruz. Dans un cadre sauvage, elle traverse une contrée de falaises protégées absolument magnifiques, révélant ici et là des bourgades de villégiature aisées. Il est possible de la faire en bus en grande partie, mais c'est assez compliqué, et on ne voit que quelques parties du trajet, pas forcément les plus intéressantes. L'idéal est de voyager en voiture et à quatre pour limiter les frais. Il faut tout de même disposer d'un minimum de temps devant soi, car la route est tout ce qu'il y a de moins direct. Attention aussi aux tempêtes hivernales, d'autant plus violentes depuis le phénomène El Niño : en provoquant des glissements de terrain, elles coupent fréquemment la route pour quelques jours, voire plusieurs semaines ! Mais rassurez-vous, lorsque cela arrive, des panneaux lumineux avertissent immédiatement les usagers et conseillent des itinéraires de détournement.

🏃 Half Moon Bay : à env 30 km de San Francisco (par la Hwy 1) et à 37 km de la bourdonnante Silicon Valley (prendre la 280 North, puis la route 92, direction Half Moon Bay). Cette petite ville côtière, située au pied des montagnes qui longent la faille de San Andreas, offre un visage étonnamment rural. Main Street aligne petites boutiques et galeries d'art. À El Granada, où se trouve la marina, à quelques kilomètres au nord de Half Moon Bay, vous pourrez admirer les prouesses des surfeurs qui défient les vagues du Pacifique, ou faire une promenade bien agréable le long de cette baie en forme de croissant de lune. En été, pensez à prendre une petite laine, le vent souffle, et le brouillard tombe vite.

🏃 Santa Cruz : au nord de la baie de Monterey, cette station balnéaire modeste allie les plaisirs du shopping à ceux du skate et du surf (la première planche de surf utilisée en Californie le fut ici-même). Curieuse ville que celle-ci, éminemment jeune et possédant tout à la fois un côté *mimile-land* en vacances. On passe allègrement des manèges et montagnes russes du grand parc d'attractions foraines, façon foire du Trône *(Santa Cruz Beach Boardwalk)* à la reconstitution de la mission espagnole (sur la colline) en passant par le petit *musée d'Art et d'Histoire* (*Museum of Art and History*, au *McPherson Center*) qui restitue de façon plaisante l'histoire de la région. Sans oublier, pour les fondus de glisse, le petit *Surfing Museum* dans un phare de poche au bord d'une falaise. Pas loin de là, une arche rocheuse est peuplée d'oiseaux marins.

Où dormir ? Où manger ?

🛏 La plupart des **motels pas chers** se situent le long de Riverside Ave, perpendiculaire à la plage, entre les n°s 500 et 100, de chaque côté de l'artère.

🍴 Évitez de manger sur le front de mer (vraiment pas terrible). Un peu à l'écart du centre, allez plutôt chez **Charlie Hong-Kong**, *1141 Soquel Ave.* ☎ *831-426-5664. Tlj 11h-23h. Repas pour moins de 8 $.* Excellente cuisine thaïe et asiatique en générale. On commande au comptoir et on attend qu'on appelle votre numéro sur la terrasse couverte. Sympa, frais, *organic* (bio) et vraiment pas cher. Une adresse réputée auprès des jeunes qui n'ont pas trop de sous.

Où acheter des CD et disques d'occasion ?

💿 **Street Light Records :** *939 Pacific Ave.* ☎ *408-421-9300. Dim-lun 12h-20h, mar-sam 11h-21h (22h ven-sam).* Si on vous indique cette boutique c'est que c'est l'une des mieux approvisionnées en CD et vinyles d'occasion qu'on ait vu. Très grande sélection de qualité, à tarifs raisonnables.

À faire

🎡 🚶 *Santa Cruz Beach Boardwalk :* *400 Beach St.* ☎ *423-5590. Pour le pass à la journée, compter 32 $, comprenant ttes les attractions à volonté. On peut aussi les acheter à l'unité (3-6 $).* Étonnant parc d'attractions qui longe tout le bord de plage. Fidèle au poste depuis les années 1920, il appartient à la même famille depuis sa création. D'ailleurs la plupart des manèges sont d'origine : *rollercoaster, mary-go-round,* montagnes russes... toutes ces attractions tiennent fort bien la route et n'ont pas à rougir devant les manèges dernier cri de chez Disney. Tiens, noter le petit panneau à l'entrée qui stipule l'interdiction d'afficher toute appartenance à un groupe, un gang ou une communauté particulière. De même pour tout T-shirt insultant, pornographique ou dégradant. ça n'a l'air de rien, mais c'est pour éviter les rencontres de gangs, aux codes très marqués, qui autrefois venaient sur le *Boardwalk* pour en découdre (... avant de se faire recoudre). C'est qu'ici on tient à la paix des familles.

🚶 Derrière le *Boardwalk*, **la longue plage** accueille familles et grappes de jeunes, armés de glaces, ballon de volley ou surf.

SALINAS
150 000 hab.

Ville paisible située dans une large vallée agricole prospère sur la Highway 101 en venant de S.F., à 27 km au nord-est de Monterey. Ces terres fertiles produisent carottes, betteraves, laitues et orge, ce qui leur valut le surnom de « saladier de la nation ». Salinas est aussi la ville qui vit naître John Steinbeck (1902-1968) et chaque année, en août, le festival Steinbeck remet l'écrivain à l'honneur. Le musée qui lui est consacré mérite à lui seul qu'on fasse halte par ici.

Si Salinas a une place particulière dans le ventre des Américains, ce n'est pas à proprement parler une ville riante. Mis à part le petit centre plutôt coquet à proximité du *National Steinbeck Museum*, le reste de la ville a subi de plein fouet la crise économique, et les laissés-pour-compte sont nombreux. Toute une population mexicaine, n'ayant pas trouvé de travail

CERTAINS L'AIMENT (ARTI) CHAUD...

C'est dans la ville voisine de Castroville que Marilyn Monroe fut consacrée « Miss Artichaut 1948 ». Rien d'étonnant pour une aussi belle plante qui ne se mange pas mais se déguste feuille après feuille avant d'atteindre le cœur.

dans les champs de légumes, traînent la savate dans les rues.
Si les routards sont souvent contraints de passer par Salinas, c'est parce que ce sont les gares *Greyhound* (bus) et *Amtrak* (train) les plus proches de Monterey et Carmel. Pas vraiment de raison d'y séjourner.

Arriver – Quitter

🚌 *San Francisco, Santa Cruz, San Jose, San Luis Obispo, Santa Barbara et Los Angeles :* avec les bus Greyhound, *19 W. Gabilan.* ☎ 831-424-4418. *Bureau de la gare routière ouv selon départs des bus.* ● *greyhound.com* ● 3 à 4 bus/j. dans les 2 sens. Durée : 4h pour San Francisco et env 8h pour Los Angeles.

🚌 *Monterey :* avec les bus locaux MST (Monterey-Salinas Transit). ☎ 831-424-7695 ou 1-888-678-2871. ● *mst.org* ● Lun-sam, ttes les 30 mn 6h-19h et ttes les heures 19h-23h ; dim, slt l'ap-m.

🚂 *Amtrak :* ☎ 1-800-USA-RAIL. ➢ *Sacramento, Oakland (banlieue de San Francisco), San Jose, San Luis Obispo, Santa Barbara, Los Angeles :* 1 liaison/j. dans les 2 sens avec le Coast Starlight.

Où manger ?

|●| 🍴 *Rosita's Armory Cafe :* 231 Salinas St (parallèle à Main St). ☎ 831-424-7039. Tlj 9h-21h. Env 10 $. Petit déj servi tte la journée. Réputé pour être le plus ancien mexicain de la ville. 3 longues salles, comptoir avec sièges pivotants, banquettes en skaï vert, déco rappelant vaguement une hacienda, avec ponchos et sombreros. L'éventail de la cuisine mexicaine à prix doux, assez rustique mais suffisamment copieuse pour se rassasier sans se ruiner. Les *huevos rancheros* ne sont pas mal du tout. Bon accueil.

Achats

🏵 *The Farm :* 7 Foster Rd, à 3 km à l'ouest de Salinas, sur la Hwy 68. ☎ 831-455-2575. ● *thefarm-sali nasvalley.com* ● Fermé l'hiver, rouvre en mai. Lun-sam 10h-18h (17h en automne). Visite guidée (env 1h) slt sur résa : 8 $. Une exploitation bio (mais qui borde la Hwy 68 !) que vous ne pourrez pas louper en arrivant à Salinas grâce à ses grands hommes dans les champs. Outre les visites guidées, l'endroit est intéressant pour sa petite boutique de fruits et de légumes bio. Si vous passez par là en saison, les fraises méritent le crochet.

À voir

🏛🏛🏛 *National Steinbeck Center :* 1 Main St. ☎ 831-775-4721. ● *steinbeck. org* ● Tlj sf j. fériés 10h-17h. Entrée : 15 $; réduc. Au bout de la rue principale, avec un superbe ciné Art déco sur la droite et un parking sur la gauche. Outre la partie dédiée à Steinbeck, expo temporaire.

Steinbeck est issu d'une famille germano-irlandaise. On est d'ailleurs accueilli par sa statue. Il a écrit 19 livres dont l'action se déroule en Californie, et une carte à l'entrée montre les différents lieux mis en valeur dans chacun d'eux. On entre ensuite dans l'univers de l'écrivain – sa famille, la maison où il est né à Salinas, ses lectures de jeunesse (il lisait tout le temps !), avant de pénétrer littéralement dans l'atmosphère de ses principaux livres, recréée avec des décors très réalistes, des archives et objets personnels (en revanche, la présentation ne respecte pas l'ordre chronologique de ses livres...) : *À l'est d'Éden, Le Poney rouge, Les Raisins de la colère, Rue de la Sardine* (avec à chaque fois des extraits de films projetés) ; puis un petit détour par le Mexique, son architecture et ses marchés, avec *La Perla* et *Viva Zapata*. Émouvante scène finale du film *Des Souris et des Hommes,* avec John Malkovitch et Gary Sinise. Ensuite, clin d'œil à ses activités de correspondant de guerre pour le *New York Herald Tribune* durant la Seconde Guerre mondiale, avec *Lifeboat* (adapté au cinéma par Hitchcock et dont un extrait est présenté) ; avant d'aboutir à sa période new-yorkaise et son prix Nobel en 1962. À la fin de l'expo, évocation de son voyage à travers les États-Unis et du livre qu'il tirera de cette expérience unique : *Travels with Charley*. On trouve le camping-car avec lequel il fit son périple dans les années 1960, accompagné de son chien Charley, un caniche français. On découvre Steinbeck en vrai routard, qui avait fait le choix de partir à la rencontre de ses contemporains le plus simplement possible. Un film de 10 mn retrace sa vie et donnera quelques repères à ceux qui connaissent peu l'écrivain et son œuvre (à voir avant ou après la visite). La muséographie est recherchée, très soignée et cette visite reste indispensable. Et pourtant, on ressort sans avoir vraiment l'impression d'avoir pénétré l'œuvre du grand homme, présenté ici comme un demi-dieu et peut-être également avec un certain manque de recul.

L'autre partie du centre est consacrée à l'activité essentielle de la vallée de Salinas : l'agriculture. Après l'élevage puis la canne à sucre dans les années 1850, la région a connu un boom de la laitue en 1920. On a même fait des cigarettes sans tabac, qui n'ont pas franchement eu de succès ! Évocation de la culture, mais aussi du conditionnement, du transport des denrées fraîches... Témoignages divers, petits films, mises en situation. Tout est très bien expliqué et documenté. Reste que l'on passe pudiquement sous silence toute la partie engrais, pesticides, insecticides, usure des sols, conditions de travail des employés mexicains... On aurait bien aimé un volet sur ces thèmes, mais le sponsoring de cette partie du musée ne permettait sans doute pas d'évoquer les sujets qui fâchent. Pour compléter la visite, quand vous quitterez Salinas, dans les environs de la ville, vous ne manquerez pas d'observer dans les immenses champs de cultures légumières, les rangées de Mexicains trimant sous le cagnard dans des conditions difficiles, que ce soit pour ramasser les fraises, récolter les choux ou repiquer les salades.

Si vous souhaitez vous attarder à Salinas, qui recèle quelques beaux bâtiments, procurez-vous la brochure *Historic Oldtown Walking Tour* très bien faite au National Steinbeck Center.

🎋 I●I **Steinbeck House :** *132 Central Ave.* ☎ *831-424-2735.* ● *steinbeckhouse. com* ● *À un angle, à 2 blocs à droite en sortant du* National Steinbeck Center. *Visites guidées juin-sept, slt 1er dim du mois, 12h, 13h et 14h ; prix : 10 $. Mais franchement, on ne voit pas grand-chose. Resto dans la maison ouv mar-sam 11h30-14h ; résa conseillée ; plats env 12 $.* C'est dans cette coquette maison victorienne de 1897 que John Steinbeck est né, le 27 février 1902. Il y passa toute son enfance, jusqu'à son admission en 1919 à l'université de Stanford, dont il ne fut jamais diplômé. Depuis 1974, la maison est administrée par la Valley Guild, une association féminine de promotion du patrimoine de Salinas. Quelques meubles d'époque, des photos familiales et puis c'est tout. Accueil charmant de la part des femmes de l'association, toutes en tenue fin XIXe s. Le menu, à base de produits du terroir, change chaque semaine.

MONTEREY

28 000 hab.

▶ Pour les plans de Monterey et Pacific Grove, se reporter au cahier couleur.

Station balnéaire à 200 km au sud de San Francisco. Accessoirement, petit port de pêche mais, ici, on voit avant tout des touristes qui viennent dépenser leurs dollars et visiter le fabuleux aquarium de Monterey, qui mérite vraiment tous les détours selon nous. C'est sans doute l'un des plus beaux du monde. Cher à l'écrivain John Steinbeck, le quartier de Cannery Row, naguère celui des pêcheurs et des sardiniers (en plein boom dans les années 1920-1940), n'est plus qu'un vulgaire attrape-touriste. Mais il faut ne pas se contenter de ces passages obligatoires et explorer les différentes parties de la ville pour bien la comprendre. Verdoyante, entourée de collines arborées et protégée des méchants programmes immobiliers, Monterey offre quelques jolis quartiers résidentiels, tranquilles comme tout, où la foule des touristes ne s'aventure jamais. Tant mieux !
– *Conseils :* évitez d'y aller le week-end (surtout en août), les motels sont alors bondés et doublent, voire triplent leurs prix. Se procurer une bonne carte pour se repérer.
– Festival de jazz célèbre, en septembre, chaque année.

TOPOGRAPHIE DES LIEUX

Attention, Monterey est une ville relativement difficile à appréhender en voiture, à cause de sa topographie tout en collines. Contrairement à la plupart des villes américaines, on s'y perd facilement si on quitte les rues tirées au cordeau du centre. La cité se divise grosso modo en deux parties : d'une part le *downtown* (un peu mort) et le quartier du *wharf* qui le prolonge en bord de mer (où se concentre la plupart des touristes) ; et d'autre part, séparé du premier secteur par un passage souterrain, le quartier de *Cannery Row* et *l'aquarium.* À l'arrière de la partie côtière, les collines abritent des quartiers résidentiels fort sympathiques, offrant quelques panoramas uniques sur la baie.
– *Astuce topographique :* à l'ouest de Monterey, on passe sans s'en apercevoir à *Pacific Grove,* la localité voisine. Une des artères principales des deux villes s'appellent *Lighthouse Avenue.* Mais attention, en allant vers l'ouest, juste après avoir croisé *David Street* (frontière entre les deux villes), vous n'êtes plus à Monterey mais à Pacific Grove. Cette dernière possède aussi une Lighthouse Avenue, parallèle à la première mais pas dans la continuité (compliqué, hein ? !), et qui possède sa propre numérotation. Ainsi des lecteurs nous affirment que certaines de nos adresses sur Lighthouse Avenue sont fermées ou n'existent pas. C'est tout simplement parce qu'ils ne sont pas dans la bonne commune. Donc, ouvrez l'œil, et le bon ! On indique précisément dans quelle ville se situe telle ou telle adresse (Monterey ou Pacific Grove).

UN PEU D'HISTOIRE

En 1542, Don Juan Cabrillo pénètre dans une baie qu'il nomme Bahía de los Pinos, mais il n'y aborde pas. En 1602, un autre conquistador espagnol, Sebastian Vizcaino, découvre à son tour ce site bien abrité de la côte et lui donne le nom de son protecteur : le comte de Monte Rey, vice-roi de Nouvelle-Espagne (on appelle alors ainsi le Mexique).

MONTEREY ET CARMEL

Vers 1770, la ville devient le premier *presidio* d'Alta California, c'est-à-dire le Q.G. des Espagnols en Haute-Californie. En 1775, elle prend plus d'importance encore en devenant la capitale de l'Alta et de la Baja (Basse) California. À l'indépendance du Mexique, elle est donc naturellement mexicaine, et elle le restera jusqu'à la guerre avec les États-Unis en 1842, qui se solde par la cession de la Californie à ces derniers. La ville sombre dans l'oubli à partir du jour où San Jose est déclarée capitale de la Californie (pendant la ruée vers l'or). Ensuite, ce sera l'avènement de San Francisco.

La seconde moitié du XIXe s voit débarquer des immigrants venus d'Europe et d'Asie : pêcheurs italiens, portugais, chinois et japonais pour la plupart. C'est à cette époque, en 1879, que l'écrivain Robert-Louis Stevenson séjourne à Monterey. Il y retrouve Fanny Osbourne, qu'il avait connue en France, et l'épouse. Il travaille pour le journal local et s'inspire, semble-t-il, de la péninsule de Point Lobos (vers Carmel) pour écrire son roman *L'Île au trésor*.

Dans les années 1930, un autre écrivain, John Steinbeck (auteur de *À l'est d'Éden*, *Les Raisins de la colère* et *Des souris et des hommes*), évoque à son tour Monterey dans ses livres et notamment dans *La Rue de la Sardine*. Dans *Tortilla Flat* (nom d'un quartier de Monterey peuplé alors de Mexicains), inspiré par les oubliés de l'histoire, il raconte la vie tragicomique d'un jeune *paisano*. Steinbeck fréquente beaucoup le quartier de Cannery Row, ce coin si haut en couleur qui vaut alors au port le titre de « capitale mondiale de la sardine ».

Aujourd'hui, l'auteur reconnaîtrait à peine le quartier. Après l'abandon de la pêche à la fin des années 1950, les sardines ayant presque disparu, cette activité est quasi abandonnée, et Monterey redevient une bourgade ordinaire. Seul le tourisme a réussi à tirer la ville de sa léthargie.

LE PLUS GRAND SANCTUAIRE MARIN DES ÉTATS-UNIS

La péninsule et la baie de Monterey (classées « Zone protégée » depuis 1992) abritent un sanctuaire marin d'une incroyable richesse : des loutres de mer, des otaries, des éléphants de mer, des phoques, et, bien sûr, des kyrielles de poissons de toutes sortes. En outre, des baleines grises y séjournent au printemps, en route vers le Mexique et les bleues y passent en été.

D'où vient cette richesse naturelle ? D'un gigantesque canyon sous-marin qui plonge à pic jusqu'à 4 000 m de profondeur. Celui-ci renvoie sans cesse vers la surface du Pacifique des courants d'eau froide chargés de plancton et d'une foule de débris organiques. C'est comme ça que la faune se nourrit et se multiplie.

Les chercheurs du centre océanographique rattaché à l'aquarium s'intéressent particulièrement à la sauvegarde des animaux qui peuplent les très grands fonds de la baie, entre - 1 000 et - 4 000 m. Pour ce faire, ils disposent d'un matériel high-tech dernier cri, de robots performants et de l'*Alvin*, ce sous-marin qui a photographié l'épave du *Titanic* pour la première fois. La tâche est ardue, car ces animaux des abysses meurent dès qu'ils sont remontés à la surface. Habitués aux milieux extrêmes, ils vivent dans le noir et le froid, supportant des pressions terribles et l'absence totale d'oxygène. Le monde du silence !

Arriver – Quitter

MST (Monterey-Salinas Transit ; plan couleur I, A2) : Transit Plaza, *Pearl St*, à l'angle de Munras Ave et de Tyler St. ☎ 1-888-678-2871 ou 1-888-MST-BUS1. ● mst.org ● Cette compagnie dessert Monterey et les villes aux alentours. *Pour plus d'infos, bureau de la MST : 150 Del Monte Ave. Lun-ven 8h-12h30,13h30-16h45.*

➤ *De/vers Salinas :* avec MST. Navettes fréquentes entre les 2 villes. Lun-sam, env ttes les 30 mn 6h-23h ; dim, slt l'ap-m.

➤ *De/vers Carmel :* 7h-22h, env ttes les 30 mn.

➤ *De/vers Big Sur :* 3 bus/j. (2 le w-e).

➢ *Los Angeles et San Francisco :* il n'y a pas de gare de bus *Greyhound* à Monterey ni de gare ferroviaire *Amtrak*. Ces 2 gares se trouvent à Salinas. Pour s'y rendre, il faut donc d'abord prendre le bus *MST* (voir plus haut). Plusieurs liaisons/j. sont assurées avec le nord et le sud de la Californie, soit en bus, par *Greyhound*, soit en train, par *Amtrak* (pour plus d'infos lire « Arriver – Quitter » à Salinas).

Se déplacer dans Monterey

➢ Avec le *MST Trolley* (Visitors' Shuttle) : tlj fin mai-août 10h-19h (20h w-e en juil-août). GRATUIT. Ce bus très pratique dessert le centre de Monterey, de la Transit Plaza (plan couleur I, A2) à l'aquarium, en passant par Fisherman's Wharf et Cannery Row.

🅿 *Parkings :* se garer à Monterey est une vraie galère et peut coûter une fortune. Pour y remédier, demander à l'office de tourisme la brochure *Smart Parking in Monterey*, qui évite bien des problèmes et recense les endroits autorisés. Il y a des rues gratuites, d'autres avec parcmètres, et des zones interdites.

Adresses utiles

🆔 *Visitor Information Center* (plan couleur I, B2) : 401 Camino El Estero St, tt au bout de Franklin St. ☎ 888-221-1010. ● seemonterey. com ● Mai-oct, tlj 9h-18h (17h dim) ; nov-avril, lun-sam 9h-17h, dim 10h-16h. Tenu par de charmantes mamies qui font de leur mieux. Plans gratuits et bien faits de Monterey, de Cannery Row, liste des hôtels (résas possibles sur place), restos, etc. Des tonnes de prospectus sur la ville et sa région. La maison qui abrite cet office de tourisme a été construite en 1840 et fut le consulat de France de 1842 à 1850. Le premier consul, Louis Gasquet, avait débarqué de France en bateau via le cap Horn. On raconte qu'il fut démis de ses fonctions et refusa de quitter

son poste. En 1852, après le rattachement de la Californie aux États-Unis, le consulat se déplaça à San Francisco.

✉ *Poste* (plan couleur I, A2-3) : au coin de Hartnell St et de Webster St. Lun-ven 8h30-17h ; sam 10h-14h.

@ *Internet :* à la *Monterey Public Library* (plan couleur I, A2), 625 Pacific St. Lun-mer 12h-20h, jeu-sam 10h-18h et dim 13h-17h. Plusieurs ordinateurs en accès libre (maximum 1h ; s'enregistrer à l'accueil de la bibliothèque).

◼ *Location de vélos et de kayaks : Adventures by the Sea,* 210 Alvarado St (plan couleur I, A1, **1**) ou 299 Cannery Row. ☎ 831-372-1807. ● adventuresbythesea.com ● Tlj 9h-19h en été. Loc de vélos (env 7 $/h, 30 $/j. et 10 $ de plus/j. supplémentaire) ; de surreys (grosses voitures à pédales) 20 $/h pour 2-3 pers, 30 $ pour 4-6 pers, et de kayaks (30 $/j. ou 60 $ pour une sortie accompagnée dans la baie).

Où dormir ?

Attention, comme la plupart des villes très touristiques, Monterey n'offre pas vraiment d'hébergements bon marché (en dehors de l'AJ), particulièrement le week-end, lorsque les prix doublent (ou triplent !). Les motels se regroupent pour l'essentiel sur Abrego et Munras Avenue (en direction de Carmel), plutôt verdoyantes, ainsi que sur Fremont Street et Fremont Boulevard, dans l'est de la ville (vers Seaside), bruyantes et assez glauques. Si votre portefeuille est bien garni, vous pourrez vous offrir l'un des *B & B* de luxe de Pacific Grove, la commune voisine en continuité ; victoriens pour la plupart, chic, chers et pour beaucoup ancrés face à l'océan. Attention, bien vérifier où se situe l'adresse que vous avez choisie : à Monterey ou à Pacific Grove.

À Monterey

Camping

⛺ *Camping du Veteran's Memorial Park* (plan couleur d'ensemble, **26**) : ☎ 831-646-3865. Sur les hauteurs de

MONTEREY ET CARMEL

Monterey. Attention, accès pas évident, car on s'égare facilement dans les collines qui ceinturent la ville. Se munir d'une carte détaillée. En haut de Jefferson St (qui prolonge Pearl St) quand on vient de Monterey, ou accès par la Hwy 68 W (dans ce cas, tourner à droite sur Skyline Forest Dr, puis à gauche au stop sur Skyline Dr – ne pas les confondre) ; le parc est situé 1 mile plus loin, à droite, sur Veterans Dr, en contrebas de la colline. Emplacement env 30 $ pour une voiture, à vélo ou à pied, ce n'est que 6 $. Max 3 nuits consécutives (s'il y a de la place, on ne vous embêtera pas). On dépose son dû dans une enveloppe et l'on accroche son nom sur un poteau, devant un emplacement. Le seul camping de Monterey, donc s'y prendre assez tôt (premier arrivé, premier servi). Seulement une quarantaine d'emplacements. Grands espaces verdoyants en pente douce, bien ombragés par de vénérables pins. Calme total, belle aire de jeux et vaste pelouse. Douches avec consignes. Propre et sans bavure.

Bon marché

⌂ *Hostelling International Monterey (plan couleur d'ensemble, 27) :* 778 Hawthorne St. ☎ 831-649-0375. ● montereyhostel.org ● *À deux pas de Cannery Row et du Monterey Bay Aquarium. Ouv tte l'année. Réception 8h-22h. Mais si vous avez une résa, vous pouvez arriver dès 16h l'ap-m. Résa conseillée en été. Dortoirs (7-16 lits) 27-32 $/pers selon saison, doubles 80-90 $. 6 nuits max (sur une durée de 30 j.). Petit déj (pancakes et café) inclus. Draps et couvertures fournis. Consigne.* 🖵 📶 *Dans un bloc de béton blanc, bleu et marron pas très charmant, cette grande AJ propose une quarantaine de lits en dortoirs hommes, femmes ou mixtes (chic alors !) et 3 chambres doubles. Nickel, à défaut d'être séduisant. Ne comptez pas trop sur la vue, les chambres en sous-sol sont face à un mur ; préférez donc celles du rez-de-chaussée. Vu les restrictions d'eau, vous n'aurez droit qu'à 7 mn de douche par soir.*

Généreuse salle commune lumineuse, avec canapés, grandes tables et plein d'infos à partager. Cuisine commune impeccable et pratique. Le matin, tous les ingrédients pour faire des pancakes et autres crêpes sont mis à disposition. Soirée BBQ régulièrement. Ambiance sympa, et nombreux restos et bars à proximité. Accueil parfois un peu débordé.

De prix moyens à chic

⌂ *Padre Oaks Motel (plan couleur d'ensemble, 28) :* 1278 Munras Ave. ☎ 831-373-3741 ou 1-888-900-6257. ● padreoaks.com ● *L'un des premiers établissements sur la gauche en arrivant du sud par la Hwy 1. Doubles 55-200 $ selon période, petit déj inclus. Prix intéressants hors saison ou pour 4 pers.* 📶 *Petit motel coquet et tout fleuri, comme la plupart des motels de la rue (à croire qu'il font un concours !), construit autour d'un chêne vénérable (de près de 2 siècles) tordu par les vents. Chambres simples, organisées autour d'une balustrade fleurie. Tenu avec soin par une famille indienne... comme les autres motels de la rue d'ailleurs. Cafetière, micro-ondes et frigo. Bon accueil.*

⌂ *Quality Inn (plan couleur d'ensemble, 29) :* 1058 Munras Ave. ☎ 831-372-3381. ● qualityinnmonterey.com ● *Doubles 75-150 $ (10 $/pers en plus), vrai petit déj inclus, qu'on prend dans une vraie salle, suffisamment rare pour être signalé.* 🖵 📶 *Coquet comme tout, ce motel en bois gris doux et bleu-gris, avec d'énormes bougainvilliers et géraniums presque fluo explosant de partout. De fait, on ne se sent pas dans un motel anonyme. Les chambres, très propres et bien équipées (frigo et micro-ondes), sont organisées sur 2 niveaux, autour d'une pergola ajourée et d'une balustrade. Cheminée pour certaines. Piscine chauffée. Bien bonne adresse et accueil délicieux.*

⌂ *Monterey Surf Inn (plan couleur d'ensemble, 25) :* 1200 Munras Ave. ☎ 831-372-5821 ou 1-800-310-5722. ● montereysurfinn.com ● *Doubles 50-100 $ selon saison, petit déj continental compris.* 📶 *Comme ses*

2 voisins, le *Padre Oaks* et le *Quality Inn,* ce motel parvient à personnaliser sa structure en fleurissant sans compter son environnement (bosquets, massifs colorés...) et c'est réussi. Petite piscine en forme de haricot devant la route. Chambres banales mais impeccables, alignées dans un bâtiment de plain-pied. Machine à café, écran plat, sèche-cheveux...

🛏 **Motel 6** *(plan couleur d'ensemble, 24)* **:** 2124 N Fremont St. ☎ 831-646-8585 ou 1-800-4MOTEL6. ● motel6. com ● *À l'est de la ville, pas loin de l'intersection avec la Hwy 1. Doubles 76-135 $ selon période (3 $/pers supplémentaire).* Conforme à tous les autres motels de la chaîne, mais pas dans la version rénovée. Simple, propre, pratique, et dessus-de-lit criards ! Piscinette qui tient du symbole.

De chic à très chic

🛏 **Hotel Abrego** *(plan couleur I, B3, 34)* **:** 755 Abrego St. ☎ 831-372-7551 ou 1-800-982-1986. ● hotelabrego. com ● *Doubles 120-430 $ (10 $/pers en plus) sans petit déj.* 🛜 Vaste motel de luxe de 3 étages. Les chambres, plaisantes et spacieuses, sont très confortables, avec frigo, et même une cheminée au gaz pour certaines (les nuits sont parfois fraîches le long de la côte, même en été) ou un balcon (quelques chambres ont même les 2 !). L'environnement n'est pas formidable, mais l'hôtel lui-même et les chambres sont décorés dans les tons sable du meilleur effet, avec des matériaux noble. Piscine chauffée et jacuzzi entourés de verdure. Bon accueil, très pro.

À Pacific Grove

De prix moyens à chic

🛏 **The Butterfly Grove Inn** *(plan couleur d'ensemble, 102)* **:** 1073 Lighthouse Ave. ☎ 831-373-4921 ou 1-800-337-9244. ● butterflygroveinn. com ● *Juste à côté du* Monarch Grove Butterfly Sanctuary. *Doubles 110-250 $ (10 $/pers en plus), petit déj*

(minimaliste) inclus. 🛜 Un motel tout rose dans un quartier très paisible. Les chambres, quasiment toutes avec cheminée au gaz, sont vastes et confortables, même si la déco reste standard et un peu *cheap*. Micro-ondes et frigo. La grande maison au centre abrite également quelques chambres. C'est le cadre qui fait le charme du lieu : la petite piscine chauffée (avec jacuzzi) est entourée d'un carré de verdure, ainsi que la grande pelouse sous les arbres qui donne plus l'impression d'être dans un petit quartier résidentiel que dans un motel. En fait, à 4 et à certaines périodes, c'est un excellent rapport qualité-prix.

🛏 **Borg's Ocean Front Motel** *(plan couleur d'ensemble, 30)* **:** 635 Ocean View Blvd. ☎ 831-375-2406. ● borgsoceanfrontmotel. com ● *Doubles 85-175 $ selon vue et période.* Long motel crème et gris, classique et sans particularité si ce n'est celle d'être situé juste face à l'océan (mais avec la rue qui passe devant tout de même). Les moins chères sont au rez-de-chaussée et sur l'arrière (sans vue donc), et les plus onéreuses face à la mer, au 1er étage. Grosse différence de prix en fonction de la saison et de l'affluence. Sinon, c'est un motel tout ce qu'il y a de plus motel ! Fonctionnel, banal et suffisamment confortable, rien de plus. Son vrai plus, c'est sa situation. Accueil lunatique.

De chic à très chic

🛏 **Bide-A-Wee Inn & Cottages** *(plan couleur d'ensemble, 22)* **:** 221 Asilomar Blvd. ☎ 831-372-2330. ● bideaweeinn.com ● *Doubles 115-340 $ selon saison, petit déj inclus (mais que l'on récupère à l'accueil et qu'on emporte dans sa chambre).* 🖥🛜 Un joli ensemble dans les tons crème et rose, situé en bordure d'une pinède, au calme, dans un quartier cossu, à deux pas de la mer et du phare. Chambres fraîches et confortables, situées dans des cottages, certaines avec cheminée, micro-ondes et frigo, d'autres avec kitchenette. Cadre vraiment soigné et avenant, planté d'arbustes et de coins de pelouse, qui verdissent joliment l'ensemble. Bon accueil.

🛏 **The Old St Angela Inn** (plan couleur d'ensemble, 23) : 321 Central Ave. ☎ 831-372-3246 ou 1-800-748-6306. ● oldstangelainn.com ● Doubles 157-290 $ selon taille et vue, petit déj compris. 📶 Dans cette charmante maison bleue construite en 1910, une dizaine de chambres plus ou moins grandes et magnifiquement décorées dans le style cosy, avec du bois et pas mal de fleurs. Les plus chères, au 1er étage, ont vue sur la baie, comme la Whale Watch, vraiment spacieuse ; les autres donnent sur le ravissant jardinet que les fleurs croquent de toutes parts. Déco à l'américaine (normal après tout !), avec force coussins, lits hauts, papier à fleurs, moquette épaisse... La gentille patronne confectionne elle-même les délicieux cookies et muffins du matin, servis sous la véranda ou dans le jardin. Délicat wine testing de 16h30 à 18h. Une adresse vraiment délicieuse...

🛏 **Green Gables Inn** (plan couleur d'ensemble, 31) : 301 Ocean View Blvd. ☎ 800-722-1774. ● green gablesinnpg.com ● Doubles 150-300 $ selon taille, saison et vue (sur l'océan pour la plupart), petit déj compris. 📶 Superbe maison victorienne enrichie de fiers bow-windows, posée sur la route longeant l'océan. L'entrée ouvre sur un salon cossu, objets raffinés et mobilier ancien. La réception se fait discrète sur l'arrière. Chambres toutes différentes, délicieusement cosy et très confortables (lecteur DVD...). Si certaines sont assez sobres dans leur déco, d'autres débordent d'exubérance fleurie, des rideaux aux papiers peints, en passant par les dessus-de-lit, le tout non assorti. On ne sait plus si c'est du très bon goût ou un peu raté, mais on opte plutôt pour la première hypothèse et on salue l'audace finalement assez réussie. Quoi qu'il en soit, l'ensemble dégage un luxe indéniable. Une ribambelle de Teddy Bears habite aussi les lieux, à acheter si vous avez envie de ramener une peluche dans vos bagages. Wine testing offert en fin d'après-midi, le fameux goûter pour adulte !

Où manger à Monterey et à Pacific Grove ?

Étonnamment, même si Monterey et Pacific Grove sont des villes touristiques, on peut y faire un repas pour un prix raisonnable, même le soir. Nous avons mis la main sur un bouquet de bonnes petites adresses pas ruineuses du tout.

Spécial petit déjeuner

🍴 **The Wild Plum** (plan couleur I, A3, 62) : 731 B Munras Ave, **Monterey.** ☎ 831-646-3109. Lun-sam 7h-17h30, dim 7h30-14h30. Sam et dim, petit déj servi tte la journée (les autres j. jusqu'à 12h). Env 12 $. L'endroit est idéal pour un petit déj goûteux à base de produits frais et bio, tous homemade. Œufs proposés sous toutes les formes, bons bols de céréales, imposants muffins maisons, scones, pancakes. Quelques quiches et tartes viennent compléter l'ensemble. Tout le menu est inscrit sur le grand tableau noir au-dessus du comptoir. À déguster dans la petite salle à la large baie vitrée, à la déco colorée et chaleureuse, genre bohème à la californienne. Service tout en décontraction.

🍴 **Old Monterey Café** (plan couleur I, A2, 61) : 489 Alvarado St. ☎ 831-646-1021. Situé en haut de la rue principale du vieux **Monterey.** Tlj 7h-14h30. Env 8-12 $. Petit resto américain de quartier, particulièrement populaire en ville et depuis longtemps pour ses copieux petits déj : œufs et omelettes cuisinés de mille manières, pancakes, French toast... Aux murs, photos et affichettes de stars. Service affable. Attention, le week-end, il y a vite la queue.

🍴 **Paris Bakery** (plan couleur I, A-B2, 60) : voir ci-après.

De bon marché à prix moyens

🍴 **International Cuisine** (plan couleur d'ensemble, 50) : 620 Lighthouse Ave, **Pacific Grove.** ☎ 831-646-0447. Tlj 11h-22h en continu (22h30 sam). Env

10-15 $. Tenu depuis toujours par une adorable famille jordanienne, ce resto propose un large choix de plats en provenance de différents horizons, tous étonnamment maîtrisés et réguliers en qualité : *fish and chips,* bœuf Stroganoff, *greek combination plate* ou bien burgers et sandwichs pour les accros. *Clam chowder* et *prawn pasta* de premier ordre. Pâtes fraîches maison, salades géantes, pizzas 2 tailles et bons *specials* à base de poisson, accompagnés de soupe. Service plein de gentillesse et d'attention.

⬤❙ Sea Harvest *(plan couleur d'ensemble,* **54***) : 598 Foam St, à l'angle de Hoffman St,* **Monterey.** ☎ 831-646-0547. *Tlj 8h-20h30. Plats 9-18 $.* Ce restaurant est avant tout une poissonnerie, avec déco maritime bien dans le thon ! Elle ne sert que des poissons ultrafrais (qu'on peut voir dans les vitrines réfrigérées ou dans le vivier). Plats simples et populaires, cuisinés à l'américaine, au choix, frits ou grillés : *tuna, sablefish, swordfish, mahi-mahi, tilapia...* et même un bon *fish and chips.* Assiettes copieuses, servies sans chichis.

⬤❙ Tillie Gort's Café *(plan couleur d'ensemble,* **55***) : 111 Central Ave,* **Pacific Grove.** ☎ *831-373-0335. Tlj 8h-21h. Plats 10-12 $.* Longue façade vitrée et intérieur de bois peint habillé de tableaux d'artistes locaux. Au-dessus du comptoir, 2 photos attestent de la pérennité des lieux (plus de 40 ans). On vient ici pour la petite cuisine à dominante végétarienne et bio pour partie. Bonne *vegetarian paella* et *nomeatloaf,* tous 2 plébiscités par les habitués. Bons *specials* également. Un lieu gentiment marjo, qu'on apprécie bien. Clientèle éclectique autant que sympathique.

⬤❙ Hula's Island Grill *(plan couleur d'ensemble,* **56***) : 622 Lighthouse Ave,* **Monterey.** ☎ *831-655-HULA. Marsam 11h30-21h30 (22h ven-sam), dim-lun à partir de 16h. Plats 13-21 $.* C'est par hasard que nous avons découvert ce lieu dédié à ceux qui glissent sur les vagues et à ceux qui nagent dans la mer. Évidemment ils ne sont pas également traités. Les *surfers* (mais pas que) s'assoient derrière les tables, tandis que les poissons prennent place dans les assiettes, dûment grillés et assaisonnés. Bien bonne cuisine donc, à l'image de cet exquis *ceviche* de *mahi-mahi.* On choisit son poisson *(ahi, ono, hapu, swordfish...),* puis sa sauce *(coconut, lemongrass, macadamia...),* et on déguste l'ensemble dans une ambiance gentiment hawaïenne, avec une bonne musique dans les oreilles. Pour les repas plus légers, voir les *pupus.*

⬤❙ Paris Bakery *(plan couleur I, A-B2,* **60***) : 271 Bonifacio Plaza (angle 444 Washington St),* **Monterey.** ☎ 831-646-1620. *Tlj 6h-18h (16h30 dim). Env 6 $ pour un petit creux.* Cette boulangerie-pâtisserie, qui fait aussi cafétéria et salon de thé, propose de bons en-cas de toutes sortes : sandwichs, soupes, quiches, salades (de fruits ou de crudités), viennoiseries... bref, tout ce qu'il faut pour un bon déjeuner sur le pouce sans se ruiner. Toutes sortes de croissants, tartes salées et sandwichs. Tenu par Jacky, un *Frenchy,* et sa femme. Un petit air de Paname en prime, avec la Seine, Notre-Dame et la tour Eiffel en trompe l'œil.

⬤❙ Jose's Mexican Grill *(plan couleur d'ensemble,* **57***) : 638 Wawe St, entre Hoffman et Prescott St,* **Monterey.** ☎ *831-655-4419. Juste à droite de l'Imax. Tlj 11h-22h. Plats 9-14 $. Jeter aussi un œil au* lunch special *(huevos rancheros).* Ce resto de poche change un peu des usines à bouffe de la toute proche *Cannery Row.* Petite cabane en bois, toute rouge, avec plancher rustique et murs colorés, tout comme la cuisine mexicaine servie ici. Pas la grande finesse certes, mais tacos, *burritos* et *nachos* rempliront le ventre des gros mangeurs. Copieux et familial.

⬤❙ Sushi Moto *(plan couleur I, A2,* **63***) : 413 Alvarado St,* **Monterey.** ☎ *831-646-1109. Lun-jeu 11h30-15h, 17h-22h (23h ven-sam) ; dim 16h-22h. Env 15 $.* Derrière ses airs de petit resto banal, ce japonais réserve quelques très belles surprises gustatives ! Bien sûr, les traditionnels sushis (irréprochables de fraîcheur), mais également une grande sélection de *rolls* aussi délicieux qu'inventifs, les soupes *miso* et *udon, bento, tempura,* poissons marinés... Tout est délicieux, le service charmant, et les prix raisonnables pour la qualité.

MONTEREY ET CARMEL

MONTEREY ET CARMEL

l●l *Crown and Anchor* (plan couleur I, A2, **64**) : 150 W Franklin Ave, **Monterey**. ☎ 831-649-6496. Tlj 11h-2h (restauration jusqu'à minuit) ; happy hours lun-ven 16h-18h. Env 15 $. Specials affichés à l'entrée. Vieux planisphères, ancres, maquettes de navires et cordages aux murs, ce pub situé en sous-sol fait très bar chic à matelots. Accoudé au bar en U et en laiton, ou attablé dans une alcôve, vous y dégusterez des spécialités british bien maîtrisées (*fish and chips, meatloaf* ou *sovereigns' lamb shanks*), en sirotant une des 20 bières pression et en taillant le bout de gras avec le barman. Mention émue pour leur *sticky toffee pudding*, un régal. Patio bien agréable à l'arrière.

l●l *La Piccola Casa* (plan couleur d'ensemble, **52**) : 212 17th St, **Pacific Grove**. ☎ 831-373-01-29. Tlj 6h30-22h30 (21h ven-dim). Env 10-12 $. Commande à passer au comptoir. « Home Italian food products », proclame la pancarte... les produits italiens sont quand même bien mâtinés de saveurs californiennes, mais outre les bonnes pizzas, ce qui nous plaît dans cette petite adresse de quartier à la carte très limitée (une petite dizaine de pizzas et quelques salades), c'est son côté confidentiel. La petite maison du XIXe s qui l'abrite, avec sa mignonne petite terrasse, a gardé ses pièces telles quelles, ouvertes sur la cuisine. Attention à ne pas se tromper de porte : la même enseigne possède aussi le petit resto juste à côté – *La Mia Cucina*.

l●l *Fishwife* (plan couleur d'ensemble, **51**) : 1996 Sunset Dr, Asilomar Beach, complètement à l'ouest de **Pacific Grove**. ☎ 831-375-7107. Tlj 11h-21h (22h ven-sam). Plats 15-20 $. Dans un quartier résidentiel chic, la petite maison a des allures de resto de bord de route, mais les files de voitures garées devant laissent présager que c'est plus que ça. Nappes blanches en tissu, cadre décontracté et chic à la fois. Les poissons et fruits de mer sont ici à l'honneur. Cette cuisine californienne, avec une petite touche des Caraïbes (sans le piment), réjouit les papilles. Mention spéciale pour les *Fisherman's Bowls* où la base – constituée de riz, légumes, haricots rouges assaisonnés d'une sauce au sésame et

au gingembre – est accompagnée de fruits de mer ou de poisson. Même le modeste *fish and chips* est bien réalisé. Décidément, la *femme du poisson* (la poissonne ?) nous a bien plu.

l●l *Red House Café* (plan couleur d'ensemble, **58**) : 662 Lighthouse Ave, **Pacific Grove**. ☎ 831-643-1060. Tlj sf lun soir 8h-14h30, 17h-21h. Plats 9-23 $. On aime bien ce petit resto installé dans une maisonnette en bardeaux rouges, avec sa petite terrasse qui vous accueille. Intérieur vraiment charmant, fait de petites pièces très féminines décorées avec délicatesse. La carte est en adéquation, pas énorme, juste quelques propositions simples et goûteuses. Raviolis aux fromage et épinards, poisson du jour généralement grillé, quelques bons sandwichs, gratins de légumes... Du frais, du simple, du sain, du doux.

l●l *First Awakenings* (plan couleur d'ensemble, **59**) : 125 Ocean View Blvd, **Pacific Grove**. ☎ 831-372-1125. Tlj 7h-14h (14h30 w-e). Plats 6-10 $. Dans un grand bâtiment qui abritait une conserverie avant d'être converti en petit centre commercial, un resto aux allures d'entrepôt qui ne désemplit pas du breakfast au déjeuner. Impeccable pour caler une fringale, énormes salades (une pour 2, voire pour 3 devrait suffire !), burgers généreux, pancakes, snacks mexicains, omelettes... Pas de la grande gastronomie, mais tout est très correct, en format XXL, sans OGM ni conservateurs... Bravo. Terrasse agréable et abritée, posée sur l'arrière.

De chic à très chic

l●l *Domenico's on the Wharf* (plan couleur I, B1, **65**) : 50 Fisherman's Wharf, **Monterey**. ☎ 831-372-3655. Tlj 11h-14h30 et 16h30-22h (service continu le w-e). Env 20-30 $. Intéressants today's specials 18 $. Parmi toutes les adresses hyper touristiques du *wharf*, celle-ci sort du lot. Le cadre est chic et le resto l'un des classiques du port. Le patron, issu d'une famille sicilienne émigrée en Californie, est pêcheur et fervent défenseur de la pêche raisonnée. Vaste salle aux généreuses baies vitrées offrant une vue extra sur le port. Crabe et calamars du coin sont à l'honneur, mais on peut préférer une bouillabaisse (en français dans le texte) ou son équivalent italien, le *cioppino*, ou bien encore les huîtres Rockefeller. Les carnassiers impénitents et les végétariens trouveront même quelques plats à leur goût. Portions généreuses. Le frère du proprio possède le *Café Fina*, juste en face (au n° 47). ☎ 831-372-5200. Beaucoup de pâtes maison, toujours accompagnées de produits de la mer. Salle tout en longueur, plus intime à l'étage, et ambiance plus italienne que chez le frérot.

|●| *Montrio Bistro* *(plan couleur I, A2, 66)* : 414 Calle Principal, **Monterey**. ☎ 831-648-8880. *Tlj à partir de 17h pour le dîner. Env 25 $.* Ancienne caserne de pompiers, vaste salle, murs de brique, vitrines de bouteilles savamment éclairées, grand bar et décor un peu baroque : ferronneries et gros nuages au plafond. Cuisine de saison qu'on pourrait qualifier de californo-italo-frencho-méditerranéenne, assez sophistiquée tant dans le contenu que la présentation. Une bonne idée : les *small bites* (pas de malentendu !), des portions réduites qui peuvent remplacer une entrée. Excellents desserts.

|●| *Passion Fish* *(plan couleur d'ensemble, 53)* : 701 Lighthouse Ave, **Pacific Grove**. ☎ 831-655-3311. *Tlj à partir de 17h pour le dîner. Résa impérative, surtout le w-e. Env 30-35 $.* Adresse réputée pour sa cuisine inventive. Déco épurée et élégante, avec aux murs de superbes photos sous-marine en noir et blanc, banquettes, fauteuils de cuir et murs vanille. Courte carte, cuisine de marché à base de poissons, vous l'aviez compris. Produits locaux très frais élaborés par un chef de talent et plats dignes de surprendre le plus blasé des gourmets. Portions généreuses qu'on peut même partager à 2. Intéressante carte des vins. Service pro et addition tout à fait raisonnable pour la qualité.

Où boire un verre ? Où écouter de la musique ?

♀ ♪ *The Mucky Duck Pub* *(plan couleur I, A2, 90)* : 479 Alvarado St, **Monterey**. ☎ 831-655-3031. *Tlj 11h-2h. Happy hours 16h30-19h.* Rendezvous incontournable de la jeunesse des environs, ce pub offre 2 visages : on y prend d'abord un repas ou une bière, au bar, ou autour du petit foyer (marshmallows à griller !), puis, dès 21h, tout le monde se rassemble dans le patio, située à l'arrière du pub, pour se déchaîner sur la piste de danse. On boit, on parle fort, on joue aux fléchettes jusque tard dans la nuit. Un grand feu central (à gaz !) réchauffe l'atmosphère s'il y en avait besoin. Ambiance et rencontres assurées.

♀ *Crown and Anchor* *(plan couleur I, A2, 64)* : 150 W Franklin Ave, **Monterey**. ☎ 831-649-6496. *Tlj 11h-1h. Happy hours lun-ven 16h-18h.* Ce resto (voir « Où manger ? ») est également un chouette bar qui propose une belle sélection de bières locales et *import*. Atmosphère tout en convivialité british.

♀ *Bulldog British Pub* *(plan couleur d'ensemble, 91)* : 611 Lighthouse Ave, **Monterey**. ☎ 831-658-0686. *Tlj 11h30-2h.* Un vieux bar avec un long comptoir en bois, pas moderne ni touristique pour un sou. L'après-midi, les anciens font les piliers au comptoir. Le soir, les plus jeunes prennent la relève.

♀ ♪ *Jose's Mexican Grill* *(plan couleur d'ensemble, 57)* : 638 Wawe St, entre Hoffman et Prescott St, **Monterey**. ☎ 831-655-4419. *Juste à droite de l'Imax.* Au sous-sol de ce resto mexicain, certains soirs, petites formations musicales. Ambiance tranquille.

À voir

Dans le centre

♀ ♀ *Fisherman's Wharf* *(plan couleur I, B1)* : ● montereywharf.com ● Très, très touristique. Cette longue jetée aux maisons en bois fut construite au XIXe s par les pêcheurs de baleines et les sardiniers. C'est un ensemble architectural cohérent, composé d'un ponton bordé d'anciennes maisons de pêcheurs, toutes transformées en boutiques de souvenirs et restos – assez *cheap* pour la plupart – qui proposent à peu près tous la même chose (à croire qu'il n'y a qu'une seule cuisine pour tous !). Où qu'on la serve, la *clam chowder* (soupe de clams), servie dans un pain creusé, n'a jamais été la meilleure du monde ! Malgré tout, le *wharf* reste à voir, car sa restauration (on parle d'architecture) est plutôt réussie. Mais pour nous, la vraie attraction se situe au tout début du *wharf*, sur la minuscule plagette sur la droite, où vous verrez (normalement) quelques dizaines d'otaries qui s'ébattent dans l'eau ou se font dorer au soleil. Saint-Trop au mois d'août ! À moins qu'elles aient élu domicile sur les pontons, ce sont elles qui décident. Les pêcheurs, de retour de mer, leur donnent les déchets de poissons invendables. Cormorans et pélicans se mêlent à la danse. Belle attraction improvisée.

⚲ The Path of History : pour ceux qui souhaitent découvrir les maisons historiques du centre-ville, l'office de tourisme a édité un plan avec les principaux centres d'intérêt. On suit l'itinéraire soi-même (balisé par des cercles jaunes sur les trottoirs). On indique ci-dessous les principales maisons à visiter (quand elles sont ouvertes). La faillite financière que connaît la Californie depuis quelques années fait que certaines maisons ont dû fermer par manque de moyens. D'autres ne sont ouvertes que quelques heures par semaine. Mais renseignez-vous auprès du *Visitor Information Center* car ça peut évoluer dans le bon sens.

⚲ Pacific House *(plan couleur I, A1)* : face au Stanton Center. • *parks.ca.gov* • *Ouv slt ven-dim 10h-15h. Entrée : 3 $, incluant la Custom House.* Le *Monterey State Historic Park* a élu domicile dans cette vieille maison datant de 1847. Transformée en musée, elle abrite des expositions consacrées à la vie quotidienne à travers l'histoire, à Monterey et en Californie. Les nombreux panneaux explicatifs constituent une bonne introduction aux maisons historiques de Monterey et à l'histoire de la ville. À l'étage, la collection amérindienne couvre un grand nombre de tribus d'Amérique du Nord : Sioux en particulier, mais aussi Pueblos, Zunis... La collection de vannerie est magnifique.

⚲ Custom House *(plan couleur I, A1)* : à la base du Fisherman's Wharf. Slt le w-e, 10h-16h. Entrée : 3 $, incluant la Pacific House. Cette bâtisse allongée, qui fait aussi partie du parc historique, n'est rien moins que le plus ancien édifice public de Californie. Construite en 1827 sous la férule mexicaine, elle abritait le service des douanes : à cette époque, Monterey était le seul port d'entrée officiel de la province. L'entrepôt a été reconstitué tel qu'il devait apparaître alors, avec des tonneaux de brandy, des sacs de céréales, d'antiques caisses de savon, du papier peint d'Alsace et autres peaux de vache en attente de dédouanement...

⚲ Stevenson House *(plan couleur I, A2)* : 530 Houston St (entre Pearl et Webster). ☎ 831-649-7118. • *parks.ca.gov* • *Ouv slt le sam 13h-16h. GRATUIT.* Maison dans laquelle Robert Louis Stevenson vécut avec Fanny Osbourne pendant quelques mois, à la fin de 1879. Certains disent qu'il se serait inspiré des paysages de la péninsule de Monterey pour écrire *L'Île au trésor*. La maison renferme aujourd'hui quelques souvenirs. Un endroit de pèlerinage pour les fans de ce grand écrivain-voyageur.

⚲⚲ ⚲ Museum of Monterey *(plan couleur I, A1)* : 5 Custom House Plaza, à la base du Fisherman's Wharf, dans le Stanton Center. ☎ 831-372-2608. • *museumofmonterey.org* • *Tlj sf lun (et mar en hiver) et j. fériés 10h (11h en hiver)-19h et dim 12h-17h. Entrée : 8 $; gratuit le 1er mer du mois ; réduc.* Ce musée, entièrement restructuré, fait lui aussi partie du *Monterey State Historic Park*. Au 1er étage, présentation de l'histoire essentiellement maritime de la côte californienne, et plus précisément de Monterey. Vous y apprendrez plein de choses sur les guerres du Pacifique, sur la chasse à la baleine, l'industrie de la sardine... Maquettes de bateaux anciens, instruments de navigation, vêtements... L'élément phare (c'est le cas de le dire !) de la visite est l'immense lentille de

Fresnel, la première fabriquée au monde, en 1887, à Paris, qui guidait les marins depuis Point Sur, au sud de Carmel. Expos temporaires d'art contemporain au rez-de-chaussée.

Dans le quartier de Cannery Row

🎣🎣🎣 🏃 *Monterey Bay Aquarium (plan couleur d'ensemble, 100)* : *886 Cannery Row.* ☎ *831-648-4800 ou 1-800-756-3737.* ● *montereybayaquarium.org* ● *Tlj sf Noël : 10h-18h (17h en hiver) ; 9h30-18h juin-août. Entrée : 35 $; réduc. Attention à la queue, très longue certains j. d'été (rien d'étonnant, avec 1,5 million de visiteurs annuels !) ; en général, moins d'affluence l'ap-m que le mat. On peut réserver son billet la veille par tél (lun-ven) ou sur Internet. Certains hôtels de Monterey donnent aussi la possibilité d'obtenir des billets à l'avance, qui sont souvent valables 2 j. consécutifs. Compter 3 bonnes heures de visite (cafét' et resto sur place mais on peut aussi sortir de l'Aquarium et re-rentrer sans problème). Un plan est donné à l'entrée. On ne vous donne ici que quelques impressions, au gré de la visite, et l'on vous indique les sections à ne pas manquer.*

Tout a commencé par l'idée généreuse de David Packard, le cocréateur de la firme électronique *Hewlett-Packard* (voir à Palo Alto, dans le chapitre sur la Silicon Valley). Industriel et philanthrope, le vieux roi David a lancé le projet de cet aquarium en 1981, sur le site de la dernière des conserveries à avoir fermé ses portes (en 1972). Avec beaucoup de dollars et autant d'idées, l'aquarium est une réussite depuis son ouverture en 1984 : des millions de mètres cubes d'eau de mer, directement pompée dans la baie, à raison de plus de 7 500 l/mn, et des aquariums géants (où cohabitent plus de 30 000 animaux) permettant de reconstituer intégralement le milieu naturel de la baie, depuis les rivages jusqu'aux eaux profondes. Ajoutez à cela un personnel d'encadrement (pour la plupart bénévole) qui sait expliquer et informer, ainsi que des documentaires de 15 mn (à l'auditorium) très bien faits sur la pêche, les méduses et le canyon sous-marin de Monterey. Vous l'aurez deviné : on aime vraiment beaucoup !

Toutes les espèces qui peuplent la baie sont présentées par thèmes et sur deux niveaux, le long d'un parcours que l'on organise à sa guise. Aquariums gigantesques, terrasses donnant sur l'océan, section plus intimes, parties explicatives... on alterne en permanence entre l'esthétique, le ludique et le pédagogique. Représentative de la flore californienne sous-marine, la *Kelp Forest* présente le *kelp*, une algue géante, abritant nombre d'animaux et qui forme une sorte de cathédrale végétale dans un bassin de 9 m de haut sur trois étages (1,3 million de litres d'eau !). Tous les jours *(à 11h30 et 16h)*, un plongeur vient nourrir les bébêtes sous les yeux ébahis des gamins. Non loin de là, vous pourrez assister au fascinant ballet des poulpes géants *(octopus)* qui changent de couleur suivant leurs émotions, découvrir la variété d'oiseaux peuplant les côtes et apprivoiser raies, étoiles et concombres de mer dans des bassins tactiles (la *Bat Ray touch pool* permet de toucher une raie – silence dans les rangs !), grâce aux conseils de bénévoles très pédagogues. Le faux resto *Seafood* est assez marrant, distillant quelques conseils écolos qui semblent pourtant glisser sur leurs auditeurs comme le ketchup sur un steak de thon rouge.

La section *Outer Bay* est vraiment remarquable, avec notamment l'immense aquarium de tortues de mer, requins marteau, thons, mérous curieux et autres barracudas, que l'on peut admirer sur deux niveaux *(repas à 11h les mar, jeu et w-e)*. Admirable bassin aux otaries que l'on voit évoluer à la fois dans et sur l'eau.

Mais une de nos sections préférées est celle consacrée aux méduses, tout simplement exceptionnelle. Éclairées en orange sur fond bleu intersidéral, ces étranges créatures d'une beauté et d'une élégance infinies, évoluent derrière la large vitre d'un aquarium, sur une musique New Age. Magique et envoûtant, on pourrait les regarder danser des heures ! Chargées à 95 % d'eau, ces bestioles sont particulièrement difficiles à élever. Également des bancs d'anchois argentés qui tournent inlassablement et à toute vitesse dans un superbe aquarium en forme de dôme. Autre moment fort pour les esthètes, « *The Secret lives of seahorses* », section dédiée aux hippocampes *(sea horses)*, où vous apprendrez beaucoup sur l'animal le plus mystérieux de l'océan (saviez-vous que c'est le mâle qui porte les œufs ?). Voir le *weedy sea dragon,* assez époustouflant pour sa couleur et sa forme. Quant au *Leafy sea dragon,* tout en zigzag, c'est le pompon de la création.

La section « Splash Zone » est entièrement dédiée aux enfants. Plein d'animations interactives super malignes, y compris pour les tout-petits qui pourront profiter à leur manière de l'aquarium en se déguisant, rampant, manipulant, dessinant, etc. Les Américains sont vraiment doués pour ce genre de chose. C'est ici que vous verrez une tribu de pingouins curieux s'agglutinant frénétiquement devant une vitre, au nez des gamins rigolards *(repas à 10h30 et 15h)*.

Enfin, l'un des programmes phares de l'aquarium est la protection des *loutres de mer* californiennes. Chaque hiver, les fortes tempêtes séparent souvent quelques mères de leurs bébés. Recueillis lorsqu'il n'est pas trop tard, ces derniers sont élevés au biberon par les bénévoles d'une unité spéciale, qui veillent sur eux 24h/24. Dans le bassin extérieur de l'aquarium, des biologistes-plongeurs leur apprendront plus tard les gestes ancestraux de la pêche aux crabes et aux coquillages... Les bons élèves retourneront à l'océan, tandis que les animaux les plus faibles, incapables de se débrouiller seuls dans le milieu naturel, resteront sur place *(repas à 10h30, 13h30 et 15h30)*.

Vanishing Wildlife propose une série de petits films pédagogiques sur les abus de la pêche et la protection des animaux marins (thons, tortues, requins...).

– En longeant la côte, juste après le Monterey Bay Aquarium, en direction de Pacific Grove, vous pourrez voir une multitude de *phoques* et de *loutres* à proximité du rivage. Contrairement à la 17-Mile Drive (voir plus loin), ici c'est gratuit !

ENVIE D'UN CÂLIN...

Les scientifiques américains ont déterminé que la loutre avait le meilleur cuddling factor *(potentiel câlin) de toutes les espèces menacées. En d'autres termes, elle ressemble tellement à une peluche que les gens sont prêts à donner beaucoup plus pour sa sauvegarde que pour celle d'autres espèces... Ah ! l'injustice de la nature !*

🏃 *Cannery Row (plan couleur d'ensemble) :* il s'agit d'une rue sur laquelle était concentrée toutes les conserveries qui firent la renommée et la richesse de la ville. Sur les 18 vieilles conserveries, il n'y en a plus une seule en activité. Aujourd'hui, elles abritent un musée de Cire, des restos et une ribambelle de boutiques diverses. Pourtant, nombreux sont les lecteurs de Steinbeck qui viennent tenter d'y retrouver l'atmosphère de ses chroniques. Hélas, ils seront bien déçus... en ne trouvant qu'un petit buste sculpté du grand homme sur la Steinbeck Plaza.

DANS LES ENVIRONS DE MONTEREY

PACIFIC GROVE

Situé juste à l'ouest de Monterey, dans le prolongement de Cannery Row, Pacific Grove est une jolie station balnéaire occupant la pointe nord-ouest de la péninsule. On ne vient pas pour s'y baigner (il n'y a pas de plage), mais pour y respirer l'air du Pacifique dans un cadre très victorien. On peut déambuler très agréablement sur le front de mer, longé par une promenade parallèle à Ocean Boulevard, et parcourir les rues bordées de superbes maisons de bois peintes de couleurs vives.

🦋🦋 *Monarch Grove Butterfly Sanctuary (plan couleur d'ensemble, 102) : Ridge Rd et Lighthouse Ave. Depuis Lighthouse Ave, tournez à gauche sur*

Ridge Rd au niveau du Butterfly Grove Inn. *Entrée libre.* D'octobre à mars (en règle générale), des dizaines de milliers de papillons monarques, célèbres pour leur couleur orangée, se regroupent le long de la côte californienne pour hiberner. Nés au Mexique, ils vont ensuite à Monterey, où ils se reproduisent avant de mourir. Leur progéniture va au Canada et revient à Monterey également pour se reproduire et mourir. Et leurs héritiers partent à leur tour au Mexique... et ainsi de suite. Une mystérieuse et incroyable double migration ! Ces papillons forment d'impressionnantes colonies, se concentrant en grappes pour se tenir chaud et ainsi survivre à l'hiver. Avec le retour du soleil, le matin, ils recommencent à voleter. Des quelques sites accessibles en Californie, deux se trouvent à Pacific Grove : au George Washington Park et au Monarch Grove Butterfly Sanctuary, dans un bosquet d'eucalyptus. Cette invasion ailée – 10 000 à 60 000 papillons débarquent selon les années et les conditions météo, pas facile à compter – a valu à Pacific Grove le surnom de *Butterfly Town.* Festival à la clé.

🎥 *17-Mile Drive* (plan couleur d'ensemble) : *route côtière de 17 miles, comme son nom l'indique (soit 27 km), et qui fait le tour de la péninsule séparant la baie de Monterey au nord de celle de Carmel au sud. Point d'entrée à l'angle de Sunset Dr. Accès : env 10 $ pour les voitures (remboursés si vous mangez dans un des restos de cette zone) ; gratuit pour les vélos et interdit aux motos. Ouv du lever au coucher du soleil. Attention, on ne peut plus entrer à partir de la tombée de la nuit. À l'entrée, remise d'une brochure avec un plan et une bonne description de ce qu'offre chaque point de vue. Pique-nique autorisé aux emplacements signalés.* Beaucoup de monde en été, mais on y profite de quelques beaux points de vue, égayés par des cyprès frémissant sous l'appel du vent. Cependant, sur une bonne partie de la route, vous verrez davantage les villas de millionnaires occupant le littoral et les greens des golfs (il y en a six dans le secteur !) qu'ils fréquentent que le littoral lui-même... La route offre tout de même de jolis points de vue sur la côte à certains endroits, mais tout cela est bien plus léché et bien moins sauvage que les panoramas offerts dans les grands parcs de la côte. Si vous êtes à vélo, concentrez-vous sur la section comprise entre la Pacific Grove Gate et Pebble Beach, qui longe véritablement la mer. Remontez le long de la jolie plage de Spanish Bay et arrêtez-vous aux *Seal and Bird Rocks,* où vous verrez des pélicans, des cormorans, des loutres et des phoques s'ébattre entre les rochers, à proximité du rivage. Puis on longe la côte jusqu'à *Cypress Point,* avec encore un panorama remarquable. Après *Sunset Point,* autre arrêt à *Lone Cypress,* un cyprès isolé au sommet d'un rocher, qui offre une belle image. Plus loin encore, un petit arrêt à *Pescadero Point,* avec un ensemble de troncs de cyprès morts aux formes tourmentées. On est là au point le plus au sud du *17-Mile Drive.* En poursuivant la route, *Pebble Beach* est surtout une plage et un grand *resort* sans grand intérêt. La route passe ensuite à l'intérieur des terres pour revenir à Monterey.

Excursions pour aller voir les baleines

De mi-avril à mi-décembre, on verra plutôt des baleines à bosses, des orques ou des baleines bleues. Généralement, des grises le reste de l'année, et de bonnes chances de voir des dauphins en toute saison. On conseille vivement le tour du matin car il n'est pas rare que le vent se lève et que la mer se forme dans l'après-midi. Par ailleurs, on rappelle qu'on est en milieu naturel et que la vision de ces animaux sauvages est probable à certaines périodes, quasiment certaine à d'autres, mais jamais garantie. On n'est pas à Marineland, autant le savoir !

🎥 *Chris' Whale Watching* (plan couleur I, B1) : *sur Fisherman's Wharf, sur la droite, juste avt le restaurant* Domenico's. ☎ 831-375-5951. ● chriswhalewat ching.com ● Prix : 35 $ (adulte) et 20 $ (enfant) l'été. En hiver, un peu moins cher. À priori 2 sorties/j. selon la météo. En général, à 10h et 13h30. Durée : 2h30-3h en fonction de l'éloignement des baleines par rapport à la côte. Des quatre sociétés qui proposent d'aller voir les cétacés, voici sans doute la plus petite et la moins chère. Leurs trois bateaux (qui sont aussi des bateaux de pêche) accueillent entre 50 et 70 personnes à bord. Bons commentaires.

CARMEL   4 090 hab.   847 chiens   5 golfs

▶ Pour les plans de Carmel, se reporter au cahier couleur.

Carmel est une petite bourgade mais qui étale ses fastes sur de ravissantes collines couvertes de pins, de cyprès et d'eucalyptus qui descendent jusqu'à l'océan, soulignées d'une admirable plage de sable blanc. Située à seulement 6 km au sud de Monterey, cette charmante localité aux belles villas bien rangées est un véritable repaire de millionnaires. Carmel doit sa renommée aux nombreuses personnalités qui y ont résidé – et y résident toujours –, à commencer par Clint Eastwood, qui en fut le maire

HORS LA LOI !

À Carmel, il est interdit d'arpenter les rues juché(e) sur des talons hauts, car l'irrégularité des trottoirs pourrait s'avérer dangereuse pour des pieds inattentifs ! Non, ce n'est pas une (mauvaise) blague mais un décret de la ville de Carmel ! Autrefois, un autre décret interdisait de déguster un cornet de glace dans la rue ; heureusement, Clint Eastwood l'a supprimé pendant son mandat de maire. Ne pas porter de talons hauts passe encore, mais être privé de glace, non !

de 1986 à 1988. D'ailleurs, la mairie en bois est vraiment croquignolette. Tout ici n'est que richesse et prospérité. Le site est aussi protégé que l'Acropole (sans doute plus !) et, depuis longtemps, on y a interdit les néons, les panneaux publicitaires et les feux de signalisation qui sont si peu esthétiques. Les maisons n'ont pas de boîte aux lettres (trop laides !) : on va donc chercher son courrier à la poste, ce qui explique le nombre de voitures à l'arrêt devant celle-ci ! Une loi interdit de couper tout arbre, si bien que certains poussent sur les trottoirs et d'autres sur la plage.

UN PEU D'HISTOIRE

L'écrivain Jack London vint souvent à Carmel voir ses amis romanciers, George Sterling, Mary Austin et Sinclair Lewis. Il y écrivit et s'y reposa (camping sauvage et bivouacs dans les bois !), mais il n'y vécut jamais longtemps. Quant à Henry Miller, auteur de *Tropique du Capricorne*, il n'y a pas non plus vécu contrairement à ce que l'on croit, préférant la nature farouche de Big Sur à la bonbonnière trop confortable (et trop chère !) de Carmel.

Arriver – Quitter

En bus

🚍 *Bus Station* (plan couleur II, D5) : angle Mission St et 6th Ave, proche de la caserne des pompiers.
➤ *De/vers Monterey :* 1 bus/h 7h-23h.

➤ *De/vers Salinas :* pas de liaisons directes. Il faut passer par Monterey.

En voiture

➤ Si vous continuez en voiture vers le sud, n'oubliez pas de faire le plein **AVANT** de quitter Carmel. Les stations-service situées sur la très belle Highway 1 vers le Big Sur sont assez peu nombreuses et, surtout, l'essence y est horriblement plus chère (de 30 à 40 %).

Adresses et infos utiles

🛈 **Visitor Center** (plan couleur II, C4) : Carmel Chamber of Commerce, San Carlos St (entre 5th et 6th Ave. ☎ 831-624-2522 ou 1-800-550-4333. ● car melcalifornia.org ● Tlj 10h-17h. Efficace et très bien documenté. En été, si vous leur téléphonez, ils vous signaleront les hôtels avec des chambres disponibles. Hors saison (d'octobre à avril), ils peuvent même vous obtenir des réductions dans certains hôtels. Proposent aussi un plan gratuit de la ville comportant pas mal d'infos. Demander l'Official visitor's guide to Carmel, gratuit, avec carte du Walking tour.

✉ **Poste** (plan couleur II, C4) : angle Dolores et 5th Ave. Lun-ven 10h-16h.

@ **Internet :** à la bibliothèque municipale (**Harrison Memorial Library** ; plan couleur II, C5, **5**), angle Ocean et Lincoln. ☎ 831-624-4629. Lun et sam 13h-17h (20h le mar), mer-ven 10h-17h. Fermé le dim. Gratuit. Sinon, connexions chez **Pakmail** (plan couleur II, C4, **4**), 5th Ave, non loin de l'angle avec San Carlos St. ☎ 831-626-8100. Lun-ven 9h-17h30, sam 10h-15h. Connexion un peu lente, mais c'est gratuit... à condition toutefois de ne pas y passer des heures !

– Les adeptes de course à pied peuvent se renseigner sur le **marathon Carmel-Big Sur** à l'adresse suivante : ● bsim.org ● ou au ☎ 831-625-6226. Organisé généralement le dernier dimanche d'avril, le long de la côte, entre falaises et eucalyptus ; c'est l'un des plus beaux du pays.

Où dormir ?

Il y a une cinquantaine d'hôtels et de chambres d'hôtes, de charme et de luxe pour la plupart, dans la ville même de Carmel ; et près de 1 000 chambres au total. Tout y est cher, très cher : rien à moins de 100 $ la nuit pour 2, hors saison et en semaine ! Dommage que les prix vertigineux ne s'expliquent pas par une qualité de haut vol : on constate en effet une baisse de niveau général, sauf pour les adresses ci-après évidemment !

La seule adresse à prix raisonnable, un camping, se trouve en dehors de la ville. La solution la moins onéreuse consiste à dormir à Monterey et à venir se balader quelques heures à Carmel dans la journée.

Camping

⛺ **Saddle Mountain Campground :** 27625 Shulte Rd. ☎ 831-624-1617. ● carmelcamping.com ● Fermé en hiver. De la Hwy 1 S, prendre Carmel Valley Rd sur plus de 6 km, jusqu'à Shulte Rd ; tourner à droite et faire encore 2 km. Résa impérative juin-sept. Env 35 $ l'emplacement pour 2 pers (et 5 $/pers en plus). Un camping accueillant camping-cars et tentes. La trentaine d'emplacements pour ces dernières sont disséminés sur une colline boisée, en pleine nature, au milieu des cyprès, des pins et des lauriers. Piscine à la belle saison et douches chaudes gratuites. Attention, très loin du centre, il faut donc être véhiculé (en fait, on lui préfère le camping du Veteran's Memorial Park de Monterey).

De plus chic à très chic

🏠 **Mission Ranch** (plan couleur d'ensemble, **21**) : 26270 Dolores St (à l'extrémité sud de celle-ci). ☎ 831-624-6436 ou 1-800-538-8221. ● missionranchcarmel.com ● De 120 $ pour 2 à 325 $ pour un cottage accueillant 4 pers, petit déj inclus. 🖥 📶 À l'écart de Carmel, un peu au sud, près d'une généreuse prairie verdoyante, l'océan à l'horizon, cet ancien corps de ferme de 1850 en bois blanc abrite une trentaine de chambres confortables et plutôt luxueuses (machine à café, frigo...). 6 chambres dans le bâtiment principal, les autres dans des cottages autour contenant chacun 3 chambres, toutes avec terrasse. Certaines ont vue sur la prairie et c'est bien agréable. L'heureux propriétaire des lieux n'est autre que Clint Eastwood qui avait acheté de vastes espaces autour pour empêcher qu'ils soient construits. Terrains de tennis mais pas de piscine. Accueil aimable et stylé, sans être snob. Adresse non-fumeurs.

▲ **The Happy Landing** (plan couleur II, C4, **41**) : Monte Verde St (entre 5th et 6th Ave). ☎ 831-624-7917 ou 1-800-297-6250. ● carmelhappylanding.com ● Résa vivement conseillée (2-3 mois avt en été). Doubles 135-195 $, suite 235 $, petit déj compris (servi dans la chambre ou dans le jardin). Prix intéressants sur Internet hors saison. 🛜 Une véritable maison de poupée rose bonbon qui semble tout droit sorti d'un conte pour enfants. La poignée de chambres, toutes mignonnes et bien confortables (lecteur DVD, frigo), sont disposées autour d'un coquet jardinet. Une seule donne sur la petite rue. Excellent accueil de Dawn, la maîtresse des lieux.

▲ **Coachman's Inn** (plan couleur II, D5, **43**) : San Carlos St (entre la 7th et 8th Ave). ☎ 831-624-6421 ou 1-800-336-6421. ● coachmansinn.com ● Doubles 150-250 $ (selon saison et j.), petit déj (léger) inclus. 🛜 En plein centre-ville, voici un motel au calme, caché derrière une jolie maison à colombages. Il a un peu l'allure d'un relais de poste à l'ancienne, avec sa balustrade de bois qui court tout autour. Une trentaine de chambres très confortables et vraiment spacieuses, organisées sur 2 niveaux, à la déco souriante et cossue, donnant sur une vaste cour intérieure pavée (qui fait aussi office de parking). Machine à café, frigo et micro-ondes. Hot tub et sauna. Cookies servis à 17h.

▲ **Svendsgaard's Inn** (plan couleur II, C4, **42**) : angle 4th Ave et San Carlos St. ☎ 831-624-1511 ou 1-800-433-4732. ● svendsgaardsinn.com ● Doubles 130-210 $ selon saison, petit déj compris. 🛜 Le Svendsgaard's est un hôtel très confortable, entièrement non-fumeurs (même à l'extérieur), d'une trentaine de chambres organisées autour d'un paisible jardin planté d'une pelouse accueillante. Leur taille varie grandement (certaines sont de

véritables appartements), mais toutes disposent d'un frigo, certaines d'une cheminée (à gaz), d'une cuisine et même d'un jacuzzi. Beau lobby avec cheminée. Piscine en forme de haricot, chauffée toute l'année. Tous les matins, un petit déj est servi devant votre porte dans un panier et, à 16h, c'est le tour des cookies. Très bon accueil.

▲ **Carmel Fireplace Inn** (plan couleur II, C4, **40**) : angle 4th Ave et San Carlos St. ☎ 831-624-4862 ou 1-800-634-1300. ● fireplaceinncarmel.com ● Doubles 100-310 $ selon saison et confort, petit déj continental compris. 🛜 Une de nos adresses préférées, pleine de charme, à mi-chemin de l'hôtel et du B & B. L'endroit s'inspire du style des cottages anglais : petites unités mignonnettes, toutes fleuries et séparées par des haies bien taillées, des petits patios intimes et fontaine qui glougloute. Fidèle à son nom, il ne propose que des chambres avec cheminée. Déco sobre et plaisante, dans les tons crème, sauge et bois clair. Les chambres, très confortables, disposent d'un minifrigo et d'une cafetière, et des vidéos (cassettes à l'ancienne) sont à votre disposition à la réception. Accueil charmant.

▲ **Wayfarer Inn** (plan couleur II, D4, **39**) : angle 4th Ave et Mission St. ☎ 831-624-2711 ou 1-800-533-2711. ● carmelbytheseawayfarerinn.com ● Doubles 130-300 $ selon saison et j., petit déj compris. Wine tasting de 16h à 17h30 offert. 🛜 Ce B & B est à mi-chemin de l'hôtel. Chambres joliment décorées, confortables et cossues, vastes et classiquement aménagées (frigo dans certaines, cheminée et cuisine dans d'autres ou vue lointaine sur la mer pour quelques-unes). Patio fleuri agréable et paisible, surplombant la rue. Accueil aimable.

▲ **Carmel Village Inn** (plan couleur II, D5, **44**) : à l'angle de Junipero St et Ocean Ave. ☎ 831-624-3864 ou 1-800-346-3864. ● carmelvillageinn.com ● Doubles 110-250 $ selon saison et j., petit déj continental (sommaire) compris. 🛜 Un motel sur 2 niveaux, classique dans sa structure, mais coquet et fleuri pour oublier le sempiternel parking central. Les chambres, confortables, plaisantes et sobres, déclinent des tons tout doux. Une bonne adresse, parmi les moins chères de la ville, d'un excellent rapport qualité-prix.

⌂ Carmel Lodge (plan couleur II, D4, **38**) : San Carlos St (entre 5th et 4th Ave). ☎ 831-624-1255. ● carmellodge. com ● Doubles 100-250 $, selon saison et j., petit déj continental (léger) compris. 🛜 Hôtel-motel en L, qui n'a rien de véritablement charmant de l'extérieur, mais les chambres sont plus avenantes que les parties communes (spacieuses, cosy, confortables et bien équipées), particulièrement celles dans le bâtiment situé sur l'arrière. Une bonne adresse quand on peut profiter des discounts.

Où manger ?

Peu de restos bon marché en centre-ville, évidemment. Bon à savoir : déjeuner à Carmel coûte beaucoup moins cher que d'y dîner. Les prix des plats doublent quasiment entre le midi et le soir.

Spécial petit déjeuner

☞ Em Le's (plan couleur II, C4, **74**) : une bonne adresse pour un petit déj copieux. Lire plus loin.
☞ Carmel Bakery and Coffee Co (plan couleur II, C5, **73**) : certainement un des petits déj sur le pouce le moins cher du secteur. Lire plus loin.

Bon marché

⦿ Carmel Bakery and Coffee Co (plan couleur II, C5, **73**) : sur Ocean Ave (entre Dolores et Lincoln). ☎ 831-626-8885. Tlj 7h-20h (22h ven-sam). Voici une boulangerie-pâtisserie-coffee shop préparant des gâteaux frais, scones, muffins, salades, sandwichs, soupes et faisant bar à toute heure. La salle n'est pas bien grande, et les tables sont comptées, mais pour un petit déj ou un light lunch, c'est parfait. On commande au comptoir.
⦿ Brophy's Tavern (plan couleur II, D4, **76**) : San Carlos, à l'angle de 4th Ave. ☎ 831-624-2476. Tlj midi-1h

du mat (10h-2h le w-e). Cuisine ouv jusqu'à 23h. Sur la carte, on trouve son bonheur pour moins de 12 $. Prix identiques midi et soir (rare dans le secteur). Entre les salades et les burgers (par ailleurs plus qu'honorables), on a choisi la goûteuse et copieuse clam chowder (la version bowl peut presque faire un repas à elle toute seule). Sinon, on peut taper au rayon des sandwedges, qui ne démérite pas. C'est aussi un bar sympathique, à l'écart de la mouvance touristique (voir « Où boire un verre ? »).
⦿ Jack London's Grill & Taproom (plan couleur II, C5, **72**) : dans un renfoncement du pâté de maisons situé entre Dolores et Lincoln, 5th et 6th Ave. Entrée par Dolores St, au niveau du Su Vecino Court. ☎ 831-624-2336. Tlj 11h-minuit. Env 10-15 $ pour les sandwichs et les salades, 15-30 $ pour les viandes et plats plus élaborés. Un pub en l'honneur du célèbre écrivain, où l'on sert à boire et à manger. Cuisine de bar, simple et pas trop onéreuse, servie dans 2 grandes salles chaleureuses et boisées (joli plafond à caissons). On se serait bien passé des écrans géants, mais probablement pas les habitués qui semblent bien accrochés à leurs programmes sportifs ! Également quelques tables à l'extérieur. Au menu : sandwichs ventrus, burgers, pizzas, plats mexicains, margaritas géantes et micro-brews (bières) locales. Pas de la grande cuisine but it does the job. Ambiance plus locale que touristique, pas plus mal.

De prix moyens à chic

⦿ Dametra Café (plan couleur II, C5, **70**) : Ocean Ave (entre Dolores et Lincoln). ☎ 831-622-7766. Tlj 11h-23h. Compter 15-30 $. Dametra pour Damas et Pietra, villes d'origine des proprios. Objets de Grèce, de Turquie, un drapeau italien, des instruments de musiques orientaux... on ne sait plus très bien où l'on est. Et bien la cuisine ressemble à ce joyeux mélange et c'est très réussi. Shawarma, plats à base de kafta, raviolis d'artichaut, kebabs... Des saveurs ensoleillées, des assaisonnements goûteux, et la bonne humeur des serveurs agréablement communicative. Le soir venu, ils décrochent leurs instruments et embarquent leurs clients dans la danse. Chaleureux et simple, pas d'esbroufe, juste l'envie de partager. Très sympa.

|●| 🏠 Em Le's *(plan couleur II, C4, 74)* : *Dolores St (entre 5th et 6th Ave).* ☎ 831-625-6780. *Tlj breakfast et lunch 7h-15h ; dîner dès 16h mer-dim. Petit déj et lunch 10-15 $, dîner 18-25 $.* Mignonne et souriante, la petite maison à pans de bois blanc et porte turquoise abrite tout juste 10 tables et un comptoir. Fondé en 1955, cet antre favori du petit déj est fréquenté par une clientèle d'habitués plutôt aisés (forcément, ils habitent Carmel !). C'est l'endroit pour fondre sur les délicieux *French toast* très réputés ; en revanche, les proportions étant gargantuesques (et le partage d'assiette facturé !), préférer la demi-portion ! Le midi, vous pourrez opter pour un vaste éventail de sandwichs, pâtes, soupes et salades. Quelques plats végétariens également. Le soir, bons plats de fruits de mer et de viandes grillées, plus consistants et plus chers aussi.

|●| Little Napoli *(plan couleur II, C5, 75)* : *Dolores St (entre Ocean Ave et 7th Ave).* ☎ 831-626-6335. *Tlj 11h30-22h. Résa conseillée. Env 13-25 $.* *Le midi, formule mezza-mezza, avec ½ portion pâtes et pizza, salade ou soupe.* Spécialité de *baked cannelloni, cioppino Rosso...* Les drapeaux rouge, vert et blanc qui flottent sur la rue et les jéroboams de chianti en vitrine vous montrent la voie. Convivial, chaleureux et intime à la fois, voici un des meilleurs restaurants italiens de Carmel, proposant une belle sélection de pizzas napolitaines, de pâtes, d'excellents fruits de mer et jolis desserts. On s'installe dans l'agréable salle, sous le regard de la grande photo noir et blanc de Sinatra, un ancien ami de la famille. Bon rapport qualité-prix, surtout le midi. Bondé, même en semaine.

|●| Le Saint-Tropez *(plan couleur II, C5, 71)* : *Dolores St (entre Ocean Ave et 7th Ave).* ☎ 831-624-8977. *Tlj 11h30-22h. Plats 13-17 $ le midi, 25-45 $ le soir.* Petite salle coquette aux nappes provençales, avec flacon d'huile d'olive posé sur la table pour donner le ton. Les porte-monnaie dégarnis se contenteront d'y venir pour le déjeuner. Entre la blanquette de veau, les raviolis aux épinards à la niçoise, le filet mignon béarnaise et les crêpes, vous aurez compris qu'on soigne ici la *French touch.* Le patron américain a visiblement des origines hexagonales qu'il cultive avec entrain, caressant ses clients américains dans le sens de leur *frenchitude.* Et ça marche plutôt pas mal.

Très chic

|●| Mission Ranch *(plan couleur d'ensemble, 21)* : *26270 Dolores St.* ☎ 831-625-9040. *Le soir slt dès 17h. Plats 25-40 $ (quelques options moins chères). Jazz buffet-brunch dim 10h-13h30 (33 $), comprenant un verre de champagne. Pas de résa.* À la sortie sud de la ville, vers la mer. Ici, vous êtes chez Clint Eastwood, et l'ambiance est au rendez-vous (lui, beaucoup plus rarement !). L'acteur a acheté cet endroit magnifique en 1986 pour éviter une opération immobilière qui aurait bousillé la beauté du lieu (et perturbé sa tranquillité). Les habitués se retrouvent d'abord au bar, où un pianiste est là, sans vouloir imposer sa musique. Sur la terrasse, quelques cheminées (à gaz) pour vaincre la fraîcheur et profiter de la jolie vue. Bonne surprise, en lisant bien la carte, on s'en tire raisonnablement (pour le lieu bien sûr).

|●| La Bicyclette *(plan couleur II, C5, 78)* : *sur Dolores St (entre 7th et Ocean Ave).* ☎ 831-622-9899. *Tlj 11h30-16h, 17h-22h. Lunch 15-20 $, dîner 30-40 $.* Petit frère du fameux *Casanova* (voir plus loin), cette adresse de poche cherchant à recréer l'ambiance d'un village (français ?) et d'un bistrot de campagne revu à l'américaine, propose une exquise cuisine, dont on ne regrettera que le goût de trop peu. Les produits sont *organic* (bio) et cultivés dans la région.

|●| Casanova Restaurant *(plan couleur II, D4, 77)* : *5th Ave (entre San Carlos et Mission).* ☎ 831-625-0501. *Tlj 11h30-15h, 17h-22h. Lunch env 20 $, dîner 35-50 $ (menu complet, sans l'alcool).* Installé dans une charmante maisonnette tout droit sortie d'un conte pour enfants et qui appartenait à une ancienne cuisinière de Charlie Chaplin, ce resto propose une cuisine raffinée, aux influences résolument méditerranéennes et françaises (normal, le chef a appris la cuisine à Strasbourg). On a apprécié l'*osso buco* et les bons plats à base d'agneau. À déguster dans un cadre très cosy ou dans un gentil patio aux murs vieillis et recouverts d'assiettes, avec lumière tamisée en soirée. Une adresse pour un dîner en amoureux, à condition de mettre la main au portefeuille.

Où boire un verre ?

🍷 Mission Ranch (plan couleur d'ensemble, 21) : 26270 Dolores St. ☎ 831-625-9040. À partir de 16h et avant que les clients fortunés n'y viennent dîner (voir « Où manger ? Très chic »), la superbe terrasse s'ouvrant sur une pittoresque prairie tondue par de gras moutons et l'océan en toile de fond vous accueillent pour un verre, bien calé sur de confortables sièges de bois. Un moment inoubliable. Et la bière n'est pas plus chère qu'ailleurs. Merci Clint !

🍷 Brophy's Tavern (plan couleur II, D4, 76) : San Carlos, à l'angle de 4th Ave. ☎ 831-624-2476. Tlj 11h30-1h du mat (2h w-e). Ce resto-bar à l'anglaise réunit les vrais Carmélites (les habitants de Carmel ?), qui parlent haut et boivent la bière à la bouteille. Ambiance sympa, tout comme l'accueil, avec musique et écran télé branché sur une chaîne sport à chaque angle, pour ne rien perdre des derniers événements sportifs les plus débiles qui soient.

Achats

Très couru par les amateurs d'art depuis le début du XXe s, Carmel compte plus de 90 *galeries* et *studios,* qui exposent les artistes en vogue. Les magasins, quant à eux, comptent parmi les plus beaux (et les plus kitsch) de Californie – les plus chers aussi. Ici, les vitrines sont arrangées comme des œuvres d'art, les intérieurs soignés comme dans *Vogue* ou *Harper's Bazaar*. Les choses à vendre doivent être sophistiquées et les plus originales possible. Il faut dire que les indigents qui viennent se balader par ici sont toujours prêts à craquer pour une petite œuvre à quelques dizaine de milliers de dollars, réalisée par un artiste en devenir (forcément en devenir !). À Carmel, on dégaine la Gold comme autrefois la winchester. Tiens, les amateurs de belles boots iront jeter une paire d'yeux ébahie à la **Burn's Cowboy Shop** (sur Ocean Ave, entre Dolores et Lincoln St ; ☎ 800-453-1281). Une boutique hyper luxe qui a mis le serpent, l'autruche, le lézard et même l'hippopotame à sa botte. Compter entre 350 et 12 000 $ la paire.

À voir

🎭🎭 La mission San Carlos Borromeo (plan couleur d'ensemble) : au sud de Carmel, au 3080 Rio Rd. ☎ 831-624-3600. ● carmelmission.org ● Tlj 9h30-17h. Entrée : 6,50 $; réduc. Gratuit dim à cause des messes (il y en a 5 dans la journée !) : on peut quand même visiter l'église entre les offices, et tt le reste se visite normalement. C'est la deuxième mission créée en Californie (le 3 juin 1770) et sûrement l'une des mieux

UNE ROLEX SINON RIEN

Au centre de Carmel, à l'angle de Ocean et Lincoln Street, trône une horloge qui donne l'heure. Rien d'anormal. Sauf qu'ici cette toquante municipale est une Rolex, et c'est écrit en gros dessus. Certainement histoire de vous rappeler à chaque seconde, si cela vous avait échappé, que vous êtes dans une ville un tantinet bling-bling, et qui veut que ça se sache.

conservées. On doit sa superbe restauration à sir Harry Downie, qui lui a consacré 50 ans de sa vie. On entre par les petits jardins, en direction de l'église, au maître-autel vert et bordeaux assez baroque encadré de statues polychromes. Elle fut élevée au rang de basilique par le pape Jean XXIII (en 1961). Dans les petites pièces, au fond à gauche, quelques vêtements liturgiques, mais surtout une incroyable crèche représentant des dizaines de personnages et anges virevoltants. À droite de l'église, deux salles rendent hommage à Harry Downie en évoquant la construction, le développement, le déclin et la restauration de la mission (quelques objets symboliques, photos de visiteurs illustres...). Longeant le flanc droit de l'église, le cimetière très dépouillé, aux tombes encadrées de gros abalones (coquillages locaux). On y trouve celle d'Harry Downie. Derrière l'église, le petit *Munras Museum* rappelle la destinée de la famille Munras (souvenirs, objets personnels, documents, reconstitution d'un salon...). La vaste cour à l'arrière, avec au centre une fontaine ornée d'azulejos et encadrée par les bâtiments d'habitation des religieux, donne une idée de l'importance de la mission. Puis on accède à la salle où Junipero Serra est décédé, le prêtre franciscain espagnol qui fonda la mission ainsi que de nombreuses autres en Californie. S'y trouve son cénotaphe. Différentes pièces nous sont présentées : chambre, salon, cuisine, cellule (très spartiate) de J. Serra, objets religieux, riche bibliothèque, etc. À voir aussi, dans la boutique, la *Bibleopoly,* version du célèbre Monopoly revu et corrigé !

★★ *Carmel Beach (plan couleur d'ensemble et hors plan couleur II par C5) :* à l'extrémité ouest de Ocean Ave (parking gratuit). Si c'est complet, suivre Scenic Rd et garez-vous quand vous pourrez, de manière légale et sans gêner personne (fourrière garantie). On adore cette plage de sable blanc, en arc de cercle, ourlée de dunes et frangée de végétation, à deux pas du centre-ville. Un modèle du genre. On y vient en famille le week-end pour se balader, surfer, pique-niquer, faire du cerf-volant... Ambiance *very good child.* Sur l'arrière, quelques maisons de pauvres.

DANS LES ENVIRONS DE CARMEL

★★★ 🚶 *Point Lobos State Reserve :* à un peu plus de 3 km au sud de Carmel. ☎ 831-624-4909. ● ptlobos.org ● Tlj de 8h jusqu'à 30 mn après le coucher du soleil (dernière entrée à 19h). Entrée : 10 $ pour une voiture ; gratuit à vélo (mais c'est loin et vous devrez rester sur la route, les sentiers étant interdits aux vélos – des emplacements sont prévus pour les attacher), ainsi qu'à pied (bus n° 22 depuis Monterey). Brochure détaillée à l'entrée (existe en français), avec ts les chemins de randos à faire. Le nombre de visiteurs est limité dans le parc et il peut arriver que vous ayez à attendre votre tour pour entrer (une voiture sortie, une voiture entrée).

Cette réserve naturelle vaut bien le 17-Mile Drive. Les routes étroites se terminent par des petits sentiers pédestres qui longent la mer et permettent d'accéder aux plus jolis sites, des promontoires dominant le Pacifique. Sévèrement protégée, la péninsule est l'un des derniers endroits sauvages de Californie. On y trouve des bosquets de cyprès de Monterey, une espèce d'arbre rare, accrochés aux falaises, tordus par le vent et les embruns. On peut y observer de nombreux oiseaux et animaux marins : loutres de mer et phoques sont presque toujours au rendez-vous, les premières barbotant dans les lits de *kelp* (une algue géante), les seconds se dorant au soleil.

Superbes balades le long de la côte et dans la presqu'île. Ne pas manquer le *Sea Lion Point Trail,* le *South Shore Trail* ou le *North Shore Trail.* Bref, on peut vraiment passer un long moment ici, avec son pique-nique (emplacements indiqués sur la carte). À *Sea Lion Point,* sur les rochers, se rassemblent des otaries qu'on entend de très loin. Les premiers marins espagnols qui découvrirent la région trouvèrent une grande ressemblance entre leur cri et les hurlements de loups, et nommèrent l'endroit *Punta de los Lobos Marinos* (la pointe des loups marins). D'où le nom *Point Lobos.*

En décembre-janvier, les baleines grises longent la côte du nord au sud, et en mars-avril en sens inverse. Elles peuvent atteindre 15 m et peser jusqu'à 40 t. Elles passent la moitié de leur vie à voyager et totalisent près de 22 000 km par an ! C'est la migration la plus longue enregistrée chez des mammifères.

Enfin, sachez que c'est dans le site sauvage de Point Lobos que Robert Louis Stevenson, établi à Monterey en 1879, aurait trouvé l'inspiration pour écrire son roman d'aventure *L'Île au trésor.* On parle au conditionnel, mais pour son biographe, le Breton Michel Le Bris, qui connaît bien la région, cela ne fait aucun doute.

– Ne pas manquer **Bird Island.** Plusieurs plages et aires de pique-nique où les écureuils vous tiendront compagnie. En contrebas, on peut souvent voir des loutres en train de barboter.

– À **Whaler's Cove,** le Whalers Cabin Museum (ouv normalement tlj 9h-17h) est une cabane de pêcheur qui retrace l'histoire de la péninsule de Point Lobos, révélant son rôle (assez accessoire toutefois) dans l'ère baleinière qui enflamma le Pacifique au milieu du XIXᵉ s. Installé dans une maisonnette en bois de la même époque, qui appartenait à des pêcheurs chinois. Plus tard, en ces lieux, des plongeurs japonais exploitèrent les abalones – les coquillages préférés des loutres. Un film d'une dizaine de minutes, consacré à la faune du parc, est projeté sur demande.

– ATTENTION au *poison oak,* un arbuste vénéneux dont les feuilles brillantes ressemblent à celles du chêne – d'où son nom américain traduisible par « chêne poison ». N'y touchez pas, car il sécrète une substance qui provoque des éruptions et des démangeaisons insoutenables.

BIG SUR

Voici une région idéale pour tous ceux qui sont épris de nature sauvage. Magnifiquement préservé, ce site offre d'un côté des falaises et criques rocheuses battues par les vagues d'un océan pas toujours très pacifique, et de l'autre des forêts de séquoias – une espèce côtière, plus haute mais moins corpulente que celle de la Sierra Nevada. Ça ressemble parfois à la Méditerranée, de temps en temps à la Bretagne, parfois aux côtes d'Écosse ou de Scandinavie, toute comparaison étant relative, du fait des variations de la météo. Pas étonnant que beaucoup d'artistes aient été subjugués par cet endroit, comme l'écrivain Henry Miller dans les années 1950 : « Voici la Californie dont rêvaient les hommes d'autrefois ; voici le Pacifique que Balboa contempla, voici le visage de la Terre tel que le Créateur l'a conçu. » Sur leurs traces, tous ceux qui recherchaient la tranquillité, l'isolement et l'émerveillement des grands espaces ont posé là leurs pénates. C'est ce désir de paix qui vaut à Big Sur une tranquillité et une nonchalance de moins en moins communes dans la Californie d'aujourd'hui. Dommage cependant qu'on ait désormais tant de mal à quitter la Highway 1, tellement les accès (aux plages, notamment) sont limités.

– *Conseils :* les meilleurs mois pour y venir sont octobre (25 °C en moyenne) et mai-juin. En général, entre novembre et avril, air frais vivifiant, ciel pur, et soleil encore assez chaud pour se promener en tenue légère. Faites votre plein d'essence **AVANT** d'aborder le Big Sur (à Carmel au plus tard). Ensuite elle est tarifée 30 à 40 % de plus dans les quelques malheureuses pompes que l'on rencontre !

UN PEU D'HISTOIRE

Ce n'est que vers le milieu du XIXe s que débuta véritablement l'exploration de la région. Des pionniers s'installèrent, bûcherons pour la plupart, travaillant à l'abattage des séquoias. Parmi eux, les Pfeiffer, dont le nom se retrouve partout à Big Sur. L'industrie avait un tel poids que la population des lieux était alors plus importante qu'aujourd'hui. C'est à cette époque que Jack London parcourut la région à cheval depuis la vallée de la Lune. En 1889, la construction du phare de Point Sur permit d'éviter les naufrages autrefois si fréquents le long de cette côte traîtresse, souvent plongée dans les brouillards créés par la rencontre des courants froids du Pacifique et des terres californiennes gorgées de soleil.

Le grand public, lui, ignora la région jusqu'en 1937, date à laquelle fut ouverte la route reliant Carmel à San Simeon. Celle-ci longe le Pacifique sur près de 200 km. Dans son sillage, l'électricité finit par atteindre Big Sur... dans les années 1950. Dix ans plus tard, un autre Jack, Kerouac celui-là, écrivain charivarieux et grand buveur devant l'Éternel, vint dans ce coin sauvage pour se désintoxiquer d'une java qui avait duré 3 ans. Pour lui, Big Sur n'était pas le paradis, mais l'enfer. Comme après une mauvaise gueule de bois, l'endroit lui apparut comme un lieu de terreur avec des « rochers noirs » et une « mer dévastatrice ». Il ne voulut même pas rencontrer Miller.

L'âge d'or de Big Sur semble aujourd'hui appartenir au passé. Depuis les années 1980, les artistes désargentés et bohèmes ont petit à petit cédé la place à des résidents de plus en plus aisés. Mais lorsque les tempêtes hivernales entrent en scène, plus violentes ces dernières années car nourries par les forces colossales d'El Niño, il n'est pas rare que Big Sur retrouve, en l'espace de quelques jours ou de quelques semaines, l'isolement du passé. Il y a quelques années, la route côtière fut coupée au nord comme au sud durant 4 mois, transformant ainsi la région en une île improvisée, isolée du monde. Ce fut encore le cas durant l'été 2008, quand Big Sur fut en proie à de violents incendies naturels. D'une certaine manière, les habitants de Big Sur aiment cette dureté de la nature mêlée à sa beauté, qui écarte les importuns et les opportunistes. Le phénomène de mode ne joue pas longtemps par ici. Pour résider à Big Sur (au-delà des deux mois d'été), il faut être taillé pour ça !

HENRY MILLER À BIG SUR : UN DIABLE AU PARADIS

Après des années de misère à Paris (où il écrivit *Tropique du Cancer* et *Jours tranquilles à Clichy*) et d'errance en Grèce, Henry Miller revint en Amérique pendant la Seconde Guerre mondiale et s'installa en Californie. Effrayé par le « cauchemar climatisé » qu'était devenu son pays, l'artiste, toujours sous la menace de la censure, décida de fuir le plus loin possible cette société de consommation qu'il détestait. La découverte de Big Sur, endroit dépeuplé, fut pour lui une révélation. « Pour la première fois de ma vie... je sentais que j'habitais le monde où j'étais né. »

En février 1947, le nomade posa son sac à Partington Ridge, dans une bicoque accrochée à une falaise en à-pic surplombant l'océan Pacifique. « Tout vous est jeté pêle-mêle : l'océan, le paysage, les forêts, les rivières, les oiseaux... les vagabonds, les couchers de soleil, le génépi, et même les rochers qui ont un attrait hypnotique. » Mais cette solitude avait un prix : la pauvreté, l'inconfort. Au début, sa maison n'avait ni gaz, ni électricité, ni téléphone, ni frigo, ni chauffage, ni tout-à-l'égout. Rien qu'une cabane améliorée. Il ne recevait le courrier que trois fois par semaine. Pas de voiture, mais une petite charrette qu'il chargeait de victuailles et tirait comme une mule, presque entièrement nu. Pendant longtemps, pour survivre, notre Robinson vendit ses peintures au bord de la route. De nombreux admirateurs lui adressaient aussi des dons, des cadeaux, de l'argent qu'il recevait par la poste. Le succès arriva. Ses livres se vendirent. Il put acheter sa maison.

Il fut de moins en moins seul car, bien avant l'époque hippie, Big Sur devint le refuge d'une communauté d'artistes et d'anticonformistes, démunis mais solidaires, décidés à se tenir loin du tapage du monde moderne. Miller partageait son temps entre l'écriture (il y écrivit notamment *Big Sur et les Oranges de Jérôme Bosch*), les promenades à pied, les visites aux amis (Emil White, surtout), les bains aux sources sulfureuses de Slade's Spring et ses amours. C'est dans ce paradis à la fois splendide et terrible, fait de paix et de solitude, que le diable Miller devint Miller-Bouddha, un grand artiste illuminé de l'intérieur et sans cesse créatif. À ses côtés, il eut des femmes différentes (dont une Japonaise) mais surtout ses enfants, Tony et Valentine.

Miller vécut à Big Sur de 1947 à 1962 puis déménagea à Pacific Palissades (près de Los Angeles), où il resta jusqu'à sa mort en 1980.

Topographie

Big Sur n'est ni une ville ni un village. C'est une microrégion qui, selon Henry Miller, « a de deux à trois fois la superficie de la république d'Andorre ». Cette enclave sauvage commence à une quinzaine de kilomètres au sud de Carmel, s'étendant jusqu'après Lucia et, à l'intérieur, jusqu'à la vallée de Salinas. Une rangée de hautes collines (presque des petites montagnes) barrent l'accès à l'arrière de la côte. On se contente donc, gâtés qu'on est, de longer la route côtière (la fameuse Highway 1) merveilleusement coincée entre mer furieuse et falaises majestueuses. Big Sur n'a pas vraiment de centre (voir la carte). Un habitat émietté, avec des maisons étalées le long de la route, enfouies dans les bois ou accrochées aux versants des collines et des falaises. La concentration de quelques boutiques, hôtels, motels et pompe à essence à *Big Sur Station* peut être considérée comme l'épicentre de la région, mais rien à voir avec un vrai village.

Arriver – Quitter

➤ *De/vers Monterey :* quelques bus/j. (2 slt le w-e) avec les bus de la *MST* (Monterey-Salinas Transit). ☎ 831-899-2555 ou 1-888-678-2871. ● *mst.org* ●

Adresses et infos utiles

🄷 *Big Sur Station :* à gauche de la route en venant du nord, peu après le Pfeiffer Big Sur State Park. ☎ 831-667-2315. ● *bigsurcalifornia.org* ● *Tlj 8h-17h (souvent 18h en été et 16h en hiver).* Représente à la fois le service des parcs d'État (State Parks) et l'office de tourisme : tous les renseignements pour découvrir le coin, dormir et manger. Également des cartes topographiques (payantes) et une foule d'infos sur les randonnées praticables dans les parcs de la région. S'y procurer enfin *Big Sur Grande*, la feuille de chou locale, très bien faite pour connaître l'actualité, les randonnées organisées par les rangers et les bons plans du coin.

– *Day Pass pour les State Parks du Big Sur :* ce pass (10 $ par véhicule), permet d'entrer durant 24h dans les State Parks du Big Sur (et seulement les State Parks) que sont Pfeiffer Big Sur, Andrew Molera, Julia Pfeiffer Burns et même Point Lobos (juste au sud de Carmel).

✉ *Poste :* au Big Sur Center (à env 1 mile au sud de la Big Sur Station, au niveau de la Big Sur Bakery).

■ *Téléphone public :* ils sont rares. On en a déniché un au Big Sur Center (un peu caché dans un angle).

@ *Internet :* connexion gratuite et wifi à la bibliothèque municipale (*Public Library*), située juste à côté du Ripplewood Café (carte, 15). Mer-jeu 12h-18h, ven-sam 11h-16h. Wifi également à la **Henry Miller Library** (carte, 30), au **Fernwood Motel** (carte, 13) et au **Big Sur River Inn** (carte, 16).

■ *Distributeurs d'argent :* dans l'épicerie du Big Sur River Inn (carte, 16), au Big Sur Center, au Fernwood Motel (carte, 13 ; distributeur dans le bar) et au Ripplewood Resort (carte, 15).

■ *Pompes à essence :* à côté du Ripplewood Café (carte, 15) ; au Big Sur

River Inn *(carte, 16)* ; et à côté de la Big Sur Bakery *(carte, 23)*. L'essence est à prix prohibitif (environ 30 à 40 % de plus).

■ *Épicerie, ravitaillement :* à l'épicerie du Ripplewood Resort *(carte, 15)* ; au Big Sur River Inn *(carte, 16)* ; au Big Sur Center ; et au Fernwood Motel *(carte, 13)*. Cette dernière est plutôt bien approvisionnée.

■ *Matériels de rando :* s'il vous manque un truc pour la rando, allez-donc à la boutique **Coast Ridge Outfitters,** juste à côté du Fernwood Motel *(carte, 13)*. ☎ 831-667-2130. Tlj 8h-17h30. Magasin très bien approvisionné, tout pour la randonnée et le camping, cartes, lampes, gourdes... et mêmes des guitares pour animer les soirées. Bon accueil et conseils sur ce qu'il y a à faire et à voir dans le coin.

■ *Big Sur Health Center (centre médical) :* sur la Hwy 1, à l'entrée du Big Sur Campground and Cabins *(carte, 14)*. ☎ 831-667-2580. Lun-ven 10h-17h.

Où dormir ?

Les hébergements sont chers et souvent réservés plusieurs mois à l'avance ! La solution la moins onéreuse reste de loin la tente ou, plus confortables, les petites cabanes dans les campings.

Campings

⚊ *Bottchers Gap Campground (carte, 11) :* dans la partie nord de Big Sur, juste au sud du resto Rocky Point *(voir « Où manger ? »)* et un peu avt le pont de Bixby. Prendre la petite et discrète Palo Colorado Rd sur la gauche *(petit panneau)*. ☎ 805-434-1996. Emplacement 12 $ *(2 pers)*. Certainement le camping le moins cher de tout le secteur. Au sommet d'une route étroite qui grimpe à l'assaut des montagnes et serpente le long d'un torrent sur 13 km, entre de magnifiques séquoias. Camping ouvert toute l'année, où l'on plante sa tente *(camping-cars exclus)* en pleine nature. Seulement une douzaine d'emplacements, mais on ne s'y bouscule pas vraiment. Et pourtant on aime bien ce lieu, un peu loin de tout et brut de création. Penser à emporter eau en quantité suffisante et nourriture, il n'y en a pas sur place. Toilettes sèches *(super écolo !)* et pas de douche.

⚊ *Andrew Molera State Park Campground (carte, 17) :* voir plus loin « Dans les environs de Big Sur ». ☎ 831-667-2315. Accessible à pied slt, en laissant son véhicule sur le parking de l'entrée. À peine une grosse vingtaine d'emplacements *(4 pers max)*, à env 25 $. Aucun confort, sauf les toilettes et des barbecues, et pas mal de vent. Pas de réservations, on vient sur la base de *first come, first served (premier arrivé, premier servi)*. Vous nous avez compris, arrivez tôt.

⚊ *Pfeiffer Big Sur State Park (Big Sur Lodge ; carte, 12) :* Hwy 1. ☎ 831-667-2315. ● parks.ca.gov ● Résa impérative en été au ☎ 1-800-444-PARK. Emplacements 35 $ et 50 $ *(près de la rivière)*. Situé au cœur du parc, au milieu d'une magnifique forêt de séquoias, ce camping d'État est le plus grand et de loin le plus agréable de tout Big Sur. Plus de 200 emplacements, vastes et dispersés, où vous aurez la visite des écureuils et des geais. Sur place, douches chaudes *(payantes)*, laverie, petite épicerie et resto de l'hôtel *Big Sur Lodge* situé lui aussi dans le parc et à proximité du camping. On peut réserver spécifiquement les sites bordant la Big Sur River à condition de s'y prendre plusieurs mois à l'avance pour l'été !

⚊ *Fernwood Campground (carte, 13) :* Hwy 1, en contrebas du Fernwood Motel. ☎ 831-667-2422. ● fernwood bigsur.com ● Emplacement env 45 $ pour 2 *(5 $/pers en plus)*. Tentes-cabines *(2-4 pers)* 75 $. Une soixantaine de places réparties dans une majestueuse forêt de séquoias, de part et d'autre de la rivière Big Sur. Électricité pour les camping-cars. Sanitaires simples mais impeccables, douches chaudes *(incluses)*, épicerie, et une station-service à ½ mile.

De bon marché à plus chic

⚊ 🏠 *Riverside Campground and Cabins (carte, 10) :* le 2e camping

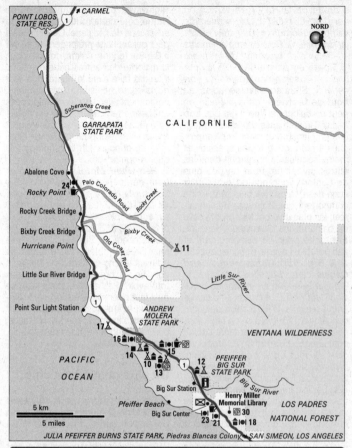

BIG SUR ET LA HIGHWAY ONE

■ Adresses utiles

- **🛈** Big Sur Station
- **@ 13** Fernwood Motel
- **@ 15** Public Library
- **@ 16** Big Sur River Inn
- **@ 30** Henry Miller Library

⋏ 🏠 Où dormir ?

- **10** Riverside Campground and Cabins
- **11** Bottchers Gap Campground
- **12** Pfeiffer Big Sur State Park et Big Sur Lodge
- **13** Fernwood Campground et Fernwood Motel
- **14** Big Sur Campground and Cabins
- **15** Glen Oaks Motel et Ripplewood Resort

- **16** Big Sur River Inn
- **17** Andrew Molera State Park Campground
- **18** Deetjen's Big Sur Inn and Restaurant

🍽 🍴 Où manger ?

- **13** Fernwood Motel
- **15** Ripplewood Café
- **16** Big Sur River Inn Restaurant
- **18** Deetjen's Big Sur Inn and Restaurant
- **21** Nepenthe Restaurant et Café Kevah
- **23** Big Sur Bakery & Restaurant
- **24** Rocky Point

à droite de la Hwy 1 en venant du nord. ☎ 831-667-2414. ● *riverside campground.com* ● *Ouv tte l'année (selon météo). Pour 2, emplacements 40-50 $ selon proximité de la rivière (5 $/pers en plus) et 95-195 $ pour une cabin selon confort. Petite épicerie.* 🛜 Situé sous les séquoias, au bord de la rivière, dans laquelle on peut se baigner si l'on n'est pas trop frileux. On peut aussi y pêcher *(no-kill)*. Les emplacements sont trop rapprochés à notre goût, moins spacieux et moins séduisants aussi que dans les autres campings. Pour un peu plus de confort, vous pouvez opter pour l'une des *cabins* : les plus simples ne comportent que 2 lits (pas de sanitaires), les plus chic ont leur propre salle de bains et une cheminée extérieure. Électricité pour les camping-cars et eau potable. Laverie, douche payante.

🏕️🏠 ***Big Sur Campground and Cabins*** *(carte, 14) :* situé juste après le Big Sur River Inn en venant du nord. ☎ 831-667-2322. ● *bigsurcamp.com* ● *Emplacements 45-60 $ selon situation, bungalows 170-405 $ selon taille (jusqu'à 6 pers) et saison, et tente-cabine pour 2 pers 110-155 $ (20 $/pers en plus).* Si vous optez pour une cabine, bien réfléchir à ce qui vous conviendra le mieux car il y en a de plusieurs types. Si la partie camping est assez concentrée (mais néanmoins jolie), on trouve ici une vaste gamme de bungalows : de la maisonnette confortable dominant la rivière (certaines avec cuisine ou cheminée) à la simple tente-cabine (pas de sanitaires). Ce sont de grandes tentes aménagées avec murs en toile, toit en Plexiglas (bruyant lorsqu'il pleut) et lit unique pour une roucoulade sous la voûte céleste (pas de sanitaires privés). Laverie, terrain de basket. Excellent accueil. Adresse non-fumeurs.

🏠 ***Ripplewood Resort*** *(carte, 15) :* Hwy 1. ☎ 831-667-2242 ou 1-800-575-17-35. ● *ripplewoodresort. com* ● *Réception à l'épicerie Ripplewood Resort. 100-180 $ pour 2 selon confort (avec ou sans cuisine, cheminée ou terrasse, et selon proximité de la rivière).* 🛜 Jolies cabanes en bois assez rustiques, mais bien équipées, dispersées sous de majestueux séquoias, en contrebas de la

Highway 1, près de la rivière, ou de l'autre côté de la route, sur la colline au-dessus de l'épicerie. L'endroit idéal pour qui souhaite prolonger son séjour à Big Sur (pour le calme, comme dans la majorité des autres hébergements, il faudra faire avec le bourdonnement de la route, invisible mais audible), notamment avec les cuisines équipées qui permettent une bonne économie côté repas ; les *cabins* sont également assez espacées pour préserver l'intimité de chacun. Un bon compromis qualité-confort-prix.

🏠 ***Fernwood Motel*** *(carte, 13) :* au bord de la Hwy 1, au début de Big Sur, sur la droite en venant du nord. ☎ 831-667-2422. ● *fernwoodbig sur.com* ● *Doubles 90-180 $ (10 $/ pers en plus).* 🛜 L'un des motels les moins chers de Big Sur. Les petites chambres, simples mais propres, se trouvent le long de la route – elles sont donc un peu bruyantes (on ne peut pas tout avoir). Pas de vue, mais juste ce qu'il faut pour ronfler et repartir le lendemain. Avantage du *Fernwood* : il fait aussi resto (burgers, sandwichs, tacos, *burritos*) et épicerie plutôt bien fournie. Pas mal de *bikers*.

De plus chic à très chic

🏠 ***Glen Oaks Motel*** *(carte, 15) :* après le Riverside Campground et avt la Big Sur Station, *sur la gauche de la Hwy 1 quand on vient du nord.* ☎ 831-667-2105. ● *glenoaksbigsur.com* ● *Doubles 175-295 $ selon confort et moment de la sem, 225-350 $ pour les cabanes de l'autre côté de la rue.* 🖵 🛜 Le petit *lobby* donne le ton : on a voulu faire chic et branché, plutôt que frustre et cow-boy. Jolies chambres (une vingtaine) à la déco épurée, résolument contemporaine, jouant sur le bois brut, la pierre, le verre et les couleurs terre. Ça sent le magazine de déco à plein nez, mais c'est réussi. Certaines avec un *queen bed,* d'autres avec un *king* (plus cher encore). Ces dernières ont une cheminée vitrée. Petite terrasse privative. De l'autre côté de la rue, des cabanes en bois pas bien grandes mais là aussi charmantes et dans le même esprit, disséminées dans une superbe forêt de séquoias géants. Celles posées au bord de la rivière sont évidemment les plus chères. Vraiment super et tranquille à souhait. Une adresse certes un peu chère, mais idéale pour jouer aux trappeurs embourgeoisés !

🛏 *Deetjen's Big Sur Inn and Restaurant (carte, 18) :* 48865 Hwy 1, à la sortie sud de Big Sur, un peu après la bibliothèque de Henry Miller, sur la gauche. ☎ 831-667-2377. ● deet jens.com ● Doubles 90-260 $. Un des premiers hébergements à Big Sur, construit en 1937. Cadre pittoresque, différent et chaleureux tant pour le resto (voir « Où manger ? ») que pour l'hébergement. Les chambres sont dispersées dans plusieurs maisons noyées dans la végétation, façon cabanes de rondins, en bois brut, rustiques et élégantes tout à la fois, sans TV ni téléphone. Déco très « femme de trappeur » (elle est pauvre, elle a du goût et fait beaucoup-avec-pas-grand-chose en attendant son mari !). Quelques chambres partagent même les sanitaires, c'est dire si c'est chic. Bon, c'est bien cher pour le coup, mais c'est précisément le *non-luxe* que s'offrent les couples fortunés en venant ici. On n'est pas à une contradiction près ! Très bon resto.

🛏 *Big Sur Lodge (carte, 12) :* 47225 Hwy 1, à l'intérieur du Pfeiffer Big Sur State Park. ☎ 831-667-3100 ou 1-800-424-4787. ● bigsurlodge.com ● Doubles 160-365 $ selon confort. Dans une vaste clairière entourée d'une superbe forêt de chênes, pins et séquoias, au cœur de la nature luxuriante du parc Pfeiffer, une soixantaine de chambres réparties dans une série de grands cottages en bois. Les plus chères, les plus grandes et les plus confortables, ont cuisinette et cheminée. Au cœur de cet ensemble, une piscine entourée de transats et d'une pelouse. Accueil pas toujours au niveau. Resto également, mais pas particulièrement notable.

🛏 *Big Sur River Inn (carte, 16) :* à Pheneger Creek, entrée nord de Big Sur. ☎ 831-667-2700 ou 1-800-548-3610. ● bigsurriverinn.com ● Doubles 125-235 $ selon saison et confort, suites (4 pers) 225-310 $. De part et d'autre de la route, donc un poil bruyant, ce motel en bois abrite une vingtaine de chambres plutôt simples (pas de TV ni téléphone), mais confortables et très bien tenues. Les plus agréables sont celles dominant la Big Sur River, à l'étage, dans un espace ombragé par de beaux arbres et prolongé par une pelouse. Quelques fauteuils de bois se rafraîchissent les pieds dans la rivière. Les chambres les moins chères sont évidemment de l'autre côté de la route, au bord de celle-ci d'ailleurs, et ne possèdent aucun charme particulier. Ceux qui voyagent à 4 peuvent profiter des suites, qui donnent sur la rivière. Piscine chauffée (mai-octobre) et restaurant (voir ci-après).

Où manger ?

Un conseil : faites vos courses à l'une des épiceries et allez pique-niquer en pleine nature. C'est le moins cher et le plus agréable. Sinon, chaque camping et motel (ou presque) dispose de son propre resto, toujours cher. On trouve aussi un petit *deli* au Big Sur Center. Si vous restez quelque temps, faites le plein à Monterey avant d'arriver : les prix seront bien plus doux et le choix beaucoup plus large.

Spécial petit déjeuner

🍴 Le *Big Sur Bakery and Restaurant (carte, 23)* est parfait pour un café-croissant (gros croissants d'ailleurs) en admirant la montagne sur le bout de terrasse. Le *Ripplewood Café (carte, 15)* est très bien aussi pour un petit déj tranquille à prix raisonnable. Si vous êtes au nord de Big Sur, le *Rocky Point (carte, 24)* parce que vous rêvez d'un petit déj avec vue sur l'océan, même si ce caprice est largement facturé.

De bon marché à prix moyens

🍴 *Ripplewood Café (carte, 15) :* Hwy 1. ☎ 831-667-2242. Tlj 8h-14h. Env 10 $. Un petit resto tranquille, avec banquettes confortables en bois clair, vaisselle en porcelaine et jolie décoration de plantes. On y trouve tout un choix de bons petits déj très copieux (un des meilleurs du coin) et de sandwichs le midi ; les deux sont servis à toute heure. Petite terrasse ensoleillée à l'arrière.

I●I **Big Sur Bakery & Restaurant** *(carte, 23)* : juste au-dessus de l'adorable station-service du Big Sur Center. ☎ 831-667-0520. Tlj 8h-21h30 (15h30 lun). Env 15 $. On aime beaucoup cette adresse, aussi bien pour le petit déj qu'à toute heure pour un repas léger, qui joue sans conteste la carte de la qualité : pain maison, sandwichs, omelettes, salades, pizzas cuites au feu de bois (seulement le soir). En dessert, un *blondie* (mélange de cookie et de *brownie*). L'ambiance est vraiment sympa, et la halte reposante. Étroite terrasse le long de la maison et jardin très agréable sur le côté.

I●I **Fernwood Motel** *(carte, 13)* : au bord de la Hwy 1, au début de Big Sur, sur la droite en venant du nord. ☎ 831-667-2422. Compter 10-15 $. Rien de bien exceptionnel, mais on y mange pas mal pour pas trop cher.

I●I **Big Sur River Inn Restaurant** *(carte, 16)* : dans l'hôtel du même nom, au nord de Big Sur. ☎ 831-667-2700. Tlj 8h-21h, avec de courtes coupures. Env 25 $ le midi, plus cher le soir. La maison en rondins où se trouve le restaurant fut édifiée par un descendant de la famille Pfeiffer, un des premiers pionniers installés dans la région. Il abrita un temps la poste de Big Sur. On y trouve aujourd'hui une cuisine country rustique, pas très subtile mais généreuse. Vaste salle à manger avec cheminée et terrasse sur la rivière aux beaux jours. Très touristique – comme ailleurs nous direz-vous – mais un peu plus tout de même !

I●I **Café Kevah** *(carte, 21)* : en contrebas du Nepenthe Restaurant, *près du parking*. ☎ 831-667-2344. Tlj marsdéc, 9h-16h, si le temps le permet. Autour de 15 $. Café dont la terrasse offre une très belle vue sur le Pacifique qui vient battre une côte déchiquetée. Pas mal de peintres amateurs viennent d'ailleurs profiter de ce point de vue exceptionnel. Prix plus abordables que ceux du *Nepenthe* (situé au-dessus), mais menu assez limité.

Le petit déj est servi toute la journée et, pour le *lunch*, vous pourrez choisir entre salades, paninis, ou des plats un peu plus élaborés.

Plus chic

I●I **Rocky Point** *(carte, 24)* : au nord de Big Sur, juste avt l'intersection avec Palo Colorado Rd et à env 16 km au sud de Carmel. ☎ 831-624-2933. Tlj 11h-21h (dernier service), dim brunch 10h-14h. Petit déj et lunch 20-25 $, dîner 30-45 $. Attention, la superbe terrasse n'est ouv que le midi et l'ap-m. Sincèrement, pour un réveil en douceur et un petit déj avec vue somptueuse, c'est l'endroit. Certes, les prix sont élevés, mais ils comprennent le jus de fruits et le café (sauf si vous souhaitez un *espresso* ou un *cappuccino*), et les plats sont bien préparés. Pour le déjeuner, bons plats de poissons et viandes grillés, qui peuvent être servis en terrasse ou dans une salle largement vitrée pour profiter de cette vue somptueuse (et se protéger du vent, ça souffle !). Pour ne pas effrayer le portemonnaie, taper dans la partie du menu *South of the border* (plats mexicains). Le bon *lighthouse burger* ou encore le *Palo Colorado sandwich* constituent de bons choix. Également soupes et salades. Si vous êtes en fonds, les huîtres fraîches du Pacifique, pour lesquelles le resto est connu, restent un must. La vue sur la côte battue par l'océan et sur le pont de Bixby est imprenable, et le coucher de soleil, magique.

I●I **Nepenthe Restaurant** *(carte, 21)* : au sud de Big Sur, proche de la bibliothèque de Henry Miller. ☎ 831-667-2345. Tlj lunch 11h30-16h30 et dîner 17h-22h. Plats déj 15 $ (salades et sandwichs surtout), le soir plutôt 25-35 $. Sur ce site se trouvait naguère un *lodge*, propriété d'Orson Welles jusqu'en 1947. Celui-ci l'offrit à sa femme, la divine Rita Hayworth, qui n'y vint jamais. D'ailleurs, Orson et Rita ne tardèrent pas à divorcer. Jack Kerouac y passa dans les années 1950, ivre comme souvent et terrorisé par l'infernale beauté de Big Sur. « Un restaurant perché au sommet de la falaise et pourvu d'un vaste patio », écrivit-il.

Aujourd'hui, *Nepenthe* est très touristique, renommée oblige, mais le cadre reste splendide, avec une vue plongeante et très spectaculaire sur la côte. Déco intérieure chaleureuse avec un immense brasero pour les soirées fraîches. La terrasse du fond est plus intime que la première que l'on rencontre, où tout le monde passe. Celle-ci possède un feu de camp, toujours agréable quand il fait frisquet. Le soir, les prix grimpent sévèrement mais l'*Ambrosia burger* est délicieux et tarifé raisonnablement.

Beaucoup plus chic

I●I *Deetjen's Big Sur Inn and Restaurant* (carte, 18) : 48865 Hwy 1, à la sortie sud de Big Sur, un peu après la bibliothèque de Henry Miller, sur la gauche. ☎ 831-667-2378. *Resto ouv tlj pour le petit déj 8h-12h (12h30 w-e) et le dîner 18h-21h. Résa conseillée le soir. Env 15 $ pour un breakfast et 35-40 $ le soir.* Le resto de cet hôtel pas comme les autres est situé dans une croquignolette maison de bois ancienne, couverte d'un rosier grimpant. Cadre plein d'esprit, pittoresque et chaleureux. Excellent petit déj et dîner de qualité, qu'on prend aux chandelles dans une intimité propice aux roucoulades. Spécialités de côtes d'agneau, de steaks et *seared duck*. Une bonne table, très courue, et un service de tout premier ordre même si tout cela se paie.

Visites et balades à Big Sur et dans les environs

Du nord au sud

🎋 *Palo Colorado Road :* au nord de Big Sur, juste au sud du resto Rocky Point (voir « Où manger ? ») et un peu avt le pont de Bixby sur la gauche (petit panneau *Palo Colorado Rd*). Petite diversion en empruntant cette modeste route qui grimpe à l'assaut des montagnes et serpente sur 13 km, le long d'un torrent, entre de magnifiques séquoias. Au sommet de la montagne, on trouve le *Bottchers Gap Campground* (voir « Où dormir ? »).

🎋 *Bixby Creek Bridge* (pont de Bixby) : env 3 km au sud de Rocky Point, *il enjambe la Bixby Creek.* La construction de cet ouvrage d'art par des prisonniers, en 1932, permit d'ouvrir la Highway 1 et de relier Monterey à San Simeon par la côte. Avant ce pont, le littoral était un des endroits les plus sauvages et inaccessibles de Californie.

🎋🎋 Entre *Bixby* et *Point Sur Light,* la végétation se fait plus rase, les falaises abruptes, le relief minéral et les plages en contrebas s'étirent dans une puissante écume évoquant de longs voiles de mariée. Sublime.

🎋🎋 *Point Sur Light Station State Historic Park :* plus au sud, mais encore à 8 bons km au nord des premières infrastructures de Big Sur. ☎ 831-625-4419. ● pointsur.org ● *Visites guidées (horaires un peu compliqués, à vérifier par tél) : nov-mars, sam-dim à 10h, mer à 13h ; sam et mer 10h et 14h, sam à 10h ; en juil-août, idem, avec également jeu à 10h. Quelques visites au clair de lune avr-oct. Durée : env 3h. Pas de résas. Ticket : 12 $; réduc.* Un vieux phare perché en sentinelle, à près de 100 m au-dessus des vagues, sur une impressionnante presqu'île rocheuse (volcanique), reliée à la côte par une magnifique langue de sable. Il fut construit en 1889, à l'issue de 11 années de lutte des marins qui avaient perdu leurs frères lors des trop nombreux naufrages. On ne peut y accéder qu'à l'occasion de visites guidées, organisées uniquement si le temps le permet. Comme c'est assez cher et la visite particulièrement longue, mieux vaut être vraiment passionné !

🎋🎋 *Andrew Molera State Park :* le plus grand parc naturel de Big Sur, situé sur le littoral, peu avt d'atteindre les premiers motels et campings en venant du nord. ☎ 831-667-2315. *Parking : 10 $ (inclus dans le Day Pass).* Bon à savoir, si vous vous garez sur le petit parking au-dessus, au bord de la Hwy 1, et venez à pied, c'est gratuit ! Ouv du lever au coucher du soleil. On aime bien ce parc qui propose deux sentiers de randonnées : le *River trail* et le *Beach trail*. Ce dernier mène en 25 mn à une superbe plage, sauvage en diable, romantique à souhait et ventée comme en Bretagne, encadrée d'une végétation remarquable. Sur la plage, pour s'abriter du vent, les autochtones ont construit petit à petit quelques abris en bois flotté, semi-circulaires, du plus bel effet. Un endroit idéal pour pique-niquer quand le vent ne souffle pas trop. On peut également y camper dans les endroits prévus à cet effet (lire « Où dormir ? »). Promenades à cheval possible (☎ 831-625-5486). Infos à l'entrée du parc.

🏕🚶 Pfeiffer Big Sur State Park : ☎ 831-667-2315. Entrée : 10 $/véhicule (inclus dans le Day Pass). Un autre parc de 272 ha, avec un camping et un *lodge* (série de bungalows). Plusieurs agréables balades à travers les séquoias, érables, peupliers, saules... Les charmants rangers pourront vous renseigner sur place.

🚶🚶 Pfeiffer Beach : moins de 1 mile au sud de la Big Sur Station, la Sycamore Canyon Rd mène (en 3 km env) à Pfeiffer Beach. Accès (peu visible) : 9h-20h. Entrée : 5 $/véhicule (pas inclus dans le Day Pass). Chemin de terre sur 3 km environ, interdit aux camping-cars et se terminant par un parking. Une très jolie plage délimitée par un promontoire rocheux percé d'une arche s'ouvre sur une seconde, plus grande, battue par les vagues. Un cadre superbe pour une promenade marine, entre air iodé et brumes matinales.

🚶 Henry Miller Memorial Library (librairie-galerie de Henry Miller) **:** à gauche de la Hwy 1, dans un virage. ☎ 831-667-2574. ● henrymiller.org ● Tlj sf mar 11h-18h. Donation (5 $) appréciée pour la fondation. Petit café sympa en terrasse devant la maison. 🛜 Non, ce n'est pas un mausolée mais une jolie et modeste demeure rustique en bois, entourée de séquoias et précédée d'une pelouse qui sert de lieu d'expo aux artistes internationaux et à ceux de Big Sur. La forme de cette maison rappelle un peu un temple japonais. C'était l'antre d'Emil White, le meilleur ami de Miller. Son nom figure d'ailleurs toujours sur la boîte aux lettres. Ça vaut le coup de s'y arrêter et de rencontrer le maître des lieux, Magnus Torén, un très sympathique Suédois francophone et plein d'humour. Magnus habite Big Sur et connaît la région par cœur. Il pourra vous donner de bons tuyaux. On y prend un café avec plaisir, à l'ombre des grands arbres. Petite librairie en partie consacrée à l'écrivain Miller, à l'homme, à son œuvre : on y trouve des dédicaces, posters, superbes photos, sa machine à écrire *Underwood*, etc. Lisez *Big Sur et les Oranges de Jérôme Bosch* avant de venir, tout s'éclairera.

🏕🚶🚶 Julia Pfeiffer Burns State Park : à env 18 km au sud de Big Sur, sur la route de Hearst Castle (ne pas confondre avec l'autre parc portant le même nom). Entrée sur la gauche de la route en venant du nord. Ouv du lever au coucher du soleil. Entrée : 10 $/véhicule (inclus dans le Day Pass). Sinon, paiement par enveloppe. Ce parc abrite les *MacWay Falls*, seules chutes d'eau du littoral californien. Promenade d'environ 15 mn. Elles forment au printemps un joli panache tombant de 15 m de haut directement sur une plage. On les admire de haut, depuis une promenade encadrée d'eucalyptus (hmm, la bonne odeur !). À la fin de l'été, le débit se réduit parfois à un mince filet d'eau. De l'*Overlook Trail*, en décembre, janvier, mars et avril, on a de bonnes chances d'apercevoir quelques baleines grises passer près de la côte. Autre balade agréable, la *Canyon Fall*. On traverse une forêt de *redwood tree* durant 25 mn environ. Départ du bout du parking et l'on suit la rivière. On parvient à un arbre appelé « Gran' mother-tree ». Pique-nique possible sur place.

Un peu au sud de Big Sur

🚶🚶 Entre *Big Sur* et *Piedras Blancas* la route se rétrécit et suit les contours des majestueuses falaises qui plongent dans l'océan et offrent des points de vue magiques. Végétation d'une grande richesse malgré le vent, les embruns et le froid qui sévit l'hiver. La route prend parfois de l'altitude, replonge soudainement dans des bancs de brouillard. Une nature brute, parfois brutale, qui joue en permanence avec des tonalités d'une grande harmonie.

♣♣♣ Piedras Blancas Colony (« Elephant Seal Viewing Area ») : au sud du Big Sur et à 7 km au nord de la sortie qui mène à Hearst Castle. Bien indiqué. Accès ouv en permanence et gratuit (pour une fois !). Tlj 10h-17h (18h l'été), des guides bénévoles et compétents arpentent la promenade pour donner d'excellentes explications. Également des panneaux explicatifs très bien faits.

LE HAREM À POIL...

Généralement en décembre, les éléphants de mer mâles combattent pour leur dominance. Des mastodontes de 2 t et de près de 5 m de long qui se jettent les uns contre les autres à grands coups de boules et de cris impressionnants. Mais le combat en vaut la chandelle : un seul mâle peut se trouver à la tête d'un harem de 50 femelles ! Bon, après faut assurer pour ne décevoir personne...

Le long de cette grande plage sablonneuse encadrée de rochers et d'une anse voisine, une incroyable colonie d'éléphants de mer a élu domicile dans les années 1990. On les observe depuis une longue promenade de bois qui surplombe la plage. Depuis, ils reviennent chaque année au gré de la saison des amours et des mues successives. Les premières naissances ont eu lieu en 1992, et la colonie ne cesse de se développer : la population totale sur la côte ouest des États-Unis est estimée à environ 170 000 individus, dont 17 000 à Piedras Blancas. Il existe une dizaine de points de rencontre comme celui-ci tout le long de la côte pacifique, mais Piedras Blancas est le plus important. En 2006-2007, près de 3 000 petits sont nés ici, et encore près de 4 500 entre 2008 et 2011. Il faut savoir que les mâles vivent en Alaska et les femelles en Colombie britannique.

Les éléphants de mer ne sont pas tous sur le rivage en même temps, mais il faudrait ne pas avoir de chance pour ne pas pouvoir en observer au moins quelques-uns. Janvier et février sont les deux seuls mois où mâles et femelles se rassemblent pour se reproduire. Lors des rencontres nuptiales, on peut en avoir jusqu'à plusieurs milliers sur la plage. Le sable en est littéralement recouvert. Saint-Tropez au mois d'août ! C'est aussi la période des naissances et d'allaitement. Il n'y a qu'en mars que la plage est moins fréquentée. En avril-mai, on assiste à la mue des femelles. Un vrai strip-tease... ou plus exactement une sorte de pelade collective spectaculaire ! Entre juin et août, c'est au tour des mâles de retirer leurs vieux manteaux de poils.

En journée, ces tonnes de graisse se prélassent en se lançant régulièrement du sable sur le dos pour ne pas prendre de coup de soleil ! Et ça s'étire, se gratouille, pique des petits roupillons, avec toujours cette sorte de petit sourire en coin attendrissant. Pas stressé par leur tiers prévisionnel, c'est sûr. Pour plus d'infos, consulter le site de l'organisation « Les Amis des éléphants de mer » : ● elephantseal.org ●

HEARST CASTLE (SAN SIMEON CASTLE)

À 370 km de San Francisco et 390 km de Los Angeles, perchée à environ 500 m d'altitude sur une haute colline dominant de loin la mer, cette gigantesque résidence du magnat de la presse William Randolph Hearst fut commencée en 1922 mais jamais achevée. Hearst avait hérité des terres trois ans plus tôt, à l'âge de 56 ans, et avait fait fortune dans la presse. Quinze ans avant, il rêvait déjà de faire construire une résidence ici, mais dut attendre la mort de sa mère (victime de l'épidémie de grippe espagnole de 1918-1919), qui était opposée au projet. Hearst était alors à la tête de la 36e fortune des États-Unis et possédait six autres demeures, mais il gagnait dix fois moins que Rockefeller, le pauvre... Il fit construire son château avec ce seul principe : « Peu importe le prix et le temps que ça prendra. » Il en confia la réalisation à Julia Morgan, diplômée de Berkeley et de l'École des beaux-arts de Paris, et premier architecte à utiliser du béton armé pour répondre aux normes antisismiques. Il fit refaire plusieurs fois certaines pièces qui ne lui convenaient pas. Le style est officiellement méditerranéen, mais il fait appel autant aux techniques modernes qu'à l'inspiration classique – produisant en quelque sorte un étonnant syncrétisme bétonné ! Dans le parc du ranch, où paissait du bétail du temps de sa mère, le maître de céans fit venir daims, bisons, lamas et autres zèbres, laissés en liberté, et dont on peut encore voir quelques descendants aujourd'hui.

Hearst habitait auparavant la côte est. Sa femme refusa de s'expatrier à l'Ouest, et ils se séparèrent (mais ne divorcèrent jamais). Ce fut Marion Davies, une starlette de Hollywood, qui profita de la demeure. Marion était mignonne, elle faisait son petit effet dans les films muets. Mais quelle stupeur quand arrivèrent les premiers films parlants : on s'aperçut qu'elle bégayait ! Elle resta aux côtés de Hearst pendant 30 ans, jusqu'à sa mort, en 1951. Quelle était

véritablement leur vie en ce lieu ? Quelles sont la part de réalité et la place faite à la légende ? Difficile à dire. Un homme sacrément ambigu que ce Hearst : il interdisait à ses invités de venir chez lui avec une maîtresse ou de l'alcool. Mais lui-même n'épousa jamais Marion Davies. En politique, il avait des idées plutôt réactionnaires, mais ses journaux dénichaient le moindre scandale.

Cette résidence extravagante, totalisant quelque 115 pièces dans la *Casa Grande* (la maison principale), dont 38 chambres, 41 salles de bains et 30 cheminées (sans compter les dépendances), reste la maison la plus chère du monde. Autant vous le dire tout de suite : si l'argent ne fait pas le bonheur, il ne fait pas non plus le bon goût. Les œuvres d'art qui s'amoncellent du sol au plafond (certaines d'entre elles venant d'ailleurs de palais italiens) sont toutes inestimables, mais leur mauvaise disposition dans les différentes salles, aux côtés de pièces de mobilier modernes, ôte beaucoup à leur valeur. Pour le détail de la visite, lire plus loin.

Où dormir ? Où manger au sud de Hearst Castle ?

Éviter de venir un week-end car les prix des hôtels s'envolent (outre que l'on a du mal à trouver une chambre car tout est complet) et la foule au Hearst Castle est vraiment pressante. Si vous

n'avez pas le choix, essayez au moins de réserver bien à l'avance.

À San Simeon *(4 km)*

San Simeon n'est pas un village mais un simple rassemblement de motels (une bonne vingtaine), à tous les prix, qui s'étirent de chaque côté de la route. La contre-allée sur le côté gauche de la Highway (quand on vient du nord) s'appelle Castillo Dr et celle située à droite (côté mer) s'appelle Hearst Dr. Les grandes chaînes *(Best Western, Quality Inn, Motel 6...)* y sont implantées. Rien de bien séduisant, on vous prévient (mis à part le camping). Une halte dodo éventuelle, si vous n'avez pas trouvé à vous loger à Cambria, un vrai village, charmant qui plus est.

☓ **San Simeon State Park :** *500 San Simeon Creek Rd.* ☎ *805-927-2035. Résa impérative en été (au moins 2 sem avt pour le plus cher) :* ☎ *1-800-444-7275. Au sud de San Simeon ; peu avt Cambria, tourner à gauche sur San Simeon Creek Rd. 2 campings en un : emplacement (8 pers max) env 35 $ au* **San Simeon Creek Campground,** *site possédant des douches ; et 20 $ au* **Washburn Primitive Campground** *sur un site plus éloigné, sur la colline et sans sanitaires. Au bord de la Highway, mais en contrebas pour la majeure partie du site, le 1er camping est situé sur un immense domaine. Douches payantes et emplacements en grande partie ombragés. Mais comme on ne peut pas tout avoir, on entend la rumeur de la Highway voisine. Le 2d est exilé sur une colline en hauteur et offre une vue magnifique et un calme total, mais peu d'ombre et pas de douches. Toilettes sèches. Un point d'eau tout de même.*

🏠 **Sea Breeze Inn :** *9065 Hearst Dr.* ☎ *805-927-3284.* ● *seabreezeinn sansimeon.com* ● *Env 60-200 $, petit déj inclus.* 🛜 *Situé à la sortie droite de la zone hôtelière en allant vers le sud, ce motel jaune et vert propose des chambres bien plus avenantes que l'extérieur ne le laisse supposer. Avec leur mobilier de bois sombre, elles ont un petit look presque chic, sont fort bien tenues et parfaitement équipées (micro-ondes, frigo). Vue sur un petit pré et quelques maisons. Piscine chauffée. Accueil adorable.*

🏠 |●| **San Simeon Lodge :** *9520 Castillo Dr.* ☎ *805-927-4601 ou 1-866-990-8990.* ● *sansimeonlodge.net* ● *Env 60-145 $ selon confort et j. de la sem. Même tarif pour 2 ou pour 4 pers.* 🛜 *Un grand bâtiment gris*

et blanc qui abrite des chambres standard bien tenues, meublées en bois clair. Certaines ont même une petite terrasse bien agréable donnant sur la piscine chauffée. Pas de petit déj, mais l'hôtel offre 10 % de réduc au resto attenant, le *San Simeon Beach Bar and Grill.* Accueil très aimable.

🏠 **Best Western Plus Cavalier – Oceanfront Resort :** *9415 Hearst Dr.* ☎ *805-927-4688 ou 1-800-826-8168.* ● *cavalierresort.com* ● *Doubles 100-320 $.* 🛜 *Ce grand hôtel, situé en bord de mer, compte une centaine de chambres très confortables, toutes équipées de frigo, minibar et lecteur DVD. Leur prix varie selon la vue et la proximité de l'océan : les plus chères, avec cheminée et terrasse, surplombent directement la mer, et les plus abordables se situent près de la route. 2 piscines chauffées, un jacuzzi et, au plus près de la mer, des petits foyers sur la pelouse pour se réchauffer les soirs de grand vent en regardant les étoiles scintiller.*

À Cambria (18 km)

De loin notre endroit préféré pour séjourner dans les environs de Hearst Castle. Bourgade très touristique mais plutôt jolie avec ses collines ondulantes et verdoyantes. Les 2 premières adresses sont au centre du village, les 3 suivantes en bord de mer, au calme, de l'autre côté de la Highway 1, d'où leurs prix (très) élevés. Il y a également une bonne dizaine d'établissements hôteliers qui s'alignent le long de l'océan avec vue extra (une petite route passe devant tout de même) et presque autant au centre de Cambria.

🏠 **Bridge Street Inn :** *4314 Bridge St.* ☎ *805-927-7653.* ● *bridgestreetinn cambria.com* ● *Au cœur du village. Sur la Hwy 1, du sud, prendre la sortie Cambria et suivre Main St, puis tourner à droite dans Bridge St. Du nord, sortie Windsor, puis prendre à droite dans Main St puis à gauche sur Bridge Rd. Réception ouv le mat jusqu'à 10h30 et 17h-21h. Résa fortement conseillée. Dortoir env 28 $ et 55-75 $ pour 1 des 4 chambres privées (2-3 pers), petit déj continental compris.* 🛜 *Cette toute* petite AJ privée (13 lits), impeccablement tenue par le sympathique Brandon, occupe une vieille maison en bois du XIXᵉ s adorable. Les chambres ne sont vraiment pas grandes (minuscules serait le mot juste), mais elles sont très mignonnes, avec lits superposés. Elles partagent une même salle de bains. Bibliothèque et chouette salon commun, avec cuisine ouverte à disposition. Terrain de volley sur le côté et petit jardin mignonnet. Une adresse vraiment très sympa où l'on se sent vite comme à la maison.

🏠 *Creekside Inn :* 2618 Main St. ☎ 805-927-4021. ● creeksidecam bria.com ● Doubles 60-150 $, petit déj (compris) slt le w-e. 📶 Un agréable petit motel jaune et vert plutôt coquet, aux chambres classiquement installées sur 2 étages. Toutes sont assez spacieuses, confortables, la plupart donnant sur une petite rivière et la végétation, à observer de son petit balcon. Un excellent qualité prix pour Cambria. Bon accueil.

🏠 *Castle Inn by the Sea :* 6620 Moonstone Beach Dr. ☎ 805-927-8605. ● cambriainns.com ● Doubles 95-175 $, petit déj continental compris. Piscine et jacuzzi. 📶 Petit motel sur 2 niveaux d'une trentaine de chambres, plutôt mignonnes, la plupart avec vue (parfois timide) sur l'océan. Elles sont spacieuses, dans des tons clairs, presque neutres (frigo). Profitez des transats de bois colorés (la seule touche de couleur) installés sur la bande de pelouse sur le devant pour prendre le soleil et un bon bol d'air marin.

🏠 *Sea Otter Inn :* 6656 Moonstone Beach Dr. ☎ 805-927-5888 ou 1-800-966-6490. ● seaotterinn.com ● Doubles 150-220 $ selon vue, petit déj inclus (qu'on prend dans la chambre). Compter 10 $/pers en plus. 📶 Motel à l'anglaise avec des fenêtres à guillotine. Les chambres sont toutes très soignées et coquettes : cheminée, frigo, micro-ondes, lecteur DVD et couette en plumes. Quelques-unes donnent sur l'océan, les plus chères évidemment. Bon plan pour les petits groupes : prendre une suite pour 6, moins chère qu'une chambre avec vue. Piscine chauffée et spa. Accueil charmant.

🏠 *White Water Inn :* 6790 Moonstone Beach Dr. ☎ 805-927-1066 ou 1-800-995-1715. ● whitewaterinn.com ● Doubles 130-190 $, petit déj inclus. 📶 Petites maisonnettes jaunes collées les unes aux autres, abritant des chambres spacieuses, lumineuses et soignées, équipées de frigo, cheminée, lecteur de cassettes ou DVD (à emprunter à la réception). Les suites sur le devant disposent d'un patio et d'un jacuzzi. Petit déj servi dans les chambres. Adresse 100 % non-fumeurs. Pas de piscine. Accueil plein de gentillesse.

🍴 *Creekside Garden Café :* Redwood Center, 2114 Main St. ☎ 805-927-8646. Dans le village de Cambria, au fond du parking du Redwood Center. Tlj 7h-21h (le soir, sf dim, devient un resto mexicain). Env 10-15 $. Petit resto très populaire pour ses petits déj aussi généreux que délicieux. Plats bien préparés à déguster dans la petite salle anonyme et banale ou, plus agréable, sur la terrasse abritée sur l'arrière.

🍴 *Indigo Moon Café :* 1980 Main St. ☎ 805-927-2911. Tlj 10h (9h dim)-21h. Compter 12-20 $. La petite salle sur rue expose fièrement une belle sélection de fromages et de vins, mais on lui préfère la grande et chaleureuse véranda, ou encore le paisible jardin à l'ombre des noyers. Plats classiques mais bien faits – ni trop gras, ni trop crémeux – et quelques propositions aux accents européens et asiatiques. Un bon choix pour se poser tranquillement.

🍴 *Moonstone Beach Bar & Grill :* 6550 Moonstone Beach Dr. ☎ 805-927-3859. Tlj 11h (9h dim)-21h. Env 18-25 $ le midi. Le soir, vraiment trop cher. Grande terrasse avec vue sur l'océan (ou plutôt, sur les voitures qui jalonnent la route séparant le resto de l'océan !), mais la cuisine, plutôt fine, se révèle goûteuse et généreuse : délicieuse clam chowder servie dans sa boule de pain, fruits de mer, viandes... il y en a pour tout le monde. Grande salle quelconque en revanche, mais qui a le mérite d'être toute vitrée et un peu surélevée pour mieux profiter de la vue. Les prix ne sont pas donnés, mais la qualité vous attend dans l'assiette.

🍴 *Robin's :* 4095 Burton Dr (ruelle perpendiculaire à Main St). ☎ 805-927-5007. Tlj midi et soir. Brunch le dim

11h-15h30. Env 10-15 $ le midi, 25 $ le soir. On tourne autour du concept *world-cuisine-eclectic-fusion,* bien loin de la doctrine « tout-est-bon-dans-l'cochon ! ». Sans rire, c'est plutôt bien fait, de la *curry chicken salad* au *lamb burritos* en passant par les préparations légumières, légères et goûteuses. Salades de pâtes bien faites. Façade fleurie, tout comme les 2 terrasses ombragées. Atmosphère agréable.

IOI Linn's Restaurant and Bakery : *2277 Main St.* ☎ *805-927-0371. Tlj 8h-21h.* La déco ne fera pas l'unanimité (un brin envahissante !), mais on vient ici pour quelques bonnes spécialités. Tout d'abord les excellents muffins, généreux et frais *(pumpkin nut, blueberry...),* ensuite pour les *pot pie* comme la *chicken* ou la *beef pot pie.* Il faudra enfin goûter les desserts à base de *Olallieberry,* fruit de l'accouplement collectif entre la *blackberry,* la *redberry* et la *raspberry* (qui fait le mâle, qui fait la femelle, on n'a rien voulu nous dire !).

À Cayucos *(40 km)*

Une drôle de bourgade fouettée par les vents, traversée par une grande rue où se concentrent une ribambelle de motels familiaux, des petits restos, et une longue plage où l'on peut parfois observer quelques dauphins au bout du Pier. Rien de spécial à vrai dire et un ensemble peu cohérent. Cela dit, cette atmosphère de bout du monde peut séduire, pourquoi pas !

â Seaside Motel : *42 S Ocean Ave.* ☎ *805-995-3809 ou 1-800-549-0900.* ● *seasidemotel.com* ● *Doubles 75-160 $. Petit déj en plus. Compter 15 $ pour le lit en plus.* 🛜 Enfin un motel qui ne ressemble pas à un motel ! La douzaine de chambres, impeccablement tenues par Rick et Rebecca, sont toutes différentes et décorées avec soin. On aime ou pas cette déco très personnelle, mais l'effort est bien là. Ainsi, dans la *Fish Fantasy* par exemple, vous serez entouré par des poissons qui nagent du rideau de douche à l'horloge et sur les draps. Et ce qui pourrait être très kitsch se révèle surtout attendrissant. Patio-jardin avec un arbre qui fait office de cage à oiseaux. Accueil adorable.

â Cypress Tree Motel : *125 S Ocean Ave.* ☎ *805-995-3917 ou 1-800-241-4289.* ● *cypresstreemotel.com* ● *Doubles 60-120 $ selon saison.* Petit motel crème et vert, en forme de L, très personnalisé lui aussi. Ici, ce sont les centaines de petites plaques vintage (ou pas !) qui marquent le décor des chambres comme des parties communes. Un peu chargé tout de même... Confort correct (frigo, micro-ondes et lecteur DVD). Accueil peu avenant en revanche.

â Dolphin Inn : *399 S Ocean Ave.* ☎ *805-995-3810 ou 1-800-540-4276.* ● *thedolphininn.com* ● *Doubles 65-150 $, petit déj inclus.* 🛜 Motel rose composé de maisonnettes d'un côté et d'un long édifice de l'autre. La plupart avec micro-ondes, frigo et lecteur DVD, certaines avec kitchenette. Très, très simple, mais rien de rédhibitoire.

IOI 🍷 Schooner's Wharf : *171 N Ocean Ave.* ☎ *805-995-3883. Déj 11h-17h, dîner 17h-21h, bar 11h-1h. Déj 10-15 $, dîner 20-30 $.* Resto tout en bois, déco style pirates des Caraïbes, avec un gros poêle au centre pour la première salle. Mais on peut grimper à l'étage pour sa courette extérieure protégée par un brise-vent ou son bar vraiment agréable, avec vue sur mer et tabourets tournants. Bonne cuisine de la mer *(halibut, ahi, mahi-mahi...)* et ses steaks réputés, mais aussi pour siroter un cocktail au coucher du soleil. En dessert, demander un *cayuki,* très calorique mais irrésistible. En face, vieux saloon authentique.

IOI 🥐 Old Cayucos Bakery and Deli : *84 N Ocean Ave.* ☎ *805-995-0800. Tlj 7h-20h.* Bons gâteaux tout frais, scones, muffins, cakes, mais aussi des plats de pâtes, *grilled vegetables sandwich* et pizzas. On peut y prendre un petit déjeuner, dans la courette sur l'arrière.

IOI Rogue Wawe Café : *72 S Ocean Ave.* ☎ *805-995-1968. Tlj 6h-tard. Plats env 10 $.* Café un poil décalé, où surfeurs, jeunes et musicos (ce sont souvent les mêmes) viennent prendre leur café et grignoter un morceau. Bon, pas folichon question cuisine, mais on est là plutôt pour l'ambiance cool, un rien marjo. Musique sur les platines, et live de temps en temps en fin de semaine.

À Morro Bay *(48 km)*

Face à Morro Rock, gros îlot rocheux, point d'ancrage d'une plage qui s'étend sur plusieurs kilomètres. Le front de mer est relativement agréable, mais difficile de faire abstraction des cheminées de l'énorme centrale électrique qui ramène le rêveur à de concrètes réalités. En revanche, tout à côté, ne manquez pas les State Parks de Morro Bay. Au niveau du *Morro Bay State Park Campground*, l'estuaire offre de beaux paysages de bancs de sable... et la centrale n'est plus visible. Plus loin vers le sud, la Montana de Oro, avec ses falaises déchiquetées et sa côte envahie de fleurs et d'oiseaux. Nombreux restos sur le port, dont un *fish and chips* bon marché et des restos plus chic servant du poisson tout frais pêché.

⚡ *Morro Strand State Park Campground :* bien fléché depuis la route, dans la partie nord de Morro Bay (panneau Morro Strand State Beach). ☎ 1-800-444-7275. Résa conseillée en été. Emplacement 35 $. Situé au bord d'une immense plage. Tout le long du parking, espaces étroits, verdoyants ou sablonneux pour planter sa tente.

Pas particulièrement charmant donc. Son unique avantage : directement sur la mer. Pas de douche, mais toilettes et lavabos. Très simple et peu ombragé. Point de rendez-vous des surfeurs.

⚡ *Morro Bay State Park Campground :* prendre la 1re sortie au sud de la ville en venant de San Luis Obispo (exit 277). ☎ 805-772-7434 ou 1-800-444-7275. Résa fortement conseillée en été. Emplacement 35 $. Day use (accès à la journée) 8 $. Très agréable, il est situé dans la partie sud de Morro Bay, sous les pins et de gigantesques eucalyptus, tout proche de l'estuaire, mais pas de la plage. Sanitaires bien tenus. L'hiver, de très nombreux oiseaux migrateurs fréquentent les franges de la baie par vols de plusieurs milliers. On peut aussi voir, sur le golf voisin, une colonie de papillons monarques qui reviennent chaque année (ils se regroupent juste au-dessus du *clubhouse*). Cafétéria à la marina, juste en face *(Bayside Café)*. Petit *Museum of Natural History* à deux pas.

|●| *Bayside Café :* en face du Morro Bay State Park Campground, sur le petit port de l'estuaire. ☎ 805-772-1465. Tlj 11h-15h (20h30 jeu-dim). Plats 6-13 $. Adorable petit troquet, joliment posé au bord de l'estuaire. Cuisine simple, salades, *pasta, clam chowder,* burgers et quelques produits de la mer. Terrasse de bois sur le côté.

La visite de Hearst Castle

🏛🏛🏛 Incontournable ! Pour visiter *Hearst Castle* (visite guidée uniquement), il est très fortement conseillé de réserver, surtout en saison et le week-end, afin d'éviter de se casser le nez ou de poireauter sur place. Sachez que Hearst Castle (qui est géré par le service des State Parks) est le deuxième site le plus visité de Californie après Disneyland ! En été, prévoir de l'eau et un chapeau.

Informations et réservations

– **Par téléphone :** pour des infos slt ☎ 805-927-2010. Pour les résas ☎ 1-800-444-4445 ou 1-518-218-5078 hors USA. Tlj : 9h-18h avr-sept, 9h-17h oct-mars. Disposer d'une CB (numéro à donner). Visites guidées 25 $/adulte, 12 $ 5-12 ans. Le Evening Tour est plus cher : respectivement 36 et 18 $.
– **Sur Internet :** ● hearstcastle.com ●
– On peut également **se pointer à l'improviste** (9h-15h) au centre d'accueil. L'obtention d'un billet pour la visite suivante est très aléatoire, mais il y en a à toutes les 10 mn en haute saison (toutes les heures seulement en hiver). Août est le mois le plus chargé, octobre, novembre, janvier et février les plus tranquilles. Hors saison, si on arrive tôt le matin, pas de problème (même si l'on conseille tout

de même de réserver), mais attention aux vacances américaines. Les horaires fluctuent pendant l'année : le *Grand Rooms Tour* s'échelonne de 9h à 15h20 en hiver et jusqu'à 17h en été. Les autres sont moins fréquents. De toute façon, des moniteurs vidéo, situés à côté des caisses, précisent les horaires de départ des prochaines visites. Procurez-vous la brochure en français.

Déroulement de la visite

La visite commence par un *trajet en bus de 15 mn* depuis le centre d'accueil des visiteurs (où l'on achète son billet), sur la route privée de 8 km qui mène au château (asseyez-vous du côté droit, vous bénéficierez d'une meilleure vue). Les conditions de visite sont draconiennes : pas question de fumer, de mâcher du chewing-gum ou même de flâner... Impossible d'utiliser le flash à l'intérieur, ni même de sortir du tapis qui balise le parcours (penchez-vous un peu trop vers une pièce de mobilier et une alarme se déclenche ; l'avantage, c'est qu'il n'y a ni barrière ni corde dans les pièces). Vous serez surveillé par le guide et un cerbère chargé de la sécurité vous rappellera à l'ordre si vous tentez de vous esquiver.

Trois options sont proposées (sans compter le *Evening Tour*) et durent environ 1h15 avec le trajet. Autant vous dire que le tour en lui-même passe très vite... Elles comportent toutes la projection d'un *film de 40 mn* bien fichu (on commence d'ailleurs par ça) dans le théâtre et la *visite des deux piscines* (qui sont, en fait, ce qu'il y a de plus beau) : la *Neptune*, extérieure, magistrale, au fond en dalles de marbre, dans un style gréco-romain avec temple et statues, a servi (durant 20 secondes !) au tournage du film *Spartacus* ; la *Romaine*, tout aussi grandiose, intérieure et entièrement tapissée de mosaïques bleu et or inspirées de celles de Ravenne en Italie au Ve s. Elles représentent des monstres marins qui ornaient les thermes romains. Il fallut trois ans et demi à une équipe de huit personnes pour la réaliser.

– *Le Grand Rooms Tour* semble le plus approprié pour avoir une vision d'ensemble de l'édifice car il se concentre sur la maison principale, la *Casa Grande*. Son étonnante façade, inspirée d'une cathédrale européenne, est un ramassis de tous les styles, un condensé d'histoire. Vous découvrirez d'abord le *salon,* avec ses immenses tapisseries, ses stalles d'église et son authentique mosaïque romaine (Neptune). Suit la *salle à manger* médiévale, l'une des rares salles à présenter une certaine unité, avec son plafond à caissons, ses bannières, ses énormes chandeliers en argent et sa très longue table – sur laquelle trône une authentique bouteille de ketchup *Heinz* d'époque ! Il paraît que Hearst en mettait sur tout... sauf sur son dessert favori, la glace à la vanille ! Il achetait beaucoup et sans regarder de très près. Certains antiquaires européens en profitèrent d'ailleurs pour lui vendre des faux. Dans la *salle de billard,* vous découvrirez encore une exceptionnelle tapisserie française du XVe s, fabriquée à Arras, aux couleurs superbement préservées. On passe ensuite au *théâtre,* où est diffusé un film de quelques minutes montrant les hôtes de marque qui furent invités : Charlie Chaplin, Dolores del Rio, Carole Lombard, Charles Lindbergh...

– Le *Upstairs Suite Tour,* axé sur les étages supérieurs de la Casa Grande. On visite la suite privée des invités, inspirée par le palais des Doges à Venise, la bibliothèque et ses quelque 4 000 volumes rares que le magnat ne lut jamais, les quartiers privés (très gothiques) de Hearst et de sa compagne Marion Davies.

– Le *Cottages & Kitchen Tour,* qui comprend la visite de la cave maison, avec ses 3 000 bouteilles de vins européens et californiens, la cuisine, la *Casa del Monte,* réservée aux invités qui séjournaient à Hearst Castle et la *Casa del Mar* où le maître des lieux habita quelques années avant sa mort.

– Le *Evening Tour,* à priori les vendredi et samedi soir au printemps et en automne. Un condensé des trois visites. Compter un peu plus de 2h avec le trajet en bus.

On vous reconduit ensuite en car au point de départ. Si vous avez encore du temps, plusieurs salles d'expo présentent Hearst et sa famille, ainsi que l'incroyable empire qu'il bâtit durant sa vie (il posséda jusqu'à 26 quotidiens, 13 magazines, 8 chaînes de radio et une compagnie de production de cinéma !). Cette dernière visite est libre et gratuite. N'y manquez pas la superbe mosaïque romaine (rapportée de Tunisie) représentant des pêcheurs, ainsi que les photos des pièces que vous n'avez pas pu voir lors de votre visite.

SAN LUIS OBISPO

45 000 hab.

Situé à 70 km au sud de Hearst Castle, ce chef-lieu de comté affirme sans équivoque ni ostentation son ancrage dans le passé hispanique. En dehors d'une mission de 1772 et d'un hôtel délirant, pas vraiment grand-chose à y voir. L'ambiance serait plutôt agréable si... : si les *street people* et marginaux de tout poil n'étaient gentiment écartés du centre-ville, si tout le cœur de la cité n'était parsemé de maudits parcmètres n'acceptant qu'une très courte durée de stationnement, si l'office de tourisme pouvait fournir aux visiteurs de passage un petit plan de la ville gratuit, et si, cerise sur le *cheesecake*, une loi de 2010 n'interdisait formellement de fumer dans toutes les rues de la ville ! Yes, sir ! On n'est pas fumeurs, mais tout de même... Des flics, gênés aux entournures, nous ont assuré qu'ils ne verbaliseraient jamais personne pour cela. Ça reste à voir. En résumé, une ville dans laquelle on ne se sent pas vraiment à l'aise tellement les choses sont rendues difficiles pour le quidam de passage.

Malgré ses jardins, ses restaurants, ses cafés en bord d'un cours d'eau et ses boutiques chicos, San Luis Obispo (SLO pour les intimes) peut constituer une halte (il y a une chouette AJ), mais on n'en fera certes pas une escale de longue durée. Le cœur de la ville est regroupé autour de deux rues parallèles, Higuera et Monterey, qui se prêtent bien aux balades à pied.

Arriver – Quitter

En train

🚂 **Gare Amtrak :** 1011 Railroad Ave. ☎ 800-USA-RAIL. ● amtrak.com ●
➤ **Pacific Coast Route :** tlj, liaisons *Amtrak* avec tte la côte pacifique. Soit par le *Coast Starlight*, qui relie plusieurs fois/j. Los Angeles, Santa Barbara et Seattle (et retour), en passant par San Luis Obispo, Salinas, San Jose, Oakland (proche de San francisco), Sacramento et Portland. Sinon, le *Pacific Surfliner* relie 4 fois/j. San Luis Obispo à Santa Barbara, puis Los Angeles et San Diego.

En bus

🚌 **Greyhound :** South St, à l'angle de South Higuera St. ☎ 805-543-2121. ● greyhound.com ●
➤ **De/vers Salinas :** 3 bus/j. Trajet env 2h30.
➤ **De/vers Santa Barbara :** 3 bus/j. Trajet env 2h.
➤ **De/vers Los Angeles :** 3 bus/j. Trajet env 5h30.

➤ **De/vers San Francisco :** 4bus/j. Trajet env 7h.

Adresse utile

🛈 **Visitor Center :** 895 Monterey St. ☎ 805-781-2777. ● visitslo.com ● Dim-mer 10h-17h, jeu-sam 10h-19h. Doc complète, mais plan payant de la ville intégré dans une brochure hyper chère. Central de réservation pour les hôtels des environs.

Où dormir ?

Bon nombre de motels se regroupent sur les hauteurs de Monterey Street, à l'est de la ville. Mise à part l'AJ et quelques motels, mazette, qu'est-ce que les *B & B* sont chers !

Bon marché

🏠 **Hostel Obispo – Hostelling International :** 1617 Santa Rosa St. ☎ 805-544-4678. ● hostelobispo.com ●

Fermé 10h-16h30. Résa conseillée. Lit en dortoir (4-6 lits) env 27-31 $ selon saison, double 60 $ (sanitaires communs). Pour 4 pers, 80-90 $, ce qui devient intéressant. Petit déj compris (avec pancakes réputés !). 🖳 📶 Dans cette ravissante petite maison en bois d'un quartier résidentiel tranquille, voici une AJ nickel où il fait bon poser son sac à dos. Seulement 25 lits, ce qui donne l'impression d'être plutôt dans une grande coloc. On y croise surtout des routards américains en balade. Également 3 chambres familiales (2 adultes et 2 enfants). Draps et couvertures fournis (pas de sacs de couchage), mais prévoir une serviette de toilette (on vous en prêtera le cas échéant). Sur le devant, terrasse de poche et balancelle sur le perron. Grande cuisine conviviale ouverte sur le salon-salle à manger, avec piano et cheminée. Une excellente adresse, sans hésiter.

Prix moyens

🛏 *Sunbeam Motel : 1656 Monterey St.* ☎ 805-543-8141. ● *sunbeammotel.com* ● *Compter 50-90 $ pour 2 selon saison et 70-130 $ pour 4 pers, petit déj continental (minimaliste) inclus.* 📶 Tout petit motel parfaitement tenu par une charmante dame asiatique, coincé entre 2 rues (le motel, pas la dame !), sans grand charme mais très correct, parmi les moins chers de la ville et d'un excellent rapport qualité-prix.

🛏 *San Luis Obispo Downtown Travel Hut : 345 Marsh St.* ☎ 1-866-439-8755. ● *travelodgeslo.com* ● *De la Hwy 101, sortir à Marsh St, celle qui suit Madonna Rd en venant du sud. Doubles 75-95 $ selon j. de la sem, petit déj (basique) inclus ; chambres 3-4 lits 85-105 $.* 📶 Un motel banal d'une cinquantaine de chambres au confort standard (AC dans certaines chambres seulement), mais bien tenues. Rien d'inoubliable, mais pas trop loin du centre et d'un rapport qualité-prix correct.

🛏 *Villa Motel : 1670 Monterey St.* ☎ 805-543-8071 ou 1-800-554-0059. ● *villamotelslo.com* ● *Doubles 40-200 $ selon période. Pas de petit déj. Compter 10 $/pers en plus.* 🖳 📶 Encore un motel parmi tant d'autres, reconnaissable à ses couleurs turquoise et jaune. Chambres très simples, mais agréablement claires, nettes et plutôt spacieuses (avec micro-ondes). Vu sa situation en bord de route, il peut être un peu bruyant. Piscinette collée au bout du parking.

Très chic

🛏 *Garden Street Inn : 1212 Garden St.* ☎ 805-545-9802. ● *gardenstreetinn.com* ● *Doubles 170-240 $ selon confort et j. de la sem, petit déj copieux compris. Slt des lits doubles.* 📶 En plein centre-ville, laissez-vous tenter, si vous en avez les moyens, par ce très joli *B & B* installé dans une vieille maison en bois (1887) au charme patiné. La douzaine de chambres, calmes et confortables, sont réparties à l'étage, de part et d'autre du grand escalier. Impeccables, avec une déco rétro charmante : très fleuries, cosy, meublées selon la plus grande tradition classique américaine (bois vernissé, lit qui étouffe sous les oreillers, moquette épaisse comme un green de golf...), baignoire sur pied et téléphone à cadran. Les moins chères sont assez étroites mais toujours douillettes. Accueil aimable.

🛏 *Petit Soleil Bed & Breakfast : 1473 Monterey St.* ☎ 805-549-0321 ou 1-800-676-1588. ● *petitsoleilslo.com* ● *Doubles 170-300 $ selon j. de la sem, petit déj inclus. Wine and cheese tlj 17h-18h30.* 🖳 📶 Bien en bord de route (on entend malheureusement la rumeur de celle-ci), un petit hôtel de style provençal (revisité à l'américaine !), replié sur une petite cour intérieure. Il abrite 16 chambres, aux formats plus européens qu'américains. Un peu étroites donc, mais coquettes et confortables, elles ont le mérite d'avoir de la personnalité et d'offrir une certaine intimité : mobilier de bois peint et patiné, couleurs faisant référence au sud de la France, quelques affiches de peintres impressionnistes. Tout cela change un peu de la banalité habituelle.

🛏 *Apple Farm* : *2015 Monterey St.* ☎ *805-544-2040 ou 1-800-255-2040.* • *applefarm.com* • *Doubles 120-260 $ selon confort et période. Petite piscine, jacuzzi et massages.* 🖥 📶 Grand complexe (plus de 100 chambres) d'inspiration victorienne et à l'univers fleuri, feutré et luxueux. *Lobby* soigné et cosy, très *British style,* avec un vieux tacot à l'entrée. Les chambres (toutes avec cheminée) sont réparties dans 3 édifices de niveaux et de prix variables, mais tous dans un style commun. Des rideaux aux draps et aux coussins, tout est assorti comme dans une maison de poupée. Et aussi plein de petites attentions : chocolats, fleurs fraîches, cidre pressé sur place. Les budgets plus restreints demanderont la partie motel, moins classe évidemment. Également des chambres familiales. Et là, en semaine, ça devient à peu près abordable.

🛏 *Madonna Inn* : voir le – long – texte que nous consacrons à ce monument du kitsch dans la rubrique « À voir ».

Où manger ?

Attention, « SLO » se couche tôt en semaine. N'attendez pas 21h pour aller dîner !

Spécial petit déjeuner

🍴 *Linnea's Café* : *1110 Garden St.* ☎ *805-541-5888. Entre Higuera et Marsh St ; entrée discrète. Lun-ven 6h30-22h (23h jeu-ven) et le w-e 7h-23h (22h le dim). Env 8-10 $.* 📶 Pâtisseries, granola, œufs, joli choix de cafés et thés pour un petit déj à déguster dans la petite salle parquetée, avec toiles aux murs. La plupart des plats sont végétariens, certains bio et beaucoup de produits sont issus du commerce équitable *(fairtrade).* Et ce n'est pas ici un effet de mode. Sinon, quiches, « taboulleh », gâteaux... Piano pour les doigts experts. Dans le fond, une délicieuse petite cour intérieure où glougloute une fontaine, partiellement couverte par une agréable tonnelle. L'endroit

se révèle parfait aussi bien pour un simple café que pour une petite pause gourmande.

– *Et aussi, McLintocks Saloon :* voir ci-dessous.

De bon marché à prix moyens

🍴 *Linnea's Café* : *1110 Garden St (lire ci-dessus).* C'est aussi une excellente adresse pour le déjeuner *(lunch combos* copieux et pas chers), et même pour le dîner, qu'on se le dise. Cerise sur le gâteau (ou *marshmallow* sur le barbecue, à votre guise), petites formations musicales plusieurs soirs par semaine.

🍴 🍖 *McLintocks Saloon* : *686 Higuera St.* ☎ *805-541-0686. Tlj 7h-21h. Compter 12 $. Daily lunch special env 7 $.* Pour un petit déj américain traditionnel, un bon burger pas cher le midi ou une table classique le soir, c'est ici que tout le monde se retrouve. 2 ambiances différentes : à l'intérieur, sous l'œil plus très vif des têtes de bisons, chevreuils et caribous accrochées aux murs, ou sur la petite terrasse tout au fond, très paisible, où vous aurez presque le nez dans la verdure, avec un bout de rivière en contrebas.

🍴 *The Natural Café* : *698 Higuera St.* ☎ *805-546-9200. Tlj 11h-21h. Plats 5-10 $.* Le petit resto « *nature and organic* » de la ville. Des salades, soupes, *nachos* et *pasta* (plats dans l'ensemble bien réalisés), qui préservent la planète (ah bon !) et notre porte-monnaie tout à la fois.

🍴 Les quelques *restos situés sur Higuera St,* entre les n°s 600 et 700, possèdent tous sur l'arrière une *terrasse* ombragée donnant sur la petite rivière et la verdure. Parfait pour grignoter un morceau ou pour un verre en fin d'après-midi.

Chic

🍴 *Big Sky Cafe* : *1121 Broad St.* ☎ *805-542-5401. Tlj 7h-22h (un peu plus tard le w-e). Env 15-20 $.* La foule se presse dans la grande salle au ciel étoilé et aux fausses arcades en guise de murs. On vient y dévorer une cuisine fraîche mettant à l'honneur légumes et poissons, honnêtement alliés dans des combinaisons plutôt sympathiques et réussies, jouant avec le sucré-salé et de multiples influences, notamment asiatisantes. Une sorte de *world cuisine* en quelque sorte.

Où manger à Port San Luis, dans les environs ?

Port San Luis (à ne pas confondre avec San Luis Obispo) ne manque pas de charme. La jolie côte découpée possède 3 jetées qui en rythment l'étendue. Ci-après une raison d'y faire halte.

|●| *Olde Port Inn :* Harford Pier (Avila Beach), tt au bout de la 3e jetée de bois (se garer avt d'aborder celle-ci). ☎ 805-595-2515. Au sud de San Luis Obispo ; à 10 mn en voiture. Accès par la Hwy 101, sortie Avila Beach Dr. Tlj 11h30-21h (21h30 sam). Déj env 20 $ (carte réduite), dîner 25-40 $. Situé tout au bout de la jetée, après les poissonneries, ce resto, construit dans les années 1970 par un pêcheur du coin avec des planches de récup' (repris par le fiston depuis), propose des spécialités de la mer d'une fraîcheur absolue. Son succès ne se dément pas, et l'établissement s'est agrandi au fil des ans. En dégustant, perché sur de hautes chaises pivotantes, un simple *fish and chips*, des *steamed clams*, une *clam chowder* ou le crabe tout droit sorti de l'océan, servis en portions généreuses, on a tout loisir de regarder les bateaux de

pêche décharger leurs poissons sous l'œil intéressé des mouettes, pélicans et autres lions de mer qui se dorent au soleil. Un hublot sous certaines tables permet aussi de voir l'océan par en dessous. Un repas-spectacle à lui seul. Au pied du ponton, quelques phoques et pélicans se donnent la réplique.

Où boire un verre ? Où écouter de la musique ?

🍷 ♪ *SLO Brewing Co :* 1119 Garden St (entre Higuera et Marsh St). ☎ 805-543-1843. Lun 16h-19h, mar-mer 11h30-21h, jeu et sam jusqu'à 2h, dim 9h30-21h. Happy hours lun-ven 15h30-18h30. L'un des endroits les plus sympas de la ville. Grande salle en brique avec poutres apparentes au premier, billards et cuves à bière (la maison en brasse une douzaine) et écrans télé couvrant tous les murs. Concerts éclectiques plusieurs soirs par semaine (rock, reggae, country, blues...).

🍷 ♪ *Frog & Peach Club :* 728 Higuera St. ☎ 805-595-3764. Tlj 12h-2h. Happy hours lun-ven 16h-18h. Un vrai pub anglais sous le soleil californien. On se presse autour du grand bar pour regarder le championnat de NBA ou pour écouter les concerts donnés presque tous les soirs par des *local bands,* dans une ambiance chaleureuse. Bonne sélection de bières.

🍷 ♪ *Linnea's Café :* 1110 Garden St. Entre Higuera et Marsh St. Pour rappel, cette bonne adresse invite aussi des musiciens de qualité à se produire certains soirs.

À voir

🎿 🏠 |●| *Madonna Inn :* 100 Madonna Rd. ☎ 805-543-3000 ou 1-800-543-9666. ● madonnainn.com ● Au sud de la ville, contre la Hwy 101, sortie Madonna Rd (exit 201). Doubles 190-450 $ (20 $/pers en plus). Prix identiques tte l'année, en sem comme le w-e. Promos sur Internet. Spa, fitness. Les réverbères roses qui bordent l'accès donnent déjà un avant-(mauvais) goût de ce temple du kitsch, overdose de fuchsia garantie. Construites en 1958 par la famille Madonna (rien à voir avec la chanteuse !), les 12 premières chambres ont obtenu un tel succès que l'hôtel n'a cessé de s'agrandir : il compte maintenant 110 chambres, toutes différentes, toutes plus délirantes les unes que les autres. Les couleurs sont criardes à souhait : vert salade, turquoise hawaïen et rose, bien sûr ; attention aux cauchemars ! Sans compter sur la tête de bison empaillée veillant sur les dormeurs au-dessus du lit de la *Buffalo Room* et les couvertures en peau de zèbre synthétique de la *Jungle Rock* ! Choix multiple entre une crypte de cathédrale, un tipi indien ou une tente de safari. La plus célèbre reste sans conteste la *Caveman,* reconstitution de grotte préhistorique, pour retrouver les instincts les plus primaires dans les rochers en carton-pâte ! Inconvénient : elle est souvent réservée plus d'un an à l'avance. Pour vous faire une idée du style des chambres, regardez les cartes postales à la réception ou sur Internet. Même sans dormir, venez y boire un café, le temps de jeter un coup d'œil au restaurant : comme le reste, tout est rose, d'un mauvais goût absolu, d'un baroque absolument décadent. Il faut le voir pour le croire. Faut-il en rire, faut-il en pleurer ? En pleurer de rire assurément. Essayez les cocktails, aussi guimauve que le décor, vous ne gênerez personne, ils sont habitués ! Restaurant ouvert le soir uniquement *(25-35 $/pers).* Et ne partez pas sans avoir fait un tour aux toilettes : côté hommes, un ensemble d'urinoirs en forme de cascade ; côté femmes, grands miroirs et portes capitonnées !

🦆 *La mission San Luis Obispo de Tolosa :* angle Monterey et Chorro St, en centre-ville. ☎ 805-781-8220. ● *missionsanluisobispo.org* ● *Ouv 9h-16h (17h avr-oct). Donation suggérée : 3 $.* Fondée en 1772, par le père Junipero Serra, c'est la cinquième mission de Californie. Elle doit son nom à saint Louis, évêque de Toulouse. Elle fut détruite au cours du tremblement de terre de 1830. On lui donna un petit coup de neuf à la fin du XIXe s, dans le style Nouvelle-Angleterre, avant de lui rendre plus tard son apparence d'origine. Bon, il n'en reste pas grand-chose. En tout et pour tout, une église et un modeste petit musée. Petites salles d'expo vieillottes, avec quelques objets intéressants consacrés à la tribu des Indiens chumashs (os taillés, pilons, flèches décorées, bijoux et poteries). Photos des 21 missions de Californie. L'église, juste à côté, mérite un petit coup d'œil. Au pied de la mission, une agréable promenade ombragée longe le torrent. Des bancs pour prendre l'air en écoutant le chant des oiseaux... Idéal pour faire une pause. Le week-end, la sérénité est moins assurée.

🦆 *Historical Museum :* 696 Monterey St (juste à côté de la mission). Tlj sf mar 10h-16h. ☎ 805-543-0638. ● *historycenterslo.org* ● *Donation suggérée : 2 $.* Installé dans une belle bâtisse construite au début du XXe s, qui fut la première bibliothèque publique (et gratuite) de San Luis Obispo. Deux minuscules salles présentant des expos temporaires sur différents aspects de la ville et de son histoire. Simple mais généralement bien fait.

🦆 *Bubblegum Alley :* 733 Higuera St (entre Garden et Broad). À gauche en venant de Garden. Allée étroite bordée de deux murs en brique sur lesquels les passants collent des dizaines de milliers de chewing-gums depuis 1960 ! Certains ont même entrepris d'écrire des messages avec la pâte gluante ou d'en faire des bas-reliefs. Au milieu des chewing-gums encrassés, de vieux mégots et des capotes usagées. C'est l'Amérique dans son extravagance et son mauvais goût !

🦆🦆 *Le marché :* sur Higuera St, jeu 18h-21h. Véritable institution de San Luis Obispo. C'est le marché des agriculteurs du coin et l'occasion pour tous les habitants de la ville de se retrouver. Les accès sont bouclés, la zone devient piétonne. La rue en est tout enfumée et embaumée. Légumes, fruits, pâtisseries et nombreux barbecues où on peut acheter des sandwichs à la viande ou des saucisses. Animations, avec groupes de musique et concours de force. Ambiance conviviale et bon enfant. Les boutiques de la rue restent ouvertes.

DANS LES ENVIRONS DE SAN LUIS OBISPO

☌ *Pismo State Beach :* *au sud de San Luis Obispo. Depuis la route 101, prendre la sortie Pismo Beach/Hwy 1 ; suivre la Hwy 1 jusqu'à l'entrée du* North Beach Campground *sur la droite.* On peut y camper (voir ci-après), mais c'est aussi un excellent point d'accès au littoral où se rassemblent les fans de surf (pas mal de magasins spécialisés). La plage s'étend sur 8 km, et il existe trois points d'accès (dont celui du camping indiqué ci-dessous). Dans la partie sud de la plage, les voitures peuvent même rouler (au pas) sur le sable façon Daytona (5 $ par véhicule). Le long de la plage de sable rosé, les dunes se couvrent d'un rideau d'eucalyptus, en fleur au printemps. Sur la grève, des hordes d'oiseaux migrateurs. Entre novembre et mars (et surtout de décembre à février), possibilité de voir l'un des principaux sites d'hivernage des papillons monarques. Ils sont des milliers à se regrouper dans un bosquet d'eucalyptus proche de la route – le site est indiqué à l'entrée du camping par un panneau avec le dessin d'un papillon orange.

☖ *North Beach Campground :* ☎ 805-473-7220 (ranger station, résa possible fin mai-début sept) ou 1-800-444-7275. *Emplacement (1 voiture) 35 $ (25 $ en hiver).* Essayer de réserver car très prisé en été. Vaste terrain tout plat, doté d'espaces bien dégagés et d'autres plus intimes, avec quelques coins ombragés et un accès direct à la plage (pas mal de surfeurs). Essayer d'avoir un emplacement proche de celle-ci. Ambiance familiale. Douches payantes (et moyennement propres).

LOS ALAMOS

À 25 km au nord de Solvang, sur la Hwy 101, à mi-chemin de San Luis Obispo et de Santa Barbara, voici une petite halte fort sympathique. Arrêt de diligence au XIXᵉ s, puis dépôt de la *Pacific Coast Railroad,* compagnie ferroviaire qui reliait jadis le nord et le sud de la Californie, Los Alamos fut ensuite totalement oublié pendant un bon paquet d'années. Ce qui fait que la bourgade a gardé un certain charme. Un véritable patelin pour *road-movie !* Minuscule (il doit y avoir 50 maisons en comptant les granges à foin), mais d'une certaine manière incontournable.

BAMBI CHEZ LES COW-BOYS

C'est en venant filmer le clip de « Say, Say, Say... », duo chanté avec Paul Mc Cartney, à l'Union Hotel que Michael Jackson s'est entiché de la région. Il avait loué une maison à Los Olivos durant la durée du tournage, non loin de Los Alamos. Le coin lui plut tellement qu'il acheta la demeure et les collines alentour (tant qu'à faire !), qu'il transforma en un parc gigantesque connu sous le nom de Neverland Ranch, avec zoo, parc d'attractions et tout le cirque qui va avec. On connaît la suite, pire qu'un règlement de compte à OK Corral !

Dans l'unique rue, on trouve un hôtel historique assez extraordinaire (l'*Union Hotel*), un *B & B* extravagant, un petit supermarché, deux stations-essence, quelques boutiques d'antiquités et un super resto (où les gars du village vous regardent du coin de l'œil...). Voilà campée une Amérique de légende. Un vrai trou paumé à l'ambiance étrangement western. Mettons qu'on a regardé trop de films de cow-boys, mais c'est comme ça, on a aimé ce trois fois rien. Si vous arrivez en fin d'après-midi, pourquoi ne pas y passer la nuit et y dîner ? En septembre, le temps passé revient en force à l'occasion des *Old Days.*

DE SAN FRANCISCO À LOS ANGELES PAR LA CÔTE

Où dormir ? Où manger ?

Prix moyens

🛏 *Alamo Motel :* 425 Bell St. ☎ 805-344-2852. ● alamomotelca.com ● Compter 60-75 $ pour 2 pers et 75-80 $ pour 4. L'unique motel de la ville. Ça tombe bien, il n'est pas cher. Si vous ne pouvez vous payer l'*Union Hotel,* c'est votre seule option. Chambres basiques mais calmes. Petite fontaine centrale et kitsch qui égaye le parking. Pas de piscine, confort minimum. Rien d'autre à signaler.

Plus chic

🛏 **I●I** *Union Hotel :* 362 Bell St. ☎ 805-344-2744. ● 1880unionhotel.com ● Doubles 105-135 $ avec sdb commune et 145-215 $ avec sanitaires privés. Également 2 vastes suites 265-325 $. Au bar, burgers, sandwichs et plats simples tte la journée, 8-15 $. Resto ouv slt le soir, jeu-sam, et pour le brunch du dim (18-25 $). 🖥 🛜 Plus qu'un hôtel, toute une histoire ! Pour l'anecdote, c'est ici que Michael Jackson et Paul Mc Cartney ont tourné le clip de la chanson « Say, Say, Say... » en 1982 (lire aussi l'encadré). Au bar, demandez donc qu'on vous passe le clip, amusant comme tout. D'abord sa façade de bois, polie par les vents et patinée par le soleil, a vraiment de la gueule, comme sortie d'un western. La grande salle du rez-de-chaussée régale déjà les mirettes : canapés rouges, boiseries anciennes, lustres d'époque... Au fond, la salle de resto. Sur la droite, on pousse les portes battantes du bar. On devrait dire le *saloon :* une tête d'élan au mur semble nous demander ce que vous fichez là. Alors on s'accoude discrètement au comptoir de bois et on commande poliment une mousse. Après deux gorgées, allez donc essayer de faire jouer le piano mécanique (avec les pieds). Vous verrez, ce n'est pas si facile et il faut avoir du mollet. Bref, si vous ne dormez pas ici, venez au moins y prendre un verre ou vous caler l'estomac avec un burger. L'étage s'ouvre sur un salon assez

fabuleux donnant sur un bouquet de chambres, toutes plus *western-chic* les unes que les autres. Une ambiance entre « Ok Corral » et « Les Mystères de l'ouest ». Meubles de bois, plancher qui craque, papiers à fleurs incroyables, lits en fer forgé, salles de bains à l'ancienne... Les chambres sont petites, mais l'atmosphère est bien là et nous embarque avec jubilation. Pour les fans, c'est dans l'une d'elles que Paul se rase dans le clip. À noter que 5 chambres partagent une seule salle de bains et 2 toilettes car rien n'a été restructuré. Ni télé ni téléphone. Les plus fortunés opteront pour l'une des 2 vastes suites (la *Governor* ou la *Presidential*), avec balcon, cheminée, et disposant pour le coup de tout le confort moderne (lit en bois sculpté, écran plat, lecteur DVD, baignoire à remous...).

🛏 *The Victorian Mansion :* 326 Bell St. ☎ 805-344-1300. ● thevick.com ● Doubles 245-285 $ selon période et j. de la sem. Entrée par l'arrière de la maison (là où il y a le vieux bateau sur cale). Adresse non-fumeurs et pas d'enfants de moins de... 21 ans (rapport à l'ambiance feutrée). Petit déj et bouteille de vin compris dans le tarif. 🛜 Superbe maison victorienne de 1864 dans les tons crème, avec pignon ciselé, tourelles, petites avancées, fines colonnettes, balcons... Si l'extérieur répond aux canons classiques de la demeure traditionnelle XIXe s, l'intérieur et les 6 suites participent d'un tout autre délire. L'une est entièrement dédiée aux fifties, avec lit niché dans une Cadillac (on espère que les amortisseurs sont bien huilés !), néons et juke-box. Une autre évoque le monde *gipsy* (on dort dans une charrette), une troisième vous envoie dans un univers égyptien doré à souhait, ou encore le monde des pirates où tout n'est que bois, coffres et cordages. Seule la *French* est presque classique, avec son escalier en fer forgé. Dans chacune d'elles, TV écran plat, lecteur CD et DVD. De nombreux artistes et artisans ont œuvré pour réaliser ce lieu particulièrement original... qui se paie.

I●I *Full of Life Flat Bread :* sur Bell St, à env 300 m avt le centre quand on vient du nord, sur la gauche. ☎ 805-344-4400. Jeu 17h-21h (22h ven-sam).

et dim 16h-20h. Compter 10-15 $. Puisqu'à Los Alamos on ne fait rien comme ailleurs, voici un resto pas comme les autres. À première vue, une simple pizzeria. Mais tout ici est bio, les produits sont issus du jardin (ou des petits producteurs locaux) et les pizzas sont cuites au feu de bois, délicieuses, parmi les meilleures de Californie disent certains. L'adresse fait partie du mouvement *Slow food,* vous l'auriez deviné. Parmi nos pizzas pré-férées, la *mission fig and prosciutto flat bread* (pour 2) est vraiment goûteuse et originale. Avec un divinissime *pistaccio cake* (à moins que vous n'optiez pour l'*apricot and boysenberry crostada*), vous quitterez les lieux repu et ravi. Ceux qui n'aiment pas les pizzas prendront le *Santa Barbara halibut* en papillote. Grande salle sur l'arrière et terrasse, mais on préférera la véranda sur le devant. Un regret toutefois, la modestie des jours d'ouverture.

SOLVANG
5 245 hab.

Entre San Luis Obispo et Santa Barbara, un crochet pour découvrir cette curieuse petite ville créée de toutes pièces en 1911 par une colonie de Danois et entièrement construite dans le style de leur pays avec maisons à colombages, nids de cigognes et lampadaires au gaz. Quelques moulins à vent aussi pour compléter ce décor presque démagogique. Tout y est soigné, coloré et très, très touristique. Une petite halte en dehors de l'Amérique, qui fait tout de même sacrément Disneyland. On n'a pas vu Mickey, mais on a rencontré Picsou. On aime ou on déteste, c'est selon.

Adresse utile

🛈 **Solvang Visitor Information Center :** *1639 Copenhagen St.* ☎ *805-688-6144 ou 1-800-468-6765.* ● *solvangusa.com* ● *Tlj 9h-17h.*

Où dormir ?

De prix moyens à chic

🛏 **Solvang Inn and Cottages :** *1518 Mission Dr.* ☎ *805-688-4702.* ● *mysolvang.com* ● *Dans la rue principale. Compter 80-110 $ pour 2 pers et 90-220 $ pour 4. Petit déj de chez Olsen's compris.* 🛜 Motel classique à colombages, avec son toit en tavaillon (écailles de bois). Pas une once de fantaisie, mais bon confort. Petite piscine. Accueil un peu âpre, dommage.

🛏 **Viking Motel :** *1506 Mission Dr, à l'angle de Fifh St.* ☎ *805-688-1337.* ● *vikingmotelsolvang.com* ● *À l'entrée de Solvang, dans la rue principale. Doubles 50-150 $ selon j. Compter* *10 $/pers en plus. Petit déj inclus (on vous donne un bon pour aller le prendre en face, chez* Olsen's Danish Village Bakery*).* 🛜 Comme il le faisait remarquer un lecteur, voici un motel portant un nom nordique, aux USA, dans un village danois, tenu par une famille chinoise. Si ça c'est pas de la mondialisation ! Une douzaine de chambres pas coquettes pour deux sous, mais assez claires, presque spacieuses et au confort suffisant (minifrigo et micro-ondes). Rapport qualité-prix correct en semaine, bien trop cher en revanche le week-end quand les prix doublent. Bon accueil.

Plus chic

🛏 **Solvang Gardens Lodge :** *293 Alisal Rd.* ☎ *805-688-4404 ou 1-888-688-4404.* ● *solvanggardens.com* ● *À la sortie de la ville. Résa conseillée. Doubles 120-240 $ selon confort et j. Petit déj inclus.* 🛜 Agréable et tranquille, ce petit motel tout rose et apprêté aurait certainement bien plu à Blanche-Neige ! Les coquettes chambres sont distribuées autour d'un mignonnet jardin et d'une belle pelouse, où il fait bon se relaxer en écoutant le glouglou d'une petite fontaine. Souvent beaucoup de monde (habitués ou personnes qui louent les chambres au mois).

Où manger à Solvang et dans les proches environs ?

On trouve à Solvang un certain nombre de boulangeries dites danoises... vous y trouverez effectivement quelques viennoiseries qui rappellent le pays d'Andersen.

☛ **Olsen's Danish Village Bakery :** *1529 Mission Dr.* ☎ *805-688-6314. Tlj 7h-18h30.* La plus danoise des pâtisseries *coffee shop* en ville. *Kringle, almond past bear clow, cream cheese danish, swedish delight...* Rien qu'à l'énoncé, on en a déjà plein la bouche. Pour info, *Olsen's* est la succursale d'une maison existant depuis 1890 au Danemark.

|●| **Bit O'Denmark :** *473 Alisal Rd.* ☎ *805-688-5426. Tlj 11h-21h. Env 17 $ pour le buffet (servi midi et soir) et 18-30 $ pour les plats.* Ouvert en 1963, restaurant abrité dans une jolie maison à colombages qui fit autrefois office de lieu de culte. C'est l'un des seuls endroits de la ville où l'on trouve une petite sélection de plats vraiment danois : *gravadlaks* (saumon mariné à l'aneth) ou *oksesteg* (rosbif danois servi avec une salade de chou rouge et de concombre). Si vous avez faim, laissez-vous tenter par le *smørgasbord* (à vos souhaits !), un buffet réunissant les (modestes) spécialités de la patrie d'Andersen. Pas la grande finesse mais ça cale. Patio à l'arrière du bâtiment.

|●| **Andersen's Pea Soup Restaurant :** *376 Ave of the Flags, à Buellton (à 3 km de Solvang), près du croisement entre la 101 et la 246.* ☎ *805-688-5581. À la sortie de la Hwy 101, prendre directement à gauche ; le resto est un peu plus loin sur la droite. Tlj 7h-22h. Env 10 $.* Créée en 1924, cette enseigne populaire et très touristique est réputée pour sa soupe de pois servie dans un pain creusé et à volonté *(all you can eat)* pour environ 10 $ (le record est de 17 assiettes !). Pour un petit supplément, demandez les *great topping* (petits morceaux de jambon, fromage, lardons, oignons), et votre soupe se transforme en gaspacho danois. Mis à part cette spécialité, peu de plats nordiques, mais portions généreuses et cuisine familiale très correcte. En revanche, leurs burgers sont nuls. Énorme marketing : la boutique regorge de gadgets inutiles inspirés de la marque de soupe aux pois.

À voir

La mission Santa Inés : *1760 Mission Dr.* ☎ *805-688-4815.* ● *mission santaines.org* ● *Sortie est de la ville, sur la droite. Tlj 9h-17h. Entrée : 4 $.* Fondée en 1804 par le frère Estevan Tapis, c'est la 19e mission de Californie (sur 21 au total), édifiée en l'honneur de sainte Agnès, martyre du IVe s. Elle servait de relais entre la Purísima et celle de Santa Barbara. L'histoire dit que la mission fut sauvée de la destruction complète en 1824 grâce à une jeune Indienne, Tulare, venue prévenir le père Francisco (qui l'avait sauvée auparavant d'une mort certaine) que sa tribu allait incendier la mission. Celui-ci, ancien soldat avant d'être missionnaire (comme quoi !), réussit à sauver quelques bâtiments. Maquette de la mission telle qu'elle était à l'origine. Plusieurs salles avec vêtements sacerdotaux, missels, livres de musique et vieux outils retraçant la vie de la mission. Coffre de bois sculpté. Puis viennent la chapelle de la Madone et l'église, aux peintures fraîches et naïves, au charme désuet. Derrière l'église, le cimetière, avec quelques modestes pierres tombales et ses croix de bois. La visite se termine par un très joli jardin fleuri et planté de grands arbres qui s'organisent autour d'une vieille fontaine.

🐾 *Elverhøj Museum :* *1624 Elverhøj Way.* ☎ *805-686-1211.* • *elverhoj.org* • *À deux pâtés de maisons de Mission Dr.* *Mer-dim 11h-16h, fermé lun-mar. Sur donation (3 $).* Une résidence, dont l'architecture s'inspire des grandes fermes du Jutland au XVIIIe s, abrite ce musée consacré principalement à l'installation à Solvang (« collines ensoleillées ») d'un premier groupe d'émigrants en 1910. Bien documenté, joliment présenté, bref intéressant et pas seulement folklorique. L'endroit est d'autant plus émouvant qu'il est généralement tenu par des béné-voles descendants de ces familles danoises. Étonnant quand même de penser que quelque 90 000 Danois ont émigré vers les États-Unis à la fin du XIXe s (quand on pense qu'aujourd'hui la population danoise s'élève à 5,4 millions – et qu'elle a beaucoup augmenté au XXe s – ... la proportion est énorme !). Objets de la vie de tous les jours, photos datant de la création du village... Dans une maisonnette à côté, diorama de la ville à ses débuts. Parfois une dentellière fait le crochet par le musée. Ensemble plaisant.

🐾 *Hans Christian Andersen Museum – librairie Bookloft :* *1680 Mission Dr.* ☎ *805-688-9770. À l'étage de la librairie. Tlj 9h-20h (18h dim-lun) pour la librairie, 10h-17h pour le musée. GRATUIT.* Pas vraiment un musée, juste des rayonnages de livres (avec des centaines de volumes de ses œuvres) consacrés au plus célè-bre des auteurs danois (1805-1875), où l'on apprend qu'il excellait aussi dans l'art du papier découpé et que sa vie fut jalonnée d'échecs sentimentaux. Quelques objets et photos évoquant le pays.

DANS LES ENVIRONS DE SOLVANG

🐾🐾🐾 *La mission La Purísima :* ☎ *805-733-3713.* • *lapurisimamission.org* • *Sur la 101, sortir à Buellton, et prendre direction Lompoc (la 246). Peu avt d'arriver à Lompoc, prendre à droite Purisima Rd, c'est fléché. Tlj 9h-17h. Tour guidé d'env 1h à 13h (gratuit). Fermé à Thanksgiving, à Noël et le Jour de l'an. Entrée : 6 $/voi-ture (on ne paie en fait que le parking, peu importe le nombre de pers).*
Refondée sur ce site en 1812 après le séisme qui jeta à terre la première mission de Lompoc (1787), La Purísima abrita jusqu'à un millier d'Indiens chumashs. Sécula-risée conjointement avec les autres missions en 1834, elle fut vendue en 1845 puis laissée à l'abandon. Patiemment restaurée depuis 1934, elle restitue aujourd'hui à merveille le quotidien des missionnaires dans l'ancienne Californie espagnole. Le cadre bucolique, paisible, la taille de la mission, la qualité de sa restauration et la reconstitution des pièces constituent un ensemble cohérent et accentuent encore le sentiment d'un retour dans le passé, faisant peut-être de La Purísima la plus intéressante des missions californiennes. Certains week-ends, à la belle saison, des figurants en costume d'époque contribuent à redonner vie à ce passé révolu. Un seul regret : aucun panneau dans les salles ne permet d'éclairer la visite.
La visite débute par le *Visitor's Center* qui tente de remettre en perspective l'his-toire de la mission : diorama sur la vie des Indiens, cloche fondue au Pérou pour la mission, énorme livre de prières du XVIIe s, quelques objets liturgiques, ins-truments agraires. Quelques photos rappellent l'engagement des militaires dans la restauration de La Purísima. La mission elle-même se trouve à 200 m de là. Elle se compose en fait de l'église et de deux longs édifices à arcades qui accueillent de nombreuses salles et pièces communes. Au fil de la visite, on découvre les quar-tiers des gardes, avec leurs dortoirs spartiates, les appartements du commandant de la place et des soldats mariés, guère plus folichons, l'économat (ranch mana-ger), les ateliers des artisans qui permettaient de faire fonctionner cette véritable entreprise (atelier de tissage notamment), et l'église avec ses peintures au pochoir, qui semblent tels qu'il y a deux siècles. Sur l'arrière, on découvre un four à pain, veillé par un olivier, un moulin à huile, d'anciens jardins. Dans une pièce, les murs écorchés permettent d'observer la construction en adobe. Bref, toute la vie de l'époque... jusqu'aux chaises des cabinets d'aisance !

SANTA BARBARA

89 000 hab.

▶ Pour le plan de Santa Barbara, se reporter au cahier couleur.

À environ 150 km au nord de Los Angeles et à 530 km au sud de San Francisco, cette jolie ville résidentielle et station balnéaire réputée de la côte californienne bénéficie d'un climat doux tout à fait exceptionnel (84 % de beaux jours !), très apprécié dès le début du XXe s pour ses bienfaits sur la santé.

Fondée en 1782 autour du *Presidio,* la ville a gardé quelques traces de son passé espagnol, notamment ses maisons d'adobe (terre rouge) miraculeusement conservées après un séisme en 1925, ses places à arcades et ses ruelles qui invitent à la flânerie. Ses habitants en ont fait un joyau parmi les cités américaines, un bel exemple de qualité de vie. Une nombreuse population estudiantine contribue également à lui donner une atmosphère décontractée et vraiment plaisante.

Les habitants ont tellement à cœur de préserver leur mode de vie et leur environnement que rien ne bouge, et c'est tant mieux. Spéculateurs et promoteurs immobiliers sont tenus à distance. Même dans le centre-ville, très commerçant, subsistent des rues et des îlots de population assez pauvres qui contribuent à la mixité sociale. Ajoutez à cela un certain nombre de *homeless* qui ont découvert que le climat leur convenait aussi bien qu'aux riches – et dont s'occupent de nombreuses associations – et vous trouverez une ville moins frimeuse que bien d'autres, plus sincère et pleine de contrastes. Bref, c'est assez l'Amérique qu'on aime, tolérante et bien dans ses baskets, tout en se donnant les moyens de réfléchir sur le monde. Et cela se sent. Beaucoup de stars vivent ou ont vécu dans le coin, comme Michael Jackson, Kevin Costner, Tom Cruise, Katy Perry, Jennifer Aniston, Steve Martin, J'Lo, Brad Pit, Oprah Winfrey...

ANIMATION

Contrairement à ce que beaucoup imaginent, Santa Barbara est une ville jeune, voire très jeune. Elle accueille une université, l'UCSB, le SB City College, Brooks, une école de photo réputée, etc.

Toute l'animation de la ville se concentre sur State Street au niveau du Paseo Nuevo Mall, situé entre Cañon Perdido et Ortega Street. On y trouve une ribambelle de restos et de magasins qui vont du *department store* à la minuscule échoppe, souvent tenue par la même famille depuis plusieurs générations. C'est là aussi qu'a lieu le *Farmer's Market,* le mardi après-midi et le samedi matin (ce jour-là, il se tient tout à côté, autour du bloc 600, sur Santa Barbara Street).

LES *HOMELESS* DE SANTA BARBARA

Comme partout les SDF de la ville poussent leur caddy droit devant, vers nulle part, chargés comme des mules. Mais curieusement, ici ils sont plutôt bien sapés (des associations leur fournissent toujours des fringues propres et de bon goût), vous sourient dans la rue, et semblent intégrés à la cité. Ils font en quelque sorte partie du tissu social, comme la coiffeuse, la caissière ou le banquier. C'est curieux à dire et presque naïf, mais ils ne font pas figure d'exclus. Les habitants les connaissent, leur filent un coup de main, les services sociaux ne les abandonnent pas tout à fait, et surtout, l'entraide et la solidarité de voisinage fonctionnent. Ainsi ne sont-ils pas cachés, pas relégués dans des banlieues sordides, mais ils s'installent dans les parcs et sur les bancs du centre-ville, ou sur les pelouses du bord de mer où ils peuvent « vivre » leur vie sans être harcelés ni rejetés. C'est pourquoi on en voit tant à Santa Barbara.

LE 7ᵉ ART À LA PLAGE

Au début du XXᵉ s, à l'avènement du cinéma, Santa Barbara (avant Hollywood) fut la capitale du 7ᵉ art, pendant un laps de temps très court, de 1913 à 1920. L'immense studio de l'*American Film Company,* le plus grand du monde à cette époque, se trouvait alors à l'angle de State et de Mission Street. Pendant 10 ans, plus de 1 200 films, des westerns pour la plupart, y furent réalisés.

La suprématie de Hollywood éclipsa les débuts de Santa Barbara. La station balnéaire fit ses adieux à la production et ouvrit les bras aux stars de Hollywood à la recherche de calme et de soleil. Douglas Fairbanks et Mary Pickford y possédèrent une propriété dans les années 1920. En 1928, Charlie Chaplin, jeune millionnaire, fit construire le *Montecito Inn,* le refuge des vedettes des « rugissantes » années 1920. Le célèbre cinéaste allemand engagé par la *Fox,* Friedrich W. Murnau, auteur de *Nosferatu,* trouva la mort à Santa Barbara dans un accident de voiture en 1931 à l'âge de 42 ans, victime, selon la légende, d'une malédiction pour avoir violé les tabous religieux de Bora Bora (où il avait tourné le film *Tabou* avec Flaherty la même année). L'acteur Ronald Colman et Alvin Weingand achetèrent en 1935 le très hispanique *San Ysidro Ranch,* où vinrent séjourner des célébrités comme Bing Crosby, Jack Benny, Audrey Hepburn et Groucho Marx. Vivian Leigh et Laurence Olivier s'y marièrent et, en 1953, John et Jackie Kennedy y passèrent une partie de leur lune de miel.

La série télévisée *Santa Barbara* a fait connaître la ville dans les chaumières du monde entier, de Limoges à Jakarta ! Et pourtant, la plupart des scènes du feuilleton ont été tournées en studio à Los Angeles, sauf les scènes de plage (normal !). Pour ceux que le sujet passionne, procurez-vous à l'office de tourisme la brochure *Santa Barbara County Film Tour.*

Arriver – Quitter

En train

🚆 **Gare Amtrak** *(plan couleur B2) :* 209 State St. ☎ 1-800-USA-RAIL. Tlj 6h-21h30. ● amtrak.com ● Tiens, à l'extérieur de la gare, à l'angle de Chapala St et Montecito St, voir l'arbre gigantesque, un Moreton Bay Fig Tree *(Ficus macrophyllia).*

➢ *Pacific Coast Route :* tlj, liaisons *Amtrak* avec tte la côte pacifique, soit par le *Coast Starlight,* qui relie plusieurs fois/j. Los Angeles, Santa Barbara et Seattle (et retour), en passant par San Luis Obispo, Salinas, San Jose, Oakland (proche de San Francisco), Sacramento et Portland. Sinon, le *Pacific Surfliner* relie 4 fois/j. San Luis Obispo à Santa Barbara, puis Los Angeles et San Diego.

En bus

🚌 **Greyhound** *(plan couleur B2) :* à la gare Amtrak, 209 State St. ☎ 805-965-7551 ou 800-231-22-22 (24h/24). ● greyhound.com ● Bureaux ouverts seulement autour des heures de départs des bus.

➢ *De/vers San Luis Obispo, Salinas, Santa Cruz, San Jose, Oakland, San Francisco :* 3 bus/j. dans les 2 sens. Durée : entre 8h et 10h pour San Francisco.

➢ *De/vers Los Angeles :* 4 bus/j. dans les 2 sens. Durée : env 2h30.

En avion

✈ *L'aéroport se trouve à Goleta,* à env 13 km à l'ouest de Santa Barbara. ● flysba.com ● Il est desservi par la ligne n° 11 du bus *MTD* (voir « Comment se déplacer ? »).

SANTA BARBARA

➤ **De/vers Los Angeles :** une grosse dizaine de liaisons/j. dans les 2 sens avec *United Express* (● united.com ●) et *American Airlines* (● aa.com ●).

➤ **De/vers San Francisco :** env 10 liaisons/j. dans les 2 sens avec *United Express.*

En voiture

➤ **De/vers Los Angeles :** par la Hwy 101. Attention, le trajet peut prendre de 2h30 à 5h selon le trafic !

➤ **De/vers San Francisco :** par la Hwy 101. Conviendra à ceux qui veulent faire le trajet au plus vite. Plus long mais beaucoup plus beau, par la Hwy 101 jusqu'à Gaviota, puis par la Hwy 1 qui suit la côte. C'est le chemin des écoliers, mais aucun écolier ne s'est plaint de l'avoir emprunté. Cette route n'est pas un trajet, c'est un voyage en soi. Compter de 8 à 10h de route.

Comment se déplacer ?... et se garer ?

🚌 *MTD :* pour ts rens concernant les transports en commun à Santa Barbara, s'adresser au terminal des bus MTD : MTD Transit Center, *1020 Chapala St (plan couleur A1).* ☎ 805-963-3366. Lun-ven 6h (8h sam et 9h dim)-19h. ● sbmtd.gov ●

➤ **En Downtown et Waterfront Shuttle :** ce sont 2 petits bus électriques. Le premier relie Upper State St à la plage. De là, un autre *shuttle* fait la navette entre le port et le zoo. Ne pas oublier de demander un *transfer ticket* au chauffeur du bus de Downtown pour pouvoir continuer le voyage le long du *waterfront.* Très sympa et économique (30 cents par trajet). Fréquence : ttes les 10-15 mn env. En service 10h-18h (celui de Downtown jusqu'à 22h les ven et sam).

➤ **En bus du Santa Barbara Metropolitan Transit District (MTD) :** bus desservant tout le comté de Santa Barbara jusqu'à Goleta et l'aéroport à l'ouest (ligne n° 11 ; circule en sem 6h-23h30, sam 6h-23h, dim 6h30-21h30), et jusqu'à

Carpinteria à l'est. Comme toujours, monnaie exacte exigée (1,75 $ le trajet, transferts gratuits).

➤ **En trolley de la Santa Barbara Trolley Company :** ☎ 805-965-0353. ● sbtrolley.com ● Circule 10h-16h (dernier départ) ; un passage/h. Billet : 19 $ pour 2 jours. Il s'agit d'un tour guidé en quelque sorte. Le trolley dessert les principaux sites touristiques de la ville (de l'office de tourisme au Museum of Natural History) et vous profitez des commentaires historiques. Possibilité de descendre et remonter quand vous le souhaitez. Malin et pratique quand on dispose de peu de temps.

➤ **À vélo ou à rollers :** on peut aussi louer des vélos ou des rollers (chez *Wheel Fun Rentals,* par exemple ; voir « Adresses utiles », mais c'est cher). Certains hôtels ou *B & B* prêtent des vélos. Ceux qui séjourneront à l'AJ pourront y louer des vélos pas trop chers. La bicyclette est l'un des moyens favoris de déplacement des habitants de Santa Barbara. La piste cyclable qui longe le front de mer sur 5 km est vraiment agréable.

➤ **Si vous êtes en voiture :** faites une grosse bise à Barbara ! La plupart des rues possèdent des emplacements gratuits pour se garer. Bien regarder la couleur des trottoirs (pour faire simple, ne jamais se garer quand le trottoir est peint, quelle que soit la couleur !), les panneaux indiquant la durée maximale et les périodes d'interdiction... et le tour est joué. Également des parkings payants un peu partout.

Adresses utiles

ℹ️ *Visitor Information Center* (plan couleur C2, *1*) : 1 Garden St, angle Cabrillo Blvd. ☎ 805-965-3021 ou 805-568-1811. ● sbchamber.org ● Fév-oct, tlj 9h (10h le dim)-17h ; nov-janv, tlj 9h (10h le dim)-16h. Tenu par de charmantes mamies. Plan gratuit de la ville et plein d'informations sur les restos, hôtels, loisirs... Également des cartes routières, brochures et cartes téléphoniques en vente. Quelques bonnes infos sur les événements locaux imminents dans l'*Independent* (hebdo gratuit). N'oubliez pas de saisir au passage quelques *flyers* proposant parfois des coupons de réductions pour certaines visites. Aussi une brochure (gratuite), *Scenic Drive*, proposant un itinéraire pour découvrir la ville et ses environs en voiture. Pour les marcheurs, une carte (3 $) sur de chouettes balades à faire autour de Santa Barbara.

ℹ @ *Visitor's Center privé - Santa Barbara Hot Spots* *(plan couleur C2, 2) :* 36 State St. Au fond du coffee shop Hot Spots Espresso Bar. ☎ 805-564-1637 ou 1-800-793-7666. *Lun-sam 9h-17h (19h en été).* Vous y trouverez de l'aide pour réserver un hôtel en ville ou dans les environs. Très disponible. Bon à savoir, le *coffee shop* dans lequel il est situé est ouvert 24h/24 (Internet et wifi sur place).

✉ *Poste* *(plan couleur B1) :* 836 Anacapa St. *Lun-ven 9h30-18h, sam 10h-14h.*

@ *Internet :* à la bibliothèque municipale (*library ;* plan couleur A1), 40 E Anapamu St. ☎ 805-962-7653. *Lun et mer 10h-19h30 ; le reste de la sem 10h-17h30 (16h le sam).* Plusieurs postes avec connexion Internet gratuite (mais limitée 1h/j.). *Également connexion wifi gratuite 24h/24 au* Santa Barbara Hot Spots *(voir plus haut, plan couleur C2, 2).*

■ *The Travel Store of Santa Barbara* *(plan couleur A1, 3) :* 12 W Anapamu St. ☎ 805-963-4438 ou 1-800-546-8060. ● sbtravelstore .3dcartstores.com/ ● *Lun-sam 10h-19h, dim 11h-18h.* Bonne librairie avec un large choix de livres, guides locaux, DVD et cartes destinés aux voyageurs.

■ *Location de vélos et de rollers : Wheel Fun Rentals* *(plan couleur C2, 4),* 23 E Cabrillo Blvd (ou 22 State St, c'est juste à côté). ☎ 805-966-2282. ● wheelfunrentalssb.com ● *Tlj 8h-20h avr-oct. Slt w-e nov-mars 8h-18h.* Loc vélo ou rollers 31-40 $/j. Ce que l'on trouve bien cher.

✚ *Urgences : Cottage Hospital* *(hors plan couleur par A1),* angle Pueblo et Bath St. ☎ 805-682-7111.

Où dormir ?

En dehors de la période de mai à septembre, mieux vaut éviter les hôtels près de la plage. Aux abords de celle-ci, il y a du brouillard, il fait plus froid et il y a parfois beaucoup de vent. En été, Santa Barbara est envahie par les touristes en provenance de toute la Californie car c'est une destination très à la mode. Les hôtels sont alors généralement complets (réservez à l'avance), et le prix des chambres augmente d'environ 30 à 40 %. Quant aux week-ends d'été, c'est encore pire ! Il faudra compter encore 30 % de hausse par rapport au tarif de la semaine. Hors saison, on peut parfois négocier le prix pour un séjour longue durée (à partir de 3 nuits). Et puis il y a les annulations de dernier moment dont on peut parfois profiter à bon prix. Bref, sachez qu'ici plus qu'ailleurs, les tarifs pour un même hôtel peuvent aller du simple... au triple, et que les tarifs que l'on vous donne ne constituent que des indications. C'est à y perdre son latin.
De nombreux motels se regroupent sur Upper State Street, en direction de Goleta.

AUBERGE DE JEUNESSE

🛏 *Santa Barbara Tourist Hostel* *(plan couleur B2, 23) :* 134 Chapala St, à 2 blocs du front de mer. ☎ 805-963-0154. ● sbhostel.com ● *Juste en face de la gare Amtrak, accès via le front de mer. Carte de membre indispensable. Selon saison, lit en dortoir 25-50 $ (ce qui n'est franchement pas donné), doubles 70-150 $; petit déj inclus ; draps et couvertures fournis. Parking gratuit.* 🖥 📶 L'atout majeur de cette grande AJ, un peu tristounette il faut le reconnaître, est sa situation à deux pas de la mer. Les chambres, avec lits superposés, ne sont pas folichonnes, vraiment minuscules, mais l'ambiance est plutôt sympa. Également 2 chambres de 4 personnes. Ceux qui souhaitent un peu moins de promiscuité peuvent opter pour l'une des quelques chambres doubles, assez exiguës elles aussi. Cuisine à dispo, avec frigo commun. Machines à laver, location de vélos (beaucoup moins cher que chez les loueurs en ville).

HÔTELS ET MOTELS

Prix moyens

⌂ **Holiday Lodge** (hors plan couleur par A1, **24**) : 2825 State St. ☎ 805-687-6800. Selon saison, doubles 55-70 $ en sem et 75-125 $ le w-e. 10 $/pers en plus. Certainement le motel le moins cher qu'on ait trouvé en ville (sans tomber dans le sordide évidemment). Pour 4 et en semaine, ça devient une affaire. Bon, c'est pas le grand luxe : la moquette élimée en faux gazon est du plus bel effet dans les espaces extérieurs, auquel répond avec élégance la couleur violine des portes. Malgré tout les chambres sont propres et fonctionnelles, même si tout est un peu de guingois. Accueil avec l'accent asiatique.

⌂ **Haley Cottages** (plan couleur B1, **11**) : 227 E Haley St (angle Garden St). ☎ 805-963-0154. ● haleycottages. com ● Toujours appeler pour confirmer sa résa avt son arrivée. Réception et petit déj au Santa Barbara Tourist Hotel (lire ci-dessus). Doubles 70-140 $, petit déj inclus. Derrière un petit mur de verdure, avec une courette à l'entrée, les cottages sont en réalité de minuscules maisonnettes de bois, toutes jaunes, collées les unes aux autres et au confort très sommaire, vous voilà prévenu : un lit, une cuisine équipée (four, frigo et quelques ustensiles) et un coin-douche. Ils sont tenus par le même proprio que l'AJ, dont l'idée est de proposer aux routards un logement rudimentaire peut-être, mais pas trop cher (quoique !). La propreté laisse parfois à désirer, et l'ambiance n'est pas super fun. Timide patio sur l'arrière. Bref, pour dépanner surtout.

Chic

⌂ **Motel 6** (plan couleur D1, **13**) : 443 Corona del Mar Dr. ☎ 805-564-1392 ou 1-800-4-MOTEL6. ● motel6. com ● Résa très conseillée. Doubles 80-185 $; 3 $/pers en plus. 📶 Motel de base à deux pas de la plage,

chambres tout à fait convenables et propres, bien qu'un peu étroites. Seule originalité de cet établissement : c'est le 1er motel de la chaîne, construit en 1962, mais tout le monde s'en fiche, pas vrai ? Plus intéressant, il fait partie des Motel 6 rénovés, donc un peu moins cafardeux que les anciens. Petite piscine. Une adresse de fait particulièrement recherchée, vu son emplacement et ses prix raisonnables pour la ville ! Si vous êtes en voiture, vous pouvez aussi viser un autre **Motel 6** (3505 State St ; hors plan couleur par A1, **24**). Même style, même prix, piscine aussi, calée entre les bâtiments.

⌂ **Sandpiper Lodge** (hors plan couleur par A1, **24**) : 3525 State St. ☎ 805-687-5326 ou 800-405-6343. ● sandpiperlodge.com ● Doubles 95-245 $, petit déj continental plutôt pas mal qu'on prend dans le lobby. 🖥 📶 Grand motel traditionnel, en forme de U, à prix corrects hors week-end. Structure classique et sans grand charme, avec piscine reléguée dans un coin mais de taille correcte. Jacuzzi et salle de fitness. Chambres spacieuses et confortables.

⌂ **Pacific Crest Inn** (plan couleur D1, **14**) : 433 Corona del Mar Dr (East Beach). ☎ 805-966-3103. ● pacificcrestinn.com ● Doubles 80-170 $. 📶 Dans un coin calme, un motel très classique qui manque un peu d'âme et de végétation, mais dont les chambres agencées autour d'une piscine offrent un confort tout à fait correct. Certaines disposent d'une kitchenette. Adresse non-fumeurs.

⌂ **Blue Sands Motel** (plan couleur D1, **10**) : 421 S Milpas St. ☎ 805-965-1624. ● bluesandsmotel.com ● Doubles 93-260 $; 10 $ pour un lit en plus. Pas de petit déj. 📶 À 100 m de la plage la plus propre à la baignade de la ville, petit motel familial bleu et blanc d'une dizaine de chambres donnant sur une petite piscine chauffée. Chambres plutôt modernes, plus avenantes que l'extérieur ne le laisse supposer, certaines avec cheminée et toutes avec frigo et micro-ondes. Ensemble bien tenu et accueil sympa.

⌂ **Cabrillo Inn** (plan couleur D1, **15**) : 931 E Cabrillo Blvd. ☎ 805-966-1641 ou 1-800-648-6708. ● *cabrillo-inn. com* ● Doubles 120-190 $ *selon vue, 150-270 $ pour 4 pers, petit déj continental inclus.* 📶 À deux pas du front de mer, ce motel propose des chambres confortables, malgré le mobilier un poil daté. Mais ici, on paie surtout la vue sur la plage et la proximité de l'océan ! Les chambres donnant sur la piscine manquent d'intimité. On leur préfère celles avec vue sur l'arrière, moins chères, ça tombe bien. Certaines disposent d'un petit balcon. Piscine chauffée et *sundeck* pour bronzer. Également plusieurs cottages d'architecture pseudo-hispanique des années 1940, à louer à la semaine (6 personnes maximum) ou au mois.

🛏 *Days Inn* (plan couleur B2, *20*) : 116 Castillo St. ☎ 805-963-9772 ou 1-800-DAYSINN. ● *daysinnsantabarbara.com* ● Doubles 130-270 $, 150-275 $ pour 4 pers, petit déj inclus. Certaines peuvent accueillir jusqu'à 6 pers à tarifs intéressants. Parking. 📶 Un motel pur et dur, aux chambres petites et sans fantaisie mais néanmoins confortables et bien équipées (minifrigo). Petit jacuzzi. En revanche, les prix s'envolent en haute saison, devenant alors indécents pour le confort proposé.

🛏 *Inn By the Harbor* (plan couleur B2, *22*) : 433 West Montecito St. ☎ 805-963-7851 ou 1-800-626-1986. ● *sbhotels.com* ● Double 190 $ en sem, 360 $ le w-e. *Vous l'avez compris, évitez le w-e.* 📶 Hôtel assez compact, comme blotti sur lui-même, avec une sorte de jardinet étroit entre les 2 rangées de chambres et le parking donnant sur l'extérieur. Malgré cette impression, bon équipement général, confort sans défaut et bonne situation non loin du port. Petit bémol cependant pour la salle de petit déj, coincée à l'étroit dans le *lobby*. Traditionnel *wine and cheese* en fin d'après-midi. Prêt de vélos (un vrai plus).

Très chic

🛏 *Lavender Inn by the Sea* (plan couleur B2, *12*) : 206 Castillo St. ☎ 805-963-4317 ou 1-800-649-2669. ● *lavenderinnbythesea.com* ●

Doubles 170-270 $ *selon confort et saison, petit déj compris.* 📶 Soigneusement entretenue et fleurie, cette petite structure (une vingtaine de chambres) est légèrement en retrait de la rue et les chambres précédées d'un coquet jardinet, planté de lavandes, *of course* ! Dommage que la jolie piscine chauffée soit juste en bord de route. Petit *lobby* façon salle à manger, mais le petit déj se prend sur la terrasse donnant sur la rue. Chambres spacieuses meublées dans le style ancien et moquette moelleuse. Excellent équipement : frigo, micro-ondes et TV avec lecteur DVD dans chacune. *Beach bike* (vélo de plage) à disposition.

🛏 *Casa del Mar Inn* (plan couleur B2, *21*) : 18 Bath St. ☎ 805-963-4418 ou 1-800-433-3097. ● *casadelmar.com* ● Doubles standard 125-300 $ (15 $/ pers supplémentaire ; gratuit jusqu'à 12 ans), petit déj compris. 📶 À mi-chemin de l'hôtel et du *B & B*, cet établissement (non-fumeurs) resserre autour d'un jacuzzi ses petites unités au style hispanisant, séparées par d'étroites allées arborées. Pas beaucoup d'espace donc et pas de piscine, autant le savoir. Les chambres sont confortables et impeccables, mais pas bien grandes. Déco de bois sombre et murs blancs, fleurs fraîches. La plupart disposent d'un minifrigo, d'un micro-ondes, certaines d'une kitchenette. Copieux petit déj et dégustation, entre 17h et 19h, de fromages et de vins.

🛏 *Brisas del Mar Inn* (plan couleur B2, *16*) : 223 Castillo St. ☎ 805-966-2219 ou 1-800-468-1988. ● *sbhotels.com* ● Doubles 182-290 $, à partir de 260 $ pour 4 pers, petit déj compris. 📶 Facilement reconnaissable à la fontaine en forme de dauphin qui orne son entrée. Motel de charme dans le style hispanique (murs ocre et carreaux de céramique). Chambres spacieuses, arrangées avec goût, mais qui donnent toutes sur les parkings intérieurs. Petit déj, *wine and cheese* et *milk and cookies* inclus. Le principal atout du lieu : la jolie petite piscine ensoleillée, agréablement située, au calme et en hauteur. *Fitness room*. Très bon accueil.

SANTA BARBARA

🔺 *Best Western Pepper Tree Inn* (hors plan couleur par A1, 24) : 3850 State St. ☎ 805-687-5511 ou 1-800-338-030. ● sbhotels.com ● Doubles 165-230 $. 🖥 📶 Grand motel au calme à 4 km du centre, au nord-ouest de la ville. Les chambres, très classiques, sont confortables (malgré une literie et une moquette fatiguées) et disposent d'un balcon, d'un frigo et d'un lecteur DVD. Pour une fois les voitures ont été reléguées autour de l'hôtel et non au cœur de celui-ci, qui pour le coup accueille une pelouse, quelques arbres et une avenante piscine. Certaines chambres donnent sur le côté. Évitez-les car elles n'ont pas d'intérêt. Toute une ribambelle de services (2 piscines, sauna, salon de coiffure, un resto, etc.). Café, thé et fruits à toute heure à la réception.

BED & BREAKFAST

Situés dans des quartiers résidentiels très calmes et nichés dans de belles maisons anciennes, victoriennes pour la plupart, les *B & B* de Santa Barbara possèdent tous une même note d'élégance nostalgique – malheureusement vendue bien trop cher pour les poches des routards. Ils ont presque tous un agréable jardin pour prendre le petit déj. Le plus souvent, le verre de vin californien et les amuse-gueules du soir servis vers 17h sont compris dans le prix de la chambre. En revanche, séjour de 2 nuits minimum parfois exigé le week-end... même si la crise a tendance à assouplir cette règle.

Très chic

🔺 *Old Yacht Club Inn* (plan couleur D1, 19) : 431 Corona del Mar Dr. ☎ 805-962-1277 ou 1-800-549-1676 (en Californie) ou 1-800-676-1676 (dans ts les États-Unis). ● oldyachtclubinn.com ● Doubles 160-260 $ selon confort, petit déj de luxe compris. Dans un quartier résidentiel tout proche de la mer, 2 charmantes maisons en bois côte à côte, *Old Yacht Club* et *Hitchcock House* (aucune parenté !). La première, qui date de 1912, servit dans les années 1920 de Q.G. au yacht-club local, d'où son nom. Subsiste une déco marine assez plaisante. En tout, une quinzaine de chambres avec salle de bains (bain à remous pour les plus chères), toutes de style différent. Ambiance cosy, cheminée qui crépite, autour de laquelle, le soir, sont servis vin et amuse-gueules. Serviettes de plage, sièges pliants et vélos à disposition.

🔺 *Secret Garden Inn & Cottages* (hors plan couleur par A1, 26) : 1908 Bath St. ☎ 805-687-2300. ● secretgarden.com ● Doubles env 135 $ (dans la maison), 140-255 $ (dans les cottages). 📶 Tenu par l'adorable Dominique, une hôtesse française, ce *B & B* offre un cadre de séjour cosy et avenant. 2 chambres se trouvent dans la maison (les moins chères), confortable et fleurie, et les 9 cottages tout jaunes sont nichés dans un jardin luxuriant qui sent bon le jasmin, abritant un avocatier centenaire. Certains, les plus chers, sont dotés d'un jacuzzi individuel sur une minuscule terrasse. Petit déj-buffet avec croissants à la française à prendre au cœur du jardin, très agréable au demeurant. Dominique pourra vous donner des infos sur la région. Sa maison n'est peut-être pas la plus luxueuse, mais elle dégage un vrai charme, et les gourmands s'y sentiront bien. Il règne ici une douceur de vivre qui nous a bien plu.

🔺 *The White Jasmin Inn* (plan couleur A1, 17) : 1327 Bath St. ☎ 805-966-0589. ● whitejasmineinnsantabarbara. com ● Doubles 160-330 $, petit déj compris. Discount régulier sur leur site internet. 📶 Une douzaine de chambres réparties entre la belle maison verte de 1880, entourée de rosiers, et 2 autres demeures juste de l'autre côté de la rue, qui datent du début du XXe s. La maison principale dispose d'un petit jardin croquignolet aux belles fougères tropicales et un petit kiosque. Atmosphère au charme désuet, chambres un peu datées côté déco, pas toujours guillerettes mais confortables. Toutes possèdent une salle de bains, certaines une cheminée, un frigo et/ou un jacuzzi et même un lecteur DVD. *Full breakfast* servi dans la chambre ou le jardin. Accueil charmant.

⚑ **Country House** (plan couleur A1, **18**) : 1323 De La Vina St. ☎ 805-962-0058 ou 1-800-727-0876. ● country housesantabarbara.com ● Doubles 200-300 $ selon confort, petit déj compris. Également une penthouse bien plus chère. 🛜 Dans un quartier résidentiel paisible, voici une admirable maison à pignons, plus que centenaire (1898), aux boiseries soigneusement astiquées. Chambres super confortables, très cosy et certaines avec ou jacuzzi (ou les 2 !). Style façon « chez ma grande-tante », mais revisité à la manière des magazines de déco et avec le confort moderne en plus. La Penthouse Suite, la plus belle et la plus chère, occupe tout le dernier étage. Très joliment mansardée, elle possède une salle de bains géante, avec jacuzzi, une kitchenette et une petite terrasse en bois d'où l'on aperçoit la mer (au loin). Jolie véranda pour le petit déj et jardin derrière la maison. Accueil très prévenant.

⚑ **The Cheshire Cat Inn** (hors plan couleur par A1, **24**) : 36 W Valerio St (angle Chapala St). ☎ 805-569-1610. ● cheshirecat.com ● Au croisement avec Chapala St. Nuitée 170-420 $ (370-400 $ pour les 3 cottages), petit déj compris. 🛜 Un élégant B & B tout en référence à Alice au pays des merveilles. Ses chambres, réparties dans 2 maisons (6 dans chaque) et délicieuses avec leur déco so British, sont baptisées d'après les personnages du célèbre récit. Certaines ont un jacuzzi ou une cheminée, ce qui n'est pas le cas des moins chères. Partout, épaisse moquette et atmosphère à la fois cosy et cossue. Beau jardin avec transats, au milieu duquel trône un kiosque abritant un jacuzzi.

Très, très chic

⚑ **Simpson House Inn** (hors plan couleur par A1, **24**) : 121 E Arrellaga St. ☎ 805-963-7067 ou 1-800-676-1280. ● simpsonhouseinn.com ● Doubles 255-610 $ (avec ts les tarifs intermédiaires), petit déj compris. Discounts sur Internet. 🖥 🛜 Une magnifique maison victorienne de 1874, entourée d'un vaste et délicieux jardin. C'est le seul B & B 5 « diamonds » d'Amérique du Nord ! Les chambres sont, bien sûr, à l'image du lieu, luxueuses et cossues. On peut choisir entre celles de la maison principale, les plus confortables, décorées sur une note très victorienne, celles de la vieille grange reconvertie (certainement le top du top), tout aussi cosy, avec tapis d'Orient, couette en duvet et cheminée, ou encore entre les quelques cottages, avec lit à baldaquin, plancher en teck, cheminée, jacuzzi... le grand luxe, quoi ! Vous aurez sans doute noté le superbe chêne au fond du jardin. Le petit déj est servi sous une élégante véranda couverte de glycines – tout comme les rafraîchissements dans l'après-midi, le vin et les hors-d'œuvre le soir. 3 bicyclettes à disposition. Accueil stylé et extrêmement attentionné.

SANTA BARBARA

Où camper dans les environs ?

Liste des campings au Visitor Information Center de Santa Barbara. Les réservations pour les State Beach Campgrounds peuvent se faire via un numéro gratuit : ☎ 1-800-444-7275. On conseille de réserver en été, car les places sont prises d'assaut.

Voici notre sélection, classée par ordre de proximité de la ville, pas par préférence :

⛺ **Carpinteria State Beach :** à **Carpinteria,** à un peu moins de 20 km au sud-est de Santa Barbara. 5361, 6th St. ☎ 805-684-2811. ● parks.ca. gov ● Sur la Hwy 101 ; sortir à Casitas Pass Rd et prendre vers l'océan ; au feu de Carpinteria Ave, tourner à droite, puis à gauche sur Palm Ave. C'est au bout, devant les dunes. Emplacements env 35 $ (pour les tentes)-50 $ (pour les camping-cars) selon le camping choisi. Attention, ce State Beach Park abrite 4 campings. Les moins chers sont le Anacapa et le Santa Cruz. Ce sont d'ailleurs les 2 seuls qui prennent les tentes. Ce sont les campings les plus proches de Santa Barbara, situés le long d'une plage de sable grisonnant. Les places manquent un peu d'intimité et le train passe... à quelques dizaines de mètres derrière le camping ! Bon, en cherchant bien, certains emplacements ne sont pas désagréables, même si ce ne sont pas, et de loin, les plus beaux campings de la côte. C'est en revanche la manière la moins chère de se loger aux abords de Santa Barbara. Douches payantes.

✗ *El Capitán State Beach* : à *El Capitán, 32 km au nord-ouest de Santa Barbara par la Hwy 101.* ☎ 805-968-1033. ● *parks.ca.gov* ● *Sur la Hwy 101, sortir à El Capitán State Beach, passer sous le pont de l'autoroute, en direction de la plage. Emplacement env 35 $.* Des aires bien délimitées, un rien trop organisées, mais assez espacées et pouvant accueillir, comme partout, jusqu'à 8 personnes. Elles sont en retrait et en surplomb de la plage, dans un bois touffu sur lequel planent les senteurs des eucalyptus. Autrement plus agréable que le *Carpinteria State Beach.* Évitez de vous coller au fond du camping. Au cas où cela vous aurait échappé, la voie ferrée passe par là et la nuit on a le sentiment que le train nous passe dessus !

✗ *Cachuma Lake Campground* : à *34 km au nord-ouest de Santa Barbara par la Hwy 154 menant à la vallée de Santa Ynez et à Solvang (sortie Cachuma Lake County Park).* ☎ 805-686-5055. ● *cachuma.com* ● *Ouv tte l'année. Emplacements 20-35 $, yourtes (5-8 pers) 60-85 $ (prévoir ses draps et couvertures). Possibilité d'utiliser le site à la journée* (day use : env 8 $). Cet immense camping (450 emplacements), établi tout contre le lac de retenue de Cachuma, est très populaire chez les pêcheurs à la belle saison. Beaux emplacements, très variés, vastes zones de pelouses, avec plus ou moins d'ombre et de vue. Demandez au ranger à l'accueil ce que vous voulez pour qu'il vous dégote un site qui vous convienne. Pour nous, les emplacements les plus agréables sont situés tout au bout du camping, à proximité du rivage. Barbecue à dispo, sanitaires en nombre suffisant. On y trouve aussi une gamme complète de services : épicerie, pompe à essence, piscine, laverie, douches chaudes (payantes), etc. Le lac servant de réservoir d'eau

potable, il est formellement interdit à la baignade, mais on peut louer un bateau à la marina (super cher)... Tiens, puisque vous êtes dans le coin, sur la route de Santa Barbara, faites un arrêt à la *Cold Spring Tavern* pour un verre, ça vaut le coup (voir « Où manger dans les environs ? »).

Où manger ?

Santa Barbara compte environ 250 restos... ce qui la place en tête de tous les États-Unis en termes d'établissements par habitant ! On trouve un grand choix de mexicains de qualité et à bon prix, pas mal d'italiens et de français. À noter qu'à part quelques adresses spécifiques, les prix grimpent assez nettement le soir.

Spécial petit déjeuner

🍴 *D'Angelo Bread (plan couleur B2, 53)* : 25 W Gutierrez St. ☎ 805-962-5466. Tlj 7h-13h30. Petit déj 10-15 $. Une belle carte de petits déj : pâtisseries et pains maison, sans conteste un des meilleurs de la ville (le fournil approvisionne nombre de restos dans et autour de Santa Barbara), très bonnes omelettes (hyper copieuses), mueslis et *waffles*. L'adresse est connue et les quelques tables entre le long comptoir (derrière lequel on pétrit et l'on cuit) et la baie vitrée ainsi que la petite terrasse sur la rue sont vite occupées. Quelques photos en noir et blanc de stars buvant leur café égayent les murs, pour ceux qui prendront le temps de lever le nez de leur assiette.

🍴 *Renaud's Pâtisserie & Bistro (plan couleur A1, 30)* : 1324 State St. ☎ 805-892-2800. Tlj 7h-15h. Petit déj env 8 $. Petite pâtisserie-*coffee shop* tenue par un Français, pour prendre un bon petit déj (excellents croissants) ou se régaler d'une bonne salade bien fraîche et croquante à l'heure du déjeuner, ou encore quelques snacks goûteux. Et un vrai bon café ! Petite terrasse tranquille fréquentée par une clientèle plutôt féminine.

– Et aussi : *Pacific Crêpes,* lire plus loin.

Bon marché

|●| _The Natural Café_ (plan couleur B1, **35**) : 508 State St. ☎ 805-962-9494. Tlj 11h-21h (22h ven-sam). Env 10 $ (pour le business lunch special). Ce café est entièrement dédié à la nourriture naturelle et saine : salades, soupes du jour, _houmous_, sandwichs, pâtes et de nombreux plats mexicains. Passer commande au comptoir et garder le numéro pour être servi. Amateurs de viande rouge, passez votre chemin ! Spécialité de jus de fruits et de laits frappés. Quelques tables en terrasse sur la rue.

|●| _Mac's Fish and Chips Shop_ (plan couleur B1-2, **49**) : 503 State St. ☎ 805-897-1160. Tlj 11h30-20h (21h ven et 22h sam). Compter 8-18 $. Un _fish and chips_ ouvert par de vrais British, où l'on frit _l'Alaskan cod_ dans les règles de l'art. Même les frites sont maison, c'est dire. Seule entorse à la règle, le poisson est servi dans du faux papier journal (hygiène oblige !). Le _fish and chips regular filet_ est parfaitement suffisant pour un estomac normalement constitué. Et pour quelques saveurs venues d'Écosse, la fameuse panse de brebis farcie _(haggis)_. Cuisine ouverte sur la petite salle et tabourets hauts et chromés, façon _diner_ des années 1950.

|●| _La Super-Rica_ (hors plan couleur par C1, **52**) : 622 N Milpas St. ☎ 805-963-4940. À l'angle d'Alphonse St, entre Cota St et Ortega St. Tlj 11h-21h (21h30 w-e). Env 8-10 $. Tenue par la même famille depuis 1980, une _taquería_ mexicaine, genre cantoche à la réputation incontestée dans toute la ville. Si vous voyez une queue d'au moins 20 personnes devant une petite bicoque vert lagon et blanc, c'est là ! Les sauces _verde_ et _picante_ ont le goût du pays, tout comme les excellents tacos et _tamales_. On choisit ses plats au tableau noir à l'entrée, puis on vous appelle par votre numéro quand votre commande est prête. La salle est plutôt une sorte de terrasse couverte, style guinguette. Bières mexicaines évidemment (pas chères). Toujours bondé, ambiance bavarde et bon enfant. Vous l'aurez compris, pas vraiment le lieu pour un tête-à-tête romantique ! Mais très sympa pour une immersion dans la Santa Barbara populaire et bigarrée. Comme c'est un peu excentré, le mieux est de venir en voiture.

|●| _Rose Café_ (plan couleur C1, **33**) : 424 E Haley St. ☎ 805-966-3773. Tlj 8h-21h. Env 10 $. L'un des meilleurs restos mexicains de la ville, fidèle au poste depuis 1930, qui pourtant ne paie pas de mine et est un peu excentré (on peut toutefois encore y aller à pied). Cadre simple avec large comptoir de formica clair, tabourets et tables du même matériau, pour un bon choix de _burritos, enchiladas,_ tacos, etc. Parfait aussi pour le petit déj, avec de bonnes et généreuses omelettes. Clientèle fidèle du quartier. Simple et bon, le sourire en prime.

|●| _California Pasta_ (plan couleur B1, **42**) : 811 State St. ☎ 805-899-4030. Tlj 11h-21h (22h ven-sam). Plat de pâtes, sandwichs, salades, env 10 $. Juste à l'entrée du _shopping center_ du Paseo Nuevo. On prend la commande au comptoir. Confectionnés sous vos yeux, les sandwichs, les salades et, bien sûr, les pâtes jouent sur un plaisant mélange de saveurs : feta, _prosciutto,_ sésame, épices cajun, tomates confites... Les parts sont très copieuses, et les sandwichs sont tous accompagnés de salade verte, de pâtes ou de pommes de terre. Super _seafood pasta_ et _southern chicken pasta._ Terrasse très agréable dès qu'il fait beau, c'est-à-dire au moins 300 jours par an ! Service efficace et souriant.

|●| _Sojourner Café_ (plan couleur B1, **32**) : 134 East Canon Perdido St. ☎ 805-965-7922. Tlj sf lun 11h-23h (22h dim et mer). Plats 8-14 $. Situé dans le pâté de maisons où se trouvait naguère le quartier chinois de la ville, le « Soj » réunit les yogis et autres amateurs de cuisine saine dans un cadre décontracté. Plats créatifs et savoureux, essentiellement végétariens, comme la copieuse _Tofu Buddha Salad_ ou encore la goûteuse _Mediterranean Torta._ Bonnes soupes du jour et délicieux desserts... on en salive encore ! Service féminin et dynamique.

|●| _All India Café_ (plan couleur B2, **50**) : 431 State St. ☎ 805-882-1000. Tlj 11h30-22h (23h ven-sam). Lunch buffet

All you can eat *le midi (11h30-15h)* : 9 $. Sinon, plats 9-15 $. Toute l'Inde dans votre assiette, voilà le concept, et ce pour un prix dérisoire le midi. Une affaire à saisir. Cuisine familiale qui ne souffre aucun reproche, même si elle est adaptée aux palais (de maharadjahs) américains. Accueil prévenant.

|●| *Spice Avenue (plan couleur A1, 44)* : 1027 State St. ☎ 805-965-6004. *Tlj 11h30-14h30 et 17h30-21h30. Buffet à volonté 10 $ le midi. Le soir, à la carte, plats 12-15 $.* La déco sobre, avec ses tables de bois clair, lui donne un air de cantine sage et n'a pas grand-chose d'indien, mais les plats, si ! Les saveurs sont agréablement présentes dans les *currys, dhal* (lentilles), *tandoori, korma, saag paneer spinach*... Le midi, le buffet ne sacrifie pas la qualité à la quantité, parfait pour goûter un peu à tout et sortir repu...

De bon marché à prix moyens

|●| ☂ *Pacific Crêpes (plan couleur B1, 41)* : 705 Anacapa St. ☎ 805-882-1123. *Lun-sam 10h-15h, 17h30-21h ; dim 9h-15h. Env 12-15 $.* Une crêperie tenue par une famille de Bretons, on en a déjà l'eau à la bouche ! Rendez-vous des Français de Santa Barbara qui ont le mal du pays et viennent pour les délicieuses crêpes, même si elles ne sont pas données. Salle rustique, avec partout des bouquins... sur la Bretagne. Une complète ou une campagnarde (pommes de terre sautées, œuf, bacon et fromage) pour commencer, une salade Quimper si vous avez encore faim (malgré les parts copieuses), et une classique Suzette en dessert. Accueil à la française ! Sert aussi le petit déj (pas très tôt en revanche).

|●| *Santa Barbara Shellfish Company (plan couleur C2, 47)* : 230 Stearns Wharf ; à l'extrémité du Wharf, après le Moby Dick Restaurant. ☎ 805-966-6676. *Tlj 11h-21h. Plats 11-17 $.* Dans une mignonnette maison en bois tout au bout du ponton, ce resto propose de délicieux fruits de mer que l'on voit barboter dans des viviers en vitrine. Des plats simples et copieux (crabes et araignées, pâtes et cocktails aux fruits de mer, sandwichs au calamar, etc.) que l'on déguste assis au comptoir ou sur les banquettes dehors en sirotant une bière pression. N'oubliez pas de tester les huîtres Rockefeller, relevées au Pernod et sauce hollandaise. Pour les petites bourses, *small bites* (silence dans les rangs !). Un resto original et étonnamment très abordable.

|●| *Arigato (plan couleur A1, 43)* : 1225 State St (entre Victoria et Anapamu). ☎ 805-965-6074. *Tlj 17h30-22h45 (23h45 ven-sam). Env 15-30 $.* Un des restos les plus en vue de la ville, pris d'assaut dès 18h. Si vous n'avez pas trouvé de place en salle ou en terrasse, tentez un coin de tabouret au bar et admirez la dextérité indispensable à la confection des sushis. Un vrai spectacle ! La carte est bien fournie en *nigiri, yakitori, tofu steak* et *maki* forts en goût et de belle taille. Très grand choix de rolls. Poulpe tendre à souhait, surprenante saveur des sushis à la méduse (ça croque sous la dent !). Un peu de gingembre pour se rincer la bouche et ne pas dénaturer les différents goûts, puis on se laisse tenter par un carpaccio de noix de Saint-Jacques ou une soupe froide aux algues. Vraiment excellent. Dommage que le lieu soit un peu bruyant et le service à la chaîne.

|●| *Petit Valentien (plan couleur A1, 45)* : 1114 State St, dans la plaza Arcada. ☎ 805-966-0222. *Lun-ven 11h30-15h et tlj 17h-22h. Plats 9-20 $. Dim soir, menu 24 $ (4 plats).* Tranquillement posé dans un joli passage, un très agréable resto à la *French touch* plutôt réussie. Parquet sombre, mobilier style bistrot devant un beau comptoir, voilà pour le clin d'œil français. L'impressionnante hauteur sous plafond, les gros ventilos et une décontraction toute californienne nous rappellent qu'on est bien aux États-Unis. Les plats, raffinés et joliment mis en scène dans les assiettes, suivent les saisons et la créativité d'un chef amoureux de la cuisine de l'Hexagone. Le soir venu, l'éclairage tamisé ajoute encore un peu plus d'élégance au lieu. Une belle adresse.

|●| *Pascucci (plan couleur B1, 48)* : 729 State St. ☎ 805-963-8123. *Tlj 11h-21h30 (22h le w-e). Env 10-15 $.*

SANTA BARBARA

Grande et belle salle de brique, haute de plafond, avec tables en fer forgé et canapés confortables. Encore un italien très populaire. Les fins de semaine, la queue s'allonge, s'allonge... mais on peut attendre au bar en sirotant son Martini face à l'agitation perpétuelle des serveurs. Bonne cuisine élaborée à base de produits locaux exclusivement. Au programme : grand choix de pizzas, pâtes, risotto, poissons, etc. Microterrasse à l'avant, sur la rue très passante. Si les prix sont très raisonnables le midi, ils s'envolent sérieusement le soir !

I●I Joe's Café *(plan couleur B1, 39)* **:** *536 State St (angle Cota).* ☎ *805-966-4638. Tlj 7h30-23h. Compter 12-22 $.* Les *All day specials* et les *daily specials permettent de s'en sortir correctement.* Ouvert depuis 1928, voici un resto historique, et c'est pour ça qu'on l'indique. Populaire pour y boire un verre (les cocktails ont bonne réputation), mais la cuisine est en baisse (même si les burgers sont réguliers). Malgré cela, le lieu reste un rendez-vous classique en ville et son ambiance autour du bar mérite qu'on y fasse un tour. La déco garde l'âme des générations de clients passées avant vous, ponctuée de belles photos noir et blanc.

De chic à très chic

Encore une fois, si les prix des restos ci-dessous s'envolent le soir, le midi, on peut s'en tirer honorablement.

I●I Bouchon *(plan couleur A1, 54)* **:** *9 West Victoria St.* ☎ *805-730-1160. Tlj 17h-21h (22h ven-sam). Plats 16-38 $.* Voici l'un des restos de Santa Barbara les plus prisés du moment. La jolie salle (qui rappelle effectivement un bouchon presque lyonnais) laisse apercevoir les fourneaux où s'affairent les cuistots. Le chef propose une cuisine talentueuse inspirée par la France, avec une audace jubilatoire. Les légumes étonnants, comme les betteraves jaunes ou encore les radis au cœur rose, dynamisent le graphisme des assiettes. Les sauces aux herbes accentuent les saveurs des viandes et des poissons. Très beaux produits locaux, traités avec brio. Joli choix de

fromages, magnifiques desserts et très belle carte des vins (exclusivement californiens). Service prêt et charmant.

I●I Brophy Bros *(plan couleur B3, 34)* **:** *119 Harbor Way, sur le port de plaisance.* ☎ *805-966-4418. Tlj 11h-22h (23h ven-sam). Plats 17-25 $.* Ce bistrot du port, situé au 1er étage d'un bâtiment du quai, vaut autant pour son atmosphère animée, que pour sa cuisine. *Seafood* à l'honneur avec, en vedette, la fameuse *clam chowder* de la côte est (une soupe crémeuse de praires), suivie des *beer boiled shrimps,* des poissons du jour et moules marinière façon américaine. Étroit balcon-terrasse toujours pris d'assaut, car la vue y est jolie de jour comme de nuit. Au rez-de-chaussée, c'est le bar, grand comme un mouchoir de poche (avec minuscule terrasse), où l'on se contentera de grignoter quelques *appetizers.*

I●I Bucatini *(plan couleur B1-2, 46)* **:** *436 State St (angle Haley).* ☎ *805-957-4177. Tlj 11h-21h30 (23h ven-sam). Déj 10-15 $, dîner 15-25 $.* Notre italien préféré. Jolie terrasse abritée où déguster soit une pizza (avec pâte très fine – une vingtaine au choix), soit des pâtes, cuites al dente : *pennette alla puttanesca* (sauce tomate épicée, olives noires, anchois, câpres), *rigatoni al pomodoro* (avec sauce tomate et basilic), etc. Au déjeuner, plusieurs plats du jour, des paninis, de grosses salades, des soupes ainsi que des *antipasti* pour patienter. Terrasse accueillante, toujours bondée. Évitez la toute petite salle bruyante à côté de la cuisine. Service souriant, bien qu'un peu lent, et vins italiens au verre.

I●I The Enterprise Fish Co *(plan couleur B2, 37)* **:** *225 State St.* ☎ *805-962-3313. Tlj 11h30-22h (23h ven-sam). Lunch 15-17 $, dîner à partir de 25 $.* On conseille d'y aller le midi (11h30-16h et jusqu'à 15h le w-e) car le soir, la note est aussi salée que la morue. Immense salle dans un ancien entrepôt en bois et brique rouge. Comme son nom l'indique, la maison est spécialisée dans les poissons et les fruits de mer : truite, saumon, langouste, praires, etc. On voit les cuistots (tous Mexicains) préparer les plats dans la cuisine-fournaise, située au centre de la salle. Tableaux suspendus avec la liste des poissons frais. Déco marinière frisant la démagogie, avec force casiers, harpons, cordages, filets et marines. S'il y a la queue, on peut attendre au bar. Le mercredi soir, petit groupe distillant du *light rock* (les Américains ont en toute chose une version *light* !).

|●| *Paradise Café* (plan couleur B1, 36) : 702 Anacapa St. ☎ 805-962-4416. Tlj 11h-23h, dim brunch dès 9h. Env 12-25 $. Resto au décor californien. Son bar en formica et tabourets recouverts de moleskine, très animé le week-end, est l'un des plus célèbres de Santa Barbara. Clientèle pas routarde pour deux sous, plutôt du genre jeunesse dorée ou quinqua bien dans sa *Mustang*. Les cocktails et vins fins sont réputés. Terrasse prisée aux beaux jours. Cuisine appréciée localement, mais pas vraiment sophistiquée : bons poissons grillés, steaks au feu de bois de chêne (chers) et vins au verre bien choisis (re-chers). En revanche les burgers sont correctement tarifés. Service souriant.

|●| *The Palace Grill* (plan couleur B1, 38) : 8 E Cota St (entre State et Anacapa). ☎ 805-963-5000. Tlj 11h30-15h, 17h30-22h (23h ven-sam). Env 12-18 $ le midi et 20-25 $ le soir. Cadre chaleureux et décontracté, vraiment plaisant, avec une ambiance rétro années 1950, musique chaloupée et serveurs en livrée et nœud pap'. Atmosphère malgré tout très décontractée : on vient ici entre amis ou en famille se payer une bonne cuisine cajun avec une grosse rasade de jazz en prime : *gumbo's, jambalaya, étouffée, crawfish*... Bref, toute la Louisiane dans votre assiette (sans le piment). En dessert, bonnes spécialités du Sud : *sweet potatoe pecan pie, key lime pie*, ou encore le *bread pudding* au chocolat et sauce au whisky... L'addition reste raisonnable. Essayez en apéro le *Cajun Martini*, ça décoiffe ! Petits trucs à grignoter dehors offerts par la maison pour patienter (il y a toujours un monde fou qui attend).

|●| *Waterfront Grill & The Endless Summer* (plan couleur B3, 51) : 113 Harbor Way, juste à droite en entrant dans le Maritime Museum. ☎ 805-564-1200 ou 805-564-4666.

Le soir slt pour le Waterfront Grill *et tte la journée pour le* Endless Summer. *Pour le* Waterfront, *formules dîner attractives entre 17h et 18h30 (15-17 $). Après, les tarifs grimpent en flèche (20-30 $).* Un resto chic et décontracté, où l'on vient aussi bien en talons qu'en tongs, réputé dans tout Santa Barbara pour la qualité de ses poissons et steaks. *Halibut* en provenance directe de l'Alaska, saumon sauvage, noix de Saint-Jacques, etc., grillés et accommodés avec différentes sauces. Vraiment copieux, mais la présentation des assiettes manque un peu de délicatesse, dommage. Terrasse pour profiter du coucher de soleil sur le port. Le midi, pour le déjeuner, il faut grimper à l'étage au *Endless Summer*. Déco *surf in the USA,* et dans l'assiette, sandwichs et burgers solides pour nourrir une jeunesse bronzée et musclée comme dans les séries. Sinon, la terrasse surplombant le port est géniale pour une bière en fin d'après-midi. Service cool. Le week-end, petite animation musicale.

Où manger dans les environs ?

|●| ♟ *Cold Spring Tavern* : 5995 Stage Coach Rd. ☎ 805-967-0066. À *San Marcos Pass,* dans la montagne surplombant Santa Barbara, à 18 km env du centre. Sur la 154 direction lac Cachuma, tourner à gauche à Stage Coach Rd (bien faire attention), puis c'est indiqué. Tlj 11h-15h, 17h-21h30 ; w-e petit déj 8h-11h. *Résa conseillée le soir et quasi obligatoire le w-e (beaucoup de* happy bikers *!). Déj 10-15 $, dîner 20-30 $.* Si vous n'êtes pas en fonds, optez pour le déjeuner. Sinon, contentez vous d'une bière au bar, tout aussi sympa. Ancien relais de diligence de 1887, situé sur la vieille route qui reliait, il y a longtemps, Santa Barbara à l'intérieur du pays. 2 maisons en rondins au milieu de la forêt. La 1re est un restaurant et la 2e un bar super chouette. Le resto n'a guère changé depuis un siècle et conserve toujours le *good*

Old West flavor, avec des trophées aux murs et une cheminée crépitante. Plusieurs petites salles boisées, chaleureuses et aussi sombres les unes que les autres. Bonne cuisine country : volaille, *baby back pork ribs, chili,* pâtes fraîches, poisson du jour, etc. Snacks dans la journée (parfois burgers de chevreuil). Dans la taverne à côté du resto, baignée de la même atmosphère *cow-boy,* les vendredi soir, samedi et dimanche aprèsmidi, groupes folk, country ou rock. Ambiance extra et décontractée, au comptoir ou aux vieilles tables rondes.

Où boire un verre ? Où écouter de la musique ?

Vie nocturne assez animée. La plupart des bars se situent le long de State Street et un peu dans les perpendiculaires. On passe de l'un à l'autre au gré de l'ambiance. Savoir que la police de Santa Barbara est d'une extrême sévérité pour la conduite en état d'ébriété. Tirez au sort celui qui restera sobre pour ramener tout le monde !

♼ *Santa Barbara Brewing Company and Restaurant* (plan couleur B1-2, **49**) **:** 501 State St. ☎ 805-730-1040. *Tlj 11h30-23h (minuit ven-sam). Happy hours 15h-18h lun-ven.* C'est une des 7 microbrasseries de la région. Elle produit une dizaine de bières maison, plus d'autres, saisonnières. Bel espace bien agencé et assez animé le soir, surtout le week-end ; plein d'écrans de TV en permanence branchés sur le sport assurent, avec les bières, la popularité du lieu (les jours de match important de football américain, c'est l'enfer !). Pied de nez : vous remarquerez que les photos placardées aux murs remontent au temps... de la Prohibition.

♼ *The James Joyce* (plan couleur B1, **40**) **:** 513 State St. ☎ 805-962-2688. Chouette bar aux accents irlando-louisianais, avec son long comptoir, son mur de brique et son coin à musicos. Quasiment chaque soir, on chante ici le blues, on joue du jazz (principalement le samedi) ou on râle la country, c'est selon. Mais rien que du bon et une ambiance du tonnerre. C'est un bar, donc l'entrée est gratos mais on régale généreusement le chapeau de ceux qui nous ont régalé les oreilles.

♼ ♪ *Dargan's Irish Pub* (plan couleur B1, **61**) **:** 18 E Ortega St. ☎ 805-568-0702. *Tlj 11h30-2h.* Ce hangar reconverti, à deux pas de State Street, abrite un pub énorme et très sympa. Ici, tout est irlandais : la Guinness, bien sûr, mais aussi les patrons, les serveuses, une partie de la clientèle et la musique folklorique certains soirs. Ambiance chaleureuse et animée, avec jeux de fléchettes. Bon, c'est une adresse plutôt *main stream* qu'alternative, mais c'est sympa quand même. Concert un samedi sur deux.

♼ ♪ *SOhO* (plan couleur A1, **63**) **:** 1221 State St, au 1er étage, à l'intérieur de Victoria Court. ☎ 805-962-7776. *Tlj ; club ouv selon heure des concerts (19h30, 20h30 ou 21h). Selon les groupes :* 5-40 $. Club très sympa, plutôt *middle age,* où se produisent chaque soir des groupes de rock, swing, dance, R & B, groove, salsa, etc. (programme affiché dehors). Salle de taille raisonnable, à la bonne acoustique. Terrasse agréable.

♼ *Velvet Jones* (plan couleur B2, **64**) **:** 423 State St. ☎ 805-965-8676. ● velvet-jones.com ● *Entrée :* 5-15 $. Concerts réguliers dans cette salle à la programmation éclectique.

♼ *Hot Spots Espresso Bar* (plan couleur C2, **2**) **:** 36 State St. ☎ 805-845-3371. *Ouv 24h/24.* ⏶ L'intérêt de ce *coffee shop* un rien alternatif est qu'on peut y prendre un café, un thé et grignoter un petit truc à n'importe quelle heure (pâtisserie, croissants, cakes...), tout en envoyant ses mails. On y croise aussi bien la police locale pour un *breakfast* vers 5h du mat, des étudiants derrière leur ordi dans la journée, que quelques *homeless* à toute heure. Très sympa.

♼ On peut aussi faire un tour au *Sandbar* (514 State St ; ☎ 805-966-1388) ou encore au *Wildcat Lounge* (15 West Ortega St ; ☎ 805-962-7970) pour son côté plus trendy.

À voir. À faire

À part quelques-uns, la plupart des musées et sites sont chers. Mais en combinant les lieux gratuits (comme le *Santa Barbara Historical Museum,* le *Carriage and Western Art Museum* et la *County Courthouse*) et les billets couplés, on peut finalement s'en tirer raisonnablement. Bien lire nos textes pour organiser vos visites au plus près de votre porte-monnaie.

🦴 *State Street :* vertèbre de la vieille ville. Quasiment tout se tient dans ses parages proches. La descendre sur une douzaine de blocs, de jour comme de nuit, se révèle une promenade plaisante. Jolies boutiques, terrasses sur le trottoir, quelques figures locales marrantes à regarder... À articuler avec le **Red Tile Walking Tour,** un itinéraire mis au point par le *Visitor Information Center* (et qui se trouve au dos du plan de ville distribué gratuitement par ce même bureau), et qui permet d'admirer d'anciens édifices en adobe (entre State, Anapamu, De La Guerra et Santa Barbara Street).

🦴🦴 🏃 *Les plages et le port de Santa Barbara (plan couleur B-C-D2) :* le port, animé et joyeux, est une balade à ne pas manquer, ne serait-ce que pour son *Maritime Museum* (voir plus loin). Entre les bateaux de pêche et les superbes voiliers de plaisance, on découvre une ville attachée aux choses de la mer, une vraie cité de marins et non seulement des yachts de milliardaires qui font des ronds dans l'eau. Concernant les plages, entre le port de plaisance et le *wharf* s'étend une plage pas forcément adaptée à la baignade, puisque proche de l'entrée du port et assez fermée. C'est pourtant sur celle-ci, la plus proche du centre, que se retrouvent tous les jeunes pour les parties de volley, *beach-foot* et autres activités sportives éminemment californiennes. Chouette ambiance. Sinon, pour la baignade, on conseille plutôt *east beach* (située un peu plus à l'est du centre, normal), souvent moins ventée et donc aux eaux plus calmes, où se rassemblent les familles pour le pique-nique du week-end. Une longue piste cyclable ourle tout le front de mer. Rollers, joggers, poussettes, vélos et caddys de clochards, bref, tout ce qui roule, occupe le terrain. Pour terminer, le *wharf,* long ponton de bois situé dans le prolongement de *State Street,* fait également partie des balades classiques, à arpenter en léchant une glace.

🦴🦴 🏃 *Santa Barbara Maritime Museum (plan couleur B3) :* 113 Harbor Way. ☎ 805-962-8404. ● sbmm.org ● Tlj sf mer 10h-18h (17h en hiver). Entrée : 7 $; réduc ; gratuit le 3ᵉ jeu du mois. Pour les inconditionnels, cet intéressant musée met en scène le passé maritime de Santa Barbara, à travers des maquettes de bateaux, des vieux outils, des photos anciennes... On passe en revue de manière didactique tout l'univers maritime de la ville à travers les aspects historiques, économiques, écologiques et ludiques. Rien n'est laissé au hasard pour divertir et informer le visiteur. On y découvre les îles plantées au large de la ville, véritables petits joyaux écologiques à préserver. Collection unique de casques de scaphandriers pour rappeler que Santa Barbara est un grand centre de formation des plongeurs professionnels et militaires. À commencer par cet incroyable scaphandre surnommé Jim, avec lequel on peut descendre jusqu'à... 800 m (sans nous !). Les autres ne sont pas mal non plus. On découvre ainsi l'allègement progressif du matériel au fil des décennies, depuis les incroyables chaussures de plomb (Hergé ne nous avait pas menti !), jusqu'aux équipements plus humains. Nombreuses maquettes de navires, de la barge de forage aux chalutiers en passant par les bâtiments de guerre. Également des vitrines évoquant le commerce des Espagnols entre le Mexique et les Philippines (entre les XVIᵉ et XVIIIᵉ s), ainsi que les premiers explorateurs qui débarquèrent ici, comme Cabrillo en 1542. Voir les maquettes en coupe des anciens navires en bois. La chasse au phoque, à la baleine, l'histoire du *wharf* (quai) et l'exploitation du pétrole offshore ne sont pas non plus oubliées. Au 1ᵉʳ étage, amusant périscope de sous-marin pour une vue du port en immersion et une brève histoire de la navigation et du surf à Santa

Barbara (vénérables *long boards*), ainsi qu'une petite section « verte » consacrée à la pollution des eaux. Reconstitution d'une timonerie. Bref, une visite instructive.

🎥🎥 *Mission de Santa Barbara* (hors plan couleur par B1, **71**) : tt au bout de Laguna St (n° 2201, à la hauteur de Los Olivos). ☎ 805-682-4713. ● sbmission. org ● Tlj 9h-17h (caisse fermée à 16h30) ; fermé à Pâques, Thanksgiving et Noël. Entrée : 5 $; réduc. Pour la visite, petit dépliant français très complet. Visite guidée sur rdv. La 10e mission franciscaine de Californie, fondée en décembre 1786 par Fermin Lasuen. Surnommée la « Reine des missions », elle a subi deux terribles séismes en 1812 et 1925. Le bâtiment actuel fut édifié entre 1815 et 1833, d'après un plan de l'architecte romain Vitruve. Longtemps paroisse des Indiens chumashs et école de théologie jusqu'en 1986, la mission abrite toujours une douzaine de frères et pères. On entame la visite par le beau cloître fleuri et arboré. Une salle présente une vidéo sur l'histoire de la mission. On passe ensuite par le cimetière où furent enterrés près de 4 000 Indiens (sans tombes, ce qui explique qu'on ne voit pas grand chose), pour beaucoup victimes des maladies nouvelles introduites par les colons, mais aussi de mauvais traitements et de malnutrition. Superbe *ficus,* quelques pierres tombales de pères de la mission et d'explorateurs. Au centre, imposant *Moreton bay fig tree.* On pénètre ensuite dans l'église, dont la porte est surmontée de têtes de mort. Intérieur charmant, modestement orné de quelques sculptures. Un petit musée complète la visite : évocation de la construction de la mission avec maquette, un soupçon d'artisanat chumash, statues qui armèrent le fronton jusqu'au séisme de 1925, quelques livres enluminés, les outils du moine forgeron, statuaire de bois polychrome, cuisine reconstituée, catéchisme en dialecte indien avec partition, reconstitution de la cellule d'un moine etc. C'est la seule mission de Californie à posséder une crypte, mais on ne peut pas la visiter. Devant la mission, sur la place, fontaine avec bassin construit en 1808 pour servir de lavoir aux femmes indiennes.

🎥🎥 *Santa Barbara Historical Museum* (musée d'Histoire de la Ville ; plan couleur B1, **72**) : 136 E De La Guerra St. ☎ 805-966-1601. ● santabarbaramuseum. com ● Tlj sf dim 10h (12h dim)-17h. Visite guidée sam-dim 14h. GRATUIT (donation bienvenue). Installée en continuité d'une ancienne résidence d'aristocrate, la *Casa Covarrubias,* construite en brique et adobe. Elle se trouve en allant tout droit une fois passé l'entrée, après les portes vitrées. C'est l'une des plus belles de Californie, organisée autour d'un vaste patio au centre duquel se dresse une fontaine. L'excellent musée (qui se trouve pour sa part sur la droite en entrant) présente chronologiquement l'histoire de Santa Barbara. Il n'est pas bien grand mais mérite vraiment votre visite : objets choisis avec soin, belle qualité de la mise en scène et éclairage bien distillé. La première grande pièce est consacrée aux expos temporaires (généralement de bon niveau). Puis sont évoqués les Indiens chumashs (voir les vanneries et le gros récipient rond, résistant à la chaleur). L'arrivée des Espagnols au début du XVIIe s est illustrée par des éléments religieux (statue de sainte Barbe, beau Christ en croix...), des selles ouvragées, des coffres... On passe ensuite à la période mexicaine (1822-1848) avec des objets variés, puis l'intégration aux États-Unis en 1850. À ne pas manquer : les vitrines consacrées à la vie des soldats dans le *Presidio,* celle de José De La Guerra et de sa famille, *commandante* de la place forte, et aussi à l'âge d'or de Santa Barbara à la fin du XIXe s (mobilier, reconstitution d'un intérieur bourgeois, vaisselle...). Belle collection de vêtements brodés espagnols et de selles de cheval des *rancheros.* Noter la belle toile *Sunday morning in Monterey,* pleine de fougue. Le superbe autel chinois sculpté et doré (tout au fond) rappelle que Santa Barbara abritait autrefois une importante communauté chinoise. Très intéressant pour avoir une vision claire de l'histoire de la ville.

🎥🎥 🏇 *Carriage and Western Art Museum* (musée des Diligences, Chariots et Charrettes ; plan couleur B2) : 129 Castillo St. ☎ 805-962-2353. ● carriagemu seum.org ● Lun-ven 9h-15h. GRATUIT (donation libre). Petit musée qui présente une exceptionnelle collection de diligences et de chariots dignes de figurer dans les meilleurs *Lucky Luke* (on a un faible pour celui du croque-mort, avec sa vitre ovale !). Certains sont vieux de plus de trois siècles. La cinquantaine de selles de parades est tout bonnement incroyable : certaines en cuir repoussé et martelé, soigneusement décorées, avec pommeau en argent et tout le tintouin. Noter celles de Ronald Reagan, Jimmy Stewart et Clark Gable. Superbes pantalons en cuir qui feraient leur petit effet à carnaval. Et puis la charrette à vins, aux bords relevés pour que les barriques ne roulent pas. Au fond, autre salle avec une série de diligences, certaines avec amortisseurs à lamelles de cuir et frein à main. Vieux chariots bâchés du *Far West*, ancêtre de la 404 du même nom. On les dépoussière chaque année au moment de la grande parade d'août des *Old Spanish Days*. Pour finir, reconstitution d'un coin-saloon. *Yeah man* !

🏛 **Presidio de Santa Barbara State Historic Park** (plan couleur B1) : 123 E Canon Perdido St (angle Santa Barbara St). ☎ 805-965-0093. ● sbthp.org ● Tlj 10h30-16h30. Entrée : 5 $ (billet couplé avec la Casa De La Guerra, mais qui n'ouvre que sam-dim, voir plus loin) ; réduc. Texte en français disponible à la caisse. Tour guidé en anglais sur rdv (pas de supplément).
Fondé en 1782, le *Presidio* royal de Santa Barbara fut le dernier d'une série de quatre places fortes édifiées par les Espagnols le long de la côte californienne (les autres furent construites à San Diego, Monterey et San Francisco).
Les *presidios* jouèrent un rôle vital dans la colonisation de la Nouvelle-Espagne. Ils protégeaient les missions et les nouveaux arrivants contre les attaques indiennes et les envahisseurs éventuels. Celui de Santa Barbara était le siège de l'état-major du gouvernement pour toute la région s'étendant depuis la limite sud du comté actuel de San Luis Obispo jusqu'au village de Los Angeles inclus. Toute la vie de la colonie s'organisait autour de lui. Comme tous les autres, il fut construit en adobe à partir de briques d'argile séchées au soleil, puis blanchi à la chaux. Plusieurs tremblements de terre en 1806 et 1812 ayant endommagé les structures, le *Presidio* était en ruine quand les Américains occupèrent la Californie (1846). Seules quelques portions du quadrilatère survécurent quand la ville se construisit selon le schéma américain en 1850, ce qui explique pourquoi l'ensemble fut savamment tranché par les rues de la ville comme des portions de cake, avant d'être restauré. Aujourd'hui, il ne reste que deux bâtiments d'origine : *El Cuartel*, maison du militaire chargé de la porte ouest, à côté duquel subsistent les bâtiments de l'ancienne Chinatown de la ville, et un autre bâtiment appelé *Cañedo Adobe*, qui sert de salle d'exposition. La chapelle, avec sa fresque colorée en guise de retable, le logement des religieux, les quartiers du commandant et des soldats. De l'autre côté de la rue, *la cuisine et le quartier nord-ouest* ont été reconstruits. Modeste expo d'objets retrouvés sur le site (boulets, boutons de vareuses, éperons, pot de chambre...). Bon, l'ensemble laisse tout de même un peu l'impression d'une coquille vide. À l'intérieur du *musée*, petit film instructif sur la construction du *Presidio*.

🏛 **Casa De La Guerra** (plan couleur B1, 75) : 15 E De La Guerra St. ☎ 805-965-0093 (Presidio). ● sbthp.org ● Ouv slt sam-dim 12h-16h. Entrée : 5 $. Billet couplé avec le Presidio (voir plus haut). En fait, cette visite n'a véritablement d'intérêt que si vous les faites dans la foulée, sinon il vous faudra payer une 2e fois. Construite en 1828, l'ancienne résidence de José De La Guerra y Noriega, cinquième *comandante* du Presidio pendant 27 ans, a été réhabilitée et transformée en musée informel. C'est pour héberger ses nombreux enfants (12 !) que De La Guerra s'installa ici. Sa résidence, qui tenait à l'origine plus de la ferme, avec des corps de bâtiments annexes abritant divers artisans, fut, durant tout son mandat, le centre de la vie sociale de Santa Barbara. Elle resta dans la même famille jusqu'en 1944. Cet ensemble en forme de U, avec une cour centrale et une coursive soutenue par d'épais piliers, servit de modèle pour la reconstruction de la ville après le terrible tremblement de terre de 1925. Les pièces ne sont que très partiellement meublées, mais on peut y voir quelques coffres, meubles d'époque et des éléments religieux, ainsi qu'une grande maquette de la propriété et des dépendances en 1828. C'est à la Casa De La Guerra que commencent, chaque année en août, les festivités des *Old Spanish Days*.

🏃🏃 County Courthouse *(plan couleur A-B1) : 1100 Anacapa St.* ☎ *805-962-6464. Accès libre à l'édifice ainsi qu'à la tour d'observation : sem 8h-17h, w-e et j. fériés 10h-16h30. Visite guidée (gratuite) lun-sam à 14h ; lun, mar et ven, également une visite à 10h30.* Petit palais bâti en 1929 dans un style d'inspiration hispano-mauresque, avec ses fresques, portes sculptées et peintures. Tellement bien fait qu'on le croirait plus ancien. Beau jardin et généreuse pelouse dans l'enceinte. En semaine, on peut visiter assez librement les salles du tribunal (si un procès n'est pas en cours évidemment). La plupart sont couvertes de fresques, particulièrement belles dans *The Mural Room*. Larges coursives, portes sculptées, murs d'azulejos et plafonds magnifiques où les effets dorés sont rendus par un mélange de zinc et de cuivre. Ne pas manquer de grimper au sommet de la tour (accès à droite de l'entrée principale, par l'ascenseur ou par l'escalier) pour admirer le panorama sur la ville. Extra.

🏃🏃 Santa Barbara Museum of Art *(plan couleur A1, 77) : 1130 State St (angle Anapamu).* ☎ *805-963-4364.* • *sbma.net* • *Mar-dim 11h-17h. Entrée : 10 $; réduc ; donation bienvenue dim.* Ce musée rassemble pour partie de l'art ancien, avec des collections assez éclectiques mais de qualité, constituées au rythme des donations, ce qui explique par nature le manque d'unité de l'ensemble. L'entrée donne sur un atrium encadré de sculptures antiques. Têtes romaines et grecques. Une partie du rez-de-chaussée est également dédiée aux expos temporaires, souvent d'art contemporain. Deux salles rassemblent une intéressante collection de peintures anglaises, françaises et américaines du XIXe s et du début du XXe s ainsi que quelques œuvres contemporaines. Au hasard, on découvrira une toile de Chagall, une autre de Rousseau, Bonnard, Monet, Van Gogh ou encore Matisse. Le véritable intérêt de la visite (hormis les expos temporaires) se situe au 1er étage, qui abrite une remarquable et rare section asiatique, réunissant des œuvres provenant d'Inde, de Chine, du Tibet et du Japon. D'Inde, on verra plusieurs vitrines de statuettes en cuivre ou bronze (notamment la déesse Tara, symbole de compassion et de sagesse), de statuaire de grès du XIe s et des enluminures du XVIIIe s. De Chine, ne manquez pas l'exceptionnelle collection de terres cuites anciennes représentant les 12 signes du zodiaque chinois. Remarquable paravent en laque du XVIIIe s qui dépeint la vie des femmes à l'intérieur d'un palais, imposants bouddhas grandeur nature de toute beauté *(Bodhisattya)*, groupe de petits danseurs (IIe s), de la vaisselle et des rouleaux (de printemps !) peints, du XVIIIe s. Riche section tibétaine. Paravent japonais à la feuille d'or et armure de samouraï (Japon)... Bref, rien que du sublime pour qui s'intéresse à l'art asiatique.

🏃🏃 Arlington Theater *(plan couleur A1) : 1317 State St.* ☎ *805-963-4408.* • *thearlingtontheatre.com* • Un des plus beaux cinémas de la côte, rappelant à sa manière le Grand Rex à Paris. Construit en 1875, ce fut d'abord un hôtel très chic. Ravagé par le feu en 1909, victime d'un tremblement de terre en 1925, il fut démoli. Ensuite, avec le retour en vogue du style colonial hispanique, on réédifia à cet endroit un théâtre. Sa vocation première est d'être un centre d'art plus qu'un cinéma, puisqu'il accueille concerts, ballets, etc. Chaque année, depuis 1986, s'y déroule un festival de cinéma fort couru. Si l'extérieur de style colonial est extravagant, l'intérieur n'est pas mal non plus, avec son décor de village mexicain occupant chaque mur éclairé d'un petit lanternon coloré et son plafond peint en ciel étoilé. En prime, un écran large et des sièges confortables.

🏃🏃 Ty Warner Sea Center *(plan couleur C2) : 211 Stearns Wharf.* ☎ *805-962-2526.* • *sbnature.org* • Tlj 10h-17h. Entrée : 8 $; réduc. Si vous comptez visiter l'aquarium de Monterey, vous pouvez tranquillement oublier cette visite (chère pour ce que c'est). Sur la jetée qui prolonge State Street, une annexe du musée d'Histoire naturelle consacrée à la vie dans l'océan qui borde les côtes de Californie : géologie, aquariums avec oursins, élégantes méduses, requins, étoiles de mer, belles anémones, maquette de baleine, tunnel à hauteur d'enfants. Intéressante reconstitution d'un petit laboratoire de navire de recherche, où l'on vous explique les analyses faites dans le sable de la baie, sous vos yeux. À l'étage, les âmes non sensibles jetteront un œil à cette troublante maman dauphin (une dauphine ?), morte et naturalisée alors qu'elle attendait un bébé.

🍴 *Santa Barbara Winery* (plan couleur B2, 80) : 202 Anacapa St. ☎ 805-963-3633 ou 1-800-225-3633. ● sbwinery.com ● Tlj 10h-18h (19h ven-sam). *Dégustation : env 10 $ (6 vins à déguster ! Si vous êtes en voiture, prévoir un chauffeur sobre). Pas de visite, mais dégustation (et achat bien sûr) des vins rouge et blanc de la Santa Ynez Valley (syrah, chardonnay, sauvignon blanc, pinot noir...).*

🍴 ⛹ *Museum of Natural History* (hors plan couleur par B1, 71) : 2559 Puesta del Sol Rd. ☎ 805-682-4711. ● sbnature.org ● Au-delà de la mission (par la route de gauche). Tlj 10h-17h. Entrée : 12 $ (super cher !) ; réduc ; gratuit le 3e dim du mois sf juin-août. *Visite pas indispensable si vous ne venez pas quand c'est gratuit. Juste devant l'entrée s'étire un squelette de baleine de 22 m de long... À l'intérieur, à l'agencement un peu vieillot, quelques sections intéressantes, en particulier celle consacrée aux Indiens chumashs, experts en vannerie. On trouve ici la plus grande collection au monde de leurs paniers. La section consacrée à la paléontologie présente d'étonnants fossiles : mastodonte voisinant avec un mammouth pygmée, trouvé dans les Channel Islands (un des rares lieux où ils vivaient), crâne de lion à dents de sabre, un calamar de belle taille (mais pas un géant), conservé dans une solution liquide, etc. La section d'entomologie abrite une exposition sur les papillons monarques et leur incroyable migration, et une impressionnante collection d'insectes. Section minéralogique du sud de la Californie et d'oiseaux naturalisés.*

À voir dans les environs du centre

🍴⛹ ⛹ *Botanic Garden* (hors plan couleur par B1, 71) : 1212 Mission Canyon Rd. ☎ 805-682-4726. ● sbbg.org ● Sur les hauteurs de la ville, à 1,5 mile de la mission et du musée d'Histoire naturelle (c'est fléché). Nov-fév, 9h-17h ; mars-oct, 9h-18h. Visite guidée (1h-1h30) comprise dans le prix du billet : sem 14h, w-e 11h et 14h. Entrée : 8 $; réduc. *Splendide panorama de la flore californienne, des cactus aux redwoods (impressionnant tronc d'un de ces séquoias datant de 1130, couché par une tempête en 1985) à travers différents paysages que l'on parcourt à pied (environ 1 mile pour le tour complet) : prairie, forêt, canyon, île et désert. Plus de 1 000 plantes, dont de rares espèces indigènes. Le jardin est établi sur le flanc d'un ravin au fond duquel s'écoule une rivière, canalisée dès le début du XIXe s par les franciscains pour alimenter Santa Barbara en eau (on voit encore les vestiges des installations). Balade sympa sur les sentiers ombragés, avec passage à gué du ruisseau, en sautant de rocher en rocher.*
Pour les fans de botanique, il reste encore le plus grand figuier des États-Unis, le Moreton Bay fig tree, planté en 1874 sur Chapala Street, au sud de la Highway 101. Il s'étend sur près de 50 m de large !

🍴 ⛹ *Santa Barbara Zoo* (hors plan couleur par D1-2) : 500 Niños Dr. ☎ 805-962-5339. ● sbzoo.org ● Tlj 10h-17h (tickets jusqu'à 16h). Fermé Thanksgiving et Noël. Entrée : 14 $; pour les 2-12 ans 10 $. Parking en plus (!) : 6 $. Bordé par la Highway 101 (idéal pour la paix des animaux !), ce petit zoo n'a évidemment rien à voir avec celui de San Diego, mais il est très bien entretenu et parfaitement intégré dans son environnement. Prix d'entrée dissuasif, dommage. Il renferme environ 500 animaux (gorilles, wombats, fourmiliers, girafes, lions, otaries, perroquets, éléphants...), bénéficiant d'un espace qui tente de ressembler à leur environnement naturel. La section « *Eeeww !* » est consacrée à toutes les petites bestioles sympathiques qui font dresser les cheveux sur la tête : araignées, serpents... Une agréable aire de pique-nique située sur une colline, près du *cactus garden,* permet de se relaxer au soleil, avec vue sur l'océan. Enfin, il y a aussi un petit train qui permet de faire le tour du zoo.

MON SCORPION S'APPELLE GASTON...

Vous rêviez de parrainer une tarentule ? Seulement 25 $ pour l'année, une affaire ! Plus cher, le python, 300 $. L'alligator, sacrément gourmand comme chacun sait, vous coûtera 500 $. Vous voulez lui donner un petit nom ? Rien de plus simple... mais 10 000 $, tout de même !

Manifestations

Pour le programme complet des réjouissances, achetez l'*Independent*.
– **Festival international du Film :** en fév, dans ts les cinémas de la ville. ● sbfilm festival.org ●
– **Santa Barbara County Vintners' Festival :** en avr. ● sbcountywines.com ● Une journée en l'honneur du vin de la région. Portes ouvertes, dégustations...
– **Summer Solstice Parade :** 20-22 juin 2014. ● solsticeparade.com ● Grande fête extrêmement colorée. Le vendredi soir, fête à Alameda Park, et le lendemain, à partir de 12h, grande parade sur State Street. La moitié de la ville défile dans des costumes de folie pendant que l'autre moitié rigole. Vraiment une bonne ambiance.
– **French Festival :** le w-e le plus proche du 14 juil (12-13 juil 2014), à Oak Park. Rens (en anglais) : ☎ 805-963-8198. ● frenchfestival.com ● Prendre la Hwy 101, sortie Pueblo ou Mission. Gratuit. C'est la célébration française la plus importante de la côte ouest. Danse, musique, saltimbanques, cuisine française et francophone. Intéressant de voir comment la France est représentée à l'étranger.
– **Festival Old Spanish Days :** ● oldspanishdays-fiesta.org ● C'est la grosse fiesta du début du mois d'août. 5 jours assez fous avec parade de vieux *buggies*, rodéo, chants de *mariachis* et danse dans les rues bondées. Le vendredi, grande parade équestre et le samedi c'est le tour des enfants. Animation super. Pour se loger, réserver plusieurs mois à l'avance avec paiement des nuits.
– **Santa Barbara Harbor & Seafood Festival :** en oct, sur le port. Gratuit. Une journée consacrée à la vie du port, son histoire, son activité avec quantité de fruits de mer à déguster !
– **The University of California of Santa Barbara** organise d'excellents concerts et spectacles de danse. ● artsandlectures.sa.ucsb.edu ● À articuler avec la visite de son musée d'Art, riche en toiles intéressantes.

DANS LES ENVIRONS DE SANTA BARBARA

🏃 🚶 *Observation des baleines :* janv-avr pour les petites baleines grises ; pratiquement tte l'année pour les humpback whales *(baleines à bosse)* et l'été pour les grosses baleines bleues. En provenance d'Alaska et du Canada et en route vers les eaux chaudes du Mexique, les baleines passent au large de Santa Barbara à l'aller comme au retour, c'est pourquoi, que ce soit d'une espèce ou d'une autre, on en voit presque tout au long de l'année, mais pas forcément en même quantité (toujours se renseigner auparavant auprès des gens qui en reviennent pour savoir s'il y a beaucoup d'animaux). Pendant les grandes périodes de passage, plusieurs bateaux partent tous les jours pour les observer (et l'été, vu l'affluence, les prix grimpent). Généralement, les explications données par les marins sont bonnes. Excursions d'environ 2h30. Prix entre 30 et 100 $, très variables selon la saison et la fréquentation. Un conseil : appeler les trois prestataires et comparer leurs tarifs.

■ *Condor Cruises :* sur le port de Santa Barbara, 301 W Cabrillo Blvd. ☎ 805-882-0088 ou 1-888-77-WHALE. ● condorcruises.com ● Excursions de 2h30 env, de mi-fév à avril.

■ *Sunset Kidd's Sailing Cruises :* 125 Harbor Way ou 3 E De La Guerra. ☎ 805-962-8222. ● sunsetkidd.com ●

Excursions de 3h sur des bateaux de 18 passagers de mi-fév à mi-mai.

■ *Santa Barbara Sailing Center – Double Dolphin Cruises :* sur le port. ☎ 805-962-2826 ou 1-800-350-9090. ● sbsail.com ● Excursions de 2h30 env, de mi-fév à mi-mai. Le moins cher, mais souvent une cinquantaine de passagers à bord.

🚶 *Montecito :* jolie petite ville à quelques km à l'est de Santa Barbara, en direction de Los Angeles. Entre les collines luxuriantes et l'océan Pacifique, elle est surnommée le « petit Beverly Hills » de Santa Barbara.

🏠 Charlie Chaplin fit construire, en 1928, le *Montecito Inn,* refuge des vedettes de Hollywood (Carole Lombard, Marion Davies...), qui est toujours là aujourd'hui, *au 1295 Coast Village Road* (☎ 805-969-7854 ou 1-800-843-2017. ● monte citoinn.com ●). *Doubles 130-300 $ selon saison et j. de la sem pour les chambres, 400-500 $ pour les suites.* 🛏 📶 À l'époque de Chaplin, et avant l'arrivée de l'autoroute collée aujourd'hui à l'hôtel, le lieu devait

avoir pas mal d'allure, avec son style prétendument français (et ses faux volets !). Les chambres, bien que très confortables, plutôt jolies et luxueuses, sont exiguës et la piscine bizarrement minuscule pour un hôtel de ce standing. Bref, compte tenu du prix, on a tout de même le sentiment d'être pris... pour un charlot.

🍴 On peut également déjeuner ou dîner agréablement au *Montecito Café,* situé dans l'hôtel *(tlj 11h30-14h30, 17h30-22h).*

🚶 *La route des Vins :* le vignoble se situe au nord-ouest de Santa Barbara, autour des localités de Santa Ynez, Los Olivos et Santa Maria, où l'on compte une cinquantaine d'exploitants viticoles, produisant du vin californien sur des cépages de chardonnay et pinot noir en particulier, mais aussi de riesling, sauvignon blanc, cabernet-sauvignon et gewurztraminer. Un certain nombre de caves se visitent. Liste et carte des caves et du vignoble en vente au *Visitor Information Center (Santa Barbara County Wine Country).* Compter une demi-journée, ou tout simplement une escale en quittant Santa Barbara pour San Francisco (ou le contraire, dans l'autre sens). Le film *Sideways* (2004) a pour cadre la Santa Inez Valley.

🚶 *Channel Islands :* on les appelle aussi îles de la Baie. Au nombre de huit, elles flottent au large de la côte californienne, de la hauteur de San Diego jusqu'à Santa Barbara. Découvertes par Cabrillo en 1542, elles étaient alors habitées par les Indiens chumashs. Cinq d'entre elles (Anacapa, Santa Cruz, Santa Rosa, San Miguel et Santa Barbara Islands) font partie d'un parc national. Parmi les compagnies qui proposent des excursions, seules *Truth Aquatics* à Santa Barbara et *Island Packers* à Ventura sont habilitées à débarquer des passagers sur les îles, les autres compagnies n'en font que le tour par la mer. Le mieux est de partir pour une journée complète ou de camper sur place, ou encore pour une excursion en kayak de mer, afin d'apprécier toutes les richesses de la faune et de la flore ou explorer les nombreux chemins de randonnée de ces îles restées sauvages. Sur *Santa Cruz,* l'île la plus étendue, réside une espèce endémique de geai, plus grand et plus bleu que la normale. Plus de 50 000 lions de mer se rassemblent sur la côte venteuse et souvent plongée dans le brouillard de *San Miguel,* située à 90 km de la côte. Quant à

Santa Rosa, elle est surtout célèbre pour le squelette de mammouth pygmée qu'on y a découvert en 1994 et qui est maintenant exposé au musée d'Histoire naturelle de Santa Barbara. Autre habitant célèbre de cette île : le putois à pois. Attention où vous mettez les pieds !

Pour les excursions à la journée, compter env 50 $/pers pour Santa Cruz, 60 $ pour Santa Rosa et 100 $ pour San Miguel. Pour plus d'infos :

■ Infos sur le parc des Channel Islands : ● *nps.gov/chis/* ●

■ **Truth Aquatics :** *301 W Cabrillo Blvd.* ☎ *805-962-1127.* ● *truthaquatics.com* ●

■ **Island Packers :** *1691 Spinnaker Dr, à Ventura.* ☎ *805-642-1393.* ● *island packers.com* ●

SANTA BARBARA

L'INTÉRIEUR DE LA CALIFORNIE (LA SIERRA NEVADA)

SACRAMENTO

486 000 hab.

Située à mi-distance de San Francisco et de South Lake Tahoe, la capitale de la Californie surprend par son air débonnaire. Le centre révèle pléthore de parcs publics, des fresques nombreuses et une microscopique vieille ville (Old Sacramento) reconstruite comme au temps des westerns et architouristique – avec les inévitables boutiques de souvenirs. On y fait néanmoins d'agréables balades en calèche, à deux pas de la rivière Sacramento, où s'ancre la vieille gare. De magnifiques trains à vapeur, qui trans-portent des passagers, y passent encore

mais on découvre vraiment ces monstres dans le superbe *California State Road Museum*, la plus belle attraction de la ville. Sacramento est également une excellente étape vers Coloma et le *Gold County*, où ont été découvertes les premières pépites à l'origine de la ruée vers l'or en 1848.

Arriver – Quitter

En avion

✈ *Sacramento International Airport :* à env 16 km au nord-ouest de Sacramento, en prenant l'Inter-state 5 N. ☎ 916-929-5411. ● sacairports.org ● Liaisons quotidiennes avec les principales villes des États-Unis.

En bus

🚌 *Greyhound :* 420 Richards Blvd. ☎ 1-800-231-2222 ou 916-444-6858. Ouv 24h/24. Consigne, téléphones pour appeler les motels de la ville, cafétéria et Internet.
➤ *De/vers San Francisco :* de S.F., env 8 bus/j. entre 6h15 et 20h45, plus

1 bus à 1h du mat. De Sacramento, 7 bus/j. entre 7h et 23h30. Durée : entre 2h et 2h45.
➤ *De/vers Reno :* de Reno, environ 5 bus/j. entre 6h35 et 20h30. De Sacramento, même fréquence mais entre 3h30 et 18h40. Durée : 3h.
➤ *De/vers Los Angeles :* de Sacramento, une dizaine de bus/j. entre 3h15 et 23h. De Los Angeles, une dizaine de bus/j. entre 9h25 et 1h45 du mat. Durée : entre 7h30 et 10h30 selon les bus.

En train

🚂 *Amtrak :* angle 4th et I St, près de Old Sacramento. ☎ 1-800-872-7245. ● amtrak.com ● Env 20 départs/j. vers la région de San Francisco.

Liaisons quotidiennes avec Los Angeles et Chicago.

Adresses et infos utiles

🛈 Visitor Information Center : *1002 2nd St, dans Old Sacramento.* ☎ 916-442-7644. *Tlj 10h-17h.* ● *discovergold.org* ● Plan gratuit, documentation et quelques infos.

✉ Post Office : *801 I St (angle 8th St). Lun-ven 8h-17h.*

@ Internet : *accès gratuit pdt 1h à la* **Public Library,** *828 I St (juste en face de la poste). Mar 10h-20h, mer-jeu 10h-18h, ven 12h-18h, w-e 10h (12h dim)-17h.* Demandez une e-*card* gratuite au 3e étage (passeport demandé). Un peu d'attente à prévoir...

■ Nombreux parkings, mais assez chers. Les endroits les plus intéressants sont relativement proches, il est donc aisé de se déplacer à pied. Vous gagnerez pas mal de temps, car la plupart des rues de Sacramento sont en sens unique : si vous vous trompez de direction en voiture, vous en serez quitte pour faire le tour de quelques blocs à chaque fois.

➤ Tours en calèche : départ autour du *Visitor Information Center.* Compter environ 10 $ les 20 mn de balade pour 6 personnes maximum.

Où dormir ?

Très bon marché

🏠 International Sacramento Hostel : *925 H St.* ☎ 415-443-1691. ● *norcalhostels.org/sac* ● *Réception ouv 7h30-22h30.* Tarif pour les membres (ajouter 3 $/pers pour les non-membres) : dortoir 30-33 $/pers, double env 75 $ (jusqu'à 90 $ la suite avec sdb privée) ; réduc moins de 12 ans. Quelques places de parking 5 $/j. 🖥 🛜 L'une des plus belles AJ du pays, installée dans une magnifique maison victorienne toute verte, en plein centre-ville – et pourtant très calme. Depuis sa construction en 1885, cette maison a déjà déménagé 3 fois ! On ne vous parle pas des occupants, mais bien du bâtiment tout entier. Le tic-tac de l'horloge centenaire dans l'entrée ajoute au charme du lieu... Très beaux salons, salle à manger et terrasses. Dortoirs (8-10 lits) hauts de plafond et lumineux, ou chambres privées spacieuses et très propres. Laverie, très belle cuisine, bibliothèque de voyage, salle de jeux et TV, machines à laver. Vente de réveils, cadenas, serviettes, etc. Plein d'infos.

De prix moyens à chic

🏠 Best Western Sutter House : *1100 H St.* ☎ 916-441-1314 ou 1-888-256-8040. ● *thesutterhouse.com* ● *Après l'AJ à gauche. Doubles 100-165 $, petit déj continental compris. Conseillé de réserver sur Internet (moins cher).* 🖥 🛜 À quelques minutes à pied du Capitole et de Old Sacramento, cet hôtel coquet et cossu offre de grandes chambres assez haut de gamme, et rénovées récemment. Les plus calmes donnent sur la piscine autour de laquelle l'hôtel est construit. Salle de sports et resto.

– Pour ceux qui ne trouveraient pas de place à ces 2 adresses, il y a plusieurs **motels** les uns à côté des autres à l'angle de 16th St et de G St. Vous trouverez par exemple le *Holiday Inn* et le *Clarion.* Compter environ 100-170 $ la nuit selon saison et confort. Cela dit, ils manquent vraiment de charme donc uniquement en dépannage !

Où manger ? Où écouter de la musique ?

Spécial petit déjeuner

🍴 The Bread Store : *1716 J St.* ☎ 916-557-1600. *Lun-ven 6h30-18h, sam 8h-18h, dim 8h-16h.* Env 6 $. Une boulangerie avec quelques tables où l'on sert des soupes savoureuses, des salades et des sandwichs ultrafrais, copieusement garnis et préparés sous vos yeux. Le pain est la spécialité de la maison, vous pourrez choisir entre une douzaine de variétés différentes pour

votre sandwich. Petit déj servi toute la journée. Parfait pour les lève-tard, sinon ça fait un peu vide...
– Et aussi *Tower Café* (voir plus loin) pour un petit déj dans un cadre très agréable...

De bon marché à prix moyens

|●| *Tower Café* : 1518 Broadway St. ☎ 916-441-0222. Tlj 8h-23h (minuit ven-sam). Plats env 8-13 $. Charmant café agrémenté d'un beau bric-à-brac et de toiles à la Frida Kahlo, plus une charmante terrasse verdoyante, bercée par le glouglou d'une fontaine, le tout juste à côté d'un vieux cinoche croquignolet dont la tour est bien connue à Sacramento (mais qui est en péril, voir ● savethetowertheatre.org ● pour le sauver !). Un très beau lieu où l'on sert d'excellents petits déj et brunchs. La spécialité maison, ce sont les *French toast*, de vraies tranches de pain qui passent toute la nuit dans un bain de crème anglaise à la vanille, d'où leur moelleux. Côté salé, les omelettes, soupes, sandwichs, burgers et salades s'inspirent quelque peu des cuisines italienne, thaïlandaise, chinoise, brésilienne, mexicaine ou encore marocaine, selon l'humeur. Un bon voyage au pays des saveurs. Portions bien copieuses. Pour l'anecdote, en face se trouve le tout premier magasin de disques *Tower Records*, ouvert en 1960.

|●| ♪ *Zócalo* : angle Capitol Ave et 18th St. ☎ 916-441-0303. Tlj 11h-22h (23h ven-sam). Brunch w-e 9h-15h. Plats env 8-17 $. Une très belle salle ouverte sur la rue, à la décoration grandiloquente, avec palmiers, cuivres, terrasse et vieux zinc. Grosse animation

en fin de semaine, histoire d'égayer un peu les soirées (trop) calmes de Sacramento. Attention, pas mal d'attente, on vous donnera un bipeur qui s'illumine comme un sapin de Noël quand une table se libère. La cuisine mexicaine est bonne mais un peu aseptisée. En fait, on vient surtout ici pour la musique mariachi du vendredi, le DJ du samedi soir et le brunch du dimanche en musique à partir de 11h30 ! Excellente ambiance. Certains soirs, ça guinche même entre les tables...

|●| *Bar 58°& Bistro* : 1217 18th St, angle Capitol Ave. ☎ 916-442-5858. À gauche de Zócalo. Tlj 11h-22h (23h ven-sam). Brunch 9h-14h. Plats env 8-15 $, bouteille de vin à partir de 28 $ et verre de vin 7-17 $. Un petit bar à vins contemporain bien sympathique, pour changer un peu du régime burger et *burrito*. Décor moderne ouvert sur le caviste. Bon choix de vins californiens, à accompagner d'une *bruschetta*, d'une assiette de fromages ou de charcuterie, plus salades, sandwichs et quelques plats plus élaborés.

|●| *Fat City Bar* : 1001 Front St, dans Old Sacramento. ☎ 916-446-6768. En sem 11h30-22h, w-e 10h30-22h. Sandwichs ou salades 10-15 $, plats 15-25 $. Pour ceux que l'aspect très touristique ne rebute pas. Situé en plein cœur de Old Sacramento, cet ancien magasin datant de 1849 et restauré à l'identique, est connu pour son bar en bois cossu et ses vitraux, dont la célèbre *Purple Lady*. On y sert une cuisine sans prétention mais bien tournée. Formule soupe et salade correcte et assez bon marché, à accompagner d'un très bon *French bread*. Sinon, des burgers classiques, des pâtes bien relevées ou une viande tendre. Service tout sourire et efficace.

À voir. À faire

🗡 *Sutter's Fort State Historic Park* : 2701 L St (entre 27th et 28th). ☎ 916-445-4422. Tlj sf lun 10h-17h. Entrée : 5 $ (supplément de 1 ou 2 $ en cas d'événement particulier) ; réduc 6-17 ans.
Au cœur de la ville se trouve le vieux fort (restauré) de John Sutter. La visite du fort lui-même n'est pas des plus passionnantes mais ceux qui ont lu *L'Or* de Blaise Cendrars, dont le héros est justement Sutter, feront une escale ici. Car c'est indéniable : sa vie est un roman. Né en Allemagne en 1803, mais se considérant Suisse, John Augustus Sutter laissa sa femme, ses cinq enfants et ses

lourdes dettes pour émigrer en Amérique en 1834. Il travailla à New York, passa par le Missouri, le Kansas, naviga aux îles Hawaii, et débarqua en Californie en juillet 1839 en vue d'y faire fortune. Le gouvernement mexicain d'alors lui accorda une immense concession territoriale (près de 20 000 ha) et un passeport mexicain. En échange, il s'engageait à participer à la « pacification » des terres indiennes. Dès l'été suivant, il entreprit la construction d'un fort. Pionnier de l'Ouest, son rêve était de fonder la « Nouvelle Helvétie » en sol américain. Il y parvint, devenant même à terme le plus grand propriétaire de l'Ouest, élevant chevaux, vaches et moutons. En 1847, Sutter demanda au menuisier Marshall de construire une scierie à Coloma, sur la rivière South Fork. Au début de l'année suivante, lors des travaux, Marshall découvrit par hasard quelques pépites. Ce fut le début de la ruée vers l'or. Ironie de l'histoire, Sutter ne gagna pas un sou, et il se ruina même pour avoir aidé trop de nouveaux émigrants. Il mourut dans la détresse en espérant une aide pour ses services de la part du gouvernement fédéral. Ce fort qu'il fit construire fut son Q.G. pendant de nombreuses années.

Sur place, dans les casemates aménagées et meublées « comme à l'époque », quelques sections consacrées à la vie de Sutter, à l'histoire de Sacramento, ainsi qu'à celle de la ruée vers l'or. Ateliers d'artisans, cuisines, quartiers d'habitation, magasin du fort, hôpital de fortune, poste de garde restituent fidèlement le cadre à l'aube du XIXe s. De fin mai à fin septembre, des acteurs en costume font revivre le fort d'avant la ruée vers l'or. Le parc entourant le fort, avec son gazon épais, est idéal pour un pique-nique.

🎎🎎 *State Indian Museum :* 2618 K St, contre le fort Sutter. ☎ 916-324-0971. ● parks.ca.gov/indianmuseum ● Mer-dim 10h-17h. Entrée : 3 $; réduc 6-17 ans. *Texte en français à disposition.* Lorsque Marshall découvrit sa première pépite en 1848, environ 150 000 Indiens vivaient en Californie, 10 fois plus que de colons. Ce fut le début de la fin. Dix ans plus tard, ils étaient moins de 20 000. Ce musée leur est consacré, et il présente de magnifiques pièces d'artisanat : parures de danse – dont une, de toute beauté, en plumes d'aigle –, vanneries d'une grande finesse, paniers recouverts de plumes (une spécificité californienne), etc. Tout le quotidien est décliné au travers de la chasse, de la musique, des croyances, des échanges commerciaux. La triste histoire d'Ishi, le dernier survivant de la tribu des Yahis, mort en 1916, est contée par le menu. À côté, une superbe cape en peau de lapin et une autre, tout aussi belle, en peaux de chat sauvage et de coyote ! Le musée organise régulièrement des démonstrations d'artisanat et de danse.

🎎🎎 *La vieille ville (Old Sacramento)* mérite qu'on lui consacre une petite visite. Elle est située à l'ouest du Downtown (dans le prolongement de Downtown Plaza), sur les berges de la rivière Sacramento, par laquelle arrivèrent les premiers colons. On y trouve surtout des boutiques et des restaurants très touristiques, mais le quartier est rigolo pour se balader, avec sa rue pavée et sa vieille gare, ses bateaux à roues à aubes, ses devantures très western et ses vieux bâtiments en brique et bois.

🎎🎎🎎 🎎 *California State Railroad Museum :* 125 I St (angle 2nd St), dans Old Sacramento. ☎ 916-445-6645. ● csrmf.org ● Tlj 10h-17h. Fermé Thanksgiving, Noël et Jour de l'an. Entrée : 10 $; 5 $ pour les 6-17 ans. Impressionnant ! Ce musée est dédié à l'histoire du chemin de fer en Californie et à l'importance de Sacramento comme nœud ferroviaire. Dans les années 1860, la conquête de l'Ouest bat son plein. L'ingénieur Theodore Judah lance l'idée d'une ligne transcontinentale, qui relierait l'Est et l'Ouest, et dont Sacramento serait le terminal. Grâce à l'appui du président Lincoln et des barons du chemin de fer locaux Huntington, Hopkins, Crocker et Stanford, la ligne est inaugurée en mai 1869. Un film de 20 mn retrace cette aventure, avant d'entrer dans le musée lui-même, où sont exposés une vingtaine de monstres : de magnifiques et monumentales locomotives ainsi que des wagons rutilants. Superbe mise en scène, avec des volumes énormes et des mannequins si bien faits qu'on les confondrait avec les visiteurs.

On peut pénétrer dans certains de ces trains et admirer la complexité de la mécanique, ou visiter des wagons de transport de voyageurs très luxueux, comme le *Pullman* où l'on servait le dîner de façon très classe. À l'étage se trouve une expo de trains miniatures qui ne manquera pas de vous faire retomber en enfance. Si toutefois vous préférez les vrais aux modèles réduits, une balade de 10 km en train à vapeur part le week-end, entre avril et septembre, de 11h à 17h ; tickets en vente au *Central Pacific Railroad Freight Depot,* sur Front Street (entre J et K Street), juste à côté du musée.

🦊 À voir encore, le **Capitole,** situé à l'angle de 10th et L St. Tlj 8h (9h le w-e)-17h. On peut visiter gratuitement le bureau du gouverneur tel qu'il était en 1906, ainsi que quelques pièces d'époque attenantes. Projection de petits films historiques au sous-sol. Tours guidés toutes les heures de 10h à 16h, sinon petite brochure en français disponible pour se balader seul.

➤ De Sacramento, prendre la route 50 pour se rendre à South Lake Tahoe. À partir de Placerville, c'est un *Scenic Drive.*

DANS LES ENVIRONS DE SACRAMENTO

🦊🦊 *Marshall Gold Discovery State Historic Park :* 310 Back St, à **Coloma,** à 77 km de Sacramento, sur la Hwy 49. ☎ 530-622-3470 ou 1-800-777-0369. *Prendre la route 50 vers South Lake Tahoe puis la route 49 à Placerville (à gauche, petite route sinueuse démarrant au niveau de Spring St). Musée-Visitor Center ouv tlj sf dim-lun 10h-16h. Parc ouv tlj 8h-17h. Entrée : 8 $/voiture.* C'est à Coloma, le 24 janvier 1848, que James Marshall découvrit de l'or dans l'American River, à proximité de la scierie qu'il construisait pour John Sutter. Cette découverte marqua le début de la *gold rush* : des milliers de chercheurs d'or affluèrent vers la petite ville, qui compta jusqu'à 10 000 habitants en 1849. Cette expansion fut de courte durée, d'autres filons ayant été découverts dans les environs. Marshall ne profita pas de sa trouvaille et mourut dans la pauvreté, tout comme Sutter. Aujourd'hui, Coloma est une jolie petite bourgade où subsistent quelques bâtiments d'époque (atelier du forgeron, boutiques et cabanes de mineurs) ainsi qu'une reconstitution de la scierie de Sutter. L'originale a été démantelée pour son bois et a fini par s'effondrer dans les flots tumultueux de la rivière dans les années 1850. Une petite balade sur la rive permet de voir son emplacement, ainsi que l'endroit où Marshall découvrit sa première pépite. Animations en costume certains week-ends.

SOUTH LAKE TAHOE

21 000 hab.

Ville de vacances au sud du plus grand lac de type alpin d'Amérique du Nord, à cheval sur la Californie (South Lake Tahoe proprement dite) et le Nevada (Stateline). Ce qui explique que d'un côté on admire le paysage, de l'autre on joue dans les casinos – et ce dès la ligne de la frontière franchie. Pas bête, hein ?

Contrairement aux casinos, ce lac aux eaux bleu azur et entouré de belles forêts, surtout des conifères, est vraiment très beau. Une superbe route panoramique en fait le tour, traversant une noria de bourgades touristiques. Les eaux sont si claires, les plages si méditerranéennes au premier abord (sable, conifères sur la berge, ciel bleu comme en Provence), le tout si éclatant que l'on se croirait partout sauf en altitude ! Et pourtant, le lac Tahoe est un authentique lac de montagne, qui culmine à 1 867 m au-dessus de la mer. Le climat y est ensoleillé, tout en restant très frais grâce à l'altitude.

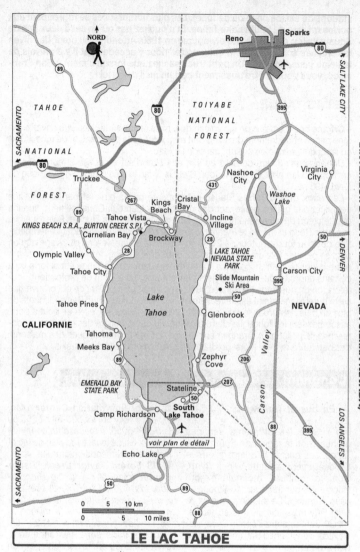

LE LAC TAHOE

Bien sûr, une telle merveille naturelle, si proche des grandes métropoles de la côte californienne, ne pouvait rester vierge *ad vitam æternam*. Le tourisme s'y est développé à une vitesse foudroyante. Beaucoup de San-Franciscains y débarquent le week-end ; bon nombre se sont fait construire des chalets. Et l'été, ils sont des milliers à fréquenter les plages et à barboter dans les eaux frisquettes, pratiquant des sports nautiques, se promenant en barque ou en hors-bord, se baladant en forêt, etc. C'est pourtant en hiver que la clientèle est la plus nombreuse. Il faut dire que le lac est la porte d'accès à plusieurs stations de ski (de piste ou de fond). Les plus nombreuses se regroupent aux portes mêmes de South Lake Tahoe. Et n'oubliez pas qu'on est à deux pas de Squaw Valley, qui fut un site olympique en 1960. Attention, au cœur de l'hiver, les chaînes sont quasiment obligatoires pour y accéder... et il y a parfois de la neige jusqu'en avril ! Un petit truc : sachez que lorsqu'il pleut à San Francisco, vous pouvez être quasiment certain qu'il neige ici !

LE LAC TAHOE

– **Origine :** ce n'est pas un lac volcanique, mais un lac situé dans une cuvette formée par un effondrement du relief. Son nom vient de la déformation du mot *dá'aw,* en langage amérindien *washo,* qui signifie « lac ».

– **Dimensions :** 35 km du nord au sud et 19 km d'est en ouest. Il faut parcourir environ 116 km pour en faire le tour. C'est le 3e lac le plus profond d'Amérique du Nord (493 m).

– **Les eaux du lac Tahoe :** le lac est alimenté par la pluie et par la fonte des neiges et des glaces provenant des montagnes alentour. Curieusement, aucune goutte d'eau du lac ne rejoint l'océan. Une maigre rivière (la Truckee River) s'en va rejoindre Reno et même le Pyramid Lake, dans le désert du Nevada. La température de l'eau tourne autour de 20 °C en moyenne en été, le long du rivage où l'on peut se baigner. Elle est plus basse dès que l'on s'éloigne des rives.
Autre curiosité : la transparence. La clarté des eaux du lac Tahoe est si forte qu'à certains endroits, dit-on, des objets peuvent être vus à 22 m de profondeur. Toutefois, on dit que les années 1960 on pouvait voir à 30 m, ce qui prouve que cette pureté légendaire est sérieusement menacée aujourd'hui. Des sédiments de plus en plus nombreux favorisent la prolifération d'algues. Celles-ci, petit à petit, assombrissent les fonds ; la clarté diminue. En outre, malgré des mesures draconiennes, la pollution n'arrange rien. Le pire : les rejets domestiques des maisons, des bateaux à moteur (hors-bord) et particulièrement ceux des jet-skis.

Comment se déplacer ?

➤ **En bus et trolley :** ☎ 530-541-7149 ou 1-800-COMMUTE. ● bluego. org ● Gère les différents services de bus dans la région de South Lake Tahoe. Les bus de la compagnie *Blue Go* desservent le centre-ville tlj 7h-1h. Comme toujours, monnaie exacte exigée (4 $ par trajet, ou 10 $ pour un *pass* journalier). De mi-juin à mi-sept, le *Nifty-Fifty Trolley* circule ttes les heures, 11h30-20h30, entre Zephyr Cove – au Nevada – et Emerald Bay (mêmes tarifs que le bus).
➤ En saison, les **stations de ski** offrent ttes des services de **navettes** gratuites pour gagner la base de leurs pistes – plutôt que celles des autres... *Pour savoir où les prendre :* ☎ 530-541-7548 pour Heavenly et Sierra-at-Tahoe, ☎ 530-587-6128 (résa 24h en avance) pour Kirkwood.
➤ **À vélo :** voir « Adresses utiles », ci-après.

Adresses utiles

🛈 **Visitor Information Center** (plan, 1) : 3066 Hwy 50. ☎ 530-541-5255 ou 530-544-5050. ● tahoesouth.com ● Tlj 9h-17h. Guide local avec plan du lac et plein de documentation gratuite.
🛈 **US Forest Taylor Creek Visitor Center** (plan, 2) : à Camp Richardson. ☎ 530-543-2674. À près de 2 km à l'ouest de la ville, le long de la route US 89. De fin mai à mi-oct, tlj 8h-17h ; de mi-oct à fin oct, tlj 8h-16h. Pour les infos sur l'environnement, c'est ici. Équipe très serviable, et l'on peut voir une coupe souterraine de rivière qui permet d'observer les poissons (notamment les saumons en octobre) et les animaux d'eau douce batifoler dans leur élément naturel en empruntant le *Rainbow Trail* qui part du *Visitor Center.*
🛈 Autre **point d'information** (plan, 3), après le secteur des casinos, dans le Nevada : 169 Hwy 50, à

l'intersection de la route 207. ☎ 775-588-5900. Tlj 9h-17h.

✉ **Poste :** 1046 Al Tahoe Blvd, dans un petit centre commercial, à côté du Albertson's. Lun-ven 8h30-17h, sam 12h-14h.

■ **Location de vélos : Anderson's Bike Rental,** 645 Emerald Bay Rd, sur la Hwy 89, à l'angle de 13th St et juste à droite du Lazy S Lodge. ☎ 530-541-0500. ● andersonsbicy clerental.com ● Remise de 10 % sur présentation d'un flyer (disponible à l'office de tourisme ; voir plus haut). Situé juste au démarrage du Forest Bicycle Trail (circuit de 16 km), ça tombe bien... Sinon, chez **High Sierra Adventure Sports,** mais côté Nevada, à l'angle de la Hwy 50 et de Elks Point Rd. ☎ 530-542-2565. Loue également des kayaks.

■ **Location de skis, snowboards et équipement :** ramassez au Visitor Information Center les nombreux flyers et coupons qui proposent toujours des réducs, une remise sur Internet ou une loc offerte pour la 4e pers. Citons, entre autres, **Mountain Mike's** (☎ 530-541-2823), **Powder House** (☎ 530-542-6222. ● tahoepow derhouse.com ●), **The Ski Renter** (☎ 530-544-2100), **Rainbow Mountain** (☎ 530-541-7470) et **Rip'n'Willies** (☎ 530-541-6366) qui offrent le pick-up, ou encore **High Sierra Adventure Sports** (côté Nevada ; ☎ 530-542-2565).

Où dormir ?

Ceux qui dorment dans les motels ont vraiment intérêt à ne pas venir le week-end : les prix grimpent alors d'une façon vertigineuse et il est difficile, malgré le très grand nombre d'établissements, de trouver une chambre. En semaine, en revanche, et surtout hors saison, la compétition est telle que les prix sont vraiment intéressants : à partir de 30-35 $ la double. Si vous désirez vous rendre à la plage de South Lake Tahoe (payante), il peut être intéressant de demander si l'hôtel fournit ou non un beach pass – c'est toutefois rarement le cas pour les moins chers.

Autre précision, la Highway 50 changeant de nom en traversant la ville (Lake Tahoe Blvd), nous avons pris le parti de toujours la désigner par Highway 50.

Les bourgades encerclant le lac sont loin d'être dépourvues de motels, hôtels et B & B de toutes sortes, mais les prix qui y sont pratiqués sont nettement plus élevés qu'à South Lake Tahoe.

Campings

Bon nombre de campings, tant à South Lake Tahoe que sur le pourtour du lac, n'ouvrent qu'en mai ou juin.

⚑ **Campground By The Lake** (plan, 10) **:** 1150 Rufus Allen Blvd. ☎ 530-542-6096. Derrière la bibliothèque (El Dorado County Library), au bord de la Hwy 50. Ouv courant avr-fin oct. Emplacement env 26 $ pour 6 pers et 1 véhicule, 36 $ avec l'électricité. Loc de cabins et tent cabins env 50 $. Durée max autorisée : 2 sem. En bord de route, mais pas bruyant. On plante sa tente sous les pins, entre les écureuils. Il arrive même qu'on ait la visite d'un coyote. Douches chaudes gratuites, w-c bien équipés.

⚑ **Eagle Point Campground :** env 10 km au nord-ouest de South Lake Tahoe, sur la route 89. Résas : ☎ 530-541-3030 ou 1-800-444-7275. Ouv de mi-juin à sept. Résa indispensable en saison et le w-e ! Emplacement env 25 $. Site superbe (le plus beau autour du lac), une sorte de péninsule donnant sur Emerald Bay. La centaine d'emplacements est éparpillée dans un bois surplombant une charmante crique. On vit au milieu des écureuils (certains sont porteurs de la rage, alors méfiance !). Évitez les premiers emplacements, les plus beaux pour leur vue sur l'eau sont ceux qui vont du no 54 au no 70, à la pointe extrême du camping. Douches chaudes payantes.

⚑ **D.L. Bliss State Park Campground :** sur la Hwy 89, à env 16 km à l'ouest de South Lake Tahoe, après Emerald Bay. Résas : ☎ 530-525-7277 ou 1-800-444-7275. ● parks. ca.gov ● N'ouvre qu'en mai, lorsque

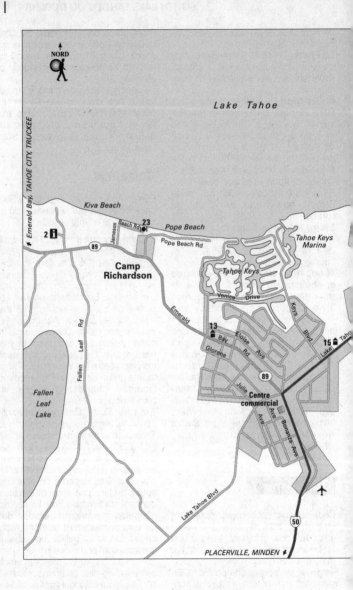

Lake Tahoe

NORD

Emerald Bay, TAHOE CITY, TRUCKEE

Kiva Beach

Beach Rd

23

Pope Beach

Jameson

Pope Beach Rd

89

Camp Richardson

Tahoe Keys Marina

Tahoe Keys

Venice Drive

Emerald

Leaf Rd

Fallen Leaf Rd

13

Bay

Eloise Ave

Keys Blvd

15

Lake Tahoe

Glorene

Fallen Leaf Lake

89

Julie

Centre commercial

Ave

Bonanza Ave

Lake Tahoe Blvd

50

PLACERVILLE, MINDEN

■ **Adresses utiles**

🛈 1 Visitor Information Center
🛈 2 US Forest Taylor Creek Visitor Center
🛈 3 Point d'information

⛺ 🏠 **Où dormir ?**

  10 Campground By The Lake

11 Best Western Timber Cove Lodge
12 Alpenrose Inn
13 Lazy S Lodge
14 National 9 Inn
15 Motel 6
16 Royal Valhalla On The Lake

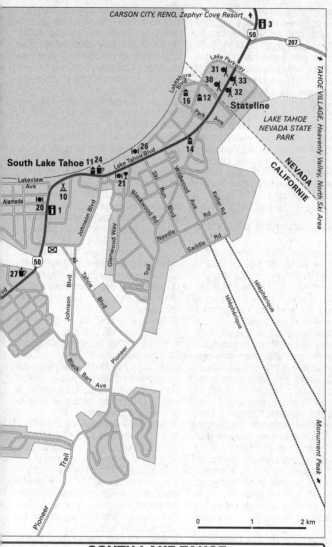

CARSON CITY, RENO, Zephyr Cove Resort

Lake Parkway

Lakeshore Blvd

Stateline

South Lake Tahoe

Lakeview Ave

Alameda

Johnson Blvd

Glenwood Way

Tahoe Blvd

Needle Trail

Blackwood Rd

Ski Run Blvd

Wildwood Ave

Keller Rd

Saddle Rd

Park Ave

LAKE TAHOE NEVADA STATE PARK

NEVADA
CALIFORNIE

TAHOE VILLAGE, Heavenly Valley, North Ski Area

Black Bart Ave

Pioneer Trail

Pioneer Trail

télèphérique

télèphérique

Monument Peak

0   1   2 km

SOUTH LAKE TAHOE

L'INTÉRIEUR DE LA CALIFORNIE (LA SIERRA NEVADA)

la neige a fini de fondre, et ferme fin sept. Emplacement 35 $ jusqu'à 8 pers et 2 véhicules, 45 $ proche de l'eau (emplacements nos 141 à 165). Encore un très beau camping, pas donné mais avec des emplacements ombragés (sous les sapins) relativement espacés, qui s'étagent jusqu'au lac. Surtout des tentes et très peu de camping-cars. En plus, il y a une plage quasi méditerranéenne en bas, des coins pique-nique, des kilomètres de sentiers de randonnée, en particulier le Rubicon Trail, qui longe Emerald Bay pour rejoindre South Lake Tahoe. Douches chaudes payantes. Parfois des ours en goguette.

De prix moyens à plus chic

🛏 **Alpenrose Inn** (plan, 12) : 4074 Pine Blvd. ☎ 530-544-2985 ou 1-800-370-4049. ● alpenroseinn tahoe.com ● De 50 $ en sem hors saison à 210 $ le w-e en saison, petit déj (pas inoubliable) et beach pass inclus. Notre meilleure adresse. Un mignon petit hôtel vert et blanc en bois, avec seulement 19 chambres, toutes décorées par Hannelore, la charmante proprio germano-helvète. Les chambres, très coquettes avec leur dessus-de-lit en patchwork, rappellent tantôt un chalet des alpages, tantôt une maison de thé anglaise. Certaines avec cuisine moyennant un supplément de 15 $, d'autres avec poêle à gaz, toutes avec clim et chauffage. La n° 6 est particulièrement agréable, surtout la salle de bains. Terrasse-solarium et jardinet avec barbecue. Un coup de cœur, à deux pas de la plage et du lac, à un jet de pierre des casinos, dans un quartier résidentiel très calme.

🛏 **Royal Valhalla On The Lake** (plan, 16) : 4104 Lakeshore Blvd. ☎ 530-544-2233 ou 1-800-230-4134. Doubles de 95-125 $ à 125-135 $ avec ou sans cuisine selon saison, petit déj compris. Suites 4 pers 115-175 $ et 8 pers 255-275 $ selon saison. Ajouter env 20 $ pour une vue sur le lac. Motel plutôt chic, situé au bord du lac, dans un coin calme et plutôt vert, et non loin des casinos. Chambres spacieuses,

d'un bon niveau de confort, avec frigo ou micro-ondes sur demande (supplément), certaines avec cuisine. Suites de 2 et 3 chambres plus chères (mais intéressant pour les familles) et piscine chauffée. Agréable cheminée dans le lobby. Accueil très sympa et accès gratuit à la plage.

🛏 **Lazy S Lodge** (plan, 13) : 609 Emerald Bay Rd. ☎ 530-541-0230 ou 1-800-862-8881. ● lazyslodge.com ● Doubles 80-150 $ selon saison, cottages 110-125 $. Pas de vue sur le lac ici mais c'est l'un des moins chers du secteur. Entouré de sapins, un grand bâtiment en U avec des bungalows et des chambres un peu datées mais à peu près correctes. Toutes avec kitchenette, frigo, micro-ondes. Préférez les chambres du fond qui pâtissent moins du bruit de la route. Les cottages disposent d'une cuisine et d'un salon avec cheminée. Piscine en été (chauffée) et gazon pour lézarder. On peut louer des vélos juste à côté, chez Anderson. Un poil tristounet hors saison.

🛏 **Motel 6** (plan, 15) : 2375 Lake Tahoe Blvd. ☎ 530-542-1400 ou 1-800-4-MOTEL-6. ● motel6.com ● Compter env 45-65 $ hors saison, 65-95 $ en été. Motel classique situé sur la grande artère principale. Confort standard, avec café à la réception le matin, piscine et machines à laver pour le côté pratique.

🛏 **National 9 Inn** (plan, 14) : 3901 Pioneer Trail. ☎ 530-541-2119 ou 1-800-293-0363. ● national9tahoe. com ● Doubles 60 $ en sem (35 $ hors saison)-160 $ le w-e en hte saison. Piscine et jacuzzi. 🖥 📶 Grand motel orangé sans charme mais correctement entretenu, avec de vastes chambres confortables (micro-ondes). Café et pastry le matin.

🛏 **Best Western Timber Cove Lodge** (plan, 11) : 3411 Lake Tahoe Blvd. ☎ 530-541-6722. ● tahoebeachretreat. com ● Doubles 100-200 $ selon saison et sem ou w-e, petit déj léger inclus. Motel situé sur la grande artère principale mais de bon confort. Demandez une chambre à l'arrière du vaste bâtiment en bois gris pour être plus tranquille. Chambres très confortables avec tout l'équipement habituel des Best Western.

Où manger ?
Où boire un verre ?

Comme à Las Vegas, les casinos sont les endroits les moins chers pour manger (tout est bon pour attirer les joueurs). Pensez à demander des *fun books* gratuits dans les motels pour obtenir des réductions dans les casinos.

Spécial petit déjeuner

☛ *The Red Hut Café* (plan, **27**) : 2723 Lake Tahoe Blvd (Hwy 50). ☎ 530-541-9024. Tlj 6h-14h. Plat env 8 $. CB refusées. Une institution du petit déj à Tahoe depuis 1959 (lire le chaleureux historique au dos du menu). La déco est restée volontairement d'époque (box et vieux comptoir, skaï rouge, formica noir), ce qui donne à l'endroit son côté authentique, loin des prétentieuses stations de ski toutes proches. Dans l'assiette, gaufres parsemées de fruits frais, pancakes, omelettes, bref, les classiques du petit déj made in USA. Café à avaler dans de jolis *mugs*. De quoi faire le plein d'énergie avant d'attaquer les pistes ou les chemins de randonnée.

☛ *Heidi's* (plan, **24**) : 3485 Lake Tahoe Blvd. ☎ 530-544-8113. Tlj 7h-14h. Plats env 9-15 $. Malgré ses airs de chalet suisse tout jaune surmonté d'un clocheton rigolo et ses blasons des provinces helvétiques, la maison est spécialisée dans les petits déj à l'américaine depuis 1962. D'ailleurs, le proprio est tout ce qu'il y a de plus local, et s'il a choisi le thème alpin, c'est uniquement parce que sa petite-fille s'appelle Heidi ! Le choix est vaste, les plats très copieux et de bonne qualité, mais les prix sont assez élevés, surtout en ce qui concerne les boissons. Le midi, on doit se contenter de burgers et de sandwichs. Le patron a ouvert un nouveau lieu, le *Bear Beach Café,* au 3310 Hwy 50, ouvert le soir.

Très bon marché

|●| *Sprouts Café* (plan, **20**) : 3123 Harrison Ave (angle Hwy 50 et Alameda Ave, juste en face du Visitor Information Center). ☎ 530-541-6969. Tlj 8h-21h. Plats env 6-8 $. CB refusées. Petit resto économique et à tendance bio tenu par des jeunes sympathiques. Carte variée et portions énormes : bagels, sandwichs, *burritos*, soupes, salades, *rice bowls* (riz mélangé à des légumes vapeur), *houmous* et grand choix de jus frais et de *smoothies*. Si vous n'avez jamais essayé le jus de blé *(wheatgrass)*, c'est l'occasion : les jeunes pousses sont récoltées devant vous, aux ciseaux, dans de grands plats où elles poussent ! Fait aussi des petits déj. Ajoutez à cela une agréable terrasse pour les beaux jours, et vous obtiendrez une excellente adresse – le meilleur rapport qualité-prix de la ville.

Prix moyens

|●| ♟ *The Brewery* (plan, **21**) : 3542 Lake Tahoe Blvd (Hwy 50). En face de l'entrée du Lakeland Village. ☎ 530-544-2739. Tlj 11h-22h. Pizzas env 14-23 $ selon taille. Maisonnette en bois avec une agréable cheminée, spécialisée dans les pizzas à pâte fine mais généreusement garnies. La plus petite (25 cm) est largement suffisante pour caler une grosse faim ou 2 appétits d'oiseau. Fabrique ses propres bières (une dizaine de variétés différentes) comme on peut le voir côté bar avec les belles cuves juste derrière. Terrasse avec bancs en bois agréable, mais bruyante sur l'avant.

Chic

|●| *Beacon Restaurant* (plan, **23**) : 1900 Jameson Beach Rd. ☎ 530-541-0630. Situé à Camp Richardson, à près de 2 km à l'ouest de South Lake Tahoe. Tlj à partir de 11h en été, 11h30 le reste de l'année. Brunch w-e 10h30 (11h en été)-14h. Plats env 11-15 $ à midi, 20-40 $ le soir. Parking : 7 $ en été, déduits ensuite de la note à partir de 25 $. Très beau site au bord du lac ! Le midi, la carte se limite essentiellement aux *fish and chips* (frais mais pas très généreux en frites...), soupes, sandwichs, salades, burgers et *clam chowder* mais le restaurant est alors

L'INTÉRIEUR DE LA CALIFORNIE (LA SIERRA NEVADA)

plus abordable, et c'est logiquement le meilleur moment pour profiter de la superbe vue sur le lac depuis la terrasse. Le soir, les plats sont plus tournés vers la mer et les prix grimpent. Musique live du mercredi au dimanche de 14h à 18h en été (parfois le w-e hors saison) : ambiance garantie.

|●| *Riva Grill* (plan, 26) : *900 Ski Run Blvd.* ☎ 530-542-2600 *ou 1-888-734-2882. Sur le blvd principal, en venant du Nevada, tourner à droite vers le lac, après le McDo. Tlj 11h30-21h30* (22h ven-sam en été), *le bar ferme 1h après. Plats env 13-20 $ à midi, 15-38 $ le soir.* Terrasse magnifique sur la marina mais éminemment touristique. Sinon, la grande salle à manger est superbe aussi (splendide escalier en acajou, cheminée), mais vite bruyante. L'accent est mis sur les produits de la mer, coquillages et poissons, plus tous les classiques habituels. Excellents *specials.* Belle carte des vins. Service attentif. Une bonne adresse chic pour les budgets plus aisés.

À voir. À faire

⚲⚲ *La route panoramique autour du lac* (shoreline) : cette route, longue de 115 km environ, offre des points de vue superbes ; les pressés seront contents puisque les plus beaux sites sont à une bonne quinzaine de kilomètres à l'ouest de South Lake Tahoe. Si vous avez de bons mollets, louez un vélo (adresse plus haut) pour aller jusqu'à Baldwin Beach. La route, longée sur une partie du chemin par une piste cyclable, surplombe le lac. À un moment donné, elle décrit une courbe, puis grimpe sur une sorte de butte boisée d'où l'on aperçoit, à droite et à gauche, en contrebas, les eaux turquoise du lac Tahoe et d'un autre petit lac, le Cascade Lake. Il y a quelque chose de fascinant : la route semble si étroite sur son dôme de terre qu'on la dirait jaillie de nulle part, posée sur presque rien. C'est là que se trouve le point de vue justement nommé Inspiration Point. Aux alentours, plein d'agréables balades à faire à pied dans la forêt.

⚲ À *Emerald Bay,* il est possible de se baigner en été. En 1929, une riche veuve y fit construire le *Vikingsholm Castle,* une pseudo-forteresse de 38 pièces, inspirée d'un château scandinave du IXe s. Il paraît qu'elle trouvait que la baie ressemblait à un fjord (à part les sapins...). Sur l'îlot de Fannette, Mrs Knight avait même fait aménager une « maison de thé », qui fut brûlée par des fêtards dans les années 1970. Aujourd'hui, Emerald Bay fait partie d'un *State Park,* et on peut visiter la demeure (du Memorial Day à fin sept, 10h30-16h ; 10 $/pers en visite guidée). Une partie du château est en bois, surmonté d'un toit de bardeaux, l'autre en pierre et ciment, parfois sauvagement restauré ! Le sentier pour s'y rendre fait 1,6 km en descente (donc pentu au retour). Il existe plusieurs parkings payants (env 10 $/j.) le long de la route qui surplombe le lac, mais ne garez en aucun cas votre voiture au bord de la route, car, en plus d'une amende, c'est la fourrière assurée.

■ *Les casinos* (plan, 30, 31, 32 et 33) : à la sortie est de la ville. Bienvenue au Nevada ! Valable seulement pour ceux qui ne connaissent pas Las Vegas, car ils n'ont ni leur splendeur ni leur démesure...

➤ *Excursion en bateau sur le lac* (Lake cruise) : 3 départs/j. avec le M.S. Dixie et le Tahoe Quee, 2 jolis bateaux à aubes, genre Mississippi, qui effectuent une balade de 2h30 sur le lac jusqu'à Emerald Bay. ☎ 775-589-4906. ● zephyrcove.com ● Env 47 $/pers. Le bateau fait demi-tour juste devant le Vikingsholm Castle et tourne autour de l'île de Fannette. La vue est vraiment magnifique et, en plus, la croisière est commentée par le capitaine qui donne plein d'infos sur le lac.

– *Parachute ascensionnel sur le lac* (para-sailing) : env 60 $/h et 110 $ en tandem. Plusieurs compagnies proposent ce type d'activité, non seulement à South Lake Tahoe, mais aussi ailleurs autour du lac. Prendre les *flyers* (avec réductions) au *Visitor Information Center*.

– *Jet-ski, location de bateaux* (à voile ou à moteur), *de kayaks, d'embarcations à pédales...* tout est possible un peu partout autour du lac. Prendre également les *flyers* (avec réductions) au *Visitor Information Center*.

RENO (NEVADA)

221 000 hab.

C'est Las Vegas en plus petit, plus provincial, moins cosmopolite et beaucoup moins *crazy* ! Comme pour sa *sister-city* du sud-ouest du Nevada, les Américains viennent et tuer le temps sur un week-end. On les voit jouer dans les casinos, dépenser leurs dollars, parfois se marier ou divorcer. Même si, au fil du temps, les formalités de mariage sont devenues plus faciles que celles du divorce (les époux doivent aujourd'hui résider dans l'État du Nevada au moins 6 semaines avant d'entamer la procédure), Reno reste dans l'esprit de beaucoup

LE CŒUR BRISÉ DE MARILYN

Les fans du chef-d'œuvre de John Huston, The Misfits (Les Désaxés), *tourné dans la région de Reno, feront un pèlerinage ému sur le Virginia St Bridge. Dans le film, après son jugement de divorce, Roslyn (Marilyn Monroe) s'y arrête avec sa vieille copine Isabelle. Cette dernière lui lance : « Si vous y jetez votre anneau, vous ne vivrez jamais plus d'autre divorce. » Roslyn hésite. Isabelle : « Faites donc, chérie. Tout le monde le fait. » Roslyn ne le fait pas. Aurait-elle dû ?... Ce sera le dernier film de Clark Gable et de Marilyn.*

la capitale mondiale des cœurs brisés... Pourtant, sa clientèle est aujourd'hui surtout composée de mamies et de papis accrochés à leurs bandits manchots, venus pour jouer avec le plus grand sérieux du monde et non pour admirer les folies architecturales d'un Las Vegas. Bref, on s'y ennuie plutôt... Cela dit, dans les années 1930, Reno fut une ville de débauche, de jeu et de prostitution, alors que Las Vegas était encore bien sage. Puis, dans les années 1940-1950, le mouvement s'inversa : Las Vegas devint Babylone, tandis que Reno s'assagit. Aujourd'hui, sous des airs de grande ville vouée au jeu, Reno reste une grosse bourgade avec sa rivière campagnarde (Truckee River) et son rythme très pépère. Elle est surnommée à juste titre « the biggest little city in the world ». Ne faites pas de détour pour venir jusque-là, ça n'en vaut vraiment pas la peine. Mais si vous vous rendez de Sacramento à Salt Lake City, ça permet au moins de passer la nuit quelque part tout en vous débarrassant de vos pièces de monnaie !

Adresses utiles

❶ *Convention & Visitor Center* : *4001 South Virginia St, dans le Reno Town Mall.* ☎ *1-800-FOR-RENO.* ● *visitrenotahoe.com* ● Lun-ven 8h-17h.

✉ *Post Office* : *50 South Virginia St.* ☎ *775-786-5936.* Lun-ven 7h30-17h. Un très bel exemple d'architecture Art déco.

Où dormir ?

Si vous êtes motorisé et que nos adresses sont pleines, une myriade de motels de chaîne bon marché s'étire le long de South Virginia Street. Mais rien de très palpitant. N'oubliez pas d'ajouter la *city tax* de 13,5 % aux prix indiqués ci-après.

L'INTÉRIEUR DE LA CALIFORNIE (LA SIERRA NEVADA)

De bon marché
à prix moyens

🏠 **Stardust Lodge :** 455 N Arlington Ave. ☎ 775-322-4472 ou 775-322-5641. Situé vers les casinos, dans la 3e rue à l'ouest parallèle à Virginia St (rue principale). Doubles 40-80 $ selon saison. Proche des casinos, un vrai petit motel familial peint en bleu et blanc et tenu par une gentille mamie. Chambres très propres (et qui sentent bon !), certaines avec frigo. Piscine en été. Laverie à 2 blocs de là et *Starbuck Coffee* à proximité. Tout simple mais le rapport qualité-prix-accueil est impeccable.

🏠 **Desert Rose Inn :** 655 West 4th St. ☎ 775-329-3451. ● desertro seinnreno.com ● Vers les casinos, dans une rue perpendiculaire à Virginia St (rue principale). Doubles 50-60 $, jusqu'à 100 $ le w-e en hte saison. Piscine. Laverie. 🛜 Un grand motel classique, logé dans un vaste bâtiment en U de couleur vaguement rose... Et parfois désert, parfaitement ! Il faut dire que la crise a frappé Reno également. Le motel accueille surtout des employés des casinos. Vous dormirez peut-être à côté d'un croupier alors tentez un arrangement, on ne sait jamais ! Trêve de plaisanterie, les chambres sont banales mais correctes, avec frigo et micro-ondes. Suites avec jacuzzi pour ceux qui auraient gagné au bandit manchot.

Où manger ?

Les buffets des casinos offrent le meilleur rapport qualité-prix. Attention, en général, ils servent jusqu'à 21h en semaine et 22h les vendredi et samedi. Ces buffets offrent une cuisine correcte à prix modérés, selon le principe du *all you can eat* (buffet à volonté). La concurrence était si rude pour les petits restos indépendants qu'ils ont presque disparu du centre-ville. On vous en indique quand même un, pour le principe...

🍽️ 🍴 **Flavors ! Buffet :** dans le casino Silver Legacy, 407 N Virginia St. ☎ 775-325-7401. Tlj sf lun-mar. Petit déj 10 $, déj 11 $, dîner 16 $ en sem, 21 $ le w-e ; champagne brunch (soyons fous !) le w-e 15 $ (avec du mousseux ?). La grande salle de buffet classique, où la cuisine se veut internationale (asiatique, italienne, américaine et mexicaine, en l'occurrence) et de bonne qualité : la cuisine asiatique ne baigne pas dans une sauce grasse, les salades ne se limitent pas à la portion congrue, les viandes sont tendres et savoureuses, et les pizzas croustillent. Buffet de fruits de mer le vendredi soir. Service moyen.

🍽️ 🍴 **Carvings Buffet :** dans le casino Harrah's, 219 N Center St. ☎ 775-786-3232. Petit déj lun-ven 10 $, champagne brunch le w-e 13 $, déj lun, mar et ven 11 $, dîner dim-jeu 16 $, steak et seafood buffet ven-sam 21 $. Le menu joue là aussi la carte de l'international, avec des plats mexicains, asiatiques, italiens et américains, un *salad-bar*, des pizzas, des pâtes, beaucoup de viande. La particularité de ce buffet est de servir des poissons et fruits de mer excellents, en particulier crevettes et pâtes au crabe, qui rendent son rapport qualité-quantité-prix presque imbattable. Large choix de desserts. Service efficace.

🍽️ 🍴 **The Buffet :** dans le casino Eldorado, 345 N Virginia St. ☎ 775-786-5700 ou 1-800-879-8879. Lun-ven, petit déj 10 $, déj 11 $. Dîner dim-jeu 15 $; ven, seafood buffet 16h-22h 25 $; sam, steak et produits de la mer 16h-22h 25 $. Brunch ven-sam 15 $ et brunch au champagne dim 17 $. Les prix peuvent différer un peu entre la basse et la hte saison. Là encore, des prix imbattables et un décor tout ce qu'il y a de plus standard pour ce buffet, où l'on retrouve les classiques du genre : asiatique, mexicain, italo-américain, avec des viandes excellentes, du chili con carne et des pizzas pas mal du tout mais des salades pas terribles. Service moyen.

🍽️ 🍴 **Michael's Deli :** 628 South Virginia St (rue principale). ☎ 775-322-2323. Lun-ven 7h-16h, sam 9h-15h. Plats env 5-8 $. Rien d'exceptionnel, loin de là, on vous le dit d'entrée mais le lieu, un bar de sportifs et d'habitués, a le mérite de changer un peu des casinos. Petit déj, salades, soupes maison et choix de sandwichs pas très chers, histoire de casser la croûte avant de reprendre la route. Évidemment, le rapport qualité-prix est moins bon qu'au casino mais il faut aider cet Astérix-là à résister encore et toujours à l'envahisseur...

À voir

🏹 *Rainbow Arch :* en plein centre, à l'angle de Virginia St et de Commercial Row. Restaurée en 1987, elle enjambe la rue pour commémorer la renaissance du Downtown après des années de marasme économique. On voit bien l'arche dans *Sister Act,* célèbre film comique avec Whoopi Goldberg dans le rôle d'une impossible bonne sœur. Cela dit, ça ne vaut pas le moindre détour.

🏹 *Le casino Silver Legacy :* Virginia St (entre 4th et 5th). Le plus beau de tous les casinos. Sa toiture en forme de dôme postmoderne se remarque de loin, surtout la nuit. Ici, tout est placé sous le signe de l'argent, y compris le nom même du casino. À l'intérieur du dôme,

UNIVERS IMPITOYABLE

En règle générale, les croupiers des casinos ont les poches cousues. Ils n'ont pas le droit de rester dans la salle s'ils ne sont pas en service. Enfin, un micro vérifie leurs conversations avec les clients.

un immense puits d'extraction minière a été reconstitué à l'ancienne, symbole des mines (d'argent) qui firent la fortune de la région au XIXe s. Le casino communique également avec l'*Eldorado* par une passerelle. Ceux qui viennent de Californie seront étonnés de constater qu'au Nevada, on peut fumer tant qu'on veut dans les casinos !

Fête

🎪 *Reno Rodeo :* 19-28 juin. Infos au Visitor Center. ☎ 775-329-3877 ● renorodeo. com ● L'un des plus spectaculaires du pays.

DANS LES ENVIRONS DE RENO (NEVADA)

PYRAMID LAKE

🎣🎣 À env 55 km au nord de Reno. Compter 1h de voiture par la route 80 East, sortie 43 à Wadsworth puis route 447 jusqu'à Nixon ou route 446 jusqu'à Sutcliffe. Un somptueux lac aux eaux très pures, situé sur le territoire des Indiens paiutes *(Pyramid Lake Indian Reservation),* dont les premières traces autour du lac remontent à plus de 9 200 ans. Les Indiens paiutes de Pyramid Lake sont surnommés les « cui-ui ticutta » – mangeurs de cui-ui, du nom d'un poisson qui n'existe que dans ce lac, et qui peut vivre jusqu'à 50 ans. Les Paiutes ont toujours vécu de la chasse au daim et de la cueillette de pignons, jusqu'à ce que la rencontre avec le premier non-Indien, John Fremont, puis la ruée vers l'or viennent bouleverser leur existence. La réserve a été établie en 1873 pour préserver les populations ainsi que le lac, situé à 1 137 m d'altitude, dans un paysage quasi désertique. Des monts rocheux et des collines arides de couleur ocre l'entourent. Ciel très bleu et nuits particulièrement étoilées. Quelques sources d'eau chaude. Notez les étranges formations rocheuses en forme de boules éclatées, appelées localement *Pop Corn Rocks.* Quant au lac, il tire son nom d'une formation rocheuse qui ressemble de loin à une pyramide d'Égypte. Une légende paiute raconte qu'une mère, qui ne pouvait plus s'occuper de ses enfants, s'assit dans le désert et se mit à pleurer tant et tant qu'elle créa ce lac avant de se transformer en pyramide de pierre. La route bitumée longe la rive ouest (vers le nord) jusqu'à Pyramid Site. Au-delà, c'est une piste de terre. Le lac est très populaire auprès des pêcheurs à la truite (possible toute l'année, sauf de juillet à septembre). Les plus grosses dépassent 6 kg ! Malheureusement, depuis quelques années, la beauté du lac et de ses rives est menacée par la bêtise de quelques plaisanciers, qui déversent leurs ordures et taguent les pierres, si bien que les Paiutes envisagent d'interdire l'accès de certains endroits. Renseignez-vous à l'avance aux *Visitor Centers* (voir « Adresses utiles »).

Adresses utiles

▯ Museum and Visitor Center : à **Nixon**, au sud du lac. ☎ 775-574-1088. ● plpt.nsn.us ● *En été, mer-dim 10h-16h30 ; hors saison, lun-ven 10h-16h30.* L'étape indispensable avant de commencer votre tour du lac. Le petit musée expose des objets de la vie quotidienne des Indiens et explique l'histoire de la tribu et du lac. Vous en apprendrez encore plus en discutant avec les Paiutes qui s'occupent du *Visitor Center.* Tous les permis relatifs au lac (camping, pêche, pique-nique...) s'achètent au *Nixon Store* voisin ou au *Crosby's Lodge* et chez les *rangers* de Sutcliffe. N'oubliez pas que pour rester la journée dans la réserve, et même pour passer un moment au bord de l'eau (petite plage), il faut un **permis,** le *Day use permit (env 7 $).*
▯ Dunn Hatchery Visitor Center : à gauche de la route avt le village de Sutcliffe (rive ouest) ; c'est indiqué. ☎ 775-476-0510. *Tlj 9h-11h, 13h-15h.* Quelques infos sur le lac, et surtout des viviers où grandissent les poissons qui peuplent la rivière. En effet, la baisse du niveau de l'eau oblige à élever des poissons dans ces viviers avant de les relâcher dans le lac pour la saison de la pêche. Très chouette d'y camper le soir *(permis à la journée autour de 9 $).* Les rangers indiens sont stricts sur les permis. Avis aux resquilleurs !

■ Pyramid Lake Ranger Station : *juste en face de la* Dunn Hatchery. ☎ 775-476-1155. Pour plus d'infos.
■ Nixon Store : à Nixon. ☎ 775-574-0335. *Tlj 7h-19h.* C'est l'épicerie-station-service de ce petit bled paumé. Café, snacks et vente de permis.
– Crosby Lodge : la providence du voyageur se trouve à Sutcliffe, voir ci-dessous.

Où acheter un permis ?
Où faire le plein ?
Où faire ses courses ?
Où camper ? Où dormir ?
Où manger ?!!

■ Crosby Lodge : à Sutcliffe. ☎ 775-476-0400. *Compter env 25 $ par tente, doubles 60-70 $.* Le seul et unique camping-motel-épicerie-snack-bar-station-service du secteur... Une bénédiction, en somme ! Fait aussi casino avec ses machines à sous au bar (on est au Nevada !). Quoi qu'il en soit, tout est très simple ici, que ce soit le camping, les chambres et la cuisine (du style chili, hot dogs, *nachos, fish and chips*...), ne vous attendez vraiment pas à du grand luxe. Mais c'est sympa, fréquenté essentiellement par les locaux et les pêcheurs du dimanche (ou du mardi). Vente de tous les permis. Billard. Hmm, ça sent bon l'Amérique profonde...

VIRGINIA CITY

Célèbre ville minière de la ruée vers l'or, à env 37 km au sud-est de Reno et à 60 km à l'est du lac Tahoe. Créée en 1859 sur le versant d'une colline à la suite de la découverte d'un filon (le Comstock Lode) dans le Six Mile Canyon, elle prit le nom du prospecteur « Old Virginia » Fennimore et grandit à vitesse grand V, se peuplant d'hôtels et de restaurants de luxe. Parfaitement conservée depuis la fermeture définitive des mines en 1942, et classée *National Historical Landmark*, on y trouve beaucoup d'anciens édifices en bois et brique le long d'une rue (la C Street) typique d'une petite ville du Far West. L'écrivain Mark Twain y a vécu dans sa jeunesse, au temps de la *gold rush* ; il écrivit même pour le journal local, le *Territorial Enterprise*. Aujourd'hui, Virginia City et ses 1 000 âmes vivent bien entendu du tourisme.

Peu de choix pour dormir, c'est cher et surfait. Mais on vous a quand même dégoté une petite adresse de derrière les fagots à 1 mile de là...

– Signalons que de fin mai à fin octobre un ***train d'époque*** (à vapeur ou diesel) circule entre Carson City et Virginia City avec la *Virginia & Truckee Railroad*. En principe, le train diesel part les jeudi et vendredi et le *steam train* (vapeur) les samedi et dimanche. De Carson City, départ à 10h, de Virginia City à 15h. Durée : environ 1h30. Compter environ 17-29 $ l'aller simple selon le train et 29-48 $ l'aller-retour (☎ 1-800-718-7587). Également un petit circuit de 35 mn entre Virginia City et Gold Hill (*infos :* ☎ 775-847-0380).

Adresse utile

🄸 *Virginia City Visitor Center :* 86 South C St. ☎ 775-847-7500 ou 1-800-718-7587. ● visitvirginiacitynv. com ● Tlj 10h-17h. Fermé à Noël et Thanksgiving.

Où dormir ? Où manger dans les environs ?

🄰 |●| *Gold Hill Hotel & Restaurant :* à **Gold Hill**. ☎ 775-847-0111. ● gol dhillhotel.net ●. À 1 mile au sud de Virginia City, sur la petite route 342 en direction de Silver City et Carson City. *Doubles 45-75 $ selon saison dans la Old Wing et 95-145 $ pour 2 à 4 pers dans la New Wing, petit déj inclus. Également des petites maisons à louer (3-6 pers) 175-225 $. Fait resto slt le soir (plus à midi en été) : plats env 15-25 $ (40 $ pour les viandes) mais remise de 25 % sur le dîner pour ceux qui y dorment.* Bienvenue à Gold Hill, Nevada qui, comme son nom l'indique, fut un site de la Ruée vers l'or et compta même jusqu'à 8 000 âmes. Ce petit hôtel croquignolet en pierre et en bois, façon western, est le plus vieil hôtel en service du Nevada (1861). Et il est tenu par un vieux patron sympathique qui a fréquenté les bancs de la Sorbonne dans sa jeunesse et parle bien le français... À condition de réserver l'été et les week-ends, vous aurez l'embarras du choix. On a eu le coup de cœur pour les chambres de *l'Old Wing* (la partie originelle), qui, certes, sont les plus petites et donnent côté route (pas trop de trafic le soir) mais sont les plus typiques et les moins chères. *Rose...* sent vraiment la rose et possède une baignoire cerclée de bois, un petit balcon et du mobilier ancien. Les chambres de la *New Wing,* avec balcon ou cheminée, sont plus grandes et conviendront aux familles. Sinon, possibilité de louer une petite maison dans le village. Le *Miners Lodge,* derrière l'hôtel, a son petit succès auprès des bandes de copains. Enfin, bon resto le soir (steaks, saumon, poulet, *ribs, buffalo...*), karaoké le lundi, animations régulières et sympas à l'occasion desquelles un buffet est dressé côté bar, plus un brunch le dimanche. Bref, un vrai coup de cœur !

Où grignoter ? Où boire un verre ?

|●| 🍸 Nombreux ***saloons,*** comme *The Palace (24 South C St)* : c'est là où l'on mange le mieux, avec de gros burgers pas mauvais du tout, sandwichs, salades, etc. Sinon, boire un verre à l'*Old Washoe Club* (beau bar) ou au *Delta Saloon* qui renferme la fameuse

« table des suicidés », « publicifiée » dans tout le secteur et réputée dans la région pour la guigne qui touchait tous les joueurs qui s'y installaient... Touristique à mort, c'est le cas de le dire, mais rigolo !

À voir. À faire

🏋 Visites souterraines de la ***Chollar Mine,*** une mine d'or et d'argent datant de 1861. *Située sur SF St, tt de suite sur la droite en venant de Carson City.* ☎ 775-847-0155. *Tlj de Pâques à oct, 13h-17h. Entrée : 10 $.* La visite guidée dure environ 30 mn et consiste essentiellement à s'enfoncer dans un boyau sombre et étroit, jusqu'à une « pièce » où l'on peut voir les outils de l'époque, ainsi que les structures en bois qui consolident la mine. Cette mine a été exploitée de 1861 à 1940 ; on en extrayait essentiellement de l'argent et de l'or. Les mineurs travaillaient dans des conditions extrêmement pénibles, car il fallait sans cesse pomper l'eau thermale qui remplissait les boyaux. Certains puits de la mine atteignent plus de 1 000 m. On peut visiter une autre mine quand la *Chollar Mine* est fermée, au ***Ponderosa Saloon,*** sur C Street.
– Nombreuses boutiques et petits musées privés (pas toujours du meilleur goût).
– Depuis un demi-siècle, on organise ici de célèbres ***courses de chameaux*** en sept (le w-e après le Labor Day).

CARSON CITY

À une petite cinquantaine de km au sud de Reno. Une autre ville mythique dans l'histoire de la conquête de l'Ouest. Une autre ville n'a pas le charme pittoresque de Virginia City. C'est pourtant la capitale de l'État du Nevada depuis 1864 (57 000 habitants seulement). Elle porte le nom de Kit Carson, un des grands pionniers de l'Ouest, certes, mais aussi l'un des plus féroces ennemis des Indiens...
– De fin mai à fin octobre, un ***train d'époque*** (à vapeur ou diesel) relie Carson City à Virginia City avec la *V & T Railroad.* (☎ 775-847-0380). Voir plus haut dans le chapitre consacré à Virginia City.

Adresse utile

🛈 ***Convention and Visitor Bureau :*** 1900 S Carson St. ☎ 775-687-7410 ou 1-800-NEVADA-1. ● visitcarsoncity. com ● *À la sortie sud de la ville, juste à côté du Railroad Museum. Regroupe la* Chamber of Commerce *et le* Visitor Bureau. *Tlj (sf dim en hiver) 8h-17h.*

Où manger ?

I●I ***Reds Old 395 Grill :*** 1055 S Carson St. ☎ 775-887-0395. *Tlj 11h-21h ou 22h (plus tard en été). Burgers env* 8-10 $; early birds *en sem 16h-18h.* Un décor incroyable de ranch, avec plein de charrettes accrochées au plafond, une vieille machine de travaux publics, de grands miroirs, etc. Et on y sert des burgers absolument monstrueux en taille ! À moins de vous décrocher la mâchoire, vous aurez du mal à attaquer le millefeuille de viande, salade, tomate et oignons frits qui vous attend dans votre assiette. Et si vous êtes d'humeur aventureuse, essayez le *Colossus* (450 g de viande) ou le *Jiffy,* au beurre de cacahuètes ! Une bonne bière là-dessus (plus de 100 variétés dont la moitié à la pression), et vous voilà calé. Également des salades, pizzas et sandwichs. Karaoké le jeudi soir.

À voir. À faire

➢ La ville offre le ***Kit Carson Trail,*** une pittoresque balade dans l'histoire et le folklore de l'Ouest. Guide local gratuit avec itinéraire détaillé à demander au *Visitor Bureau.*

🎿 *Railroad Museum :* 2180 South Carson St, juste à gauche du Convention and Visitor Bureau. ☎ 775-687-6953. Ven-lun 9h-17h. Entrée : 6 $; gratuit jusqu'à 17 ans. Quelques locomotives et vieux wagons. Bien pour tuer le temps mais ne vaut pas le *Railroad Museum* de Sacramento, loin de là ! Cela dit, bon accueil et bonnes infos des bénévoles de l'association.

🎿 Quelques jolies maisons anciennes à voir dans le pâté de maisons de la *Krebs-Peterson House,* au 500 N Mountain St. Cette maison de 1914 n'est pas la plus pittoresque du quartier mais c'est là que John Wayne tourna en 1972 des scènes de son dernier film, *The Shootist (Le Dernier des géants en VF)...*

🎿🎿 *Nevada State Museum :* 600 N Carson St. ☎ 775-687-4810. ● nevada culture.org ● Tlj sf lun 8h30-16h30. Fermé Thanksgiving, Noël et Jour de l'an. Entrée : 8 $; gratuit jusqu'à 17 ans.
Ce musée, très pédagogique, permet d'avoir une bonne vue d'ensemble de l'histoire du Nevada en général et de Carson City en particulier. Le plus logique est de commencer la visite par les salles à l'étage. Une section est dédiée à la géologie du Nevada, ainsi qu'à l'époque préhistorique (impressionnant squelette de mammouth). Mais les salles les plus intéressantes sont celles consacrées à l'histoire de l'État depuis son exploration par le général Fremont et Kit Carson en 1844. Le Nevada devint le 36e État américain, sous l'impulsion de Lincoln qui cherchait de nouvelles voix pour soutenir sa réélection en 1864.
Le musée revient sur l'aventure du *Pony Express,* l'importance de la communauté chinoise dans l'exploitation des mines, ainsi que sur le légendaire mustang, ce cheval sauvage qui peuple les plaines du Nevada. Au rez-de-chaussée se trouve une presse servant à battre monnaie datant de 1870. On la fait fonctionner de temps en temps... Il faut dire que Carson City fut un centre important de fabrication de la monnaie. On passera assez vite sur la collection d'armes, réservée aux amateurs, pour déambuler dans une ville fantôme reconstituée et descendre dans les boyaux de la mine.
Les mineurs avaient pris l'habitude de descendre avec des canaris : si l'oiseau arrêtait de chanter, c'est que l'oxygène se faisait rare et qu'il était temps de remonter...
Ne manquez pas de faire un tour dans l'annexe du musée, consacrée aux Indiens shoshones, washoes et paiutes (belle collection de paniers).

🎿 Quitte à être là, on peut aussi jeter un coup d'œil au *Capitol (101 N Carson St),* qui date de 1871. Contrairement à de nombreux États, il n'a jamais déménagé (il aurait pu logiquement se retrouver à Las Vegas). Sa coupole argentée rappelle, s'il en était encore besoin, l'importance de ce métal pour l'État du Nevada.

YOSEMITE NATIONAL PARK

◈ À environ 510 km au nord de Los Angeles et 290 km à l'est de San Francisco, ce fut le premier site protégé du monde, dès 1864, par un décret signé par Abraham Lincoln en personne ! Grâce à l'intense travail de lobbying de John Muir (1838-1914), un Écossais formé aux États-Unis, botaniste, géologue et vulgarisateur, Yosemite devint officiellement un parc national en 1890. En plein cœur de la Sierra Nevada, c'est l'une des grandes zones privilégiées de la faune et de la flore du continent américain, l'image même que l'on se fait des montagnes de l'Ouest américain : séquoias géants, paysages incroyables, panoramas à couper le souffle, et tous les animaux sauvages (loups, ours, pumas et daims) !

On a donné à cette vallée le nom de Yosemite (prononcer « iossémiti ») en référence à une tribu indienne, les Uzumatis, exterminée au milieu du XIXe s. Le Yosemite Park couvre des milliers d'hectares de forêts et de montagnes grandioses dont l'altitude varie entre 600 et 3 960 m. La vallée de Yosemite (au centre du parc) est l'un des plus beaux exemples de vallée glaciaire qui soient, dominée par El Capitan et Half Dome, de fantastiques monolithes uniques au monde. La vallée se caractérise par des flancs hauts et abrupts et un fond plat où coule la Merced River, qui est tout ce qui reste du lit du glacier.

Le 17 août 2013, un feu de camp mal maîtrisé par un chasseur déclenche un gigantesque incendie dans la Sierra Nevada qui s'étend rapidement aux abords du parc de Yosemite. Quatre semaines seront nécessaires pour le maîtriser et 100 000 hectares seront détruits. C'est le 3e plus grand incendie de l'histoire de la Californie.

Comment y aller ?

En bus ou train-bus

➤ **Par l'ouest :** depuis San Francisco ou Los Angeles, la solution la plus simple est de se rendre d'abord en train jusqu'à Merced, à 130 km de *Yosemite Village*, puis de rejoindre le parc avec l'une des 2 compagnies de bus qui desservent cette ligne. Prévoir alors 2h-2h30 de route.

– *AMTRAK :* ☎ 1-800-872-7245. ● *amtrak.com* ● Liaisons en train jusqu'à Merced, depuis San Francisco (4h) ou Los Angeles (6h). Possibilité d'acheter un billet combiné train-bus avec connexion à Merced. Tarifs variables selon heure de départ, jour, et période de résa.

– *Merced VIA/YARTS Bus Line :* ☎ 209-384-1315 (VIA) et 209-722-0366 ou 1-877-989-2787 (YARTS). ● *via-adventures.com* ● *yarts.com* ● Env 13 $ l'aller, 25 $ A/R entre Merced et Yosemite (trajet 2h-2h30), droits d'entrée dans le parc inclus. A/R depuis Mariposa 12 $. Fonctionne tte l'année. Ces 2 compagnies proposent en moyenne 6 bus/j. pour le parc à la belle saison, qui empruntent la route 140 au départ de Merced (horaires en fonction des heures d'arrivée du train *Amtrak*) via Mariposa, Midpines *(AJ Yosemite Bug)* et El Portal *(Yosemite View Lodge)*. En été, liaisons également avec Lee Vining et Mammoth Lakes, à l'est du parc. On peut acheter ses billets à bord du bus ou dans un certain nombre d'hôtels de ces villes.

➤ **Par l'est :** les bus du *Inyo Mono Transit,* en particulier la ligne CREST qui relie Bishop à Reno, s'arrêtent à Mammoth Lakes et Lee Vining *(infos :* ☎ 760872-1901)*.* Puis connexion avec les bus *YARTS* ou *VIA* (voir ci-dessus). ATTENTION, cette route franchit le Tioga Pass, un col situé à une altitude de 3 031 m, ouv slt de mai à oct (et encore, pas toujours, ça dépend du climat !), pour cause d'enneigement.

En voiture

Le parc est immense : les routes étant sinueuses et la vitesse limitée, il faut compter environ 2h pour le traverser (sans s'arrêter !) d'ouest en est. Un territoire de 3 108 km² tout de même !

➤ **4 entrées :** 2 à l'ouest, *Big Oak Flat Entrance,* facile d'accès si vous venez de San Francisco, et *Arch Rock Entrance,* un peu plus au sud (direction Merced). Ceux qui viennent directement de Los Angeles arriveront a priori par la *South Entrance.* Si c'est votre cas, tournez tout de suite à droite après l'entrée du parc pour ne pas rater les formidables séquoias de Mariposa Grove (les plus beaux du parc). Si vous venez de Las Vegas, de Death Valley, de Mammoth Lakes ou du lac Tahoe, ATTENTION : la *Tioga Pass Entrance,* entrée à l'est par Lee Vining, est fermée une grande partie de l'année à cause de la neige. Ne comptez pas passer avant mai. Certaines années, il faut même attendre fin juin ! Seule solution pour atteindre le parc : un détour de 7 à 8h pour rejoindre l'entrée la plus proche ! Alors si vous venez à une période charnière, bien se renseigner avant. *Road Conditions :* ☎ 1-800-427-7623, ● *dot. ca.gov* ●, infos sur tte la Californie ; ou

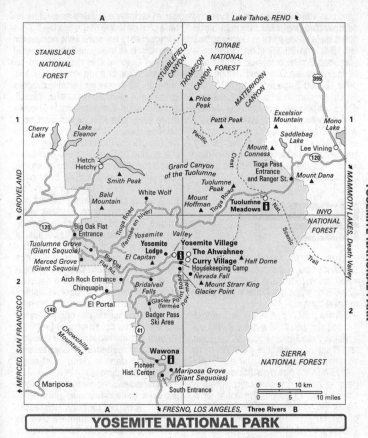

YOSEMITE NATIONAL PARK

☎ 209-372-0200, slt sur le Yosemite et infos météo 24h/24. Les 3 autres entrées sont normalement ouvertes toute l'année. Mais de novembre à avril, il est souvent nécessaire d'avoir des chaînes. Enfin, si vous avez un GPS, vous pouvez le ranger au fond de votre sac le temps de votre passage dans le parc. Infos farfelues, parfois drôles mais peu fiables. Sans parler des routes fermées dont il n'aura pas été prévenu !

Transports intérieurs

Dans la vallée de Yosemite proprement dite, une route en sens unique effectue une boucle, desservant tous les campings et les *lodges*, de même que les points de départ des sentiers les plus populaires.

➤ **Un bus gratuit** *(shuttle)* effectue la navette tte l'année dans le principal secteur de la vallée (campings, *lodges* et villages). En été : tlj 7h-22h, ttes les 10 mn env., et ttes les 15-30 mn après 19h. Attention, la route de Mirror Lake et Happy Isles, à l'est de la vallée, n'est accessible que par le *shuttle*.

➤ En été et les week-ends de mai à septembre, il y a énormément de monde à Yosemite Valley. Devant cet afflux sans cesse plus important, les autorités essaient de limiter l'accès du parc aux voitures grâce à un système de **navettes gratuites** : dans la partie ouest de la vallée (vers El Capitan ; ttes les 15-30 mn 9h-18h), de Wawona à Mariposa Grove, ainsi que de la *Tioga Pass Entrance* à Olmsted Point (le long de la 120, ou Tioga Rd).

➤ Du printemps à l'automne, les randonneurs peuvent aussi profiter du service du **hikers bus** (☎ 209-372-1240 ; env 20 $ pour gagner Glacier Point ou en revenir sans devoir retourner sur ses pas). Un service similaire relie Tuolumne Meadows à la Yosemite Valley. Cher mais pratique.

Infos et conseils pratiques

– **Infos sur le parc** : par courrier, s'adresser au Superintendant, Yosemite National Park, CA 95389. ☎ 209-372-0200. ● nps.gov/yose ● Site internet très complet.

– **Entrée** : 20 $ par véhicule, valable 7 j. consécutifs. 10 $ à pied, à vélo ou à moto. Pass *annuel accepté.* On vous remet un plan détaillé du parc et le *Yosemite Guide*, journal officiel.

– ATTENTION, **pas de station-service** dans la vallée. Il y en a uniquement à Crane Flat, El Portal, Wawona, et à Tuolumne Meadows en été seulement (tlj 8h ou 9h-18h, mais accessibles 24h/24 par CB). Bien sûr, l'essence est beaucoup plus chère qu'ailleurs.

– **Climat** : il est préférable de réserver votre visite pour les mois d'été si vous comptez randonner. Il fait en effet très froid, même en avril-mai (avec souvent de la neige). Cela dit, les paysages hivernaux, avec les rivières partiellement gelées et un silence assourdissant, sont magnifiques – et vous les aurez presque pour vous seul. Important : chaînes obligatoires entre octobre et avril. Possibilité d'en acheter ou louer sur place, notamment dans les stations-service aux alentours de Mariposa. À noter également, les chutes sont vraiment spectaculaires lors de la fonte des neiges, alors qu'elles se réduisent à un filet d'eau à la fin de l'été. Sinon, n'oubliez pas que même en été, il peut faire frisquet en soirée,

car en dehors de la vallée on peut monter à plus de 3 000 m d'altitude.

– **Important** : les **ours** sont nombreux à Yosemite et moins gentils que ceux de Walt Disney ! Des randonneurs se font attaquer chaque année et il est impératif de respecter certaines règles de sécurité si vous campez ou partez en randonnée. Conserver toute la nourriture (ainsi que tout ce qui sent bon, comme savon, after-shave, produits de beauté ou mousse à raser) dans une grosse boîte en fer que l'on trouve à chaque emplacement de camping (également la location de *bear cans* – s'ouvrant avec un tournevis – au magasin de sports). Ne rien laisser non plus dans votre tente, ni dans votre voiture (les ours arrachent les portes avec une étonnante facilité). Aussi la plupart des voitures sont « contrôlées » chaque nuit par les rangers. Toutes ces mesures ne sont pas à prendre à la légère, pour votre propre sécurité mais aussi afin de protéger « l'instinct sauvage » de ces animaux. L'homme fait d'ailleurs des dégâts chaque année sur les routes du Yosemite. En 2011, 15 ours ont été renversés par des voitures. Alors **respecter les limitations de vitesse** dans le parc, c'est aussi respecter la nature !

– **Moustiques** : moins dangereux que les ours mais beaucoup plus nombreux ! Tout petits mais costauds, ils pullulent en été, même à plus de 2 000 m d'altitude ! Un répulsif efficace est o-bli-ga-toire (voir aussi le chapitre « Santé » au début du guide). Évitez le parfum, les moustiques adorent ça !

– Dans un registre beaucoup plus inoffensif, les **écureuils** du parc abondent et viennent jusqu'à vos pieds pour vous quémander à manger. Il est interdit de les nourrir. D'autant que certains trimbalent la rage.

Adresses utiles

🛈 En arrivant dans la vallée de Yosemite, s'arrêter impérativement au **Visitor Center** : tlj 9h-19h30 (17h ou 18h en basse saison). Les rangers vous donneront différentes cartes indiquant les routes, les randonnées pédestres, les pistes cyclables, ainsi qu'un petit journal très complet sur le parc *(Yosemite Guide)*. Également affichés, la météo et l'état des routes. On peut aussi demander une petite brochure de présentation générale en français. Infos sur le taux de remplissage de chaque camping (tableau d'affichage à consulter), téléphones « de courtoisie » reliés directement aux hôtels des environs (situés hors du parc). Vitrines pédagogiques et vidéos présentant le milieu naturel de Yosemite (géologie, topographie... et les dangers du feu). En saison, le service des parcs propose tous les jours des programmes différents, en particulier des balades accompagnées sur toutes sortes de thèmes (faune, flore, photo, etc.).

🔢 2 autres *Visitor Centers* : à *Tuolumne Meadows* (tlj 9h-17h, 18h en hte saison) ; et à *Wawona* (slt en été, tlj 8h-17h). *Mêmes infos très complètes.*

■ Ceux qui envisagent de partir plusieurs jours en randonnée doivent s'adresser au *Wilderness Center* (tlj 8h-17h), tout proche. On peut aussi demander un permis par téléphone (☎ 209-372-0740), ou sur Internet (● nps.gov/yose/planyourvisit/permitstations.htm ●). C'est ici que l'on obtient les permis de camping obligatoires *(backcountry permits)* pour les randonnées de plus d'une journée dans le parc (résas possibles jusqu'à 24 semaines à l'avance, en indiquant de préférence 2 ou 3 choix de destination pour être sûr d'en décrocher un). Vente de cartes détaillées. On trouve aussi toutes les infos sur la météo, ainsi que sur l'état des sentiers. En été, on peut également s'adresser à l'une des 4 annexes à *Wawona*, à *Big Oak Flat*, à *Hetch Hetchy* ou à *Tuolumne Meadows*. Tlj 8h-17h. *Mêmes services.*

✉ *Poste :* à Yosemite Village. Lun-ven 8h30-17h, sam 10h-12h. L'été, petites annexes à *Tuolumne Meadows* et *Wawona* (lun-ven 9h-17h).

■ *Distributeurs de billets* (ATM) : au supermarché et à la Bank of America, *dans Yosemite Village* ; au Curry Village, *dans le petit supermarché* ; au Yosemite Lodge, *à la réception* ; à Wawona, dans le Pioneer Gift Shop/Grocery ; à *Tuolumne Meadows, dans l'épicerie* ; au Yosemite View Lodge à *El Portal.*

⊞ *Yosemite Medical & Dental Clinic :* Yosemite Village. ☎ 209-372-4637. Tlj 9h-19h (17h hors saison). Traite les urgences 24h/24.

■ *Garage :* à Yosemite Village. ☎ 209-372-8320. Tlj 8h-12h, 13h-17h.

■ *Location de vélos :* au Yosemite Lodge (☎ 209-372-1208) tte l'année (si le temps le permet) et au Curry Village (☎ 209-372-8319) avr-oct. *Voir plus loin « À voir. À faire. Balades à vélo ».*

■ *Supermarché Village Store :* à Yosemite Village et au Curry Village. Tlj 8h-22h (21h en hiver). Également des petites épiceries en saison à Tuolumne Meadows *(tlj 9h-18h)* et Wawona *(tlj 8h-20h).*

■ *Laverie :* au Housekeeping Camp, *dans la vallée.* Tlj 8h-22h.

■ *Douches :* au Curry Village (24h/24) et au Housekeeping Camp. Tlj 7h-22h à partir de mai. Également au Tuolumne Meadows Lodge *en été (slt l'ap-m).* Tarif : 5 $.

■ *Magasin de sport* (Sport Shop) : à Yosemite Village. Tlj 8h-18h. Sacs à dos, équipement de camping et d'escalade, chaussures de randonnée, etc.

■ *Restos, snacks, boutiques :* à Yosemite Village et au Curry Village.

Où dormir ? Où manger dans le parc ?

CAMPINGS

Comme dans tous les parcs nationaux, c'est la solution idéale ; la plus économique mais aussi le meilleur moyen de vivre en harmonie avec la nature et de bien découvrir ses richesses.

Le parc possède 13 campings avec des niveaux de confort variables. La moitié peut être réservée, l'autre non. La vallée concentre les plus grandes beautés du parc : El Capitan, Half Dome, Glacier Point... Bien sûr, la plupart des campings s'y trouvent. L'été, c'est donc bondé, mais il est parfois possible de trouver de la place au dernier moment. À vous de savoir si vous préférez assurer le coup ou prendre le gros risque de ne pas trouver de place. Méfiez-vous en outre des dates d'ouverture : seuls 4 terrains sont ouverts toute l'année. Ceux proches de l'entrée ouest et de la *Tioga Pass Entrance* ne le sont généralement que de juin-juillet à septembre. Le séjour maximal autorisé est de 1 semaine entre le 1er mai et le 15 septembre dans la Yosemite Valley et à Wawona, de 2 semaines dans les autres secteurs. Sur place, toutes les infos dan le *Yosemite Guide* distribué au *Visitor Center*. Sinon, le site du parc est très bien fait : ● nps.gov/yose/planyour visit/camping.htm ●

– *Réservations :* s'adresser au National Park Service ; *depuis l'étranger :* ☎ 518-885-3639 ; *des États-Unis,* ☎ 1-877-444-6777. *Le mieux est de consulter le site :* ● recreation. gov ● *Résa possible jusqu'à 5 mois à l'avance, avec carte de paiement.*

– *Si vous n'avez pas réservé,* il reste la possibilité de vous présenter très tôt le matin (après 10h tout est complet) sur les sites fonctionnant sur la base du *first come, first served* (« premier arrivé, premier servi »). Un seul est situé dans la vallée *(Camp 4).* Les autres se trouvent pour la plupart sur la route de Tioga Pass, et 3 d'entre eux n'ont pas d'eau potable *(Tamarack Flat, Yosemite Creek* et *Porcupine Flat).* Autre inconvénient : ceux qui sont venus en bus ne pourront pas s'y rendre. Malgré tout, il peut être judicieux de planter sa tente par là car, en été, cela vous permettra d'éviter la cohue de la Yosemite Valley. Si tout est complet, il vous reste éventuellement la possibilité de demander gentiment à des gens de partager leur site (repérez ceux qui ont une petite tente et qui ne sont que 2). Les emplacements avec eau potable sont généralement à 20 $, 10 $ s'ils n'en ont pas.

– Si vous tenez absolument à dormir dans la vallée et que tout est complet, il reste une dernière option : les annulations. Se rendre au chalet des *Campground Reservations,* au Curry Village *(ouv 8h-14h30 en été),* et s'inscrire sur la liste d'attente. On vous annoncera dans l'après-midi s'il reste des emplacements libres ou pas. Alors rendez-vous au chalet très tôt, car à 8h la file est déjà longue !

– Vous pouvez aussi vous rabattre sur les *campings* situés *hors du parc,* dans les forêts domaniales d'Inyo, de Sierra et Stanislaus. Ils sont assez nombreux, le plus généralement sans réservation et gratuits (équipement rudimentaire). On en trouve plusieurs bien agréables à la sortie est du parc par la 120, près des lacs (ouverts, bien sûr, en fonction de la fonte des neiges). En dernier ressort, il existe aussi des terrains privés.

– *Important :* suivre impérativement les règles de sécurité élémentaires pour éviter d'attirer les *ours* à l'odorat si sensible. Utiliser les casiers en métal mis à disposition, ou conserver ses aliments dans des boîtes hermétiques. Ne rien laisser non plus dans sa voiture.

Dans la Yosemite Valley

Les 4 campings situés dans la vallée, *Lower Pines, Upper Pines, North Pines* et *Camp 4,* sont très très demandés durant la période estivale. Si vous voulez y dormir, il est quasi obligatoire de réserver plusieurs semaines, voire plusieurs mois à l'avance. Mais sachez que, en été, la sérénité attendue est rarement au rendez-vous. Il y a foule ! À cette période, on conseille donc plutôt les terrains situés hors de la vallée. Hors saison, il y a plus souvent de la place (sauf le week-end) et tout est plus calme. Tous sont accessibles en voiture ou *shuttle* (gratuit). À noter, le *Camp 4* est le seul de la vallée qui ne prend pas les réservations.

⚊ *North Pines Campground :* avr-sept, sur résa. Emplacement 20 $. Campement sur un terrain sablonneux, sous les pins. Seulement 81 emplacements, très demandés, à la confluence des rivières Tenaya et Merced. Beaucoup d'ombre. Espace assez important entre les tentes, sanitaires corrects bien que très rudimentaires. Douches au *Curry Village.* Peut-être un peu plus agréable que ses 2 voisins.

⚊ *Upper Pines Campground* (ouv tte l'année, sur résa mars-nov) et *Lower Pines Campground* (slt mars-oct, sur résa): emplacements 20 $. À deux pas l'un de l'autre, juste de l'autre côté du cours d'eau – mais légèrement en retrait. Là aussi, les emplacements sont abrités par les pins. Chacun dispose d'une table, d'un barbecue et d'un coffre métallique à nourriture. Les emplacements de *Lower Pines* sont légèrement plus grands que ceux de son camping voisin. Douches au *Curry Village*.

🏕 *Le Camp 4 :* situé à l'ouest de la vallée, juste après le Yosemite Lodge, au pied du sentier menant aux Upper Yosemite Falls. Ouv tte l'année. Emplacement 5 $/pers. C'est un *walk-in campground* : on laisse sa voiture sur un grand parking, juste à côté. Un petit camp basique avec peu d'espace entre les tentes et manque évident d'intimité et d'ombre dans l'ensemble.

Dans le reste du parc

Si vous aimez la tranquillité et que vous êtes motorisé, privilégiez les terrains situés hors de la vallée durant toute la période s'étendant de mai à octobre. Cela dit, ils sont rarement ouverts hors saison estivale (à cause de la neige !) et sont aussi prisés... Hormis celui de Tuolumne Meadows, ils ne possèdent pas de douches. Les trajets étant assez longs dans le parc, choisissez bien votre point de chute.

🏕 *Hodgdon Meadow :* près de l'entrée ouest du parc (Big Oak Flat Entrance), sous les pins. Ouv tte l'année. Résa obligatoire avr-sept ; le reste de l'année, « premier arrivé, premier servi ». Emplacement 20 $, 14 $ oct-avr. Un camping d'une centaine d'emplacements, plutôt agréable car il offre un peu plus d'espace et d'intimité. Pas de douches, juste un point d'eau.

🏕 *Wawona Campground :* au sud du parc. Ouv tte l'année. Résa obligatoire avr-sept. Emplacement 20 $, 14 $ oct-avr. L'un des moins agréables de par sa situation juste en contrebas de la route, avec une petite centaine d'emplacements très rapprochés manquant de tranquillité. Toutefois au bord de la rivière et plutôt moins fréquenté que les *campgrounds* de Yosemite Valley.

🏕 🍴 *Tuolumne Meadows Campground :* au nord-est du parc, proche de la Tioga Pass Entrance. Ouv juil-sept. Possibilité de résa. Emplacement 20 $. Certes éloigné de Yosemite Valley mais vaste (300 emplacements), donc pratique quand tout est plein ailleurs. Environnement très agréable, plein de superbes randos dans le coin. En prime, on profite des nombreux services sur place : resto pour le petit déj et le dîner, douche, *ranger station*, poste, supérette, etc.

🏕 🍴 *White Wolf Campground :* au nord, en retrait de la Tioga Rd. Desservi par le bus Yarts. Ouv de juil à mi-sept. Emplacement 14 $. Ce petit camping, sur le mode du « premier arrivé, premier servi », occupe un joli site en pleine forêt, largement à l'écart de la route. Autre avantage, et pas des moindres, il dispose d'un petit resto champêtre servant des repas le soir *(menu env 25 $)*. Emplacements un peu resserrés, équipés de bancs et de tables.

🏕 Également le *Bridalveil Creek Campground* (ouv de juil à mi-sept) sur la route de Glacier Point, avec 110 emplacements pour tentes et camping-cars (14 $). Pas de résa, système du « first come, first served ». Ainsi que *Crane Flat Campground* (ouv juin-sept), sur Big Oak Flat Rd, proche de l'entrée ouest. Plus de 160 emplacements à 20 $.

🏕 Si vous n'êtes pas trop à cheval sur le confort, les campings de *Porcupine Flat* (ouv de juil à mi-oct), *Tamarack Flat* (ouv de mi-juin à mi-oct) et **yosemite Creek** (slt de juil à mi-sept) sont les plus « primitifs », sans eau potable. Sur Tioga Rd pour le premier, à 5 et 8 km de la Tioga Rd pour les 2 suivants. Fonctionnent sur le principe « first come, first served ». Compter 10 $ slt. Tous sont réservés aux tentes seulement (sympa !). Magnifique environnement sauvage et petite rivière pour se ravitailler en eau (à purifier). Évidemment, à part les ours, ce n'est pas la foule des grands jours !

LODGES ET CABINS

– Pour réserver un *lodge* ou une *cabin* à l'intérieur du parc, s'adresser au **Yosemite Reservations Delaware North Companies** : 6771 N Palm Ave, Fresno, CA, 93704. ☎ 559-252-4848. Résas : ☎ 801-559-5000. ● yose mitepark.com ● Dépôt obligatoire équivalent au prix d'une nuit. De juin à septembre, vous avez de grands risques d'entendre le répondeur vous dire que tout est *sold out* (plein à craquer), car il faut en principe réserver 1 an à l'avance ! Tentez tout de même votre chance, il arrive que des annulations de dernière minute libèrent des places.

Dans la Yosemite Valley

De bon marché à prix moyens

🏠 **Curry Village :** canvas tent cabins 90-125 $ la nuit (avec ou sans chauffage) et cabins (murs en dur) env 90-195 $ avec ou sans sdb. Également quelques chambres tt confort env 130-190 $ selon saison. Une chance de trouver une place sans réservation en y allant entre 12h30 et 17h. Au milieu de la forêt, un immense campement à la romaine aux unités alignées comme à la parade. Charme discutable. Tentes véritables, contenant 2 lits sommaires, érigées sur des plates-formes en bois. Prévoir un sac de couchage. Douches (chaudes) communes. Belle piscine sur le site. On trouve des *tent cabins* similaires avec chauffage (avr-oct slt) à *White Wolf Lodge* et *Tuolumne Meadows*, édifiées sur une dalle de ciment et avec un poêle à l'ancienne. Les prix sont sensiblement les mêmes. Les *cabins* sont des petits chalets en bois avec lits, étagères et chauffage. Pas désagréables car un peu à l'écart du *food court* et donc de la foule, mais certaines face au parking.

🏠 **Housekeeping Camp :** à côté du Curry Village. Ouv de mi-avril à mi-oct. Nuit 75-95 $, 5 $/adulte supplémentaire, gratuit pour les enfants. Un genre de camping, plutôt compact, composé de *tent cabins* mitoyennes un peu améliorées, avec une partie en dur surmontée d'un toit en toile, la chambre (lits superposés ou doubles, pour 4 personnes), et un espace à ciel ouvert délimité par des murs en bois (tables et bancs). Douches communes.

Basique. Location de draps, oreillers, couvertures, chaises...

🍴 **Degnan's Deli & Cafe :** à Yosemite Valley. ☎ 801-559-4884 ou 209-372-8454. Deli tlj 7h-17h et cafétéria 11h-18h. Sandwichs frais préparés à la demande (env 7-8 $), salades mixtes, chips, fruits, boissons, etc. De quoi se taper la cloche sur les sentiers de rando ! Pour le petit déj, café *espresso*, snacks et jus de fruits. Terrasse.

De chic à très chic

🏠 🍴 **Yosemite Lodge at the Falls :** ☎ 801-859-5000. Ouv tte l'année. Sur place, food court avec cafétéria pour le petit déj et le Mountain Room Restaurant, ouv le soir slt, 17h30-21h30. Doubles env 130-165 $ selon saison au motel, et 125-210 $ au lodge. Dîner 20-40 $. 📶 Idéalement situé au cœur du parc, il se compose de plusieurs bâtiments sans beaucoup de charme de 1 ou 2 étages. Au choix : quelques chambres simples de style motel et près de 220 chambres de *lodge*, plus grandes, avec un petit effort de déco et une petite terrasse ou un balcon.

🏠 🍴 **The Ahwahnee :** ☎ 209-372-1489. Ouv tte l'année. Une vingtaine de cottages luxueux 470-530 $ selon saison ; doubles dans le lodge à partir de 470 $, jusqu'à plus de 1 100 $ la suite présidentielle (!). Au resto, petit déj-buffet env 25 $ (brunch 43 $ le dim !), déj env 25-30 $ et dîner 50 $. Massages. 📶 Le plus beau et le plus couru des *lodges* du parc. Construit en 1927, c'est un (très) gros chalet en bois et pierre, avec un intérieur à la fois rustique et très chic : hauts plafonds avec chandeliers, salons d'apparat avec cheminées monumentales, piano-bar (mercredi-dimanche), superbes kilims et antiquités indiennes... Du très haut standing ! Les chambres sont bien sûr personnalisées et ultraconfortables, avec frigo, peignoirs, etc. Quant aux *cottages*, ils sont joliment répartis dans le jardin luxuriant, au pied des falaises, spacieux et tout confort. Belle pelouse et petite piscine ombragée. On peut également se contenter d'y prendre un repas, histoire d'admirer la salle de restaurant, assez spectaculaire (tenue correcte exigée au dîner !).

Dans le reste du parc

🏠 |●| **Wawona Hotel :** *à l'extrême sud du parc.* ☎ 209-375-6556. Résas : ☎ 801-559-5000. *Liaison en shuttle gratuite avec Yosemite Valley de juin à sept, tlj 8h30-15h30. Ouv fin mars-fin déc. Doubles avec sdb commune ou privée 140-260 $ selon saison.* 🛜 Situé tout près de l'entrée sud, cet élégant *lodge* en bois blanc, de style victorien, date de 1876. C'est le premier à avoir été édifié dans le parc. Les nostalgiques de Rhett Buttler et de Scarlett apprécieront sans réserve la délicieuse atmosphère rétro du lieu, en rêvassant depuis les grandes galeries donnant sur le parc. Chambres agréables avec une petite touche de personnalité romantique, à l'image de la maison. Les joueurs de golf y trouveront un 9-trous en plein parc ! Terrain de tennis et piscine également. Resto assez chic avec d'intéressantes formules buffet ; vente de sandwichs et snacks au *golf shop*. Sans oublier toutes les infos pratiques sur le parc (*Visitor Center sur place, ouv tlj 8h-17h*).

🏠 |●| **Tuolumne Meadows :** *proche de la* Tioga Pass Entrance, *au nord-est du parc.* ☎ 209-375-8413. *Théoriquement ouv mai-oct. Bien se renseigner, ouv slt à partir de juil certaines années (selon enneigement). Resto 7h-9h, 17h45-20h, sur résa slt. Compter 120 $ pour 2.* Campement rustique dans un environnement sauvage, à deux pas de la cascade Miller. Logement en *canvas tent cabins,* avec 4 lits simples ou 1 lit double et 2 superposés. Chauffage au poêle, couverture, draps et serviettes fournis. Douches et toilettes impeccables, avec eau chaude à volonté. Interdit d'y faire sa popote, pour éviter d'attirer les ours (nombreux dans le coin !). Vous pourrez enfermer tout ce qui peut leur donner de l'appétit dans l'une des grosses malles métalliques alignées le long du parking. Aires de pique-nique et resto très simple sur place pour le petit déj ou le dîner. Nombreuses belles randos au départ du site, point d'infos et vente de cartes topos.

On vous indique ces adresses *selon leur situation géographique, dans le sens des aiguilles d'une montre,* de la plus proche à la plus éloignée du parc.

À l'est : Tioga Pass Entrance

Pour l'hébergement situé plus à l'est du parc après la *Tioga Pass Entrance* (souvent fermée de novembre à mai), reportez-vous aux chapitres consacrés à Lee Vining et Mammoth Lakes.

🏠 **Tioga Pass Resort :** ● *tiogapassresort.com* ● *Double style motel 125 $, avec douches et w-c en commun ; maisonnette avec kitchenette pour 2-6 pers, 160-250 $. Dégressif en fonction du nombre de nuits.* Une adresse ouverte en 1914 ! Une dizaine de petits chalets typiques en rondins, à flanc de coteau. Mignons et rustiques, avec des meubles en bois brut, confort simple mais suffisant. Petite restauration sur place (7h-21h). Une atmosphère bohème non dénuée de charme... qui se paie tout de même bien cher !

Au sud : South Entrance

À Fish Camp

À un peu moins de 20 km au nord d'Oakhurst, plus proche de l'entrée sud du parc, Fish Camp n'est pas vraiment un village, plutôt un hameau constitué de quelques motels perdus en pleine forêt, un *deli* et 2 restos pour le pique-nique ou le dîner.

🏠 |●| **Narrow Gauge Inn :** *48571 Hyw 41.* ☎ *1-888-644-9050 ou 559-683-7720.* ● *narrowgaugeinn.com* ● *À quelques km de Fish Camp en direction d'Oakhurst, sur la gauche. Doubles à partir de 80 $ en basse saison, jusqu'à 175 $ avec balcon en hte saison, petit déj continental inclus. Dîner 30-40 $ (resto fermé le midi).* Bien caché en contrebas de la route, ce très beau *lodge* de caractère offre le meilleur de l'auberge de montagne. Chambres chaleureuses, relativement exiguës pour le pays mais soigneusement décorées dans le style *Old West*. Elles bénéficient pour la plupart de balcons ouverts sur la forêt. Jolie piscine et jacuzzi. Resto chic pour s'offrir un dîner romantique, dans un cadre rustique et cosy (cheminée, chandeliers...). Accueil et service à la hauteur des prix.

■ *Big Creek Inn :* 1221 Hyw 41. ☎ 559-641-2828. ● *bigcreekinn.com* ● *Compter 150-280 $ selon chambre et saison, petit déj inclus ; tarifs dégressifs à partir de 2 nuits.* 🖥 📶 Un gros chalet moderne en contrebas de la route, avec 3 chambres doubles tout confort, spacieuses et lumineuses. Déco soignée dans les tons clairs, petit balcon, literie extra, TV écran plat et lecteur DVD, chauffage au poêle à gaz, belles salles de bains. Pièce commune à l'étage avec cuisine à dispo et petite cinémathèque (500 vidéos tout de même !). En prime, copieux buffet pour le petit déj, avec fruits frais et gâteaux maison. Un peu cher payé mais cosy à souhait.

■ *Tenaya Lodge at Yosemite :* 1122 Hwy 41. ☎ 559-683-6555 ou 1-801-559-4919. ● *tenayalodge. com* ● *Doubles et suites 120-400 $ selon confort et saison. Très bon petit déj-buffet (env 15 $, réduc enfants).* 🖥 📶 Grosse bâtisse moderne style résidence de vacances, dressée à l'orée de la Sierra National Forest. À l'intérieur, vastes volumes et déco indienne dans l'immense *lobby,* avec beaucoup de bois et de pierre, et quelques trophées de chasse. Près de 250 chambres spacieuses et confortables, certaines avec balcon et vue. Les prestations haut de gamme séduiront les familles aisées et soucieuses de leur bien-être : piscines intérieure et extérieure, jacuzzi, fitness, spa, salle de jeux et activités pour les enfants, location de VTT, sans oublier les nombreuses sorties proposées (rando, VTT, pêche). Sur place, 4 restos avec terrasse, du gastronomique chic et cher à la classique pizzeria, plus abordable. Bien pratique car il n'y a pas grand-chose dans le coin...

À Oakhurst

Au sud de Yosemite Park, sur la route 41, une escale sur le chemin de Fresno ou de Los Angeles. Ville-dortoir sans aucun charme, où l'on peut se ravitailler facilement (essence, supermarchés...) et éventuellement passer la nuit. On y trouve tous les motels de chaînes *(Best Western, Comfort Inn, Days Inn, Travelodge...).* Mais on a dégoté quelques adresses sympas et plus personnelles, ainsi qu'un chouette B & B à 16 km de là.

■ *Sierra Sky Ranch :* 50552 Rd 632. ☎ 559-683-8040. ● *sierraskyranch. com* ● *À env 5 km au nord d'Oakhurst. Doubles 80-150 $ selon taille et saison, petit déj continental compris. Resto slt soir : ven-sam en hiver, mer-dim en été.* 📶 Voici une de nos adresses préférées dans la région, joliment posée dans un bien bel environnement champêtre. Ce lieu est à lui seul toute une histoire ! Ancien ranch, il devint successivement sanatorium, refuge de l'armée pour soldats fatigués, retraite religieuse, puis... bordel, avant de se transformer en hôtel respectable. Chaleureux salon tout en bois, avec trophées de chasse, selles de cavalier, vieux skis, vraie cheminée qui crépite... Bref, une ambiance refuge de trappeur à la mode Far West vraiment sympa, qui a aussi bien plu à Marilyn et à John Wayne lors de leur passage. Les 26 chambres, réparties dans la maison principale et dans un bâtiment annexe, offrent un confort douillet. Charmant comme tout, intime, parfaitement calme et accueil adorable.

■ *Hounds Tooth Inn :* 42071 Hwy 41. ☎ 559-642-6600. ● *houndstoothinn. com* ● *À env 3 km au nord d'Oakhurst. Doubles 115-180 $ selon confort et saison, petit déj continental compris.* 📶 Une grande maison moderne en contrebas de la route, plus confortable que charmante, à la déco un peu passe-partout. Cela dit, les moquettes épaisses, l'aménagement douillet, l'ambiance confidentielle et le charmant accueil en font une étape agréable. Les chambres les plus chères donnent sur un joli coin de verdure, certaines disposent d'une cheminée, d'un jacuzzi, ou encore d'une grande baignoire installée directement dans la chambre. Bon accueil.

À Ahwahnee

🏠 *Apple Blossom B & B :* 44606 Silver Spur Trail. ☎ 1-888-687-4281 ou 559-642-2001. ● appleblossombb.com ● *En venant d'Oakhurst par la route 49, prendre le chemin juste après le panneau marquant l'entrée du hameau de Nipinnawasee (on voit bien la maison de la route, à côté d'un joli verger de pommiers). Doubles 145-155 $ selon confort, petit déj compris.* 🛜 À une trentaine de minutes de l'entrée sud du parc, dans un environnement très agréable, cette charmante maison bleue en bois offre 3 chambres relativement petites mais coquettes comme tout. L'ensemble est paisible et accueillant, avec un petit air de « comme à la maison ». Le salon commun est doté d'une chaîne hi-fi et d'un poêle pour les jours de frimas. Jacuzzi sur la petite terrasse à flanc de colline, bien agréable pour un bain sous la voûte étoilée. Excellent et copieux petit déj, tout fait maison, y compris le miel.

Au sud-ouest : Arch Roch Entrance

À El Portal

Situé sur la route 140, en direction du parc, El Portal n'est pas une ville ni un village, pas même un hameau, tout juste un vallon encaissé où s'étirent quelques maisons, une station-service rudimentaire et 2 immenses motels (rapport qualité-prix médiocre au *Cedar Lodge*). C'est le point de chute extérieur au parc le plus proche de Yosemite Valley (11 km).

🏠 ⏹️ *Yosemite View Lodge :* 11156 Hwy 140. ☎ 1-800-321-5261 ou 209-379-2681. ● yosemiteresorts.us ● *Arrêt du bus* Yarts. *Selon confort et vue, doubles 150-270 $, 100-200 $ nov-mars.* 🛜 Une vraie petite ville ! Ses nombreux bâtiments manquent incontestablement de charme, mais sa situation stratégique et ses équipements en font un bon camp de base.

Plus de 330 chambres, très classiques, grandes et confortables, toutes avec kitchenette. Celles qui ont une vue sur la Merced River, les plus chères, sont nettement plus agréables, avec cheminée (au gaz), bain à remous et balcon au-dessus de la rivière. On trouve tout le nécessaire sur place : laverie, distributeur ATM, restaurant *(ouv 7h-11h, 17h-22h)* pas très raffiné mais correct, égayé par une terrasse tranquille donnant sur la rivière, et une modeste pizzeria *(ouv mai-oct, 17h-22h)* au cadre de cafétéria, tout à fait convenable. Plusieurs piscines (dont une couverte) et jacuzzi bien agréables.

À Midpines

🏠 ⏹️ *Yosemite Bug Rustic Mountain Resort :* 6979 Hwy 140. ☎ 209-966-6666 ou 1-866-826-7108. ● yosemitebug.com ● *À env 16 km au nord de Mariposa, sur la route de Yosemite (Arch Rock Entrance), du côté gauche de la route 140 (panneau). Au bout d'un petit chemin, loin du bruit, en pleine nature. En bus* Yarts, *arrêt Yosemite Bug Hostel. Nuit en dortoir 23-26 $, tent cabins env 45-75 $, doubles 75-155 $ selon confort (avec ou sans sdb) et capacité (2-5 pers). Plats env 10-15 $. Distributeur ATM.* 🖥️ 🛜 Enfin une AJ dans cette région qui en est si dépourvue ! Et pas n'importe laquelle : elle se définit plutôt comme un village de tentes et de petits bâtiments sur pilotis, éparpillés au petit bonheur la chance en pleine forêt. Du coup, chacun y trouvera son compte. Formule AJ en dortoirs rudimentaires de 4 à 12 lits, mixtes ou séparés (cuisine à dispo), ou chambres privées joliment décorées. Il en existe toute une gamme, des plus simples partageant une salle de bains aux grandes familiales, avec salle de bains privée. On peut aussi dormir dans l'une des *tent cabins* (tente meublée pour 2 à 4 personnes, avec sol en dur). Laverie à disposition. En été, les plus téméraires pourront plonger depuis une petite falaise dans un *swimming hole* (retenue d'eau naturelle alimentée par une cascade), les autres se délasser dans le « spa » (jacuzzi, soins et massages), ou encore suivre des cours de yoga. Le café *The*

Bug n'est pas en reste. Charmant chalet où l'on s'attarde près de la cheminée du salon avant d'aller savourer les plats végétariens de la maison, simples et d'une fraîcheur irréprochable. Pas de burgers dégoulinants de Ketchup ni de frites huileuses, mais truite grillée, riz sauvage et légumes garantis bio. De quoi attaquer sainement les balades à Yosemite. Une excellente adresse.

À Mariposa

Au sud-ouest du parc, au confluent des routes 120 et 49. Petite bourgade de style western, née de la ruée vers l'or, avec pas mal de caractère. On y trouve d'ailleurs le plus vieux tribunal encore en activité à l'ouest du Mississippi (depuis 1854 !), au coude à coude avec une dizaine de motels et une poignée de restos. Également la *West America Bank* (ATM 24h/24).

🛏 🍴 *River Rock Inn :* 4993 7ᵗʰ St. ☎ 1-800-627-8439 ou 209-966-5793. • *riverrockncafe.com* • *Résa conseillée. Doubles 55-110 $ selon saison et taille (certaines pouvant accueillir 4 pers).* 📶 Ce motel de poche aux couleurs audacieuses (le mélange d'orange et de violet !) est le plus ancien de la ville. Les 7 chambres sont relativement sobres dans leur déco, confortables et tranquilles. Mais on aime surtout l'atmosphère gentiment baba cool, l'accueil chaleureux et le jardinet à l'ombre d'un gros arbre pour prendre le frais, en retrait de la rue. Petit déj continental servi dans le *deli* de la maison. Possibilité d'y prendre ses repas également et d'y commander des sandwichs à emporter. Une halte sympa aussi pour prendre un bon café et une part de bon gâteau maison.

🛏 *Mariposa Hotel Inn :* 5029 Hwy 140. ☎ 209-966-7500 ou 1-888-244-9905. • *mariposahotelinn.com* • *En plein centre, juste à côté du* Butterfly Cafe. *Doubles env 120-180 $, petit déj continental compris.* Bâtiment historique datant de 1901. On grimpe une volée de marches bien raides pour accéder à la réception de cet hôtel resté dans son jus, très *Old West.* Parquet qui craque, papier peint à fleurs, meubles anciens et objets hétéroclites ; on se croirait dans une B.D. de Lucky Luke ! Seulement 6 chambres, pas bien grandes, entre kitsch et démodées, mais confortables (bain à remous dans certaines). Agréable balcon-véranda à l'arrière. En face, le *49'er Club Saloon* complète bien le tableau, avec sa vieille façade en bois, ses soirées madison et ses concerts de country.

🍴 *Savoury's :* 5034 Hwy 140. ☎ 209-966-7677. Tlj 17h-21h30. Plats 15-25 $. Le meilleur resto de Mariposa selon les locaux. Terrasse très agréable dès le printemps. Cuisine goûteuse et raffinée aux influences méditerranéennes, dans un charmant cadre contemporain, assez sophistiqué et presque chic. Chaque plat est accompagné d'une salade ou d'une soupe du jour, et tout est présenté avec beaucoup de soin.

À l'ouest : Big Oak Flat Entrance

À Buck Meadows

⛺ 🛏 *Yosemite Lakes :* 31191 Hardin Flat Rd, accès par la Hwy 120. ☎ 1-800-533-1001 ou 209-962-0121. • *stayatyosemite.com* • *Entre Buck Meadows et l'entrée ouest du parc (à 8 km) ; en venant de Yosemite, tourner à gauche à la station* Texaco. *Ouv de mai à mi-oct env (yourtes tte l'année). Résa conseillée. Camping 45-50 $, cabins pour 4 env 100-110 $, yourtes familiales 110-200 $. Tarifs dégressifs hors saison.* Bien situé, ce vaste complexe propose différents types d'hébergement, du camping (plutôt en dépannage) aux yourtes familiales parfaitement aménagées (salle de bains et cuisine, vue sur la rivière pour les plus chères), en passant par les *rustic bunkhouse cabins,* des cahutes rappelant vaguement des maisons de jardin en bois. Toutes petites et toutes simples, elles peuvent accueillir jusqu'à 4 personnes dans 2 lits superposés (sanitaires communs). Sur place, petit magasin et laverie.

🛏 *Yosemite Ridge Resort :* 7589 Hwy 120, sur la route entre Buck Meadows et Groveland. ☎ 1-800-706-3009 ou 209-962-6877. • *yosemiteridge.com* • *Cabins env 100-175 $.*

Modeste complexe touristique avec station-service *Exxon* et épicerie bien fournie. Bungalows pour 2 à 6 personnes, les moins chers tenant plus de la petite caravane, avec canapé-lit et minikitchenette. En revanche, les mobile homes familiaux sont d'un bon rapport qualité-prix, avec chambre privative, coin salon, salle de bains et modeste mezzanine. Également pas mal d'emplacements pour les RV et quelques sites pour les campeurs. C'est très propre, bien tenu, et l'accueil est chaleureux. Authentique adresse routarde.

À Groveland

À 37 km de l'entrée ouest du parc et 65 km de la Yosemite Valley, Groveland est le village le plus agréable pour faire escale en venant de l'ouest par la route 120. Sur un air western et Californie pionnière, on y trouve tout ce dont on peut avoir besoin, à des prix raisonnables. Sa situation conviendra tout particulièrement à ceux qui quittent San Francisco tard dans la journée.

🏠 |●| *Hotel Charlotte :* 18736 Main St. ☎ 209-962-6455 ou 1-800-961-7799. ● hotelcharlotte.com ● *Chambres 130-200 $ selon confort.* 🖥 📶 Petit coup de cœur pour cette adresse en plein centre de Groveland, face au vieux saloon. Déco « petite maison dans la prairie » avec moquette fleurie, meubles anciens et bibelots. C'est réussi dans le genre, avec pas mal de cachet et une atmosphère très cosy. Agréable salle de resto au rez-de-chaussée, pour s'offrir un bon plat du jour ou une salade fraîche (le chili maison et les desserts sont un must), et même des soirées *Wine tasting* pour goûter aux crus californiens ou à quelques raretés. Une dizaine de chambres à l'étage, charmantes, lumineuses et tout confort, aménagées de meubles chinés et belles salles de bains à l'ancienne.

On peut aussi profiter du grand balcon donnant sur la rue. Excellent petit déj-buffet. Mais le vrai plus c'est l'accueil, adorable, des 2 proprios.

🏠 |●| *The Groveland Hotel :* 18767 Main St. ☎ 1-800-273-3314 ou 209-962-4000. ● groveland.com ● *Chambres 145-350 $ selon confort, petit déj (buffet ou menu) inclus.* 📶 Édifié dans le sillage de la ruée vers l'or des années 1850, cet hôtel de charme s'est agrandi au fil du temps et possède aujourd'hui des chambres pleines de cachet : meubles de style, bibelots, lits douillets et jolies salles de bains. Superstition oblige, il n'y a pas de chambre n° 13, mais vous pourrez vous offrir la *Lyle's Room* abritant (paraît-il) le fantôme du même nom ! Une excellente adresse, d'autant plus que l'hôtel abrite un bar tout en boiseries et une salle de restaurant accueillante. Aux beaux jours, petits concerts sur la terrasse à l'arrière.

|●| 🍷 *Iron Door Saloon :* 18761 Main St. ☎ 209-962-8904 (saloon) ou 209-962-6244 (grill). Tlj 11h-22h ; plus tard pour le bar. *Plats 10-20 $.* Fondé en 1852, 3 ans après la naissance de Groveland (qui auparavant s'appelait Garrotte, en mémoire d'un voleur de chevaux mexicain pendu haut et court), c'est le plus vieux saloon de Californie ! D'abord *liquor store* et bureau de poste, le bâtiment devint véritablement saloon en 1896. Passez les lourdes portes en fer, importées d'Angleterre par le cap Horn (pour servir de coupe-feu !), et vous découvrirez une salle qui a peu changé depuis cette époque. Grand comptoir en bois où les habitués jouent aux dés, trophées de chasse aux murs et des dizaines de dollars punaisés au plafond. Le week-end, la salle devient piste de danse et accueille des groupes live. Pour le déjeuner ou le dîner, carte restreinte de salades, burgers, viandes et poissons grillés, servis dans la salle du saloon ou dans la salle attenante, au cadre moins parlant.

À voir. À faire

– *Scenic tours :* si vous manquez de temps, diverses excursions plus ou moins longues sont organisées chaque jour, au départ du *Yosemite Lodge.* En 1h30 ou 2h, visite de la vallée ou des séquoias géants de *Mariposa Grove* (big trees tram tour ; 27 $/adulte ; réduc) ; en 4h, aller-retour jusqu'à *Glacier Point* (env 41 $; vous pouvez aussi ne faire qu'un aller pour 27 $ et revenir à pied, ou l'inverse) ; en 8h, la totale (env 82 $/adulte, 95 $ avec le repas ; réduc). Possibilité aussi de faire un *moonlight tour* (2h) les nuits de pleine lune (25 $/adulte ; réduc).

■ **Infos et résas :** ☎ 209-372-4386 ou 1-801-559-4884. ● *yosemitepark.com/ Activities_GuidedBusTours.aspx* ● Également aux *Tour & Activity Desk* à *Yosemite Lodge* et *Curry Village,* ainsi qu'au *Visitor Center* (en été seulement).

Nous mentionnons les sites majeurs ou incontournables de cet immense parc dans le sens des aiguilles d'une montre, en partant de l'entrée nord-est *(Tioga Pass Entrance).*

Au nord-est

🏃🏃 *Tuolumne Meadows :* à une douzaine de km à l'ouest de la Tioga Pass Entrance *(entrée est du parc), sur la très belle route 120 (ou Tioga Rd).* Tuolumne Meadows est une vaste prairie subalpine située dans la région des terres hautes, sauvage à souhait. Là se trouvent les paysages les plus rudes de la Sierra, qui sont parfois quasi lunaires. En raison du climat et de l'altitude (2 580 m), les forêts se font rares, au profit d'une maigre mais tenace végétation de haute montagne ; l'avantage, c'est qu'il fait bien moins chaud que dans la vallée, où la température avoisine les 40 °C en été. Les rangers du *Visitor Center* local donnent toutes les infos nécessaires pour les randonnées, très populaires dans la contrée avoisinante. Notamment une belle balade – assez facile – qui mène à **Elizabeth Lake** (moustiques en été), où les moins frileux pourront se baigner (eau très très fraîche !). Compter environ 5h aller-retour.

🏃🏃 *Olmsted Point :* sur la route de Tuolumne Meadows (la 120), peu avt Tenaya Lake. L'un des points de vue les plus grandioses du parc : depuis le promontoire, on embrasse d'un seul regard la vallée encaissée de la Tenaya Creek et les impressionnantes coulées de granit aride surveillées du coin de l'œil par le Half Dome.

Dans la Yosemite Valley

🏃🏃🏃 **El Capitan,** avec ses 900 m, est la plus haute falaise entière du monde. C'est le point de rendez-vous des *free climbers* du monde entier.

🏃🏃 Presque en face, les **Bridalveil Falls** *(les chutes du Voile de la mariée),* dont le nom rappelle le mouvement de cette étoffe si légère qui s'envole sous l'emprise du vent. Depuis le parking, un court sentier conduit à leur pied. Douche-brumisateur garantie... Bien logiquement, ces chutes, comme toutes les autres, sont plus belles au printemps et au début de l'été, lorsqu'elles sont nourries par la fonte des neiges. Au début de l'automne, leur débit est réduit de manière significative.

🏃🏃🏃 Un peu plus loin, les **Yosemite Falls** sont les cascades les plus hautes du parc. Superbes, particulièrement lors de la fonte des neiges, lorsque leurs eaux rugissantes dévalent la montagne dans un halo de brume fantastique. Un sentier facile de 15 mn, donc très fréquenté, mène à leur base. Possibilité d'emprunter une autre piste jusqu'au sommet, nettement moins fréquentée mais beaucoup plus sportive...

🏃🏃🏃 Le **Half Dome,** à la forme si caractéristique, est devenu le symbole du parc car on aperçoit sa silhouette de pratiquement partout.

🏃🏃🏃 **Glacier Point :** à 25 km (30 mn de voiture) de l'intersection de Chinquapin (pompe à essence). À l'arrivée à Glacier Point, toilettes et point d'eau ; buvette et gift shop *un peu plus loin.* Du haut de cette saillie rocheuse, dominant de près de 1 000 m le fond de la vallée de Yosemite, à l'orée du Merced Canyon, le panorama est époustouflant. L'idéal est de s'y rendre au coucher du soleil. Face à vous, les Yosemite Falls, nourries au printemps de mille affluents. Et en toile de fond se dessinent, majestueux, les sommets de la Sierra Nevada. La route, très sinueuse, est fermée de novembre à mai, mais on peut alors s'y rendre en ski de fond... Les plus sportifs peuvent aussi emprunter à pied le fameux *4 mile Trail* (voir plus loin).

🎥 *Le Musée indien (Indian Cultural Museum)* : *Yosemite Village. Derrière le Visitor Center.* ☎ *209-372-0295. Tlj 10h-16h. GRATUIT.* Le seul musée du parc mérite bien un peu d'attention. Consacré aux Miwoks et aux Païutes, il présente un condensé de l'artisanat traditionnel et des coutumes des tribus indiennes. Reconstitution d'un village avec la hutte du chef, la maison des cérémonies... Également une petite galerie photos sur la genèse du parc (au XIXᵉ s).

Ailleurs dans le parc

🎥🎥 *Valley View et Tunnel View* : deux superbes points de vue quand on arrive dans la vallée en voiture, depuis l'entrée sud. Dans les deux cas, c'est après le tunnel. D'un coup, on découvre toute la Yosemite Valley, merveilleux exemple de vallée glaciaire. À l'ouest se dresse la falaise d'El Capitan et, en arrière-plan, le sommet, enneigé jusqu'à la fin du printemps, du Half Dome. Les Bridalveil Falls tombent en panache sur le versant sud de la vallée. Vaut le détour même si vous n'arrivez pas par l'entrée sud.

🚶🚶🚶 Les fameux *séquoias géants* : à *Wawona* et à *Mariposa Grove,* au sud du parc, et à *Tuolumne Grove,* à l'ouest (tout près de Crane Flat, compter 1h aller-retour de balade facile depuis le parking). Ces arbres mythiques font parfois plus de 6 m de diamètre pour un âge allant jusqu'à 2 700 ans. Les plus beaux et les plus impressionnants sont concentrés à Mariposa Grove. Attention : en raison de l'exiguïté du parking de Mariposa Grove, il est recommandé en haute saison de se garer à Wawona, où un service de bus gratuit dessert le site toutes les 30 mn (dernier retour à 18h). Ensuite, compter 1h30 de balade aller-retour. La curiosité la plus photographiée du parc fut longtemps l'*arbre tunnel* de *Wawona,* haut de 71 m et âgé de 2 100 ans, dans le tronc duquel un tunnel laissait passer une route à deux voies. Malheureusement, des chutes de neige très abondantes ont chargé son faîte d'un tel poids qu'un jour de l'hiver 1968-1969 le géant des cimes s'est abattu, ne laissant à la contemplation des touristes que son corps impressionnant, allongé pour quelques années encore. Il reste heureusement dans le parc des séquoias presque aussi vieux, comme le *Grizzly giant* qui est debout depuis 1 800 ans. Pour le voir, il faut marcher 1 km à partir du parking. Ceux qui ont un peu de temps devant eux pousseront la balade de Mariposa jusqu'au bout (3-4h en tout), car c'est plus loin que les séquoias sont les plus nombreux et que la vision d'ensemble est la plus impressionnante.

Randonnées et trekking

Yosemite est un des meilleurs spots de randonnées pédestres des États-Unis : le parc compte près de 1 350 km de *hiking trails,* bien balisés et décrits dans le journal de Yosemite, à consulter impérativement. Il est très complet : parcours, distances, dénivelée, temps moyen... Les itinéraires sont nombreux et pour tous niveaux. Les rangers des *Visitor Centers* sont bien sûr là pour vous guider selon votre condition physique et vos aspirations d'aventurier.

Si vous partez plus d'une journée, il faut demander une autorisation *(wilderness permit)* gratuite au *Wilderness Center,* proche du *Visitor Center,* au Yosemite Village, ou dans l'une des quatre annexes (à Wawona, à Big Oak Flat, à Hetch Hetchy ou à Tuolumne Meadows). Attention, les *Wilderness Centers* ne délivrent cette autorisation que d'avril à octobre. Elle peut s'obtenir sur place, le jour ou la veille du départ en randonnée, ou par réservation, ce qui n'est pas inutile en plein été, car le nombre de randonneurs est limité. *On peut réserver jusqu'à 24 sem à l'avance par tél (☎ 209-372-0740), directement sur leur site, ou en écrivant au* **Wilderness Permits** *: PO Box 545, Yosemite, CA 95389. Par courrier, précisez vos nom, adresse, tél, le nombre de participants à la randonnée, le moyen de transport (à pied, en raquettes, etc.), les dates de départ et de retour souhaitées et l'itinéraire prévu – sans oublier votre numéro de CB (avec date d'expiration) pour les 5 $ de frais de résa.*

Si vous souhaitez juste des infos sur les randos : ☎ 209-372-0200. Sans oublier le site complet : ● nps.gov/yose/wilderness ●

Ces précautions ne sont pas inutiles et permettent aux rangers de savoir où vous chercher en cas de non-retour aux dates prévues. Évidemment, prévenez bien les rangers de votre retour. Et n'oubliez pas toutes les mesures de sécurité pour éviter d'attirer les ours... et les moustiques ! Voir en intro la rubrique « Infos et conseils pratiques ».

Et même si vous ne partez que pour une balade de quelques heures, renseignez-vous au *Visitor Center* sur la durée et la difficulté du chemin que vous souhaitez emprunter, cela vous évitera de vous embarquer pour un entraînement commando si vous aviez juste prévu de faire une petite balade digestive !

– **Remarques :** il est interdit de couper des arbres sur pied (que ces arbres soient vivants ou morts !) et de récolter du bois dans la Yosemite Valley (même si vous campez). Inutile, bien sûr, de penser faire un trek en hiver (dès novembre), à moins d'être un fana du ski de fond ou de treks en raquettes.

Le guide officiel du parc recense près de 1 300 km de sentiers, dont une bonne dizaine dans la Yosemite Valley et une quinzaine ailleurs dans le parc. Voici quelques randos parmi tant d'autres :

➤ **Top of Vernal Fall :** une boucle de 5 km (2 à 4h), l'un des sentiers les plus beaux (et les plus fréquentés !) qui consiste à partir de Happy Isles (arrêt nº 16 du *shuttle*) et à atteindre Vernal Fall. Le chemin ombragé longe la rivière. À mi-parcours, toilettes et point d'eau près du pont. La seconde partie est plus sportive en raison d'un long passage taillé en escalier dans la roche et d'une forte dénivelée. La baignade est interdite en théorie (les rangers veillent au grain), mais on peut se rafraîchir à différents endroits. Au retour, possibilité de redescendre par le **John Muir Trail,** ce qui oblige toutefois à monter encore un poil et rallonge la balade, mais la descente se fait ensuite facilement pour rejoindre le trajet d'origine au niveau du pont. On peut effectuer cette randonnée à cheval, mais les canassons empruntent une autre route, moins belle.

Les plus courageux continueront la balade jusqu'à **Nevada Fall** (ça grimpe, mais c'est superbe ; 11 km en tout, 6h aller-retour). De retour à Happy Isles, petit centre d'info sur la nature ainsi qu'une cabane à sandwichs (bien sympa après la balade).

➤ **Ascension du Half Dome :** trek d'une grosse journée nécessitant une bonne condition physique. Un must ! On y accède par une sorte de *via ferrata* (escaliers creusés dans la roche, que l'on gravit à l'aide de câbles). Compter pour un marcheur expérimenté entre 10h et 12h pour parcourir les 27 km aller-retour entre la vallée et le sommet du Half Dome *(ouv slt de fin mai à mi-oct). Attention, un permis supplémentaire est requis. Demande à faire en ligne (bien à l'avance) :* ● nps.gov/yose/planyourvisit/hdpermits.htm ● *ou par tél (☎ 877-444-6777). Coût : 4,50 $ sur Internet et 6,50 $ par tél.*

➤ **4 mile Trail :** un sentier historique du parc, qui grimpe depuis le fond de la vallée jusqu'au superbe *Glacier Point*. La rando démarre en pente douce, sur un agréable sentier ombragé, qui monte progressivement sur des dizaines de lacets rocailleux, sacrément raides à l'approche du sommet ! On termine l'ascension en traversant une petite forêt de séquoias, avant d'atteindre *Glacier Point,* au milieu de la foule venue en voiture... Une balade sportive accessible à tout bon marcheur, avec de superbes points de vue en perspective. Compter 2h30-3h30 de grimpette selon le nombre de pauses photo !

➤ *Pour les vrais trekkeurs :* il existe des dizaines de circuits de 2 à 10 jours. Infos dans le journal du parc et auprès des rangers.

Autres activités dans le parc

Informations très complètes sur ● *yosemitepark.com* ●

– *Baignade :* on peut se baigner dans la rivière Merced, qui coule au creux de la vallée *(slt de mi-juil à sept).* Le reste de l'année, les rapides et la température glaciale de l'eau ne rendent pas la baignade très agréable ni prudente. Beaucoup de monde en été. Le lac Tenaga, sur la Tioga Rd, offre une eau limpide, calme et pas si froide.

– *Escalade :* la réputation de Yosemite dans le monde de la grimpe n'est plus à faire. C'est le royaume des *big walls,* des murs verticaux : Half Dome, Nut Cracker, Serenity Crack, Sons of Yesterday, Direct North Buttress sont parmi les voies les plus renommées. Possibilité de prendre des cours : ☎ 209-372-8344. *Compter env 150 $.*

– *Rafting :* on peut faire du rafting sur la Merced River en louant tout l'équipement nécessaire au *Curry Village,* au même endroit que la location de vélos. Vous pourrez descendre la rivière sur environ 5 km (entre 1h et 3h) et une navette (payante : 4,50 $) vous ramènera au point de départ. *Infos au ☎ 209-372-4386. Slt de fin mai à juil, si le temps le permet. Env 30 $/adulte, 24 $/enfant. Loc de casque et gilet de sauvetage : 5,50 $.*

– *Balades à cheval :* avr-nov, à Yosemite Valley (☎ 209-372-8348) et à Wawona (☎ 209-375-6502) ; ainsi qu'à Tuolumne Meadows Stables, slt en été (☎ 209-372-8427). *Balades guidées de 2h (3 départs/j. ; compter 65 $/pers), à la ½ journée (85 $) ou à la journée (slt à Tuolumne ; env 130 $). Résa impérative ; arriver 1h avt le départ de l'excursion ; accessible aux enfants à partir de 7 ans.* En 2h, on peut parcourir une partie du Tenaya Canyon pour admirer le Half Dome ; en 4h, on peut aller jusqu'à Vernal et Yosemite Falls.

– *Balades à vélo :* sur une vingtaine de kilomètres de pistes bitumées au cœur de la vallée, notamment un petit circuit de 6-7 km qui permet de rallier Mirror Lake (au sud-ouest de Curry Village) en 1h-1h30. Sympa à faire en famille. *Loc de beach bike (vélo californien) ou VTT au Yosemite Lodge (☎ 209-372-1208 ; tte l'année) et au Curry Village (☎ 209-372-8319 ; avr-oct) : 11,50 $/h ; env 32 $/j. ; casque (obligatoire pour les moins de 18 ans) : 5 $.*

– *Patinage :* si vous passez par là en hiver, vous pourrez profiter de la patinoire à l'air libre, qui se trouve au *Curry Village.* Location de patins bon marché.

DANS LES ENVIRONS DU YOSEMITE NATIONAL PARK

🎥 *Saddlebag Lake :* à quelques km de la sortie est de Yosemite. Pour s'y rendre, prendre la 120 qui traverse le parc d'ouest en est par la Tioga Pass Entrance *(on vous rappelle qu'elle est fermée oct-juin).* Quand on commence à redescendre, dans un virage, à gauche, une route mène à Saddlebag Lake. Celle-ci devient une piste (très bonne) sur env 4 km, mais est parfois fermée en fonction de l'enneigement. Ne pas hésiter à y aller à pied : prévoir 45 mn de balade (aller), sans aucune difficulté. La petite route, très agréable, grimpe sans à-coup à flanc de montagne. Parfois, le rideau d'arbres s'entrouvre pour céder la place à un très beau point de vue sur la vallée. On découvre alors un lac de haute montagne, superbe, dans lequel pêchent quelques amateurs de truite. Une bicoque en bois fait office de café et d'épicerie (en saison, toujours) dans un style refuge de montagne. Des sentiers font le tour du lac, et d'autres permettent d'atteindre les cols qui le surplombent. Des canoës circulent sur le lac. Un « camping » rustique à côté du café accueille les amoureux de calme.

SEQUOIA NATIONAL PARK

À environ 130 km au sud du Yosemite, une splendide région (2 000 à 2 500 m d'altitude moyenne) qui regroupe d'imposants sommets granitiques, des gorges profondes, des lacs, des rivières, des forêts d'arbres millénaires et notamment de séquoias géants, dont le célèbre *General Sherman Tree* au tronc de 11 m de diamètre, ce qui en fait l'être vivant le plus imposant au monde. Attenant au Sequoia National Park, Kings Canyon offre aussi des paysages de forêts et rivières tumultueuses.

Évitez de vous y rendre avant juin : les routes sont enneigées. Autre conseil : si l'on considère la seule beauté des séquoias géants, il n'est pas nécessaire d'aller à Yosemite pour cela, car les forêts du Sequoia National Park sont plus majestueuses que nulle part ailleurs. En revanche, le relief et les montagnes qui leur servent de décor de fond ne sont évidemment pas aussi spectaculaires qu'au Yosemite, beaucoup plus vaste.

UN CHEF INDIEN TRANSFORMÉ EN ARBRE

Avec plus de 100 m de haut, le séquoia géant américain est le plus haut des conifères et peut donc être considéré comme le roi des forêts. Ce nom lui fut attribué par un botaniste autrichien en mémoire du chef indien Sequoyah (1767-1843), inventeur de l'alphabet cherokee.

➤ Il n'y a que deux entrées, par la route 198 (Three Rivers) et par la 180 (Fresno). Si vous venez de Death Valley, n'espérez pas trouver une entrée à l'est du parc, il faut faire le détour.

– *Entrée :* 20 \$/véhicule pour 7 j., 10 \$ si l'on est à pied, en bus ou à vélo (Interagency annual pass *accepté*).

Adresses utiles

🛈 *Visitor Center de Foothills :* à l'entrée sud du parc en venant de Three Rivers. ☎ 559-565-4212. Tlj 8h-16h30.
🛈 *Visitor Center de Lodgepole :* à quelques km de la *Giant Forest* et de *General Sherman.* ☎ 559-565-4436. Tlj en été 7h-18h, 9h-16h30 le reste de l'année.
🛈 *Visitor Center de Grant Grove :* à l'entrée nord du parc, dans Kings Canyon, à deux pas du séquoia *General Grant.* ☎ 559-335-2856. Tlj 8h-17h.
■ *Infos sur le parc :* ☎ 559-565-3341. • nps.gov/seki • *Infos pratiques et résas :* • recreation.gov •
■ *Réservations lodges :* ☎ 1-888-252-5757.
■ Autres services à Lodgepole : *poste, laverie, épicerie* (équipement pour randonneurs et campeurs), *snack.*

Où dormir ?

Dans le parc

⛺ Il existe une vingtaine de *campings,* répartis entre Sequoia National Park, Kings Canyon et Sequoia National Forest. Compter 12-20 \$ pour un emplacement qui comprend une table et un barbecue. Les plus agréables sont ceux de *Buckeye Flat* (entrée sud), *Camping Sunset* et *Azalea* (Grant Grove Area) et aussi *Canyon View* (Cedar Grove, à l'extrémité est de Kings Canyon). *Attention, la plupart des campings ne sont ouv que mai-oct. Résas :* ☎ 1-800-365-2267 ou 1-301-722-1257 (depuis l'étranger). • recreation.gov •
🛏 *Wuksachi Lodge :* à l'ouest de Lodgepole. ☎ 1-866-807-3598. • wuksachi-village-lodge.com •

Doubles 155-220 $. Réparties entre plusieurs bâtiments, les 102 chambres plutôt luxueuses de ce complexe jouent la carte du rustique chic : décor en bois très chaleureux, beaucoup d'espace, frigo. Restaurant sur place. Ce *lodge* est d'autant plus agréable qu'il est situé en retrait de la route principale, au milieu du calme majestueux des séquoias.

À Three Rivers

🏠 **Sequoia Motel :** *43000 Sierra Dr, Hwy 198.* ☎ *559-561-4453.* ● *sequoia motel.com* ● *À 5 km de Three Rivers, sur la route du parc, à droite. De 85 $ pour 2 pers à 250 $ pour 6.* 📶 Petit motel avec 2 bâtiments en bois, dont

les 14 chambres n'offrent pas un charme particulier, mais sont confortables et très propres. Idéalement situé, à quelques km de l'entrée du parc. Petite piscine. Accueil très sympa.

🏠 **Three Rivers Hideaway :** *43365 Sierra Dr, Hwy 198.* ☎ *559-561-4413.* ● *threerivershideaway.com* ● *Cabin 2 pers 80 $; emplacement tente 30 $ pour 4, camping-car env 35 $ (électricité, eau et câble pour TV).* Seulement 3 *cabins,* dont une avec cuisine, toutes rénovées, climatisées et propres, dans ce complexe plutôt fréquenté les campeurs. Le site s'étend entre la route et la rivière Kaweah, et est plutôt agréable. La plupart des emplacements pour les tentes sont ombragés. Douches gratuites, machines à laver. Accueil aimable.

À voir

🔏 **Crystal Cave :** à 25 km au nord de l'entrée sud du parc, à 5 km au sud du General Sherman. Entrée : 15 $; réduc, pour une visite guidée d'env 50 mn. Attention, en raison des distances et de la fréquentation, les billets doivent être achetés au moins 1h30 avt l'horaire de la visite et sont en vente slt aux Visitor Centers de Lodgepole et de Foothills. Après une petite marche en pente douce de 15 mn au milieu de la forêt, on entre dans cette grotte découverte en 1918, où la température oscille entre 9 et 10 °C ; pensez à votre petite laine. Les rivières souterraines ont façonné des décors étonnants dans différentes salles, où stalagmites et stalactites s'entremêlent, tantôt en nef de cathédrale, tantôt en orgues. L'éclat du marbre ajoute à l'ambiance très particulière du lieu. Les commentaires des rangers spéléologues qui conduisent la visite sont très intéressants.

🔏🔏 **Moro Rock :** du sommet de ce dôme en granit situé dans la Giant Forest, vous aurez une vue imprenable sur la partie ouest du parc. On accède à son sommet par un escalier assez raide, qui permet de gravir les 91 m du rocher. En poursuivant sa route vers l'est, on peut passer en voiture à travers le tronc d'un séquoia couché, avant d'atteindre **Crescent Meadows,** lieu de villégiature préféré des ours bruns qui peuplent le parc.

🔏 **Le séquoia géant General Sherman :** ce monstre sacré de la forêt, nommé d'après un héros de la guerre de Sécession, se trouve dans la Giant Forest, à droite de la General's Highway, qui traverse le parc du sud au nord. À un peu moins de 3 km avant le *Visitor Center* de Lodgepole. Très bien indiqué. Il aurait entre 2 300 et 2 700 ans. Respect !

🔏 **Le séquoia General Grant :** encore un autre vieux patriarche bien conservé, situé dans le coin de Grant Grove (futaie de Grant), à la sortie ouest

LE PLUS GRAND ÊTRE VIVANT

On ne connaît pas son âge exact, mais le Bristlecone pine, à l'est de la Sierra Nevada, aurait plus de 2 700 ans (parmi les plus vieux arbres de la planète). Ses mensurations dépassent tous les superlatifs : 84 m de haut, 11 m de diamètre, un poids total de 1 256 t, qui font de lui l'être vivant le plus volumineux sur terre. S'il a le malheur de perdre une de ses précieuses ramures, c'est une catastrophe nationale !

du parc. Très bien indiqué, on y accède en faisant une petite balade entre d'autres géants, en particulier le Fallen Monarch, un séquoia couché dans le tronc duquel on peut marcher, comme dans un tunnel. Le concurrent du séquoia General Sherman. Moins vieux, moins haut, mais plus grand à sa base (diamètre de 12,30 m).

MAMMOTH LAKES

7 000 hab.

Sur l'US 395, au sud de Lee Vining, à 57 km de l'entrée est *(Tioga Pass Entrance)* de Yosemite Park (environ 1h en voiture). Vaste station de ski très vivante en hiver et en été, désertée à la mi-saison. Son domaine skiable est très réputé en Californie, et attire même quelques VIP (on a vu Angelina et Brad Pitt y traîner leurs guêtres). L'été, place aux randonneurs et aux férus de montagne. On retrouve ici l'atmosphère rustico-sportive de toute bonne station de ski, avec chalets, restos et bars chaleureux. Les prix y sont globalement plus élevés qu'à Bridgeport ou Lee Vining. Pour les adeptes de shopping, il existe aussi quelques magasins d'usine (notamment *Ralph Lauren*).

Adresses et infos utiles

🛈 *Mammoth Lakes Welcome Center & Ranger Station :* 2510 Main St. ☎ 760-934-5500. • *visitmammoth. com* • *À l'entrée de la ville, sur la droite. Tlj 8h-17h. Fermé Noël et Jour de l'an.* Compétent et très documenté, incontournable si vous souhaitez vous balader dans les environs. Regroupe les agents du *Forest Service* (si vous voulez camper dans la région ou faire des randonnées) et le bureau d'infos touristiques sur les activités et les principaux centres d'intérêt, les conditions routières et les possibilités d'hébergement. Diverses cartes et brochures très complètes : le *Visitor's Guide* et le *Inyo National Forest,* journaux mis à jour régulièrement, le *Mammoth Lakes Recreation Guide* et *Destination Guide* ou le magazine *The Mammoth Insider,* avec notamment toutes les activités sportives : randos, balades à cheval, VTT, golf, tennis, ski et snowboard, escalade, etc.
– Pour les routards non motorisés, se procurer la *Transit Map,* avec les liaisons en *shuttle* gratuit ou navette. En saison, fréquents départ d'un point à l'autre de la station et liaisons régulières avec les sites des environs.
■ *Bank of America :* sur *Main St, angle Laurel Mountain Rd ;* à côté de la station Shell. ☎ 760-934-6839.

Change et distributeur accessible 24h/24.
✉ *Poste :* sur N Main St. ☎ 760-934-2205. Lun-ven 8h-16h.
@ *Internet :* au Minaret Village Mall, à la Library (400 Sierra Park Rd) et au 1934 Meridian Blvd (Mammoth Business Essentials). Wifi dans de nombreux bars.
✚ *Mammoth Hospital :* 85 Sierra Park Rd. ☎ 760-934-3311. • *mam mothhospital.com* •

Où dormir ?

Campings

⛺ On trouve une quinzaine de campings publics et 2 privés dans les forêts domaniales encadrant Mammoth Lakes (liste complète disponible au *Mammoth Lakes Welcome Center). La plupart ouvrent au plus tôt en avr, bon nombre slt vers la mi-juin. Emplacements env 20 $.*

De bon marché à prix moyens

🏠 *Davison St Guest House :* 19 Davison Rd. ☎ 760-924-2188 ou 858-922-8648. • *mammoth-guest.com* • *Au bout de Main St (en arrivant de la*

US 395), prendre la *Lake Mary Rd qui la prolonge : elle coupe Davison 600 m plus loin. Lits en dortoir 30-50 $ selon j. et saison, doubles 60-120 $.* 📶 Avec un ours comme totem et une salle commune façon tipi en dur et en bois, cette AJ privée de poche est l'idéal du routard de haute montagne. Seulement 3 chambres privées et 2 dortoirs (de 4 lits pour les filles, 10 lits pour les garçons), petits mais très corrects. Ambiance fraternelle, cela va de soi (notamment autour du poêle en hiver), avec plein d'avantages : cuisine équipée, balcons face aux pics enneigés et grande terrasse pour le barbecue. Une bonne adresse, un peu chère néanmoins.

🏠 *The Innsbruck Lodge : 913 Forest Trail ; une petite rue au-dessus de Main St.* ☎ 760-934-3035 et 1-800-230-4134. ● *innsbrucklodge.com* ● *Doubles 75-125 $ selon saison et confort.* 📶 Une grande maison un peu en retrait de la route, à deux pas de Mammoth Village, proposant une dizaine de chambres nickel et confortables, certaines avec petit balcon et kitchenette. Ensemble plus fonctionnel que charmant, déco banale, mais rapport qualité-prix tout à fait correct.

De prix moyens à très chic

🏠 |●| *Tamarack Lodge & Resort : accès par Lake Mary Rd, à env 3 km du centre. Navette gratuite en saison.* ☎ 760-934-2442. ● *tamaracklodge. com* ● *Selon saison, doubles dans le lodge 80-170 $ avec sdb commune ou privée ; chalets à partir de 150-250 $ pour 2 en basse saison. Côté resto, 11h-14h et 17h30-21h30.* 🖥 📶 Avis aux amoureux de nature préservée et autres pêcheurs amateurs. Superbe ensemble de chalets traditionnels entourés de forêt, face à un petit lac. Chambres tout confort et charmantes dans l'hôtel principal datant de 1924, et une quarantaine de chalets luxueux pouvant accueillir 2 à 6 personnes. Déco montagnarde très réussie, ensemble cosy, moderne et ultra confortable avec cuisine équipée, salon-TV chaleureux, cheminée, etc. Du grand standing dans l'esprit trap-

peur chic et esthète. Une belle adresse en somme, d'autant que le *Lakefront Restaurant* est aussi très réputé.

🏠 *Edelweiss Lodge : 1872 Old Mammoth Rd.* ☎ 760-934-2445. ● *edelweiss-lodge.com* ● *Doubles 60-90 $ (sans cuisine ni salon), chalets 115-290 $ selon taille (1 ou 2 chambres), confort et saison.* 📶 Un vrai coup de cœur pour cette adresse ! Une dizaine de chalets en bois disséminés sous les pins, dans un coin paisible... voilà qui commence plutôt bien. Puis on découvre des intérieurs tout en bois ravissants, avec petit salon, cheminée (bûches fournies), une cuisine bien équipée et un balcon (ou terrasse), avec barbecue pour la plupart. Jacuzzi et machine à laver à disposition. Accueil charmant de la propriétaire qui se fera une joie de vous dire quelques mots en français.

🏠 |●| *Alpenhof Lodge : 6080 Minaret Rd.* ☎ 760-934-6330 ou 1-800-828-0371. ● *alpenhof-lodge.com* ● *Monter Main St et tourner au 2e feu à droite, au niveau du resto* Whiskey Creek. *Doubles 100-180 $ selon confort et saison. Plats 18-34 $.* 🖥 📶 Un gros chalet qui semble droit sorti des montagnes tyroliennes, tenu par une famille autrichienne, ceci explique cela. Les chambres situées dans cette fière bâtisse offrent une élégante déco assez moderne. Celles installées dans le bâtiment situé sur l'arrière sont plus classiques, plus spacieuses aussi, également très plaisantes et tranquilles. Grand confort et atmosphère sereine. Piscine en été, jacuzzi et sauna en toute saison. Très bon resto, cuisine californienne élaborée et belle sélection de vins. Également un bar très sympa, le *Cloktower Cellar* (voir plus loin « Où boire un verre ? »).

🏠 *The M Inn Mammoth : 75 Joaquin Rd.* ☎ 760-934-2710. ● *themam mothinn.com* ● *Dans une petite rue perpendiculaire à Main St, dans un secteur résidentiel. En sem ou le w-e, doubles de 80 $ avec sdb commune à 170 $ avec sdb privée et jacuzzi ; en hte saison, 140-200 $. Bon petit déj compris.* À mi-chemin entre la chambre d'hôtes et le petit hôtel, ce chalet joue la carte de la modernité et propose une dizaine de chambres spacieuses, à la déco sobre plutôt plaisante, mais aménagées à l'économie. Écran plat et jacuzzi certes, mais confort cependant limité au regard du prix. Salle commune avec coin salon et grande table pour le petit déj.

Où manger ? Où prendre le petit déjeuner ? Où boire un verre ?

|●| ☞ *Schat's Bakery & Cafe :* *3305 Main St.* ☎ *760-934-6055. Tlj* *6h-18h. Tt à moins de 10 $.* Boulangerie-pâtisserie renommée, impeccable pour le petit déj, un déjeuner rapide ou un goûter gourmand : grand choix de gâteaux, biscuits, confitures, chocolat maison, bon pain frais pour le pique-nique. Le tout à emporter ou à déguster avec un bon café *espresso* dans la salle sur l'arrière ou sur la petite terrasse ensoleillée.

|●| ☞ *The Stove :* *644 Old Mammoth Rd.* ☎ *760-934-2821. Tlj 6h30-14h, 17h-21h. Tt à 5-10 $.* Dans une croquignolette maison en bois peint, une grande salle sans chichis, toujours bondée, réunissant familles et sportifs prêts à dévorer avant ou après l'effort. Ça tombe bien, tout ici est géant, assiettes format mammouth, omelettes 4 œufs (et abondamment garnies !), burgers qui n'en finissent pas de grimper, *quesadillas* énormes... Vous l'aurez compris, rien de très raffiné, mais du roboratif efficace et bon marché.

|●| ☞ *Breakfast Club :* *2987 Main St (à l'angle d'Old Mammoth Rd).* ☎ *760-934-6944.* À l'entrée de Mammoth Lakes, à la 1re station Shell. *Tlj 6h30-13h. Compter moins de 10 $. CB refusées.* Si la devanture n'a rien d'engageant, on découvre, avec surprise, une petite salle chaleureuse, où la vache tient la vedette, en bibelots, photos, lampes... et tout ce qui a pu être trouvé la représentant. Bons petits déj robustes à base de produits frais : *huevos rancheros, French toast,* œufs brouillés, omelettes et pancakes. Mais aussi tout un tas de douceurs (muffins, *cinamon rolls,* gaufres). Pour la pause-

déjeuner, classiques burgers, sandwichs et salades.

|●| ☞ *Base Camp Café :* *3325 Main St, à côté du* Mammoth Luxury Outlets. ☎ *760-934-3900. Lun-mar 7h30-15h ; dinner special mer-dim 7h30-19h. Tt à 5-10 $.* Encore une bonne adresse pour le petit déj, cette fois dans une ambiance de montagne plus que d'alpages. Le *Base Camp,* comme son nom et les photos affichées le suggèrent, est le point de rencontre des grimpeurs et sportifs des environs. Carte classique à prix démocratiques, accueil jeune et sympa. Bien aussi pour s'offrir un burger ou copieux sandwich.

|●| *Perry's :* *3399 Main St, à côté du* Mammoth Luxury Outlets. ☎ *760-934-6521. Tlj 11h-22h.* Plats de pâtes et viandes env 12-23 $, pizza à partir de 12 $. Une petite terrasse fraîche les soirs d'été, un bar, une salle de bistrot chaleureuse les soirs de frimas, voilà une bonne adresse pour prendre un repas américano-italien très convenable, sans se ruiner. Le pain aux herbes tout chaud est un premier bon point, confirmé par les bonnes pizzas à composer soi-même, le *salad bar* bien frais et les *pasta* très correctes. En prime, service agréable et efficace.

|●| *Roberto's Café :* *271 Old Mammoth Rd.* ☎ *760-934-3667. Tlj 11h-22h. Repas à partir de 15 $.* À voir les records d'affluence certains week-ends, le *Roberto's* a toujours le vent en poupe. Un succès qui s'explique par la fraîcheur des *enchiladas* et des *burritos,* les portions servies en format XL, un cadre joyeux aux couleurs du Mexique (terrasse agréable) et la gentillesse de l'accueil. L'adresse est aussi réputée pour ses *margaritas,* fameuses en effet !

|●| *Nevados :* *3950 Main St.* ☎ *760-934-4466. Tlj 17h-21h. Fermé les 3 premières sem de juin. Plats 12-38 $.* Sur les murs, de grandes fresques représentent un bal champêtre en France... ou en Italie, nous a dit le patron, peu importe. Le lieu est un brin chic, mais avant tout convivial et chaleureux, ouvert sur un bar toujours bondé et joyeusement animé par les habitués volubiles. Le chef californien, d'origine mexicaine, a longtemps travaillé dans un resto japonais et se passionne

pour la cuisine française et italienne (avec un distinguo cette fois !). Sa cuisine conjugue avec brio toutes ces influences, inventive et délicieuse, toujours joliment mise en scène dans les assiettes. Hormis quelques plats réguliers (comme le filet mignon aux gorgonzola et épinards, les *sashimis* ou *sushis* mi-nippons mi-californiens), la carte change tous les jours et propose d'excellentes préparations de poisson et viande, ainsi que du gibier en saison. Pain maison tout chaud tout bon, et belle carte des vins. Évidemment assez cher, mais rien à redire, il y a beaucoup de talent et de travail dans ces assiettes !

|●| ***Slocum's Grill :*** 3221 Main St. ☎ 760-934-7647. Plats env 15-30 $. Happy hours *16h-18h30.* Façade traditionnelle en bois et jolie déco évoquant un vieux saloon. Plusieurs salles intimes, banquettes en cuir ou tables bien espacées pour s'offrir un repas en amoureux. Grand choix de viandes grillées, assiettes de fromages, quelques poissons, mais aussi soupe à l'oignon ou bisque de homard façon bistrot français. Salades et snacks pour les appétits d'oiseau. Le tout se veut assez haut de gamme, avec des accompagnements originaux (purée maison, divers légumes frais), ainsi qu'une carte de vins prestigieux. Pour les amateurs, un coin-bar pour goûter la blonde locale (on parle de bière !).

Y *Clocktower Cellar :* 6201 Minaret Rd ; au sous-sol du Alpenhof Lodge. ☎ 760-934-2725. Tlj 16h-23h (plus tard en saison). Cadre typique de pub anglais avec une incroyable collection de sous-bocks et une flopée de capsules de bières collées au plafond ! Bar convivial et petites salles pleines comme un œuf les soirées d'après-ski. Le rendez-vous incontournable des locaux pour écluser un verre en bonne compagnie, notamment pas mal de bières à la pression. Écrans géants pour suivre les derniers matchs de base-ball ou *soccer,* baby-foot et billard gratuit jusqu'à 21h.

Manifestations

Nombreux événements sportifs tout au long de l'année, marathons et autres championnats de VTT, mais surtout de chouettes festivals de musique en été :

– *Mammoth Lakes Jazz Jubilee :* pdt 4 j. début juil. Infos : ☎ 760-934-2478 ou 1-877-686-5299. ● *mammothjazz.org* ● L'occasion d'écouter tous les styles de jazz : swing, Dixieland, *fifties* et *sixties...* Concerts live en plein air, au cœur des High Sierra Moutains. On appelle ça « jazz with altitud » !

– *Mammoth Bluesapalooza & Festival of Beers :* pdt 3 j. début août. Infos : ☎ 888-992-7397. ● *mammothbluesbrewsfest.com* ● Un festival mêlant de bons groupes de blues cajun et 70 microbrasseries venues présenter leur breuvage... Tout un programme ! Concerts bien arrosés donc, et immense barbecue.

– *Mammoth Lakes Sierra Summer Festival :* pdt 3-4 j. mi-août. Infos : ☎ 760-935-3837. ● *sierrasummerfestival.org* ● Concerts de musique classique, petits ensembles vocaux et instrumentaux, ainsi qu'un orchestre symphonique.

DANS LES ENVIRONS DE MAMMOTH LAKES

🎥🎥 *Devil's Postpile National Monument :* entrée à env 8 km à l'ouest de Mammoth Lake, au bout de Minaret Rd. Infos : ☎ 760-934-2289. ● *nps.gov/depo* ● Comme ce parc national est perché à près de 3 000 m d'altitude, on ne peut s'y rendre que de juin à début octobre, lorsque la neige a fondu. Et à moins d'y grimper à vélo (très sportif !), ou d'avoir une résa pour l'un des campings, il est interdit de dépasser le point de vue de Minaret Vista (beau panorama sur la vallée). Au-delà, seuls les bus du service des parcs sont autorisés à circuler sur la route d'accès étroite et sinueuse, longue de 27 km. Tarif : 7 $/j., pour un nombre de trajets illimité. Ils partent ttes les 20 à 30 mn de la station de ski de Mammoth (1 mile avt *Minaret Vista),* tlj 7h-19h, *et desservent les différents sites du parc.* Compter 2h aller-retour seulement pour le fameux *Devil's Postpile,* auquel on accède par un petit sentier de moins de 1 mile. Les amateurs de roches et phénomènes volcaniques pourront y admirer les plus belles, les plus grandes et les plus régulières colonnes basaltiques du monde. Rappelez-vous *Rencontres du troisième type...* Sur place, il serait dommage de se priver de la belle balade le long de San Joaquin River, jusqu'à la cascade de *Rainbow Falls (8 km A/R depuis l'arrêt de la navette).* On peut aussi poursuivre le sentier sur près de 2 km en longeant la rivière jusqu'aux *Lower Falls.*

LEE VINING
400 hab.

Dominant le superbe lac Mono, Lee Vining se résume à une simple route-hameau sans charme, plantée d'une petite poignée d'hébergements et de deux stations-service. Rien à y faire si ce n'est y passer une nuit pour profiter des plus belles lumières matinales sur le lac, visiter l'incroyable ville fantôme de Bodie (située à une cinquantaine de kilomètres) et se rapprocher de l'entrée est *(Tioga Pass Entrance)* du parc de Yosemite (à 16 km). Inconvénient : cette entrée est fermée jusqu'en mai à cause de la neige, parfois même jusqu'en juin. Dans ce cas, pas d'accès au parc par ce côté. On doit alors le contourner par le nord pour atteindre la porte ouest (compter une journée de route !)...

Adresses utiles

🛈 *Mono Basin Visitor Center :* ☎ 760-647-3044. *Situé sur un promontoire dominant le lac Mono, à la sortie nord de Lee Vining. En saison,* tlj 9h-17h. *Beau point de vue depuis la grande terrasse.* Infos sur le lac, son origine géologique et celle de ses concrétions : petit film de 20 mn, expo, librairie. Également des infos sur les différents petits sentiers d'interprétation autour du site et des balades guidées proposées par les rangers. Ainsi que toutes les infos sur le Yosemite (vente du *pass* annuel).

■ @ *Mono Lake Information Center :* ☎ 760-647-6595. ● monolake. org ● *Au centre de Lee Vining, sur la Hwy 395, au niveau de la 3ᵉ rue.* Tlj 9h-17h (8h-21h juin-août). Très bien documenté. Infos sur les balades dans la région (vente de cartes détaillées). Organise différentes visites guidées *(3 fois/j. en été),* ainsi que les week-ends de mi-juin à août, des balades en canoë sur le lac Mono. Connexion Internet *(2 $ les 15 mn).*

Où dormir ? Où manger ?

⚐ *Camping Mono Vista RV Park :* ☎ 760-647-6401. *À la sortie nord du village. Emplacement tente env 22 $, camping-car env 38 $.* 📶 Ce n'est pas l'idéal, vu sa situation au bord de l'US 395, mais ça peut dépanner : 65 emplacements pour camping-cars très proches les uns des autres sur une pelouse, peu d'intimité mais pas mal de peupliers pour s'abriter du soleil. Le terrain pour les tentes est plus agréable, en retrait de la route et équipé de tables et de bancs en bois. Sanitaires très propres, jeux pour les enfants.

🏠 ⚐ *El Mono Motel :* Main St (US 395). ☎ 760-647-6310. ● elmo nomotel.com ● *Doubles 70-100 $ avec sdb commune ou privée.* Petite structure à l'ambiance relax. Seulement 11 chambres assez exiguës, la moitié d'entre elles bénéficiant d'un mini-carré de pelouse. Confort simple mais suffisant, déco sobre pas déplaisante et propreté irréprochable. Pas de vue directe sur le lac, mais c'est le cas de quasiment tous les hôtels de la ville. Le vrai plus, c'est l'accueil sympathique et le petit coin cafétéria proposant un large choix de cafés spéciaux, bons cookies et muffins maison.

♠ Murphey's Lodging : *Main St (US 395).* ☎ *760-647-6316 ou 1-800-334-6316.* ● *murpheyyosemite.com* ● *Doubles 58-130 $ selon saison.* Établissement de taille moyenne en bois sombre, aux portes vertes pour égayer doucettement l'ensemble. Chambres de motel lambda, banales et à la déco bien cheap. En dépannage si tout est plein ailleurs.

♠ Lake View Lodge : *51 285 Hwy 395* ☎ *760-647-6543 ou 1-800-990-6614.* ● *lakeviewlodgeyosemite.com* ● *Doubles 60-150 $ selon saison.* 🛜 Les bâtiments de ce motel très motel profitent d'un environnement plutôt agréable, encadrant une grande cour arborée en surplomb de la rue, avec vue lointaine sur le lac du petit jardin. Chambres classiques et confortables, mais ensemble anonyme et sans âme. Petit déj et accueil plus que moyens.

♠ Tioga Lodge : *Hwy 395, à 5 km au nord de Lee Vining.* ☎ *760-298-8291.* ● *tiogalodgeatmonolake.com* ● *Ouv de juin à mi-oct. Doubles 130-160 $ selon taille et saison.* Certainement l'adresse la plus séduisante du coin, et la seule à offrir une vue sur le lac. La jolie maison, située au centre de ce petit hôtel

de 14 chambres, vient de l'ancienne mine de Bodie...Sont comme ça les Américains ! Que ce soit les chambres installées dans les charmants petits bungalows posés sur une pelouse, ou celles dans le bâtiment (assez vilain en revanche et presque au bord de la route), elles sont toutes mignonnes, confortables et personnalisées avec soin. Petit chemin menant au lac. Excellent accueil.

|●| Whoa Nellie Deli : *22 Vista Point Road, station-service Mobil, route de Yosemite. À 100 m de l'embranchement de la Hwy 395 (sortie sud de Lee Vining).* ☎ *760-647-1088. Tlj 7h-21h. Plats du jour 8-20 $.* Attention les yeux, cette véritable station-service est l'une des meilleures adresses du coin ! Ce n'est pas une blague, ce *deli* abrite un authentique chef réputé dans la région qui, outre de bons petits déj, sandwichs bien frais et pizzas (à emporter si l'on veut), concocte de savoureuses et énormes salades colorées (sucrées-salées), des burgers juteux, ainsi que quelques plats du jour aussi surprenants qu'excellents. Sachant qu'on peut déguster le tout sur une terrasse en profitant d'une belle vue sur le lac, on comprendra aisément qu'il y a souvent foule dans cette cafétéria de station-service hors catégorie.

À voir

🎣🎣🎣 **Mono Lake :** *plusieurs points d'accès permettent de s'approcher du lac. Deux se trouvent sur la Hwy 395, au nord de Lee Vining (direction Bridgeport), d'abord au niveau de l'ancienne marina (Old Marina Site), puis du Mono Lake County Park (env 6 km au nord).* Là, une plate-forme en bois permet de s'approcher de la berge à travers d'anciennes concrétions. Selon la saison, celles qui ont encore les pieds dans l'eau dépassent franchement ou montrent tout juste la tête. Le *Mono Lake County Park* est également le point de départ d'une très belle balade jusqu'au *Black Point*. Adossé à un cône volcanique tapissé d'une surprenante poudreuse noire, on découvre, dans un silence de fin du monde, un paysage lunaire quasi surnaturel. Les sportifs tenteront d'ailleurs l'escalade du volcan, pour profiter d'un beau panorama sur la région. Prévoir alors de bonnes chaussures, du temps (on progresse difficilement dans le sable), de l'eau et un départ à la fraîche. *Le 3e point d'accès, le plus populaire, est situé sur la rive sud. Pour vous y rendre de Lee Vining, prenez l'US 395 vers le sud ; après env 10 km, tournez à gauche (vers l'est) sur la route 120 ; suivez-la pdt 8 km, puis un chemin vous conduira au bord du lac. Entrée : 3 $; gratuit avec le pass annuel des parcs nationaux.* C'est ici que vous verrez les plus belles concrétions (moins visibles d'avr à juil, en période de hautes eaux). Sentier magnifique de 1 mile à parcourir dans un calme absolu (en tout cas hors saison). En été, tour du lac avec un guide, sorties ornithologiques et veillée d'observation des étoiles.

L'INTÉRIEUR DE LA CALIFORNIE (LA SIERRA NEVADA)

Apparu il y a plus de 700 000 ans (ce qui en fait l'un des plus vieux lacs d'Amérique du Nord), le Mono occupe une cuvette dans une zone d'altitude hostile, semi-désertique, où survivent tout juste des buissons de sauge. En toile de fond se dressent les sommets enneigés de la Sierra Nevada. Le cadre naturel est superbe, mais si le Mono est célèbre, c'est avant tout pour ses étonnantes concrétions calcaires (vieilles de 13 000 ans), qui se dressent sur ses berges et hors de l'eau, comme d'éternelles sentinelles. Formées sous la surface, elles ont peu à peu été exposées lorsque le niveau du lac a baissé. Si le spectacle attire de nombreux touristes, il est aussi le révélateur d'un profond malaise. Car depuis les années 1960, le Mono vit un drame : les sources l'alimentant ont été détournées au profit de Los Angeles, consommatrice avide d'eau potable. Et les risques d'assèchement demeurent. D'ailleurs, depuis la dernière ère glaciaire, sa taille a été divisée par 60 ! Au centre émergent deux îles aux formes érodées. La blanche, *Pahoa,* apparue il y a environ 300 ans, est constituée de sédiments surélevés par l'activité sismique de la région. *Negit,* la noire, est plus ancienne (1 700 ans) et le fruit direct d'un épisode volcanique. Elles sont toutes deux interdites d'accès d'avril à fin juillet, afin de protéger l'immense colonie de mouettes qui y niche à cette période.

La route allant de Lee Vining à Bridgeport (celle qui conduit aussi à Bodie) longe le lac sur plusieurs kilomètres. Un spectacle à couper le souffle, particulièrement au coucher du soleil... Somptueux !

BODIE

Dix ans après le début de la ruée vers l'or, les premiers filons découverts sur le versant occidental de la Sierra Nevada commençaient à s'épuiser. Certains mineurs décidèrent alors de se rendre sur le versant oriental pour « voir l'éléphant », comme on disait alors (chercher de l'or)... En 1859, un certain W. S. Bodey découvrait une pépite dans une zone d'altitude désolée (à plus de 2 500 m). En quelques jours, une ville surgissait de terre : Bodie. Mais le premier hiver, qui vit des records de froid, fut terrible. Les morts, l'isolement, les difficultés d'approvisionnement poussèrent plus d'un prospecteur à reprendre son baluchon. Bodie survécut.

En 1879, un filon très important fut découvert. En quelques semaines, la bourgade paumée devint la deuxième plus importante ville de Californie après San Francisco : 10 000 habitants, aventuriers de tout poil, desperados en quête d'un mauvais coup, bandits notoires, tenanciers malhonnêtes, prostituées et rares prêcheurs illuminés... Dès 1880, la ville comptait 65 saloons, un nombre indéterminé de bordels, une Chinatown et quatre magasins de cigares ! Quant aux mines souterraines, elles forçaient les hommes, payés 3 à 4 $ par jour, à travailler par 100 à 200 m de fond. Autant dire que Bodie n'était pas un paradis... D'ailleurs, à cette époque, quand on partait pour Bodie, la phrase consacrée était : « *Goodbye God, I'm going to Bodie !* ». Pour effacer cette image profane, il fut décidé de faire une collecte afin de bâtir une église méthodiste. Les pasteurs ne voulurent jamais y venir car tout l'argent venait, prétendait-on, des bordels et bars à opium. À la grande époque, il y avait un mort par jour. Pour rire, les mineurs disaient : « *Well, have we got a man for breakfast this morning ?* »

En 100 ans de prospection, les mines de Bodie ont livré 100 millions de dollars d'or. Puis, en 1942, la ville fut définitivement abandonnée à la suite d'un arrêté gouvernemental. Ils n'étaient plus alors qu'une douzaine d'oubliés à vivre dans les décombres d'une ville en bois quasiment détruite 10 ans plus tôt par un gigantesque incendie (allumé par un gamin). Si 95 % de Bodie s'est envolé en fumée, il reste toutefois de très nombreuses maisons en état (partiellement restaurées), une église, des hôtels, une banque, la maison des pompiers et des pompes funèbres, une école, une prison, ainsi que les imposants bâtiments de la vieille mine qui surplombent ceux qu'elle a fait vivre. Sans être trop restaurée, la ville a bien gardé son esprit de jadis (on s'y croit vraiment). Située dans une lande désertique, où rien ne pousse sauf les cailloux, elle produit une impression assez fantasmagorique, presque angoissante. Rien n'a bougé. Si la plupart des bâtiments sont fermés, par les fenêtres sales on découvre des instants de vie figée. Les papiers peints s'émiettent, la poussière s'entasse, les vieux fauteuils et les paletots pendus aux patères sont bouffés par les rats, les planchers s'effondrent. Tout est là, sauf les habitants, dont beaucoup ont fini au cimetière sans même être débottés. Les Chinois et les gens de mauvaise vie (prostituées, voleurs et... enfants illégitimes) étaient inhumés hors de l'enceinte. Mais, de toute façon, toutes les tombes, ou presque, ont disparu, tant à l'intérieur qu'à l'extérieur. Leur souvenir perdure à travers une collection hétéroclite de vieux objets rassemblés dans le petit musée, judicieusement situé dans l'ancien Syndicat des mineurs. Toute la ville et ses environs sont classés *State Park*.

LA BELLE HISTOIRE DES VILLES FANTÔMES ET DE LA RUÉE VERS L'OR

En 1848, Marshall, un jeune employé des moulins à eau de la vallée de Sacramento, découvre quelques pépites d'or dans la rivière South Fork, à Coloma. À cet endroit précis, au bord de la route 49, on visite aujourd'hui le *Marshall Gold Discovery State Historic Park.*

Les rumeurs vont aussi vite que les diligences de la *Wells & Fargo*. Aussitôt, les tricheurs au poker, les filles de bar et les desperados affluent, et des dizaines de villes jaillissent du désert. Les saloons poussent aussi vite que les champignons. Et les chercheurs d'or, éternellement assoiffés, éclusent leur bière face à un énorme miroir afin de protéger leurs arrières.

Le moulin où eut lieu la formidable découverte appartenait à un certain John A. Sutter. Cet aventurier suisse, devenu colon au service du Mexique, fonda Sacramento (voir le fort Sutter dans cette ville). Il explora et administra une grande partie de la région. La vie de Sutter est racontée par Blaise Cendrars dans *L'Or*, livre qu'avait lu Staline ! Or, ce propriétaire commit la grave erreur de ne pas entourer ses terres de fil de fer barbelé. D'après la loi de l'époque, les terrains non clos n'appartenaient à personne. En quelques jours, le malheureux Sutter se vit dépouillé de toute sa propriété. Malgré de multiples procès, il ne put jamais reprendre possession de ses biens et mourut en 1871 dans la misère.

C'est le début d'une fantastique épopée. Tous ceux qui, aux États-Unis, rêvent de faire fortune, se mettent en branle. On part en bateau des grands ports de la côte est, on double le cap Horn, on traverse à pied l'isthme de Panamá ou bien on s'en va à travers le continent en de longs convois qui partent de Saint Louis, sur le Missouri. Mais lorsque le filon est tari, ces villes-champignons en bois sont abandonnées aussi vite qu'elles s'étaient peuplées. Certaines ont été admirablement restaurées. En de nombreux secteurs de l'arrière-pays californien, les villes fantômes *(ghost towns)* et anciens campements de chercheurs d'or présentent un intérêt considérable pour le touriste européen, qui n'en connaît généralement l'existence qu'au travers des productions hollywoodiennes.

L'INTÉRIEUR DE LA CALIFORNIE (LA SIERRA NEVADA)

Arriver – Quitter

Bodie est située sur la route 270, à 20 bons km de la Hwy 395, près de Bridgeport – à 52 km au nord de Lee Vining et en direction du Lake Tahoe. Les 5 derniers km pour s'y rendre ne sont pas goudronnés mais sont très facilement praticables avec une voiture de tourisme. La route n'est généralement dégagée que d'avril à octobre-novembre (l'hiver, on y compte jusqu'à 3 m de neige !). Assurez-vous d'avoir assez d'essence, car il n'y a aucun service sur place.

– **Bodie State Historic Park :** *tlj 8h-18h (15h hors saison). Entrée : 7 $/ pers ; réduc.* Doc en français vendue à l'office (2 $) avec le ticket d'entrée (commentaires très utiles sur les bâtiments et sur certains résidents).

Adresse utile

🄸 **Visitor Center :** *dans le musée, au centre de Bodie (angle Green et Main St).* ☎ *760-647-6445. Tlj 9h-18h.* Organise différentes visites guidées thématiques de juin à mi-octobre, pour 20 personnes minimum. Compter de 7 à 15 $, horaires affichés sur le parking. En général, visites tous les jours à 11h, 12h, 13h et 14h.

Où dormir ? Où manger dans les environs ?

À Bridgeport

Une bourgade rurale de 500 habitants isolée dans une vaste plaine environnée de hautes montagnes, à quelques km au nord de l'embranchement de la route 270 conduisant à Bodie – et à une cinquantaine de km de l'entrée est *(Tioga Pass Entrance)* du parc de Yosemite. On y trouve une dizaine de motels à prix raisonnables, qui vaudront surtout pour ceux qui veulent dormir près de Bodie, ou qui font la route, en été, entre Yosemite et Lake Tahoe. À moins, bien sûr, d'avoir un faible pour les rodéos à l'ancienne mode organisés chaque été !

🛏 🍽 **Virginia Creek Settlement :** *Hwy 395, à 8 km au sud de Bridgeport et 800 m avt l'embranchement pour Bodie.* ☎ *760-932-7780.* ● *virginiacr ksettlement.com* ● *Resto tlj sf lun hors saison. Doubles 75-135 $, chalets (4-6 pers) 120-160 $ et wagon env 30 $. Plats 10-20 $.* 🛜 Les enfants seront ravis : reconstitutions amusantes, vieilleries et photos-souvenirs dynamisent ce petit établissement pittoresque où « en 1897, rien n'est arrivé ! ». Un trait d'humour qui justifie des prestations aussi hétéroclites qu'originales. Au-dessus du restaurant, 2 chambres basiques, avec salle de bains partagée, 5 autres plus classiques à l'arrière, avec leurs propres sanitaires, et quelques petites cabanes avec kitchenette. On peut aussi planter sa tente, ce qui est moins indiqué (cailouteux), ou dormir dans un *tepee* ou dans un chariot couvert *(wagon)* près de la rivière. Au resto, atmosphère *Old West*, on s'en doute, pour une cuisine sans surprise : pizzas, salades, viandes et pâtes. Bon accueil.

LONE PINE
2 035 hab.

Sur la Hwy 395, à la jonction de la route pour la Death Valley. Peu fréquentée des touristes, cette petite ville de l'Ouest, fondée au milieu du XIXᵉ s lors de la ruée vers l'or, a pourtant été l'une des plus importantes annexes de Hollywood. C'est en effet dans le désert et les montagnes des environs que furent tournés la plupart des grands classiques du western et du film d'aventure : *La Charge de la brigade légère*, *Les Trois Lanciers du Bengale*, *Nevada Smith*, *Maverick*, *Gladiator* et tant d'autres. En débarquant à Lone Pine, sachez que vous mettez vos pas dans les empreintes des bottes de John Wayne, Gary Cooper, Errol Flynn, Cary Grant, Humphrey Bogart, Anthony Quinn, Kirk Douglas, Lee Marvin, Clint Eastwood, et on en oublie plein. Aujourd'hui, on y tourne surtout des pubs. Le petit musée situé dans le centre, très bien fait et sympa comme tout, retrace toute la vie cinématographique de la ville.

Lone Pine représente une bonne étape sur la route de la Vallée de la Mort à Yosemite (ou vice versa). Pour les campeurs et les randonneurs, c'est aussi le moment de faire le plein au supermarché *Joseph's Bi-Rite Market.* La ville peut également servir de camp de base à tous ceux qui disposent de plus de temps et veulent entreprendre des randonnées superbes dans le coin. On est ici au pied du mont Whitney, le plus haut sommet des USA en dehors de l'Alaska (4 418 m). Facilement accessible, une petite route grimpe du centre de la ville vers les Alabama Hills où furent tournés près de 400 westerns. Paysages grandioses ! Vers le nord, au-dessus de Big Pine, la route 168 conduit à plus de 3 000 m d'altitude vers une forêt de *bristlecone pines,* qui seraient les plus vieux arbres du monde (plus de 3 000 ans)...

Adresses et infos utiles

🛈 Visitor Center : à la sortie de la ville, à l'embranchement de la route 136 pour la Death Valley. ☎ 760-876-6222. ● lonepinechamber.org ● Tlj 8h-17h. Bien documenté sur les parcs nationaux californiens (quelques brochures en français et nombreuses cartes), les possibilités d'hébergement dans la région et les routes praticables selon la saison. Demander le plan des Alabama Hills, route à faire en voiture (et randonnées) dans des paysages magnifiques. Vend également un petit fascicule (2 $) indiquant tous les lieux de tournage des films importants réalisés dans le coin. Petite librairie sur le western, la faune et la flore de l'Ouest, etc.
✉ Poste : 127 E Bush St. Lun-ven 9h30-12h30 et 13h30-16h30.
@ Internet : à la bibliothèque municipale (library), au coin de 127 Bush St (au coin de Washington St). Lun-ven 10h-17h, 13h-17h ; mer 18h-21h ; sam 10h-13h. Connexions gratuites, limitées à 30 mn.
– Lone Pine Film Festival : ts les ans, début oct. Rens au Museum of Lone Pine Film History. ● lonepinefilmhistorymuseum.org ● ou ● lonepinefilmfestival.org ● Projections de vieux films, concerts, rencontres d'acteurs, etc. Des circuits sont proposés pour revivre les tournages mythiques de Lone Pine.

Où dormir ?

Camping

⛺ Diaz Lake Campground : Hwy 395. ☎ 760-876-5656 ou 760-876-4700.

À env 3 km au sud de Lone Pine (passé l'embranchement de la route 136 vers la Death Valley). Emplacements 25 $ (mars-nov), 15 $ le reste de l'année. Un camping complètement isolé, dans un beau site sauvage au bord d'un lac, avec panorama spectaculaire sur la Sierra Nevada. Peu de confort (toilettes, point d'eau, mais pas de douches), quelques emplacements bien ombragés pour tentes, assez proches les uns des autres. Mais peu importe, hormis les écureuils et les oiseaux, il n'y a jamais grand monde ! Bon accueil.

De prix moyens à plus chic

🛏 Dow Villa Motel : 310 S Main St. ☎ 760-876-5521 ou 1-800-824-9317. ● dowvillamotel.com ● À l'hôtel, doubles 66-82 $ avec sdb commune ou privée ; au motel, 110-155 $ pour 2, jusqu'à 165 $ pour 4. 🛜 Un ancien hôtel construit dans les années 1920 pour héberger les équipes de tournage, tenu par la même famille depuis 1957. Dans la partie « historique », chambres relativement petites mais joliment rénovées dans des tons chaleureux. Les chambres du motel sont plus spacieuses, plus classiques et plus confortables (micro-ondes, minifrigo, cafetière électrique). Piscine, jacuzzi, café ou thé à volonté. Pour les nostalgiques de westerns, plein de photos de John Wayne dans le salon, ainsi qu'une vitrine de reliques et d'autographes de l'illustre acteur.
🛏 Trails Motel : 633 S Main St. ☎ 760-876-5555 ou 1-800-862-7020. ● trailsmotel.com ● Doubles 70-140 $ selon saison. 🛜 Classique petit motel – celui-ci est peint en ocre – avec sa piscine plantée au milieu du parking,

comme souvent. Chambres banales mais impeccables, toutes avec frigo et cafetière.

🛏 **Best Western Frontier Motel :** *1008 S Main St. À la sortie sud de Lone Pine.* ☎ *760-876-5571 ou 1-800-231-4071. Fax : 760-876-5357. Doubles 95-160 $ selon confort et saison, petit déj continental inclus.* 🖵 🛜 Chambres on ne peut plus classiques mais très confortables (certaines avec balcon), avec bonne literie, cafetière et minifrigo. Les *deluxe* offrent même un bain à remous pour mieux se détendre après les balades. Également une piscine chauffée. Laverie. Accueil pro.

Où manger ?

Bon marché

🍴 **Alabama Hills Cafe :** *111 West Post St.* ☎ *760-876-4675. En plein centre, rue perpendiculaire à Main St. Tlj 6h (7h w-e)-14h. Plats 8-14 $.* 🛜 Sur les murs de cette salle toute simple, des drôles de peintures présentent tous les rochers que l'on peut voir dans les Alabama Hills voisines. Longue carte pour le petit déj, une bonne dizaine de préparations d'œufs (les *Errol Flynn* ou *Gregory Peck's scramble !*), énormes salades, soupes, délicieux sandwichs (*vegetable avocado Melt* avec des frites de patates douces, un délice !*), burgers. À la fois classique, copieux et bien fait, ce qui n'est pas si fréquent ! Clientèle d'habitués.

🍴 **Mount Whitney Restaurant :** *227 S Main St.* ☎ *760-876-5751. Tlj 6h30-21h30 ou 22h. Repas env 15 $.* Petit resto sans prétention, décoré de dizaines de portraits noir et blanc de stars du ciné, John Wayne en tête. Il se vante de faire les meilleurs burgers de la ville... À juste titre : les steaks sont vraiment bons, grillés au feu de bois. La spécialité maison : les burgers de bison (*buffalo*), viande d'autruche ou d'élan (*elk*), qui changent du bœuf habituel. Également à la carte : *pork* et *prime ribs,* saumon frais, copieuses salades et sandwichs, toujours à base de bons produits. Super accueil.

Plus chic

🍴 **Seasons Dinner House :** *206 S Main St.* ☎ *760-876-8927. Lun-sam slt le soir 17h-21h. Env 25-35 $ le repas.* Au bord de la route, une jolie maison en bois avec des fenêtres persiennes. À l'intérieur, une salle sobre habillée de quelques tableaux accrochés sur les murs de bois peint. Côté assiette, vous venez de vous asseoir à la meilleure table de la ville, réputée pour sa fine cuisine : fraîcheur absolue des produits, belles et copieuses salades, assaisonnements goûteux, délicieuses viandes, pâtes accommodées avec goût et succulent plateau de desserts. Une rencontre quasi gastronomique, inattendue dans la région.

Où dormir ? Où manger entre Lone Pine et Yosemite ?

À Bishop

À une centaine de kilomètres au nord de Lone Pine. Cette petite ville de 4 000 habitants s'est auto-proclamée « capitale mondiale de la mule » ! Chaque année, fin mai, on célèbre donc une fête en son honneur (grande parade, concerts, rodéo, foire, etc.). Seuls les passionnés par le sujet trouveront une bonne raison d'y séjourner. Les autres y passeront rapidement, après un éventuel stop au petit *Visitors Bureau* (ouvert toute l'année) et au supermarché *(Joseph's Bi-Rite Market)* pour faire le plein avant le parc de Yosemite. Nombreux hôtels de chaîne tout le long de la route principale.

🛏 **Americas Best Value Inn :** *192 Short St.* ☎ *760-873-4912 ou 1-877-873-4912. Doubles 60-80 $.* Petit motel banal au bout d'une rue perpendiculaire à Main Street. Chambres basiques mais correctes, équipées de frigo et micro-ondes. Laverie, petite piscine et accueil très cordial d'une famille indienne. Le meilleur rapport qualité-prix du coin.

🏠 **Rodeway Inn :** 150 E Elm St. ☎ 760-873-3564. *Doubles 75-115 $ selon confort, petit déj (minimaliste) compris.* 📶 Un peu à l'écart de la route principale, donc assez calme. Motel de chaîne classique, sans charme mais propre et fonctionnel. Petite piscine. Pas beaucoup plus à en dire...

🏠 **The Joseph House Inn :** 395 West Yaney St. Dans une rue perpendiculaire à Main St. ☎ 760-872-3389. ● *josephhouseinn.com* ● *Doubles 150-180 $ selon taille et saison, petit déj inclus.* Dans un quartier paisible, une maison soignée offrant 5 chambres parfaitement confortables à la déco coquette mais un peu datée. Le vrai plus de ce *B & B* est son joli et grand jardin, bienvenu dans cette ville où l'on cherche l'ombre. Accueil gentil.

🍴 **Erick Schat's Bakery :** 763 N Main St (angle Park Ave). ☎ 760-873-7156. *Lun-jeu 6h-18h en règle générale, ven 6h-20h, w-e 6h-18h30.*

Une autre des boulangeries Schat (il y en a aussi une à Mammoth Lakes), avec les mêmes touches hollandaises. Ici, la maison est en brique rouge avec tuiles et faïences. Tout un choix de sandwichs avec pain frais maison du côté cafétéria *(tlj 11h-15h – 17h dim)*, gâteaux, viennoiseries, véritable *espresso* et autres chocolats appétissants du côté boulangerie.

🍴 **Whiskey Creek :** 524 N Main St. ☎ 760-873-7174. *Tlj 11h-21h (22h ven-sam). Brunch sam-dim à partir de 8h30. Salades et burgers 11-12 $; le soir, plats et steaks env 15-30 $.* Tire sa popularité de l'établissement qui le précédait : le *Kittie Lee Inn*, construit en 1924, où descendait une belle brochette d'acteurs lors des tournages dans la région. Aujourd'hui, le cadre n'évoque rien de cet héroïque passé, mais le resto est vaste et assez coquet, très fréquenté pour ses steaks et ses *ribs*. Quelques bons plats de pâtes et fruits de mer également, et une dizaine de savoureux desserts maison.

DEATH VALLEY (LA VALLÉE DE LA MORT)

🍴 Située à un peu plus de 200 km au nord-ouest de Las Vegas, la Vallée de la Mort est un des sillons les plus profonds de l'hémisphère Nord, qui s'enfonce à 86 m sous le niveau de la mer. D'une superficie de 13 354 km², c'est le plus grand parc national des États-Unis, devant le Yellowstone. Son nom macabre lui vient de la phrase lancée par un pionnier rescapé de l'expédition de 1849, exprimant la reconnaissance des mormons : « Dieu merci, nous sommes sortis de cette vallée de la mort. » D'autres n'eurent pas cette chance et, à l'époque de la ruée vers l'or, un certain nombre de prospecteurs (dont les fameux membres des *forty-niners*), en route vers la Californie, y perdirent plus que leur chemin. Certains y découvrirent des filons d'or (un peu) et d'argent (un peu plus). Contre toute attente, c'est finalement l'exploitation du borax, un minerai de moindre valeur qui entre aujourd'hui dans la composition de nombreux matériaux et produits, qui se révéla la plus rentable.

Death Valley est aussi le point le plus chaud et le plus aride de tous les États-Unis. Entre les flancs resserrés de la vallée, le soleil est dément. Un désert impitoyable où la température, entre juin et septembre, dépasse constamment 40 °C à l'ombre (pas de pot, il n'y a pas d'ombre). En théorie, on peut faire cuire un œuf sur un capot de voiture, voire directement sur le bitume ! L'année 1913 fut propice aux records : on y enregistra la même année la plus haute température (57 °C) et la plus basse (- 9 °C). Globalement, il n'est pas rare d'avoir des températures au-dessus de 120 °F (49 °C) en juillet-août ;

DEATH VALLEY (LA VALLÉE DE LA MORT)

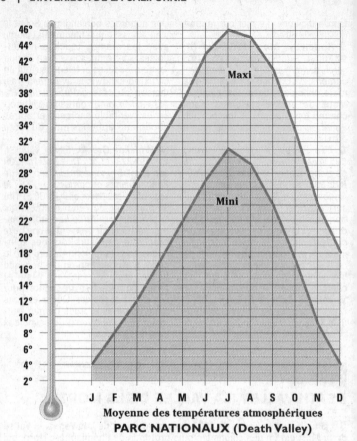

Moyenne des températures atmosphériques
PARC NATIONAUX (Death Valley)

durant l'été 1994, cela a duré plus de 30 jours d'affilée ! Mais ne noircissons pas le tableau : il pleut bel et bien dans la vallée... 3 à 4 cm par an en moyenne ! Cela dit, certaines années sont bien plus arrosées que d'autres. Ce fut le cas en 2004. Au printemps 2005, les visiteurs affluèrent pour découvrir la vallée couverte de fleurs ! Le paysage, à la fois grandiose et lunaire, offre le spectacle d'une région brûlée par le soleil mais d'une incroyable diversité : montagnes et mer de sel, canyons et cactus, timides palmeraies et dunes de sable, cratères et phénomènes géologiques... Difficile de le croire – car on l'observe

ALLEZ VOUS FAIRE CUIRE UN ŒUF !

Les gardiens du Parc National de Death Valley prient les visiteurs de ne plus faire cuire d'œufs sur la chaussée. On ne compte plus les coquilles cassées ni les boîtes en carton qui jonchent le sol. Avec une température dépassant parfois les 50 °C, l'expérience ne manque pourtant pas de sel. Mais dans ce cas, veillez à bien ramasser tous vos détritus !

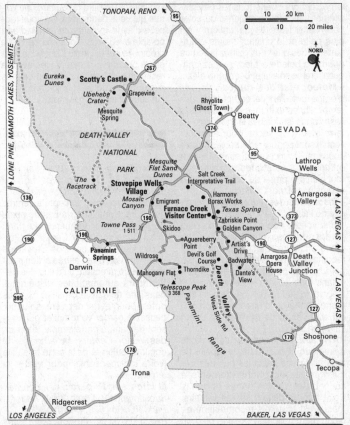

DEATH VALLEY NATIONAL MONUMENT

rarement – mais ce désert est peuplé d'une faune plutôt riche : lynx, coyotes, mouflons, serpents, pumas, et le fameux *roadrunner,* l'oiseau « bip bip » du célèbre dessin animé.

Infos et conseils pratiques

– *À savoir : Furnace Creek* et *Stovepipe Wells Village* sont les 2 seuls points de civilisation et de ravitaillement dans la vallée.
– *Quand y aller ? :* la meilleure saison s'étale de l'automne au printemps (de mi-octobre à début avril), avec des températures plus douces, favorables aux randos et séjours en camping. C'est aussi à cette période que l'on peut profiter des *Rangers programs* (cf. « Adresses et infos utiles »). En plein hiver, les nuits sont fraîches mais la lumière est superbe, et au début du printemps, si l'année est propice, la vallée se couvre de fleurs sauvages. Spectacle étonnant ! On le répète, l'été est torride. Peu de possibilités de balades et une chaleur à ne pas mettre

DEATH VALLEY (LA VALLÉE DE LA MORT)

le nez dehors ! Dans tous les cas, privilégier l'aube et le coucher du soleil pour visiter les sites ; la lumière y est plus belle et la chaleur moins étouffante. Et dès que vous quittez la voiture pour une balade à pied, prenez chapeau, crème solaire et beaucoup d'eau.
– *Météo, état des routes :* risques d'orage toute l'année, compte tenu des températures extrêmes. Les fameuses *flash floods* (soudaines inondations – la terre étant trop sèche pour absorber l'eau !) sont parfois redoutables (routes coupées). Pour ceux qui souhaiteraient quitter les routes goudronnées, surtout bien s'informer de l'état des pistes auprès des *Visitor Centers*.
– *Risques de déshydratation :* l'humidité de l'air est quasi nulle et, au volant d'une voiture non climatisée, on peut perdre en transpiration plus d'un litre d'eau à l'heure. C'est pourquoi il est recommandé de boire au moins 4 l par personne et par jour, et très prudent – dans tous les cas – d'emporter des réserves d'eau (personne n'est à l'abri d'une panne ou d'une crevaison !). Il est aussi exclu de traverser la Death Valley en stop...
– *Avis aux randonneurs :* ce territoire désertique et hostile est le repaire de tous un tas de bestioles pas très fréquentables : scorpions, serpents à sonnette et veuves noires (arrrgh !). Point trop de parano sur les sentiers, mais il est toutefois recommandé de bien regarder où l'on pose le pied ou la main...
– *Règles de conduite automobile :* la traversée est très dure pour les moteurs de voiture. Surtout, contrôlez le **liquide de refroidissement** avant d'arriver dans la vallée, vérifiez bien les radiateurs, et ne faites pas trop chauffer la voiture (coupez la clim de temps en temps). On trouve parfois des réservoirs d'eau non potable pour les radiateurs des voitures (*radiator water only*). Ne vous avisez pas de la boire... En véhicule de tourisme, restez sur les **routes goudronnées.** La conduite sur les pistes du parc nécessite généralement un véhicule 4x4 et surtout un *backcountry Roads permit* (gratuit), une précaution qui permet d'aviser les rangers de vos déplacements. En cas de **panne,** ne quittez en aucun cas votre

véhicule ; il passera tôt ou tard une voiture qui vous dépannera. On vous rappelle d'avoir toujours un **stock d'eau** potable avec vous. Tous ces conseils, prodigués par le *Visitor Center,* ne sont pas à prendre à la légère : les avis de recherche placardés dans les centres d'information donnent froid dans le dos (un peu facile, le jeu de mots !).

Adresses et infos utiles

■ *Accès au parc :* 20 $ par voiture pour 7 j., 10 $ pour les motards ou cyclistes (pass *annuel des parcs nationaux accepté*). Excepté à l'entrée nord (Grapevine), il n'y a pas de poste de contrôle aux frontières du parc. C'est donc au *Visitor Center* de Furnace Creek ou à celui de Stovepipe Wells que l'on paie l'entrée si l'on vient d'une autre direction, ou à l'un des distributeurs automatiques disséminés dans une quinzaine de sites. Si vous optez pour cette dernière solution, pensez à garder votre ticket qui vous sera demandé, par exemple, dans un des *Visitor Centers* en échange de documentation et de la carte très utile (voire indispensable) pour visiter la région.
■ *Infos sur le parc :* par courrier, Superintendant, Death Valley National Park, PO Box 579, **Death Valley**, CA 92328-0570. ☎ 760-786-3244. *Infos très complètes sur le site officiel ● nps. gov/deva ●*
🛈 *Visitor Center :* ☎ 760-786-3200. Sur la route 190, à 100 m env du Furnace Creek Ranch. Tlj 8h-18h (17h en hiver). Plein d'infos utiles : état des routes (les inondations violentes – *flash floods* – même en plein été, emportent parfois des tronçons de routes), météo, conseils pour les balades et randos, etc. Plan du parc (gratuit) bien détaillé et quelques feuilles d'information avec de bons conseils pratiques en français. Petite librairie sur la faune et la flore, vente de cartes topographiques. Par ailleurs, ne pas rater le petit *musée* (gratuit), bien agencé. Plusieurs sections détaillent l'histoire quasi mythique des *forty-niners* et des pionniers de la ruée vers l'or, mais l'exposition

s'intéresse aussi à toutes les facettes du désert : la faune (animaux naturalisés), la flore, la géologie, les cultures indiennes... et bien sûr la célébrité locale, Scotty (voir plus loin « Scotty's Castle »). D'autres bureaux d'information, plus petits, à **Scotty's Castle** (☎ 760-786-2392, ext. 0) et **Stovepipe Wells Village** (☎ 760-786-2387).

■ **Backcountry permits :** permis (gratuit) obligatoire si vous souhaitez camper ou faire une excursion à pied ou en 4x4, dans les coins reculés de la vallée. S'adresser au *Visitor Center* de *Furnace Creek* ou à la *Ranger Station* de *Stovepipe Wells Village* (☎ 760-786-2387). Toutes les infos et les recommandations pour le *backcountry camping* et le *backpacking*.

■ **Ranger Programs :** pendant la saison d'hiver *(env nov-avr)*, les rangers organisent très régulièrement activités gratuites, petites conférences d'histoire naturelle, sorties guidées et animations pour les enfants. Toutes les infos dans le journal officiel du parc.

✉ **Poste :** au Furnace Creek Ranch. ☎ 760-786-2223. *Lun-ven 10h-17h30.*

■ **Distributeurs d'argent :** à la réception du Furnace Creek Ranch *et dans le General Store de Stovepipe Wells Village.* Pas moins de 5 $ de taxe !

■ **Épiceries :** au Furnace Creek Ranch *(la plus importante)* et au Stovepipe Wells. *Tlj 7h-21h.* Produits de première nécessité, boissons, sandwichs, souvenirs et les dattes produites dans l'oasis. Également un petit snack au *Scotty's Castle.*

■ **Pompes à essence :** au Furnace Creek Ranch *(24h/24),* au Stovepipe Wells *(24h/24),* au Panamint Springs *(24h/24)* et à Shoshone. Évidemment, c'est très cher (faire le plein avant d'arriver dans la vallée). Quelques stations meilleur marché dans le Nevada tout proche : à Amargosa Valley (frontière Californie-Nevada), à Lathrop Wells et à Beatty (presque 2 $ de moins par gallon !).

■ **État des routes :** *California Highways,* ☎ 1-800-427-7623 ; *Nevada Highways,* ☎ 1-877-687-6237.

■ **Urgences :** ☎ 911 ; ou 760-786-2330 *(assistance 24h/24).*

■ **Cliniques, centres médicaux :** *dans plusieurs villes autour du parc, à* **Amargosa** *(Amargosa Valley Medical Center :* ☎ 775-372-5432*),* à **Shoshone** *(Death Valley Health Center :* ☎ 760-852-4383 *ou* 1-800-852-3852*),* à **Beatty** *(Beatty Medical Clinic :* ☎ 775-553-2208*),* **Pahrump, Tonopah** *et* **Lone Pine.**

■ **Douches :** au Furnace Creek Ranch, au Stovepipe Wells Village *et au* Panamint Springs Resort. *Env 5 $.* Idéal pour ceux qui campent, car il n'y a pas de douches dans les campings.

■ **Laverie :** au Furnace Creek Ranch. *Ouv 24h/24.*

Où dormir ? Où manger ?

Dans le parc

Campings

Il y a 9 campings dans le parc, plus ou moins équipés. Ils fonctionnent sur le mode « premier arrivé, premier servi ». Résas possibles uniquement au *Furnace Creek Campgroung,* de mi-octobre à mi-avril, auprès du **National Recreation Reservation Service :** ☎ 1-877-444-6777. ● *recreation.gov* ● On rappelle une évidence : impossible de camper en été à cause de la chaleur. Il fait plus frais dans un four !

⚊ **Furnace Creek Campground :** à côté du Furnace Creek Ranch. *Ouv tte l'année. Souvent complet, mais résa possible de mi-oct à mi-avr. Compter 12-18 $ selon saison.* Notre préféré. En tout, 136 emplacements, dont moins de la moitié avec de l'ombre (c'est le seul à en avoir). Toilettes et tables de pique-nique. Pas de douches sur place, mais de nombreux services au *Furnace Creek Ranch Resort.*

⚊ **Mesquite Spring Campground :** au nord du parc, 5 km au sud de Scotty's Castle, dans un cul-de-sac. *Ouv tte l'année sur le principe du « first come, first served ». Env 12 $ l'emplacement.* L'un des moins hostiles, isolé dans un bel environnement montagneux (on est à 550 m d'altitude), mais ne comptez pas avoir de l'ombre ou du gazon pour autant... Une quarantaine d'emplacements séparés par quelques broussailles, dotés de tables, de bancs et de braseros. Eau et toilettes, mais pas de douches.

⚠ 3 autres campings payants dans la vallée : sur le site de Furnace Creek, **Sunset** et **Texas Spring**. *Ouv de mi-oct à mi-avr. Compter 12-14 $.* Le 1er est le plus grand du parc (270 emplacements), en principe réservé aux camping-cars mais ouvert aux campeurs en haute saison (au printemps) ; le 2d se situe au niveau de la mer, en plein cagnard, avec dans le meilleur des cas 3 emplacements vaguement ombragés (sur une centaine !). Également le site de **Stovepipe Wells** (*ouv de mi-oct à mi-avr, 12 $*), avec ses 200 emplacements alignés comme à la parade, sur un immense terrain sans ombre aucune. Le charme d'un parking en somme !

⚠ **Campings gratuits :** ce sont aussi les plus petits : **Wildrose** (*ouv tte l'année, sf quand il y a trop de neige*) ; **Thorndike** et **Mahogany Flat** (*mars-nov slt*), situés dans le Panamint Range, à près de 2 500 m d'altitude, loin de tt, à l'écart de la route 178 reliant Ridgecrest à la Death Valley ; *véhicule 4x4 nécessaire.* Tables et sanitaires sur tous les sites, pas d'eau à *Thorndike* et *Mahogany Flat*. Partout un soleil de plomb et peu d'ombre. Enfin, le camping d'**Emigrant** qui n'accueille que les tentes (*au croisement des routes 178 et 190 ; ouv tte l'année*). Une poêle à frire caillouteuse – pas un arbre – profitant toutefois d'une vue superbe sur la vallée. Toilettes, téléphone et point d'eau sur place.

De prix moyens à plus chic

🏠 I●I **Stovepipe Wells Village :** sur la Hwy 190, entre Panamint Springs et Furnace Creek. ☎ 760-786-2387 ou 1-888-786-2387. ● esca petodeathvalley.com ● *Résa vivement conseillée, longtemps à l'avance. Doubles 95-160 $ selon taille et confort ; 10 $/pers supplémentaire (hors taxes) ; petit déj-buffet env 13 $. Plats 10-22 $.* 🛜 Cet ensemble de bâtiments en bois ne manque pas de caractère. Il doit son nom à un tuyau de poêle (*stovepipe*) planté par un

pionnier pour indiquer une source d'eau, et fut le premier hôtel construit dans la Vallée de la Mort (en 1926). Les chambres, classiques et bien tenues, proposent différents niveaux de confort. Les moins chères (petites, sans TV ni frigo, et clim bruyante) sont les plus demandées, pensez à réserver à l'avance. Si vous avez plus de moyens, choisissez plutôt celles des bâtiments Road Runner ou Forty Niner, nettement plus confortables, avec vue sur les Sand Dunes. Piscine, pas très grande certes, mais agréable avec son petit auvent pour buller à l'ombre. On y trouve aussi le chaleureux *Toll Road Restaurant* (*tlj 7h-10h, 18h30-21h*) où l'on sert tous les classiques, et le *Badwater Saloon* à la déco western typique (*11h30-14h pour déj, jusqu'à 21h pour boire un verre*). De l'autre côté de la route, *General Store* bien fourni, distributeur ATM et station-service. Les non-résidents, et en particulier ceux qui dorment au camping voisin, peuvent utiliser la piscine et les douches, moyennant 4 $. Le meilleur rapport qualité-prix à l'intérieur de Death Valley.

🏠 I●I **Furnace Creek Inn & Ranch Resort :** Hwy 190, à Furnace Creek Village. ☎ 760-786-2345 ou 1-800-236-7916 (résas). ● furnacecreekresort. com ● *Doubles 140-200 $ en cabins, chambres type motel 160-215 $ selon confort et saison.* 🛜 Un cadre assez exceptionnel car, après des kilomètres de désert total, on se retrouve dans une vraie oasis ! Entouré de pelouses taillées en cordon, le « ranch » est un véritable petit village avec restos, bar, boutique, épicerie, laverie, poste, distributeur de billets et musée. En prime : belle piscine d'eau minérale naturellement chaude (29° !), accessible jusqu'à 23h, plusieurs tennis (éclairés la nuit), et un superbe golf de 18 trous. Plusieurs possibilités de logement. Le motel renferme des chambres classiques, assez spacieuses et confortables (minifrigo, balcon). Les plus chères offrent une vue très agréable sur le golf, envahi au petit matin d'oiseaux à la recherche d'insectes. Les *cabin bedrooms*, des bungalows alignés en rang d'oignons et divisés en 2 chambres, sont les moins chères mais très basiques, avec juste un minifrigo.

Douche-piscine payante pour les campeurs (5 $). Côté restauration, le *Corckscrew saloon* (11h-minuit) est bien pour s'offrir une bière locale ou de savoureuses pizzas (si, si !) à emporter, le *Forty Niner Café* (7h-21h) pour le petit déj ou de classiques burgers. En revanche, le *Wrangler Steakhouse* (buffets au petit déj et à midi, plats classiques le soir) est d'un rapport qualité-prix très moyen. Bien sûr, tout cela est éminemment touristique, souvent bondé, d'où un petit côté « usine » en haute saison.

Très chic

🏠 I●I *Furnace Creek Inn :* ☎ 760-786-2345. ● furnacecreekresort.com ● *Fermé de mi-mai à mi-oct. Selon saison, vue et équipement, doubles 245-475 $.* 📶 Perché juste au-dessus de Furnace Creek, dans sa propre oasis de 1 500 palmiers dattiers. Sans conteste le plus agréable des hôtels de la vallée pour ceux qui en ont les moyens. Construit en 1927 alors que l'Amérique apprenait à découvrir ses parcs nationaux, l'*Inn* accueillit à cette époque les premières stars du cinéma. Elle abrite aujourd'hui des chambres tout confort à la déco 1930, réparties sur 3 niveaux, à flanc de colline. Celui du bas s'ouvre sur les jardins où coule une source à 28 °C qui alimente une bien charmante piscine. L'hôtel abrite comme de juste un très bon restaurant, mais cher – lui aussi – et guindé, où l'on ne peut dîner que smart (ni jean ni T-shirt), et de préférence sur réservation. Le midi, c'est moins cher et plus *casual*. C'est en tout cas le seul endroit où l'on peut goûter des beignets de *rattle snake* (serpent à sonnette) !

Autour du parc

À l'entrée ouest

🏕 🏠 I●I *Panamint Springs Resort :* *dans la Panamint Valley, parallèle à la Death Valley, juste à l'entrée ouest du parc (Hwy 190) et à un peu moins de 80 km de Lone Pine.* ☎ 775-482-7680. ● deathvalley.com/psr/ ● *Resto tlj 7h-20h (21h l'été). Doubles 80-90 $ selon saison, jusqu'à 150 $ avec 3 lits.*

Petit déj-buffet 10 $ (assez pauvre). Plats 10-20 $. 📶 En plein désert, ce minuscule établissement au bois cuit et recuit par le soleil fera le bonheur des amateurs de grands espaces, peu exigeants sur le confort. Chambres réparties dans des chalets, très basiques mais acceptables pour une étape, néanmoins très chers pour le confort proposé. Les jeunes proprios tiennent aussi la station-service et le *General Store* situés à côté. Et de l'autre côté de la route, une aire de camping très rudimentaire *(15 $ l'emplacement, 3 $ pour la douche).* Un terrain sec, timidement ombragé par une poignée d'arbres.

Au nord-est, à Beatty (Nevada)

Ce bourg égaré dans une petite vallée aride à 100 m d'altitude, entourée des *Bare* et *Sawtooth Mountains* inhospitalières, domine la vallée de la Mort par le nord. De là, la route 374 file tout droit vers le principal carrefour de la Death Valley, à environ 40 km. Comme Beatty se trouve juste de l'autre côté de la frontière du Nevada (à env 10 km), quelques casinos s'y sont installés, essentiellement fréquentés par les *truckers* de passage. À première vue, une rudesse plutôt extrême qui n'invite pas vraiment à s'arrêter. Et pourtant, contrairement à Furnace Creek et Stovepipe Wells exclusivement tournés vers le tourisme, on trouve ici une vraie vie et une ambiance qui nous ont bien plu. Une identité forte qui colle en tout cas à nos fantasmes du Grand Ouest ! Quelques autres atouts qui vous donneront peut-être l'envie de venir jusqu'ici (pas si loin après tout, guère qu'à 55 km de Stovepipe Wells), les hébergements y sont bien moins onéreux que dans le parc, et la chaleur beaucoup plus supportable.

Attention : tous les hébergements disposent de chambres fumeurs ou non (à préciser lors de votre réservation). Pas de petit déj dans les hôtels, mais plusieurs possibilités à proximité.

🏠 *Death Valley Inn :* *651 S Hwy 95 South.* ☎ 775-553-9400. *Double env 70 $.* 📶 Vaste motel composé de plusieurs bâtiments sur 2 étages, autour d'une cour plantée de quelques palmiers. Chambres sans surprise ni fantaisie avec petites salles de bains, très propres et confortables (TV, micro-ondes, minifrigo, cafetière). Micropiscine (en plein soleil à l'arrière) et jacuzzi. Excellent rapport qualité-prix.

🏚 |●| *Stagecoach Hotel & Casino :* *à la sortie du bourg, sur la Hwy 95 N (direction Tonopah).* ☎ 775-553-2419 *ou 1-800-424-4946.* ● *bestdeathval leyhotels.com* ● *Résa conseillée de w-e. Doubles env 70-80 $.* C'est le plus grand hôtel de la ville, un vieux coucou à l'ancienne composé de plusieurs ailes. Les chambres sont correctes et bien équipées (minifrigo), à condition d'éviter celles qui donnent sur un mur aveugle. Préférer les chambres réparties autour de la piscine. Le resto du casino, *Denny's Café*, n'est pas très excitant, sombre et sans fenêtres, mais relativement bon marché et ouvert 24h/24. L'ensemble est vieillot mais bien tenu. Même si vous n'êtes pas joueur, ne manquez pas de pousser la porte du casino, tout un univers !

🏚 *Exchange Club Motel : 119 W Main St.* ☎ 775-553-2333. ● *best deathvalleyhotels.com* ● *Double env 65 $.* Petit motel rustique tout simple mais pas désagréable, avec ses bâtiments en bois bleu, flanqués d'une longue galerie. Chambres banales mais propres et correctement équipées. Possibilité d'utiliser la piscine du *Stagecoach Hotel & Casino.* Un bon rapport qualité-prix.

🏚 *Motel 6 : à la sortie du village, sur la Hwy 95 N, à côté du Stage-coach Hotel & Casino.* ☎ 775-553-9090. ● *motel6.com* ● *Doubles env 60-65 $.* 📶 Le confort standardisé des *Motel 6*, rien de bien folichon, rien de rédhibitoire non plus. Pas de piscine mais les clients ont accès à celle du *Stagecoach.* Laverie, café à dispo. En dépannage, si les hôtels précédents sont pleins.

🍴 *Mel's Diner : 600 S Hwy 95 South, presque en face du Death Valley Inn.* ☎ 775-553-9003. *Tlj 6h30-15h. Moins de 10 $.* Une salle toute bleue, simple et proprette, tenue par une gentille mamie qui nourrit les travailleurs du coin et les routiers de passage avec générosité depuis des années. Quelques photos sépia du Beatty d'antan à regarder en attendant un bon petit déj, ou des snacks classiques et copieux, plutôt bien faits. Pas de grandes émotions gustatives en perspective, mais plus qu'honorable pour le prix.

|●| 🍷 *Sourdough Saloon : 106 W Main St, Hwy 95 N, proche du croisement avec la Hwy 95 S.* ☎ 775-553-2266. *Tlj 10h-2h.* Le vieux rade au parquet usé, au poêle à bois asthmatique, aux murs tapissés de vieux dollars, au comptoir élimé où s'accroche une brochette de réguliers. Quelques machines à sous aussi, et une salle de billard enfumée pour confirmer l'ambiance. Pour boire un verre en bonne compagnie, sur un air de country, et avaler un *fresh cooked hamburger* sans façon.

|●| 🍷 *Happy Burro : 100 W Main St, Hwy 95 N, à côté du* Sourdough Saloon. ☎ 775-553-9099. *Tlj 10h-22h.* Un petit saloon de poche, pur jus, où vous avez de bonnes chances de croiser quelques cowboys en tenue, avec colt à la ceinture et tout et tout. Pas de panique, la patronne nous a affirmé qu'elle confisquait les armes quand ses hommes avaient dépassé un certain seuil de... vigilance ! Et attention, vous entrez ici chez le grand champion du *chili con carne.* Pour preuve, toutes les médailles et autres décorations prestigieuses fièrement exhibées. Et on peut vous dire que c'est du sérieux, il est sacrément bon ! Dehors, quelques tables pour prendre l'air après toutes ces émotions, dans un bric-à-brac indescriptible. Quant aux toilettes pour hommes, comment dire...Y aller absolument, sans oublier votre appareil photo surtout !

À l'est, dans l'Amargosa Valley (Nevada)

Quelques maisons isolées en plein désert, à l'extérieur du parc national, déjà dans le Nevada, mais bien pratique quand toutes les autres adresses sont complètes (ce qui est souvent le cas en haute saison). Compter quand même au minimum 45 mn de trajet pour Furnace Creek, le cœur de Death Valley.

🛏 *Longstreet Inn & Casino :* à la frontière Californie-Nevada, sur la route 373 (qui porte le n° 127 côté Californie) et à env 20 km du bourg d'Amargosa Valley. ☎ 775-372-1777. ● longstreet-casino.com ● *Doubles 65-90 $ (les plus chères avec balcon).* En plein désert, un établissement conventionnel et sans charme qui vous donnera un (pâle) avant-goût de Las Vegas avec ses quelques machines à sous. Fréquenté par des routiers et des habitués, quand ce n'est pas le shérif qui fait une pause pendant la tournée du jour. Chambres spacieuses bien équipées, certaines avec vue sur un mini étang et les montagnes à l'arrière-plan. Petite piscine, boutique près de la réception et resto, assez médiocre. En face, de l'autre côté de la route, le *Stateline Saloon* pour avaler un burger en buvant un coup : l'Amérique dans son jus !

Au sud, à Shoshone

En remontant la Death Valley par le sud, sur la route 127, à l'intersection avec la 178. Village minuscule à l'ambiance *Bagdad Café,* assez insolite. Dans le village, une pompe à essence, une petite épicerie (avec un distributeur d'argent), une poste et même un *musée* pittoresque fait de bric et de broc, niché dans l'ancienne station-service *(tlj sf mar 9h-15h).* La vieille guimbarde oubliée devant la façade vaut la photo, et la collection un rapide coup d'œil avec ses objets usuels, sa vitrine sur les minéraux et quelques reliquats de matériel agricole d'autrefois.

⚍ 🛏 *Shoshone Inn :* dans la rue principale. ☎ 760-852-4335. ● inn@ shoshonevillage.com ● *Env 75-95 $ selon confort (les plus chères avec kitchenette).* Sinon, quelques emplacements de camping (spartiates) env 20 $ la nuit pour 2 pers. 🛜 Douches chaudes, toilettes et accès à la

piscine possible. Petit motel basique d'arrière-pays, proposant une quinzaine de chambres pas bien grandes mais pas désagréables, certaines avec kitchenette (pas de clim efficace en revanche...). Petit coin barbecue, à l'ombre d'énormes tamaris. Bon accueil et accès à la piscine du village (plutôt un bassin, datant de 1927 !), alimentée par une source naturelle d'eau chaude.

🛏 *Cynthia's :* 2001 Old Spanish Trail Hwy à Tecopa, à 16 km au sud de Shoshone par la route 127. ☎ 760-852-4580. ● discovercynthias.com ● *Ds la partie hostel, lit en dortoir 22-25 $ et doubles 75 $ (sdb partagée). Sinon, doubles avec sdb privée 100 $. Nuit en tipis 170-225 $.* 🛜 Une adresse insolite. Après 5 km de piste poussiéreuse, on s'infiltre dans un étroit ravin qui débouche sur une merveilleuse oasis : des arbres, du gazon et des palmiers dattiers, dans un environnement de vastes étendues désertiques déroulées jusqu'aux lointaines montagnes. Pour les amateurs de no man's land à la Kerouac ou Jim Jarmush, une poignée de trailers (caravanes) vintage des années 60 abritent dortoirs, chambrettes rudimentaires ou bien des doubles plus confortables et stylées, tous avec accès à la cuisine commune. Pour les aventuriers en herbe, également de vrais tipis indiens, superbes, avec feu de bois au centre.

🍽 *Crowbar :* à côté du Shoshone Museum. ☎ 760-852-4123. Tlj 8h-21h30. Plats 8-20 $. Le saloon-resto-bar du village, établi en 1920 par Charles et Stella Brown, deux fameux pionniers de la vallée de la Mort. Les cow-boys modernes garent leurs motos poussiéreuses avant d'avaler un sandwich ou un plat du jour en terrasse. On a connu plus copieux, mais la qualité est honnête, l'accueil gentil et le cadre définitivement *Old West.*

Encore plus au sud, à Baker

À l'intersection de la I-15 et de la route 127, à 180 km au sud de Furnace Creek. Petite étape possible si l'on vient de Los Angeles. Elle possède le plus grand thermomètre (à affichage digital) du monde : 134 pieds de haut (41 m), en commémoration de cette année 1913 où la température atteignit 134 °F (57 °C) dans la Death Valley, soit le record absolu aux États-Unis. Après Baker, c'est le désert pendant un bon bout de temps (penser à faire le plein !).

lOl ☞ Big Boy Restaurant : 72155 Baker Blvd. ☎ 760-733-4660. Tlj 8h (7h ven-sam)-22h (23h ven). Petits déj 7-10 $, plats 8-12 $. Au pied même du thermomètre, un *diner* de chaîne US bien caractéristique, avec sa façade à damiers rouge et blanc, ses banquettes confortables et ses serveurs souriants. Formules intéressantes pour le petit déj, ou plats convenables (burgers, steaks, salades, *chicken*...). Une halte bienvenue sur la route des parcs ou de Vegas.

À voir. À faire

Furnace Creek Area (sud)

🎬🎬🎬 *Zabriskie Point :* env 7 km après Furnace Creek, sur la Hwy 190, direction Death Valley Junction. Rendu célèbre par le film d'Antonioni (qui porte le même nom), c'est l'un des phénomènes géologiques les plus fascinants de la vallée. Le point de vue porte le nom de celui qui a exploité le borax dans la vallée. En haute saison, s'y rendre absolument au lever ou au coucher du soleil, avant le rush des cars de touristes : calme olympien et magie des couleurs assurés. La vue sur les collines voisines, ravinées par la force conjuguée des éléments, offre un paysage absolument unique, à 360°. On se croirait

> ### SILENCE, ON TOURNE
>
> La Death Valley a inspiré un nombre incalculable de réalisateurs de cinéma : canyons étroits, étendues steppiques, paysages lunaires, tout y est pour offrir le plus beau des décors aux Indiens, aux cow-boys... ou aux Martiens ! Quelques exemples parmi la liste interminable de films : Three Godfathers de John Ford, avec l'incontournable John Wayne (1948) ; Les Mines du roi Salomon de Bennett, avec Deborah Kerr (1950) ; Spartacus de Kubrick, avec Kirk Douglas (1960) ; Zabriskie Point d'Antonioni (1970), avec Harrison Ford ; Star Wars de Lucas (1977), avec tout le monde sait qui.

sur la Lune ! La roche, plissée comme un drap jeté négligemment, présente des couleurs merveilleuses, allant du vert à l'orange en passant par le rose. Quand on pense qu'il y a plusieurs millions d'années il y avait là un lac...

🎬 *Twenty Mule Team Canyon :* juste après Zabriskie Point (1,6 km au sud). À l'écart de la route 190. Boucle (en sens unique) non goudronnée, mais en bon état. Route étroite qui s'enfonce sur près de 5 km dans les roches de couleurs de Zabriskie Point, serpente entre les gros mamelons de pierre et dégringole abruptement au creux de petits ravins.

🎬🎬 *Dante's View :* à l'écart de la route 190 (à env 20 km), après Zabriskie Point. Promontoire situé à plus de 1 500 m d'altitude, du haut duquel se révèle une vue superbe sur une grande partie de la Death Valley (surtout au lever du soleil). En empruntant un petit chemin de crête depuis le parking, on la domine entièrement de 1 669 m de haut. À noter, le dernier kilomètre, qui monte à 15 %, est pénible pour les voitures. Il est d'ailleurs interdit aux gros camping-cars, qui doivent se garer un demi-mile plus bas.

🎬🎬 *Golden Canyon :* à 5 km au sud du Furnace Creek Ranch, *sur la route 178 (direction Badwater et Shoshone).* Y aller très tôt pour éviter la grosse chaleur.

DEATH VALLEY (LA VALLÉE DE LA MORT)

Plusieurs possibilités de balades à pied (boucles de 1,5 à 6,5 km) au fond d'un ravissant canyon. Intéressantes formations géologiques, de couleur jaune évidemment, et une superbe montagne rouge *(Red Cathedral)* en toile de fond.

Artist's Drive : *à 15 km au sud du* Furnace Creek Ranch. *Accès par la route 178 en venant de Badwater, car boucle en sens unique.* La petite route serpente sur environ 15 km dans un somptueux paysage de montagnes, avant de parvenir à une curiosité naturelle qui justifie le détour. On découvre un amphithéâtre naturel dont les pigments minéraux ont donné aux pierres volcaniques des couleurs très intenses. Cela donne l'**Artist Palette,** superbe ! Le fer produit les rouges, roses et jaunes. La décomposition du mica donne les verts, le manganèse, les pourpres et les violets. Encore un régal pour les yeux (et l'appareil photo !). À faire de préférence en fin de journée pour profiter de la belle lumière mordorée.

Devil's Golf Course : *à env 20 km au sud du* Furnace Creek Ranch, *le long de la 178, entre Artist's Drive et Badwater (la piste qui rejoint le site est coupée en cas de fortes pluies).* Une immense étendue de sel en plein désert, apparue après l'assèchement d'un ancien lac ! Le vent et la pluie ont sculpté le sel et la terre craquelée, faisant de chaque motte une œuvre d'art aux arêtes tranchantes. D'où le surnom de « terrain de golf du diable », car seul le diable pourrait y jouer...

Natural Bridge Canyon : *à env 25 km au sud du* Furnace Creek Ranch, *le long de la 178, entre Devil's Golf Course et Badwater.* Après avoir garé sa voiture sur le parking, on emprunte un étroit canyon sur un peu plus d' 1 km. En chemin, passage sous un pont naturel percé dans la roche. Du très beau, encore...

Badwater : *toujours au bord de la route 178, à un peu moins de 30 km au sud du* Furnace Creek Ranch. C'est le point le plus bas des États-Unis, à 86 m au-dessous du niveau de la mer ! Une vaste étendue d'eau, résidu salé d'un lac immense qui recouvrait la vallée entière, il y a très longtemps. Notez qu'il a fallu escalader la paroi rocheuse dominant la route pour y installer le panneau indiquant l'endroit exact du niveau de la mer... Un ponton de bois permet de s'avancer au-dessus des plaques de sel et des mares, où vivent quelques rares insectes malgré le fort taux de salinité. Encore un miracle de la nature ! Dire qu'il y fait terriblement chaud est un doux euphémisme ! Pensez à prendre eau et chapeau.

Stovepipe Wells Area *(centre)*

Mesquite Flat Sand Dunes : *toujours sur la route 190, peu avt Stovepipe Wells Village, sur la droite.* L'un des points forts de la visite à Death Valley. On croit rêver : au loin apparaît une longue bande de dunes, véritable morceau de Sahara dans l'Ouest américain ! Ces dunes de sable blanc sont l'œuvre des vents, qui se rencontrent à ce point précis de la vallée, apportant grain par grain les fragments de roche des montagnes voisines. Essayez de venir au lever ou au coucher du soleil, c'est encore plus beau. Silence total et belle émotion en perspective. Bien sûr, si vous envisagez d'atteindre les dunes, n'oubliez pas qu'il est très fatigant de marcher dans le sable et que l'air sec et chaud vous déshydrate rapidement (eau et chapeau de soleil indispensables). Et, un truc tout bête, notez bien où vous avez garé votre voiture ! Enfin, ne confondez pas ces dunes-ci avec celles du *Great Sand Dunes National Monument* dans le Colorado, beaucoup plus imposantes.

Mosaic Canyon : *accès par une piste depuis la route 190, 3 km à l'ouest de Stovepipe Wells Village.* Un autre must du parc, canyon étroit et sinueux composé de roches polies comme du marbre. Petit sentier accessible à tous et possibilité de continuer la balade sur près de 3 km (en file indienne !), sauf en cas de risques d'orage.

🥾 *Salt Creek Interpretative Trail :* *à un peu plus d'1 km de la route 190, en direction de Scotty's Castle).* Balade assez inattendue de 800 m sur un ponton en bois surélevé à quelques centimètres au-dessus du sol (pour éviter d'abîmer la faune et la flore). De loin en loin, quelques panneaux explicatifs. Au printemps, c'est l'un des meilleurs endroits pour observer le fameux *Cyprinodon salinus,* petit poisson très rare qui vit dans les mares d'eau salée. Autant dire qu'en plein été ça tape fort, et qu'à part le désert, les lézards blancs et les insectes, il n'y a rien à voir.

🥾🥾 *Titus Canyon :* *accès par une* back-country road *(piste non bitumée) en sens unique, à env 10 km au sud de Beatty, dans le Nevada (juste avt l'entrée dans le parc).* Elle traverse d'abord des paysages montagneux, puis rejoint l'entrée d'un défilé très étroit, assez spectaculaire. Superbes plis en forme de grosses vagues, formés par les différentes couches de roches et de sédiments. Méfiance toutefois, car cette piste d'environ 40 km n'est en principe accessible dans son intégralité qu'aux véhicules 4x4 et souvent fermée en été. À défaut, on peut gagner le débouché du canyon à l'intérieur du parc, par l'ouest, depuis la route 190 entre *Stovepipe Wells Village* et *Scotty's Castle.* La piste carrossable, à double sens sur 5 km, permet déjà d'avoir un bel aperçu du canyon. Nul besoin de beaucoup s'éloigner pour découvrir de beaux points de vue et s'imprégner de l'ambiance...

Scotty's Castle Area *(nord)*

🥾🥾 *Scotty's Castle :* ☎ 760-786-2392. *Visites guidées obligatoires (env 1h) tlj 7h-17h30 en hiver. Entrée : 15 $; réduc. Brochure en français. Attention, il est interdit d'entrer avec sac photo, trépied, sac à dos.*
Walter Scott (aucun rapport avec l'Écossais d'*Ivanhoé*) était, au début du XXe s, un sacré escroc. Ancien du *Buffalo Bill Wild West Show,* pour lequel il fut tireur d'élite et cascadeur, il devint prospecteur dans la Vallée de la Mort et réussit à convaincre un certain Johnson, magnat des assurances, qu'il y avait découvert une mine d'or. Il parvint à lui soutirer des fortunes pour exploiter cette prétendue mine. Jusqu'à ce que Johnson y aille et se rende compte de la supercherie. Mais le milliardaire, très malade, s'aperçut aussi que le climat très sec du désert améliorait sa santé. Du coup, il n'en voulut pas à Scott et alla même jusqu'à lui verser une pension mensuelle. Johnson décida dans la foulée de faire construire une résidence dans un vallon perdu en plein désert : rien de moins qu'un véritable palais (3 658 m²) de 20 pièces, dans le style d'une hacienda espagnole avec tourelles, porches, dépendances et une tour à l'horloge incongrue dans ce désert. L'ensemble, d'un kitsch redoutable, lui coûta deux millions de dollars de l'époque, une sacrée somme ! Rien n'était trop beau : meubles anciens achetés en Europe, ferronnerie d'art, étoffes précieuses... Johnson y passa dès lors toutes ses vacances d'hiver avec sa femme, où de nombreuses personnalités de l'époque leur rendaient visite. Scotty, qui y avait une chambre attitrée, mais habitait une baraque en plein désert, affirmait durant l'absence des Johnson que le « château » lui appartenait, construit grâce à l'or découvert dans sa mine fantôme – ce qui explique que la maison soit encore baptisée Scotty's Castle. Il y finit ses jours, une fois le château revendu, jusqu'à sa mort en 1954.
Si vous arrivez trop tard pour la visite guidée (une dizaine de pièces restées en l'état : salons avec cheminées, salle de musique, cuisine, chambres, et même le garage avec véhicules d'époque), vous pourrez visiter la salle d'expo

(gratuite), où est racontée l'histoire du château et de Scotty – voire jeter un coup d'œil à sa tombe, isolée sur la colline surplombant le site (accès par un petit sentier).

🏃🏃 *Ubehebe Crater :* à 8 km de l'entrée nord du parc et 13 km de Scotty's Castle. Un site magnifique qui mérite le détour. Dès que l'on s'éloigne de la route principale, les vastes étendues désertiques changent de couleur, désormais tapissées de poudre volcanique noire. Puis la route grimpe à flanc de colline pour déboucher au bord du cratère, une cuvette de 800 m de large et de 180 m de profondeur, due à une explosion volcanique vieille d'environ 300 ans. En langue shoshone, le site était appelé « panier du coyote », ce qui évoque bien sa forme et les couleurs jaune orangé des versants. Beau panorama sur la vallée depuis le bord du cratère. Un petit sentier sur la crête ouest mène au *Little Hebe Crater* et à divers autres petits cratères. La balade se poursuit avec une boucle de 2,5 km autour du volcan Ubehebe. Spectaculaire !

🏃 Depuis le cratère de Ubehebe, une piste de 43 km mène à la *Racetrack Valley. Accessible aux véhicules 4x4 ; se renseigner sur l'état de la route auprès des rangers.* Phénomène étonnant : de grandes traces, ressemblant à s'y méprendre à des empreintes de roues, marquent le sol. Mais aucun véhicule n'est passé par là ! En fait, de gros blocs de pierre ont tout simplement roulé sur le sol, poussés par le vent.

🏃 *Eureka Dunes :* à l'extrême nord-ouest de Death Valley, accessibles par le nord (route de Big Pine). Ce sont les plus hautes dunes de Californie (plus de 200 m !). Elles abritent une faune et une flore protégées. On peut toutefois grimper librement au sommet (un sacré effort car la pente est raide et on s'enfonce à chaque pas !). De là-haut, panorama spectaculaire et un phénomène étonnant : le « singing sand ». Lorsque le sable s'écoule le long du versant le plus raide, on entend un bruit de basse très musical, phénomène naturel qui donne l'impression d'entendre gémir la dune...

Trekking et autres activités

Avis aux amateurs de randonnée, il existe une vingtaine de sentiers balisés dans le parc, du très facile (entre 1,5 et 6,5 km) au sportif (*Death Valley Buttes* ne fait que 4 km aller-retour mais le dénivelé est costaud !). La plupart des randos sont toutefois déconseillées en été, car il n'y a pas un poil d'ombre, et la température atteint des sommets difficiles à supporter. Restent deux superbes *Summer hikes*, dans la Panamint Springs Area : le *Wildrose Peak Trail* (13,5 km aller-retour), avec panorama spectaculaire depuis le sommet du Wildrose Peak ; et le *Telescope Peak Trail* (22,5 km aller-retour !), jusqu'au plus haut sommet du parc (plus de 3 300 m d'altitude), souvent enneigé jusqu'en juin.

À voir. À faire encore

🏃 *Borax Museum :* à Furnace Creek, juste en face du Wrangler Steakhouse. *Tlj 9h-21h en été, horaires réduits en hiver. GRATUIT.* Comme de juste, le musée est installé dans la plus vieille maison de Death Valley, une baraque en bois de 1883, transportée ici depuis le *canyon des Twenty-Mules.* Il est tout à la gloire des pionniers, aventuriers,

CHARGE COMME UNE MULE

Les célèbres attelages de 20 mules, véritables icônes de la conquête de l'Ouest, étaient capables de tracter des charges de 36 t, auxquelles s'ajoutaient 1 200 gallons d'eau (4 545 l). L'ensemble du convoi dépassait les 30 m de long. De vrais trucks sur pattes !

mineurs, bref, tous ces héros qui ont écrit l'histoire de la vallée. Quelques textes relatent des anecdotes croustillantes, illustrées par une collection d'objets d'époque. Vous apprendrez tout sur les convois de 20 mules qui transportaient le borax jusqu'à la gare la plus proche, à Mojave, situé à... 265 km de là ! C'est toutefois dans la cour qu'on découvre les plus belles pièces, comme une antique locomotive, des calèches, des wagonnets utilisés dans les mines... Une petite exposition est aussi consacrée à l'exploitation minière dans la vallée, le fameux borax découvert ici en 1875 par un prospecteur français du nom d'Isidore Daunet. À l'origine, ce minerai était surtout utilisé dans la confection du savon et comme antiseptique. Aujourd'hui, il entre dans la composition d'engrais, d'insecticides, du verre, de la céramique, de la porcelaine, des composants électroniques, de l'antigel, du liquide de transmission, et sert même à protéger la navette spatiale de la surchauffe lors de son retour dans l'atmosphère ! Près de la moitié de la production mondiale vient encore de Californie.

🏃 *Harmony Borax Works Interpretative Trail :* *à quelques km au nord de Furnace Creek.* À flanc de colline s'échelonnent les maigres vestiges d'une des premières exploitations de borax de la vallée, datant de 1883. On peut encore voir la charrette, mais surtout les cuves et la cheminée, des installations qui servaient à traiter le minerai sur place afin de réduire les coûts de transport. De là, panorama sur le *Mustard Canyon,* dont les roches arborent en effet de jolis tons jaune moutarde.

🏃 La ville fantôme de *Rhyolite,* située hors du parc, à l'écart de la route 374, à 6,5 km à l'ouest de Beatty, ne vaut pas tripette – surtout si vous vous êtes déjà arrêté à Bodie ou prévoyez de le faire. En fait, elle a été presque entièrement démantelée par des brocanteurs ou collectionneurs amateurs ! Il ne reste que la vieille gare (entourée de grillages), un wagon, une citerne et des pans de maisons en pierre dispersés dans les champs environnants. Si vous êtes venu jusque-là, vous pourrez toujours jeter un coup d'œil sur la fameuse *Kelly Bottle House,* datant de 1906, aux murs recouverts de bouteilles de bière (30 000 !). Étonnant également, le *Goldwell Open Air Museum,* un ensemble de sculptures réalisées par différents artistes qui ont trouvé ici toute la place pour s'exprimer ! Une femme style lego géant, des fantômes de plâtre, un mineur accompagné d'un pingouin en métal rouillé...

🏃 *Amargosa Opera House :* *à Death Valley Junction,* intersection des routes 190 et 127. ☎ 760-852-4441. ● *amargosa-opera-house.com* ● *Billets vendus à l'Amargosa Hotel : 15 $; réduc enfant.* Marta Becket est un personnage. Un jour, la voiture de cette danseuse new-yorkaise tombe en panne dans ce petit hameau isolé du monde. Elle découvre alors le désert et décide d'y vivre, en y ouvrant son propre petit « opéra ». Ainsi, tous les samedis soir pendant 45 ans, elle a organisé ici un spectacle de danse, ballet, comédie et pantomime, avant de donner sa dernière représentation en 2012, à l'âge de 88 ans ! Vous ne verrez donc plus la fantasque Marta sur scène, mais pourrez admirer son univers et ses peintures, gigantesques fresques figurant des tribunes de spectateurs entourant un roi et une reine.

🏃 *Wildrose Charcoal Kilns :* *dans Panamint Springs Area, à l'ouest du parc.* Ces étonnants fours à charbon de bois, conçus par un ingénieur suisse en plein milieu de nulle part en 1877, ne valent pas le grand détour nécessaire pour s'y rendre depuis Furnace Creek ou Stovepipe Wells. En revanche, c'est sur le chemin de ceux qui quittent la vallée par la route 178 en direction de Ridgecrest (entre Panamint Springs et Trona). Les dix fours, en forme de ruches, s'alignent parfaitement (c'est ça la précision helvétique !). Le charbon de bois était vendu à la mine de Modock, située à 40 km vers l'ouest.

🏃 *Mojave National Preserve :* *infos au* Mojave National Preserve Visitor Center, *situé au Kelso Depot, Kerbaker Rd.* ● *nps.gov/moja* ● *Pas de droit d'entrée.*

Si vous venez de Los Angeles où si vous repartez dans cette direction et que vous n'avez pas eu votre ration de désert, pourquoi ne pas vous offrir quelques heures de balade en voiture à travers cette réserve ? C'est la troisième plus grande du pays, qui s'étend sur 6 500 km^2 du grand désert de Mojave – soit un territoire plus important que l'État du Delaware ! On peut y découvrir une vaste étendue de grandes dunes, d'une belle couleur mordorée, dont les plus hautes mesurent 180 m (Kelso Dunes). À voir aussi, la plus importante forêt de *Joshua trees* de l'Ouest américain.

L'ÉNIGME DES ROLLING STONES

Sur le lac asséché du désert de Mojave, on peut voir d'énormes pierres précédant de longues traces qui empruntent parfois des trajectoires étonnantes, quasi en angle droit. Des pierres qui prennent la tangente, en quelque sorte ! Ce phénomène géologique n'a toujours pas trouvé d'explication très rationnelle, un vrai casse-tête pour les scientifiques...

LOS ANGELES ET LE SUD DE LA CALIFORNIE

LOS ANGELES

3 800 000 hab. (18 500 000 pour le Grand Los Angeles)

▶ Pour les plans de Los Angeles, se reporter au cahier couleur.

« C'est pour pouvoir lire Los Angeles dans le texte que j'ai appris à conduire. »

Reyner Banham

À 640 km de San Francisco et 200 km de San Diego, s'étendant chaque année davantage grâce à son réseau tentaculaire de *freeways,* Los Angeles dévore tout sur son passage. Métropole riche, énergique, créative, bouillonnante, et pourtant inégalitaire (plus de 22 % de la population vit en dessous du seuil de pauvreté) et travaillée de l'intérieur par une foule de problèmes sociaux et de conflits ethniques, voilà une agglomération sans centre véritable, sorte d'immense puzzle de 88 quartiers (Hollywood, Downtown, Venice, Santa Monica, South Central, Chinatown, Koreatown...) vivant chacun de façon autonome et juxtaposée, avec

ses riches et ses pauvres, sa splendeur et sa misère, son or et sa poussière. On dit souvent de L.A. qu'elle n'est qu'une mer infinie de béton... Erreur ! La ville frappe, dès les premiers instants, par son horizontalité verdoyante, ses espaces verts, l'omniprésence de la nature : proximité du désert, abondance des arbres, des taillis, des herbes folles au bord des autoroutes qui la sillonnent. Hormis les tours géantes de Downtown, où les gens travaillent mais n'habitent pas, Los Angeles ressemble à une banlieue à perte de vue, où les maisons en bois entourées de jardins coquets témoignent d'une réelle qualité de vie. On la dit inhumaine à cause de la circulation, des tremblements de terre, des incendies, des inondations et de la criminalité (dans certains quartiers). Ce n'est ni tout à fait vrai ni vraiment faux. Côté circulation (difficile, en effet, de se passer de la voiture), mieux vaut éviter les heures de pointe *(rush hours)*, mais en dehors de ces périodes embouteillées, la ville devient presque facile à dompter, à condition de se munir d'un GPS ou de bien étudier la carte avant de s'y lancer. Cette grande mal-aimée est d'abord une grande méconnue. Avec plus de 18 millions d'habitants pour le Grand Los Angeles, elle est la deuxième ville américaine après New York, et le troisième pôle économique mondial. On peut même affirmer

sans grand risque qu'elle sera la capitale de l'empire économique du Pacifique (le futur centre du monde, selon certains), qui englobe l'ouest des États-Unis et une grande partie de l'Asie (Japon, Chine, Taiwan, Corée du Sud, Indonésie, Philippines, Malaisie, Australie...). Los Angeles, c'est donc aussi la ville où le Far West rencontre le Far East, où l'Occident rencontre l'Extrême-Orient. En moins d'un siècle, cette ville est devenue le berceau d'une culture capable de s'exporter dans le monde entier. Tout a commencé avec l'usine à rêves de Hollywood. Puis ont été inventés des objets et des modes de vie qui ont fait le tour du monde : le roller-skate et le roller tout court, le body-building, le jogging. Et ce n'est pas fini... Point d'aboutissement de la conquête de l'Ouest, point d'arrivée de la fameuse Route 66 qui commence à Chicago et s'achève à Santa Monica face au Pacifique, Los Angeles continue, en dépit de la pollution qui la gangrène et de la mise au ban caractérisée de ses laissés-pour-compte, à porter le rêve américain à bout de bras.
Drôle de destin quand même pour cette bordure de désert devenue une des villes les plus importantes du monde en moins d'un siècle !

SUPERFICIE

La ville (dans ses strictes limites administratives) s'étend sur 1 290 km², ce qui la place au deuxième rang des plus grandes villes des États-Unis. Mais s'il s'agit du *Los Angeles County* (soit 88 communes), alors on arrive à une étendue presque 10 fois plus importante (12 308 km²), même si la zone urbaine proprement dite n'en couvre pas toute la surface. L.A. County a grosso modo la forme d'une enclume. Les dimensions de cette immense métropole – bordée par le Pacifique à l'ouest, par les collines de Hollywood au sud, par celles de Beverly au nord, et par le désert à l'est – ont vraiment de quoi impressionner : 80 km à vol d'oiseau d'ouest en est, soit de Malibu à Euclid Avenue (au niveau de la Highway 83) ! Du nord au sud, on compte environ 60 km (toujours à vol d'oiseau) entre la vallée de San Fernando et le bout de Point Fermin dans le quartier San Pedro, près du port de L.A.

POPULATION

La ville compte près de 4 millions d'habitants. Le Los Angeles County, 10,2 millions, ce qui en fait le plus grand du pays, et la région de Los Angeles (qui, elle, s'étend bien au-delà de l'agglomération), quelque 18 millions. Des chiffres assez bas, compte tenu de la superficie de ces différentes entités. C'est que les Angelenos (c'est le nom des habitants de Los Angeles) ont le privilège de ne pas vivre serrés comme des sardines et de jouir de beaucoup d'espace. À l'inverse de New York ou de Chicago, L.A. est une ville très aérée, constituant une sorte d'immense banlieue, mais dépourvue de HLM ou autres immeubles d'appartements, et donc à faible densité de population. Ainsi, si elle est l'une des villes les plus étendues (si ce n'est la plus étendue) du monde, Los Angeles vient tout de même, par la population, assez loin derrière d'autres « géantes » comme Mexico, Tokyo, São Paulo ou même New York (plus de 18,9 millions d'habitants en comptant la grande banlieue). Pour vous donner une idée de cette faible densité, un quartier comme Beverly Hills ne compte que 34 000 âmes (triées sur le volet et bien nanties, il est vrai, mais bon...). Quant à Santa Monica, on n'y recense jamais que 90 000 habitants, et pourtant c'est déjà une ville d'une vingtaine de kilomètres carrés. Enfin, plus parlant que tout ce qui précède : la densité à L.A. est de 2 913 habitants au km², contre 6 708 à New York !

QUARTIERS ET GROUPES ETHNIQUES

Dans cette bourdonnante tour de Babel tournée vers le Pacifique, on recense plus de 140 nationalités différentes, les deux plus grandes communautés immigrées étant bien sûr d'origine hispanique et asiatique, et plus de 200 langues et dialectes parlés. Moins d'un tiers de la population est blanche. La majorité (48,5 %) des Angelenos appartient à la communauté hispanique (originaires du Mexique et d'Amérique centrale). On les appelle souvent les « chicanos », mais ce terme est péjoratif, évitez de l'employer à tort et à travers. Autrement dit, avec 1,8 millions d'habitants, la communauté hispanique de L.A. représente la troisième plus grande ville hispanique d'Amérique du Nord, après Mexico et Guadalajara (deuxième ville du Mexique). D'ailleurs, si l'*American English* est la seule langue officielle, les informations en espagnol sont très fréquentes dans les lieux publics. Voici les principaux regroupements ethniques de la ville :

– ***Quartier latino :*** à Downtown, autour de la petite Olvera Street (seulement 100 m de long), le berceau hispanique de la ville. Mais les hispanophones habitent surtout dans les faubourgs à l'est de Downtown. East Los Angeles est le cœur du *barrio*, conglomérat de plusieurs petits quartiers juxtaposés entre Lincoln Heights et Whittier Boulevard. C'est la capitale *latina* des États-Unis.

– ***Chinatown :*** parmi les Asiatiques, qui forment environ 11 % de la population de L.A., les Chinois représentent la plus ancienne communauté d'Asie en Californie. Mais pas la plus nombreuse : 1,8 % de la population, derrière les Coréens et les Philippins. Même s'ils sont 72 % à avoir acquis la nationalité américaine, ils demeurent fidèles à leurs pays d'origine. Hsi Lai, le plus grand édifice bouddhique américain, témoigne de l'importance de cette communauté qui contrôle 15 % des entreprises de la région de L.A. Chinatown, situé au nord de Downtown et non loin du quartier mexicain (autour de North Broadway Boulevard), est beaucoup plus petit que le Chinatown de San Francisco.

– ***Filipinotown :*** un « nouveau » quartier, reconnu seulement en 2002. Il se situe dans la partie sud-ouest d'Echo Park, au nord-ouest de Downtown. Même s'il existe d'autres « poches » de Philippins à L.A., c'est ici que s'établit la diaspora au début du XXe s. C'est la plus forte communauté asiatique de L.A., avec 3,2 % de la population.

– ***Little Tokyo :*** le quartier japonais de L.A. Situé à l'est de Downtown, entre 1st, Alameda, 3rd et Los Angeles Street. Il concentre la plus grande communauté japonaise vivant en dehors du Japon... mais seulement 0,9 % de la population de L.A.

– ***Koreatown :*** comme son nom l'indique, il s'agit du quartier coréen de L.A. Il s'étend entre Hollywood et Downtown, plus exactement entre les Wilshire et Western Avenues, le Pico Boulevard et la Freeway 110. Avec 2,9 % de la population de la ville, ce quartier serait la troisième ville coréenne au monde ! Le dynamisme et l'esprit d'entreprise des immigrés coréens se retrouvent dans la multitude de commerces en tout genre qu'ils contrôlent. Toutes les enseignes sont écrites en coréen. De nombreux commerçants ont été la cible des révoltés de South Central lors des émeutes d'avril 1992.

– ***Little Saigon :*** quartier peuplé presque exclusivement de Vietnamiens, accueillis aux États-Unis comme réfugiés politiques après la guerre du Vietnam et sa réunification par les communistes en 1975. Très excentré, Little Saigon se trouve au sud, dans Orange County, dans le quartier de Westminster, le long de Bolsa Avenue (dans le secteur compris entre Beach Boulevard et Bristol Street). Les Vietnamiens comptent pour 0,5 % de la population totale.

– ***Les Afro-Americans :*** ils représentent environ 9,6 % de la population de L.A. et habitent principalement le sud de la ville. Cela dit, la population hispanique a commencé à grignoter certains de leurs quartiers, comme Compton. Les plus pauvres habitent le quartier de South Central et de Watts, une sorte d'immense ghetto livré à la drogue, à la violence et à la loi des gangs. *Asphalt jungle !*

– Citons également les micro-quartiers de ***Thaï Town, Little Armenia*** ou encore ***Little Ethiopia.***

DANGERS ET ENQUIQUINEMENTS

Pour les secteurs dangereux à L.A., voir la rubrique du même nom dans la partie « Californie Utile ».

CLIMAT

Ce n'est pas la « terre promise », mais ça pourrait bien s'en rapprocher. Par le nombre important de journées d'ensoleillement (plein ou partiel) sur une année (291 jours !) et la rareté des précipitations (seulement 38 cm de pluies par an, et encore, elles sont occasionnelles), le climat de Los Angeles fait partie, officiellement parlant, de la zone subtropicale tempérée, de type méditerranéen.
Cela donne un résultat délicieux : d'immenses palmiers, des cyprès comme en Provence, des eucalyptus comme en Australie, des cactus comme dans le désert (ils commencent aux portes de la ville), des orangers comme en Andalousie (le parfum de leurs fleurs est envoûtant !). Été comme hiver, on laisse tomber la veste pour le T-shirt (sauf le soir et les jours venteux). Le climat de L.A., comme celui du sud de la Californie en général, est si bon qu'il enchanta immédiatement les tout premiers pionniers du cinéma de Hollywood, heureux de pouvoir tourner toute l'année en extérieur. Le temps d'ici rappelle celui qu'il fait en Afrique du Nord sur la côte atlantique, à Casablanca par exemple. Bref, avec des conditions climatiques pareilles, on peut y venir à n'importe quelle époque de l'année. Mais il y a quand même un distinguo à faire entre l'été et l'hiver. Voici quelques nuances essentielles :
– *D'octobre à avril :* même temps qu'à Casablanca à la même époque, ou à Paris au mois de mai. La température moyenne est de 18 à 19 °C le jour et de 8 à 9 °C la nuit. N'oubliez donc pas d'emporter un pull et une veste si vous venez pendant cette période.
– *Mai-juin :* sorte d'intersaison, plus douce qu'en été (de 23 à 25 °C de moyenne journalière). Juin est connu pour son fameux *June gloom,* la grisaille de juin, avec ses matinées embrumées par le *smog* (mélange de *fog* et de *smoke*). Le soleil fait son apparition en début d'après-midi, et le ciel bleu chapeaute à nouveau la ville pour le reste de la journée.
– *Juillet-août-septembre :* les 3 mois les plus chauds et les plus secs de l'année. Les températures moyennes journalières oscillent entre 27 et 28 °C (16 à 17 °C la nuit). En juillet, il y fait quasiment le même temps qu'à Malaga (sud de l'Espagne), avec cependant des nuits un peu plus fraîches. En août, le soleil brille autant qu'à Faro (sud du Portugal), Alger ou Ajaccio. La lourdeur de l'air est heureusement tempérée par les brises du Pacifique. Aucune pluie à cette époque !

UN PEU D'HISTOIRE

– *1542 :* le navigateur portugais João Cabrilho (Juan Rodriguez Cabrillo) pose les yeux sur le site de Los Angeles, qu'il admire de son bateau. Les feux des Indiens forment une telle nappe de fumée au-dessus de la terre qu'il baptise l'endroit *Bahia de los Fumos.* Étonnant navigateur ce Cabrilho qui découvre mais ne cherche pas à coloniser.
– *1769 :* alors que toute la Californie est aux mains de l'Espagne, son gouverneur, Gaspar de Portola, dirige une expédition à la recherche de la baie de Monterey. Il traverse, avec sa cavalerie, le vaste territoire de la ville actuelle. Objectif : établir une chaîne de missions franciscaines et de *presidios* (forts), reliés entre eux par El Camino Real (la voie royale), afin de consolider la mainmise espagnole sur la Californie. 21 missions sont ainsi créées à la fin du XVIIIe s, dont deux dans les faubourgs de Los Angeles : San Gabriel Arcangel (1771) et San Fernando Rey de España.
– *1781 :* le 4 septembre, un groupe de 44 *vecinos pobladores* (des colons), la majorité de races mélangées (afro-indienne-hispanique), fondent un embryon de

colonie qu'ils appellent *El Pueblo de Nuestra Señora La Reina de Los Angeles del Río Porciuncula,* du nom d'une sainte fêtée la veille dans le calendrier... Un nom à rallonge pour un petit village qui deviendra le centre de L.A.

– *1822 :* le Mexique devient indépendant de l'Espagne et hérite de la Californie qu'il contrôle. Los Angeles est alors une succession de *ranchos* immenses où l'on élève des chevaux et des bêtes à cornes. Le *rancho* Rodeo de Las Aguas deviendra Beverly Hills, le *rancho* San José deviendra la ville de Pomona, le *rancho* San Vicente y Santa Monica donnera naissance à la célèbre station balnéaire de Santa Monica. « Sous l'asphalte, le *rancho* », pourrait-on dire de cette ville à l'histoire si récente.

– *1835 :* L.A. devient une ville à part entière *(ciudad)* et la capitale de l'Alta California. Le gouverneur mexicain continue de résider à Monterey.

– *1846 :* conséquence de la guerre entre les États-Unis et le Mexique, Los Angeles, comme le reste de la Californie, est rattachée aux États-Unis et devient une ville américaine. Tandis que San Francisco, au nord, connaît la fièvre de l'or (1848-1856), L.A., plus pauvre et moins connue, vit de son agriculture et de ses plantations. Avec l'ouverture en 1885 de la ligne de chemins de fer de Santa Fe, tout change. Le décollage économique de L.A. peut commencer.

– *1886 :* Horace et Daeida Wilcox, deux émigrants, achètent un grand terrain dans les environs de la ville, qu'ils transforment en une ferme prospère (arbres fruitiers, cultures divisées en blocs et en parcelles). L'allée centrale de cette nouvelle propriété s'appelle Prospect (qui deviendra Hollywood Boulevard). Mme Wilcox baptise sa ferme *Hollywood,* « bois de houx », un nom qu'elle a piqué dans le train à sa voisine. Ce n'est guère original, mais bientôt un empire, celui du 7e art, naîtra et se développera au milieu des abricotiers, des orangers et des eucalyptus.

Pour la suite, lire le texte sur Hollywood, plus loin (« Los Angeles quartier par quartier »).

Le 29 avril 1992

Ce jour-là, un jury blanc de la Simi Valley, comté blanc et réactionnaire de L.A. (celui de Reagan), acquitte quatre policiers blancs accusés d'avoir passé à tabac Rodney King, un automobiliste noir. Pas de chance pour eux, un vidéaste amateur avait filmé la scène et ses images avaient fait le tour du monde. À l'annonce de l'acquittement scandaleux des policiers, South Central, l'un des quartiers les plus pauvres de L.A., se soulève, s'embrase et s'attaque à tous les symboles de la société de consommation par le pillage et l'incendie.

L'émeute dure 2 jours et fait plus de 50 morts et un milliard de dollars de dégâts. L.A. se réveille avec la gueule de bois. Pourtant, ça devait bien arriver un jour ou l'autre, avec l'immense dose de frustration accumulée par les communautés noire et mexicaine : suppression des programmes d'aide sociale, racisme des *cops,* chômage, écart sans cesse croissant entre les revenus des riches et ceux des pauvres...

Deux mois plus tard, en juillet 1992, la Cour suprême de Californie fit cependant appel du verdict et renvoya les policiers en jugement. Et le 17 avril 1993, au second procès des mêmes policiers, deux d'entre eux sont déclarés coupables : un verdict accueilli avec soulagement. Analyse d'un sociologue : « Les révoltés se sont vengés sur leur propre quartier, ont détruit leurs propres biens. La prochaine fois, ils déferleront sur Beverly Hills ! Ils ont très peu de conscience politique et de capacité d'organisation, mais ça ne durera pas éternellement. »

Le tremblement de terre de 1994

Le 17 janvier 1994, à 4h30, un séisme d'amplitude 6,6 sur l'échelle de Richter réveille la ville endormie. Certains habitants pensent que c'est l'heure du Big One qui sonne ! Ce tremblement de terre, dont l'épicentre se trouve à une trentaine de kilomètres du centre-ville, dans la vallée de San Fernando, cause la mort de 51 personnes, fait 3 000 blessés, 9 000 sans-abri, endommage près de 3 000 immeubles et touche gravement l'infrastructure routière, élément vital dans l'économie de la région. Résultat : 15 à 30 milliards de dollars de dégâts ! Mais ce n'était pas le Big One tant redouté.

Habitués aux secousses telluriques, les habitants de L.A. ont vite dédramatisé cette catastrophe et se sont montrés surtout irrités par le temps supplémentaire qu'ils mettaient pour aller à leur travail. *Business is business !* Un mois après cet événement, ils n'y pensaient déjà plus...

Arrivée à l'aéroport

Outre un bureau de change (en dépannage seulement car taux défavorable et commission en sus), on trouve, dans les terminaux d'arrivée des vols internationaux T2 (Air France, KLM, Alitalia, Air Canada et Virgin Atlantic), T5 et T6 de l'aéroport, des bornes interactives donnant des informations sur les transports, les hôtels et les loueurs de voitures. Simple : il suffit de décrocher le téléphone pour contacter un hébergement ou pour qu'une navette d'un loueur vienne (en principe) vous chercher gratuitement. Également quelques bureaux d'information, parfois déserts, mais affichant des infos sur les transports, les hôtels du secteur, les compagnies aériennes et un plan du métro.

➤ **Pour rejoindre les différents quartiers de la ville** (Hollywood, Santa Monica, Downtown...) **sans voiture de location,** tout est très bien indiqué de la manière suivante :

– **LAX Shuttle Airlines connections** *(signalétique bleue) :* navettes gratuites. Le bus A dessert tous les terminaux. Le bus C se rend au *LAX City Bus Center* (la plate-forme où vous prendrez le bus ou le métro pour vous rendre en ville ; voir le détail plus loin) et aux parkings longue durée (Lot B, C). Enfin, le bus G dessert la *Metro Green Line Station,* soit le *Light Train.*

– **Shared Ride Vans :** taxis collectifs, assurés par 2 compagnies, *Primetime Shuttle* (minibus rouges) et *Super Shuttle* (minibus bleus).

– **Taxis** *(signalétique jaune) :* ils se garent le long de la bordure de trottoir la plus proche des portes de sortie. Un *taxi starter* se charge de la police des départs.

– **Fly Away** *(signalétique verte) :* bus et vans longue distance pour Anaheim (Disneyland et hôtels environnants),

Irvine (gare ferroviaire *Amtrak*), Union Station (Downtown), Van Nuys et Westwood. *Infos :* ☎ 1-866-435-9529.

– **Rental Shuttles** *(signalétique violette) :* navettes gratuites qui conduisent aux plates-formes des loueurs de voiture *(Hertz, Alamo, Dollar Thrifty, Avis, Budget...).*

– **Hotel & Courtesy Shuttles :** navettes gratuites pour les grands hôtels.

➤ La solution la moins chère (mais la plus lente) consiste à prendre le **bus** ou le **métro.** Compter pour l'un ou l'autre au moins 1h de trajet jusqu'à Downtown ou Santa Monica et 1h30 pour Hollywood. Pour les lignes et les horaires : ● *metro.net* ●

– **En bus :** du *LAX City Bus Center* (accessible, on vous le rappelle, par la navette gratuite *LAX Shuttle Airlines connections*), on peut acheter un ticket de bus ou un *pass* (voir « Comment se déplacer ? – Bus »). De là, bus nº 117 (changer pour le nº 60 ou le nº 760 sur 7th St Eastbound) pour la gare routière *Greyhound ;* Big Blue Bus nº 3 pour Santa Monica (env 1h de trajet pour 20 km !), bus pour Culver City et l'UCLA, ou encore un autre pour Redondo Beach et Long Beach. Comme dans tous les bus de L.A., prévoir le montant exact (à partir de 1 $) car le chauffeur ne rend pas la monnaie.

– **En métro,** du *Transit Center,* prendre la direction Norwalk *(green line),* changer à Imperial/Wilmington/Rosa Park et prendre la direction Downtown.

➤ **En taxi :** env 50 $ pour Downtown et 45 $ pour Santa Monica. Marchent au compteur. Selon les modèles, prennent de 3 à 5 personnes. Si vous êtes seul, ou plus de 4, on conseille de prendre un *Shared Ride Van.*

➤ **En Shared Ride Van :** 2 compagnies assurent ces systèmes de navette payante (minibus de 7 pers). **Super**

Shuttle, ☎ 1-800-258-3826, ● *super shuttle.com* ● ; *Primetime Shuttle,* ☎ 310-536-7922 ou 1-800-733-8267 ; ● primetimeshuttle.com ● Ces mini-bus vous emmènent à l'adresse souhaitée. Vous pouvez les prendre sans résa, en vous présentant au comptoir des compagnies, mais vous risquez d'attendre plus longtemps, car il faut que le véhicule se remplisse et que l'itinéraire soit décidé. Pour gagner du temps (même si le départ n'est pas forcément immédiat), autant réserver. En plus, les résas en ligne sont parfois moins onéreuses. Selon les destinations, les compagnies sont plus ou moins intéressantes. Idéal si vous êtes seul ou plus de 4 : bien moins cher que le taxi et nettement plus facile et rapide que le bus ou le métro. Si vous allez dans un hôtel, compter environ 15-16 $ par personne pour Santa Monica, Venice ou Downtown et environ 23-25 $ pour Pasadena. Quand un van ne dessert pas des hôtels mais des adresses privées, la 1re personne paie plus cher que les suivantes. Par exemple, compter environ 20 $ pour la 1re personne allant à Santa Monica, Venice ou Downtown et 10 $ pour les personnes suivantes. C'est comme ça !
➤ Un certain nombre d'hôtels (surtout ceux situés à proximité de l'aéroport ou bien les hôtels chic) possèdent une *navette* qui peut venir vous chercher à l'aéroport sur un simple coup de fil, mais mieux vaut avoir réservé auparavant pour ne pas poireauter. Par ailleurs, en cas d'urgence ou si vous arrivez en plein milieu de la nuit, fatigués et sans rien avoir réservé, les comptoirs *Travelers Aid,* présents dans les terminaux d'arrivée, peuvent vous proposer des chambres d'hôtel à tarifs réduits et se charger de la réservation. *Infos :* ☎ 310-646-2270.

Comment se déplacer ?

Orientation

Si vous optez pour la voiture de location et que vous comptez rayonner en ville, l'utilisation d'un *GPS* vous sera d'une grande utilité. Emportez le vôtre, sinon il sera généralement facturé dans les 12-13 $ hors taxes par jour par les loueurs (moins cher à la semaine). Sans GPS, première chose à faire : *se procurer un bon plan de L.A.* (voir plus bas pour plus de détails), car la règle n° 1 pour une conduite efficace ici, c'est de toujours savoir où l'on va avant d'y aller. Autrement dit, étudier méticuleusement le plan pour déterminer sa destination et l'itinéraire à suivre. En voiture à L.A., c'est comme en métro : pour se rendre d'un point à un autre, il faut toujours avoir en tête son itinéraire, le nom des sorties ou au moins les numéros des *freeways* à suivre, dans quelle direction vous allez (nord, sud, etc.), et savoir « prendre les correspondances ». Sans quoi, on se perd dès la 1re virée en voiture. Attention, la file de droite est souvent utilisée pour sortir, ce qui vous oblige à vous déporter sur la gauche pour continuer tout droit. Trop de personnes changent de file à la dernière seconde, ce qui est la cause de nombreux accidents. Vous noterez cependant que, globalement, les Angelenos respectent de grandes distances de sécurité et, même quand ils roulent au pas, ils évitent de coller au véhicule de devant, ce qui permet de garder une circulation relativement fluide et facilite les changements de voie.
Enfin, la bonne nouvelle dans tout ça, c'est que le tracé des rues en damier rend la conduite plutôt aisée, d'autant que le nom des rues que l'on croise est toujours très clairement indiqué.
À apprendre par cœur cependant, les routes clés de cette immense métropole :
– L'*Interstate 5 (the Golden State Freeway)* traverse la ville du nord-ouest (elle vient de San Francisco) au sud-est (elle va à San Diego), en passant par Downtown.
– L'*Interstate 10 (the Santa Monica Freeway)* traverse la ville d'est en ouest, de Santa Monica vers Palm Springs, l'Arizona et le Nevada.
– L'*Interstate 405 (the San Diego Freeway)* coupe la ville du nord-ouest au sud-est, parallèlement à Interstate 5, mais plus près de la côte.
– L'*Interstate 110 (the Harbour Freeway)* relie Pasadena (au nord) au port de L.A. (au sud), en passant par Downtown.

– Enfin, la **route 1,** plus connue comme la **Pacific Coast Hwy,** longe le Pacifique de Malibu (au nord-ouest de Santa Monica) à Laguna Beach, aux confins sud-est de L.A.

Plans et guides

Procurez-vous la carte de Los Angeles distribuée gratuitement au *Visitor Center de Downtown.* Elle peut être suffisante pour se déplacer. Autrement, on trouve des cartes détaillées dans toutes les librairies, bureaux de tabac et kiosques à journaux. Celles publiées par Rand MacNally sont les mieux faites. La *Streets of Los Angeles & Hollywood* (environ 6 $) ne couvre pas toute l'agglomération (comme son nom l'indique) mais elle est complète pour les quartiers évoqués dans ce guide (sauf Pasadena, les plages au sud et Anaheim). Au verso, un grand encadré reprend la ville dans son ensemble. Bref, cette carte s'avère très utile (mais pas très pratique à manipuler !) si vous circulez en voiture et souhaitez explorer la ville pendant plusieurs jours. Vous trouverez également de nombreuses *city-maps* plastifiées et plus maniables, mais beaucoup plus limitées quant à la surface couverte. Enfin, citons encore les atlas routiers (le meilleur est sans conteste le *Thomas Guide,* mis à jour chaque année), mais ces ouvrages, très détaillés, sont plus onéreux et volumineux que les plans ordinaires.

Location de voitures

Quand on sait que les coins intéressants sont parfois éloignés du centre de 20 à 30 km, et même si le réseau des bus est satisfaisant, il est souvent plus confortable de posséder une voiture. L.A. est une des rares villes américaines où l'on conseille vraiment d'en louer une, même si le stationnement, pas facile, est coûteux (choisir un hôtel avec parking gratuit est judicieux). En se groupant à 3 ou 4, on s'y retrouve très vite, et le gain de temps est réel. Les *freeways* se révèlent sacrément pratiques quand vous voulez vous rendre dans un lieu un peu éloigné, même si elles sont souvent encombrées (cela dit, il est rare de stagner longtemps). Si vous optez pour une *compact-car*

(petite voiture), vous consommerez peu, et le prix du carburant étant meilleur marché qu'en Europe, vous ne grèverez pas trop votre budget.

Deux grandes agences

■ **Alamo :** 9020 Aviation Blvd, **Inglewood.** ☎ 310-649-2245 ou 1-888-826-6893 ● alamo.com ● *Proche de l'aéroport international. Un peu moins cher que chez les grosses agences.* Voitures neuves, toujours en bon état. Kilométrage illimité. Navette *(shuttle)* régulière entre l'aéroport et le parc de stationnement de la compagnie.

■ **Cafla Tours :** 16450 Bake Parkway, suite 100, **Irvine.** ☎ 818-785-4569 ou 1-800-636-9683. ● caflatours.com ● autorentnet.com ● Tenue par des Français, cette agence fort recommandable s'engage à vous dénicher une auto au meilleur prix (voiture de moins de 6 mois et de toute catégorie). En fait, elle travaille avec de grands loueurs sur des formules tout inclus avec assurance tous risques, souvent moins chères. Inutile de vous déplacer, car l'agence est très loin de l'aéroport. Il suffit de téléphoner ou de réserver sur Internet et de prendre votre voiture auprès du loueur indiqué lors de la réservation.

Les petits loueurs

Ces nombreuses agences indépendantes, éparpillées à la périphérie de l'aéroport, offrent généralement des tarifs plus avantageux que les gros loueurs *(Avis, Hertz, Budget, National).* Mais, revers de la médaille, elles ont beaucoup moins de voitures, et les navettes depuis l'aéroport ne tournent pas aussi régulièrement (il faut souvent leur demander de venir vous chercher). De plus, leurs véhicules ne sont pas toujours en aussi bon état que ceux des grosses compagnies et, enfin, il n'est pas toujours possible de prendre une auto à un point A et de la rendre à un point B. Voici quelques adresses :

■ **Fox Rent-a-Car :** 5500 W Century Blvd (près de l'aéroport, repérer le Travelodge Hotel). ☎ 855-849-4201 ou 1-800-225-4369. ● foxrentacar. com ● Ouv 24h/24. Navette gratuite depuis l'aéroport. Plusieurs bureaux en Californie. Prix très compétitifs et véhicules de moins de 12 mois. Loue également aux 21-24 ans, moyennant un supplément. Consulter leur site internet, très bien fait (ce qui n'est pas le cas de tous) et facile à utiliser.

■ *Lucky Rent-a-Car :* 8620 Airport Blvd. ☎ 310-641-2323 ou 310-645-7700. ● *luckyrentacar.com* ● Paiement par carte obligatoire (liquide refusé). Navette gratuite depuis l'aéroport. Bonne réputation et prix intéressants là encore. Âge minimum 23 ans et supplément pour les 23-24 ans.

■ *Avon Rent-a-Car :* 7080 Santa Monica Blvd (à l'angle de La Brea), à *Hollywood.* ☎ 323-850-0826. ● *avonrents.com* ● Lun-ven 6h-19h, w-e 7h-17h. Possède 2 autres bureaux à Los Angeles : à *Beverly Hills* (9224 Olympic Blvd, ☎ 310-277-4455) et *Santa Monica* (Lincoln Blvd, ☎ 310-392-8618).

■ *Enterprise Rent-a-Car :* 8734 S Bellanca Ave. ☎ 310-216-0100. ● *enterprise.com* ● Une dizaine d'autres agences à Los Angeles (voir le site internet). Prix intéressants.

Location de motos

Lorsqu'on voyage seul ou à 2, c'est probablement le moyen de locomotion le plus agréable, même s'il est relativement dangereux car les automobilistes n'ont aucune pensée pour les deux-roues. Malheureusement, l'obligation de prendre une, voire deux assurances supplémentaires, le rend très coûteux. Il faut disposer, bien sûr, du permis moto.

■ Ceux qui veulent « faire la route » à la manière de Johnny Hallyday peuvent louer une Harley-Davidson chez *Eagle Rider,* qui s'est spécialisé dans ce type de motos. On le trouve pas très loin de l'aéroport au 11860 S La Cienega Blvd. ☎ 310-321-3180 ou 1-888-900-9901. ● *eaglerider.com* ● Contact en France : ☎ 953-22-16-75. ● *france@eaglerider.com* ● Contact au Benelux : ☎ (40) 211-39-38. ● *benelux@eaglerider.com* ●

Stationnement, mode d'emploi

Les parkings surveillés sont en général chers et très fluctuants dans les tarifs, qui vont parfois du simple au quintuple en fonction du jour de la semaine, de l'heure et de la fréquentation. À titre d'exemple, un parking peut coûter : *env 40 $ la nuit en sem à Downtown et slt 8 $ le w-e ; à Venice Beach, c'est exactement l'inverse, compter 7-8 $/j. en sem et 25-30 $/j. le w-e aux beaux jours.* **Bien lire les panneaux le long des rues qui réglementent le stationnement.** Ils sont toujours différents les uns des autres et donnent des autorisations très précises. Par exemple, il faut obligatoirement (quand c'est indiqué) enlever sa voiture entre 7h et 9h et entre 16h et 18h, au moment des *rush hours,* certaines rues ne sont réservées qu'aux résidents, etc. Les amendes sont distribuées à la vitesse de l'éclair par des brigades mobiles et quasi invisibles (des agents fantômes, presque omniprésents !), et les mises en fourrière sont tout aussi rapides (les *tow-away* sont généralement à l'œuvre une minute après l'heure indiquée sur le panneau !). Parfois, le stationnement est autorisé de 15 mn à 1h gratuitement (les agents relèvent alors, dans leurs tournées, les numéros de plaque minéralogique pour piéger les éventuels fraudeurs). De toute façon, même lorsque le stationnement est payant, vous pouvez rarement vous garer plus de 2h de suite au même endroit. Enfin, bien faire attention aux jours et heures de nettoyage des rues (qui changent suivant les rues, bien entendu) car le stationnement est interdit à ces moments-là.

– *Une ligne rouge sur la bordure d'un trottoir :* interdiction totale de stationner et de s'arrêter.

– *Une ligne verte :* stationnement possible pendant 20-30 mn.

– *Une ligne jaune ou blanche :* arrêt autorisé seulement pour débarquer (ou embarquer) un passager.

– *Pas de marquage :* garez-vous, sapristi !

Bus

Certes, les bus vont partout et sont bon marché, mais ils sont lents car ils prennent rarement les *freeways,* et ils arrêtent pour la plupart de circuler à minuit. Le système est en outre assez complexe (sans parler de la tarification...), car il y a plusieurs réseaux. En revanche, vous vous éviterez les soucis (et les frais) de stationnement, ce qui est non négligeable. Attention, les presque 200 lignes de bus sont gérées sous l'appellation METRO (ou MTA, c'est pareil), qui gère aussi le réseau du... métro (voir plus loin). Ce réseau de bus est complété par d'autres réseaux locaux, comme les *Big Blue Bus* à Santa Monica (qui rejoignent l'aéroport LAX et Westwood), le *DASH* à Downtown, les *Culver Citybus*, etc.

Prévoir le montant exact pour l'achat du billet avant de monter dans le bus, car on ne vous rendra pas la monnaie. Le ticket de base (ou plutôt le jeton de base) coûte 1,50 $ (on peut les acheter par 10, ce qui évite de courir sans arrêt après la monnaie), le *Metro Day Pass* environ 5 $ (rentable à partir de 4 trajets/j.), le *Weekly Pass* 20 $ (rentable à partir de 14 trajets/sem) et le *30-Day Pass* 70 $ (rentable à partir de 51 trajets/par mois).

Cela dit, un billet dans les *Big Blue Bus* à Santa Monica coûte 1 $ et 0,50 $ dans le *Dash* à Downtown. Par ailleurs, les bus express qui empruntent les *freeways* sont à supplément, et puis il y a aussi des zones à partir desquelles le voyage est plus cher (on vous l'avait dit que c'était compliqué !).

■ *Metro* (plan couleur IV, D2) *:* à Union Station, dans le MTA Bus Control, Gateway Plaza, à **Downtown.** ☎ 323-466-3876 (lun-ven 6h30-19h, w-e 8h-16h30). ● metro.net ● *Accès soit par l'entrée Est de Union Station (par Vignes St), soit par le souterrain si vous arrivez par l'entrée principale de la gare (sur Alameda St). Lun-ven 6h30-18h.* Vous pourrez vous y procurer le précieux plan du réseau (dont la lecture, et la compréhension, nécessitera un intense moment de concentration), les horaires et les billets forfaitaires. On peut aussi les appeler en disant : « Je suis ici et je veux aller là » et, miracle ! on vous indique quel bus prendre, où changer, etc. Idem avec le *Trip Planner* du site internet...

▨ *Terminal Greyhound* (hors plan couleur IV par D4) *:* 1716 E 7th St (angle Alameda). ☎ 213-629-8401.

● greyhound.com ● *Ouv 24h/24.* Plus rapide (mais plus cher) que les bus locaux pour se rendre à Long Beach et Anaheim (Disneyland). Le quartier craint un peu. Le soir, on vous conseille de prendre un taxi jusqu'au Financial District (plus sûr) et de prendre un bus à partir de là. Arrêt des *yellow cabs* sur le côté du terminal, côté des arrivées. Les plus courageux et les fauchés prendront le n° 60 ou 62 du terminal *Greyhound (direction ouest ; pour l'hôtel Hilton, arrêt juste en face du terminal, sur 7th St).*

Métro

Attention, le logo *Metro* recouvre à la fois le réseau de bus et le métro comme on l'appelle chez nous, ici appelé **Metro Rail.** Même si le métro de Los Angeles est encore trop peu développé et peu pratique, il permet tout de même d'atteindre très rapidement certaines destinations assez éloignées, pour un prix modique *(1,50 $ l'aller simple).* Les tickets sont uniquement vendus dans des distributeurs automatiques, à chaque station.

Le « Metro Rail » compte 6 lignes (les Red Line, Blue Line, Green Line, Gold Line et Purple Line). La dernière, l'Expo Line, reliant Downtown à Culver City a été mise en service en 2012 (elle devrait être prolongée vers Santa Monica dans les prochaines années). Ces « Metro Rail lines » sont complétées par 2 lignes de « Metro Liner » (la Orange Line et la Silver Line), qui sont en fait des bus au look de rame de métro et fonctionnant comme lui (arrêt à chaque station, entrée par la porte souhaitée, tickets uniquement vendus dans les distributeurs automatiques, etc.). Étonnant : de nombreuses stations se trouvent au beau milieu des *freeways* !

Pour plus d'infos sur le parcours de chaque ligne, se reporter au plan du métro dans le cahier couleur.

Train

▨ *Union Station* (plan couleur IV, D2) *:* belle gare dans un style assez indéfinissable, genre Art déco version rustique, située face au Pueblo de Los

Angeles. C'est là que l'on prend son billet pour l'*Amtrak Coast Starlight,* le train qui relie L.A. à Seattle en passant par San Francisco et ses magnifiques paysages le long du Pacifique. Devant la gare, toutes liaisons possibles : bus, métro, navette pour se rendre à LAX (aéroport de Los Angeles).

Adresses et infos utiles

Informations touristiques

Il y a 3 principaux offices de tourisme : à Downtown, Hollywood et Santa Monica. Le plus complet est celui de Downtown (les autres ne donnent globalement que les plans ou les infos concernant Hollywood et Santa Monica).

🛈 @ *Downtown Los Angeles Visitor Information Center* (hors plan couleur IV par A4 ou plan couleur d'ensemble) : *ds Exposition Park (sud-ouest de Downtown), à l'intérieur du Natural History Museum (entrée nord), 900 Exposition Blvd (presque à l'angle de Vermont Ave).* ☎ 213-763-3466. ● *discovero sangeles.com* ● *Pour l'accès, voir plus loin la rubrique « À voir » de Downtown (Exposition Park). Tlj 9h30-17h.* 🖳 *(20 mn max).* Outre une foule de brochures, catalogues et autres prospectus, retirez-y gratuitement le plan de la ville, le dépliant du *Dash* (l'excellent réseau d'autobus qui permet de se rendre rapidement n'importe où à Downtown), ainsi que le magazine *Where Los Angeles* et le journal *L.A. Weekly,* qui vous révéleront tout ce qu'il y a à voir et à faire à L.A. Vous y trouverez aussi quelques coupons de réduction et la liste des différentes visites guidées proposées par la compagnie *Starline Tours.* Vente de la *Go Los Angeles Card* (mais bien étudier sa rentabilité avant de l'acheter...) et de tickets pour Disney et Universal. Également toutes les infos sur les différents quartiers et banlieues : Pasadena, Venice, Santa Monica, Long Beach, Burbank...

🛈 *Hollywood Visitor Center* (plan couleur I, J9) : *6801 Hollywood Blvd.* ☎ 323-467-6412. *Au rdc du centre commercial Hollywood and Highland,* sur la gauche de l'entrée principale du Dolby Theatre (ex-Kodak Theatre). *Tlj 10h-22h (19h dim).* Carte de L.A., plus un mur entier de *flyers* et autres prospectus.

🛈 *Santa Monica Visitor Center* (plan couleur III, F6) : *1920 Main St.* ☎ 310-319-6263. ● *santamonica.com* ● *Tlj 9h-17h30 (17h le w-e).* 🖳 *(payant).* Carte de Santa Monica (mais pas des autres communes) et carte proposant un circuit des galeries d'art. Vend également des tickets et des carnets de bus pour le réseau *Mini Blue* (intraurbain) et *Big Blue* (périurbain), efficace depuis Santa Monica pour gagner les différents quartiers de L.A., et pour le *Starline City Tour.* Accès Internet illimité (sauf affluence) à 1 $ la consultation. Également 3 *kiosques touristiques* : *1400 Ocean Ave* (face au Georgian Hotel), *322 Santa Monica Pier et 1300 Block of 3rd St Promenade. Tlj 10h-16h.*

Bureaux de poste

✉ *À Downtown* (plan couleur IV, B3) : *750 W 7th St* (angle avec Hope). *Au rdc du centre commercial abritant Macy's. Lun-ven 8h30-17h30.*

✉ *À Hollywood* (plan couleur I, J-K9) : *1615 Wilcox Ave* (et Selma Ave). *Tlj sf dim 9h-18h (15h sam).*

✉ *À West Hollywood* (hors plan couleur II par O12-13) : *7610 Beverly Blvd* (à l'angle de Grove Dr). *À proximité du Farmer's Market. Lun-ven 8h30-19h (17h sam).*

✉ *À Santa Monica* (plan couleur III, F5) : *1248 5th St* (angle Arizona Ave). *Tlj sf dim 9h-18h (15h sam).*

Indicatifs téléphoniques par secteurs *(area codes)*

On rappelle qu'il faut les composer (toujours précédés du « 1 ») si on se trouve en dehors de la zone que l'on veut atteindre, ce qui n'est pas toujours facile à savoir, car il y en a beaucoup... Pour vous faciliter la tâche, nous les indiquons systématiquement et directement pour chaque numéro de téléphone cité dans le texte.
– *213 :* Downtown et Vernon.
– *323 :* Hollywood et Montebello.
– *562 :* Huntington Park.

– *310 :* Malibu, Santa Monica, West-wood, Venice, Pacific Coast Hwy, Westside, Southern et Eastern Los Angeles County.
– *818 :* Northern Los Angeles County, incluant North Hollywood et San Fernando Valley.
– *626 :* Pasadena (et certaines parties de Eastern L.A.).
– *714 et 949 :* Orange County.
– *619, 858 et 670 :* San Diego County.
– *805 :* Ventura County.

Cartes téléphoniques

À acheter dans les nombreuses pharmacies *Rite Aid* (● riteaid.com ●) ou dans les machines de certaines auberges de jeunesse. Voir plus loin « Santé, urgences ». Pour plus de détails sur ces cartes, voir la rubrique « Téléphone ».

Argent, banques, change

Of course, vous trouverez un peu partout des **distributeurs automatiques** *(ATM)* qui acceptent les principales cartes de paiement. Pour changer des chèques de voyage ou de l'argent liquide au comptoir, voici quelques adresses :

■ *Union Bank (plan couleur III, F5, 2) :* angle Santa Monica Blvd et 5th St. Lun-jeu 9h-17h (18h ven). Distributeurs de billet à l'abri des regards attenant à la banque.
■ *Foreign Currency Exchange (plan couleur IV, C3, 17) :* 520 S Grand Ave, à Downtown (à côté de l'hôtel Biltmore). ☎ 213-627-5404. Lun-ven 9h-16h30, le sam 9h-12h. Petite commission sur les chèques de voyage.
■ *Foreign Currency Express (plan couleur IV, C3, 1) :* 350 S Figueroa St, suite 134. ☎ 213-624-3693. Lun-ven 9h-16h, le sam sur rdv. En principe, pas de commission.
■ *Financial Cash Services (Continental Currency Services ; plan couleur I, J9, 3) :* 6565 Hollywood Blvd. Change 24h/24. En dépannage uniquement, car le taux de change est très médiocre (et variable selon la grosseur de vos billets...). Commission pour les chèques de voyage. Distributeur d'argent à l'intérieur. Représente également *Western Union.*

Internet

Pour celles et ceux qui voyagent avec leur *laptop* (ordi portable) ou une tablette, le wifi est gratuit dans bon nombre de bâtiments publics, mais également dans les parcs et jardins. La plupart des hôtels et motels moyenne gamme proposent à leurs clients un accès gratuit. En revanche, le wifi dans les hébergements haut de gamme est généralement payant et cher (de l'ordre de 15 $), mais il y a parfois moyen de l'éviter en adhérant gratuitement et sans engagement à leur programme de fidélité. Peu de centres Internet à L.A. De plus, ils sont chers *(env 1 $ pour 10 mn !).* La plupart des *hostels* (officiels ou privés) disposent d'une ou de plusieurs bornes, mais les tarifs n'y sont pas plus bas qu'ailleurs. Heureusement, on peut surfer gratuitement dans toutes les bibliothèques municipales *(public libraries),* mais souvent pour une durée limitée. Dans tous les cas, ayez votre passeport sur vous, il est souvent exigé.

@ *À Hollywood (plan couleur I, K9, 9) :* 1623 Ivar Ave. ☎ 323-856-8260. Tlj sf dim 10h (12h30 mar et jeu)-20h (17h30 ven et sam). Fermé vac scol. Remplir un formulaire et demander un numéro d'accès au Customer service bureau au rez-de-chaussée.
@ *À Santa Monica (plan couleur III, F5, 7) :* 601 Santa Monica Blvd (angle 6th St). ☎ 310-458-8600. Lun-jeu 10h-21h, ven-sam 10h-17h30, dim 13h-17h. Les ordinateurs sont au 2e niveau de la bibliothèque. Carte temporaire d'adhésion à demander. Également une annexe à Venice (501 S Venice Blvd), mais fermée le dimanche.
@ *À Downtown (plan couleur IV, C3, 202) :* 630 W 5th St. Tlj sf dim 10h-20h (17h30 ven-sam). Carte temporaire d'adhésion à demander et résa d'un créneau horaire conseillée ! Sinon, accès limité à 15 mn de connexion au 3e niveau.
@ *À Westwood (plan couleur II, M13, 8) :* 1246 Glendon Ave. ☎ 310-474-1739. Tlj sf dim 10h (12h30 mar et jeu)-20h (17h30 ven et sam). Au 2e niveau, accès limité à 15 mn de connexion (pas de passeport demandé).

– Toutes les bibliothèques de L.A. (avec horaires et téléphones) sur ● lapl.org/branches ●

Sachez aussi que les boutiques *Apple* ne sont pas trop regardantes sur l'utilisation que vous faites de leur connexion Internet. Essayez tout de même de rester discret...

Consulats

■ *France :* 10390 Santa Monica Blvd (angle Beverly Glen Blvd), suite 410, à Westwood. ☎ 310-235-3200. ● consulfrance-losangeles.org ● Lun-ven 8h45-12h15 et mar aussi 13h30-16h15. N° d'urgence (hors horaires d'ouverture) : ☎ 310-625-9713. Le consulat peut, en cas de difficultés financières, vous indiquer la meilleure solution pour que des proches puissent vous faire parvenir de l'argent, ou encore vous assister juridiquement en cas de problème.
■ *Belgique :* 6100 Wilshire Blvd (angle avec Fairfax Ave), suite 1200, à West Hollywood (au 12e étage de la grande tour de la City National Bank, à proximité du Petersen Automotive Museum). ☎ 323-857-1244. N° d'urgence (hors horaires d'ouverture) : ☎ 213-247-9305. ● diplomatie.be/losangelesfr ● Lun-ven 9h-12h30, 13h30-16h.
■ *Canada :* 550 S Hope St (angle 6th St), à Downtown. ☎ 213-346-2700. ● losangeles.gc.ca ● Au 9e étage d'un immeuble situé juste à côté de la bibliothèque. Lun-ven 8h30-16h30.
■ *Suisse :* 11766 Wilshire Blvd (entre Granville et Westgate), suite 1400, Brentwood. ☎ 310-575-1145. ● eda.admin.ch/losangeles ● Lun-ven 9h-12h.

Santé, urgences

Tous les hôpitaux ont un service d'urgence (*emergency*). Les deux que nous vous indiquons ci-dessous ont bonne réputation.

✚ *Hôpital Cedars Sinai* (plan couleur II, O13) : 8700 Beverly Blvd (entre San Vicente Blvd et George Burns Rd), West Hollywood. ☎ 310-423-3277.
✚ *Hôpital Good Samaritan* (plan couleur IV, B2-3) : 1225 Wilshire Blvd (entre Wimer St et Lucas Ave), dans West Downtown. ☎ 213-977-2121.
■ *Pharmacies Rite Aid :* 7900 W Sunset Blvd (plan couleur II, O12, **11**). ☎ 323-876-4466. Lun-ven 7h-23h, sam 8h-20h, dim 9h-19h. Sinon, Rite Aid ouv 24h/24 au 300 N Canon Dr, à Beverly Hills (☎ 310-273-3561) et au 531 N Glendale Ave, à Glendale (☎ 818-241-9770).
■ *Médecin français :* Dr Michel Mazouz, 1125 S Beverly Dr (Withworth Dr), suite 730, à Beverly Hills. ☎ 310-201-0626.

Journaux, magazines, livres...

– Se procurer l'hebdo gratuit *L.A. Weekly* (190 pages !) pour s'informer de tout ce qui se passe à L.A. Nombreux encarts publicitaires donnant droit à des réductions. On trouve cet hebdo un peu partout dans les lieux publics, et même dans la rue.
– Il existe également un mensuel, *Where L.A.,* pour tout savoir sur Los Angeles : attractions, musées, films, restaurants, tout ça classé par quartiers. ● wherela.com ●

■ *Skylight Books* (hors plan couleur I par L9) : 1818 N Vermont Ave (Hollywood Blvd), à **Los Feliz**. ☎ 323-660-1175. Tlj 10h-22h. Juste à côté du *Figaro Bistrot* (voir « Où manger ? » à Hollywood), dans un quartier agréable et animé, juste à l'ouest de Hollywood. Sympa car on peut y bouquiner tranquillement sur de petites chaises. Spécialisé dans les livres qui traitent, d'une manière ou d'une autre, de L.A.
■ Dans le resto *Sidewalk Café*, à Venice (voir « Où manger ? »), on trouve **SWB,** une librairie intéressante à un jet de pierre de la plage (☎ 310-399-2360).

Spectacles

L.A. est bien sûr la ville de l'*entertainment*, alors pour ne pas louper votre groupe ou chanteur favori, ou tout autre spectacle, réserver vos tickets sur :

● ticketmaster.com ● Tickets à prix officiels, plus une petite commission.

Paiement sécurisé en ligne mais, en tant qu'étranger, il faut cocher la case *Will Call* pour effectuer un paiement international et consulter le code de votre banque envoyé sur le moment par sms. Imprimer reçu et ticket et, sur place, retirer le ticket au guichet *Will Call*.

● *stubhub.com* ● Si le spectacle de votre choix affiche complet, voici un site de revente de places. Mais c'est souvent plus cher que le prix normal.

Divers

■ *Cali'fun :* ☎ 1-877-225-9386 (précédé de 001 depuis la France). ● *cali-fun.com* ● À partir de 75 $/pers pour un tour de jour ou de nuit ; réduc enfant ; pourboire en plus mais optionnel. Monté par un jeune Français, cet organisme propose différentes visites guidées de Los Angeles en français, en petit groupe ou personnalisées. Pas mal pour appréhender cette mégapole et comprendre les différents quartiers.

■ *High Tech Electronics* (plan couleur I, J9, **4**) : 6630 B Hollywood Blvd. ☎ 323-469-2585. Lun-sam 12h-21h, dim 11h30-20h. Magasin vendant des adaptateurs de 220 V en 110 V, au cas où vous auriez oublié ou perdu le vôtre...

■ *Laverie : Bubble Beach,* 2633 Main St, à Santa Monica. ☎ 310-392-1717. Tlj 7h-22h. Juste à côté du Sea Shore Motel (plan couleur III, G6, **28**). Laverie en self-service ou linge à laisser à laver (plus cher).

■ *Location et tours en vélo :* pour circuler à Santa Monica et Venice uniquement. D'ailleurs, nos adresses se trouvent à Santa Monica : location et tours chez *Santa Monica Bike Center,* 1555 2nd St (et Colorado). ☎ 310-656-8500 ● *smbikecenter.com* ● Uniquement des tours guidés chez *Electric Bike Tours,* 1515 7th St, ☎ 310-917-1111. ● *peda lornot.net* ●

■ *E.T. Surf :* 904 Aviation Blvd, à *Hermosa Beach* (au sud de l'aéroport). ☎ 310-379-7660. ● *etsurf.com* ● Tlj 10h-20h (19h sam, 18h dim). Un mégastock de boards, skates et autres engins de glisse, avec tout l'équipement qui va avec. Bonnes informations et conseils nécessaires sur le surf. Articles moins chers qu'en France. L'endroit où ne pas lâcher un surfeur avec une carte de crédit !

Où camper ?

⚠ *Malibu Beach RV Park* (hors plan couleur d'ensemble vers l'ouest) : 25801 Pacific Coast Hwy (la 1), à *Malibu.* ☎ 310-456-6052 ou 1-800-622-6052. ● *maliburv.com* ● À env 25 km à l'ouest de Santa Monica, par la Pacific Coast Hwy. Bus n° 534 de Colorado Ave (4th St) à Santa Monica. Pour 2 pers avec tente et voiture, forfait env 25-60 $ selon saison et j. de la sem. 📶 Joli camping en surplomb de la route, avec vue magnifique sur l'océan pour certains emplacements, et sur la montagne pour les autres. Aménagé en terrasses, simple et très bien tenu, mais pas de gazon et un peu en pente pour planter sa guitoune. Douches incluses dans le tarif. Laverie et épicerie de dépannage. Un peu loin de tout cependant.

Où dormir ?

Si vous comptez séjourner plusieurs jours à Los Angeles, nous vous conseillons plutôt de *vous baser au bord de la mer*, en particulier à *Santa Monica* ou à *Venice*. La trépidante *Hollywood* (sans oublier West Hollywood, son hémisphère ouest) recueille les suffrages de ceux qui veulent tout voir et loger au cœur du mythe, mais elle n'offre pas le cadre le plus reposant ni toujours le plus esthétique, paradoxalement. En revanche, sa situation à mi-chemin entre Santa Monica et Downtown et pas trop loin de UCLA, des *Universal Studios* ou encore de Beverly Hills, conviendra aux amateurs des déplacements en bus. Quant à *Pasadena,* en proche banlieue, c'est une ville résidentielle qui plaira avant tout à ceux qui recherchent le calme et qui disposent d'un véhicule.

Évitez si possible Downtown, à moins de détester les espaces verts et d'avoir un penchant pour le béton, l'asphalte, le verre fumé et les ascenseurs.

En effet, si Downtown devient un des lieux à la mode pour sortir, le phénomène ne concerne encore qu'un périmètre restreint et le reste du quartier s'éteint à la fermeture des bureaux. L'ambiance n'y est pas très gaie, ni très rassurante dans certains coins. *Le prix des chambres dépend de la loi de l'offre et de la demande,* il tient compte de la saison, du calendrier des événements programmés en ville et du taux de remplissage des hôtels, il peut donc varier du simple au quadruple. Si vous venez en été, qui est la haute saison, réserver plusieurs mois à l'avance vous garantit normalement de meilleurs tarifs.

Près de l'aéroport *(plan couleur d'ensemble)*

À moins d'arriver très tard ou d'avoir un avion à prendre de très bonne heure, ce secteur ne présente *aucun intérêt.* Encore moins si l'on ne possède pas de véhicule. De plus, les hôtels et motels ne sont guère folichons, voire souvent franchement basiques. *Bref, en dépannage seulement !* Néanmoins, si vous devez y loger, sachez que beaucoup d'entre eux disposent de navettes gratuites. Sur simple demande, on viendra vous chercher ou vous conduire à l'aéroport.

De bon marché à prix moyens

🛏 *Super 8 Motel Airport :* 4238 W Century Blvd (après l'intersection avec La Brea), à *Inglewood.* ☎ 310-672-0740 ou 1-800-800-8000. ● super8lax@yahoo.com ● À un peu moins de 4 km de l'aéroport. Doubles env 60-90 $ selon saison, petit déj sommaire compris. Navette aéroport : 5 $. Parking gratuit. 🖥 🛜 Grand motel basique sur plusieurs niveaux, avec les bagnoles garées en dessous. Chambres correctement équipées. Pas cher mais environs pas très engageants.

De prix moyens à chic

🛏 *La Quinta Inn & Suites LAX :* 5249 W Century Blvd. ☎ 310-645-2200. ● laquinta.com ● Doubles env 125-250 $ selon saison, petit déj compris. Navette aéroport gratuite. Parking 15 $. 🖥 🛜 Dans le quartier des tours de verre, un hôtel de 280 chambres on ne peut plus classique et conforme aux établissements pour voyageurs encravatés. Le rapport qualité-prix est néanmoins intéressant, d'autant qu'on est à 5 mn de l'aéroport. Les chambres sont lumineuses et meublées en bois clair. Et il y a une piscine.

🛏 *Best Western Airport Plaza Inn :* 1730 Centinela Ave (entre Short St et La Cienega Blvd), à *Inglewood.* ☎ 310-568-0071 ou 1-800-233-8061. ● bestwestern.com/airportplazainn ● À 5 km de l'aéroport ; accès par Tijera Blvd. Doubles 90-110 $, petit déj inclus. Navette aéroport gratuite. Parking gratuit. 🖥 🛜 Gros bloc de béton marron, sur 3 niveaux, avec au centre une courette au calme. Chambres de bon confort, mais éviter, dans la mesure du possible, celles donnant sur la route bruyante. Minuscule jacuzzi coincé entre les 2 parkings !

À Hollywood, Melrose, West Hollywood et Beverly Hills *(plans couleur I et II)*

Hollywood ne ressemble plus vraiment à ce qu'elle fut dans les années 1920-1940, sa période de gloire. À certains endroits, notamment dans les petites rues perpendiculaires à Hollywood Boulevard (partie est, c'est-à-dire grosso modo entre Highland et Western Avenue), quelques prostituées, sex-shops minables et mauvais garçons ont même fait leur apparition. En revanche, la partie ouest de ce même boulevard légendaire est restée sûre, même si elle n'est pas plus gaie que ça.

De bon marché à prix moyens

🛏 *Banana Bungalow Hollywood Hostel (plan couleur I, L9, 42) :* 5920 Hollywood Blvd. ☎ 877-977-5077 ou 323-469-2500. ● bananabungalowus.com ● Selon saison et confort, lit en dortoir (6-8 lits) env 22-36 $, doubles 75-100 $, petit déj inclus. Parking gratuit. 🖵 🛜 Bonnes vibrations pour ce motel « jeune » et très coloré, idéalement placé. Les chambres privées et les dortoirs ont tous salle de bains et ventilo, les plus chers sont même équipés d'une kitchenette. Très bon entretien et excellent accueil. Consigne et location de vélos. Table de ping-pong au milieu de la cour, petit salon-cinéma au rez-de-chaussée dans un garage, canapés sous les bananiers, un bar, billard, karaoké... Et le dîner est offert certains soirs. Certainement le meilleur plan pour loger pas trop cher et dans une belle ambiance décontractée à Hollywood.

🏠 **Orange Drive Manor** (plan couleur I, J9, 48) : 1764 N Orange Dr. ☎ 323-850-0350. ● orangedriveho stel.com ● Lit en dortoir env 32-36 $, doubles avec ou sans sdb 72-90 $, petit déj léger inclus. Navette aéroport (payant). Parking 5 $. Prévenir en cas d'arrivée tardive : la réception ferme à 1h du mat. 🖵 🛜 Pas d'enseigne pour cette grande maison bourgeoise plantée au milieu des arbres et en retrait de la rue. À peine une dizaine de doubles et 4 dortoirs (moitié gars, moitié filles) avec salle de bains commune. Les chambres ne sont pas toujours très grandes, parfois un peu biscornues, mais l'ensemble dégage un certain charme. Parquets encaustiqués, cuisine et salle télé, c'est propre et lumineux. Dans le salon-réception, une mappemonde pour faire des projets d'avenir, un piano, des sofas et de beaux tapis. Une maison où l'on se sent bien.

🏠 **Banana Bungalow & Orbit Hostel** (plan couleur II, O12-13, 66) : 603 N Fairfax Ave. ☎ 323-655-2002. ● bana nabungalowus.com ● Selon saison et confort, lit en dortoir env 22-36 $, doubles 70-95 $, petit déj compris. Également des tarifs à la sem. Parking gratuit. 🖵 🛜 Une vraie AJ avec ambiance sixties, déco simili et formica, tout en couleurs chatoyantes. Dortoirs (6-16 lits) avec salle de bains (extérieure et commune pour le plus grand) et belles chambres privées, très colorées, de 2 ou 4 personnes. Certaines (de plain-pied ou à l'étage, avec terrasse) donnent sur la rue ou sur le patio

du bar à l'ambiance cocotier ; pour ces dernières, rassurez-vous, à minuit, tout le monde est prié de rentrer. La salle TV avec ses canapés moelleux devient alors le refuge des noctambules. Beaux espaces communs avec billard, baby-foot, ping-pong, juke-box, petite terrasse au soleil pour siroter un jus, grande cuisine équipée comme les pros ou presque et laverie. Plein d'infos à la réception. Une bonne adresse, bien tenue et très conviviale.

🏠 **USA Hostels Hollywood** (plan couleur I, J9, 41) : 1624 Schrader Blvd. ☎ 323-462-3777 ou 1-800-524-6783. ● usahostels.com ● En face du Gay & Lesbian Centre et à deux pas du « Walk of Fame ». Lit en dortoir (6-8 pers) 30-48 $, doubles 105-120 $, avec sdb et petit déj compris (fruits, pancakes, etc.). Pas de parking. 🖵 🛜 Une AJ qui, dès l'abord, invite à la relaxation, avec sa petite terrasse à l'avant. À l'intérieur, repeint en bleu, avec parquet flottant, des dortoirs nickel avec lits superposés, lampes de chevet et prises de courant (y compris dans les casiers !). Seulement 5 chambres privées, toutes avec salle de bains mais pas bien grandes. Mini-coin lecture et TV, laverie, cuisine et même un lounge avec stand-up comédies ou concerts certains soirs. Soirées à thème organisées presque chaque jour (projection de films, barbecue « All you can eat », etc.). Plein d'offres d'excursions aussi et navette gratuite pour la plage.

🏠 **Hollywood International Hostel** (plan couleur I, J9, 44) : 6820 Hollywood Blvd. ☎ 323-463-2770 ou 1-800-557-7038. ● ushostel.com ● Bien situé, juste en face du métro « Hollywood/Highland ». Lit en dortoir (4-8 pers) env 25-30 $, doubles sans sdb 70-85 $, petit déj inclus slt en été. Remise fréquente sur Internet ; consulter par exemple ● hostelbookers. com ● ou ● hostelworld ● 🖵 🛜 Une auberge qui vaut surtout pour sa situation exceptionnelle (lors de la remise des oscars, vous êtes sur le devant de la scène !), car autrement le bâtiment n'a qu'une cuisine minuscule, des sanitaires assez sommaires et des chambres moyennement bien tenues, au mobilier fatigué, à proposer au voyageur. Bref, l'endroit où l'on va quand tout est plein ailleurs...

De prix moyens à chic

🛏 *Liberty Hotel* (plan couleur I, J9, **54**) : 1770 Orchid Ave. ☎ 323-962-1788. ● hollywoodlibertyhotel.com ● Accès par Franklin Ave. Doubles env 90-130 $, petit déj compris. Parking gratuit (attention, strictement interdit de se garer dans la rue !). 🖥 🛜 Petite maison jaune et bleu d'une vingtaine de chambres à l'ombre de la grande tour de l'hôtel *Renaissance*, au cœur de Hollywood. Bien situé, avec des chambres assez spacieuses quoique pas très folichonnes. Confort et entretien un peu sommaires et clim bruyante. Bon accueil néanmoins.

🛏 *Saharan Motor Hotel* (plan couleur I, I9, **46**) : 7212 Sunset Blvd. ☎ 323-874-6700. ● saharanhotel. com ● Doubles env 80-130 $, petit déj basique inclus à la triste réception. Parking gratuit. 🛜 Au cœur de Hollywood, un gros motel basique à prix abordables mais dans un environnement bruyant. Chambres bien entretenues mais banales. Le vrai bon plan, ce sont les 6 chambres pour 6 personnes, à un tarif vraiment économique. Préférez celles qui donnent sur la piscine, sinon, vous aurez la vue sur le parking ou les poubelles ! Espaces communs pas super clean non plus. Accueil variable. Bref, si tout est plein (ou trop cher) ailleurs...

Chic

🛏 *Wilshire Crest Inn* (plan couleur II, O13, **67**) : 6301 Orange St. ☎ 323-936-2013 ou 1-800-654-9951. ● wilshirecrestinn.com ● Dans une petite rue coincée entre 6th St et Wilshire Blvd. Double env 150 $, petit déj inclus. Parking gratuit dans la rue réservée aux résidents ; carte donnée par l'hôtel. 🖥 🛜 Dans un quartier résidentiel tranquille, non loin du *LACMA* et du *Page Museum*. Un petit hôtel se voulant à l'européenne, à la déco soignée, bordé d'un gazon que fréquentent les p'tits zoziaux. Chambres aux tons crème ou marron, agréables et confortables,

même si certaines salles de bains sont un peu petites (avec douche ou bain). Beau salon feutré. Petit déj à prendre en terrasse, très agréable aux beaux jours. Une belle adresse, discrète et sage. Accueil très courtois.

🛏 *Celebrity Hotel* (plan couleur I, J9, **47**) : 1775 Orchid Ave. ☎ 323-850-6464 ou 1-800-222-7017. ● hotelcelebrity.com ● Accès par Franklin Ave. Doubles env 140-170 $, petit déj inclus. Parking gratuit. 🖥 🛜 Cet hôtel d'une quarantaine de chambres est très bien situé, à deux pas du métro et au cœur de Hollywood. Vous ne risquez pas d'y croiser la moindre vedette, sauf sur les murs de la réception et dans les chambres, agrémentées d'un sobre dessin représentant une star de l'âge d'or du cinéma américain. Propre et lumineux. Certaines ont une cuisine équipée. Agréable terrasse sur la rue pour prendre son petit déj. Excellent accueil.

🛏 *Hollywood Orchid Suites* (plan couleur I, J9, **49**) : 1753 Orchid Ave. ☎ 323-874-9678 ou 1-800-537-3052. ● orchidsuites.com ● Accès par Franklin Ave. Doubles env 120-190 $, petit déj inclus. Parking 10 $. 🖥 🛜 Cet établissement propose des chambres spacieuses, et pour cause, il s'agit d'anciens appartements transformés en chambres d'hôtel. Celles-ci, agréables et confortables, disposent d'une kitchenette ou d'une cuisine tout équipée. Piscine chauffée. Accueil sympa.

🛏 *Highland Gardens Hotel* (plan couleur I, J9, **50**) : 7047 Franklin Ave. ☎ 323-850-0536 ou 1-800-404-5472. ● highlandgardenshotel.com ● Doubles env 140-170 $, petit déj inclus. Parking gratuit. 🖥 🛜 Un motel mythique, fréquenté dans les années 1950 par Frank Sinatra, Sammy Davis, Errol Flynn... Pèlerins du rock'n'roll, sachez que c'est ici, dans la chambre n° 105, que Janis Joplin fut retrouvée morte. Les chambres, sans originalité, sont néanmoins agréables. La vaste et élégante réception, dans les tons bleu, blanc... et verre, cache un ensemble plus vieillot, mais avec une piscine noyée dans la verdure. Les chambres côté jardin ont une petite terrasse.

🛏 *The Beverly Laurel Hotel* (plan couleur II, O13, **63**) : 8018 Beverly Blvd.

☎ 323-651-2441 ou 1-866-332-3590. ● beverly-laurel.hotel-rn.com ● Doubles env 140-160 $. Parking 5 $. 🛜 Si vous n'êtes pas trop regardant, vous y trouverez des chambres de style sixties, à dominante jaune et noir, désuètes mais pas désagréables (les meilleures avec kitchenette). Elles donnent toutes sur une petite piscine dans la cour intérieure. Cela dit, l'entretien est aléatoire, et on est souvent réveillé le matin par le bruit ambiant. Bon accueil mais assez brouillon lui aussi. Bref, plutôt en dépannage.

🏠 **Park Plaza Lodge** (hors plan couleur II par O13, **65**) : 6001 W 3rd St (croisement avec Martel Ave et Hauser Blvd). ☎ 323-931-1501. ● par kplazalodgehotel.com ● Doubles env 120-140 $. Parking gratuit. 🛜 Situé à 3 blocs du quartier animé du Farmer's Market, au bord d'une grande rue passante. L'extérieur ne paie pas de mine et, à l'intérieur... et bien, c'est pareil, car tout cela est assez vieillot. Restaurant-bar près de la petite piscine, pas toujours nickel non plus. Là encore, si tout est complet ailleurs.

Très chic et plus encore...

🏠 **Magic Castle Hotel** (plan couleur I, J9, **53**) : 7025 Franklin Ave. ☎ 323-851-0800. ● magiccastlehotel. com ● Doubles env 185-195 $, suites 205-255 $, petit déj compris. Parking 11 $. 🖥 🛜 Plutôt calme, car en surplomb du boulevard. Les regular suites sont vraiment spacieuses et confortables. Certaines d'entre elles ont été rénovées dans un style revival très sympa, demandez-les. Sinon, préférer les chambres qui donnent sur la très agréable piscine. Cuisine dans les 2 junior suites. Excellent concierge service. Accueil très chaleureux de Gretchen, qui parle le français. Et au fait, pourquoi Magic Castle ? Parce que l'hôtel avoisine un petit château, avec un hibou en façade, où officie un club de magiciens. En logeant ici et en réservant un avance, on peut assister à une soirée de magie (min 21 ans, compter 25 $ l'entrée plus env 20 $ le plat). Apprentis Harry Potter, consolez-vous, ils

organisent un brunch pour les enfants le week-end...

🏠 **Best Western Hollywood Hills Hotel** (plan couleur I, K9, **43**) : 6141 Franklin Ave. ☎ 323-464-5181. ● bwhollywood@sbcglobal.net ● Doubles env 180-260 $. Valet parking 15 $. 🖥 🛜 À 2 roues de la 101 et du « carrefour magique » de Hollywood et Highland. Cet hôtel récemment rénové abrite une jolie piscine entourée de chambres impeccablement refaites, desservies par des coursives longeant des murs de brique repeints en bleu clair, jaune et blanc. Jolie déco, donc, jusque dans les chambres égayées de photos noir et blanc et de vinyles de stars. Très bon confort. À la réception, un écran vidéo retrace l'historique familial de l'hôtel en égrenant les vedettes ayant fait halte ici... Rita Hayworth, Robert Taylor et puis James Dean, qui aurait déjeuné dans le joli café du rez-de-chaussée. Cela dit, vu la qualité des plats, pas sûr qu'il y retournerait ! Une bonne adresse pour séjourner, en revanche. Bon accueil.

🏠 **Best Western Sunset Plaza Hotel** (plan couleur II, O12, **56**) : 8400 Sunset Blvd. ☎ 323-654-0750 ou 1-800-421-3652. ● bestwestern.com ● Doubles env 180-240 $ selon confort, vue et saison, petit déj compris. Parking 14 $. 🖥 🛜 L'un des rares établissements à peu près abordables au cœur de l'animation du Sunset Boulevard. Musique d'ascenseur à la réception située au 3e niveau. Belles chambres, spacieuses et calmes, bien équipées avec coin cuisine. En prime, une vaste terrasse fleurie, avec piscine, agrémentée de chaises longues et de tables en fer forgé. Fitness Centre en accès libre. Bon accueil.

🏠 **Maison 140** (plan couleur II, N13, **64**) : 140 S Lasky Dr. ☎ 310-281-4000 ou 1-800-670-6182. ● maison140. com ● Doubles env 190-300 $. Parking 28 $. 🖥 🛜 Ancienne demeure de l'actrice du muet Lillian Gish (connue pour sa prestation dans La Nuit du chasseur), qui l'avait transformée en dortoir pour actrices débutantes, cette maison chic propose 2 types de chambres. Les Parisienne et les Mandarine sont tout aussi cosy, avec leur déco chargée (lit à l'ancienne, miroirs, écran plat), mais les premières sont assez petites et n'ont qu'une douche, tandis que les secondes sont un peu plus grandes, avec baignoire et machine à café. Dégustation de vins chaque soir. Accueil charmant. Un conseil : faites attention au parking dans le coin, même quelques minutes, car les Lucky Luke du P.V. dégainent plus vite que leur ombre...

🛏 *Farmer's Daughter Motel* (plan couleur II, O13, **62**) : 115 S Fairfax Ave. ☎ 323-937-3930 ou 1-800-334-1658. ● *farmersdaughterhotel. com* ● *Doubles env 190-250 $. Parking 18 $.* 🖥 🛜 Avec sa façade bleue, son mobilier en bois peint et ses portraits de coqs, vaches et autres animaux de la ferme ici et là, il semblerait que la déco s'inspire d'un contexte local, mais lequel ? Ah ! ben voilà, le *Farmer's market* est juste en face ! D'où cette déco campagnarde, mais largement revue à la sauce branchouille. Belles chambres avec parquet et plein de couleurs. DVDthèque et petite piscine gratuites (enfin, une fois que vous avez acquitté le prix de la chambre, car ce n'est pas donné). Pour le petit déj, le brunch (non inclus) ou un repas, on se bouscule juste à côté, chez *Tart*. Allez, ne le soyez pas, essayez et vous verrez... On est bobo ou on ne l'est pas !

🛏 *The Standard* (plan couleur II, O12, **51**) : 8300 Sunset Blvd. ☎ 323-650-9090. ● *standardhotels.com* ● *Doubles env 235-355 $ à la réception mais on vous conseille de réserver par Internet. Parking 30 $.* 🖥 *(payant).* 🛜 Ici, rien n'est standard, à commencer par l'enseigne qui a la tête à l'envers et le lit coloré placé juste derrière la réception (mais il n'est généralement pas libre). L'hôtel surfe encore sur sa réputation d'établissement branché, mais ça commence à dater pas mal. En fait, il témoigne surtout de la vision du futur qui prévalait dans les années 1970, avec sa piscine entourée d'une « pelouse » bleue, qui donne sur une partie de la ville. Certes, les chambres ont une chaîne stéréo et une salle de bains orange électrique, mais elles mériteraient une rénovation. *Barber shop*, bar, restaurant, DJ à la réception tous les soirs... Pour résumer, c'est branché mais déjà assez...

standard ! Et puis, c'est très cher pour ce que c'est.

🛏 *Hollywood Roosevelt* (plan couleur I, J9, **52**) : 7000 Hollywood Blvd. ☎ 323-466-7000 ou 1-800-950-7667. ● *thompsonhotels.com* ● *Au pied du « Walk of Fame ». Doubles env 200-300 $, suites encore plus chères. Parking env 35 $ (mais celui du CVS juste en face est à moitié prix).* 🛜 Construit en 1927, en pleine effervescence hollywoodienne, ce palace étonnant a abrité les amours et les extravagances d'une société bien particulière : celle des producteurs, des stars de cinéma et de la littérature américaine. La toute 1ʳᵉ cérémonie des oscars y eut lieu (demander à voir la salle ; elle est aussi visible depuis la mezzanine). Amusant de voir le personnel communiquer par oreillettes lorsque des personnalités sont dans l'hôtel (c'est-à-dire assez souvent). Moins pratique : les ascenseurs souvent embouteillés... Superbe intérieur Art déco tendance hispano-mauresque, avec plafonds peints, grilles en fer forgé et marbre blanc. Si certaines chambres ont été refaites dans un style design (demandez-les), d'autres mériteraient un petit lifting et les salles de bains, toutes riquiqui, un aménagement plus fonctionnel. Dans ce cas, profitez donc de la piscine ! Superbe, décorée dans le fond par David Hockney, elle est bordée de hauts palmiers et se transforme le soir en lounge branché. Bar-resto (*25 Degrees*) pour grignoter de très bons et copieux burgers revisités, à prix raisonnables pour le cadre.

À *Venice et à Santa Monica* (plan couleur III)

Situé sur la côte, cet endroit à l'atmosphère de vacances est la zone la plus sympathique où séjourner (dommage tout de même que les *hostels* de Venice ne soient pas très engageants !). C'est aussi le lieu idéal pour faire du roller ou du vélo (voir nos loueurs dans les « Adresses et infos utiles »), car c'est plat et le trafic y est plutôt moins dense qu'ailleurs. Pour s'y rendre de l'aéroport, bus n° 3 (voir plus haut « Arrivée à l'aéroport »).

– CONSEIL : si vous êtes en voiture, sachez qu'il n'est pas toujours aisé de se garer à côté de la plage sans payer des sommes qui peuvent atteindre 25-30 $ le week-end... Le mieux, à notre avis, est de laisser la voiture un peu plus loin, à côté d'un parcmètre à 5 ou 10 mn à pied de la plage, où l'on trouve plus facilement de la place et où l'on peut généralement stationner 2h pour 2-3 $. Il est pratiquement impossible de se garer la nuit (surtout le week-end, mais aussi à cause du nettoyage nocturne des rues, le stationnement étant alors interdit). *Près de la plage de Santa Monica, un des parkings les moins chers est situé à l'angle de Broadway et de 3rd St : 2h gratuites, puis 1 $ les 15 mn (7 $ max). Il y a aussi un grand parking public au 1431 2nd St, en face de l'auberge de jeunesse et juste à côté de l'hôtel de police (tlj 6h-18h, 1 $/30 mn ; 7 $ max/j. et 3 $ la nuit 18h-6h du mat ; pensez à mettre votre réveil !).*

De bon marché à prix moyens

🏠 *Santa Monica Los Angeles Hostel* (plan couleur III, F5, **20**) : 1436 2nd St. ☎ 310-393-9913 ou 1-888-464-4872. ● hilosangeles.org ● Lit en dortoir env 30-50 $, doubles sans sdb 80-150 $, petit déj inclus. Navette aéroport 15 $. Ajouter 3 $/nuit pour les non-membres. Pas de parking. 🖥 🛜 Une auberge de jeunesse « de luxe », très bien située et logée dans un bâtiment moderne à côté d'une boutique de bouquins, guides, cartes et matériel de randonnée. À l'intérieur, de spacieux espaces communs tout colorés. Ensemble bien tenu, intéressant pour la douzaine de dortoirs (4-10 lits), séparés ou mixtes, mais chambres un peu chères, vu le confort. Grande cuisine, laverie, consignes à bagages, vente de cartes téléphoniques, salon TV et vidéo. Pas d'alcool et interdiction de fumer (sauf dans le patio). Barbecue *All you can eat* (env 6 $) chaque vendredi, films plusieurs soirs par semaine. Enfin, nombreuses activités proposées au *Hi Travel Store* voisin, dont des excursions à Disneyland et aux Universal Studios. Un bon endroit pour faire des rencontres et sans conteste l'*hostel* le plus clean de ce bord de mer. Bon accueil.

🏠 *Ocean Park Hotel* (plan couleur III, H5, **45**) : 2680 32nd St. ☎ 310-429-5554. ● santamonicaoceanparkhotel. com ● Doubles env 60-82 $. 🖥 🛜 Si vous craignez les auberges de jeunesse un peu miteuses qui suivent, venez donc vous payer une petite chambre pas chère dans cet hôtel sans charme fou mais impeccable, à un jet de bus nº 8 de la plage de Santa Monica. Une quarantaine de chambres (dont 4 avec 2 lits), toutes avec lavabo, frigo, micro-ondes, TV et ventilo. Douches communes bien tenues. Laverie. Pour le petit déj (non inclus), vous aurez droit à une remise *(slt sur résa)* à l'*Ocean Park Café* à côté, posé sur un parking bourré de vieilles bagnoles vintage. Sinon, il y a un *Coffee Bean* juste en face. Un bon plan.

🏠 *Venice Beach Hostel* (plan couleur III, G8, **26**) : 1515 Pacific Ave. ☎ 310-452-3052. ● planetvenice. com ● Lit en dortoir env 32-41 $ et doubles avec sdb 75-110 $ selon saison. Parking gratuit (se le faire indiquer) à 5-10 mn à pied. 🖥 🛜 Autant vous le dire tout de suite, c'est sympa mais vieillot (et inversement !). Grande AJ un brin de guingois où la faune de Venice ne figure pas seulement sur les grandes fresques colorées qui ornent les murs : l'endroit est aussi un repaire de fêtards. Les lieux ont déjà bien vécu et l'entrée n'est pas très engageante à cause de l'avenue, certes, mais les chambres, à l'agencement un peu tordu pour certaines, s'avèrent de bonne taille. Confort spartiate et ménage sommaire (il est fait à fond seulement entre chaque occupant). Laverie, billard, cuisine, salon TV et même un ordinateur dans chaque chambre, avec accès Internet. L'autre plus, outre le bon accueil, c'est le petit déj et le dîner, offerts tout l'année !

🏠 *Venice Marina Hostel* (hors plan couleur III par H7, **29**) : 2915 Yale Ave, Marina del Rey. ☎ 310-301-3983 ou 1-800-390-2632. ● venicebeachho stel.com ● (malgré le nom du site, ne pas confondre avec l'adresse précédente !). Bus nº 3 de l'aéroport. Lit (ou plutôt matelas) en dortoir env 27-30 $, doubles env 70-80 $, petit déj inclus.

Prise en charge à l'aéroport gratuite dès 2 nuits (sur résa slt, s'arranger avec eux avant). 🖥 🛜 Un hostel discret (aucune enseigne) sur une rue tranquille perpendiculaire à Washington Blvd, et à seulement un quart d'heure à pied de la plage. Le plus vieil hostel de Venice... et ça se voit ! Décor hyper roots dans cette demeure en bois sympathique avec son petit jardin, mais usé jusqu'à la corde et mortelle pour les allergiques à la poussière et aux acariens ! Équipement basique : cuisine à peine équipée, dans certains dortoirs, les matelas à même le sol sont posés au petit bonheur... Bref, plutôt une adresse de secours pour les fauchés, malgré le bon accueil de Lain. Également une annexe au 716 Washington Blvd.

🏠 *Venice Beach Cotel (plan couleur III, G8, 22)* : 25 Windward Ave. ☎ 310-399-7649 ou 1-888-718-8287. ● venicebeachcotel.com ● *Réception au 1ᵉʳ étage (sonner en bas). Ouv 24h/24. Selon confort, lit en dortoir (6-8 lits) env 30-50 $, doubles 60-150 $. Pas de parking.* 🛜 Au cœur historique du quartier, entouré d'immeubles à arcades de style californien-byzantin, l'hôtel est reconnaissable à l'immense peinture murale qui couvre le mur ouest du bâtiment. On vous l'indique uniquement pour sa situation et pour sa « réputation » sur les forums de voyageurs (plutôt correcte) mais, on l'avoue... on n'a pas pu voir les chambres lors de notre dernier passage tant l'accueil fut glacial et l'interdiction de visite sans concession. Aussi, on ne peut pas vous dire si la déco est aussi inexistante que la dernière fois et si l'endroit a enfin été rénové ou non.

De chic à très chic

🏠 *Sea Shore Motel (plan couleur III, G6, 28)* : 2637 Main St. ☎ 310-392-2787. ● seashoremotel.com ● *Résa indispensable. Doubles env 110-180 $. Parking gratuit (gros avantage dans le coin !).* 🛜 Ce petit motel rose, qui ne paie pas de mine, est situé dans un agréable quartier entre Santa Monica et Venice, que l'on peut rejoindre à

pied. Une vingtaine de chambres un poil désuètes mais confortables (frigo, bonne literie et téléphone international non surtaxé) et 5 vastes suites récentes avec cuisine, salon et balcon. Également quelques chambres avec kitchenette un peu plus loin dans la rue. Terrasse sur le toit du motel. Accueil attentionné de Ken, le patron. Petit café très agréable, l'*Amelia's (tlj sf lun)*, pour le petit déj (non compris dans le prix) ou pour le déjeuner.

🏠 *Jolly Roger Hotel (plan couleur III, H8, 24)* : 2904 Washington Blvd, Marina del Rey. ☎ 310-822-2904 ou 1-800-822-2904. ● jollyrgr.com ● *Doubles env 115-140 $, petit déj continental inclus. Parking gratuit.* 🖥 🛜 Motel moderne à la déco quasi inexistante mais offrant des chambres plutôt spacieuses et confortables et quelques petits plus (machine à laver, petite piscine, jacuzzi et plusieurs fontaines) qui rendent l'endroit simple et chaleureux. Très bon accueil.

🏠 *Cadillac Hotel (plan couleur III, G7, 27)* : 8 Dudley Ave (angle Ocean Front Walk). ☎ 310-399-8876. ● thecadilla chotel.com ● *Doubles env 115-200 $, suites 130-300 $ selon saison. Petit parking 15 $.* 🖥 🛜 Pratiquement les pieds dans l'eau, au cœur de l'endroit le plus branché de Venice Beach, on le reconnaît immédiatement à ses murs peints en rose saumon et vert pastel, et à son vieil escalier métallique de secours. Grande bâtisse de 1905 transformée en hôtel Art déco, avec un vaste hall contemporain qui pourrait prochainement devenir une salle de petit déj et de resto... Dans les années 1920, Charlie Chaplin y passait 2 semaines par an et y écrivait films et critiques. La suite n° 402 a conservé son nom (mais elle n'a rien de spécial). La petite histoire raconte qu'il louait simultanément 6 chambres dans 6 hôtels différents de Los Angeles, afin de pouvoir y retrouver chacune de ses petites amies quand ça lui chantait... Les chambres aux couleurs douces, plutôt lumineuses dans l'ensemble, offrent un confort satisfaisant. L'établissement possède un indéniable charme balnéaire, que l'on vous fait cependant payer un peu cher. Bon accueil.

De très chic à encore plus chic

🏠 **Palihouse Santa Monica** (plan couleur III, E5, **23**) : 1001 3rd St. ☎ 310-394-1279. ● palihousesantamonica. com ● Dans un quartier résidentiel, à quelques mn à pied de la plage. Doubles 240-380 $ (apparts beaucoup plus onéreux...). Valet parking très cher mais possibilité de se garer dans 4th St pour env 14 $. 🖥 🛜 Superbe demeure au style hispanisant de 1927, parfaitement au calme et reconvertie tout récemment en boutique hôtel au charme vintage. Une trentaine de chambres, studios et appartements (avec cuisine ceux-là), décorés au goût d'aujourd'hui, dans un style très pointu : papiers peints à l'ancienne, salles de bains rétro chic avec douche tropicale. Vaste lobby meublé à l'ancienne, entre manoir et club privé, et ravissant petit jardin fleuri. Un luxe qui se paie, surtout dans le coin !

🏠 **The Inn at Venice Beach** (plan couleur III, H8, **30**) : 327 Washington Blvd. ☎ 310-821-2557 ou 1-800-828-0688. ● innatvenicebeach.com ● Doubles env 170-220 $ selon saison et j. de la sem, petit déj compris. Parking 7 $. 🖥 🛜 Le vert pistache et le bleu de la façade ne sont pas des plus éclatants, mais les chambres, elles, sont très confortables, lumineuses et plutôt coquettes avec leurs meubles de couleur claire ; certaines donnent uniquement sur le patio où murmure une fontaine. Accueil très aimable. D'ailleurs, on a généralement droit à d'excellents petits cookies à l'arrivée...

🏠 **Hotel Carmel** (plan couleur III, F5, **32**) : 201 Broadway Blvd. ☎ 310-451-2469 ou 1-800-445-8695. ● hotel carmel.com ● Doubles env 180-235 $, petit déj inclus. Parking 14 $. 🖥 🛜 C'est l'un des rares hôtels du quartier, superbement situé, à deux pas du front de mer de Santa Monica et de la 3rd Street Promenade. Et c'est uniquement pour cette raison qu'on vous l'indique car le reste est franchement décevant. La petite centaine de chambres n'a aucun style particulier, c'est même vieillot. Surtout, la robinetterie et les stores sont souvent défaillants,

un comble à ce prix-là ! À vous de voir ce qui l'emporte, la situation (excellente) ou le confort et le service (très moyens)...

🏠 **The Ambrose** (hors plan couleur III par G5, **21**) : 1255 20th St (angle Arizona Ave). ☎ 310-315-1555. ● ambro sehotel.com ● Doubles env 225-285 $, petit déj inclus. Parking 20 $. 🖥 🛜 Situé dans un quartier résidentiel à proximité des grands axes, un bel hôtel d'inspiration zen, édifié selon des critères écologiques et offrant un service de grande qualité. Chaque chambre est décorée avec beaucoup d'attention, en utilisant des matériaux nobles. Dans la salle de bains, peignoirs en coton, pousses de bambous, tableaux contemporains colorés et même 2 poubelles pour trier ses déchets. Le petit déj se prend dans le salon donnant sur un jardin japonais. Inclus dans le prix, certes élevé mais qui se justifie : le transport jusqu'à la plage et l'accès 24h/24 à un centre de fitness. Accueil tout en douceur.

🏠 **Best Western Gateway Hotel** (hors plan couleur III par F5, **34**) : 1920 Santa Monica Blvd (angle 20th St). ☎ 310-829-9100. ● gatewayhotel.com ● Doubles env 170-240 $ selon saison. Parking gratuit. 🖥 🛜 Un gros bloc de béton beige-marron sans charme particulier mais tout confort. Une demi-douzaine de chambres (plus chères, évidemment) donne sur un balcon avec chaises longues. Au programme également, un centre de fitness (accès gratuit). Navettes gratuites pour la plage (lun-ven 10h-20h). Un peu excentré toutefois et accueil variable.

À Westwood, UCLA
(plan couleur II)

Pour ceux qui désirent séjourner entre Santa Monica et Hollywood, ou tout simplement s'imprégner de l'atmosphère estudiantine du campus. Peu d'hôtels toutefois, et pas vraiment bon marché.

Très chic

🏠 **Hilgard House Hotel** (plan couleur II, M13, **61**) : 927 Hilgard Ave.

☎ 310-208-3945 ou 1-800-826-3934. ● hilgardhouse.com ● En bordure du campus, à deux pas de l'hôpital de l'UCLA. Double env 200 $, petit déj compris (compter env 170 $ pour une résa sur Internet) ; remise pour les UCLA members. Parking gratuit. 🖳 📶 Cet hôtel, petit pour le standard américain, est à la fois désuet et confortable. Il doit surtout son charme à son environnement très vert. Dommage que les salles de bains soient si petites pour certaines.

Downtown (plan couleur IV)

Comme dans beaucoup de downtown américains, certains coins ne sont pas très rassurants le soir. Une fois la nuit tombée, mieux vaut carrément éviter l'est et le sud-est de Downtown, notamment le croisement de Spring Street et 5th Street, lieu de rendez-vous des dealers, plus le MacArthur Park, à l'ouest, fréquentée aussi par certains gangs. Inutile pourtant de sombrer dans la sinistrose, entre Figueroa Street et Broadway, vous pouvez vous balader sans souci, même à pied ! D'autant que, le soir, de nombreux bus permettent de rallier les coins intéressants. Pour se loger en chambre double, taper de préférence dans la catégorie « Prix moyens », par souci de confort, de propreté et de sécurité.

De bon marché à prix moyens

🛏 *Royal Pagoda Motel* (plan couleur IV, D1, **10**) : 995 N Broadway, à Chinatown. ☎ 323-223-3381 ● royalpagodamotel.com ● Doubles env 65-90 $. Parking gratuit. 📶 Dans ce vieux Chinatown délavé, voici un motel-pagode vert-orange de bonne tenue abritant une trentaine de chambres assez petites mais propres. Préférer celles en retrait de la rue. En revanche, accueil un rien autoritaire et déroutant, le tout dans un anglais approximatif pas toujours simple à comprendre. Pour ceux qui recherchent une certaine forme d'exotisme urbain !

De prix moyens à chic

🛏 *Rodeway Inn* (plan couleur IV, A3, **11**) : 1904 W Olympic Blvd. ☎ 213-380-9393 ou 1-888-350-7793. ● laconventioninn.com ● Doubles env 90-140 $, petit déj inclus. Parking gratuit. 📶 Un motel classique, avec des chambres spacieuses, rénovées récemment dans un style contemporain agréable. Demander celles qui donnent sur l'arrière. Quelques suites avec salon d'un bon rapport qualité-prix. Petite piscine centrale. Bon accueil et bon service.

🛏 *Ramada L.A. Convention Center* (plan couleur IV, A3, **12**) : 1901 W Olympic Blvd. ☎ 213-385-7141. ● ramada.com ● Doubles env 80-150 $. Parking gratuit. 🖳 📶 Belle réception, chambres moins élégantes mais tout confort (coffre, micro-ondes, machine à café), toutes avec balcon. Petite préférence pour celles qui donnent sur le patio fleuri ou sur la piscine. Moins d'entretien et d'intimité qu'au Rodeway néanmoins. Laverie, centre de fitness et resto à côté. Bon accueil.

🛏 *Ritz-Milner Hotel* (plan couleur IV, B3-4, **16**) : 813 S Flower St. ☎ 213-627-6981 ou 1-800-827-0411. ● milner-hotels.com ● Doubles env 90-140 $ selon confort, petit déj inclus. Parking public juste à côté 12 $/24h. 🖳 📶 Malgré l'élégant piano de l'entrée et les pommes vertes offertes à la réception, les chambres sont petites et les salles de bains minuscules. Plus Milner que Ritz, donc... Mais l'ensemble est très bien tenu et idéalement situé pour les affaires. Accès gratuit au centre de fitness en face. Bon accueil.

De chic à très chic

🛏 ❘●❘ *O Hotel* (plan couleur IV, B4, **15**) : 819 S Flower St. ☎ 213-623-9904. ● ohotelgroup.com ● Doubles env 150-200 $. Pour 12 $/j. : petit déj, wifi, téléphone USA-Canada et accès jacuzzi et piscine inclus. Parking public à côté 12 $/24h. 📶 Oh ! la belle architecture en noir et blanc jouant sur les volumes ! Design scandinave revisité à la mode californienne, avec alternance des textures, briques et murs laqués noirs. Mais c'est par un ascenseur illuminé de rouge que l'on atteint les chambres, de taille correcte, à la déco zen et épurée, avec écran plat et radio hi-fi. Resto prisé des golden boys le midi, avec photophores sur les tables et écran géant. La mezzanine est agréable pour prendre un verre en amoureux. Bref, la classe.

🛏 **Millennium Biltmore Hotel** (plan couleur IV, C3, **17**) : 506 S Grand Ave. ☎ 213-624-1011 ou 1-800-245-8673. ● millenniumhotels.com ● Doubles 180-205 $ (le max en période de grande affluence ou de conventions). Valet parking 45 $. 🛜 Hôtel légendaire, construit en 1923 et fréquenté par les stars de cinéma et les présidents des États-Unis depuis les années 1930. Il n'a rien perdu de sa superbe et même si vous n'y logez pas, il vaut le coup d'œil, notamment pour son immense lobby remarquablement décoré. Magnifiques chambres (près de 700 !), bien à la hauteur de leur coût. Agréable teatime au restaurant le Smeraldi's. Allez-y rien que pour ça ! En un mot, si vous avez toujours rêvé de descendre dans un grand hôtel de Los Angeles, ne cherchez pas plus longtemps... Superbe piscine à la romaine au sous-sol.

🛏 **Best Western Dragon Gate Inn** (plan couleur IV, D1-2, **13**) : 818 N Hill St. ☎ 213-617-3077 ou 1-800-282-9999. ● dragongateinn.com ● Doubles env 115-205 $, petit déj compris. Parking 10 $. 🖥 🛜 Si le réceptionniste est absent, frappez sur le gong ! Cela vous mettra tout de suite dans l'ambiance de Chinatown. Dépaysement assuré dans cet hôtel entouré par un salon de massages et des cours de shaolin kung-fu ! Les chambres, avec leur déco d'inspiration asiatique (dessus-de-lit rouge et vert), sont un peu désuètes mais bien équipées et spacieuses. En revanche, les salles de bains sont minuscules.

À Koreatown, entre Hollywood et Downtown

🛏 **Dunes Inn** (hors plan couleur IV par A2, **14**) : 4300 Wilshire Blvd. ☎ 323-938-3616. ● dunesla.com ● Doubles env 90-110 $. Parking gratuit. 🛜 Un hôtel un peu au milieu de rien, mais à proximité de tout ! L'endroit est en fait vraiment intéressant si vous avez une voiture et si vous êtes 4 (seulement 10 $ par personne supplémentaire). Chambres ne datant pas de la dernière pluie mais assez confortables, avec une moquette où noyer ses orteils. L'environnement n'a rien de remarquable, mais c'est plutôt calme. Le point fort : la très agréable piscine dans le patio de l'hôtel. Le point faible : éviter d'arriver à l'heure du déjeuner si vous voulez être reçu avec le sourire...

Un peu plus au sud, vers les plages

À Hermosa Beach (plan couleur d'ensemble)

Hermosa est une petite station balnéaire entre Venice et San Pedro. La plage y est belle, et l'ambiance moins m'as-tu-vu qu'à Venice ou Santa Monica. Rues commerçantes, avec quelques restos et bars de nuit, boutiques de surf. Agréable front walk. Tous les vendredis, un Farmer's Market se tient du côté du gymnase et des tennis, à deux blocs en retrait de la plage. On y déguste les fruits de la région, de la charcuterie et aussi du vrai fromage qui pue.

🛏 **The Sea Sprite Motel & Apartments** : 1016 The Strand. ☎ 310-376-6933. ● seaspritemotel.com ● Doubles env 120-160 $. Parking gratuit. 🛜 Un motel-résidence, les pieds dans l'eau sur la plage de Hermosa, ce qui est d'ailleurs sa principale qualité. Le bâtiment bleu en dur, battu par les embruns (donc un peu vieillissant), abrite des chambres standard avec lit king-size et kitchenette et des appartements avec cuisine, 2 grands lits, salon et lit d'appoint. C'est quand même un poil vieillot, mais bon, ça reste assez lumineux et ouvert sur la mer grâce à de grandes baies vitrées (attention, toutes les chambres n'ont pas vue sur l'eau). Louer un appart à 6 est un bon plan hors saison. Le swell déroule à moins de 50 m ! Petite piscine. Bref, l'emplacement idéal pour qui aime la mer.

À San Pedro *(plan couleur d'ensemble)*

San Pedro est un quartier isolé à la pointe sud du grand L.A. C'est ici que se trouve l'immense port de la ville (prolongé par celui de Long Beach), officiellement fondé en 1907. L'endroit n'en demeure pas moins un lieu magique car, si l'observatoire de Griffith Park offre une vue magnifique sur la ville elle-même, San Pedro offre un tout autre aperçu de Los Angeles, avec sa vue plongeante sur la mer, les îles Catalina et, plus loin, les conteneurs du port à perte de vue. Une auberge de jeunesse aménagée dans un ancien camp militaire tient le haut du pavé en matière d'hébergement au bon rapport qualité-prix.

⌂ **South Bay Hostel :** 3601 Gaffey St, dans Angel's Gate Park. ☎ 310-831-8109. ● southbay@lhiusa.org ● Ouv de mi-juin à début sept. Lit en dortoir env 28 $, double env 60 $, petit déj compris. Réduc pour les membres de la FUAJ. Une auberge de jeunesse idéale quand on a fait la route et galéré son soûl. D'abord parce que l'emplacement est exceptionnel, ensuite parce que c'est propre et que l'accueil est chaleureux. Aménagée dans les baraquements d'un ancien camp militaire, avec vue imprenable sur la baie de Los Angeles, à 5 mn à pied de la plage. Dortoirs filles, garçons ou mixtes, au choix... Chambres privées aussi. C'est basique mais nickel. Agréables pièces communes, belle cuisine, de quoi lire, et plein de plans sympas pour visiter le coin. Seul bémol, c'est loin de tout et on ne peut y séjourner plus de 7 jours d'affilée. Un plan qui satisfera ceux qui préfèrent les étoiles de mer à celles de Hollywood Boulevard.

LOS ANGELES QUARTIER PAR QUARTIER

À L'AÉROPORT

Où manger ?

Que ce soit bien clair, le restaurant qui suit vaut le détour si vous vous trouvez justement par ici, ou si vous avez un peu de temps avant de prendre l'avion.

|●| **Encounter :** 209 World Way, entre le terminaux 2 et 6, au cœur du Los Angeles International Airport. ☎ 310-215-5151. Tlj 11h-21h (21h30 jeu-dim). Résa conseillée. Plats env 23-32 $. Difficile de louper cette œuvre architecturale, soucoupe volante suspendue au milieu des terminaux de l'aéroport. Dans l'ascenseur qui vous propulse au cœur du vaisseau, la musique électro vous plonge dans un univers digne des *Indestructibles*. Et si le décor futuriste, dessiné par Disney, a vieilli, l'endroit reste surprenant. La nuit, de l'extérieur, le vaisseau se teinte de bleu, de magenta, de vert. Un mélange détonnant. La carte est limitée, et la cuisine n'est pas exceptionnelle mais honnête. Demandez une place près des baies vitrées : le soir, vous aurez une vue imprenable à 270° jusqu'à Downtown. Presque un dîner sur la voie lactée.

HOLLYWOOD ET MELROSE *(plan couleur I)*

Un peu d'histoire de la capitale du cinéma

Au commencement : une terre promise et une étable

À l'avènement du cinéma, Hollywood ressemblait à un petit paradis. Cette paisible localité, proche de Los Angeles, adossée à une chaîne de collines et non loin de l'océan, était renommée pour la douceur de son climat et ses vastes horizons vierges de toute construction. Arriver à Hollywood, ç'était comme entrer dans l'Éden : on y respirait un air délicieusement tempéré de parfums d'orangers, d'eucalyptus et de jasmins. Des bougainvillées, des rosiers, des géraniums, des lupins poussaient en toute liberté. Des palmiers, hauts et élégants, grimpaient dans un ciel d'azur. La nuit, des coyotes hurlaient dans les canyons désolés proches de la ville...

Un beau jour de décembre 1913, **Cecil B. DeMille,** de la compagnie *Famous Players Lasky* (qui deviendra la *Paramount*), débarque de New York avec son équipe de cinéma. Après avoir remonté une large avenue ombragée nommée Vine Street, le groupe s'arrête au « studio » : une étable formée d'un vaste bâtiment de bois vert sombre, tachée par la chute des fruits des arbres voisins. DeMille envoya un

FRENCH LOVER

Ce mythe très hollywoodien a pour origine Rudolph Valentino, né en 1895... en Italie. Séducteur dans ses films mais malheureux dans la vie. Il n'était pas du tout attiré par les jupons mais ne pouvait pas afficher ses penchants. Quant il mourut à 31 ans, des millions de femmes le pleurèrent. Certaines ont préféré se suicider.

télégramme au bureau de sa compagnie à New York : « Demande autorisation louer étable dans lieu nommé Hollywood pour 75 $ par mois. » La réponse ne se fit pas attendre longtemps : « Autorisons location étable. » C'est ainsi que DeMille put tourner *Le Mari de l'Indienne (The Squaw Man), le premier long métrage (muet) de l'Histoire.*

Ainsi commença *la ruée vers la terre promise de Hollywood.* Pionniers du cinéma, cinéastes et producteurs accoururent, attirés par la douceur du climat (possibilité de tourner des films en extérieur été comme hiver, sous une lumière magnifique). En outre, le prix peu élevé des terrains, la présence d'une main-d'œuvre abondante et moins chère qu'à New York, et enfin la variété des paysages aux alentours (ville, mer, montagne, désert) décidèrent nombre de pionniers du 7e art à venir s'y installer.

Le génial **D. W. Griffith,** qui traînait dans le coin depuis 1910 déjà, réalisa la première superproduction en filmant *Naissance d'une nation* (1914), suivie d'*Intolérance* (1916). Du jamais vu ! À titre d'exemple, pour *Intolérance,* il fit appel à 5 000 figurants ; le tournage dura 16 semaines ; 76h de pellicules furent imprimées pour un film long de 3h !

C'est naturellement aussi à Hollywood que l'un des tout premiers genres du cinéma muet vit le jour, *la comédie burlesque* ou *slapstick*. Son pionnier fut Mack Sennett, qui tourna des centaines de ces courts-métrages comiques pour la *Keystone* dans des baraques minables du côté d'Edendale. Sennett lança de nombreux acteurs comiques, dont **Charlie Chaplin.**

Celui-ci, fraîchement arrivé de son Angleterre natale, inventa son personnage de Charlot en fouillant dans la garde-robe de la *Keystone.* Le triomphe fut immédiat et fulgurant. Sa canne, sa moustache, son chapeau melon et sa démarche inimitable firent de lui une vedette mondiale en moins de 3 ans. Embauché à 75 $ la semaine à ses débuts, Charlie Chaplin signa en 1917 le premier contrat de 1 million de dollars enregistré dans les annales du cinéma.

Avec cette somme mirobolante, il devint multimillionnaire à 28 ans et s'installa, en 1918, dans ses propres studios, au 1416 North La Brea (ils sont toujours là, lire « À voir »). Avec **Douglas Fairbanks** et **Mary Pickford,** les deux vedettes en vue de l'époque, il fonda en 1919 *United Artists* (dont Griffith faisait partie), contribuant ainsi à asseoir l'image de Hollywood comme capitale mondiale du cinéma, d'autant que la Première Guerre mondiale avait ruiné les premières années du cinéma en Europe.

L'âge d'or des usines à rêve

Les années 1920, 1930 et 1940 représentent une sorte d'âge d'or pour le cinéma de Hollywood. Plusieurs raisons à cela : la TV n'existait pas encore, la jeunesse et le tonus de l'industrie cinématographique américaine, la fréquentation assidue des salles de cinéma (un ménage américain y allait en moyenne 3 fois par semaine) et le culte des stars.

Dès la fin de la Première Guerre mondiale, la première *Major Company* est née : la **Paramount,** dirigée par Adolf Zukor. Dans les années 1920, les fameuses *roaring twenties,* le cinéma de Hollywood se constitue en *movie business* (industrie du cinéma), dont Hollywood est le centre névralgique, le cerveau et le moteur. Les grandes maisons de production conservent leurs bureaux à New York, mais montent d'énormes studios à Hollywood. Le travail, l'organisation, la production y sont tellement soumis aux règles de la rentabilité qu'on les appelle très vite **les dream factories** (les usines à rêve).

Hollywood emploie alors près de 28 000 personnes, dont 170 réalisateurs et 350 scénaristes qui fournissent 500 à 700 scénarios par an à cette puissante chaudière d'images toujours sous pression. « Hollywood est une cité ouvrière », écrit Joseph Kessel. « Sous ses apparences de calme, de loisir, sous sa carapace de luxe, elle est pareille aux villes minières, aux agglomérations de hauts-fourneaux qui se vident de l'aube au crépuscule pour envoyer leur population aux galeries ou à la chaîne. Hollywood fabrique des images parlantes comme *Ford* sort des automobiles. »

La plupart des studios américains ont été fondés par des petits commerçants juifs originaires d'Europe centrale, venus tenter leur chance aux États-Unis à la fin du XIXe s. La réussite de ces nababs tient sans doute à leur profond désir d'intégration et à leur volonté de s'américaniser jusqu'à l'occultation complète de leurs origines israélites. En 1939, Hollywood n'avait produit qu'un seul film dénonçant le régime nazi !

Cinq grandes « usines à rêve » **(les Big Five Majors)** dominent le monde du cinéma :

– La **MGM** (*Metro Goldwyn Mayer*) collectionne les stars, fidèle à sa devise *More stars than there are in heaven* (Plus d'étoiles qu'il n'y en a dans le ciel). Greta Garbo, Clark Gable, Marion Davies, Joan Crawford, Norman Shearer jouent pour la *MGM*.

– La **Paramount** : on y trouve l'irrésistible Mae West, le sémillant Gary Cooper, les Marx Brothers, Bing Crosby, Bob Hope, Tyrone Power et la divine Marlene Dietrich.

LE LION DE LA *METRO GOLDWYN MAYER* ?

Tout simplement parce que l'un des fondateurs, M. Mayer, avait un lion, Slats, comme animal de compagnie. Pas vous ? Il devint la mascotte des films de la MGM. Slats fut le représentant rugissant de la MGM de 1924 à 1928. Depuis, quatre autres lions lui ont succédé aux différents génériques de la compagnie.

– La **Warner Bros.,** dirigée par les quatre frères Warner, n'a pas autant de stars, mais rien que du brillant : Humphrey Bogart, James Cagney, Bette Davis.

– La **Twentieth Century Fox** ne renaît de ses cendres qu'en 1935, devenant ainsi la quatrième des *Big Five Majors*.

– Enfin, la **RKO**, qui aura le génie de produire *Citizen Kane* d'Orson Welles, qui appartenait à Joe Kennedy, le père de J.F.K.

Après les *Big Five* viennent les *Little Three* : **Columbia, United Artists** et **Universal.**

Déjà aux débuts du cinéma, le plus grand, le plus impressionnant des parcs à studios, c'est **Universal City,** sorte de cité du cinéma, fondée par Carl Laemmle à quelques kilomètres au nord de Hollywood, sur des terrains vagues. Chacun des studios la composant forme une ville dans la ville, une forteresse entourée de murs infranchissables, gardée par des cordons de sentinelles. « Tout est organisé, hiérarchisé, standardisé. Jusqu'à la pensée, jusqu'à l'inspiration », remarque Kessel, qui en sort ébloui et écrasé.

Deus ex machina de ces usines à rêve : les producteurs. Ils règnent en maîtres absolus, font la pluie et le beau temps, contrôlent tout, voient tout, interviennent à tous les niveaux de la fabrication du film : ils choisissent les sujets, les auteurs, les metteurs en scène, les acteurs, l'équipe technique. Par l'étendue de leur pouvoir, on les surnomme « les Moguls ». Un de ces Moguls de Hollywood, Irving Thalberg (bras droit de Louis Mayer à la *MGM*), a servi de modèle à Scott Fitzgerald pour son *Dernier Nabab (The Last Tycoon)*. Quelques producteurs indépendants réussiront à se faire un nom à l'ombre des *Majors* : il s'agit de **Samuel Goldwyn** et de **David O. Selznick,** le producteur d'*Autant en emporte le vent* (1939), film feu d'artifice de l'âge d'or hollywoodien.

Les années 1930 sont marquées par de grands réalisateurs comme **Frank Capra** (le génie des comédies qui font réfléchir), **John Ford** (le père des westerns), **Howard Hawkes** (initiateur du film noir). Les années 1940 ouvrent l'ère du film noir mais aussi des pin-up, ces *glamour girls* qui nous changent des beautés académiques d'avant-guerre. Rita Hayworth est surnommée « la Star atomique » ; Esther Williams, « la Naïade » ;

Jane Russell, « la Brûlante » ; Lana Turner, « la Torride » ; Barbara Stanwyck, « la Perverse » ; Bette Davis, « la Garce » ; Ingrid Bergman, « l'Étrangère » ; Ava Gardner, « le Plus Bel Animal du monde » ; Et, bien sûr, **Marilyn Monroe,** star hollywoodienne par excellence, « la *Baby doll* du 7e art ». Toutes ces vedettes, « esclaves les mieux payées du monde », habitent **Beverly Hills**, à deux pas des studios.

Côté réalisateurs, une pléiade de génies roule pour Hollywood : **John Huston** (*Le Faucon maltais, La Nuit de l'iguane, Asphalt Jungle...*), Raoul Walsh (*High Sierra...*), **Billy Wilder** (*Sunset Boulevard, Sept ans de réflexion...*), **Joseph Mankiewicz** (*Le Château du dragon, Ève, La Comtesse aux pieds nus...*), **Ernst Lubitsch** (*Ninotchka, Jeux dangereux, Le Ciel peut attendre*) et, bien sûr, **Alfred Hitchcock** (inventeur du thriller au cinéma). Et tant d'autres encore...

La statuette ressemblait à oncle Oscar

Un chevalier longiligne, en bronze plaqué or, tient une épée verticalement, les pieds posés sur une bobine de film : cette statuette prestigieuse est remise chaque année depuis 1929 pour récompense aux meilleurs films, réalisateurs, scénaristes et techniciens du 7e art. Une sorte de prix Nobel du cinéma, en somme. Pour la première remise

des prix, on donna 15 statuettes devant un auditoire de 26 personnes.

Hollywood aujourd'hui

C'est l'activité débordante des studios de Hollywood (situés en réalité dans leur grande majorité à Burbank, dans la vallée de San Fernando) qui a contribué à répandre le mythe américain à travers le monde.

À ne pas manquer, le **mythique panneau « Hollywood »** qui se découpe en lettres géantes dans les collines. Pour faire la photo-cliché du lieu, prenez Franklin Avenue, puis tournez dans Beachwood Drive, entre Gower Street et Cheremoya Avenue. Ensuite, il faut se garer et continuer à pied pendant 20 mn environ.

À l'origine, en 1923, le panneau « Hollywood » était en fait une publicité imaginée par un promoteur pour vendre des maisons sur les collines de Hollywood, qui s'appelait à l'époque *Hollywoodland* (la fin du mot a disparu). Le terrain appartenait à Mack Sennett. En état de détérioration depuis longtemps, le plus grand panneau publicitaire du monde fut sauvé deux fois in extremis. En 1978, grâce à une souscription nationale parrainée par des stars du rock qui ont chacune adopté une lettre pour la somme de 27 777 $: Alice Cooper en tête, qui a financé le dernier « O » – David Bowie a payé, quant à lui, la lettre « H » (est-ce un message ?). Et en 2010, grâce à des dons de Steven Spielberg, Tom Hanks ou encore Hugh Hefner, le patron de *Playboy*. En 2013, le panneau mythique s'offre son premier vrai lifting pour son 90e anniversaire. C'est aujourd'hui une marque déposée, gérée, tout comme le fameux *Walk of Fame,* par la chambre de commerce de Hollywood !

La réputation mondiale de Hollywood est toujours inégalée. À peu près 90 % des personnes travaillant dans l'industrie du cinéma et des dépenses faites dans ce domaine aux États-Unis sont concentrées dans ce seul district. Bien que les studios hollywoodiens aient traversé une crise extrêmement grave à l'époque de l'avènement de la TV, leur recyclage partiel dans la

SUPERSTITION

Les Américains détestent le nombre 13 (c'est d'ailleurs plutôt le contraire chez nous !). En 1932, la starlette Peg Entwistle grimpa en haut du « D », la 13e lettre de Hollywoodland » et se jeta dans le vide. Alors, on arracha « land » pour supprimer la 13e lettre maudite.

production d'émissions destinées à la TV les a sauvés de la catastrophe. Et la boulimie des centaines de chaînes de TV américaines (dont la plupart émettent souvent 24h/24) leur permet de voir, pour longtemps encore, l'avenir en rose.

Dernière évolution du cinéma américain : la plupart des gros budgets visent le marché des ados qui, on le sait, vont plus souvent au cinéma que leurs parents. Les films pour adultes trouvent plus difficilement leur producteur. Crise du cinéma, mais aussi crise du star-system, puisque ces films font moins souvent appel aux grandes vedettes. Spielberg, d'ailleurs, a toujours dit qu'il préférait investir dans les effets spéciaux plutôt que dans les têtes d'affiche. Pour l'instant, les faits lui donnent plutôt raison.

L'événement de la fin du XXe s à Hollywood fut l'annonce, en 1995, de la création par Steven Spielberg (réalisateur d'*E.T., Indiana Jones, La Liste de Schindler* et *Tintin,* entre autres) et ses deux copains, Jeffrey Katzenberg (le n° 2 des studios Disney) et David Geffen (magnat du disque), d'une nouvelle compagnie multimédia nommée **Dreamworks SKG.** Depuis plus de 50 ans, aucun studio n'avait ouvert ses portes à Hollywood. Spielberg et ses deux comparses voulaient en faire le prototype du studio du XXIe s, capable de produire des films, des téléfilms, des disques, des dessins animés, des jouets « qui rendront les parents dingues », selon l'expression de Spielberg, ainsi que des produits informatiques de divertissement. Si l'aspect multimédia et musical ne remporte pas le succès escompté, du côté des films (*Fourmiz, Shrek, Madagascar,* pour n'en citer que quelques-uns), l'objectif est atteint. Ce nouveau type de studio participe à l'avènement d'un cinéma où les images virtuelles remplacent certaines séquences ; gain de temps, mais surtout d'argent : plus besoin de décor, de figurants, il reste assez d'argent pour payer les têtes d'affiche dont les salaires sont sans cesse plus exorbitants. Le star-system, lui, fait toujours recette...

Où manger ?

Hollywood n'est pas l'endroit où l'on mange le mieux à L.A. Pour une

ambiance de quartier plus bohème, plus douce, un peu plus intello, n'hésitez pas à pousser jusqu'au quartier hispanique de Los Feliz, au nord-est de Hollywood et au sud du Griffith Park, où l'on trouve aussi bien des petits restos (mexicain, thaï, brésilien...), des centres de yoga que des boutiques de fringues. On vous indique plusieurs restos dans ce quartier qui se concentre principalement sur Hillhurst Avenue, entre Franklin et Prospect.

Spécial petit déjeuner

🕯 |●| **Blu Jam Café** (plan couleur I, I11, **112**) : 7371 Melrose Ave. ☎ 323-951-9191. Tlj 8h-16h. Brunch w-e et j. fériés. Petit déj env 12-20 $. Plats 10-17 $. Ce Blu Jam séduit les riverains et au-delà pour son double visage et sa cuisine à base de produits sains, voire (le plus possible) bio. Sa musique jazzy, son décor de brique et de broc, sa petite terrasse et son service très attentionné en font une adresse particulièrement douce. Au petit déj, grand choix d'œufs et d'omelettes, souvent originales (goûtez la Burgundy ou les différents eggs Benedict), pancakes et une section health & fitness qui conviendra aux Rabelaisiens repentis. Sinon, on se régale de simples salades, sandwichs, soupes et burgers, avec quelques plats un peu plus exotiques ou quelque peu francisés.

🕯 |●| **Figaro Bistrot** (hors plan couleur I par L9, **110**) : 1802 N Vermont Ave (angle Melbourne Ave). ☎ 323-662-1587. Au nord-est de Hollywood, dans le quartier de Los Feliz. Tlj 8h30-22h30 (23h ven-sam). Petit déj 15-20 $. Plats env 11-15 $ le midi, 20-30 $ le soir. Happy hours 17h-19h. À côté du cinéma Los Feliz, dans un quartier animé, c'est un peu le Café de Flore local, un bistrot « typiquement » parisien, avec une carte en français et les standards des années 1930 en fond sonore. Au menu, tous les classiques bien de chez nous, des croissants du petit déj au pâté, en passant par le vol-au-vent du midi et la fondue savoyarde du soir. Mais c'est quand même une adresse pour ceux que ça amuse, car les prix sont surévalués au vu de la qualité, sauf au petit déj, fort honnête, avec un panier Figaro qui peut être partagé si vous n'êtes pas affamé, mais aussi des omelettes, crêpes, pancakes et salades de fruits. Fait aussi pâtisserie.

Petite terrasse très agréable, avec quelques chaises sur le trottoir.

Bon marché

|●| **Yuca's** (hors plan couleur I par L9, **111**) : 2056 Hillhurst Ave, à Los Feliz. ☎ 323-662-1214. Tlj sf dim 11h-18h. Taco, burrito ou torta env 3-5 $. Pour les routards à petit budget, certes, mais aussi pour ceux qui aiment se pourlécher les babines sans se ruiner. L'armée mexicaine qui se serre dans cette minuscule cahute vous servira les meilleurs tacos et burritos du quartier, et ce pour une poignée de dollars. Le tout sur 3 tables en bord de parking. Préférer l'excellent taco cochinita pibil, fourré au cochon du Yucatan. Miam, miam !

|●| **Best Fish Taco in Ensenada** (hors plan couleur I par L9, **114**) : 1650 Hillhurst Ave, à Los Feliz. ☎ 323-466-5552. Tlj 11h-22h. Taco env 2 $. Si vous avez tourné du mauvais côté sur Hillhurst en cherchant l'adresse précédente allez-y après et, en attendant, venez donc ici avaler quelques tacos en apéro. Au poisson ou aux crevettes, ils sont plus simples et moins savoureux que chez Yuca's mais néanmoins fort honnêtes (ajoutez-y seulement une cuillère de salade de tomates, pimentée ou non). Prix imbattable. Quant à l'atmosphère, elle pourrait figurer dans un film d'auteur indépendant : une salle très simple, avec quelques croûtes sur les murs, où une mamie à la caisse tricote des bonnets et des écharpes (si, si), dont la vente va aux enfants des hôpitaux... Typique du quartier.

|●| **Pink's** (plan couleur I, I11, **115**) : 709 N La Brea Ave. ☎ 323-931-4223. Tlj 9h30-2h (3h ven-sam). Parking gratuit. Hot dogs env 4-8 $. Le plus médiatisé dealer de hot dogs de L.A. voit sa file d'attente s'allonger irrésistiblement aux heures de grande fringale, et ce depuis 1939. Essayez d'éviter ces heures-là si vous ne voulez pas poireauter sur le trottoir un bon bout de temps... Une fois arrivé au comptoir, décidez vite mais vous ne le regretterez pas, sauf si vous êtes à cheval sur vos calories ou si vous visez la finale de Masterchef. Énormes hot

dogs à toutes les sauces : pimenté, au fromage, à l'allemande, à la mexicaine, au *coleslaw*, au pastrami, comme à Chicago ou comme à New York... Également des *dogs* spéciaux : *three dog night, mulholland drive* ou encore *lord of the rings,* servi comme son nom l'indique avec des *onion rings,* réputés eux aussi. Bon, une expérience plutôt hollywoodienne (visez les photos de stars) que réellement gastronomique.

I●I *Joe's Pizza* *(plan couleur I, K9, 117)* : 6504 Hollywood Blvd. ☎ 323-467-9500. *Tlj 11h-2h (4h jeu, sam et lun). Part de pizza env 3-5 $.* Dans cette partie de Hollywood Boulevard livrée aux attrape-gogos, pas la peine de se ruiner ou de se faire arnaquer pour s'en boucher un coin. Venez donc engouffrer, devant une grande photo de New York en noir et blanc, 1 ou 2 *slice(s)* de pizza dont la pâte et la sauce tomate sont maison. Souvent des promos du style « 1 boisson offerte pour 2 parts achetées ». Si vous êtes en famille, c'est le portefeuille de papa et maman qui va être content !

De prix moyens à chic

I●I *Umami Burger* *(plan couleur I, K9, 120)* : 1520 Cahuenga Blvd. ☎ 323-469-3100. *Tlj 11h-23h (minuit ven-sam). Burgers env 10-17 $.* Vous n'imaginez pas à quel point on était heureux de découvrir, dans ce petit complexe en brique en retrait du boulevard, un temple du dieu Burger. Non seulement le décor et l'atmosphère sont vraiment chaleureux (nostalgiques de la série *Friends,* ça devrait vous plaire), mais les burgers sont sans doute ce qui se fait de mieux actuellement à L.A. On en rêve encore la nuit... Pas de recommandation en particulier, ils sont tous fabuleux (seul le *truffle burger,* pourtant très populaire, nous a paru un peu en dessous). Et ce, grâce à une viande de très haute qualité et une cuisson on ne peut plus juste. Au fait, *Umami,* en japonais, signifie « savoureux », une notion désormais considérée comme le 5e goût universel après le salé, le sucré, l'acide et l'amer. Enfin, que les convertis se rassurent, il y a d'autres temples pour pratiquer

leur nouvelle religion : au 850 S La Brea (où tout a commencé), à Santa Monica (500 Broadway), à Los Feliz (4655 Hollywood Blvd) ou encore à Hermosa Beach (1040 Hermosa Ave).

I●I *Boardwalk* *(plan couleur I, J9, 116)* : 6681 Hollywood Blvd. ☎ 323-466-9255. *Tlj 11h-2h (la cuisine ferme à 1h30). Social hours 16h-20h (remise sur snacks et boissons). Plats env 7-12 $.* Si vous voulez éviter le pizzaiolo du coin ou le grand resto voisin très cher, venez vous attabler dans ce décor quasi new-yorkais. Murs de brique, banquettes de moleskine noire et grand comptoir, avec musique jazzy, clips ou retransmission de matchs. Rien d'exceptionnel, juste une honnête cuisine dans un secteur très tendancieux à ce sujet... Bonne *house salad* et bon burger 100 % bœuf japonais (seul le pain pourrait être aussi bon que chez *Umami,* par exemple... ; voir plus haut). Également du chili et des sandwichs. Bon service.

I●I *M Café de Chaya* *(plan couleur I, I11, 121)* : 7119 Melrose Ave. ☎ 323-525-0588. *Tlj 9h-22h (21h dim). Plats env 9-15 $.* Amis végétariens, les Angelins ne vous oublient pas. Si l'idée d'avaler en calorique hot dog chez *Pink's,* à l'angle de La Brea, vous glace le sang, alors venez dans cette cafétéria où la vitrine prend plus de place que la salle (il y a aussi une terrasse). Cuisine macrobiotique : salades du jour, avec les classiques, aux pâtes, au thon ou aux pommes de terre, et d'autres, plus originales pour les profanes, du style salade de quinoa ou *curried tempeh salad* (à base de soja et de curry). Également des sushis et autres bouchées japonaises, *wraps,* sandwichs, *combos* et *veg burgers.* Le tout à faire descendre avec un breuvage mystérieux, pour se refaire une santé ou une beauté, portant les doux noms de *detox* ou encore *red beauty.* Clientèle intello décontractée.

I●I *El Coyote* *(plan couleur I, I11, 119)* : 7312 Beverly Blvd. ☎ 323-939-2255. *Tlj 11h30-22h (23h ven-sam). Plats 8-15 $.* Connaissez-vous la Mex-Kitsch ? Et bien, c'est l'occasion de visiter ! Depuis 1931, ça bourdonne volontiers, le soir, dans cette succession de salles de toutes les couleurs.

C'est intime mais bruyant, on s'entend à peine réfléchir. Que dites-vous ? Oui, les serveuses sont en costume du pays, et la cuisine est tout à fait correcte, à des prix très raisonnables pour L.A. (en particulier, les *special combinations*). On y sert même des tacos à la viande d'autruche. Service rayonnant lui aussi. Venir avec des lunettes de soleil.

I●I *Birds* (plan couleur I, L9, 113) : 5925 Franklin Ave. ☎ 323-465-0175. Tlj 11h-2h. Plats env 11-17 $. *Parking gratuit à côté, au Mayfair Market.* Intérieur en brique, décoré de tentures rouges. On s'assoit sans façons sur les grosses banquettes noires pour déguster la spécialité de la maison : le poulet rôti. Sinon, salades, sandwichs et copieux burgers, servis par un staff dynamique. Bien sûr, il y a une photo de Hitchcock avec ses fameux *Birds,* bien plus vivants que ceux qui atterriront dans votre assiette. Mais le nom désigne aussi ces oiseaux de nuit gentiment éméchés qui viennent ici distiller une ambiance chaleureuse (et bruyante !) en fin de soirée, notamment pour la *Ladies Night* du vendredi...

I●I *Farfalla Trattoria* (hors plan couleur I par L9, 114) : 1978 Hillhurst Ave (croisement avec Finley Ave). ☎ 323-661-7365. *Dans le quartier de* **Los Feliz** *; de Hollywood Bvd, remonter jusqu'à croiser Hillhurst Ave, prendre à gauche.* Tlj 11h30 (16h sam)-23h (22h dim). Plats env 12-18 $. Une trattoria de quartier tout en angles et en brique, à l'ambiance familiale et conviviale, avec éclairage tamisé et fond de musique jazzy. On sert ici une vraie cuisine italienne de qualité (pâte, pizza, *antipasti,* etc.), simple et goûteuse, sans jouer les prétentieuses, et à prix contenus.

I●I *Delancey* (plan couleur I, L9, 118) : 5936 W Sunset Blvd (angle Tamarind Ave). ☎ 323-469-2100. Lun-ven 11h30 (18h w-e)-2h. Plats env 15-22 $. Un bistrot romain revisité façon cowboy, du moins pour ce qu'il y a dans l'assiette. Stores vénitiens sur Sunset, mariage brique et bois, ambiance à la fois chic et intime. Dans l'assiette, *crostini,* pizza, *pasta* et tout le toutim. Au bar, pas moins de 20 bières pression pour vous faire tourner la tête. Petite terrasse.

Très chic

I●I *The Musso and Frank Grill* (plan couleur I, J9, 116) : 6667 Hollywood Blvd. ☎ 323-467-7788. Mar-sam 11h-23h. Tenue correcte conseillée. Omelettes et sandwichs 8-20 $, plats 18-43 $. C'est le plus vieux restaurant de Hollywood ; il date de 1919 ! Mais la déco date de 1934 « seulement », si l'on ose dire. On y rencontre tous les intellos et scénaristes de Hollywood depuis que Hemingway, Dashiell Hammet, Aldous Huxley et William Faulkner y ont eu leur rond de serviette. D'ailleurs, ce dernier avait la fâcheuse habitude d'enjamber le bar pour montrer à ses copains comment faire les vrais *mint juleps* ! Célèbre pour ses rôtis et ses serveurs débordés. Excellents vins californiens. 2 salles : le restaurant et un genre de brasserie patinée par le temps avec petits boxes et banquettes de moleskine. Si vous n'avez pas faim, allez quand même boire un verre au grand bar au bois sombre, où tant de gens ont déjà refait le monde. *Daily specials* inchangés depuis le début : *corned beef and cabbage* (mardi) ; *sauerbraten and potato* pancakes (mercredi) ; *chicken pot pie* (jeudi) ; bouillabaisse marseillaise (vendredi) et *short ribs* (samedi). Goûtez au *flannel cake* inventé par l'ancien chef ! Inutile de dire que le lieu a déjà servi de décor à de nombreux films et qu'on y voit encore régulièrement débarquer du beau monde, d'où les prix un peu exagérés.

Où boire un verre en journée ? Où sortir ?

Hollywood n'est pas le secteur le plus sympathique ni le plus authentique pour sortir le soir, mieux vaut aller à West Hollywood (voir plus loin). Néanmoins, voici quelques adresses pour les entêtés.

Y *Pig'n Whistle* (plan couleur I, J9, 165) : 6714 Hollywood Blvd. ☎ 323-463-0000. Tlj 12h-22h (le bar ferme à 2h le w-e). Drôle de parcours pour ce bar-resto créé en 1927, grand rendez-vous des stars dans les années 1930 et 1940, qui laissa la place, au début des années 1950, à... une boutique de vêtements, pour renaître en 2001, restauré à l'identique dans un style moyen-oriental avec notamment un superbe plafond en cèdre. Bien sûr, l'époque et la clientèle ont changé, et des écrans télé sont apparus sur les murs. Cuisine sans grande finesse, mais la terrasse permet d'observer les passants qui déambulent sur le fameux boulevard.

🍸 **Snow White** (plan couleur I, J9, 171) : 6769 Hollywood Blvd. ☎ 323-465-4444. Tlj 9h-2h. Le thème de la déco a beau être celui de Blanche-Neige et les Sept Nains, le bar est d'une grande banalité. Et pourtant, c'est Walt Disney lui-même qui a ouvert cet endroit, en 1946... Large gamme de bières, dont 14 à la pression. Une possible halte l'après-midi, entre 2 musées, surtout pour faire plaisir aux bambi(n)s.

🍸 **Yamashiro** (plan couleur I, J9, 166) : 1999 N Sycamore Ave. ☎ 323-466-5125. En haut d'une colline. Tlj 17h30-21h30 (22h30 ven-sam). Bar ouv jusqu'à minuit (1h ven-sam). Valet parking obligatoire 8 $. C'est un peu le Montmartre local ! Perchée sur une colline offrant un panorama fantastique sur L.A., voici la réplique d'une pagode de Kyoto, construite en 1911 par 2 frères qui s'étaient enrichis dans l'import-export. Plusieurs centaines d'artisans d'Extrême-Orient vinrent y travailler. Pas étonnant que le lieu ait servi de décor au club des officiers dans le film Sayonara, avec Marlon Brando, ou plus récemment pour Mémoires d'une geisha. Évidemment, c'est très touristique et très cher... On peut donc se contenter d'y boire un saké ou un thé tout en admirant le point de vue.

🍸 ♪ **Cat & Fiddle Pub** (plan couleur I, J9, 170) : 6530 W Sunset Blvd. ☎ 323-468-3800. Tlj 11h30-2h. Happy hours lun-ven 17h-19h. Du boulevard, on n'imagine pas vraiment que se cache ici un vaste patio dans la verdure avec une petite fontaine qui glougloute. On se croirait presque à Séville, les castagnettes en moins. Pour le reste, c'est un pub, avec les habituels piliers de bar éméchés, le brouhaha des conversations urbaines et l'accueil plus ou

moins sympa selon les serveurs. Écrans retransmettant les matchs de soccer et de foot américain. Bonne sélection de bières mais une seule élaborée à L.A. (la Golden Road, version ale ou IPA). Petit orchestre de jazz le dimanche soir.

🍸 **Avalon** (plan couleur I, K9, 174) : 1735 Vine St. ☎ 323-462-8900. ● avalonhollywood.com ● Entrée : env 25 $. On y va d'abord en amateur d'art pour sa superbe et surprenante façade baroque ! Ce fut le studio de CBS dans les années 1940, puis l'Hollywood Palace, où se produisirent les Beatles et Fred Astaire dans les années 1960, avant de devenir le théâtre privé du comique Jerry Lewis. Aujourd'hui, c'est une boîte branchée devant laquelle poireaute une file impressionnante de pépètes sur leur trente-et-un en fin de semaine. Comme les poupées russes, plusieurs boîtes dans la boîte : Tiger Heat, le jeudi, pour sa soirée radio-pop, Control et Avaland, les vendredi et samedi, sur fond de musique électro, dance ou house. Également des DJs de la planète mondialisée. Voir le programme sur Internet.

Spectacles

∞⟩ **The Groundlings Theater** (plan couleur I, I11, 173) : 7307 Melrose Ave. ☎ 323-934-4747. ● groundlings.com ● En général, spectacle à 20h mer-dim. Résa fortement conseillée. Compter env 15-25 $ en fonction du show. Immanquable avec sa façade en brique rouge qui se détache des boutiques. La petite salle (99 places) de ce théâtre ouvert en 1979 ne désemplit pas. Les performances et sketches pleins d'humour y sont en grande partie fondés sur l'impro. Le fameux « Pee-Wee Herman » en est issu, tout comme Lisa Kudrow (Phoebe dans la série Friends).

∞⟩ **Hollywood Bowl** (hors plan couleur I par J9, 172) : 2301 N Highland Ave. ☎ 323-850-2000. ● hollywoodbowl.com ● Pour y aller, remonter Highland Ave, puis à gauche juste avt d'entrer sur la freeway. Amphithéâtre de 18 000 places construit en 1922 pour accueillir le L.A. Philharmonic, c'est devenu un lieu incontournable dans le paysage culturel de la région. Les plus grands musiciens (et chanteurs) s'y produisent régulièrement. Depuis quelque temps, le *Bowl* diversifie un peu sa programmation, en y incluant des festivals de jazz et de *mariachis*. Également un musée gratuit sur le *Bowl (ouv tlj et avt les concerts).*

Achats

À Hollywood

Entre North Highland Avenue et Cahuenga Boulevard, nombreux magasins pittoresques, à côté des traditionnelles boutiques de fringues folles, T-shirts et gadgets hollywoodiens. En voici quelques-uns.

✿ *Iguana (plan couleur I, K9, 244) :* 6320 Hollywood Blvd. ☎ 323-462-1010. Lun-sam 11h-20h, dim 10h-18h. Un magasin de fringues d'occase (vintage) des années 1940 aux années 1980, vraiment rigolotes et à des prix raisonnables (robes de soirée 25 $, jeans 15 $ au sous-sol...). Des chemises à paillettes, des *flyers,* des perruques... Des vestes en jean pour se prendre pour Ryan Gosling dans *Drive* et quelques beaux blousons de cuir pour imiter Marlon Brando dans *L'Équipée sauvage.* Beaucoup de copies de vintage aussi, bien sûr.

✿ *Frederick's of Hollywood (plan couleur I, J9, 240) :* 6751 Hollywood Blvd. ☎ 323-957-5953. ● fredericks.com ● Lun-sam 10h-21h, dim 11h-19h. Le roi de la petite culotte et de la combinaison aguichante, où les grandes stars se sont pourvues en déshabillés roses affriolants ou soutiens-gorge coquins.

✿ *Hollywood & Highland (plan couleur I, J9, 241) :* centre commercial de 5 étages s'organisant autour d'une esplanade babylonienne avec 2 énormes éléphants perchés en haut de colonnes, inspirés par les décors du film *Intolérance,* qui fut tourné à cet endroit en 1916 ! Une fois de plus, les Américains ont vu grand... Autour de la cour, de nombreux cafés ont planté leur terrasse. À gauche des éléphants, depuis les passerelles, on a une belle

vue, certes un peu lointaine, sur les lettres de « Hollywood ». Dans le centre, quelques boutiques de mode, du prêt-à-porter et des souvenirs ayant trait au cinéma.

✿ *Hollywood Toys & Costumes (plan couleur I, J9, 243) :* 6600 Hollywood Blvd. ☎ 323-464-4444. Tlj 10h-19h. Grande boutique de costumes, déguisements, jouets et masques. Beaucoup de camelote mais un choix énorme, de la nonne innocente au costume de Batman ! Si vous souhaitez changer de coiffure, ce n'est pas le choix de perruques qui manque...

Musique

✿ *Amoeba Music (plan couleur I, K9, 242) :* 6400 Sunset Blvd. ☎ 323-245-6400. Lun-sam 10h30-23h, dim 11h-21h. Immense magasin de disques, neufs et d'occasion, offrant un choix vaste et plutôt pointu. Pour les cinéphiles, la section DVD est quant à elle d'une grande richesse (mais attention au format, pas toujours compatible avec les lecteurs DVD français).

✿ *Guitar Center (plan couleur I, I9, 246) :* 7425 Sunset Blvd. ☎ 323-874-1060. Tlj 10h (11h dim)-21h (20h w-e). Pour les amateurs, un énorme magasin de guitares avec un choix époustouflant. Amusant d'écouter les apprentis guitaristes ou, mieux, les confirmés, essayer les instruments... Rayon *vintage* au fond, avec des guitares atteignant parfois des sommes astronomiques. D'autres boutiques dans le coin, notamment de percussions.

Sur Melrose Avenue

Longue avenue au sud de Hollywood. Elle prend sa source à Beverly et disparaît dans les marais de la Hollywood Freeway. C'est l'avenue shopping par excellence. Les boutiques à l'angle de Melrose et de Fuller sont plus décalées ; la bohème, la bourgeoisie et la *punk generation* s'y côtoient avec courtoisie. C'est, jour et nuit, le rendez-vous des tatoués et des adeptes des piercings en tout genre. C'est dans cette zone que nous vous indiquons nos boutiques préférées. L'autre partie, entre Fairfax et San Vicente Blvd, est, elle, beaucoup plus sélecte et chic avec ses boutiques de créateurs et designers célèbres.

✧ *Palais des Modes* (hors plan couleur I par I11, 245) : 7660 Melrose Ave (entre Spaulding et Stanley Ave). ☎ 323-651-0384. Tlj 11h-20h. Une boutique 100 % cuir qui satisfera tous les cow-boys et autres *easy riders*. Harley, bien entendu, mais également Vanson Leathers, Schott, Cat, Doc'Martens... Pour des santiags, un Perfecto, un cuir de motard... Accueil un peu tristounet, dommage.

✧ *Wasteland* (plan couleur I, I11, 247) : 7428 Melrose Ave. ☎ 323-653-3028. Tlj 11h (12h dim)-20h (21h ven-sam). La déco de la façade donne le ton. Objets et surtout vêtements d'occasion. Tout n'est pas mettable, mais c'est plutôt marrant de voir la clientèle.

✧ *Toy Art Gallery* (plan couleur I, I11, 251) : 7571 Melrose Ave. ☎ 323-653-8697. Tlj 12h-20h (19h dim). Une boutique japonisante ultracontemporaine avec des jouets bizarres, des statuettes à têtes de mort, des monstres modernes étonnants, des objets détournés... Insolite !

À voir. À faire

🎬 *Grauman's Chinese Theater* (plan couleur I, J9, 220) : 6925 Hollywood Blvd, près de Highland Ave. ☎ 323-464-8111 ou 323-464-6266. ● chinesetheatres. com ● Premières séances à 12h. Classé Monument historique en 1968, c'est certainement le cinéma le plus célèbre du monde. Les conditions de projection y sont parfaites. C'est là qu'ont lieu la plupart des « grandes premières ». Non, Sid Grauman n'était pas chinois. C'est à la suite d'un voyage en Chine qu'il eut l'idée de construire cette salle « à la chinoise » en 1927. Par ailleurs, c'est lui qui initia la tradition en invitant Mary Pickford et Douglas Fairbanks à sceller leurs empreintes dans le béton le 30 avril 1927.

🎬 *Les empreintes des stars :* sur une esplanade, au pied du Chinese Theater, les plus grandes personnalités du cinéma sont immortalisées par l'empreinte de leurs mains et de leurs pieds dans le ciment. À remarquer, celles de R2D2 (le petit robot de *La Guerre des étoiles*) et celles de Donald Duck, l'humour de Bogart, les petits petons de Shirley Temple, les minuscules talons de Marilyn Monroe (elle voulut aussi immortaliser ses tétons !), et les immenses panards de Schwarzenegger.

MARQUE DÉPOSÉE

Les belles histoires ont souvent une origine fort simple. C'est un maçon français, Jean Klossner, qui posa la première empreinte de main dans le ciment. Le propriétaire du théâtre, Sid Grauman, lui demanda ce qu'il faisait là. Il expliqua qu'à l'image de ses ancêtres bâtisseurs de cathédrales, il était important de laisser sa marque pour la postérité... Il n'en fallut pas plus à M. Grauman pour lui donner l'idée de continuer.

Chaque année, trois nouvelles empreintes s'ajoutent à la collection. Sur le parvis, un kiosque propose de faire la même chose que les stars, à savoir placer vos empreintes dans un cadre de ciment (à séchage rapide), puis de repartir avec... moyennant quelques dizaines de dollars.

🎬 À partir de là s'étend, sur près de 1 mile, de part et d'autre de Hollywood Blvd, le *Walk of Fame,* avec ses étoiles attribuées aux grandes vedettes selon cinq catégories, indiquées par une pastille de laiton au centre de l'étoile : cinéma, radio, TV, théâtre et disques. Seul Gene Autry, surnommé « le cow-boy chantant » (mais quasi inconnu en France), possède une étoile dans chaque catégorie. Il y a aujourd'hui plus de 2 460 de ces grandes étoiles en ciment imitant le marbre (sic !) et incrustées dans les trottoirs, une tradition née en 1958. Régulièrement, une nouvelle étoile voit le jour. Pour l'obtenir, il faut en faire la demande à la chambre de commerce locale puis, si celle-ci est acceptée, verser 25 000 $ (bien peu de chose...). *Pour connaître la date de la cérémonie d'attribution, consulter leur site internet :* ● *hollywoodchamber.net* ● Même certains personnages de fiction ont aussi leur étoile : Mickey Mouse bien sûr, mais aussi Kermit la Grenouille, Shrek et les Simpson. Reagan aussi a la sienne, mais elle est si proche de celle de son ex-femme, Jane Wyman, que les Américains puritains s'en trouvent gênés. Beaucoup d'anciennes vedettes n'étant pas passées à la postérité, vous ne connaîtrez pas forcément tout le monde. Si jamais vous voyez des fleurs sur une étoile, c'est que la star vient de mourir et que des fans lui ont rendu un dernier hommage.

🎬 **Starline Tours :** *dans le centre commercial* Hollywood & Highland. *Billetterie à côté de l'entrée du Grauman's Chinese Theater, sur Hollywood Blvd. Résas :* ☎ 1-800-959-3131. ● *starlinetours.com* ● *Propose de nombreuses visites guidées, dont le* Movie Stars' Homes Tour. *Départs ttes les 30 mn 9h-18h. Adulte env 45 $, enfant 34 $; remise de 5 $ sur Internet.* Excursion de 2h dans un véhicule décapoté qui sillonne Hollywood et Beverly en passant par plus d'une quarantaine de maisons de stars. Prévoir un couvre-chef car le soleil cogne fort en été.

🎬🎬 **Hollywood Museum** *(plan couleur I, J9, 229) : 1660 N Highland Ave.* ☎ 323-464-7776. ● *thehollywoodmuseum.com* ● *Mer-dim 10h-17h. Entrée : env 15 $; réduc. Photos et vidéos interdites.* À deux pas du *Walk of Fame,* un musée à ne pas manquer pour tous les nostalgiques du ciné-club. Jeter d'abord un œil à l'élégant *Max Factor Building,* du nom du célèbre maquilleur hollywoodien. On peut voir l'un de ses poudriers à l'entrée et, juste derrière, une évocation de

L'HOMME QUI MAQUILLAIT PLUS BLANC

Max Factor était un maquilleur juif d'origine polonaise, émigré à L.A. en 1904. Très vite, il crée des produits pour l'écran et impose sa patte aux plus grandes stars de l'époque : Bette Davis, Jean Harlow, Rudolph Valentino et bien d'autres. En 1922, il crée sa ligne de produits pour le cinéma et le théâtre. Après sa mort, en 1938, la famille développe l'affaire.

l'actrice Lucille Ball (surnommée « Technicolor Tessie » car elle portait le rouge à lèvres de Max, le *Tru-Color* !). Comme le disait Victoria Beckham, femme de footballeur : « Il faut vraiment du courage pour sortir sans maquillage... » À côté, plusieurs petites salles : celle des *blondes* (*L.A. Times* original annonçant la mort de Marylin à cause d'une overdose ; une de ses robes), celle des *brunettes* (robes de Joan Crawford et Liz Taylor) et celles des *brownettes* (robe de Lana Turner). Plusieurs salles constellées de photos noir et blanc de Joe Ackerman. Dans la salle de projection voisine, un film sur la vie de Max Factor. Espace consacré à *La Planète des Singes,* version 1968, avec Charlton Heston, l'armurier du cinéma. Ne pas manquer non plus la Cadillac Fleetwood 1961 de Marylin, offerte à la star (avec le chauffeur !) par le producteur Zanuck. Au 2e niveau, nombreuses vitrines, consacrées à *Mission impossible, Hugo Cabret* ou encore... *The Artist,* si vous voulez pousser un p'tit cocorico. Au 3e niveau, grenier fourre-tout avec des photos de Jean Harlow, des robes de Nicole Kidman dans *Moulin Rouge,* une évocation du Rat Pack et de Michaël Jackson, etc. Enfin, au sous-sol, section films d'horreur, évidemment, depuis *Les Oiseaux* de Hitchcock à la cellule originale de Hannibal Lecter dans *Le Silence des agneaux.*

🎬🎬 À l'angle de Hollywood Blvd et de Highland Ave, vous tomberez sur les trois musées suivants *(plan couleur I, J9, 224) :* le **Hollywood Wax Museum,** le **Guinness World of Records Museum** et le **Ripley's Believe It or Not !,** *respectivement aux n°s 6764, 6767 et 6780 de Hollywood Blvd. Tous ouv tlj env 10h-minuit. Entrée : env 16 ou 17 $ selon le musée ; réduc ; billet combiné Guinness + Wax 18 $ et billet combiné pour les 3 musées 38 $.* On vous les indique car ils se trouvent là comme le nez au milieu de la figure mais, franchement, ce sont des musées assez racoleurs qui s'avèrent plutôt *cheap* une fois à l'intérieur, à moins d'avoir besoin d'un peu de superficialité pour se détendre... Le *Wax* est un musée de cire (Tom Cruise façon primate, Kirsten Dunst semblant faire la manche... amusant mais kitsch !). Le *Guinness,* comme on s'en doute, égrène les records et le *Believe It or Not* est censé vous clouer sur place avec des étrangetés venues du monde entier. Vous le croirez ou non, mais on s'est un peu ennuyé !

*** *Hollywood Heritage Museum (hors plan couleur I par J9)* **:** 2100 N High-land Ave (angle Milner Rd). ☎ 323-874-2276. ● hollywoodheritage.org ● *Parking gratuit. Mer-dim 12h-16h. Entrée : 7 $; gratuit moins de 12 ans. Organise des tours guidés de Hollywood ts les sam tte l'année ; durée 3h30 ; prix : 10 $; rens et résas :* ☎ 323-465-6716. *Le seul musée consacré à l'ère du cinéma muet. Installé dans une ancienne grange qui servit tout à la fois de lieu de tournage, de vestiaire et d'écurie pour* The Squaw Man, *le premier long métrage de Hollywood, réalisé par Cecil B. DeMille en 1913. Elle fut rénovée, déplacée de la* Paramount *(à l'angle des rues Vine et Selma) et réinstallée là, dans les années 1980. Malheureusement, elle a en partie brûlé en 1996 mais a été reconstituée. On peut notamment voir le bureau de Cecil B. DeMille, des photos du premier jour de tournage de* The Squaw Man, *un coffre et des photos des* Dix Commandements *(1923), d'autres photos d'*Intolérance *(1916), une minuscule salle de projo avec de vieux fauteuils d'époque, des projecteurs utilisés par Buster Keaton, les disques de sonorisation des premiers films parlants, une caméra Technicolor ayant servi aux tournages d'*Autant en emporte le vent *et du* Magicien d'Oz*... Une visite à ne pas manquer pour les vrais mordus de cinéma. Excellent accueil.*

* *Les studios de Charlie Chaplin (plan couleur I, I9-10, 227)* **:** 1416 N La Brea Ave. À l'angle de Longpré Ave (le nom d'un peintre français installé à Hollywood au début du XXᵉ s). L'ensemble est aujourd'hui occupé par un autre studio et ne se visite pas. Il s'agit d'une longue et basse demeure, de style vaguement anglo-normand, au cœur de Hollywood. Classés Site historique de Hollywood, les studios ont enfin été sauvés de la destruction. C'est là, en 1918, qu'à

GENTLEMAN CLOCHARD

*Pendant le terrible hiver 1954, Charlie Chaplin fit un don de 2 millions de francs à l'abbé Pierre et à sa fondation Emmaüs, à la suite de l'appel urgent à la solidarité pour venir en aide aux sans-abri. Charlot (*The Tramp *en v.o.) eut ces paroles magnifiques : « Je ne les donne pas, je les rends. Ils appartiennent au vagabond que j'ai toujours été et que j'ai incarné. » Chapeau Charlot !*

28 ans, déjà millionnaire et célèbre, Charlie Chaplin, alias Charlot, fait construire, au milieu des champs d'orangers, de citronniers et de tomates, ses propres studios, pour y tourner ses huit premiers films commandés par la *First National* (*A Dog's Life, The Pilgrim...*).

À l'époque, le bâtiment abritait le secrétariat, le *casting office,* le bureau d'A. Reeves et le bungalow de deux pièces – à l'angle de Longpré Avenue – réservé à Chaplin. Mais, ne voulant pas être importuné, celui-ci se réfugiait souvent dans une bicoque d'une pièce au fond du studio. Il travailla ici jusqu'en septembre 1952, habitant au 1085 Summit Drive, à Beverly Hills. On reconnaît bien une partie du bâtiment (l'angle avec Longpré Avenue) au début d'*Une journée de plaisir* (court-métrage de 1919). À voir si vous êtes un passionné de Chaplin.

* *Hollywood Forever (Hollywood Memorial Park ; plan couleur I, K-L10, 225)* **:** 6000 Santa Monica Blvd ; entrée au niveau de Gordon St. Tlj 9h-18h. Un très beau parc planté d'arbres multiséculaires qui se visite en voiture. Là, les midi-nettes viennent pleurer sur les tombes de Rudolph Valentino (dans la cathédrale, crypte 1205), Fairbanks, Tyrone Power, Griffith, John Huston, Cecil B. DeMille... et Joe Dassin (tombe 79, rang 1, section 14, il voulait l'Amérique et il l'a eue !).

Jayne Mansfield y a également sa sépulture, ainsi que Johnny Ramone, le second guitariste des Ramones. Ne cherchez pas Marilyn, elle est enterrée au cimetière de Westwood Village (voir plus loin).

🎬🎬 *Paramount Pictures Studios* (hors plan couleur I par K-L10-11) : 5555 Melrose Ave. Résa sur Internet ● paramount.com ● ou par tél obligatoire ☎ 323-956-1777. Entrée au croisement avec Windsor Blvd. Lun-ven (sf j. fériés), visites guidées de 2h en voiture électrique pour 8 pers ttes les 30 mn 9h-14h30 (slt en anglais). **Les moins de 12 ans ne sont pas admis !** Venir avec une pièce d'identité. Photos autorisées, sf sur les décors. Entrée : env 48 $. Également un tour de 4h30 à 150 $, déj inclus. Parking en face de l'entrée : 7 $. Forts du succès de *The Squaw Man* (1913), Cecil B. DeMille et ses partenaires Jesse Lasky et Sam Goldwyn s'associent à Adolph Zukor pour créer les studios *Paramount*. Très rapidement, la *Paramount* devient la deuxième *Major,* juste derrière *MGM,* et produit plus de 100 films par an entre 1920 et 1940, employant des stars comme les Marx Brothers, Cary Grant, D. W. Griffith, Marlon Brando. Après une traversée du désert dans les années 1950 et 1960, la *Paramount* est rachetée en 1967 et renoue avec le succès en produisant *Rosemary's Baby, Love Story, Le Parrain* et *Chinatown.* Aujourd'hui propriété de *Viacom,* la *Paramount* est loin de sa gloire d'antan, mais ce sont les seuls studios à être restés à Hollywood. Disons-le d'entrée (ou plutôt en milieu de paragraphe !), on n'assiste à aucun tournage ! De plus, mieux vaut bien maîtriser l'anglais, voire l'accent américain (certains guides avalent les mots), et avoir un fond de culture solide sur les séries TV américaines car, à part quelques longs-métrages historiques évoqués, les références sont surtout de ce côté-là. Vous voilà prévenu. Durant la visite, on circule entre les différents studios, sur lesquels sont listés les tournages déjà réalisés, avec en principe la possibilité d'entrer sur l'un d'entre eux.

On se retrouve aussi dans les rues de New York, qui servirent de décor à *Spiderman.* Puis on longe les rives d'un parking qui peut se transformer en lac, et où fut tournée la célèbre scène d'ouverture de la mer Rouge dans *Les Dix Commandements.* Au cours de la visite, le guide montre sur sa tablette électronique quelques scènes de films ou de séries tournées sur place. Passage devant le *Production Park,* les bureaux des producteurs, déjà tout-puissants à l'époque (le guide vous contera les malheurs de la pauvre Judy Garland...).

UN BON « PLAN AMÉRICAIN »

À partir des années 1940, la mode du « plan américain », couramment utilisé dans les films US, envahit le cinéma européen. Ce plan consistait à cadrer les personnages entre la ceinture et les genoux. Nulle volonté esthétique dans ce choix. Il était imposé au réalisateur par la production car dans les westerns il fallait à tout prix apercevoir les pistolets qui pendaient à la ceinture des acteurs. Ce type de plan fut repris par les cinéastes de la Nouvelle Vague en France... mais sans les revolvers.

Sachez qu'aujourd'hui la Paramount emploie 6 000 personnes et que, si vous comptez y tourner votre premier long-métrage, il vous faudra débourser 30 000 $ par jour... pour un studio vide. Pour finir, un coup d'œil au château d'eau (devenu indispensable, à l'époque, après plusieurs incendies...), à l'effigie de la fameuse montagne de la Paramount. Avant de partir, arrêt impératif devant les portes mythiques de la *Paramount,* que Gloria Swanson franchit dans *Sunset Boulevard.* En résumé, on a trouvé la visite amusante mais un peu longue. Certains lecteurs, eux, ont été franchement déçus.

🎬🎬 *Barnsdall Art Park* (hors plan couleur I par L9) : 4800 Hollywood Blvd (entre Edgemont et Vermont). En venant de l'ouest, entrée sur la droite juste après l'intersection avec Edgemont. Tlj 5h-22h. Dans l'est du quartier, un parc paisible et agréable offrant une jolie vue sur les environs. On peut y voir, en haut de la butte, **The Hollyhock House,** la première construction à Los Angeles de l'architecte

Frank Lloyd Wright (1921). *Rens :* ☎ *323-660-4254.* ● *barnsdall.org* ● *Visites guidées ttes les heures ven-dim 12h30-15h30. Entrée : env 7 $. Résa obligatoire. Photos interdites. Infos et vente des tickets à la L.A. Municipal Art Gallery, dans le parc,* ☎ *323-644-6269.* L'extérieur offre déjà un petit aperçu de cette étonnante réalisation où les volumes s'interpénètrent en lignes biaises, droites ou ciselées, terrasse, décrochements, échancrures, meurtrières permettant à celui qui se trouve à l'intérieur de percevoir l'extérieur comme un tableau, une œuvre d'art, un reflet. À l'intérieur, beaux effets d'ombres qui se prolongent vers les jardins. Les vitraux distillent une lumière diffuse. Une archi qui n'est pas sans rappeler certains ouvrages massifs de l'architecture aztèque ou encore les temples jaïns du sud du Rajasthan en Inde.

🐕 *Les hôtels pour chiens et les cimetières d'animaux (Pet Cemeteries) :* connaissez-vous le culte que vouent les Américains à leurs animaux (*pets,* en anglais) ? Non seulement ils emmènent leurs chiens à l'hôtel, mais ils construisent des hôtels spécialement pour eux, et même des cimetières... Il faut dire que la loi californienne interdit d'enterrer des animaux dans les jardins particuliers. Il existe donc deux

UNE STAR QUI AVAIT DU CHIEN

Rintintin, le célèbre toutou de Hollywood, est un rescapé de la Première Guerre mondiale. Le chiot fut recueilli par un soldat américain près de Pont-à-Mousson en Lorraine. Le producteur Darryl Zanuck repéra son extraordinaire mémoire. Rintintin tourna 26 films (jusqu'en 1932) et loupa de peu l'oscar du meilleur acteur !

cimetières dans la périphérie de L.A. Coût minimal des obsèques : 75 $ pour une crémation, 150 $ pour un enterrement. Si la curiosité vous démange, allez par exemple visiter le *Los Angeles Pet Park* (ou SOPHIE, soit « *Save Our Pet's History in Eternity* » !), 5068 N Old Scandia Lane, à **Calabasas** (à 32 km de L.A.). ☎ 818-591-7037. ● *lapetcemetery.com* ● *Pas facile à trouver :* à la sortie de la *Ventura Freeway,* tourner à droite, et aussitôt à gauche dans un chemin privé, faire quelques mètres et tourner encore à gauche. Lun-sam 8h-17h, dim de 8h au coucher du soleil.
– Dans le même genre, plein de *cliniques pour animaux* sur Sepulveda Boulevard South, notamment au n° 1736.
🏨 Où dormir à Hollywood... quand on est un chien ? *D Pet Hotel Hollywood :* 1041 N Highland Ave (angle Santa Monica Blvd). ☎ 323-464-7387. ● *dpetho tels.com* ● *Single env 65-220 $ selon confort et saison. Visite libre tlj 11h-16h.* L'hôtel des toutous qui mènent grande vie ou qui veulent rencontrer (incognito) la chienne de Jennifer Aniston ! Les caniches nostalgiques de la Route 66 se contenteront d'une cellule monacale, avec lit de camp, gamelle et TV. Les gros toutous à leur mémère auront droit à une suite avec grand lit, os-oreiller et écran plat pour revoir *Les 101 dalmatiens.* Repas et service de manucure sur demande. Chienne de vie, hein ?

GRIFFITH PARK *(plan couleur d'ensemble)*

Entre les Freeways 101 et 5 s'étend le plus grand parc municipal du monde. À l'origine, en 1896, un don effectué par Griffith J. Griffith, émigrant gallois qui fit fortune et s'installa à cet endroit au nord de L.A. Se souvenant qu'il avait été très pauvre, il mit une condition à son legs : que ces terres deviennent un lieu de loisirs et de repos pour la population. Ouh la, une idée quasiment communiste !
Hautes collines, canyons, bois, sentiers de randonnée et de jogging, pistes cyclables, équitation, etc. Un bol d'air à deux pas de Hollywood (le mont Hollywood culmine à 540 m). De nombreuses parties demeurent très

sauvages. On y compte plusieurs dizaines de kilomètres de sentiers. Enfin, on y trouve le zoo de L.A. et d'intéressants musées.

Adresse utile

🛈 *Ranger station et Visitor Center :* 4730 Crystal Springs Dr. ☎ 323-644-2050. À l'est du parc, avt d'arriver au Museum of the American West, 1 mile après le Southern Railroad Station. Parc ouv tlj 5h-22h. Bureaux tlj sf lun 9h-16h (mais même quand c'est fermé, accès à l'intérieur où se trouvent ttes les brochures). Plan du parc. Accueil variable. À deux pas : location de vélos en tout genre (il y en a même pour 4 personnes).

À voir

🎿🎿🎿 🚶 *L'observatoire :* 2800 E Observatory Rd. ☎ 213-473-0890. ● griffithobs. org ● Mar-ven 12h-22h, w-e 10h-22h. Entrée libre, sf au planétarium. Accès gratuit au téléscope 19h-21h45. Un incontournable du Griffith Park. Son slogan : « Là où les stars sont les étoiles »... Son histoire est assez croustillante. Sa construction fut financée par Griffith J. Griffith, grâce à un don de 700 000 $, mais la ville de Los Angeles refusa dans un premier temps cet argent, car Griffith venait de sortir de prison pour le meurtre manqué de sa femme. On attendit donc sa mort en 1919 pour commencer la construction de cet édifice Art déco qui servit aussi de décor dans *La Fureur de vivre* et *Terminator...* La visite vaut vraiment le détour, non seulement pour la vue superbe sur la ville, mais aussi pour les différentes animations qui y sont proposées. L'expo permanente sur la découverte spatiale est gratuite (seules quelques sessions au planétarium sont payantes, env 7 $). Superbes photos des missions Apollo, puis quelques attractions plus ou moins interactives, telles qu'un pendule de Foucault, inventé par le physicien français en 1851, et qui apporte la preuve que la Terre tourne bien autour de son axe. Plus marrant, cette caméra vidéo qui vous filme en infrarouge : plus vous dégagez de chaleur, plus vous serez coloré (amenez-y votre dernière conquête, histoire de prendre la température...). Aussi, tout un ensemble d'animations interactives montrant les galaxies, les différentes phases lunaires et solaires, le phénomène des éclipses et des marées. Intéressante expo sur les éléments basiques constituant l'Univers, les atomes, les molécules, la décomposition de la lumière. Vidéos sur les éruptions solaires, les comètes.

Au sous-sol
Une remarquable muséographie présente de très belles météorites. Pour les nostalgiques d'Armageddon, un simulateur d'impact. On apprend tout sur ces cailloux qui tombent du ciel, leur origine, leur nature, le danger qu'ils représentent. Dans une grande salle, tout sur les planètes du système solaire, les étoiles (ça change des stars de parade enkystées dans l'asphalte des trottoirs de Hollywood Blvd !). On teste son poids sur Pluton, sur Neptune... Sur Jupiter, faut sérieusement penser à se mettre au régime ! À noter, pour finir, le sismographe qui enregistre, en temps réel, les moindres tressaillements de la ville. Enfin, une boutique, mais surtout, une très agréable terrasse en balcon sur la ville pour admirer le soleil couchant en écoutant L.A. qui ronronne juste en dessous. Une visite qui change des paillettes et du côté très superficiel de Hollywood... Exceptionnel !

🎿🎿 🚶 *Autry National Center* (Museum of the American West) : 4700 Western Heritage Way. ☎ 323-667-2000. ● theautry.org ● Situé dans le Griffith Park, à la jonction de la 5 (Golden State Freeway) et de la 134 (Ventura Freeway) ; sortie « Zoo ». Pour s'y rendre depuis le centre, le plus simple est d'emprunter Los Feliz Blvd (depuis Western ou Vermont) et de le suivre presque jusqu'à la 5 ; tourner à gauche sur Crystal Springs Dr et continuer tt droit vers le zoo et le musée (ils sont face à face). Parking gratuit. Tlj sf lun et j. fériés, mar-ven 10h-16h, w-e

11h-17h ; juil-août jusqu'à 20h le jeu. Entrée : env 10 $; réduc ; gratuit le 2ᵉ mar du mois. Visites guidées gratuites le w-e. Photos (sans flash) autorisées.

Ouvert depuis 1988 et installé dans un vaste édifice à l'architecture rappelant les missions espagnoles. Voici donc un grand musée de l'Histoire de l'Ouest, mais, attention, surtout du point de vue... des Blancs : en effet, le musée actuel ne fait preuve d'aucun recul critique, les Indiens n'y apparaissent pour le moment que comme éléments de folklore. On espère que ce sera moins le cas avec l'aménagement du *Southwest Museum of the American Indian,* juste en face du bâtiment actuel, dont l'ouverture est sans cesse reportée (en attendant, il est prévu d'y organiser des expos temporaires, ouvertes au public le samedi). Compter au minimum 2h de visite. Si on laisse de côté l'avertissement du début, ce musée est vraiment passionnant par la qualité des objets, souvenirs et iconographies présentés, pour ceux qui s'intéressent aux cow-boys. Également les manifestations annuelles : *Day of the Cow-Boys and Cow-Girls (dernier w-e de juil), Day of the Dead (dernier sam d'oct)* et *American-Indian Arts Market Place (1ᵉʳ w-e de nov).*

– **Spirit of Romance :** la conquête de l'Ouest dans l'art des XIXᵉ-XXᵉ s. Voir notamment les tableaux de Thomas Moran *(Mountain of the Holy Cross),* John Gast *(American progress)* ou Eastman *(Indian on the lookout).* Également le n° 26 de la série des *Bronco Buster,* la fameuse sculpture de Remington, et un piano Steinway avec un siège en velours rouge orné de cornes. Au XXᵉ s, les artistes se tournent un peu plus vers les Indiens et leurs cérémonies traditionnelles. Voir *Men of the red earth* de Dixon et *Wild horses of Nevada* de Iesaka Waken. Jeter aussi un œil à la représentation de L.A. signée Phil Dike.

– **Spirit of Imagination :** ou l'Ouest au cinéma. Attention, la reconstitution d'une rue de ville de l'Ouest devrait disparaître pour agrandir la partie consacrée aux tableaux. En revanche, la belle section consacrée au cinéma-western devrait rester : vénérables costumes (ceux de Clint Eastwood dans *Pale Rider* et *Unforgiven,* chapeau de Steve McQueen dans *Tom Horn,* ceux de John Wayne et Gary Cooper), disques, cow-boys d'opérette, selles d'apparat, gadgets. Il y a même une vitrine consacrée aux *cow-girls.* Évidemment, on y honore largement Gene Autry, le « cow-boy chantant » des années 1950, qui est encore aujourd'hui la seule personnalité à avoir cinq étoiles (une dans chaque catégorie) sur le *Walk of Fame.* Il devait avoir un super manager ! La preuve, c'est ce dernier qui inventa le disque d'or. Évidemment, le premier fut attribué à... Gene Autry. On peut voir la guitare de la star et aussi son pistolet... en plastique. Ne riez pas, sa production en série sauva la ville qui le fabriquait de la faillite ! Voir aussi la tenue de Roy Rogers, à comparer avec la chemise Old West de Michael Jackson, et celle de Zorro, version gay ! Salle de ciné (films de Gene Autry une fois par mois) et vidéos (sur l'histoire de l'Ouest).

– **Spirit of Opportunity and Journeys :** remarquable restauration d'une diligence de 1885, gros bison, vêtements et artisanat indiens, poupées, jouets, souvenirs de pionniers, broderies, meubles et objets domestiques datant de la ruée vers l'or. Voir aussi la vitrine des *Buffalo Soldiers,* les fameux soldats noirs chantés par Bob Marley, qui n'étaient pas incorporés à l'armée régulière...

– **Spirit of Community :** superbes *saloon* (bar en acajou avec deux cariatides), vitrines remplies de colts et fusils, photos de la mort des frères Dalton (avec l'invitation pour assister à leur exécution), étoiles de shérifs, armes et objets ayant appartenu à Billy the Kid et Pat Garrett. Également une reluisante voiture de pompiers de 1873 et la reconstitution des conditions de vie quotidienne des Chinois, des Mexicains, des Noirs et des mormons dans l'Ouest. Ne pas manquer la *Greg Martin Colt Gallery,* sauf si vous haïssez les armes... À l'entrée, notez le *Gatling Gun,* la première mitraillette, produite par Colt en 1893, qui ressemble à une lunette téléscopique. Dans la galerie elle-même, impressionnante collection d'armes mais aussi de prototypes qui se sont avérés défaillants. Observer attentivement le premier colt (de 1835), équipé d'un couteau au bout du canon, le raffinement de certaines crosses (celle de Gene Autry, par exemple) et la flamboyante collection de colts des présidents américains (Roosevelt, Reagan...). Comme vous le verrez, celui de J.F.K. n'a pu être achevé à temps...

– **Spirit of Cow-Boys :** vêtements, objets, outils, étriers, fers, brides, éperons, le *Chuckwagon* du cuistot... Bel échantillonnage de barbelés et collection de selles. Photo de Yakima Canutt, cascadeur et spécialiste du rodéo dans *Autant en emporte le vent.* Grand poster montrant la diversité ethnique des cow-boys : eh oui, il y avait aussi des Noirs et des Mexicains...

– Dans l'aile ouest, des **expos temporaires,** souvent de l'**artisanat indien** (un début de mea culpa ?).

🍴 *Cafétéria* médiocre sur place mais on peut tout de même y boire un verre.

🐾 🧍 *Los Angeles Zoo & Botanical Gardens :* 5333 Zoo Dr. ☎ 323-644-4200. ● lazoo.org ● En face du Autry National Center. Tlj sf 25 déc 10h-17h ; les animaux commencent « à rentrer chez eux » 1h avt la fermeture. Entrée : env 18 $; réduc. Parking gratuit. La balade dure au moins 4h, et le dépaysement est assuré. Quelque 370 espèces habitent le parc, bénéficiant pour la plupart de larges espaces de vie et non de ridicules enclos. Parmi les vedettes : les phoques, les dragons de Komodo, les gorilles, les éléphants, les chimpanzés, les hippopotames... Spectacles proposés aux visiteurs, tous les jours. Ceux avec les oiseaux se déroulent à 11h30 et à 14h (ainsi qu'à 15h30 le week-end). Celui avec les éléphants à 11h. Le zoo renferme également un superbe jardin botanique. On oublie presque qu'on est à Los Angeles. Venir de préférence le matin et éviter les vacances scolaires.

🐾 🧍 Plus loin, entre le zoo et le Travel Town Museum, le *L.A. Live Steamers,* club de fans des modèles réduits. *Balade gratuite sur un train miniature, dim 11h-15h.*

🐾 🧍 *Griffith Park Southern Railroad Station :* si vous n'êtes pas saturé, il reste encore un train à tester au 4400 N Crystal Springs Dr (tt au début en venant du sud). ☎ 323-664-6903. Tlj 10h-16h (17h le w-e en été). Adulte : 2,75 $; réduc.

– À côté, pour les enfants, petite piste pour poneys et minibalade en diligence *(mar-dim 10h-17h).*

🐾 🧍 *Travel Town Museum :* 5200 Zoo Dr, tt au nord de Griffith Park. ☎ 323-662-5874. Tte l'année, tlj 10h-16h (18h le w-e). GRATUIT (donation bienvenue). Ce musée des Transports rassemble la plus importante exposition de locomotives à vapeur à l'ouest du Mississippi. Toutes sortes de véhicules de 1849 à la Seconde Guerre mondiale. Quelques voitures de pompiers aussi et une impressionnante *Union Pacific* de 110 t (dommage que la visite du wagon-restaurant soit interdite, sauf pendant la visite guidée le 2e samedi du mois). Petit train miniature se baladant dans le musée *(env 2,50 $/pers).* Aire de pique-nique à côté. Pour les amateurs de grosses machines.

À faire

Nombreux sports pratiqués dans le parc : tennis, golf (quatre terrains municipaux), équitation. Sentiers équestres spécialement prévus.

Équitation

Voici deux centres où louer des chevaux, mais il en existe d'autres. *Rens au* Visitor Center *(voir plus haut « Adresse utile »). Ils pratiquent ts sensiblement les mêmes prix : env 25 $/h de rando.*

■ *Griffith Park Horse Rentals :* 480 Riverside Dr, Burbank. ☎ 818-840-8401. ● griffithparkhorserental. com ● Dans Griffith Park, à l'extrémité de Main St ; c'est aussi indiqué depuis Zoo Dr. Tlj 8h-17h. CB refusées. Un très grand centre équestre disposant également d'un terrain de polo. Une cinquantaine de chevaux, en majorité des *quarter horses,* mais aussi des *paints,* des *appaloosas...* Également des poneys.

■ **Sunset Ranch :** *3400 N Beachwood Dr.* ☎ *323-469-5450.* ● *sunsetranchhollywood.com* ● *De Hollywood, remonter Beachwood Ave, c'est au bout de la rue. Tlj 9h-17h. Âge min : 7 ans.* Une autre bonne adresse. On se retrouve en pleine campagne à moins de 5 mn de voiture du centre de Hollywood, incroyable ! Un ranch d'un peu plus d'une cinquantaine de chevaux, en majorité des mustangs, mais aussi des *quarter horses, paint horses, appaloosas, pintos...* Possibilité d'effectuer un *Mount Hollywood ride,* une balade à cheval débutant vers 16h30 du ranch, pour vous promener à travers les collines de Hollywood jusqu'à Burbank. Panorama sur L.A. tout illuminé. On mange dans un restaurant mexicain et l'on revient vers 22h. Une expérience inoubliable.

Randonnées pédestres

Très populaire ici d'aller se décrasser les bronches à travers les collines vierges du Griffith Park. Au moins 80 km de pistes. Certaines sont également partagées avec les sentiers équestres. Ne pas manquer d'aller au *Visitor Center* pour préparer votre randonnée (voir plus haut « Adresse utile »). L'une des balades les plus fameuses est celle du mont Hollywood. Elle débute au parking de l'observatoire (compter une dizaine de kilomètres aller-retour). Beau panorama sur tout L.A.

UNIVERSAL STUDIOS HOLLYWOOD
(plan couleur d'ensemble)

🎭🎭 🚶 *Au nord de Hollywood.* ☎ *818-622-3801.* ● *universalstudioshollywood. com* ● *Accès par le métro Red Line, direction North Hollywood, arrêt « Universal City », puis navette gratuite qui vous dépose en face de l'entrée du parc (la solution de loin la plus économique). En voiture, accès par la 101 N, sortie Universal City ou Universal Studios. Parking 20, 25 ou 30 $ selon l'emplacement ; on conseille le plus cher, situé juste devant l'entrée, un vrai gain de temps (on n'est plus à 10 $ près...). Tlj de 9h ou 10h à 17h au moins et jusqu'à 20h selon saison. Entrée : env 85 $; 76 $ pour les enfants mesurant moins de 1,20 m (certaines attractions ne leur sont pas autorisées) ; gratuit pour les moins de 3 ans. Parfois des promos sur Internet du style « 2ᵉ jour offert pour l'achat d'un billet à prix normal ». Le Front of Line Pass, vendu en nombre limité à un prix exorbitant (env 150 $, mais variable selon l'affluence), permet de griller ttes les files d'attente. Avec le VIP Experience (env 300 $/pers !), vous serez traité comme un roi (valet parking à l'arrivée inclus dans le prix).*

Deux conseils : en été, y aller dès l'ouverture et de préférence en semaine, histoire d'échapper à la cohue. Et évitez d'y amener de trop jeunes enfants, les attractions étant surtout destinées aux plus de 8-10 ans.

Construit à côté des « véritables studios », ceux où l'on tourne pour de vrai, *Universal Studios Hollywood* est avant tout un parc à thème, qui permet d'expérimenter de nombreuses attractions basées sur des films célèbres et, plutôt accessoirement, de voir comment on monte les décors, réalise des trucages, etc. La visite vous donnera néanmoins l'occasion de voir une partie des vrais studios (notamment les décors extérieurs) en faisant, assis dans un petit train, le *Studio Tour,* que l'on vous recommande chaudement.

Les studios *Universal* furent créés en 1915 et la visite organisée, instituée pour dynamiser la firme, commença en 1964. De nouvelles attractions ont vu le jour, et le parc, peu à peu, a pris forme. Celui-ci comprend trois parties : le *Upper Lot,* le *Lower Lot* et le *Back Lot* (tour des studios). On vous conseille de vous précipiter (c'est le mot) sur les attractions en contrebas *(Lower Lot),* puis de monter faire le *Studio Tour* qui parcourt les studios (véritable ville de hangars immenses, de rues et quartiers reconstitués), et de terminer par le *Upper Lot.* Vous ferez de toute façon la queue à un moment ou à un autre, mais un peu moins dans cet ordre.

Enfin, sachez que la construction d'un nouveau parc à thème consacré au célèbre sorcier à lunettes bat son plein. Calqué sur celui d'Orlando, *The Wizarding World of Harry Potter* ouvrira ses portes en 2015, pour le centenaire des studios. Dans un cadre enchanteur, les fans y retrouveront l'ambiance magique de la saga : le château de Poudlard (*Hogwarts* dans le texte), grandeur réelle, avec ses toits

enneigés, les ruelles de Pré-au-Lard (*Hogsmeade*), la Forêt interdite et même le chemin de Traverse (*Diagon Alley*), la rue commerçante des sorciers. Supervisée par J. K. Rowling *herself* et inspirée par l'ensemble des sept tomes, la zone comprendra attractions, boutiques et restos, où vous pourrez siroter une bière au beurre et vous acheter une baguette magique, un paquet de dragées surprise de Bertie Crochue ou encore le parfait attirail du joueur de quidditch.

Où manger ?

En dehors des adresses situées à l'intérieur du parc (pas formidables...), il existe aussi tout plein d'endroits où grignoter un morceau à l'extérieur. Pour sortir puis entrer à nouveau, se faire « tatouer » la main.

Certains restos du parc participent à l'offre *All you can eat* : pour 25 $ par adulte et 15 $ par enfant, vous pouvez manger toute la journée... Seule la boisson n'est pas comprise. Le *pass All you can eat* s'achète à l'entrée du parc ou dans les restos participants.

À voir

Lower Lot

– *Transformers :* basée sur le film éponyme, cette attraction de 4 mn en 3D et en voiturette vous donne l'illusion de participer au combat déchaîné des Autobots contre les Decepticons. Assez époustouflant, un des musts du parc ! Les enfants doivent être accompagnés.
– *Jurassic Park :* l'attraction a coûté la bagatelle de 110 millions de dollars, soit deux fois plus que le film éponyme de Spielberg ! On navigue à bord d'un grand radeau parmi les dinosaures et autres monstres préhistoriques qui ont l'air bien vivants. Une sono de 10 000 watts délivre les rugissements d'un *Tyrannosaurus rex* de 45 t qui fonce mâchoires ouvertes vers vous. Le final vous garantit un grand frisson... on ne vous en dit pas plus. Protégez vos appareils photo et caméscopes (des cirés sont vendus à l'entrée de l'attraction), ça mouille beaucoup !
– *Revenge of the Mummy :* ce *Roller Coaster* (« montagnes russes ») démentiel vous emmène dans le monde magique et mystérieux de la momie. Vos affaires doivent être mises dans un *locker*, c'est dire si ça secoue, surtout en arrière ! À réserver aux plus grands.

Back Lot

C'est l'endroit où se trouvent les studios proprement dits, que vous aurez l'occasion de frôler à bord d'un wagonnet en faisant le *Studio Tour* (départ du *Upper Lot*). Au programme : pas mal de décors extérieurs, dont le motel Bates et la maison de *Psychose,* un Boeing 747 explosé de *La Guerre des mondes,* les maisons des *Desperate Housewives* et le décor de *Jurassic Park.* Laissez-vous entraîner, mais ne vous fiez pas trop au train-train de ce petit train-là. En chemin, vous pourriez bien vous retrouver en plein tremblement de terre à San Francisco, face à King Kong. On ne vous en dit pas plus... il faut bien ménager l'effet de surprise ! Les commentaires, pour peu qu'on comprenne l'anglais et que l'on ait quelques références sur les séries télévisées américaines, sont très bien faits. Avec un peu de chance, vous pourrez apercevoir le tournage d'un feuilleton télévisé ou d'une séquence de film.

Upper Lot

– **Despicable Me Minion Mayhem (Moi, Moche et Méchant) :** ce nouveau simulateur en 3D à la pointe de la technologie met en scène les personnages principaux du film d'animation franco-américain (gros succès public et critique) : Gru le super-méchant, ses adorables filles adoptives et les désopilants « minions ».

– **The Simpsons Ride :** on vous installe dans une petite voiture, avec la famille Simpson en goguette dans le parc d'attractions Krustyland. Dommage pour vous ! C'est un parc *low-cost,* tenu par Krusty le Clown... Hilarant ! Ça secoue dans tous les sens, avec quelques petites surprises en cours de route. Notre attraction préférée.

– **Shrek 4D :** l'effet 3D et le siège dynamique rendent cette attraction assez sympathique. Shrek y poursuit Lord Farquois qui a enlevé sa femme, la princesse Fiona. Effets spéciaux en pagaille. Muni de lunettes pour voir en relief, vous en prendrez plein la vue !

– **Water World :** spectacle à heures fixes d'après le film de Kevin Costner. Effets spéciaux assez impressionnants. Les jours de grande affluence, s'y pointer au moins 30 mn avant si l'on veut avoir une place (surtout si c'est le dernier show de la journée). Tout y est : les méchants, ces fameux *smokers* à la recherche de Dryland, et les gentils. Impressionnantes cascades sur l'eau dans un décor de fin du monde de haute tenue. L'atterrissage de l'hydravion est ahurissant. Attention aux éclaboussures, certaines places sont très arrosées (la *soak zone,* les premiers rangs) !

– **House of Horrors :** dans le château de Dracula, une sorte de train fantôme sans train (et donc à pied !), avec de vrais acteurs qui surgissent des coins sombres. Des frissons et des cris pour les plus jeunes.

– **The Blues Brothers :** ils arrivent bruyamment dans leur voiture, puis concert en extérieur reprenant les vieux tubes du duo légendaire. Là aussi, show à heures fixes.

– D'autres attractions, comme **Universal's Animal Actors :** des animaux de films (et un peu de cirque, il faut bien le dire) démontrent leurs talents. Beaucoup ont à leur crédit un joli petit nombre de films, presque de quoi faire baver d'envie certains comédiens humains. Très bien avec ou sans enfants. Les plus sensibles à la cause animale se réjouiront d'apprendre que la plupart des quadrupèdes montrés ont été recueillis dans des refuges, et qu'un programme de retraite leur est même réservé !

– Enfin, à chaque coin de rue, vous pourrez tomber sur Groucho Marx, Marilyn Monroe, Frankenstein, Charlot, Shrek, Dracula, les Simpson...

WARNER BROS. STUDIOS *(plan couleur d'ensemble)*

À voir

🦅 *À Burbank. Entrée au 3400 Riverside Dr, Gate 6.* ☎ *1-818-972-8687.* ● *vipstu diotour.warnerbros.com* ● *De Hollywood Blvd, prendre la 101 vers le nord puis Barham Blvd, à droite avt d'arriver à Universal City ; c'est tt au bout, à env 3 km. En bus, prendre le n° 222 à Hollywood/Highland et descendre au croisement* de Hollywood Way et de Riverside Dr. Ouv tte l'année, lun-ven. Visites guidées ttes les 20 mn, 8h20-16h. Résa par Internet ou par tél ; sinon c'est le principe « first come, first served » : arriver de bonne heure. Durée : env 2h15. Entrée : env 52 $. Âge min : 8 ans. Parking : 7 $ (mais parfois quelques places gratuites dans la rue). Le Deluxe Tour, plus exhaustif (il dure 5h !), se fait en bus et à pied. Départ à 10h20. Prix : 250 $! Fondée par quatre frères, en 1929. C'est la Warner,

INITIALS W.B.

On raconte que Jack Warner avait l'habitude de rabattre le caquet de ses détracteurs en montrant les lettres W.B. sur la grande citerne et en leur demandant : « C'est le nom de qui, là ? » Pas de chance, un jour ce fut Warren Beatty qui s'opposa ouvertement à sa volonté. Jack Warner, montrant la citerne du doigt, le questionna donc : « C'est le nom de qui, là ? », « C'est peut-être votre nom, répondit Warren Beatty, mais ce sont mes initiales ! »

qui a réalisé le premier film parlant de l'Histoire, The Jazz Singer, l'année même de sa création (ça commençait très fort !). La firme a aussi produit des chefs-d'œuvre comme Casablanca, avec Bogart, les fameux dessins animés du lapin Bugs Bunny, certains films réalisés par Clint Eastwood, la série des Harry Potter et, plus récemment, a coproduit un certain The Artist... Mais le plus gros de sa production aujourd'hui est tournée vers la série TV (Friends étant la plus connue chez nous). Très différent d'Universal Studios Hollywood : il ne s'agit nullement d'un parc d'attractions mais de la visite des studios de la Warner Bros. Enfin, ce qu'on veut bien vous en montrer ! Là encore, comme pour la Paramount, ne vous attendez pas à assister à un tournage ni à côtoyer des stars, évidemment ! Une bonne maîtrise de l'anglais américain, mais surtout des séries et shows TV, s'avère nécessaire car le guide parle surtout de ce type de productions. La visite débute par un clip court à la gloire de la maison. Ensuite, par voiturette de 12 personnes, on embarque pour le tour des studios, qui, à vrai dire, est bien ennuyeux. Certains guides se contentent de pointer du doigt les immenses hangars où sont tournés films et séries télévisées, sans qu'on puisse y pénétrer ni prendre de photos. D'autres tentent de vous faire rire ou sourire toutes les 2 mn, comme dans une sitcom, à l'aide de quelques facéties. Beaucoup d'arrêts photo devant les décors extérieurs ayant servi dans de nombreuses productions, à croire que l'on vous explique surtout comment faire des économies et devenir producteur ! Enfin, pas mal d'anecdotes incompréhensibles pour les profanes des shows TV américains... Certes, on a droit à quelques allusions à Casablanca, vite expédié, à un passage devant la façade du théâtre visible dans The Artist (à condition de le demander), à un petit tour dans le musée des automobiles pour voir les différentes Batmobiles et on atterrit finalement sur le (vieux) canapé de la série Friends en bâillant d'ennui. La visite se termine par le musée, essentiellement consacré à la saga Harry Potter. Télévores, vous y trouverez peut-être votre bonheur ; cinéphiles, passez votre chemin !

GLENDALE (plan couleur d'ensemble)

À voir

🎥🎥 **Le cimetière de Forest Lawn :** 1712 S Glendale Ave. ☎ 1-800-204-3131. ● forestlawn.com ● Tlj 8h-17h. Depuis la Freeway 5 (direction Sacramento), prendre la Freeway 2, direction Glendale ; sortie San Fernando, puis Glendale Ave. C'est avant tout un très grand parc agréablement vallonné qui offre un très beau panorama sur la ville de L.A. Un grand bol d'oxygène garanti ! Pas du tout morbide, bien au contraire, la plupart des tombes se résument à des plaques en fonte posées à même le gazon. Les familles viennent s'y promener, on peut même circuler en voiture. Toutefois, par respect pour les familles des défunts, le personnel du cimetière n'est pas autorisé à vous indiquer l'emplacement exact des tombes.

– Près du *Freedom Mausoleum,* Walt Disney, Sammy Davis Jr, ainsi que la prêcheuse évangéliste Aimée Semple MacPherson, qui s'y est fait (paraît-il) enterrer avec un téléphone et une ligne en état de fonctionnement... Près du Freedom Mausoleum encore, la tombe d'Errol Flynn (qui aurait été enterré avec six bouteilles de whisky). Reposent ici également Tex Avery, Bette Davis ainsi que Stan Laurel, mais sans son Hardy !

– À l'intérieur du *Freedom Mausoleum,* urnes funéraires d'Alan Ladd, Nat King Cole, Clara Bow, Chico et Gummo Marx (Gummo était l'agent des Marx Brothers).

– Tout en haut, dans le *Court of Freedom,* voir la reproduction de la célèbre œuvre de Trumbull, *La Signature de la Déclaration d'indépendance,* en mosaïque (700 000 petits morceaux et 1 500 coloris !).

– Noter aussi, sur la terrasse du *Great Mausoleum,* le vitrail de *La Cène,* d'après Léonard de Vinci, exposée toutes les 30 mn de 9h30 à 16h. À l'intérieur, on peut également voir les plaques funéraires de Clark Gable et de sa femme Carole Lombard (une crypte à droite, la plus éloignée du vitrail de *La Cène*), ainsi que celle de David O. Selznick, le producteur d'*Autant en emporte le vent.*

– Enfin, le *Forest Lawn Museum* abrite pas mal d'œuvres et

THIS IS IT

Plus de 2 mois après sa mort tragique en 2009, Michael Jackson a été inhumé au cimetière de Forest Lawn, et non dans son ranch californien, Neverland. Le King of Pop repose sur la terrasse sacrée du Great Mausoleum (inspiré du Campo Santo de Gênes en Italie), dans la crypte de la Holy Terrace. Dans un cercueil doré et avec son gant blanc. Mais vous n'en verrez rien car l'accès est limité aux seuls intimes.

objets, comme *The Song of the Angels* de Bouguereau et une collection de toutes les pièces de monnaie mentionnées dans la Bible !

WEST HOLLYWOOD *(plan couleur II)*

Où manger ?

Spécial petit déjeuner

☞ **The Griddle Cafe** *(plan couleur II, O12, 11)* : 7916 W Sunset Blvd (entre Fairfax et Hayworth Ave). ☎ 323-874-0377. Entrée discrète sur Sunset Blvd, juste à côté de la « Directors Guild of America ». Tlj 7h (8h w-e)-16h. Petits déj 10-15 $. Une salle tout en longueur avec des briques apparentes, des ventilos qui s'agitent au plafond, des banquettes de moleskine rouge et un grand comptoir ovale pour les mangeurs solitaires. Au menu, différentes sortes de *French toast,* des gâteaux type bombe calorique, ou encore de bonnes omelettes, et du bon café. Les portions servies devraient

vous permettre de tenir jusqu'au soir ! Ambiance bruyante mêlant le *diner* américain populaire et l'adresse plus chic (vu la situation...). Si la carte ne manque pas d'humour, le service, lui, distribue les sourires au compte-gouttes et se montre un rien expéditif. Il faut dire qu'il n'est pas rare de devoir faire la queue dès 9h30 du mat' !

☞ **Urth Caffe** *(plan couleur II, O12-13, 144)* : 8565 Melrose Ave (entre La Cienega et San Vicente). ☎ 310-659-0628. Tlj 6h30-minuit. Petits déj 10-15 $. C'est ici qu'a ouvert la première adresse de cette chaîne de cafés (bio et issus du commerce équitable) que l'on trouve dans plusieurs quartiers de L.A. et qui a le chic pour s'installer dans de jolies maisons avec terrasse... chauffée dès que la température baisse de 5° ! Grand choix, avec de nombreuses viennoiseries et gâteaux (évitez quand même le *pecan sticky bun*, très bourratif), des omelettes bien préparées et autres classiques du petit déj à l'américaine. Pas mal aussi pour le lunch et le dîner. Beaucoup de succès. Et s'il y a trop de monde, on vient prendre votre commande dans la file !

Bon marché

I●I Pour ceux qui se contenteraient bien d'un casse-croûte sur le pouce (et d'une économie substantielle), on trouve, face au LACMA, devant le 5900 Wilshire Blvd, quelques **food trucks** (*plan couleur II, O13, 134*), à savoir des camions stationnés tous les jours, qui vendent tacos et sandwichs copieux pour env 7 $ pièce. Pour ceux que la formule séduit, sachez qu'il y en a des dizaines à L.A. Pour savoir où et quand les trouver, consulter les sites ● findlafoodtrucks.com ● foodtrucks map.com/la ●

Prix moyens

I●I **Farmer's Market** (*plan couleur II, O13, 233*) : W 3rd St et Fairfax Ave. De Downtown, bus no 16 à l'angle de 5th et de Flower St. Tlj 9h-21h (20h sam), dim 10h-19h. Une profusion d'échoppes dans un marché en plein air (lire également « À voir ») pour goûter à un peu de tout, des *falafels* aux sushis en passant par des plats chinois, des pizzas, des viandes rôties, des crêpes, des *burritos*, des salades... à des prix raisonnables. **Bennett's** (stand no 548) fait de délicieuses glaces artisanales et **Light My Fire** (no 230) propose uniquement des sauces pimentées, avec des étiquettes assez incendiaires, comme la *Saddam Insane* ou la *Burn in Hell Osama* ! Compter environ 6 $ la fiole, sauf pour *The Source*, la *hot sauce* la plus forte au monde, un flacon à 140 $! **Monsieur Marcel** (no 236), quant à lui, fait de la soupe à l'oignon, de la salade niçoise, du coq au vin...

I●I **Veggie Grill** (*plan couleur II, O13, 136*) : 110 S Fairfax Ave. ☎ 323-933-3997. Tlj 11h-22h30 (23h ven-sam). Plats env 7-10 $, menu-enfants 6 $. Juste à gauche du *Farmer's Market*, une cantine dans l'air du temps, avec des spécialités végétariennes d'excellente facture servies dans un vrai décor contemporain. Tons rouge, orange et vert, aussi bien dans la salle que dans l'assiette. Bons burgers et *buffalo wings* végétariens (c'est possible !), salades bien fraîches (thaïe, mexicaine) préalablement mélangées à du quinoa, sandwichs et même du *chili*... Le tout à accompagner d'un *ginger ale* pour stimuler les papilles. On commande à la caisse, on vous donne un numéro et on attend. S'il y a foule, ne pas hésiter à le mettre sur la tête pour manifester votre impatience ou votre humour... Pour les fans, succursales au 8000 W Sunset Blvd et à Santa Monica (2025 Wilshire Blvd).

I●I **Real Food Daily** (*RFD ; plan couleur II, O13, 139*) : 414 N La Cienega Blvd (entre Beverly et Melrose). ☎ 310-289-9910. Tlj 11h-22h. Brunch dim 10h-15h. Plats env 8-17 $. C'est une petite succursale de l'adresse de Santa Monica (voir plus loin). Salle contemporaine (« Water, Earth, Wood, Fire » sur les murs) servant une vraie cuisine végétalienne à base de produits bio et locaux.

I●I **Barney's Beanery** (*plan couleur II, O12, 130*) : 8447 Santa Monica Blvd. ☎ 323-654-2287. À l'endroit précis où Santa Monica Blvd vire vers le sud-ouest (vers Santa Monica, quoi !). Tlj 10h-2h. Happy hours tlj 16h-19h. Plats env 7-19 $. Ce resto est le plus authentique de la chaîne. Installé à Hollywood depuis 1920, il fut fréquenté par Marylin, Steve McQueen, Jim Morrison, Janis Joplin (elle y prit même son dernier repas) ou encore Peter Falk, entre autres. En près d'un siècle, cette grande cabane en bois a donc eu le temps d'accumuler les objets les plus divers : vieilles coupures du *L.A. Times* punaisées au plafond, photos de pin-up et de stars, banquettes multicolores... La liste est longue, tout comme le menu sous forme de journal : petits déj, œufs, omelettes, *chili plates, stuffed potatoes,* hot dogs extra-longs, pâtes, sandwichs, poulet, fruits de mer, salades, pizzas, *house specialties* et, bien sûr, burgers (la meilleure viande et la plus chère étant la *Kobe*), plus des plats mexicains. Côté boissons, quelque 200 variétés de bières. Ambiance hyper animée et décontractée. Des écrans partout, même aux toilettes ! Et les sodas sont offerts au conducteur qui reste sobre... Depuis sa création, cette adresse a fait des petits (moins authentiques mais souvent très animés) à Santa Monica, Burbank, Pasadena et Westwood, au cas où vous deviendriez des accros...

|●| **Mel's Drive-in** (plan couleur II, O12, **141**) : 8585 Sunset Blvd. ☎ 310-854-7201. Tlj 24h/24. Valet parking gratuit. Plats env 8-15 $. En plein Sunset Strip, ce diner « typique » (qui date en fait de... 1997 et appartient à une minichaîne !) décline le décor que l'on attend de lui avec boxes, tables en formica, banquettes en moleskine et vitres en biais donnant sur Sunset Boulevard, où passent rapidement, le soir, les étoiles filantes. La bande-son se compose du bruit de friture (mais sans odeur) et du grésillement des vieilles idoles. Au menu, pas de la grande cuisine, on s'en doute, mais tous les classiques américains honorablement exécutés. Bien aussi pour un milk-shake (avec un « petit » extra !) ou un soda en journée.

|●| **Canter's** (plan couleur II, O13, **143**) : 419 N Fairfax Ave. ☎ 323-651-2030. Tlj 24h/24. Plats env 10-17 $. Parking gratuit juste derrière. Une adresse pour noctambules et nostalgiques. Immense deli au décor rétro-désuet, mais où l'on a toujours la garantie de trouver une solide nourriture casher, bien graillonneuse, et plus largement des plats d'Europe de l'Est. À 3h du mat', on se croirait au coup de feu de midi. Clientèle très mélangée, allant des petits vieux insomniaques et discrets aux gens du show-biz, extravertis et bruyants. Serveurs du même acabit, souvent de l'âge de l'établissement. Service pas trop rapide. Carte longue comme le bras avec les classiques reuben, hot corned-beef and cabbage, lox and cream cheese, chopped liver, blintzes et les gros special sandwiches...

De prix moyens à chic

|●| **Ulysses Voyage** (plan couleur II, O13, **233**) : 6333 W 3rd St, dans le Farmer's Market, stand nº 750. ☎ 323-

939-9728. Tlj 11h (10h dim pour le brunch)-22h. Plats déj env 8-18 $, dîner 10-32 $. Pour le midi, entre deux emplettes au Farmer's Market, sur la terrasse ventilée, ou le soir dans la petite salle. Pour une bonne cuisine grecque, avec ou sans sa Pénélope. Tout y est, de la moussaka au tzatziki, en passant par les feuilles de vignes farcies. Essayer le saganaki, un fromage de chèvre que le garçon fera flamber à l'ouzo devant vous. Excellent avec un coulis de miel ! Aussi quelques fruits de mer. Service un peu lent.

|●| **Saddle Ranch Chop House** (plan couleur II, O12, **142**) : 8371 Sunset Blvd. ☎ 323-656-2007. Tlj 11h (9h le w-e)-2h. Plats env 10-30 $. En plein boulevard du Crépuscule, cette grosse baraque en bois « explosée » par un cow-boy déchaîné fut financée en pleine gloire par les 2 héros d'Easy Rider, Dennis Hopper et Peter Fonda. Mais le temps a quand même bien passé depuis... Et l'adresse conviendra uniquement aux bandes de copains amateurs d'ambiance western bien épaisse. Car on vient surtout ici pour s'essayer au taureau mécanique qui se cabre chaque jour à la demande (4 $ la tentative) mais surtout le lundi après 22h pour un concours de rodéo (là, c'est 8 $!). Ambiance assurée ce jour-là ! Pas vraiment l'endroit idéal pour un repas intime, donc. Cuisine à l'image du lieu, lourde et copieuse. Énormes barbes à papa pour les bambins.

De chic à très chic

|●| **Clafoutis** (plan couleur II, O12, **133**) : 8630 W Sunset Blvd. ☎ 310-659-5233. Tlj 9h-23h30 (0h30 ven-sam) ; petit déj à partir de 11h en sem et 10h le w-e. Plats env 15-30 $. C'est la belle terrasse du quartier, typiquement française, voire méditerranéenne, et fréquentée par une clientèle familiale. À l'intérieur, joli décor, clair, avec de belles chaises stylées. À la carte, cuisine française raffinée avec de fortes influences italiennes dans la préparation des pâtes, salades et volailles. Les penne piccole sont un vrai bonheur, et il est impossible de résister au plateau de

desserts. Beaucoup d'Américains sensibles à la *French culture* se retrouvent ici. Une bonne adresse pour dîner.

|●| **Koi** (*plan couleur II, O12, 146*) : 730 N La Cienega Blvd. ☎ 310-659-9449. Tlj 18h-23h (23h30 ven-sam). Plats env 15-48 $. Que ce soit sur la terrasse aux plantes luxuriantes, dans la salle japonisante avec cuisine ouverte et éclairage tamisé, dans le patio arrière où poussent de magnifiques bambous ou encore dans la petite salle du fond avec son « ciel ouvert », l'ambiance est résolument chic et branchée, le tout sur fond de musique pop. La cuisine n'est pas en reste, loin s'en faut : carpaccio de saumon, crevettes à la crème et tempura, rouleau de crabe, filet mignon *Kobe style*, sushis, thon épicé et riz croustillant...

Où boire un verre ?
Où écouter de la musique ?

♩ **Molly Malone's** (*plan couleur II, O13, 190*) : 575 S Fairfax Ave (entre 5th et 6th). ☎ 323-935-1577. Tlj 9h-2h. Live music tlj 21h-minuit (23h dim). Droit d'entrée : env 8-10 $. Pub irlandais tenu par la même famille depuis plus de 3 décennies. On dit que l'établissement précédent fut l'un des premiers à obtenir une licence après la prohibition. Animé, même en semaine. Au programme : un peu de tout, mais pas de heavy metal, ni de rap, ni d'électro. Un vrai bar de quartier en somme, avec ses habitués. On y danse, aussi.

♩ **Whisky à Gogo** (*plan couleur II, N12, 189*) : 8901 W Sunset Blvd. ☎ 310-652-4202. Entrée : env 10-15 $. Concert rock ts les soirs dès 20h. Moins de 21 ans acceptés à condition de ne pas commander d'alcool. C'est le plus ancien club de Hollywood (1964), endroit mythique où les Doors signèrent leur 1er contrat. On est surpris par la petitesse de l'endroit, qui le rend très chaleureux.

♩ **House of Blues** (*plan couleur II, O12, 191*) : 8430 Sunset Blvd. ☎ 213-848-5100. ● *houseofblues.com* ● Pile en face du Comedy Store. Tlj 20h-2h (resto ouv dès 17h30). Droit d'entrée variable, en moyenne 30 $ mais jusqu'à 70 $ si plus grosse pointure. Gospel-brunch à 11h le dim, env 43 $ (résa obligatoire) ; réduc. Leur devise : *In the Blues we trust*, ben tiens donc ! Créée par Isaac Tigert, un hurluberlu fortuné adepte de Bouddha et féru de blues, *House of Blues* est à la fois un resto, un bar et une salle de concerts. L'extérieur du bâtiment est recouvert de tôles ondulées qui proviennent de la grange située à la croisée des chemins où, selon la légende, Robert Johnson vendit son âme au diable pour pouvoir créer le blues. À l'intérieur, un immense saloon tout en bois à l'ambiance survoltée. Excellente programmation, qui fait aussi dans le rap, le rock, le reggae...

♩ **The Roxy Theatre** (*plan couleur II, N12, 188*) : 9009 Sunset Blvd. ☎ 310-278-9457. ● *theroxyonsunset.com* ● Repérer le 9000 éclairé en haut de la grande tour, c'est juste en face. Ouv slt le soir à partir de 20h, quand concert ou show (fermé dim). Entrée : env 10-30 $ selon spectacle. La 1re grosse tête d'affiche du Roxy en 1974 fut Neil Young. Polnareff s'y est produit dans les années 1990. Depuis, la programmation s'est diversifiée, avec non seulement du rock, mais aussi du jazz.

♩ **The Viper Room** (*plan couleur II, N12, 186*) : 8852 Sunset Blvd. ☎ 310-358-1881. Tlj 20h-2h ● *viperroom. com* ● Entrée sur Larabee St (repérer la petite lumière verte). Club avec concert presque ts les soirs à partir de 20h. Entrée : env 10-15 $. Dans les années 1940, ce club était le lieu de rendez-vous de nombreux gangsters, en particulier Bugsy Siegel. Jusqu'en 2004, il appartenait à l'acteur Johnny Depp... Une expérience purement hollywoodienne si vous avez la patience de faire la queue (et vous comprendrez une des raisons pour laquelle il y a autant de monde dehors une fois à l'intérieur : la salle est toute petite !).

♩ **The El Rey Theatre** (*hors plan couleur II par O13, 195*) : 5515 Wilshire Blvd (entre Burnside et Dunsmuir Ave). ☎ 323-936-6400. ● *theelrey.com* ● Dans un beau bâtiment Art déco, cet ancien cinéma, qui a ouvert ses portes en 1936, est devenu une salle de concert dans les années 1990, avec au programme beaucoup de rock indépendant (ou *indie* si vous préférez).

Où boire un verre ?
Où danser ?

Dès la tombée de la nuit, des milliers de noceurs envahissent Sunset Boulevard autour du n° 9000 (à la hauteur de San Vincente Boulevard et de Doheny Drive). On y frôle une faune branchée, bruyante, aguicheuse, sophistiquée, allumeuse, affectée, voire carrément déjantée ! Bref, de quoi détourner le regard... souvent (attention aux torticolis !).

🍷 🎵 *Here Lounge* (plan couleur II, O12-13, **185**) : 696 N Robertson Blvd (angle Santa Monica Blvd). ☎ 310-360-8455. Tlj 20h (16h dim)-2h. Parfois un *cover* de 5 $. Grande terrasse arborée qui fait le tour de l'établissement et où l'on peut boire un verre tout en fumant légalement une cigarette ! On y est serrés comme des sardines, car, dès l'ouverture, le Tout-L.A. se presse pour s'y faire voir. C'est à la fois un bar très prisé et un night-club pour se défouler sur de la musique hip-hop, dance et R & B. Dimanche, soirée gay, jeudi, c'est entre filles... Dans la salle du fond, double bar central pour étancher toutes les soifs, de la musique plein les oreilles. Clientèle très éclectique et accueil plutôt sympa, ce qui est assez rare dans ce genre de boîte. Si c'est trop *speed* pour vous, rendez-vous au *Bossa Nova,* juste en face, bien plus *cool...*
🍷 🎵 *The Abbey* (plan couleur II, O12-13, **185**) : 692 N Robertson Blvd.

☎ 310-289-8410. Juste à côté de Here Lounge. Tlj 21h-2h. Pas de droit d'entrée. Enfants de chœur, passez votre chemin ! Dans ce décor gothique, rendez-vous des gays et des *straights,* les DJs disent la messe tous les soirs dans des confessionnaux, tandis que les fidèles s'adonnent au stupre dans des alcôves sombres. Quelques shows de mecs en string léopard. Excellente musique et bonne ambiance pour les amateurs du genre. C'est plein à craquer le week-end (avant d'aller à la messe, bien sûr !).
🍷 🎵 Nombreux **bars** et **restos gays** sur Santa Monica Blvd, aux abords de San Vicente, entre Doheny Dr et Westmount Dr, entre autres la *Fiesta Cantina* (plan couleur II, O12, **187**), 8865 Santa Monica Blvd, un bar-resto avec une cahute en palmier, qui débite les consommations, et avec plein d'objets, tendance plage, qui pendent au plafond. Une ambiance qui démé-nage. Pour du hyper branché, vous pouvez essayer *Micky's,* juste à côté, avec de beaux mecs qui dansent en slip élastique. Chaud, on a dit !

Où voir un spectacle ?

∞ *The Comedy Store* (plan couleur II, O12, **194**) : 8433 Sunset Blvd. ☎ 323-650-6268. ● thecomedystore.com ● Immanquable avec sa façade tte noire à côté de l'hôtel Hyatt. Tlj 19h ou 21h-2h. Entrée : env 10-20 $, à quoi il faut encore ajouter min 2 consos. Spectacles parfois gratuits dans la Belly Room. Un des plus fameux *comedy clubs* des États-Unis depuis près d'un demi-siècle. C'est ici que Robin Williams, Richard Pryor ou Jim Carey, entre autres artistes, ont fait leurs débuts.

À voir

🎭🎭🎭 *Los Angeles County Museum of Art* (LACMA ; plan couleur II, O13, **231**) : 5905 Wilshire Blvd. ☎ 323-857-6000. ● lacma.org ● Dans le Hancock Park. Tlj sf mer 11h-17h (20h ven) ; w-e 10h-19h. Entrée : env 15 $; réduc ; gratuit le 2e mar du mois. Parking face à l'entrée 10 $ (gratuit à partir de 19h). Concert de jazz le ven à 18h en été.
Avec un fonds d'environ 150 000 œuvres, le LACMA est le musée d'art le plus important de l'ouest des États-Unis. C'est ce qu'on appelle un musée encyclo-pédique, on y trouve toutes sortes d'œuvres d'art, de l'Antiquité à nos jours,

réparties dans huit bâtiments de différentes époques et en constante évolution. Autant vous dire qu'il vaut mieux accepter de passer du coq à l'âne, ce qu'affectionnent les Américains, et prévoir au minimum une bonne demi-journée de visite ! En apéritif, promenez-vous dans les jardins, vous y trouverez un mobile de Calder et de nombreux bronzes : Moore, Rodin... Mais l'installation contemporaine la plus emblématique du musée est désormais celle de Chris Burden, sur l'esplanade. Composée de 202 lampadaires *vintage,* c'est selon son créateur « une maison sans murs avec un toit de lumière », en fait une sorte d'Acropole contemporaine. Alimentée par des panneaux solaires, elle est particulièrement spectaculaire le soir et la nuit. Sauf bouleversement inattendu, le musée se répartit de la manière suivante :

– **Broad Contemporary Art Musem :** consacré, comme son nom l'indique, à l'art contemporain mais par roulement. Symboliquement, on y accède par un énorme ascenseur, celui qui sert à monter les œuvres monumentales, transformé lui-même en une œuvre d'art signée Barbara Kruger. On y trouve régulièrement les œuvres d'artistes comme Warhol, Jeff Koons, Cindy Sherman ou encore Richard Serra. Seule exception : *Metropolis,* de Chris Burden (encore lui !), une amusante mégapole en meccano installée pour plusieurs années *(animée ttes les 2h ven 12h30-19h30 et w-e 11h30-18h30).* Belle architecture, que l'on doit à Renzo Piano, qui a aussi réalisé juste à côté le très beau *Resnick Exhibition Pavilion,* consacré à de grandes expos temporaires. Derrière, allez donc jeter un œil à *The Rock,* un rocher suspendu qui a fait l'objet d'un sacré battage médiatique par ici...

– **Ahmanson Building :** après *Smoke,* la sculpture monumentale de Tony Smith, ne pas manquer la section *Art of the Pacific,* dotée de superbes statues et masques de Papouasie-Nouvelle-Guinée de la fin du XIXe s, avec en toile de fond quelques Rodin dans le jardin à l'arrière... C'est aussi là que vous trouverez la plus grande partie de l'art européen avec, pêle-mêle, une très belle collection de Kandinsky, mais aussi des œuvres de Otto Dix, Klee, Chagall, les peintres de l'expressionnisme allemand et du Bauhaus comme Kirchner et Feininger, les Russes avec Archipenko, ou encore les toiles de Matisse (jolie *Gerbe*), Pissarro, Degas (belles *Danseuses*), Vuillard (beau *Nu sur une chaise*), Dufy et quelques courbes féminines à mettre au crédit de Maillol. Picasso est également bien représenté avec pas moins d'une trentaine d'œuvres (voir notamment son *Portrait de Sebastian Juñer Vidal* pour ceux qui pensent que l'artiste n'a eu qu'une période cubiste !). Quelques beaux Modigliani *(Rêverie, Jeune femme du peuple).* Les Giacometti ne sont pas en reste, puisqu'ils annoncent une salle entièrement vouée aux expressionnistes tels Smith, de Kooning, Morris Louis. Le surréalisme et le dadaïsme sont aussi présents avec Magritte (sa fameuse pipe qui n'en est pas une), Mondrian, Miró et Fernand Léger. Et puis, plus proches de nous, un peu d'expressionnisme abstrait avec Rothko, Pollock, David Smith, de Kooning, Motherwell... Enfin, au 4e niveau, une petite expo d'art musulman, indien, cambodgien, tibétain et thaï. Du coq à l'âne, on vous dit !

– **Hammer Building :** on y trouve les objets les plus anciens du musée, provenant notamment d'Iran et de Mésopotamie (actuels Irak et Syrie), vieux de 6 000 à 8 000 ans, mais aussi de l'art égyptien. Voir en particulier les grands panneaux assyriens (où même les anges sont armés) et les dagues iraniennes. Surprise à l'américaine, on débouche sans transition sur une salle consacrée à la bourgeoisie anglaise des XVIIIe-XIXe s ! Dans les salles d'art flamand, voir la *Résurrection de Lazare,* signés Rembrandt (peinte deux fois par l'artiste mécontent, d'après une radiographie) et son portrait de *Dirck Jansz.* Ne pas manquer la belle flamme de la *Marie-Madeleine* de Georges de La Tour. Voir ensuite les céramiques de Palissy datant de la Renaissance (belle anguille dans le plat, que l'on dirait moulée vivante). Collection grecque et romaine de Randolph Hearst, le fameux Citizen Kane d'Orson Welles. Dans les legs Ahmanson, très italien, voir les beaux Guido Reni *(Cardinal Ubaldino, Bacchus et Ariane),* une sculpture en bois très napolitaine signée Picano et Vaccaro, *Saint Michel terrassant Satan en Enfer,* et quelques rares coffres de mariage peints. Sans transition, on passe ensuite aux salles impressionnistes et pré-impressionnistes. Quelques beaux Millet (*Laitière normande à Gréville*, cherchez la vache...), Renoir *(Deux petites filles lisant)*, Maurice Denis *(Motif romanesque)*, Monet *(Dans les bois à Giverny)* et puis, en vrac (excusez l'expression !), Cézanne, Gauguin, Caillebotte... Côté XVIIIᵉ s, quelques toiles de Boucher et Watteau. Enfin, du coq à l'âne, comme d'hab, une petite section chinoise et coréenne.

– **Art of Americas building :** comme son nom l'indique, vous y trouverez l'art nord-américain et sud-américain. Côté sud, de l'art mexicain et maya, essentiellement funéraire, présenté dans une jolie structure composée de lamelles de bois. Belle série de vases (du IIIᵉ s av. J.-C. au VIᵉ s apr.), certains en forme de maïs. Voir la *Funerary scene*, trois personnages embrochés par les joues, le *Guerrier debout*, les encensoirs avec masque de dieu ou de crâne, les urnes funéraires et encore le panneau maya du Chiapas représentant un prisonnier attrapé par les cheveux et à genoux devant un noble. C'est le moment d'admirer quelques tableaux de Diego Rivera, où l'on constate que le peintre réutilise les couleurs des figurines traditionnelles, ce qui ne l'empêche pas d'esquisser une croix chrétienne dans *Flower Day*. Immanquable, la toile monumentale *Burn, baby, burn*, célèbre cri de ralliement des émeutiers de Watts en 1965, signée du Chilien Matta. Une salle pleine de mobilier datant de la Conquête espagnole. Beau paravent reproduisant Mexico à la fin du XVIIIᵉ s et, de l'autre côté, la conquête du Mexique avec Moctezuma accueillant le conquistador Hernan Cortés. Art contemporain original, avec notamment *Almost Immaterial Vibration* du Vénézuélien Soto. Aux 1ᵉʳ et 2ᵉ niveaux, on remonte l'Amérique vers le nord. Voir la toile de David Hockney, *Mulholland Drive : The road to the studio*, superbement naïf ! Les résidents disent reconnaître certains détails de la célèbre route des collines de L.A., immortalisée par David Lynch dans un de ses films... Puis une série de tableaux américains essayant d'imiter l'art européen, sur laquelle on passe bien volontiers. Voir plutôt la sculpture du *Bronco Buster*, de Remington, glorifiant la conquête de l'Ouest, le *Portrait of Mrs Edward Davis et son fils*, de John Singer Sargent, contrastant fortement avec la *Mère sur le point de laver son enfant endormi*, de Mary Cassatt. Osé pour l'époque (1876) car critique, *Cotton pickers*, de Homer, montre deux esclaves désabusés dans un champ de coton qui n'en finit pas. Enfin, jeter un œil à l'étonnante colonne de Robert Graham avec ses personnages qui semblent en sortir ou y entrer...

– **Pavilion for Japanese Art :** abrite une riche collection de gravures des périodes Meiji, Taisho et Showa, et d'œuvres picturales de la période Edo. Mention spéciale à la galerie de sculptures miniatures *netsuke*. Ce sont de minuscules figurines servant à fixer les objets ou les boîtes *(sagemono)* sur les *kimonos*. Datant des XVIIIᵉ-XIXᵉ s, en bois, porcelaine ou ivoire, ce sont des chefs-d'œuvre de miniatures. Belle vue sur le parc en toile de fond. Prendre ensuite l'escalier en colimaçon, façon Guggenheim, pour voir un costume de samouraï ou encore l'imposant cheval Haniwa, face au tout petit renard Shinto !

– **Lacma West :** cette aile en cours de rénovation devrait être consacrée à l'industrie du film. À suivre...

🍽️ 🕸️ Sur place, *cafétéria, boutique*.

🐾🐾🐾 🚶 *Page Museum at the La Brea Tar Pits* (hors plan couleur II par O13) : *5801 Wilshire Blvd.* ☎ *323-934-7243.* ● *tarpits.org* ● *Juste à côté du LACMA. Parking 7 $. Tlj 9h30-17h. Fermé certains j. fériés. Entrée : env 12 $; réduc ; gratuit jusqu'à 5 ans et le 1ᵉʳ mar du mois (sf juil-août). Petite brochure en français disponible. Visites guidées régulières (rens sur place).*

Visite en deux temps : le musée proprement dit et, très recommandée, la visite des *pits* (les sites de fouilles) à l'extérieur, là où ça bouillonne et où ça sent bizarre ! Films projetés toutes les 12 mn : le premier, didactique, présente assez bien la découverte à l'origine du musée ; le second, *Ice Aged Fossils*, développe le sujet sur un mode se voulant comique (ouaf, ouaf).

Ce musée d'Histoire naturelle peut paraître un poil vieillot mais il est vraiment étonnant ! Il se trouve sur le site de l'ancien *Rancho La Brea*, immense ranch qui se révéla être au début du XXᵉ s un gisement gigantesque d'asphalte au cœur de la ville. Plus surprenant encore, on y découvrit, complètement fossilisés, des milliers d'animaux : 2 000 tigres à dents de sabre, 1 600 loups, des mammouths, insectes, oiseaux, micro-organismes, plantes, et... une femme (qui n'est pas exposée). Tous avaient été noyés dans la masse d'asphalte. Découverte prodigieuse donc, qui incita George C. Page, un milliardaire philanthrope, à créer ce musée.

Milliardaire au destin curieux, qui quitta à 16 ans son Nebraska natal à la suite de la découverte d'une orange. Fantasmant sur le pays capable de produire un fruit aussi délicieux, il débarqua en Californie et fit fortune dans le... commerce des fruits tropicaux avec les pays froids (naturellement !).

Dans le musée, conçu en grande partie pour les enfants, on s'amusera de ce jeune mammouth animé (mais qui grince un peu !), de ce tigre géant attaquant un ours à museau court, de l'exercice de force avec le goudron ou encore du laboratoire derrière la vitre duquel travaillent encore de nombreux chercheurs. Mais, surtout, on se laissera volontiers impressionner par les squelettes d'animaux (comme celui du mammouth colombien), dont l'âge varie de 10 000 à 40 000 ans. Les plus nombreux à s'être fait piéger par le bitume

(BOIRE) DU GOUDRON ET (Y LAISSER) DES PLUMES

La Brea est située sur une zone marécageuse où l'asphalte, roche bitumeuse naturelle, affleure depuis des milliers d'années. Des animaux préhistoriques furent irrémédiablement englués. Aujourd'hui, l'asphalte perle encore sur les trottoirs contigus au musée. Attention où vous mettez les pieds, la moquette de votre chambre d'hôtel risque de souffrir de votre passage à La Brea !

sont les *Smilodon californicus,* genre de tigres géants à dents de sabre, les *dire wolves* (voir le mur composé de 404 crânes de ces loups énormes !) et puis les ours à « museau court », lions américains, chevaux, pécaris et autres bisons dont les ossements ont été particulièrement bien conservés. Bien sûr, il faut ensuite faire le tour des *pits,* à l'extérieur, où le goudron bouillonne encore ! Voir absolument le *Pit 91,* toujours en cours de fouilles, où, derrière les vitres, on voit les ossements affleurer dans le goudron...

🦌 *Chateau Marmont (plan couleur II, O12) : 8221 Sunset Blvd.* Fred Horowitz, richissime avocat, s'était fait construire en 1929 cette bâtisse blanche perchée sur la colline, réplique du château d'Amboise dans le Val de Loire. Résidence de luxe à l'origine, elle fut très vite vendue (Dépression oblige) à un Anglais dingue de cinéma qui en fit un hôtel. La liste de ses illustres hôtes est prestigieuse : Greta Garbo, Marilyn Monroe, James Dean (qui y a rencontré Natalie Wood), Humphrey Bogart, Liz Taylor (qui y a sauvé la vie de Montgomery Clift en lui retirant deux dents coincées dans sa gorge après un accident de voiture !), Jim Morrisson (il chute en tentant de sauter dans sa chambre depuis le toit), De Niro... Bref, un lieu mythique, hanté par les frasques des vedettes hollywoodiennes. John Belushi (un des *Blues Brothers*) y est mort d'une overdose dans le bungalow n° 3, le photographe Helmut Newton y a aussi perdu la vie en percutant avec sa Cadillac un mur de l'allée. Plus rigolo, le groupe Led Zeppelin a traversé en Harley Davidson le lobby de l'hôtel, provoquant au passage quelques petits dégâts. Aujourd'hui, le charme opère toujours auprès des gens du cinéma qui apprécient le côté préservé des lieux, à l'abri des regards indiscrets. Entre deux cures de désintox et deux accidents de voiture, Lindsay Lohan vient régulièrement s'y reposer, et Sofia Coppola y a tourné la suite 59 son quatrième opus, *Somewhere.*

🦌🦌 *Petersen Automotive Museum (plan couleur II, O13, 235) : 6060 Wilshire Blvd.* ☎ 323-930-2277. ● petersen.org ● *Entrée dans Fairfax par le parking, après le Johnny Rockets. Tlj sf lun 10h-18h. Entrée : 15 $; réduc ; gratuit moins de 3 ans. Parking 12 $ (pour 4h max et sur présentation du ticket du musée).* Encore un musée à mettre à l'initiative d'un milliardaire, fondateur d'un empire de presse.

Les expos permanentes ou temporaires présentées retracent l'aventure de l'automobile en Californie depuis le début du XXe s jusqu'à nos jours et son impact sur la société américaine. Sur trois niveaux, plus de 150 modèles exposés : vieilles pétoires, bolides, *concept cars*, camions et motos. Tout ce qui de près ou de loin tutoie les courbes, embrasse la ligne droite, colle au goudron. Aussi de nombreuses vidéos et ateliers interactifs où l'on décortique les processus mécaniques qui font rouler le rêve américain. Ravira les amateurs de belles calandres, tous les pistonnés et les fondus de carter, de carrosseries « polishées », de chromes étincelants et de gommes caoutchoutées qui sentent le neuf.

🍴 *Wilshire Blvd :* à partir de Downtown, vers l'ouest, vous y découvrirez quelques-uns des plus remarquables édifices Art déco de L.A., ainsi que d'intéressantes maisons victoriennes en bois de la fin du XIXe s.

🍴 *Magnin Wilshire et Wiltern Theater : respectivement aux 3050 et 3790 Wilshire Blvd.* Le Magnin date de 1928. Considéré comme le plus bel édifice Art déco de L.A. Abrite encore aujourd'hui une bibliothèque privée. Joli décor intérieur. Quant au Wiltern Theater, construit en 1931, il offre de pittoresques façades en céramique verte. Au rez-de-chaussée, une belle salle de spectacle. Ne pas manquer d'assister à une *performance,* là aussi pour le cadre intérieur.

🍴 *Farmer's Market (plan couleur II, O13, 233) :* W 3rd St et Fairfax Ave. ☎ 323-933-9211. *Lun-sam 9h-21h (20h sam), dim 10h-19h.* Fondé en 1934 par 18 agriculteurs qui décidèrent de vendre eux-mêmes leurs produits, le *Farmer's Market* compte aujourd'hui 160 stands qui proposent une variété infinie de produits alimentaires venus des quatre coins du globe. Vraiment très touristique, et plein de monde le week-end, on y trouve néanmoins de tout. Voir également, plus haut, « Où manger ? ».

🍴 *MOCA Pacific Design Center (plan couleur II, O13, 225) :* 8687 Melrose Ave (intersection San Vicente Blvd). ☎ 310-657-0800. ● moca.org ● *Tlj sf lun 11h-17h (18h w-e). GRATUIT.* Cette annexe du MOCA propose des expos temporaires sur le design et l'architecture. À côté, ceux qui ont gagné au Loto pourront faire quelques achats pour remeubler leur intérieur dans l'énorme « Rubik's Cube » tricolore, le Pacific Design Center, où sont rassemblés grands créateurs et designers.

🍴 *The Schindler House (plan couleur II, O12, 223) :* 835 N Kings Rd (petite rue entre Orlando et Flores Ave). ☎ 323-651-1510. ● makcenter.org ● *Mer-dim 11h-18h. Entrée : env 7 $; réduc ; gratuit sem 16h-18h.* Séparée de la route par une haie de bambous, cette petite oasis offre un véritable contraste avec l'agitation clinquante et chic de la Melrose Avenue. Les curieux désargentés pourront simplement jeter un œil sur le jardin et voir l'intérieur dépouillé d'une des fenêtres de cette maison qui fut celle de Rudolf Schindler (1887-1953), architecte d'origine autrichienne non conformiste et longtemps non reconnu par ses pairs. Admirateur de Frank Lloyd Wright, il fut son employé (on lui doit notamment une grande partie des plans de la Hollyhock House – voir le *Barnsdall Art Park* à Hollywood), avant de se brouiller avec lui. Cette maison-atelier construite en 1922 fut la première qu'il créa en Californie du Sud en tant qu'architecte à son compte. Il la conçut de façon à ce que deux couples puissent y cohabiter (lui et sa femme, et « son » ingénieur Clyde Chase avec son épouse), avec chacun son aile privée et son jardin. Chase et Schindler ont eux-mêmes bâti la maison dont des pans de béton armé constituent la façade côté rue (le béton ayant été à ses débuts une des marques de fabrique des travaux de Schindler). À l'intérieur, la maison est beaucoup plus « légère » (le béton est remplacé par des séparations en séquoia et verre) et complètement ouverte sur le jardin. L'endroit surprend par son architecture très économe. La maison appartient aujourd'hui à l'Autriche qui y a installé une petite antenne du MAK (musée des Arts appliqués) de Vienne et y organise des expos temporaires autour de l'architecture.

BEVERLY HILLS ET WESTWOOD *(plan couleur II)*

Contrairement à ce que l'on imagine souvent, *Beverly Hills* n'est pas un simple quartier, mais une vraie ville (34 000 habitants) avec une mairie et une administration distinctes du reste de Los Angeles. Heureux maire (d'origine iranienne, car on y trouve la plus forte communauté iranienne hors d'Iran), dont les administrés forment une des communautés de résidents les plus riches des États-Unis et du monde ! Stars du cinéma (du disque aussi) et producteurs ont pris l'habitude, depuis le début du XXe s, d'habiter à Beverly Hills, une incroyable zone résidentielle noyée dans la végétation tropicale, à deux pas des grandes « usines à rêve » de Hollywood. On travaille dans la plaine, en somme, mais on loge sur les collines, à l'écart du tohu-bohu et des miasmes de la grande cité.

Grosso modo, Beverly Hills se situe sur une chaîne de coteaux entre Hollywood et Santa Monica. À l'ouest, le quartier de Bel Air en est une prolongation, aussi huppée que Beverly. Sur le terrain, il faut faire la distinction entre le Beverly Hills d'en bas et le Beverly Hills d'en haut. Celui d'en bas s'étend de Santa Monica à Sunset Boulevard, formant un immense quadrillage d'avenues bordées d'arbres magnifiques (hauts et majestueux palmiers notamment), mais sans âme aucune, sauf, peut-être, dans les quartiers purement résidentiels. Les espaces publics sont réduits à leur portion congrue. Ici, c'est la propriété privée qui dicte sa loi. Pas de centre véritable, pas d'harmonie dans le traitement des rues, ni d'unité dans l'architecture, pas de ville véritable, mais plutôt une banlieue de luxe... Ce Beverly-là est quasiment plat. Les vraies collines commencent au-dessus de Sunset Boulevard. C'est le Berverly Hills d'en haut. Un vrai repaire de célébrités donc, même si la tendance actuelle est de déserter Beverly pour aller s'installer sur la côte, à Santa Monica ou dans les environs. Attention, simple touriste, ne t'aventure pas à essayer de stationner devant l'une de ces riches propriétés du Beverly-d'en-haut, ni même à oublier de payer ton obole dans le petit parcmètre du Beverly-d'en-bas, comme dit la raffinade locale, car tu seras immédiatement verbalisé, voire largement pire !

La principale institution locale est l'**Université de Californie de L.A. (UCLA),** connue dans le monde entier. C'est la plus grande université de Californie en effectifs (plus de 40 000 étudiants) mais la plus petite en superficie (1,6 km²). Transférée ici en 1929, elle est passée de 4 à plus de 160 bâtiments, ne cessant jamais de s'agrandir tout au long de son histoire, au point que les étudiants la surnommèrent longtemps « Under Construction

MON UCLA D'AMÉRIQUE

L'UCLA fut rendue célèbre par les marchands de vêtements français. Comment ? Eh bien parce que le sigle, inscrit sur des millions de pull-overs, fut en fait inventé par un petit commerçant vendéen de prêt-à-porter. Seulement, à l'origine, celui-ci ne signifiait pas « Université de Californie de L.A. » mais... « Union des Coopératives de Loire-Atlantique » !

Like Always ». Côté réputation, l'UCLA a récolté 7 Nobel, 3 Pulitzer et 15 Oscar. Sont issus de ses bancs, entre autres : le cinéaste Francis Ford Coppola, le compositeur de cinéma John Williams ou encore Jim Morrisson.

Pour en revenir à nos moutons, Westwood, c'est d'abord l'un des plus anciens villages de L.A., très charmant, avant de faire l'objet de la convoitise des promoteurs. À la fin des années 1980, on a construit le *Shopping Village,* agréable quartier commerçant de style hispano-méditerranéen. Aujourd'hui, le *Dome* (Westwood et Broxton), la *Tower* (Westwood et Weyburn) et le ravissant *Village Theater,* au 961 Broxton Avenue (édifié en 1930), restent les symboles de cette époque.

Le week-end, Westwood s'anime furieusement autour de ses multiples boutiques, ses cinémas, théâtres et nombreux cafés et restaurants.

Où manger ?

Spécial petit déjeuner

🎋 *Urth Caffe* (plan couleur II, N13, *135*) et le *Nate'n'Al* (plan couleur II, N13, *149*) : lire ci-dessous.

🎋 *Le Pain Quotidien* (plan couleur II, N13, *132*) : 9630 S Santa Monica Blvd. ☎ 310-476-0969. Tlj 7h30-19h. Petit déj env 10-15 $, tartines et salades 9-14 $. Cette boulangerie belge, basée sur un concept rural devenu branché, a essaimé un peu partout (on en trouve une dizaine à L.A., à New York, à San Francisco, etc). On vous recommande le *breakfast basket,* un échantillon de leurs pains bio, avec croissant ou pain au chocolat, jus de fruits et boisson chaude. Également des riz au lait, céréales, salade de fruits frais, etc. Le midi, tartines multiples et variées (brie, pâté de canard, fromage blanc, etc.), salades à la mode végétarienne (tofu, quinoa) ou non (chèvre, saumon), soupes, quiches... Terrasse sur le va-et-vient de la rue, agréable l'été.

De prix moyens à chic

|●| Dans ce quartier étudiant, les adresses les moins chères sont des *petits cafés* (asiatique, mex, etc.) et des *fast-foods* pas toujours terribles, il faut bien le reconnaître. Alors, pour les fans, signalons que Broxton Ave abrite une succursale du *Pain Quotidien* et de *Barney's Beanery* (voir plus haut les textes décrivant ces 2 chaînes). Enfin, pour un dessert pas cher, on vous conseille de faire la queue chez *Diddy Riese* (926 Broxton Ave) qui vend 3 cookies pour 1 $ (au chocolat noir ou blanc, au beurre de cacahuète, aux noix...) et des *ice-cream sandwiches* dégoulinants, soit de la glace coincée entre 2 cookies, pour moins de 2 $!

|●| 🏵 *Whole Foods Market* (plan couleur II, M13, *145*) : 1050 Gayley Ave. ☎ 310-824-0858. Tlj 7h-22h. Parking gratuit pdt 2h pour tt achat. Cette chaîne de supermarchés bio bien connue des bobos propose un rayon *delicatessen* agréable, histoire de manger une bonne salade bien fraîche ou un plat bien cuisiné. Quelques tables en dépannage.

|●| *Urth Caffe* (plan couleur II, *135*) : 267 S Beverly Dr. ☎ 310-205-9311. Tlj 7h-23h30. Petit déj 10-15 $, plats 12-15 $. Comme d'hab', l'Urth Caffe a choisi une jolie bicoque (en brique) dotée d'une adorable terrasse, où se presse un monde fou ! Grand choix de thés et de cafés *organic* pour accompagner de bonnes pâtisseries. Beaux *cheesecakes* à prix fort raisonnables. Également des salades, lasagnes, quiches, soupes et sandwichs bio. On boit son caoua ou son jus de fruits sur la terrasse de cette coquette maison ou dans la salle rustique qui sent bon le café moulu. Le dimanche pour le brunch, allez-y dès potron-minet !

|●| *Nate'n'Al* (plan couleur II, N13, *149*) : 414 N Beverly Dr. ☎ 310-274-0101. Tlj 7h-21h. Petits déj, plats et sandwichs 8-20 $. Façades aux vitres fumées, boxes à touche-touche pour un petit déj au coude à coude, le *deli* le plus célèbre et le plus authentique de Beverly Hills, créé par un Canadien d'origine russe. Une bonne adresse à n'importe quelle heure de la journée. Pour le déjeuner, nous recommandons aux gourmands l'*assorted deli* qui permet de goûter toutes les spécialités. Sinon, viande d'Angus très tendre, saumon sauvage, harengs et autres produits d'une qualité irréprochable. Également, pour les nostalgiques, une épicerie fine proposant du fromage suisse ou du vin français.

|●| *Milky Way* (plan couleur II, N13-14, *140*) : 9108 W Pico Blvd (angle Doheny Dr). ☎ 323-859-0004. Attention, horaires européens : déj lun-ven 11h30-14h30, dîner dim-jeu 17h30-20h30. Plats env 10-17 $. Au cœur du quartier juif de L.A. Repérer la porte bleue derrière les ficus posés sur le trottoir. Restaurant casher plutôt végétarien servant aussi de nombreux produits laitiers (*dairy kosher food*), d'où le nom de *Milky Way* (« voie lactée »)... Mais peut-être aussi dans le sens de « piste aux étoiles » puisqu'il est tenu par Leah Adler, la mère de Steven Spielberg. D'ailleurs, on ne sait si on arrive chez elle ou chez lui, tant il

y a de souvenirs se rapportant au fiston... Cela dit, elle vous rappellera bien vite que vous êtes chez elle, si vous l'oubliez. À plus de 90 printemps, elle a une pêche d'enfer ! Rappelons ce célèbre trait d'humour lancé à son fils : « si j'avais su à quel point tu allais devenir célèbre, j'aurais fait faire un bronze de mon utérus » ! Bon, difficile de passer à la cuisine après cela... Néanmoins on y mange bien, notamment d'excellents *cabbage rolls,* ou pour ceux qui n'aiment vraiment pas les choux des aubergines au parmesan, lasagnes maison, *mozzarella marinara* ou encore les délicieux blinis au fromage *(cheese blintzes)*. Au fait, le fils prodigue vient-il de temps à autre ? « Oui, et il mange à l'œil. Mais je mets un point d'honneur à ce qu'il réserve comme tout le monde ! ». Non mais !

Très chic

|●| *Spago* (plan couleur II, N13, 131) : 176 N Cañon Dr. ☎ 310-385-0880. Tlj sf dim 12h-14h15, 18h-22h (23h sam). Résa fortement conseillée. Plats 18-35 $ le midi et 25-50 $ le soir. Situé dans le quartier des affaires, cet endroit ne désemplit pas. Engouement compréhensible pour un resto proposant des plats bien travaillés, qui vous donneront une idée de la nouvelle cuisine californienne. À l'arrivée, c'est un florilège d'influences, avec des saveurs asiatiques, notamment chinoises et japonaises, mais aussi italiennes (superbe *risotto de crabe, caviar pizza, agnolotti*), françaises (turbot aux truffes du Périgord) et d'Europe de l'Est *(Goulasch, Schnitzel)* ou du Nord (saumon écossais fumé sur place), le tout concocté par le célébrissime

chef Wolfgang Puck. L'établissement est devenu terriblement *trendy* et « voir et être vu » semble être devenu sa devise (on y croise d'ailleurs régulièrement une star ou deux), parfois un peu au détriment du service d'ailleurs. Cadre chic et sophistiqué, rénové récemment.

Où boire un verre ? Où écouter de la musique ?

℟ *O' Hara's* (plan couleur II, M13, 192) : 1000 Gayley Ave (angle Weyburn Ave), à Westwood. ☎ 310-208-1942. Lun-mer 16h-1h45, jeu-dim 11h30-2h. Face à l'élégante architecture du *Fox Westwood Village* (oh, le beau campanile) et du cinéma *Bruin,* un pub avec un énorme bar en bois tout verni et des murs tapissés de photos d'acteurs. Écrans de TV diffusant des matchs de base-ball. Ambiance jeune et étudiante (on est sur le campus) et grosse affluence le soir. Dans le coin, plein d'autres cafés étudiants dont certains avec terrasse. L'ambiance dépend vraiment des jours de la semaine.

♪ *The Mint* (plan couleur II, N13, 193) : 6010 W Pico Blvd. ☎ 323-954-9400. ● themintla.com ● Ts les soirs 19h-2h ; les horaires dépendent du programme. Reconnaissable de loin à son enseigne verte au néon. Entrée : env 8-30 $. Située en plein quartier juif, petite salle assez intime ; enfin, c'est ce qu'on se dit au début car l'ambiance monte assez rapidement. Orchestres live de rock, blues, soul et jazz de très bonne qualité.

À voir. À faire

Avant tout, quelques **conseils pratiques pour tenter d'approcher vos stars préférées** (on a bien dit tenter...).
– Se procurer la carte détaillée **Map of the Movies Stars Homes,** en vente dans la rue, auprès des sans-logis ou des vendeurs à la sauvette pour 2 $. Un peu attrape-nigaud, cette carte dresse l'inventaire des adresses de célébrités. Intéressera surtout les amateurs de caméras de surveillance, de grilles en fer forgé ou de portails coulissants, vous vous en doutez !
– Sinon, pour tout connaître des potins, des meurtres, des suicides qui ont fait l'histoire de Hollywood depuis 80 ans, se procurer **This is Hollywood,** de Ken Schessler. Facile à comprendre, très complet, avec de nombreuses cartes.

– Toutes les maisons sont des **résidences privées,** surveillées par des systèmes de sécurité performants. N'essayez donc pas d'y pénétrer ni d'escalader les murs des propriétés. Vous risquez de mettre en branle les alarmes les plus puissantes de la ville, de provoquer l'arrivée immédiate d'une brigade de flics (*Le Flic de Beverly Hills*, ça vous dit quelque chose ?), ou encore de subir l'assaut d'une meute de chiens redoutables (genre dobermans aux crocs de requin !). Les stars ont une devise : pour vivre heureux, vivons cachés (ou cachet, ou cash) !

– Si jamais vous tombez nez à nez avec l'une de vos idoles : n'essayez pas de l'approcher, car celle-ci (homme ou femme) interprétera votre geste comme une **agression**. Vous risquez d'être rejeté manu militari par le chauffeur ou les gardes du corps qui tournent en orbite autour de votre étoile préférée...

– **Un truc facile pour se repérer :** les numéros des maisons sont peints sur les bordures des trottoirs ; donc, en les suivant, on s'y retrouve plus facilement, surtout lorsque l'on conduit une voiture.

– **Visites guidées :** de toutes les agences qui proposent de vous emmener à la découverte des résidences de stars (*Movie Stars' Homes Tour*), seule *Starline* offre un tour qui se limite au quartier de Beverly Hills et de Bel Air. Intéressant car plus ciblé, plus court et donc moins cher que les tours des autres agences (*VIP, Guideline...*) qui incluent d'autres curiosités dans leur programme (lire plus haut « À voir. À faire » à Hollywood et Melrose). Au programme : une quarantaine de

propriétés, dont celles de Tom Cruise, Nicolas Cage, Jennifer Lopez, David et Victoria Beckham, et les anciennes demeures de Frank Sinatra, Elvis Presley, Madonna, Richard Gere, etc.

🎬 **Rodeo Drive :** *entre Wilshire Blvd et Santa Monica Blvd.* L'avenue la plus chère du monde se situe à Beverly Hills. C'est le temple du luxe, du surfait et de la sensiblerie. Ici, rien que du superficiel. La mode, en revanche, y est très bien représentée : on y trouve les plus grandes marques françaises et italiennes. Juste par curiosité, jetez un œil chez *Boulmiche* : Julia Roberts en est évincée comme une malpropre dans *Pretty Woman*. Quant au magasin d'habillement masculin *Bijan*, il faut prendre rendez-vous pour y entrer !

Dans les rues alentour, possibilité de se garer dans certains parkings publics gratuitement à partir de 18h. Juste le temps d'aller faire son shopping au *Rodeo Collection*, un centre commercial regroupant des boutiques extrêmement chic. Autrement, chaque année, le dimanche de la fête des Pères, la rue est neutralisée pour une exceptionnelle présentation de voitures de collection. À ne pas manquer si vous êtes amateurs (ou amatrices) de belles calandres.

🎬 **Beverly Wilshire :** *9500 Wilshire Blvd.* C'est l'hôtel où fut tourné *Pretty Woman*. Si vous avez l'âme d'une star, il vous en coûtera 400 $ par nuit, et jusqu'à 7 000 $ pour une suite.

🎬 **La maison d'Elvis Presley :** *144 Monovale Dr (entre Sunset et Carolwood).* La star du rock'n'roll y habita de décembre 1967 à mars 1975. Puis il vendit la maison à Telly Savalas (alias Kojak), lequel la revendit à son tour à Paula Meehan, actuelle proprio (une des femmes les plus riches du monde). De la rue, on ne voit pas grand-chose, on distingue seulement la fameuse terrasse si le portail d'entrée est ouvert.

🎬 *La maison de Walt Disney :* 355 Carolwood Dr. Le célèbre dessinateur et inventeur de Mickey Mouse y vécut jusqu'à sa mort, en 1966. À côté, au 375 Carolwood, la maison où vécut Gregory Peck.

🎬 *La maison de Charlie Chaplin :* 1085 Summit Dr (angle Cove). On la distingue à peine à travers les arbres qui l'entourent. Construite en 1922 dans un style hispanique, elle fut surnommée « *the Breakway Home* », soit « la maison déglinguée », ou « la maison tout-fout-le-camp » !
Chaplin y vécut jusqu'en 1950. Puis la maison passa entre plusieurs mains, et notamment celles du dictateur philippin Marcos et du marchand d'armes saoudien Adnan Khashoggi, qui l'offrit à sa fille.

> ## CHARLOTS DE CHARPENTIERS !
>
> *Afin d'économiser sur les travaux de construction de sa maison, Chaplin fit appel aux charpentiers de ses studios, habituellement chargés de réaliser les décors des films. Ne sachant pas comment s'y prendre pour construire une structure solide et définitive, ils firent comme si c'était du provisoire. Résultat : Charlot était à peine installé dans son petit palace que des morceaux de stuc tombèrent du plafond, des éléments du plancher se mirent à craquer, des portes sortirent bizarrement de leurs gonds...*

🎬 *La maison de Mary Pickford et Douglas Fairbanks :* 1143 Summit Dr. « Pickfair » (contraction des deux noms de ce couple de superstars du cinéma des années 1920 et 1930) était la plus célèbre demeure de Hollywood à l'époque du muet. Mieux encore : Pickfair était l'adresse la plus connue des États-Unis, devant la Maison-Blanche. Cette vaste maison de 42 chambres fit rêver toute l'Amérique. Malheureusement, elle fut vendue à la chanteuse Pia Zadora et à son époux, le milliardaire Meshulam Riklis. Une fois propriétaires, ils commencèrent par la démolir, au grand dam des associations de sauvegarde et de protection du patrimoine de Beverly Hills. Une maison de trois étages s'élève aujourd'hui à la place du nid d'amour de Mary Pickford et de Douglas Fairbanks.

🎬 *La maison de Bugsy Siegel :* 810 Linden Dr. Benjamin « Bugsy » Siegel fut surnommé « l'homme le plus dangereux d'Amérique ». À Los Angeles, dans les années 1930, il dirigeait le plus important réseau de jeux et de prostitution. Gangster mais visionnaire (il créa Las Vegas), il fut assassiné dans cette maison, louée par sa maîtresse, alors qu'il était paisiblement installé dans le salon. Voir le film *Bugsy,* avec Warren Beatty.

🎬 *La maison de Greta Garbo, David O. Selznick et Elton John :* 1400 N Tower Gr. Au sommet d'une des collines de Beverly Hills (angle Seabright Dr). Même si l'actuelle maison, sorte de manoir néofrançais avec deux lions en bronze devant la grille d'entrée, n'offre pas grand intérêt, la route sinueuse qui y monte à flanc de colline vaut vraiment le coup d'œil. Greta Garbo et son amant John Gilbert vécurent dans une maison de style hispanique, qui fut rachetée par David O. Selznick, le producteur d'*Autant en emporte le vent,* puis vendue bien plus tard au chanteur Elton John. Malheureusement, cette maison fut détruite en 1986 pour être remplacée par le pseudo-manoir actuel. En contrebas, dans un des canyons, la villa de Cary Grant.

🎬 *La maison de Hugh Hefner :* 10236 Charing Cross Rd. « The Playboy Mansion » est une sorte de gros manoir de style british, abritant 23 chambres. C'est là que vit depuis 1971 Hugh Hefner, le fondateur de l'empire *Playboy,* le magazine de charme le plus lu dans le monde. Il a plein de copines, généralement blondes et à fortes poitrines. Les pauvres, elles ont à peine les moyens de se vêtir.

🎬 *Les maisons de Laurel et de Hardy :* toujours ensemble devant les caméras, Laurel et Hardy se quittaient pour se coucher, car ils habitaient séparément. Hardy (le gros) habitait au 621 Alta Drive (dans la partie basse de Beverly Hills), tandis que son copain Stan Laurel (le maigre) avait sa maison au 718 Bedford Drive.

🎬 *La maison de Harold Lloyd :* le plus grand comique du cinéma, avant l'arrivée de Charlot, avait une superbe maison au 1225 Benedict Canyon.

🎬🎬 *Spadena House ou la maison de la Sorcière :* 9800 Carmelita Ave (angle Walden Dr), dans le bas Beverly Hills. À ne manquer sous aucun prétexte. Encore un vestige de la grande époque du film muet ! Alors que toutes les baraques autour rivalisent d'opulence et de luxe, voici une maison de conte de fées, biscornue, tordue, de style vaguement bavarois, avec un insolite petit jardin entouré d'une haie de bois non moins anachronique. Elle ressemble à la maison de la sorcière dans *Hansel et Gretel.*

– *Autres célébrités vivant ou ayant vécu à Beverly Hills :* Kirk Douglas, Phil Collins, Elizabeth Taylor, Ronald Reagan (qui y vécut jusqu'à sa mort en 2004)...
– *Dans Benedict Canyon :* Mickey Rourke, Jacqueline Bisset, Eddie Murphy. En 1969, Sharon Tate, la femme de Roman Polanski, fut assassinée alors qu'elle était enceinte de 8 mois, sur Cielo Drive, par Charles Manson.

🎬 *Bel Air :* un des quartiers les plus huppés de Beverly Hills. Y habitent Lionel Richie, Judith Krantz, Quincy Jones, Gene Wilder...

– *Plus loin, dans les Hollywood Hills :* sur Mulholland Dr, rendue célèbre par le film de David Lynch, on trouve une brochette de maisons de stars. Celles de Jack Nicholson au 12850, de Marlon Brando au 12900, ainsi que de Burt Reynolds et Sharon Stone. *Mulholland Drive* est très agréable à parcourir à la nuit tombée, car elle offre un panorama superbe sur la ville toute illuminée (à condition de ne pas se perdre dans le labyrinthe des petites routes qui partent à l'assaut des collines...). En revanche vous ne verrez rien des quartiers résidentiels que vous traversez. Pour « attraper » la Mulholland Drive, possibilité de la prendre de la Freeway 405 North et de suivre la sortie « Mulholland Dr », 5,5 km après celle du Getty Center. Après de multiples boucles dans les beaux quartiers, elle débouche à l'est sur la 101. Possibilité de descendre sur Sunset Boulevard en empruntant le Beverly Glen Boulevard qui traverse le très chic quartier de Bel Air ou encore par Coldwater Canyon qui traverse Beverly Hills.

🎬🎬 *Armand Hammer Museum of Art and Cultural Center* (plan couleur II, M13, *232*) : 10899 Wilshire Blvd. ☎ 310-443-7000. ● hammer.ucla.edu ● Tlj sf lun 11h-20h (17h le w-e). Entrée : env 10 $; réduc ; gratuit le jeu. Parking : 3 $ avec validation.
Armand Hammer (1898-1990), industriel qui fit fortune dans le pétrole, collectionneur d'art, ami de Lénine et membre du conseil d'administration du LACMA, s'apprêtait à léguer à ce dernier ses riches collections. Mais quand il sut qu'elles allaient être dispersées, il décida de créer son propre musée afin qu'elles conservent leur unité. La collection est présentée en fonction des expos temporaires et des prêts (ces tableaux étant très sollicités par les musées du monde entier). Outre quelques peintures de Rubens, Rembrandt (dont *L'homme au chapeau*) ou encore Titien, elle est principalement constituée de tableaux d'artistes français du XIXᵉ s, comme *Les Paysans au repos* de Jean-François Millet ou *Hôpital Saint-Paul à Saint-Rémy-de-Provence* de Van Gogh, ainsi que d'œuvres de Gauguin, Monet, Ingres, Géricault, Degas *(Trois danseuses en tutu jaune),* Gustave Moreau (l'une de ses plus belles œuvres, *Salomé dansant devant Hérode*), Chardin, Boucher, Fragonard *(L'Éducation de la Vierge),* Pissarro, Chagall *(L'Ange bleu),* Mary Cassatt *(Reine Lefèvre et Margot),* etc.
Le musée possède également la plus grande collection de caricatures d'Honoré Daumier exposée hors de l'Hexagone. Malgré l'aspect imposant et massif du musée, les salles consacrées aux expos ne sont ni très nombreuses ni très grandes. L'espace du musée est en fait une sorte de centre culturel qui, outre les

nombreuses conférences proposées toute l'année, abrite un cinéma à l'excellente programmation et une librairie fort bien fournie en livres d'art à des prix tout à fait compétitifs.

🏃 *La dernière maison de Marilyn Monroe : 12305 5th Helena. Dans le quartier résidentiel de Brentwood, entre Sunset Blvd et San Vincente.* Seulement pour les fans de Marilyn, car la maison, située au fond à gauche de l'impasse, ne se visite pas. Il y a une grille noire couverte d'une bâche qui empêche de voir l'intérieur de la propriété. Le 5 août 1962, la célèbre actrice fut retrouvée morte, nue sur son lit, une main mystérieusement posée sur le téléphone. On pense aujourd'hui qu'il s'agit d'un assassinat par intraveineuse maquillé en suicide (dans son estomac, pas de trace des 47 cachets de Nembutal, un sédatif très puissant, qu'officiellement elle était supposée avoir avalés, mais on en a trouvé dans son sang... !). La villa, plus humble que les luxueuses demeures de Beverly Hills, rappelle une construction mexicaine avec ses tuiles et ses murs blanchis. Il s'agit d'une copie de celle de son psychiatre, le Dr Greenson, qui compta tant pour elle. C'est dans le petit bâtiment au fond à droite (la fenêtre de sa chambre se trouve à gauche de la porte couleur turquoise) qu'elle a été retrouvée morte. Elle avait 36 ans.

🏃 *La maison de l'affaire O. J. Simpson : 875 S Bundy. Au sud de San Vincente.* Nicole Simpson fut assassinée dans cette maison. Un crime qui a profondément ému l'Amérique et qui a jeté un (nouveau) doute sur sa justice. O. J. Simpson, ancien footballeur américain vedette, fut jugé devant deux tribunaux (ce qui est inconcevable en France). Il fut d'abord acquitté... puis condamné.

🏃 *La tombe de Marilyn Monroe : Westwood Memorial Park, 1218 Glendon Ave. Tlj 8h-17h. À l'angle de Wilshire Ave et de Glendon, il y a 2 tours, la tour Oppenheimer et celle de la Wells & Fargo Bank. Juste après celle-ci, avt le 2e immeuble sur la gauche, c'est au panneau « Pierce Brothers Westwood Village ». En principe, possibilité de se garer dans le cimetière.* La voie mène à un îlot de calme au pied

L'ETERNITÉ AVEC MARILYN

Les tombes autour de celle de Marilyn se vendent à prix d'or. En 1954, Richard Poncher avait acheté le tombeau au-dessus de la star. Sa veuve l'a viré du caveau et a mis celui-ci aux enchères sur e-Bay pour finir de payer le crédit de sa maison ! Quant à Hugh Hefner, le patron de Playboy, il a déjà acheté sa place à côté de la belle pour 75 000 $.

d'une rangée de tours. La tombe se trouve à gauche en entrant, après les trois premiers *sanctuaries*. En fait, c'est une simple plaque dans le mur avec son nom d'artiste et ses dates (« 1926-1962 »). Vous remarquerez aisément qu'elle présente un aspect différent des autres : les caresses des visiteurs l'ont en effet polie avec le temps. Elle est parfois ornée de fleurs ou recouverte de traces de rouge à lèvres, baisers envoyés pour l'au-delà par les admirateurs de la star.

Dans le même cimetière, vous trouverez la sépulture de Natalie Wood (sur la pelouse centrale, sous le gros arbre face au premier *sanctuary*), disparue dans des circonstances troublantes. Notez que son nom est accolé à celui de Wagner, du nom de son dernier mari, qui fut pourtant, un temps, mis en cause dans la disparition de l'actrice. Également celles de la drôle de dame Farah Fawcett, Dean Martin, John Cassavetes, Billy Wilder, Truman Capote, Peter Lorre et Darryl F. Zanuck (simple plaque dans le gazon)...

🏃🏃 *Museum of Tolerance (plan couleur II, N14, 230) : 9786 W Pico Blvd.* ☎ 310-772-2505. ● *museumoftolerance.com* ● *Tlj sf sam et fêtes juives 10h (11h dim)-17h ; ferme à 15h30 le ven nov-mars. Dernier ticket 1h30 avt la fermeture. Entrée : env 16 $; réduc. Env 3h de visite. Parking gratuit en sous-sol.* Né en 1993, ce musée est en fait une émanation du *Simon Wiesenthal Center,* organisme fondé en 1977 pour sensibiliser le public au problème global de l'intolérance. Sujet principal du musée : l'Holocauste. La visite commence au

Tolerancenter, qui s'efforce, de façon interactive, de démonter la logique du langage de la haine. Nombreuses vidéos sur la discrimination raciale aux États-Unis, sur les massacres au Rwanda ou encore (dans une pièce à part baptisée *Millennium Machine*) sur l'exploitation des femmes et des enfants dans le monde, sur la menace du terrorisme et la situation des réfugiés. Autour d'un *diner* des années 1950 reconstitué, les visiteurs sont invités à donner leur avis sur les limites du *free speech,* notion sacro-sainte en Amérique mais pas pour autant dénuée d'effets pervers, ainsi que le musée veille bien à nous le faire sentir... On entame alors la 2e partie, qui retrace et explique l'holocauste à travers toute une série de mises en scène et de documents audiovisuels (déconseillé aux moins de 12 ans). Très bien fait. On prend au départ la carte d'un enfant né dans les années 1930 et on découvre son destin en introduisant cette carte dans les bornes qui jalonnent le parcours. Ceux qui désirent en savoir plus sur la Shoah iront ensuite faire un tour au *Multimedia Learning Center,* situé au 1er étage, où une trentaine d'ordinateurs répondent à de nombreuses questions. Également, sous vitrine, d'autres documents et témoignages du génocide, en particulier des lettres envoyées par Anne Frank et sa sœur Margot à leurs correspondantes américaines. Et dans son souci d'interagir avec le public, le musée invite quotidiennement des survivants de l'holocauste à venir témoigner de leur expérience.

🏃 **The Paley Center for Media** *(plan couleur II, N13,* **234***) :* 465 N Beverly Dr. ☎ 310-786-1000. ● *paleycenter.org* ● *Mer-dim 12h-17h. Donation de 10 $ (fortement !) suggérée.* Si vous avez toujours rêvé de voir le débat entre Nixon et J.F.K. ou les infos relatant la mort de Marilyn (on est à Beverly Hills après tout !), ce musée, bâti par l'architecte Richard Meier, le même qui a conçu le Getty Center, permet de rechercher puis d'écouter ou de visionner plus de 150 000 émissions de TV, de radio et de pubs, en grande majorité américaines. Pour visionner, prendre un ticket à la réception puis aller à la bibliothèque et se laisser guider par le personnel. Dans les différentes salles du rez-de-chaussée, des épisodes de séries diffusés à heures fixes, comme précisé sur le programme quotidien qu'on vous remet à l'entrée. Pour les « cathodiques pratiquants » !

🏃 **University of California at Los Angeles** *(UCLA ; plan couleur II, M13) :* sur place, un RTD Shuttle *bon marché dessert les principaux centres d'intérêt.* ● *ucla.edu* ● Fondée en 1929, d'abord constituée de quatre édifices qui forment son centre historique et entourent aujourd'hui la *Dickson Plaza.* Les *Powell, Kinsey, Royce* et *Haines Buildings* furent construits en brique, en style dit « romanesque ». L'architecte du Royce Hall s'inspira de la basilique Sant'Ambrogio à Milan, tandis que celui de la Powell Library copia le *duomo* de San Sepolcro à Bologne (ainsi que l'église San Zeno Maggiore à Vérone pour l'entrée principale). Aujourd'hui, c'est un immense campus délimité par les avenues Le Conte, Gayley, Hilgard et Sunset Boulevard.
Pour visiter l'UCLA, se garer au parking n° 3 *(10 $ la journée),* puis descendre tranquillement vers le **Sculpture Garden,** par le passage souterrain ou bien en longeant les bâtiments immergés dans une végétation dense de pins de Griffith, de cyprès d'Arizona et d'eucalyptus. Très odorant en été. Sur une pelouse qui fait face au McGowan Hall, plusieurs bronzes alanguis ou érigés entre les différents chemins d'eau et fontaines du jardin conçu par le paysagiste Ralph Cornell. On y trouve pêle-mêle des œuvres de Calder, Rodin, Miró, Matisse, Deborah Butterfield et Henry Moore.
Descendez ensuite vers le Dickson Court South, l'une des places ombragées par des arbres tortueux où se déroule la remise des diplômes en juin. Un peu plus loin, de la fontaine qui fait face à l'entrée du Royce Hall, belle perspective sur le stadium de l'université en contrebas.

– **Fowler Museum of Cultural History :** *à côté du Royce Hall, en contrebas (descendre l'escalier vers le stade et prendre à droite).* ☎ 310-825-4361 ● *fowler.ucla.edu* ● *Mer-dim 12h-17h (20h jeu). GRATUIT. Parking du lot 4 (entrée par Westwood Plaza) 1 $/20 mn, max 12 $.* Un musée d'Ethnographie et d'Ethnologie. On y découvre une belle collection de masques, totems, cimiers, parures et objets de culte africains.

L'Inde est également bien représentée, ainsi que l'Océanie et la culture aztèque. Vous y verrez, entre autres, un étonnant calendrier divinatoire de Sumatra, ainsi que des parures, des bijoux, et quelques ensembles et compositions rares, comme cette chevauchée de Don Quichotte, un mobile en papier mâché représentant des squelettes d'une étonnante légèreté, œuvre mexicaine de 1980. Dans une autre salle, collection d'argenterie, faïences et porcelaines. Le musée abrite également des expos temporaires. Vaut le coup d'œil pour tous ceux qui aiment les belles choses.

– Pour ceux qui disposent d'un peu plus de temps, plusieurs choses à voir, notamment des petites expos, comme au **Schoenberg Hall** (le conservatoire). Tout à côté, l'**Inverted Fountain** qui recrée l'atmosphère d'un torrent de montagne. Dans la **Wight Art Gallery** *(au nord du campus, dans le* Dickson Art Center *; lun-ven 9h30-21h30 ; GRATUIT)*, expos temporaires intéressantes.

|●| À l'intérieur de l'*Ackerman Union Building*, plein de petits endroits où se sustenter. Aussi un accès Internet payant, un distributeur de billets, une salle de billard, un coiffeur...

⊛ **Student's Store :** *situé dans l'*Ackerman Union Building *(B Level), sur* Bruin Walk *(ts les étudiants connaissent).* ☎ 310-825-7711. *Ouv tlj.* Pour ceux qui pensent à leur rentrée universitaire. On y trouve de tout : T-shirts et sweats aux couleurs de la prestigieuse université, matériel scolaire, calculatrices, films, bouquins, etc. À l'extérieur, le *Bruin Bear* (l'énorme ours), symbole de l'université, et le **UCLA Athletic Hall of Fame,** qui retrace toute son histoire sportive, ses succès, les grandes vedettes sportives, etc.

DOWNTOWN *(plan couleur IV)*

Le cœur de Los Angeles ne peut laisser indifférent. On se croirait au lendemain d'une catastrophe qui aurait poussé les habitants à abandonner les tours de verre, aux pieds desquelles seraient venus s'encartonner pour la nuit tous les laissés-pour-compte. Quand les employés quittent les immeubles, le soir, les *homeless* plantent leurs tentes sur les trottoirs ; mieux vaut alors éviter de se promener seul. On est à mille lieues de la frime et des paillettes de Hollywood ou de Malibu. Bien que le Downtown ne soit toujours pas le meilleur endroit pour une villégiature et qu'il meurt en grande partie à la fermeture des bureaux, on sent un vent nouveau souffler sur lui. La renaissance du quartier a timidement commencé avec l'inauguration du *Staples Center* en 1999. Elle se poursuit depuis 2005 avec, autour du Staples Center, le développement de ce qu'on appelle le *L.A. Live,* un espace à la fois résidentiel et dédié au divertissement avec restos, boutiques, bars, clubs, hôtels de luxe, salle de spectacle (le Nokia Theatre) et la grande Nokia Plaza et ses écrans géants. Parallèlement, les bâtiments historiques et les anciens théâtres sur Broadway (délaissés au début du XXe s quand Hollywood attira à elle toute la société du divertissement) sont peu à peu rachetés et transformés en lofts. Cela dit, Johnny Depp, qui avait acquis pour plus de 2 millions de dollars un loft dans le Eastern Columbia Building, un superbe édifice Art Déco de 1930 qui se repère aisément à sa façade turquoise, l'a déjà revendu. Mais qui sait, peut-être le Downtown redeviendra-t-il un jour le cœur battant de L.A...

Où manger ?

Spécial petit déjeuner

🖝 **Grand Central Public Market** *(plan couleur IV, C3, 87)* **:** *voir plus loin.* Parmi les multiples étals de ce marché couvert, **La Adelita** (côté Broadway) pro-

pose d'excellentes pâtisseries mexicaines, pains, gâteaux et jus de fruits frais pour une somme dérisoire.

Bon marché

|●| **Blossom** *(plan couleur IV, C3, 83)* **:** *426 S Main St.* ☎ *213-623-1973. Tlj sf dim 11h-15h30, 17h30-22h. Plats*

env 8-9 $. En limite du quartier où il vaut mieux ne pas faire de vieux os le soir. Un petit resto de quartier sans fioritures, proposant une bonne cuisine vietnamienne. On y vient en famille, en couple, entre copains. Pas de décor, pas d'ambiance, ici, tout est dans l'assiette. Service minimal pour miniprix.

I●I *Philippe The Original* (plan couleur IV, D2, 81) : 1001 N Alameda St (à la hauteur de Main St). ☎ 213-628-3781. Entre le vieux quartier mexicain (El Pueblo de Los Angeles) et Chinatown. Tlj 6h-22h. Sandwichs env 7-8 $. Parking gratuit à l'arrière. Depuis 1908, près de 3 000 personnes se pressent chaque jour dans cette grande salle authentiquement rétro, avec de la sciure par terre, de grandes tables conviviales et même des cabines téléphoniques. La spécialité de la maison, c'est le *French dipped sandwich*, au bœuf, porc, agneau, jambon, dinde ou thon, accompagné de salade de pommes de terre, de choux, de macaronis et servi avec une moutarde maison (assez forte !). Le secret de la réussite ? Le pain du sandwich est trempé dans le jus de viande avant confection, une idée d'un certain Philippe Mathieu, du sud de la France... Sur le comptoir, remarquer les œufs durs marinant dans le jus de betterave. Excellent et... original !

I●I *Grand Central Public Market* (plan couleur IV, C3, 87) : entrée soit sur Hill St, soit sur Broadway. ☎ 213-624-2378. Tlj 9h-18h, depuis 1917. Parking gratuit pdt 1h si vous achetez pour au moins 10 $ (entrée à l'angle de Hill St et de 3rd St, attenante au marché ; ne pas confondre avec celui en plein air, payant). Des étals de fruits, de légumes (bien meilleur marché qu'en *supermarket*), de la barbaque qui saigne, des poissons dans la glace, des grainetiers mexicains, des épices chinoises... Ce marché traditionnel, avec ses *mariachis* le midi, n'a rien à voir avec le *Farmer's Market* de West Hollywood, il a beaucoup plus de caractère. On peut y faire des emplettes, mais aussi prendre, sur une croûte de pain et pour quelques dollars, un *cóctel* de fruits de mer – mélange de *camarones, calamares,*

pulpo et huîtres préparées à la mexicaine – ou un de ces excellents *fish tacos* au comptoir chez **Lupita's Fresh Seafood** (côté Broadway). Vivement conseillé aussi : le *clam chowder,* une onctueuse soupe aux palourdes. De l'autre côté du marché, vers Hill Street, le **China Café,** avec son comptoir en formica rouge et ses sièges inamovibles, est également très prisé des locaux à l'heure du déjeuner. Très bons plats, et sacrément copieux. Toilettes publiques au sous-sol.

Prix moyens

I●I *Bottega Louie* (plan couleur IV, B4, 84) : 700 S Grand Ave (angle 7th St). ☎ 213-802-1470. Lun-ven 8h-23h, w-e 9h-minuit. Plats env 9-20 $. Un énorme salon de thé-restaurant, une vaste ruche moderne aux murs blancs, avec moulures et cuivres qui, lorsqu'elle est pleine, résonne comme un véritable hall de gare. Alors, pour un repas calme, passez votre chemin ! Néanmoins, le lieu est amusant. On y observe ces demoiselles choisir des pâtisseries de toutes les couleurs ou on s'attable en écoutant les conversations de la jeunesse dorée. La présentation est très soignée, même si on aimerait que ce soit un peu plus copieux. Beaux et bons petit déj, burgers, sandwichs et salades. Et pourquoi pas un de ces longs éclairs au chocolat ou un macaron en dessert ? Pour un goûter aussi, ça le fait !

I●I *The Original Pantry* (plan couleur IV, B4, 80) : 877 S Figueroa St (angle 9th). ☎ 213-972-9279. Tlj 24h/24. Breakfast 6-12 $, plat 10-17 $. CB refusées. Parking de l'autre côté de la rue : 2 $ pour 1h30 moyennant validation de votre ticket par le resto. Depuis 1924, date de sa création, ce resto semble ne pas avoir bougé avec ses tables en formica, sa déco surannée et ses serveurs en tablier de sommelier. Aujourd'hui, c'est un peu le village d'Astérix au milieu des nouveaux immeubles du Downtown. Son slogan : « Never closed, never without a customer. » Et c'est vrai qu'il y a toujours un peu de monde. Mais, soyons honnêtes, on vient plus ici pour l'ambiance nostalgique que pour la cuisine, roborative mais pas vraiment raffinée !

Chic

I●I *Café Pinot* (plan couleur IV, C3, **88**) : 700 W 5th St. ☎ 213-239-6500. Lun-ven 11h30-14h30 ; le soir, tlj 17h-21h30 (22h ven-sam, 21h dim). Plats 17-24 $ le midi et 26-38 $ le soir. Splendide terrasse en plein cœur de Downtown et de ses gratte-ciel. Situation assez exceptionnelle, surtout le soir, lorsque les tours s'illuminent. La cuisine de facture *French-Californian* est bonne et très soignée, avec un bon équilibre entre les viandes et les poissons. Le menu change très régulièrement. Belle carte des vins (français, californiens, néo-zélandais), mais les prix au verre sont plutôt dissuasifs (environ 7-12 $). Accueil charmant, parfois en français, tout comme la bandeson d'ailleurs...

Où boire un verre panoramique ?

🍸 *Bona Vista Lounge* (plan couleur IV, C3, **153**) : dans l'hôtel Bonaventure, 404 S Figueroa St. Tlj 16h30-1h. Au 35e étage du complexe hôtelier Bonaventure à l'architecture étonnante (lire plus loin « À voir ») ; accès par l'ascenseur de la Circle Tower rouge. Le prix des consommations est un rien surévalué, mais venez-y, ne serait-ce que pour la vue panoramique sur les gratte-ciel de Downtown que vous offre ce bar tournant à 360°, à laquelle vous prépare la montée dans un ascenseur extérieur en verre. Fabuleux au coucher du soleil. On y dîne aussi, mais les prix atteignent des sommets !

Où danser ?

À Downtown, les boîtes retrouvent une certaine faveur du public à la suite du *revival* du quartier. Elles sont vastes, et pour cause : il s'agit en général d'anciens bâtiments publics, entrepôts ou cinémas désaffectés.

🎵 *Mayan* (plan couleur IV, B4, **150**) : 1038 S Hill St (entre Olympic Blvd et 11th St). ☎ 213-746-4674. ● club mayan.com ● Ven-sam 21h-3h. Entrée : env 15 $, parfois plus selon événements. Guichet lun-jeu 10h-17h. Ancien cinéma avec un décor de temple maya-aztèque assez époustoflant, notamment la façade, le plafond et les bars. Impossible de manquer son néon la nuit ! Dans l'immense salle principale, énorme volume et un *stage* digne des plus beaux opéras rock. Le vendredi, c'est soirée *soundmachine*, tandis que le samedi, ce sont les Tropiques à l'honneur ! Également des soirées et des compétitions salsa. C'est chaud ! Si vous ne voulez pas détonner dans ce temple de la musique, soignez votre tenue, c'est très branché.

Achats

✥ *Skeletons in The Closet* : 1104 N Mission Rd, à la hauteur de Marengo. ☎ 323-343-0760. Assez excentré : de l'autre côté de Los Angeles River, à quelques km au nord-est du Downtown. Lun-ven 8h30-16h. Incroyable mais vrai : il s'agit de la boutique... de la morgue de Los Angeles, installée dans le bâtiment du Coroner. Les ventes de ce « Squelettes dans le placard » financent une association contre l'alcoolisme des jeunes au volant. On y trouve T-shirts, serviettes de bain, caleçons, mugs... et même des *body bags* (pour camper ?), le tout estampillé du logo de la morgue. Enfin des cadeaux un tant soit peu originaux (et vous ferez une bonne action). Sacrés Américains !

✥ *Los Angeles Police Revolver & Athletic Club* : 1880 N Academy Dr. ☎ 323-221-5222. Lun-ven 7h30-17h. Même principe que la boutique de la morgue, sauf qu'ici vous atterrirez à la Police Academy, le Fort Knox de la police de Los Angeles. Si vous avez toujours rêvé de voir des flics en armes et des voitures de police comme dans les séries américaines, venez ici ! La boutique se trouve au fond à droite de l'entrée. Tee-shirts, mugs, etc., aux couleurs du L.A.P.D.

À voir

Un bon moyen de circuler à Downtown, c'est le **Dash.** Pour le prix d'un *quarter (25 cents),* 6 lignes (3 le week-end) relient tous les centres d'intérêt du quartier. Si vous devez changer de bus pour atteindre votre destination, demandez simplement un *transfer* en achetant votre billet. Sans supplément, il vous permettra de sauter dans un autre bus, si toutefois l'itinéraire de ce dernier croise celui du premier. Se procurer absolument le plan du réseau au *Visitor Center* ou au **MTA Bus Information** *(voir dans l'introduction de Los Angeles, « Comment se déplacer ? En bus »).* En voiture, on trouve de nombreux parkings (moins chers le week-end qu'en semaine).

🏃 **Park Plaza Hotel** *(plan couleur IV, A2) :* 607 S Park View St, en bordure de MacArthur Park, près de Koreatown. ☎ 213-384-5281. Ⓜ Westlake-MacArthur Park (ligne rouge). C'est l'un des plus beaux édifices Art déco de L.A. et un hôtel mythique construit en 1925. À défaut d'y dormir, on peut visiter le hall, avec son immense escalier éclairé par de magnifiques girandoles. Les photos dédicacées d'acteurs (à droite dans le hall en entrant) rappellent les nombreux films et téléfilms tournés ici : *Bugsy, Bodyguard, Hook, Chaplin, Stargate, Nixon, The Fisher King* et bien d'autres encore. Dans les années 1920, c'était une adresse prestigieuse. Eleanor Roosevelt et Bing Crosby y descendaient. Bien avant que Charlton Heston, Sylvester Stallone, Richard Pryor, Robin Williams et d'autres ne leur emboîtent le pas.

🏃 **Grier-Musser Museum** *(plan couleur IV, A2,* **207***) :* 403 S Bonnie Brae St (entre 3ʳᵈ et 4ᵗʰ). ☎ 213-413-1814. • *griermussermuseum.org* • *Dans un quartier résidentiel, près du MacArthur Park.* Mer-sam 12h-16h. Sur rdv slt. Entrée : 10 \$; *réduc.* Une petite haie de buis conduit à la porte de cette maison de style Queen Anne (1898), une des rares subsistant dans ce quartier. Visite intéressante pour la décoration intérieure : ameublement, aquarelles, porcelaines anciennes, vitraux victoriens, collection de vieilles cartes postales sur la ville, objets domestiques insolites, etc.

🏃🏃 **The Grammy Museum** *(plan couleur IV, B4,* **221***) :* 800 W Olympic Blvd, dans l'espace du L.A. Live. ☎ 213-765-6800. • *grammymuseum.org* • *Entrée sur Figueroa St.* Lun-ven 11h30-19h30, w-e 10h-19h30. Entrée : 13 \$; *réduc.* Dans ce musée dédié aux Grammy Awards et à la musique, la visite commence par le haut, au 4ᵉ étage, avec l'histoire du petit gramophone que reçoivent les artistes récompensés lors de ces victoires de la musique américaines qui ont vu le jour en 1959. Disons-le d'emblée, c'est très bien fait, instructif, interactif et passionnant. En guise d'introduction, une grande table dotée d'écouteurs permet de découvrir les genres (de la country au classique en passant par le rock, le blues et le hip hop), leur définition, leur histoire et les sous-genres qui en ont découlé, le tout avec extraits musicaux à l'appui. Une autre section retrace, une fois encore avec extraits sonores et images, les grands traits et événements musicaux de chaque décennie. D'autres bornes situent « les épicentres » de la musique américaine et leur évolution depuis les années 1880, vous apprenant ainsi ce que chaque ville a pu apporter, les mouvements qui y sont nés et ce qu'elles proposent aujourd'hui. Le 3ᵉ étage, plus technique, montre l'évolution des technologies, ce qu'elles ont apporté à la musique et leur impact sur elle. Au 2ᵉ étage, vous pourrez même pianoter sur les instruments et les logiciels pour comprendre comment les artistes d'aujourd'hui peuvent composer seuls dans leur coin et sans toujours connaître leur solfège ! Sur ce même niveau, une collection d'objets et de vêtements ayant appartenu aux stars de la musique : lunettes de Ray Charles, chaussures de Michael Jackson (pas toutes !), etc. Également des expositions temporaires, généralement consacrées à un seul artiste. Enfin un musée où votre ado ne rechignera peut-être pas à déchiffrer l'anglais !

🎥 *L'hôtel Bonaventure* (plan couleur IV, C3, **153**) : 404 S Figueroa St. Architecture étonnante. Sa conception est proche du *Hyatt* de San Francisco et rappelle un peu les décors de science-fiction des années 1950. Presque une ville en lui-même, on y croise des joggeurs ! Autrement, boutiques, restos, salle de fitness, jet d'eau dans le hall. Vue spectaculaire du 35e étage : y aller rien que pour la montée dans l'un des ascenseurs extérieurs en verre (gratuit), où s'est déroulée la bagarre entre Malkovich et Eastwood dans le film *Dans la ligne de mire*. On y a également tourné des scènes de *True Lies*, *Rain Man* et *L'Arme fatale*. Bar panoramique et tournant (ouv 16h30-1h). À la tombée de la nuit, l'endroit devient presque magique.

🎥 *Public Library* (plan couleur IV, C3, **202**) : 630 W 5th St. ☎ 213-228-7000. Lun, mer, ven-sam 10h-17h30 ; mar, jeu 10h-20h. Visites guidées lun-ven 12h30 ; sam 11h et 14h ; rdv devant le library store de la bibliothèque. Vous pouvez également faire la visite seul, en demandant les feuillets de la visite à la réception. Pas moins de 215 millions de dollars furent nécessaires pour restaurer la bibliothèque munici-pale, après qu'un incendie l'eut sévèrement endommagée en 1986. Jeter un œil à la rotonde du 2e niveau, rescapée de l'incendie, pour ses jolies fresques de 1927. Possibilité d'y surfer gratuitement sur Internet, mais le nombre de postes est limité (voir « Adresses et infos utiles »).

🎥 Quasiment en face de la bibliothèque, la *Library Tower* (315 m) est désormais la tour la plus haute à l'ouest de Chicago. Imaginée par Pei, l'architecte de la pyra-mide du Louvre. Côté 5th Street, à gauche de la bibliothèque, voir aussi l'élégant édifice de la **South Californian Edison Company.**

🎥 *Millennium Biltmore Hotel* (plan couleur IV, C3, **17**) : 506 S Grand Ave. Un lieu mythique, là encore, fréquenté par les présidents, les rois et les stars de cinéma dans les années 1930, et où eurent lieu huit cérémonies des Oscars. Cet hôtel de luxe a aussi servi de décor à de nombreux films dont *Le Flic de Beverly Hills* et *L'Arnaque*. Curieusement, ce n'est pas l'hôtel le plus cher de Downtown, si bien qu'on vous le recommande plus haut, dans la catégorie « Très chic ». Allez vous promener dans la *Main Galleria*, dont l'entrée se trouve sur 5th Avenue ! La réception est délirante, avec des plafonds à caissons immenses. Les peintures murales dans les salons et les halls ont été réalisées par un artiste italien qui signa également celles de la Maison-Blanche et du Vatican. Enfin, le *Millennium Biltmore* cache dans son sous-sol une magnifique piscine qui n'est pas sans rappeler les tépidariums de la Rome antique.

🎥 *Angels Flight Trolley* (plan couleur IV, C3, **205**) : 252 S Hill St, entre 3rd et 4th St. Tlj 6h45-22h. Env 0,50 $ le trajet (on paie en haut). Ce vieux trolley orange, lancé en 1901 (et restauré depuis !), relie Hill Street, en bas, à Bunker Hill et California Plaza, en haut. Pittoresque mais très court !

🎥 *Le Water Court de la California Plaza* (plan couleur IV, C3, **200**) : 350 S Grand Ave, sur Bunker Hill. Complexe urbain assez réussi. Un petit espace de fraî-cheur au cœur de Downtown. Outre la belle architecture du MoCA, noter l'auda-cieuse forme biseautée de la *Wells & Fargo*. Autour d'une sorte de petit lagon arti-ficiel, quelques belles terrasses, où les gens des bureaux descendent de leur tour pour venir prendre un sandwich ou une salade à l'heure du déjeuner. Un endroit frais l'été, ce qui est, somme toute, assez rare à Downtown. On y trouve aussi un **bureau de poste** (lun-ven 8h30-17h30).

🎥🎥 *MOCA* (**Museum of Contemporary Art** ; plan couleur IV, C3, **203**) : 250 S Grand Ave (à la hauteur de la California Plaza). ☎ 213-626-6222. ● moca.org ● Lun et ven 11h-17h ; jeu 11h-20h ; w-e 11h-18h. Fermé mar-mer. Entrée : 12 $; réduc ; gratuit jeu 17h-20h et pour les moins de 12 ans. Ouvert depuis 1986, ce musée, construit par l'architecte japonais Isozaki, s'efforce de ne pas exposer que les artistes consacrés. On garde un œil sur les nouvelles tendances, les courants les plus fous, les œuvres les plus surprenantes. Ici, on n'attend pas que les artistes soient morts pour apprécier leur travail. La collection permanente rassemble plus de 5 000 œuvres (exposées par roulement) d'artistes américains et européens postérieurs à 1945. Le musée abrite aussi un grand nombre d'expos temporaires (que des guides professionnels viennent mettre en perspective à 12h, 13h et 14h), possède une très riche librairie (sur la terrasse), et organise régulièrement conférences et discussions. L'ensemble des œuvres change environ tous les 3 mois : impossible donc d'en faire un descriptif. À découvrir.

🎭 Au 111 S Grand Ave (angle 1st St), jetez un œil aux extraordinaires volutes d'acier du **Walt Disney Concert Hall** (plan couleur IV, C2, 201), siège de l'orchestre philharmonique de L.A. Tlj sf mar 10h-14h (15h en été). Rens sur les concerts : ☎ 213-972-7211. ● musiccenter.org ● Dessiné par Franck Gehry, le bâtiment fut créé en hommage à Walt Disney (grâce à la donation de sa veuve, Lillian) et inauguré en 2003. Le projet a coûté au total 274 millions de dollars. C'est une vaste salle de 2 265 places dont l'acoustique plaira aux mélomanes. Possibilité de visiter seul avec un audioguide (gratuit). Cette visite est surtout intéressante si vous êtes passionné de musique et d'architecture, car vous aurez une vision complète du magnifique projet, avec des explications exhaustives sur les architectes qui ont conçu et réalisé le concert hall, le directeur musical Esa-Pekka Salonen, l'acousticien Yasuhisa Toyota, une interview de la fille de Lillian Disney, etc. Hélas, il est impossible de voir la salle principale à cause des répétitions incessantes, ce qui est un peu frustrant tout de même. Consolez-vous en allant écluser un gorgeon dans l'enceinte même de l'établissement, au **Concert Hall Café** (tlj 11h30-14h, jusqu'à 20h les soirs de représentation). Un endroit calme et reposant.

🎭 **El Pueblo de Los Angeles** (plan couleur IV, D2, 204) : sur Olvera St, à l'extrémité nord de Main St. Juste en face de la gare ferroviaire. Le long et autour de cette petite rue, quelques maisons en adobe, construites à l'époque espagnole. 44 fermiers s'installèrent là en 1781. Ce fut le premier L.A. Depuis, c'est devenu ultra-touristique, et les boutiques débordent de souvenirs ringards. On peut s'en passer, ou alors se consoler en allant manger chez Philippe The Original (voir plus haut « Où manger ? »). S'y rendre de bonne heure, avant les « marchands du temple ». Derrière les bazaristes, ne manquez pas l'**Avila Adobe** et ses parquets craquants. Construite en 1818, elle est considérée comme la plus ancienne maison de L.A. Pendant la guerre américano-mexicaine, elle servit brièvement de Q.G. aux troupes américaines. Méchamment endommagée par le tremblement de terre de 1971, elle a été restaurée depuis. Elle donne en tout cas une idée de l'habitat de l'époque. Intéressante et fraîche à visiter en été. Un peu plus bas, au 12 Olvera Street, la **Sepulveda House** (lun-ven 9h-16h), de facture typiquement victorienne (1887), aujourd'hui siège du Visitor Center. Possibilité d'y voir un film, Pueblo of Promise, sur demande. Au rez-de-chaussée, un véritable petit musée, joliment décoré et meublé à l'ancienne. S'y procurer El Pueblo de Los Angeles Historic Monument, petit dépliant fort bien fait, avec plan. Autres bâtiments intéressants : le **Masonic Hall** (1858), la **Fire House** aménagée dans la première caserne des pompiers de L.A. (1884) et dans laquelle on trouve quelques belles pompes et une intéressante collection de casques.

– **Visites guidées gratuites du Pueblo** (50 mn) : mar-sam 10h-12h. Rdv à « Las Angelitas del Pueblo » dans le bâtiment en brique rouge donnant sur la place (juste à côté de la Plaza Fire House).

Dans Exposition Park (plan couleur d'ensemble)

Les 4 sites qui suivent se trouvent dans l'enceinte d'Exposition Park, situé au sud-ouest de Downtown. Rien à voir avec le Griffith Park, c'est beaucoup moins grand ! Pour y aller, prendre le bus Dash F South à l'angle de Flower et de 7th St. En voiture, prendre la 110 vers le sud et sortir à Exposition Blvd. Grands parkings communs pour ts les musées (env 10 $/j.) : un sur Figueroa et deux côté Vermont-Exposition Blvd.

🎥🏃 *California ScienCenter :* 700 State Dr. ☎ 323-SCIENCE. ● california sciencecenter.org ● Entrée sur Exposition Blvd et Figueroa. Tlj 10h-17h. Entrée gratuite (sf pour l'Imax Theater : env 9 $, compter 20 $ pour les expos temporaires ; réduc).

Musée des Sciences et Technologies où l'on peut toucher à tout et tout essayer. Ça vieillit un peu, mais c'est très bien expliqué (en anglais évidemment, mais même les petits francophones pourront s'y amuser sans souci). Une succession d'ateliers interactifs mettent en évidence la plupart des phénomènes physico-chimiques ayant conduit à l'avancée des techniques. Tout sur l'espace, les tremblements de terre, les énergies, la santé, les mathématiques, l'économie, l'alimentation de la planète, etc., divisé en plusieurs sections.

– *Ecosystems :* au rdc et au 2ᵉ niveau. Cette nouvelle expo commence par des murs d'écran présentant de belles images de la terre, des océans, de la faune et de la flore mais aussi des catastrophes plus ou moins naturelles, façon La Terre vue du ciel... Dans Extreme Zone, une pompe reconstitue la houle dans un grand bassin à poissons. Dans la section Poles, un mur de glace. Dans Desert Section, on trouve un détecteur infrarouge de la chaleur du corps et la reconstitution toutes les 10 mn d'un flash flood, soit une spectaculaire montée des eaux. Âmes délicates, éviter la Rot Room... Dans la Global Zone, un globe tournant sur lui-même passe en revue les zones nuageuses et les océans. Enfin, à l'entrée de la Kelp Forrest, le Seafood Watch Café abrite un tunnel passant sous le bassin aux poissons cité plus haut. Rigolo. Murs d'escalade (payants) à la sortie pour les plus téméraires...

– *World of Life :* dans le tunnel de la vie, des écrans géants comparent les différentes formes de vie et montrent que les plantes, les animaux et les humains sont semblables dans leur fonctionnement. Plein de microscopes permettent de voir les micro-organismes. Un corps humain géant permet d'explorer les différents muscles et organes, mais aussi, un peu plus trash, l'intégralité du système digestif (bruitages compris !). On peut ailleurs se prendre pour un globule rouge et voir naître et évoluer de vrais poussins. Un simulateur de conduite teste vos réactions en cas d'ébriété. Un surgery theater permet d'assister à une opération chirurgicale du point de vue du médecin.

– *Creative World :* des explications sur les communications par la mise en évidence des phénomènes ondulatoires, électriques ou magnétiques (sons, images digitales, ondes, puces électroniques), sur les structures (constructions de bâtiments antisismiques, simulation u Big One – un peu vieillot et sans intérêt) sur les sources d'énergie, avec recommandations pour moins polluer notre planète (ça fait rire !), et sur les transports (voitures solaires, électriques, avions, principes d'aérodynamisme et de magnétisme). Certains simulateurs sont assez intéressants, comme le *Simulator Ride,* où pour 5 $ on peut choisir un petit voyage dans une navette spatiale, participer à une course de formule 1 ou encore apprécier le trajet d'une goutte de pluie tombant du ciel dans son cycle complet : précipitation-migration-évaporation. Mais la partie la plus intéressante est certainement l'exposition des clichés de la Nasa, pris par le télescope Hubble, placé en orbite, et qui livre les secrets des galaxies situées à plusieurs milliers d'années-lumière, dont ceux de la Nébuleuse de l'Aigle ou du Petit Nuage de Magellan.

– *Air & Space Gallery :* au 2ᵉ niveau. Pour les passionnés de l'Espace, voici quelques « pointures » de la découverte spatiale telles que la capsule *Apollo-Soyuz.* Prévue pour la mission Apollo 18 vers la Lune, elle fut finalement utilisée pour rejoindre la capsule soviétique Soyuz après que les crédits furent drastiquement réduits... Également la capsule *Gemini 11* qui expédia à son bord les premiers astronautes Pete Conrad et Dick Gordon en 1966, ainsi que *Mercury-Redstone II,* dans laquelle voyagea la femelle chimpanzé Ham, le 31 janvier 1961. Et bien sûr, levez les yeux, quelques aéronefs remarquables sont suspendus au plafond... Enfin, quelques simulateurs (payants) qui plairont aux enfants. Le Hurricane Simulator est rafraîchissant en cas de canicule...

– *Imax Theater :* propose d'extraordinaires conditions de projection, avec écran haut de sept étages, long de 23 m, son sur six pistes, etc. Films à couper le souffle, bien entendu (genre incroyables exploits sportifs, éruptions de volcans...). *Programme et horaires :* ☎ 213-744-2019.

☜☜ 👫 *Natural History Museum :* 900 Exposition Blvd (presque à l'angle de Vermont Ave). ☎ 213-763-DINO. ● nhm.org ● Tlj sf 4 juil, Thanksgiving, Noël et Jour de l'an, 9h30-17h. Entrée : 12 $; réduc ; gratuit jusqu'à 5 ans et pour ts, de sept à mai, le 1er mar du mois. Visite guidée gratuite à 14h et présentation d'animaux à 15h. Aussi une antenne du Downtown Los Angeles Visitor Centre à l'intérieur.

– *Au rez-de-chaussée,* gros succès pour le *Dinosaur Hall,* qui met à l'honneur ces monstres apparus il y a 230 millions d'années et disparus il y a 65 millions, à cause, dit-on, de la chute d'astéroïdes géants entraînant la disparition de nombreuses espèces animales et végétales. Observer les schémas permettant de faire la distinction entre les os véritables et les os de synthèse (en blanc, les vrais ; en gris, les faux). Ne pas manquer le *Triceratops,* sorte de gros rhinocéros reconstitué à partir des ossements de quatre animaux, le superbe « mur d'os » derrière ; ni le spécimen de *Mamenchisaurus,* dont le cou pouvait atteindre 10 m, monumental par rapport au minuscule *Fruitadens...* Voir aussi la vitrine du *Plesiosaur* femelle, fossilisé avec son bébé dans le ventre, et les fossiles des mammifères marins éteints, en fait plus proches des lézards et des serpents. Énorme vertèbre de *Sauropoda* (un dino à long cou). Quant au *Camptosaurus,* il pouvait se déplacer, au choix, sur deux ou quatre pattes. Sur la mezzanine, voir les fossiles d'un nid d'œufs au fond à droite, l'embryon de dinosaure à long cou juste à côté, et l'étonnant *Pterosaur.* Au même niveau, profitez-en pour jeter un œil à la belle rotonde et ses quatre statues sous la coupole. Retour au rez-de-chaussée avec ses vastes salles à l'ancienne, non dénuées de charme, présentant de beaux dioramas, soit la mise en scène de grands mammifères empaillés dans leur « milieu » : l'Amérique du Nord, avec ses bisons sur fond de plaine montagneuse, otaries, loups gris, grizzlys, ou encore l'Afrique avec ses éléphants et toute la ménagerie. Enfin, plusieurs grandes salles consacrées aux minéraux (très sombres, pour mettre en valeur les pierres). On y découvre les gemmes autochtones, comme cet imposant jade du Wyoming, à l'entrée, une des pierres précieuses les plus lourdes du monde ; très belles cristallisations de tourmaline, météorites, quelques pièces rares, telle cette boule de cristal de roche de 30 kg d'une pureté incroyable.

– *À l'étage,* une expo sur les oiseaux du monde entier (nombreuses vitrine de spécimens taxidermisés) nous sensibilise à la fragilité des écosystèmes et un marécage est reconstitué avec les différents cris des espèces. Sont expliqués les mécanismes du vol, le pourquoi des couleurs (pourquoi les flamants roses sont roses, etc.) ainsi que la signification des différents gazouillis. De même, la forêt tropicale et sa vie sonore sont représentées. Voir aussi le centre d'études du *Dino Lab* et le *Discovery Center & Insect Zoo* pour les plus petits (animations, ateliers). Du coq à l'âne, ne pas manquer la section baptisée *Visible Vault,* une salle consacrée aux objets votifs incas, aztèques et mayas. Magnifique collection de statues et de poteries !

– *Au sous-sol,* l'exposition sur l'histoire de la Californie, les Amérindiens, l'exploration du Nouveau Monde et la colonisation espagnole, s'avère, en revanche, assez ridicule !

– En s'inscrivant à la caisse (visites à heures fixes ; durée 30 mn) et pour 3 $ de plus, ne pas manquer, à droite de l'entrée principale, *la volière aux papillons.* Environ 20 espèces et 300 spécimens. D'avril à août seulement, car en hiver, ce sont des araignées qui prennent leur place (mygales, tarentules et autres bébêtes velues...).

🪶 *California African American Museum :* 600 State Dr, à Exposition Park. ☎ 213-744-7432. ● caamuseum.org ● Tlj 10h (11h dim)-17h. GRATUIT (donation suggérée). Petit musée consacré à la culture afro-américaine dans l'ouest des États-Unis, en particulier en Californie. Sur les quatre salles, les trois quarts sont consacrés à des expos temporaires. Même la collection dite « permanente » change régulièrement...

🕺 *Rose Garden :* *Exposition Blvd, juste en face de l'entrée derrière le California Science Center.* ☎ *213-763-0114. Tlj de 9h au coucher du soleil ! Fermé 1ᵉʳ janv-15 mars. Entrée libre.* Une très grande roseraie en plein air qui ravira les amateurs de botanique et de fragrances subtiles. Plus de 15 000 pieds et 145 variétés. Très reposant après la visite des musées. Notez, juste en face, l'élégant bâtiment de l'ancien *History & Art Museum* qui accueille chaque année, fin avril, un très populaire *International Pow-Wow*.

À *Watts* (plan couleur d'ensemble)

Ce quartier pauvre est majoritairement habité par la communauté noire (comme par hasard). Cela dit, il est peu à peu grignoté par la communauté hispanique, qui s'est vue proposer les jobs des Noirs pour des salaires inférieurs dans les années 1980, et par la communauté coréenne, qui a repris une bonne partie des petits commerces. Le quartier est malheureusement connu pour ses problèmes de violence et d'insécurité, surtout depuis les émeutes spectaculaires de 1965 mais aussi de 1992. La première fois, c'est l'arrestation d'un minibus zigzaguant sur une *freeway* qui a agi en révélateur de la misère sociale et a dégénéré en émeute. Résultat : 34 morts, plus de 1 000 blessés, 4 000 arrestations et 40 millions de dollars de dégâts. La deuxième fois, c'était la fameuse affaire Rodney King, du nom d'un Noir tabassé par des policiers blancs qui ne se savaient pas filmés par un habitant du quartier. Le problème, c'est que ces policiers furent quand même acquittés... par un jury entièrement blanc, plus un Asiatique et un Hispanique. Résultat : des émeutes encore plus violentes (s'étendant même à d'autres villes du pays), 53 morts, 2 500 blessés, 4 000 arrestations et un milliard de dollars de dégâts. Sans compter de sérieux règlements de comptes avec la communauté coréenne à la suite de l'acquittement d'un commerçant coréen ayant abattu une adolescente noire. La Garde Nationale sera même envoyée pour rétablir l'ordre. Finalement, les policiers seront rejugés et condamnés à 2,5 ans de prison. Il suffisait d'y penser... Quant à Rodney King, il a été retrouvé mort dans sa piscine, en 2012, peu de temps après avoir écrit un livre et avoir pardonné aux policiers. Aujourd'hui, si l'on doit toujours être prudent dans le quartier (éviter d'y aller le soir et la nuit), les autorités essaient d'enrayer la mainmise des gangs, par exemple en introduisant la... culture. Un clown du nom de Tommy y a créé une nouvelle danse, le Krump, qui connaît un succès international a même été immortalisé dans un film, *Rize*. Et puis, il y a ces tours insolites qui sont un peu devenues le phare culturel du quartier. Un peu de lumière dans un quartier qui s'appelle Watts, il était temps aussi d'y penser !

🕺🕺 *The Watts Towers :* *1761-1765 E 107ᵗʰ St.* ☎ *213-473-8493 ou 213-847-4646. En métro, station « 103ʳᵈ St ». Sinon, bus nᵒˢ 117, 254, 305 et 612. En voiture, accès par la 110 puis la 105. On peut voir les tours de l'extérieur, tlj sf lun-mar 10h (12h dim)-16h, mais on ne rentre qu'en visite guidée : jeu-dim, ttes les 30 mn, 10h30 (11h ven, 12h30 dim)-15h. Fermé les j. de pluie. Entrée : env 7 $; réduc ; gratuit moins de 12 ans. S'adresser au Watts Towers Center & Tours à l'arrière.* Quel beau prétexte pour venir faire un tour dans le quartier ! Ces tours étonnantes ont été construites par un Facteur Cheval local, du nom de Simon Rodia. Ce modeste ouvrier du bâtiment, originaire d'Italie, voulait réaliser « something big ». En 1921, il commence alors à faire de la récup' de matériaux divers et bâtit ses tours le soir et pendant ses week-ends. Il les termine 33 ans plus tard, en 1954, à l'âge de 75 ans, puis abandonne subitement le site à son voisin, pour s'installer à Martinez, en Californie, près de sa famille. Il ne reviendra jamais voir son œuvre. Cela donne aujourd'hui trois tours principales, dont la plus grande mesure 31 m, plus quelques petites réalisations annexes. Toutes sont en ferraille, ciment, coquillages, canettes de bière, bouts de verre et de céramique... De l'art populaire, quoi. Pourquoi une telle construction ? Sans doute un souvenir d'enfance de l'immigré italien : chaque année, à Ribbotoli, son village natal, la procession promenait dans les ruelles de petites tours composées d'anneaux en bois, couvertes de papier aux motifs assez semblables à ceux des tours de Watts... Et dire qu'elles ont échappé à un projet de destruction de la municipalité en 1958. Beau compliment pour l'artiste-maçon : à l'époque, un test révéla qu'il était impossible de les abattre tant elles étaient solides !

À faire

– **Staples Center** (plan couleur IV, B4) **:** 1111 S Figueroa St. ☎ 213-742-7100. ● staplescenter.com ● Tlj 10h-18h (17h w-e). Parking : 15-25 $ selon événement, voire plus. Cette arène venue d'une autre galaxie abrite l'un des plus beaux espaces pour assister à un concert ou à une rencontre sportive, et pas des moindres. Les *Lakers,* ça vous dit quelque chose ? C'est juste l'une des meilleures équipes du circuit NBA (basket-ball), affichant un palmarès exceptionnel et une star absolue, Kobe Bryant ! Une ambiance incroyable, où les voix des quelque 19 000 fans à l'unisson vous donneront la chair de poule ! L'espace modulable accueille aussi les matchs de hockey, de football américain, et bien d'autres manifestations, comme la remise des diplômes universitaires *(graduates)* et autres distinctions du genre.

CHINATOWN (plan couleur IV)

Enclavé entre les Freeways 110 et 101, au nord de Downtown, ce petit quartier fut créé en 1938, lorsque la communauté chinoise fut évincée d'Union Station consécutivement à la construction de la gare. Honnêtement, ce Chinatown vieillissant n'offre pas réellement d'attrait, c'est plutôt une petite curiosité en passant si vous êtes dans le coin...

Où manger ?

|●| **Via Café** *(plan couleur IV, D1, 85)* : 451 Gin Ling Way, Central Plaza. ☎ 213-617-1481. Tlj 11h-22h. Plat env 8-11 $. CB acceptées à partir de 10 $. Une bonne petite cuisine (bœuf à la citronnelle servi avec des vermicelles, poulet au curry ou très bons rouleaux de printemps, etc.) à savourer dans une salle à la fois moderne et dépouillée. Accueil un poil sec.
|●| **Hop Louie** *(plan couleur IV, D1, 86)* : 950 Mei Ling Way (accès par Hill St).

☎ 213-628-4244. Tlj 11h-15h, 17h-21h ; w-e 11h-21h. Luncheon specials env 5-6 $ et special dinner combination plate 8 $, thé inclus. D'autres menus plus chers... Une très vieille adresse où, il y a très très longtemps, firent escale quelques stars comme Robert Redford, Nicolas Cage et Jackie Chan, si l'on en juge par les photos tapissant l'escalier. Resto à l'étage avec une décoration typique datant sans doute de la dynastie Zhou, mais qui sert souvent de décor à des films. À défaut d'être inoubliables, les menus sont vraiment très bon marché.

À voir

🦌 **Le petit Chinatown piéton** *(plan couleur IV, D1-2)* : délimité par Bernard au nord, College au sud, Hill à l'ouest et Broadway à l'est. Assez vieillot, avec ses boutiques attrape-touristes et ses populaires « puits aux souhaits ».

LITTLE TOKYO *(hors plan couleur IV par D3)*

Créé dès 1908, le quartier japonais s'étend entre 1st et 3rd Street, Central Avenue et San Pedro Street. Dans les années 1940, il s'est presque totalement vidé de ses habitants quand les États-Unis ordonnèrent l'internement des Japonais après Pearl Harbor. Plus dynamique et plus intéressant que Chinatown, ses rues piétonnes offrent un dépaysement authentique. Le musée américano-nippon vaut à lui seul le détour. Au sud de Little Tokyo, évitez toutefois le quartier très mal famé de Skid Row où se concentre un grand nombre de sans-abri.

Où manger ?

|●| *Mitsuru Café (hors plan couleur IV par D3, 89)* : 117 Japanese Villa Plaza, au milieu du plaza. ☎ 213-613-1028. Tlj sf lun 11h-21h (19h dim). Un petit café-*diner* à la japonaise sans prétention, qui vend des brochettes de crevettes, de porc ou de poulpe et des *imagawayaki,* soit des beignets de haricots sucrés. Pas cher et à emporter (on peut les manger sur la *plaza*). Également des *combos,* nouilles et sashimis sur place (plus chers).

|●| *Toshi Sushi (hors plan couleur IV par D3, 89)* : 359 E 1st St. ☎ 213-680-4166. Tlj 11h30-14h30, 17h30-22h. Rolls *env* 5-10 \$, combos 22-25 \$. Une jolie petite salle traditionnelle avec cuisine ouverte et comptoir pour observer le maestro du sushi dans ses œuvres. Excellents *rolls,* sushis et sashimis, d'une grande fraîcheur comme il se doit, à base d'anguille de mer, de poulpe, de saumon, de crabe, de thon... Belle carte de saké ou bière *Yebisu* pour faire descendre le tout.

À voir

*** Japanese American National Museum *(hors plan couleur IV par D3)* : 100 N Central Ave (angle 1st St). ☎ 213-625-0414. ● janm.org ● Tlj sf lun et j. fériés 11h-17h (12h-20h jeu). Entrée : env 9 \$; réduc ; gratuit le 3e jeu du mois et ts les jeu 17h-20h. Expos temporaires au rez-de-chaussée, permanentes à l'étage. Dans un bâtiment à l'architecture de verre, un musée retraçant l'histoire de la communauté japonaise émigrée sur le sol californien de la fin du XIXe s aux années 1920. Parce que la loi interdisait aux Chinois d'émigrer, les Nippons étaient une main-d'œuvre toute trouvée. Mais des lois restreignent bien vite leur immigration : dès 1907, seules les femmes peuvent entrer sur le territoire américain ; en 1913, les Japonais perdent le droit d'être propriétaires de terres et, en 1924, toute immigration est interdite. On découvre, non sans une certaine émotion, la tragédie que 120 000 Japonais d'Amérique connurent à la suite du bombardement de Pearl Harbor, lorsque le gouvernement ordonna leur déportation massive dans des camps de concentration (voir les nombreuses photos qui en témoignent). Pourtant, deux tiers d'entre eux avaient la nationalité américaine... Les excuses du gouvernement américain se firent attendre jusqu'à Reagan. On y apprend aussi que c'est aux soldats américano-japonais (14 000 s'engagèrent dans l'armée américaine) que l'on doit la libération non seulement de la ville de Bruyères, dans les Vosges, mais aussi du camp de Dachau, en Bavière. Parmi les pièces révélatrices : un monceau de valises symbolisant l'immigration, une affiche électorale du sénateur Phelan ayant pour slogan « Keep California White » et un fragment du bar de l'*Atomic Café,* ouvert à Los Angeles dans Little Tokyo en 1946, quelque temps après Hiroshima. Le musée propose également de petites expositions temporaires dédiées à l'art américano-japonais (dessin, peinture, sculpture...).

* Little Tokyo Walk : cette petite promenade balisée par des inscriptions sur le trottoir de la 1st Street commémore l'histoire de la communauté japonaise de L.A., depuis la fin du XIXe s jusqu'à la Seconde Guerre mondiale. Elle démarre à l'angle de 1st Street et de Central Avenue (en face de l'entrée du musée) pour se terminer quelques centaines de mètres plus loin, en face de la *Royal Federal Courthouse,* d'où partirent les émeutes de 1992 (car c'est là que l'acquittement des policiers blancs avait été prononcé).

🍴 *Japanese Villa Plaza :* petit centre commercial à ciel ouvert avec quelques boutiques de gadgets typiquement japonais, un spa, des restos et puis une sympathique boutique de fringues et autres accessoires rigolos, *Pop Killers,* côté 2nd Street.

SANTA MONICA *(plan couleur III)*

C'est à Santa Monica, face au Pacifique, que s'achève la fameuse Route 66 : le Santa Monica Boulevard est la dernière ligne droite de cette route mythique (voir « Route 66 » dans « Hommes, culture, environnement » au début du guide). On vous l'indique au cas où vous viendriez de son point de départ, Chicago ! Prolongement naturel de Venice vers le nord, Santa Monica est un quartier beaucoup plus résidentiel. C'est également une des plages les plus proches du centre, dont les voies d'accès connaissent en été de démentiels embouteillages. La rénovation du centre-ville, avec la fameuse *Third Street Promenade,* en a fait un lieu de rencontre très en vogue des *yuppies* de tout poil, avec de nombreuses boutiques, des cinémas, des bars et des restos branchés. C'est aussi, avec Main Street, le quartier le plus animé. Quant à l'ambiance sur la plage de Santa Monica, elle est beaucoup plus rangée et familiale que celle de Venice.
Le quartier de Santa Monica possède son propre réseau d'autobus *(Big Blue Bus),* qui le relie à Downtown, Hollywood et l'aéroport.

Adresse utile

■ *Location de rollers (blades) et vélo :* au *Sea Mist Rentals (plan couleur III, F6, 5),* 1619 Ocean Front Walk. ☎ 310-395-7076. Face à la plage. Tlj 9h-19h. Roller ou vélo env 15-17 $/j. CB refusées.

Où manger ?

Sur le pouce

|●| *Whole Foods Market (plan couleur III, F5, 96) :* 500 Wilshire Blvd (entrée à l'angle de 5th St). Tlj 7h-22h. Grande chaîne de supermarchés bio, idéale pour remplir votre panier pique-nique. À signaler : l'excellent buffet de salades et autres plats cuisinés. Petit *coffee shop* sympa.
|●| *Farmer's Market (plan couleur III, F6, 99) :* sur Main St, au croisement de Ocean Park (à côté du California Heritage Museum). Ts les dim 9h-14h. Depuis 1981, un lieu de rencontre très agréable, surtout à la belle saison, quand les maraîchers de la région viennent proposer leurs fruits et légumes. On trouve de tout : des produits de bouche à la fripe, en passant par la brocante. On s'y presse à l'heure du brunch, et dans une ambiance bon enfant, on n'hésite pas à faire la queue pour une omelette, une part de brioche ou un plat moyen-oriental, qu'on déguste ensuite, assis en tailleur sur la pelouse, à la bonne franquette.

Spécial petit déjeuner

☕ |●| *Huckleberry (hors plan couleur III par F5, 95) :* 1014 Wilshire Blvd (entre 10th et 11th St). ☎ 310-451-2311. Tlj 8h-20h (17h w-e). Env 10-15 $. Parking gratuit à l'arrière. Un *coffee shop* installé dans un petit local moderne (sol en béton, murs blancs, tables de bois clair) avec baies vitrées sur la rue. L'endroit est bruyant quand il est plein, et c'est souvent ! On se presse ici pour savourer les délicieuses pâtisseries maison préparées chaque matin ou encore les sandwichs, salades, mueslis ou petits plats chauds pour repas un peu plus costauds. Cuisine plutôt fine, comme dirait le Huckleberry de Mark Twain. Produits provenant du *Farmer's*

Market voisin et viandes bien élevées. Bref, du bio, du *locavore*. Le genre d'endroit qui illumine votre début de journée, voire plus si affinités !

☙ **Omelette Parlor** (plan couleur III, G7, **100**) : 2732 Main St. ☎ 310-399-7892. Tlj 6h-14h30 (16h sam-dim). Omelettes env 11-15 $; à moitié prix entre 6h et 7h du mat ! Dans un décor à la fois nostalgique et amusant, qui rappellera peut-être à certains la salle à manger de leur grand-mère, cet élégant « palais de l'omelette » se targue de servir « *the best omelettes in the West* ». On ne sera pas aussi péremptoire, mais les omelettes aux épinards, à la feta ou au jambon, accompagnées de pommes de terre rôties, d'un *English muffin* et de fruits frais, sont effectivement très bonnes. Également des petits déj complets, des pancakes, des sandwichs et des salades. Bondé le dimanche pour le brunch.

☙ I●I **Urth Caffé** (plan couleur III, F6, **97**) : 2327 Main St. ☎ 310-314-7040. Tlj 6h30-23h. Petit déj env 10-15 $, plats (salades, sandwichs, mais aussi soupes et plats chauds) 12-15 $. Qui dit *Urth Caffé* dit jolie maison avec balcon cernée d'une terrasse, presque une petite annonce immobilière tant le critère de choix de cette chaîne de petit déj est toujours le même. Toujours la foule également... Ambiance très bio et nature avec cafés et thés de qualité, tout comme les gâteaux aguicheurs qui vous font de l'œil au comptoir. Au petit déj, les portions n'ont rien de démesuré, mais c'est frais et plutôt fin. Le genre d'adresse où il fait bon s'attabler à tout moment de la journée.

De bon marché à prix moyens

I●I **Tender Greens** (plan couleur III, E5, **105**) : 201 Arizona Ave. ☎ 310-587-2777. Tlj 11h-22h. Plats env 4-11 $. Vaste salle avec tableaux naïfs et baies vitrées donnant sur l'angle de 2nd St et Arizona, plus une petite terrasse calme sur une allée ombragée. Cette mini-chaîne propose un large choix de salades bien fraîches (au poulpe, au chèvre, niçoise, chinoise, thaïe...) avec des tas de vinaigrettes à toutes les sauces (si l'on ose dire) : citron, *sherry*, *chili lime*, basilic, origan... Pas sectaires, les plats de légumes accueillent aussi du steak ou du poulet en *guest-stars*, murmurant à la verdure : « *love me, Tender* [...] ». Et ça le fait. Les produits viennent du *Farmer's Market* de Santa Monica. Excellents gâteaux pour finir. Une adresse saine qui fonctionne en self-service, ce qui permet aussi de ne pas se ruiner en pourboire. Succursales à Hollywood (angle Sunset et Vine), West Hollywood (8759 Santa Monica Blvd) et Pasadena (621 E Colorado Blvd).

I●I **Father's Office** (hors plan couleur III par F5, **107**) : 1018 Montana Ave. ☎ 310-736-2224. En sem, 17h (16h ven)-22h (23h jeu-ven) ; w-e 12h-23h (22h dim). Plats env 8-18 $. Le décor de F.O. (pour les intimes) ne paie vraiment pas de mine avec son style de coffre en bois, plus proche d'une cabane de bûcheron que de l'idée qu'on se fait d'un bar de Santa Monica. Pourtant, le magazine *Esquire* a classé son burger dans la liste des meilleurs du monde ! Et c'est vrai qu'il est absolument délicieux avec ses oignons caramélisés. Faites-le donc descendre avec l'une des 36 bières microbrassées, dont les goûts sont bien détaillés à la carte : *malty, hoppy, yeasty, spicy, fruity...* nous, on dit youpi ! Et puis, finalement, on aime bien le côté bar de quartier, ça repose. En somme, c'est un plaisir d'être convoqué au « bureau de Papa ». Succursale au 3229 Helms Ave (voir plus loin à Culver City).

I●I **Cha Cha Chicken** (plan couleur III, F6, **98**) : 1906 Ocean Ave. ☎ 310-581-1684. Tlj 11h (10h w-e)-22h. Plats env 10-13 $. Étonnant boui-boui jamaïcain tout bariolé et installé en plein carrefour. Assez improbable par ici ! Des bidons de 200 l peints de couleurs vives, dans lesquels poussent une multitude de plantes vertes, protègent cette cantoche et ses terrasses de la circulation. Dans les assiettes, de bons petits plats, exotiques et colorés, et surtout bien relevés à la sauce nationale jamaïcaine, le *jerk* : poulet coco, *ropa vieja*, riz au poulet ou encore *enchiladas* et *quesadillas* à la jamaïcaine. Idéal donc pour une halte le midi (ce n'est pas loin de la plage), et pour ceux qui recherchent un peu d'originalité.

I●I Real Food Daily *(R.F.D. ; plan couleur III, F5, 104) : 514 Santa Monica Blvd (entre 5th et 6th St).* ☎ 310-451-7544. *Tlj 11h-22h. Brunch dim 10h-15h. Plats env 8-17 $.* Soyons honnêtes : le décor est totalement raté ! C'est une cafétéria moderne avec du mobilier tristounet et un éclairage tamisé à se verser la cuillère de soupe dans l'oreille. Mais c'est bon, c'est bio et c'est végétalien. On n'y est guère habitué en France mais, ici, c'est un vrai créneau qui marche et qui rapporte ! Excellents *weekly specials,* un peu chers, certes (maintenant, on sait pourquoi ça rapporte), mais vraiment savoureux. Soupe du jour, tartines, pizzas, *burritos,* sandwichs, mon tout sans un seul morceau de viande. Beaux desserts. À faire descendre avec une bonne bière bio.

I●I Musha *(plan couleur III, F5, 101) : 424 Wilshire Blvd.* ☎ 310-576-6330. *Tlj 18h-23h30. Résa conseillée le w-e. Plats env 7-10 $.* Point de sushis à la carte de ce tout petit resto japonais au décor orangé. Si les sashimis, quant à eux, ont réussi à s'y faire une petite place, nous vous conseillons plutôt de partir à l'aventure et de piocher dans les plats originaux que vous concocte le chef. Jolies surprises gustatives en perspective ! L'idéal, à plusieurs, est évidemment de partager plusieurs plats. Pour compléter ce beau tableau, un accueil très gentil.

De prix moyens à chic

I●I Umami Burger *(plan couleur III, F5, 122) : 500 Broadway Ave.* ☎ 310-451-1300. *Tlj 11h (12h dim)-22h (23h jeu-sam). Burgers env 10-17 $.* Joli décor de bistrot à l'ancienne avec tomettes, banquettes, vieilles chaises et tête de cerf. Mais c'est surtout une excellente chaîne de burgers haut de gamme : ils sont absolument divins ! Voir aussi « Où manger à Hollywood ? ».

I●I Oysterette *(plan couleur III, E5, 123) : 1355 Ocean Ave.* ☎ 310-576-3474. *Tlj 11h30-22h. Résa conseillée. Plats env 14-32 $.* En passant, on est tout de suite attiré par cette terrasse de poche, idéale pour observer le coucher de soleil sur la plage de Santa Monica. Attention, elle est vite pleine, tout comme la salle d'ailleurs (qui s'avère du coup assez bruyante). Mais un peu de *fun* dans ce quartier relax, ça s'imposait, n'est-ce-pas ? Au programme, comme son nom le suggère, beaucoup d'huîtres mais aussi des coquillages, crevettes, calamars, crabe, bouillabaisse... Le genre d'adresse *in the wind* qu'on adore les soirs de fête. Patron aux petits soins qui répond au doux nom de... Salvador d'Auvergne (véridique !). Son grand-père était en effet un Auvergnat ayant émigré au Chili.

I●I Border Grill *(plan couleur III, F5, 103) : 1445 4th St.* ☎ 310-451-1655. *Ouv 11h30-22h (23h ven-sam). Plats 10-27 $. Brunch 11h30-15h à volonté pour 30 $.* Un mexicain chic et moderne avec de grandes fresques colorées et une ambiance à base de sons latinos rugissants. Plats complets, plutôt travaillés, comme le *yucatan pork,* du porc caramélisé et cuit dans une feuille de bananier avec des épices (ça fond dans la bouche...). On peut aussi y avaler un bon *ceviche,* des tacos ou des *bocaditos,* comme les *empanadas* de bananes plantain ou les *tamales.* Une bonne adresse avec, en plus, de délicieux desserts.

I●I Lula Cocina Mexicana *(plan couleur III, G7, 165) : 2720 Main St.* ☎ 310-392-5711. *Tlj 11h30-22h30 (23h30 ven-sam). Plats env 9-18 $.* Un resto typiquement mexicain, très coloré, avec un patio à l'arrière bien ensoleillé le midi. Au bar ou en salle, l'ambiance est plutôt jeune. Si vous voulez goûter un peu à tout, commandez le *plato de botana* (notamment pour le *jalapeño* et la *quesadilla*). Sinon, il y a les inévitables tacos, *enchiladas* et autres *burritos.* Le tout servi avec efficacité et très copieusement. Si vous avez soif, le resto est aussi réputé pour sa *margarita* (élue « best margarita in town » en 2011).

De chic à très chic

I●I Santa Monica Seafood *(hors plan couleur III par F5, 124) : 1000 Wilshire Blvd.* ☎ 310-393-5244. *Tlj 9h-21h*

(20h dim). Plats env 15-34 $. Si vous avez toujours rêvé de vous attabler immédiatement quand vous reluquez une somptueuse daurade dans une poissonnerie, c'est le moment ! Superbe étalage de poissons et fruits de mer, avec un immense tableau noir au-dessus où figurent les arrivages de poissons et leur provenance du monde entier. Il n'y a plus qu'à s'asseoir (mais pas trop tard car ça ferme tôt) à l'une des tables collées à la devanture pour commander une douzaine d'huîtres californiennes, un tartare de thon *ahi* ou encore un *cioppino* (supplément avec queue de langouste), sorte de bouillabaisse dont le nom évoque l'origine italienne des patrons. Très frais, évidemment, et très bon. Et puis, le cadre est vraiment original.

|●| *Enterprise Fish & Co. (plan couleur III, G7, 91)* : 174 Kinney St. ☎ 310-392-8366. Résa par Internet conseillée ! Tlj 11h30-22h (23h sam-dim). Plats env 15-20 $ le midi, 22-35 $ le soir (jusqu'à 66 $ pour une langouste !). Une bonne adresse pour les amateurs de poissons, fruits de mer et autres crustacés. Homards du Maine ou *king crabs* un peu chers, mais de qualité. On mange dans une grande salle à la déco marine, assez chic : beaux murs de brique, poutres de bois, cuivres semblant avoir essuyé des tempêtes et vivier... Terrasse dans le jardin, tout en longueur. Ambiance jazzy le soir, plutôt réfectoire le midi.

|●| *Hillstone (plan couleur III, E5, 102)* : 202 Wilshire Blvd. ☎ 310-576-7558. Tlj 11h30-22h (23h ven-sam). Plats 16-37 $. Un resto à la fois classe et moderne, chic et décontracté (tenue correcte exigée quand même !), où les locaux se pressent pour déguster, entre autres, les fameux *spare ribs* qui ont fait la réputation de la maison. Également des sushis, des burgers et des salades. Que vous veniez en amoureux, en famille ou entre potes, le bois et les banquettes rouges vous accueilleront avec chaleur. Belle carte des vins californiens, mais qui peut vite faire grimper la note !

|●| *Boa Steakhouse (plan couleur III, E-F5, 109)* : 101 Santa Monica Blvd. ☎ 310-899-4466. Tlj 12h-15h, 17h-23h. Plats 12-22 $ le midi, 28-46 $ le

soir. Un resto sur le front de mer (pour être précis : avec vue sur la route en front de mer), à l'ambiance chic et branchée, où l'on se retrouve volontiers autour d'un verre après le travail tout en dénouant sa cravate. Carte simple le midi (sandwichs, salades, hamburgers) et plus sophistiquée le soir, avec un large choix de « *Turf* » (viandes) pour ceux qui viennent d'y aller et de « *Surf* » (poissons et coquillages) pour ceux qui comptent y retourner. Les pièces de viande sont impressionnantes, mais la note également et les accompagnements sont en plus. Liste des vins quasi exhaustive !

Où boire un jus naturel ?

☙ *Kreation Café (hors plan couleur par F5, 164)* : 1023 Montana Ave. ☎ 310-458-4880. En face de Father's Office. Tlj 8h-21h. Env 8 $ le cocktail. Des cocktails de jus de fruits et de légumes bio, très bons pour votre petite santé, à emporter ou à déguster sur la terrasse de poche posée sur du faux gazon bien kitsch... à l'image des cocktails, d'ailleurs. Choisissez selon vos besoins actuels : *feel better* (pomme, gingembre, citron, piment de cayenne), *skin* (aux épinards, concombre et aloe vera) ou encore *brain* (à la carotte)... Également des *smoothies* et une petite restauration.

Où boire un verre ?
Où écouter
de la musique ?

☙ *Library Alehouse (plan couleur III, G7, 169)* : 2911 Main St. ☎ 310-314-4855. Tlj 11h30-minuit. La variété de bières à la pression (pas moins d'une trentaine !) a fait la réputation de ce bar-resto prétendument « littéraire », au décor en bois très sympa, où l'on vient se tremper le nez dans la mousse aux *happy hours* (lun-ven 14h-16h). Oh, hé, c'est quand même pas une heure pour boire ! Heureusement, c'est surtout dans la soirée que l'ambiance bat son plein, c'est même le point de ralliement des oiseaux de nuit en partance vers leur migration nocturne. On y mange aussi, mais c'est plutôt pour solidifier les parois et éviter que le pâté ne colle à la boîte, si vous voyez ce qu'on veut dire !

Ye Olde King's Head (plan couleur III, F5, **163**) : 116 Santa Monica Blvd. ☎ 310-451-1402. Entre Ocean Ave et 2nd St, dans les derniers 300 m de la fameuse et légendaire Route 66, avt le Pacifique. Public parking à côté : 5 $ avec validation du pub. Tlj 10h-2h (et même jusqu'à 4h30 si match de foot ou de rugby en Europe). Un pub particulièrement populaire, avec 2 bars : l'un, calme, orné de portraits de bulldogs, l'autre, très animé, où se déroulent des tournois de fléchettes endiablés, des karaokés et même des trivial pursuit ! Entre les deux, resto au cadre très anglais, cossu et confortable (petit déj british, fish & chips, curry indien...). Inévitable portrait de Winston Churchill et nombreuses peintures, photos et gravures aux murs. Une petite trentaine de bières à la pression (anglaises, irlandaises, américaines et même de la Kro).

The Misfit (plan couleur III, F5, **167**) : 225 Santa Monica Blvd. ☎ 310-656-9800. Tlj 12h (brunch à 11h le w-e)-minuit (1h jeu-sam, 23h dim). Pas besoin d'être vraiment désaxé, comme dans le dernier film de Marilyn, pour venir s'encanailler dans ce bar-resto branché pour bobos trentenaires, heureux de vivre et de le montrer. Un très beau décor sombre et contemporain, presque glamour, souvent plein à craquer le soir, en fin, voire en milieu, de semaine. Attention, du coup, c'est hyper bruyant ! Mais tellement tendance... Resto cher, en revanche, et il faut supporter les décibels en avalant son burger.

O'Brien's (plan couleur III, G7, **169**) : 2941 Main St. ☎ 310-396-4725. ● obriensonmain.com ● Tlj 12h-2h. Happy hours 12h-19h. Encore un Irish pub qui a de nombreux adeptes ! Musique live à tendance rock tous les soirs jusqu'à 2h. Mais on vient aussi pour sa Guinness qui, au dire des barmen, serait la mieux tirée du West Side.

Cock'n'Bull Pub (plan couleur III, G6, **162**) : 2947 Lincoln Blvd. ☎ 310-399-9696. Tlj 11h-2h. Reconnaissable à sa cabine téléphonique rouge sur le trottoir. Un pub anglais élu best soccer bar in L.A. Bref, si vous êtes amateur de foot, c'est ici qu'il faut venir : retransmission garantie de tous les matchs importants. À part ça, live bands ou soirée DJ certains vendredi et samedi, ou billards, vieux juke-box et fléchettes le reste du temps. Ambiance assurée s'il y a foule, sinon c'est tristounet et franchement excentré.

Où danser ?

♫ **Circle Bar** (plan couleur III, G7, **168**) : 2926 Main St. ☎ 310-450-0508. ● thecirclebar.com ● Tlj 21h-2h. Interdit aux moins de 21 ans. Si vous faites jeunot, n'oubliez pas votre passeport ou votre permis de conduire ! Pas la peine de venir avant 23h ou minuit. Au centre, un vaste bar, aux murs, des photos intrigantes, pas toujours de très bon goût, un peu partout une lumière rougeâtre et parcimonieuse... Clientèle à cheval entre la vingtaine et la quarantaine, qui rigole, s'époumone, se contorsionne, s'éclate... Soirées DJs du dimanche au jeudi.

Achats

⊛ **3rd Street Promenade** (plan couleur III, E-F5) : cette promenade piétonne est très commerçante et très touristique (musiciens de rue, restos, cafés...). Vous y trouverez de nombreuses boutiques, comme les classiques Old Navy (no 1232), Converse (no 1241), H&M (no 1452), Gap (no 1355), Crocs (no 1437), mais aussi des adresses de fringues un peu plus originales comme Anthropologie (no 1402), Lucky Brand (no 1213) ou Brandy Melville (no 1413).

⊛ **Beadniks** (plan couleur III E5, **105**) : 203 Arizona Ave. ☎ 310-395-0033. Lun-sam 10h-21h, dim 12h-18h. Pour ceux dont les soirées se résument à enfiler les perles au fin fond de la Corrèze, une boutique très originale proposant un choix incroyable de perles de toutes les formes et dans toutes les matières. Si vous rêvez de fermer votre petite robe (ou de redonner une seconde vie à votre vieux gilet tout pourri) avec des hamburgers, des lampions chinois ou des têtes de mort, c'est pour vous !

⊛ *Montana Avenue (hors plan couleur III par E5) : entre Lincoln Blvd et 17th St.* Une large avenue plantée d'arbres majestueux, où l'on trouve des antiquaires, de magnifiques boutiques de déco, mais aussi du prêt-à-porter et quelques magasins de luxe. Avenue Monta...igne ? Quand même pas !

⊛ *Outdoor Rei (plan couleur III, F5, 250) : à l'angle de 4th St et Santa Monica Blvd. Lun-sam 10h-21h, dim* 11h-19h. Sur 2 niveaux, tout pour les activités de pleine nature : vélo, camping, sports nautiques, rando, montagne. Également un beau rayon *sportswear* et une librairie.

⊛ *Hennessey & Ingalls (plan couleur III, E5, 102) : 214 Wilshire Blvd (près de l'angle avec 2nd St). Tlj 10h-20h.* Rien à voir avec *La Petite Maison dans la Prairie,* voici une belle librairie spécialisée qui propose des livres d'art neufs ou d'occasion sur des sujets tels que l'architecture, le design, la déco, la mode, le cinéma. Succursale à Hollywood *(Space 15 Twenty, 1520 N Cahuenga Blvd, derrière* Umami Burgers).

À voir

🐾🐾🐾 *Getty Center (plan couleur d'ensemble) : 1200 Getty Center Dr., au nord du centre de Santa Monica.* ☎ 310-440-7300. ● getty.edu ● *Accès par la 405 (San Diego Freeway), sortie Getty Center Dr (no 59). De Santa Monica, bus nos 720 et 761. Tlj sf lun et j. fériés 10h-17h30 (21h sam).* GRATUIT *(plan-guide en français compris).* Audioguide env 5 $, mais la version française, très succincte, ne détaille qu'une petite vingtaine d'œuvres. Par-

MILLIARDAIRE MAIS TRÈS ÉCONOME

John Paul Getty fit fortune dans l'or noir, ce qui ne l'empêchait pas d'être près de ses sous. Dans son manoir londonien, il fit installer une cabine à pièces ! Mais le plus révélateur, c'est lorsque son petit-fils, John Paul Getty III, fut enlevé en 1973 : il mit longtemps à payer la rançon. D'ailleurs, les ravisseurs lui coupèrent une oreille pour accélérer sa décision !

king : 15 $/voiture ; 10 $ sam après 17h. De là, monorail gratuit jusqu'au musée. Au pied du monorail, fauteuils roulants et poussettes gratuites à disposition. Un conseil : arriver avt l'ouverture, ça permet en principe d'éviter la foule...

Perché sur une colline, ce musée (et centre de recherche) constitue l'un des complexes culturels les plus vastes au monde. Son histoire commence en fait en 1953, lorsque J. Paul Getty, magnat du pétrole, créa un petit musée d'art sans prétention dans son ranch près de Pacific Palisades. Puis il fit construire une somptueuse villa romaine à Malibu, qui abrita son musée de 1974 à 1997, année où les collections furent transférées au tout nouveau, tout beau *Getty Center.* À noter que les antiquités grecques, romaines et étrusques ont rejoint, depuis 2006, la villa Getty de Malibu, entièrement rénovée et agrandie (voir le chapitre concerné).

J. Paul Getty n'eut jamais l'occasion de voir ce magnifique Getty Center puisqu'il s'est éteint 21 ans plus tôt, en 1976.

Avant de mourir, il légua 1,3 milliard de dollars à sa « fondation » afin que celle-ci poursuive son petit bonhomme de chemin... Certes, elle le poursuivit, mais non sans semer le chaos sur le marché de l'art : les administrateurs du musée obtinrent n'importe quoi à n'importe quel prix et dans des conditions pas toujours très nettes ! D'ailleurs, certaines pièces ont été (ou seront) restituées à leur pays d'origine, notamment l'Italie et la Grèce...

Peut-être nous taxera-t-on de blasés, mais le Getty Center nous semble être un de ces endroits où l'écrin est plus important que les collections elles-mêmes. Comprenez par-là que la qualité des œuvres et la muséographie ne sont pas vraiment à la hauteur du bâtiment de Richard Meier. Néanmoins, l'œuvre architecturale est une attraction à elle seule.

L'œuvre de Richard Meier
On vous l'a dit, Getty n'a pas eu le temps de découvrir son Getty Center, mais cette folie des grandeurs lui aurait sans doute assez bien convenu. La visite commence par l'arrivée sur une place futuriste au bas de la colline, d'où un tramway ultramoderne vous conduit au musée... Conçue pour être visible des kilomètres à la ronde (comme « un village italien dans les collines », selon son concepteur), cette imposante construction qui marie le verre et la pierre (du travertin italien) est taillée de telle sorte que la surface brute réfléchit les variations de la lumière. Admirez l'effet (lunettes de soleil obligatoires) ! Pour les habitants de Los Angeles et les routards motorisés, elle est immanquable depuis la San Diego Freeway (l'Interstate 405).
Implanté sur 88 000 m² dans des jardins de 45 ha, le Getty Center, œuvre de l'architecte Richard Meier, comprend, outre le musée, un institut de recherche et de conservation.
– Côté jardin, un gigantesque labyrinthe composé d'azalées disposées géométriquement dans un bassin évoque une île flottante. Ou l'île de Catalina peut-être ?
– Côté musée, cinq pavillons (les quatre points cardinaux, plus un destiné aux expos temporaires) sont reliés par des cours, des jardins, des passerelles vitrées ou à ciel ouvert. L'idée de Meier était de guider les visiteurs à travers les salles d'exposition (qui se suivent chronologiquement) par un savant jeu de cache-cache avec le paysage. Mission accomplie. « L'apothéose » se produit en fin de parcours, lorsqu'un panorama de L.A. se dévoile enfin, embrassant une vue allant de Downtown à l'océan en passant par les collines de Hollywood.

Les collections
Comme on vous l'a dit plus haut, les collections ne sont pas toujours les plus intéressantes de Los Angeles. Cela dit, nous essayons de vous indiquer les pièces les plus remarquables.
– **Le pavillon Nord** *(1450-1600) :* le rez-de-chaussée est consacré à la Renaissance en Italie et en Europe du Nord. Voir, entre autres, la *Vénus* de Jean de Bologne, le cabinet français de Bourgogne, superbement sculpté, la *Nativité* de Fabriano, le *Saint-Cyricus* de Francesco Laurana, la belle série de céramiques italiennes et le secrétaire allemand détaillé par un panneau interactif. À l'étage, quelques tableaux de primitifs italiens (malheureusement, mal éclairés), un *Couronnement de la Vierge* de Fabriano, un *Portrait du pape Clément VII* de Sebastiano del Piombo, une *Adoration des mages* de Mantegna, un beau *Portrait de hallebardier* de Pontormo, un *Christ en croix* du Greco et quelques œuvres du Titien (mais pas les plus passionnantes, sauf peut-être la *Madeleine pénitente* ?).
– **Les pavillons Est et Sud** *(1600-1800) :* le rez-de-chaussée est assez décevant. Autant la structure extérieure est moderne et éclatante, autant le mobilier exposé, qui plus est sur un fond gris blafard, ne mérite pas à nos yeux une énumération, excepté peut-être la série de statues équestres en bronze ? À l'étage, on trouve quelques peintres intéressants comme Guido Reni, le Guerchin, Carrache, Gentileschi, Van Dyck, de Ribera (surprenant *Euclide,* en haillons, tout sale !)... Également des Français : Le Brun, Le Sueur, Lorrain, de La Tour, Poussin et de Champaigne (beau *Portrait d'Antoine Singlin*). Parmi les nombreux Rubens, signalons la *Mise au tombeau,* dans laquelle la Vierge qui soutient le Christ paraît bien plus mal en point que lui ! Belle série de peintres flamands, notamment un amusant *Intérieur avec soldats et femmes,* de Duck, des portraits signés Frans Hals et une sympathique *Écurie* de Borch. Plusieurs Rembrandt : arrêtez-vous devant *Un jeune élève et son maître* (qui dépeint en fait un jeune prince), attribué à son atelier, et *Un vieil*

homme en habit militaire, où se manifeste tout l'art du maître. Notez de quelle manière la plume du chapeau réduit ce visage si crûment éclairé...

– *Le pavillon Ouest (après 1800)* **:** au rez-de-chaussée, signalons le savoureux *Autoportrait* de Ducreux et l'amusant *Homme vexé,* une sculpture de Messer-schmidt, en fait l'une des 69 têtes réalisées par le sculpteur pour décrire les différentes expressions humaines. Voir aussi la coquette *Juliette Récamier,* de Chinard, réalisée en terre cuite, et, derrière l'énorme vase en bronze de l'Exposition universelle de Paris de 1889, le *Portrait de Jeanne Kéfer,* de Khnopff, dans lequel la grande porte met ingénieusement en exergue la taille de la petite fille. La salle suivante accueille des statues inspirées de l'Antiquité, dont une copie du célèbre *Laocoon,* dont l'original se trouve au Vatican et qui fut un modèle pour les artistes de la Renaissance. Également un bel *Apollon se couronnant lui-même*, signé Canova. À l'étage, un peu de tout en matière de peinture, du préraphaélisme à l'impressionnisme. Courbet, Corot, Millet, Turner, Géricault, Goya... Ils sont venus, ils sont tous là. Mais ce ne sont pas leurs œuvres les plus marquantes. La plus belle salle est sans conteste celle de l'impressionnisme. Oh ! les beaux Degas *(Modistes)*, Manet *(Rue Mosnier)*, Monet *(Portail de la cathédrale de Rouen au petit matin)*, Van Gogh *(Iris)*, Cézanne *(Jeune Italienne, Nature morte avec des pommes)*, Pissarro *(Maisons à Bougival, Maison Rouge)* !... Noter la surprenante sculpture de Gauguin, sorte d'autoportrait en idole de l'artiste avec des traits polynésiens. Ne pas manquer la belle série de Jawlensky (un artiste russe du début du XXe s), plutôt originale, et le très caustique et controversé *Christ's Entry Into Brussels* (1889) de James Ensor, qui occupe un mur à lui tout seul. Pour finir, une *Nuit étoilée* de Munch et une intéressante série de lithographies signées Odilon Redon et Max Ernst. Également des expos temporaires au rez-de-chaussée et au sous-sol (souvent de la photo).

– 🕴 Des artistes viennent régulièrement montrer leurs techniques et la *family room,* avec ses jeux interactifs autour de différentes œuvres. Ce qui permet aux plus petits (dès 5-6 ans) de découvrir la peinture et la sculpture.

🕴 *Bergamot Station (hors plan couleur III par G5)* **:** 2525 Michigan Ave, à la hauteur de Cloverfield Blvd. ☎ 310-453-7535. ● bergamotstation.com ● Tlj sf dim-lun 10h-18h, sam 11h-17h30. Donation suggérée : 3 $ pour le Santa Monica Museum of Art ; les autres galeries sont gratuites. Parking gratuit. Dans les entrepôts rénovés d'une ancienne gare de trolley se situent le *Santa Monica Museum of Art* ainsi que plus d'une trentaine de galeries d'art. C'est la plus grande communauté d'artistes de Californie. Le musée anime régulièrement des symposiums, organise des performances artistiques, expose de l'art contemporain et d'avant-garde. En gros, trois grosses manifestations par an.

À part le musée, les galeries proposent quelques œuvres à la vente ; on y a trouvé pêle-mêle des artistes déjà célèbres, mais aussi des photos originales de Helmut Newton et de Jerry Uelsmann. Un endroit fait pour les passionnés d'art contemporain.

VENICE *(plan couleur III)*

À l'aube du XXe s, Abbot Kinney, baron du tabac, veut faire de ce quartier une ville de détente et de plaisir à l'image de la Venise italienne. Ainsi naît *Venice of America,* et dès 1905, la foule découvre les promenades en gondoles (fraîchement importées d'Italie par bateau) sur les 25 km de canaux gagnés sur le marécage. Un petit train permet de relier la fête foraine située sur le ponton aux plages et à la grande piscine d'eau de mer couverte. Kinney engage même des pilotes chevronnés pour réaliser des acrobaties aériennes au-dessus de l'océan.

Aujourd'hui, il subsiste encore quelques ponts et maisons d'inspiration vénitienne, notamment sur Windward Street (le *Venice Beach Cotel* en est un bel exemple) ou sur Ocean Front Walk (tel le *Sidewalk Café & Bar).*

En 1920, Kinney meurt d'un cancer du poumon ; la semaine suivante, un gigantesque incendie ravage une grande partie du front de mer. Venice est reconstruite, avant de devenir, dès 1925, un quartier à part entière de Los Angeles. Du coup le trafic s'intensifie, et en 1929 une partie des canaux est comblée pour permettre aux voitures de circuler plus facilement. La même année, on découvre du pétrole en ville. Le pays étant alors en plein krach boursier, on profite de cette manne : quelque 148 puits sont mis en branle afin d'extraire le précieux or noir, défigurant très vite le paysage. L'exploitation se poursuit jusqu'à la fin des années 1960.

Venice, délaissée pendant près de 40 ans, devient le repaire des beatniks puis des hippies. En 1974, la construction d'une large piste cyclable le long de la plage relance l'attrait touristique pour le quartier. Venice devient alors la capitale mondiale du *roller-skate*.

Le front de mer est aujourd'hui le lieu de rendez-vous des artistes et des marginaux. Un commerce de plage à vocation balnéaire s'y déroule toute la semaine (T-shirts réputés pour être les moins chers de Californie), mais ferme à la tombée du jour, livrant les abords de la plage à la gouverne des *homeless*. Mieux vaut alors ne pas y faire de vieux os. D'ailleurs, sous son apparente décontraction et malgré l'humour affiché des marginaux qui font la manche au bord de la plage, on sent toujours une certaine tension sous-jacente. Si le soleil est bien de la partie, la chaleureuse fraternité n'est pas toujours de mise. Mais dans la journée, et surtout le week-end, c'est la grande parade des corps sculptés, lustrés, siliconés, tatoués, huilés. À l'évidence on vient ici pour se montrer... En marge de ça, il demeure toujours un petit fond populaire et les *piers* (les jetées) sont pris d'assaut le dimanche par les pêcheurs qui viennent y pique-niquer, les yeux rivés sur le scion de leur canne, sous les yeux médusés des surfeurs attendant le meilleur *peak* pour un *ride* d'enfer !

Enfin, précisons que Venice a plusieurs visages et qu'il serait dommage de réduire votre visite à sa seule plage. Outre dans la partie vénitienne, plus résidentielle, paisible et romantique que le bord de mer, il fait bon flâner sur l'Abbot Kinney Boulevard (principalement entre Main Street et California Avenue). C'est dans cette rue bordée de petites maisons colorées que se concentrent la plupart des bars et cafés de Venice où les locaux se retrouvent le soir pour boire un verre, dans une ambiance plus bobo que baba. En journée, vous y découvrirez des boutiques en tout genre (créateurs, fripes, etc.) mais uniques (et des fois heureusement !).

Adresse et infos utiles

– On le répète, c'est à Venice que le *roller* est né. D'ailleurs, on peut en louer une paire et s'éclater tout le long de la plage. Les piétons s'écartent, vu la foule qui se balade sur roulettes. Ça vaut le coup d'œil et la peine d'essayer. Certains effectuent des figures assez étonnantes, d'autres dansent.

■ *Location de vélos et de rollers :*
Venice Bike & Skates (plan couleur III, H8, **6**), 21 Washington Blvd. ☎ 310-301-4011. ● venicebikeandskates. com ● Tlj 9h30-17h, w-e 8h30-18h. Env 10 \$/h pour les rollers (blades). *J's Rentals*, à côté du Venice Beach Cotel, à Venice Beach. ☎ 310-392-7306. Tlj 7h-18h30 (19h w-e).

– Pour ceux qui viennent en voiture : **ne pas se garer sur les parkings privés** *des maisons* en bord de plage ou des rues annexes ; fourrière garantie en quelques minutes. La nuit, il est difficile de stationner. Préférez négocier avec votre hôtel.

Où manger ?

Spécial petit déjeuner

☙ *Rose Café & Market* (plan couleur III, G7, **94**) : voir ci-dessous.

De bon marché à prix moyens

|●| *Rose Café & Market* (plan couleur III, G7, **94**) : 220 Rose Ave (angle Hampton Dr). ☎ 310-399-0711. Tlj : café 7h (8h w-e)-17h ; restaurant

8h-14h30 (15h w-e). Petit déj et plats env 6-13 $. Parking gratuit 1h. Reconnaissable à la rose peinte en façade, que l'on retrouve à l'intérieur de cet entrepôt joliment transformé en café-resto-boutique (cartes postales, tee-shirts, babioles...). On commande au comptoir avant de s'asseoir à l'intérieur ou sur la petite terrasse à l'arrière. Ne pas confondre avec le restaurant, sur la droite en entrant, aménagé sous une toile tendue, sauf si vous souhaitez un vrai petit déj ou un vrai repas à table (plus cher). À la carte, côté sucré : tartes, gâteaux, fruits, *granola*, salades appétissantes, tacos, pizzas, lasagnes... Bien aussi pour un café ou un goûter dans l'après-midi.

I●I *Mao's Kitchen* (plan couleur III, G8, **106**) : 1512 Pacific Ave. ☎ 310-581-8305. Tlj 11h30-22h30 (3h ven-sam). Plats env 8-12 $. À deux pas de la plage de Venice, un resto typique du quartier : hyper *roots*, pas cher et avec une touche d'humour dans le concept. Ainsi, sous le portrait de Mao, version Andy Warhol, vous pourrez avaler une petite cuisine chinoise, de la « formule déjeuner pour les masses populaires » aux aubergines à la Sichuan (un peu épicées), en passant par les *Mao's hometown* (Mao venait de la province du Hunan) ou encore les bouchées à la vapeur au bambou. Le tout est accompagné de riz au jasmin ou d'une salade. Correct mais sans prétention.

I●I *Café 50's* (plan couleur III, H7, **90**) : 838 Lincoln Blvd (angle Lake St). ☎ 310-399-1955. Tlj 7h-minuit. Plats env 6-15 $. CB refusées. Petite adresse excentrée pour les nostalgiques des fifties : murs ornés de disques et de vieilles affiches, sièges rouges et vieux juke-box toujours en état de marche (une photo a même été dédicacée par Roy Rogers, la plus grande vedette chantante du western). Bon, on ne vient pas ici pour la cuisine (burgers sans aucune finesse et sûrement pas *diet* !) mais pour le décor et pour les prix, vraiment très bas, et si on passe dans le quartier...

De prix moyens à chic

I●I *Venice Ale House* (plan couleur III, G7, **125**) : 2 Rose Ave. ☎ 310-314-8253. Sem 10h-22h, w-e 11h-23h. Brunch bio jusqu'à 16h. Plats env 10-15 $. C'est le rendez-vous bobo de la promenade du front de mer ! Très agréable terrasse, hyper prisée des trentenaires et quarantenaires à l'heure de l'apéro et du dîner, qui se confondent d'ailleurs bien souvent... Du coup, beaucoup de bruit et une bonne musique, qui en se mêlant aux conversations devient vite soûlante comme de la bière. À ce sujet, il y en a une vingtaine à la pression, dont une maison *(Venice Ale)* et une bio ambrée *(Green Lakes)*, excellentes pour faire descendre un savoureux burger, vraiment très réussi, un sandwich ou une salade, le tout composé à base de produits bio. Carte de vins californiens au verre.

I●I *C & O Trattoria* (plan couleur III, H8, **93**) : 31 Washington Blvd. ☎ 310-823-9491. Sem 11h30-22h ou 23h, w-e 8h-23h. Plats env 11-21 $. Si vous avez déjà assisté à une pièce de boulevard à l'italienne, montée par une troupe sans le sou, vous ne serez pas dépaysé. La salle, mais surtout le patio, avec son décor de jardin, fontaine, nappes à carreaux, chaises en plastique et autres croisillons garnis de plantes vertes, sont vraiment *cheap*, c'est le moins qu'on puisse dire ! Néanmoins, vous y trouverez une trentaine de sortes de pâtes, servies très copieusement (une *half portion* suffit largement). En plus de ça, en guise de prélude, on vous apporte des petits pains à l'ail, chauds et fondants. Service tout en rond de jambes. Une pièce de Goldoni, on vous dit !

I●I *The Terrace* (plan couleur III, H8, **93**) : 7 Washington Blvd. ☎ 310-578-1530. Tlj 8h-1h. Plats env 11-25 $. On aime bien cet endroit, pour sa terrasse agréable ou son arrière-salle qui donne sur le front de mer. Idéal pour un petit creux entre deux vagues. On y sert des sandwichs, salades, pizzas et pâtes le midi, très abordables, et des plats plus consistants comme l'agneau braisé ou l'*osso buco* le soir (mais plus chers, *of course*). Accueil et service efficaces. Un peu d'attente le samedi soir. Bons cocktails et *espressos*.

I●I *Tlapazola* (plan couleur III, H8, **108**) : 636 Venice Blvd. ☎ 310-822-7561. Déj, lun-sam 11h30-15h ; dîner, tlj 17h-22h30. Plats env 15-20 $. La carte de ce resto mexicain est courte, ce qui est bon signe, avec quelques propositions à base de poisson, crevette, viande (et une végétarienne). Cet endroit ne joue pas l'épate et pourtant il surprend par la qualité de ses plats assez fins qui sortent des sentiers battus de la cuisine mexicaine que l'on nous sert bien souvent. Quant au cadre, vous mangerez, soit dans les salles aux couleurs vives, soit sur la grande terrasse.

|●| *Sidewalk Café & Bar* (plan couleur III, G8, **92**) : 1401 Ocean Front Walk. ☎ 310-399-5547. À hauteur de Horizon Ave, au cœur de Venice. Tlj 8h-23h. Sandwichs, salades, pizza et burgers env 10-18 $. Voici une adresse très populaire, dans laquelle il n'est pas toujours aisé de trouver une table, surtout le dimanche pour le brunch. Le bâtiment fut construit par Abbot Kinney et fréquenté par Jack Kerouac dans les années 1960, quand il servait d'atelier aux artistes. Avouons que c'est plus son côté mythique et sa grande terrasse abritée donnant sur la plage qui font son attrait que sa cuisine, assez basique. Dans la salle d'à côté, une intéressante librairie, pleine de bouquins sur l'histoire de Venice.

Où boire un verre ?

🍷 *The Otheroom* (plan couleur III, G7, **160**) : 1201 Abbot Kinney Blvd. ☎ 310-396-6230. Tlj 17h-2h. Bar à la déco brute et minimale (rideaux de velours gris, murs de brique) qui fait partie des adresses très courues de cette rue en soirée. Bonne atmosphère, bien cool, dès le début de la soirée.

🍷 *Venice Whaler Bar and Grill* (plan couleur III, H8, **161**) : 10 Washington Blvd. ☎ 310-821-8737. Tlj 11h30 (10h w-e)-2h. Un bloc bleu face à la plage, reconnaissable à l'immense fresque de sirène peinte sur le pignon. On aime bien cette adresse pas branchée pour deux sous où se retrouvent les gens du quartier. On vient y prendre un pot après le bureau, avant le footing, entre deux vagues pour les surfeurs. À l'étage, terrasse protégée du vent mais pas du soleil. L'idéal pour déguster une bonne bière.

🍷 Voir aussi plus haut *Venice Ale House* (plan couleur III, G7, **125**) pour sa terrasse bondée, sympa pour boire une bonne bière maison après un p'tit plouf dans l'eau.

À voir. À faire

– *Ocean Front Walk :* en face de Muscle Beach. Tlj 10h-19h. Beaucoup de petits boxes où l'on vend des babioles et autres souvenirs à faire chauffer la carte de crédit des touristes. Nombreux ateliers de tatoueurs aussi. Juste en face, un terrain de basket où, chaque soir, les gars du coin viennent se prendre pour les *Lakers*. Le plus gros de l'animation se situe dans les parages du *Sidewalk Café & Bar* (plan couleur III, G8, **92**). Pas mal de shows improvisés ou non, des automates, bonimenteurs, équilibristes, marginaux de tout poil brandissant des panneaux à l'humour particulier (« un peu de monnaie pour faire grandir mon pénis, si'ou plaît, m'sieurs dames » !). Le dimanche, des groupes viennent se produire devant les gradins du terrain de basket : rock, soul, *R & B*, etc. Mais le clou du spectacle, c'est *Muscle Beach*, un centre de musculation en plein air, où chacun peut s'admirer et se faire admirer ; dans sa jeunesse, Schwarzenegger était un régulier. Regarder ces corps huilés soulever de la fonte est un spectacle en soi. D'autres préféreront aller s'asseoir sur la plage pour admirer les *riders* de vagues.

En poussant un peu plus loin, entre Winward et le *pier* (« la jetée »), la promenade du front de mer égrène un chapelet de maisons à touche-touche dont l'architecture caractéristique rappelle celle de Frank Lloyd Wright, mariant avec élégance le bois, le métal et le verre. Une appropriation de l'espace tout en volumes imbriqués les uns dans les autres, privilégiant la lumière et la sensation d'être dehors tout en étant dedans. Notez la chambre perchée à l'extrémité d'un poteau au n° 2509.

🐾🐾 Il faut absolument explorer la minuscule section de *canaux* préservés (six seulement), dont l'épicentre est *Dell Avenue*, juste au sud de South Venice

Boulevard. On y trouve le *Caroll Canal,* le *Linnie Canal,* le *Howland Canal* et le *Sherman Canal.* Inutile de préciser que c'est à pied qu'on explore le secteur. Ces quelques voies d'eau rescapées nous font imaginer ô combien romantique devait être l'ensemble du quartier ! Emprunter les chemins piétons qui longent les coquettes maisons, les architectures originales, sans luxe ostentatoire, les petits ponts qui enjambent élégamment ces sympathiques bras d'eau, séparant les jardins où pousse une végétation tantôt méditerranéenne, tantôt carrément tropicale. Senteurs de chèvrefeuille, de magnolia, d'oranger du Mexique, on adore... Un art de vivre cultivé par une poignée de privilégiés (des bobos, pas des richards), car il ne faut pas se leurrer, ça coûte une petite fortune de vivre ici.

CULVER CITY *(plan couleur d'ensemble)*

Situé à l'est de Venice, voilà une partie de L.A. qui, discrètement, se réveille... bien qu'elle se couche de plus en plus tard ! Ses nombreuses galeries d'art, qui ont pour la plupart élu domicile sur La Cienega Boulevard (entre Venice et Washington) dans d'anciens entrepôts ou locaux d'entreprises, semblent avoir donné le coup d'envoi à cette renaissance progressive. Cette évolution s'est accompagnée de la réhabilitation des superbes bâtiments Art déco de la Helm's Bakery (le fournisseur officiel en pain des Jeux Olympiques d'été de 1932 !) devenue le ***Helm's Bakery District,*** où se côtoient bars, restos et, surtout, magasins de meubles chic et peu communs (avec des espaces d'exposition d'une taille elle aussi hors norme). Parmi ces derniers, le H.D. Buttercup (3225 Helms Avenue) et ses pièces créées à partir de matériaux et objets récupérés mérite le détour. C'est également à Culver City que l'on trouve *The Museum of Jurassic Technology,* un musée lui aussi hors du commun...

Où manger ?
Où boire un verre ?

|●| ♈ *Father's Office* : 3229 Helms Ave. ☎ 310-736-2224. Dans le *Helm's Bakery District.* Lun-jeu 17h-23h (bar 1h), ven-sam 12h-minuit (bar 2h), dim 12h-22h (bar minuit). Parmi les restos du *Helm's Bakery District,* on apprécie particulièrement ce « pub gastro », comme il s'appelle lui-même. Comme à l'adresse de Santa Monica (voir plus haut), vous aurez l'embarras du choix parmi l'impressionnant mur de manettes à pression. Et on y déguste le fameux hamburger qui a fait sa réputation, accompagné de frites de patates douces (que beaucoup commandent en apéro ou pour accompagner leur bière). Également d'autres petits plats pas forcément donnés mais bien préparés. Le tout à savourer à l'intérieur, ou mieux, dehors, sur une des grandes tables de la très longue terrasse en bois.

À voir

🐾 *The Museum of Jurassic Technology* : 9431 Venice Blvd (entre Bagley et Cardiff Ave). ☎ 310-836-6131. ● mjt.org ● *Accès en voiture par les Hwy 10 et 405. En bus : ligne MTA 33, 333 et 436 ; de Santa Monica,* Big Blue Bus nº 12. Jeu 14h-20h, ven-dim 12h-18h. Donation de 8 $/adulte et 5 $/enfant suggérée. Pour les amateurs de cabinets de curiosité, celui-ci est un must, même s'il ne se résume pas à cela. Mais comment le résumer justement ? Le nom déjà a de quoi vous laisser perplexe, perplexité encore accrue une fois à l'intérieur : qu'est-ce donc que ça ? Une vaste supercherie, un musée d'histoire naturelle ? En déambulant dans le labyrinthe obscur, vous découvrirez des personnages, des inventions, des technologies ou encore des collections surprenantes, parfois absurdes, mais aussi belles ou folles, bref des choses n'ayant jamais été jugées dignes de figurer dans les musées traditionnels. Une partie du musée est assez bavarde (et pas toujours simple à comprendre si vous ne maîtrisez pas bien l'anglais), mais peu à peu on se laisse prendre au jeu, on observe, on touche, on contemple, on s'interroge...

MALIBU (hors plan couleur d'ensemble)

🏄 Au nord-ouest de Santa Monica s'étend la très longue Pacific Coast Highway. Par elle, on arrive à Malibu, la côte favorite des stars. Ses maisons en bord de plage comptent parmi les plus chères de L.A. (de 1 à 10 millions de dollars), mais sont souvent de médiocre architecture. La plupart sont sur pilotis sur une minuscule bande de sable, coincées entre mer et autoroute (il faut savoir souffrir pour être dans le coup !).

Ne fantasmez donc pas trop sur Malibu qui s'avère plutôt décevant ! Pour paraphraser une célèbre série américaine, avec son trafic intense sur la route côtière et ses nombreuses zones privées avec gardes et molosses, ça peut même devenir rapidement « Alerte à Malibu » (*Baywatch* pour les intimes), du moins si l'on n'y prend... garde. Parmi les *people* qui ont pignon sur plage : Pierce Brosnan, Steven Spielberg, Mel Gibson, Sting, Tom Hanks, Robert Redford, Dustin Hoffman, Bill Murray...

L'endroit le plus branché de Malibu est **Carbon Beach,** la plage la plus chère des États-Unis, prisée par tous les milliardaires. C'est là que vivent Courteney Cox (une des actrices de la série *Friends*), son mari David Arquette, et sa copine Jennifer Aniston.

Pour les amateurs de surf, le **Malibu Lagoon** est un spot mondialement connu. Les Indiens *chumash,* qui occupaient le territoire à l'origine, avaient déjà baptisé le secteur *Humaliwo,* soit « là où les vagues sont bruyantes »...

Où manger ?
Où boire un verre ?

|●| ▼ *Malibu Seafood :* 25653 Pacific Coast Hwy. ☎ 310-456-3430. Un peu avt le camping en venant de Santa Monica. Tlj 11h-21h. *Sandwichs env 6 $, plats 11-23 $.* Une petite cahute avec terrasse en surplomb de la très passante (et dangereuse !) *PCH.* Alors, faites attention à vos bambins... On y vient acheter la pêche du jour pour l'emporter ou la manger sur le pouce. C'est frais : morue d'Alaska sauce tartare, colin, thon rouge, poulpes et toutes sortes de fruits de mer. Ici, on vient prendre un peu de phosphore avant de se jeter à l'eau.

|●| *Cholada :* 18763 Pacific Coast Hwy. ☎ 310-317-0025. À env 8 km de Santa Monica, sur la droite, après l'intersection pour le Topanga Canyon. Sem 11h30-21h30, w-e 12h-22h. *Plats 10-15 $.* Cette baraque bleue de traviole aux airs de paillote a vue sur la route et même pas sur la mer, mais rassurez-vous, une fois les plats sur

la table, on oublie le bruit des voitures et l'absence de vue ! Les délicieuses saveurs de cette authentique cuisine thaïe, parfumée et épicée à souhait, retiendront toute votre attention. Et là, vous comprendrez pourquoi il y a toujours foule dans cette adresse qui n'a vraiment l'air de rien.

|●| ▼ *Paradise Cove Beach Cafe :* 28128 Pacific Coast Hwy (à l'intersection de Webb Way Malibu Rd). ☎ 310-457-2503. À env 20 km de Santa Monica, sur la gauche. Tlj 8h-21h (22h ven-sam). Résa conseillée. *Salades et burgers dès 15 $, poissons et viandes 25-30 $. Parking 6 $* (à condition d'y déjeuner ou d'y prendre un verre, autrement, c'est 30 $!). *Welcome to Paradise Cove, sea the view, bring the kids, have a seat, enjoy Malibu !* Le panneau d'entrée de ce resto de plage comme on les aime est un bon résumé : cadre enchanteur, service jeune et dynamique et plats d'une grande fraîcheur. Idéal pour un déj les pieds dans l'eau mais... à condition d'aimer la foule ! En haute saison, touristes, résidents et *beautiful people* se pressent au déjeuner... Inutile de

préciser que la résa est alors quasi obligatoire pour la vue sur le Pacifique. On peut aussi y boire un verre en s'affalant sur les canapés moelleux face à la mer.

À voir

🏃🏃🏃 *Getty Villa :* 17985 Pacific Coast Hwy. ☎ 310-440-7300. ● getty.edu ● *Moins de 1 mile au nord de Sunset Blvd ; attention, l'accès se fait slt en arrivant par le sud (interdiction de tourner en venant du nord). Mer-lun 10h-17h (dernière entrée à 16h30) ; fermé aussi mer en août et sept. GRATUIT mais* **résa obligatoire** *(avec créneau horaire indispensable) sur Internet ou par tél. Audioguide : 5 $ (en anglais ou en espagnol). Parking obligatoire pour ceux qui viennent en voiture : 15 $. Sinon, le bus RTD n° 534 sur Ocean Ave, au bout de Santa Monica, vous dépose tt près.* **Gardez votre ticket de bus,** *il vous sera demandé à l'entrée. Plan-guide disponible en français.*

Pour tout savoir (ou presque) sur l'histoire de Jean-Paul Getty, voir plus haut le texte consacré au *Getty Center* à Santa Monica.

Comme le raconte le film de 12 mn projeté sur place, tout commença lorsque Jean-Paul Getty tomba amoureux de la baie de Naples et s'y acheta une villa pour les vacances... Lovée dans un étroit canyon avec vue sur le Pacifique, la villa Getty fut construite au début des années 1970 sur le modèle de la *Villa dei Papiri* (la « Villa des Papyrus », en raison de leur nombre élevé découvert sur place), soit la villa du beau-père de Jules César, la plus fastueuse découverte de Pompéi. Fermée en 1997 pour travaux de rénovation et d'agrandissement, elle a rouvert ses portes en 2006. Les architectes chargés de l'agrandir se sont employés à utiliser des matériaux en usage à l'époque, comme le bois, le bronze et le verre. Superbes jardins, plantés de quelque 300 variétés, avec un immense péristyle, un bassin ad hoc et des fresques inspirées de Pompéi. Les collections regroupées ici sont consacrées exclusivement à l'Antiquité grecque, romaine et étrusque. Sculptures monumentales, momie, objets de la vie quotidienne tels que vases, amphores peintes, pièces de monnaie, verreries, bijoux présentés dans des galeries thématiques. Le rez-de-chaussée de la villa est consacré à Dionysos et à l'art dramatique. Voir notamment la statue sans tête de Bacchus (version romaine du Dionysos grec), le beau panneau de sarcophage orné de masques de théâtre, l'étonnant récipient à vin en bronze et en argent, le jeune satyre affublé d'un masque (notez la curieuse main sortant de sa bouche !) ou encore le pilier doté d'un sexe d'homme, symbole de fertilité. Avant de jeter un œil au théâtre (un peu décevant), ne manquez pas les petites salles remplies d'une vaisselle conçue dans tous les matériaux imaginables à l'époque : argent, marbre, terre cuite, bronze, verre, camée... Retour dans l'atrium, avec plusieurs salles consacrées aux monstres mythologiques, aux dieux et déesses grecs et romains : vases-bustes, dont celui de Perséphone, et statues de Vénus. Une aile reproduit un temple dédié à Héraclès (Hercule en romain), dont les 12 travaux sont représentés sur des amphores, et où est exposée une statue du demi-dieu trouvée dans la villa d'Hadrien à Tivoli. C'est d'ailleurs cette dernière découverte qui est à l'origine de l'édification de la villa Getty. À l'entrée de l'atrium, la *Timescape Room* permet de s'y retrouver dans cette chronologie lointaine. À l'étage, des statues cycladiques et des poteries minoennes et mycéniennes, puis des galeries sur les animaux, les athlètes, les bijoux, les activités masculines, féminines et enfantines. Ne pas manquer les portraits du Fayoum, le superbe bronze grec de *La Jeunesse victorieuse*, le magnifique Kouros du VIe s av. J.-C. (mais il subsiste un doute sur son authenticité !), la grande mosaïque représentant une scène de boxe avec taureau, la tête de femme datant de 2 600 av. J.-C. et qui ressemble à du Modigliani, ni les statuettes de la *Déesse de la fertilité* et du *Joueur de harpe* datant de 3 000 av. J.-C. Des expositions temporaires, toujours tournées vers l'Antiquité, y sont également programmées. Enfin, très agréable **coffee shop.**

⚑ Voici quelques plages intéressantes : la **Topanga State Beach,** pour le surf surtout. Plus haut, les plages de **Corral** et **Point Dume Beach,** en général sympas et peu fréquentées. Enfin, tout au nord, la plage de **Zuma,** très populaire chez les Angelenos. Et pour les plus pressés, **Malibu Park,** un beau spot au nord du *pier* de Malibu, pas mal de restos et autres commodités. On se gare le long de la Pacific Coast Hwy.

■ Possibilité d'obtenir plus d'infos en contactant le **Department of Beaches and Harbors,** *13837 Fiji Way, Marina del Rey, CA 90292.* ☎ *310-305-9503.* ● *beaches.lacounty.gov* ● Ils connaissent par cœur leurs 115 km de côte (dont 65 km de plages) et peuvent vous indiquer les spots de surf, les conditions pour y pratiquer ce sport et les pièges à éviter (forts courants à la marée descendante), les plages qui sont surveillées, etc.

PASADENA *(plan couleur d'ensemble)*

Pasadena (« la vallée », en indien *chippewa*) est une ville résidentielle très coquette au nord-est de Downtown, et l'avant-dernière étape sur la route du Pacifique pour les *riders* de la Route 66. Elle fut bâtie par les riches industriels de la côte Est et du Midwest qui souhaitaient s'offrir un lieu de villégiature agréable à quelques encablures du centre de Los Angeles. Et, en effet, la ville est desservie par les *freeways* depuis Downtown et Hollywood en moins de 20 mn (si ça n'embouteille pas !). Avec des musées majeurs, un somptueux jardin botanique et un centre-ville gentiment animé le soir, c'est une destination qui conviendra bien à ceux qui recherchent la tranquillité, loin de l'agitation hollywoodienne. En revanche, ceux qui rêvent de vie agitée et de nuits trépidantes fuiront cette banlieue (trop ?) résidentielle et (trop ?) calme, où naquit pourtant le célèbre groupe de hard rock Van Halen. Comme quoi... Cela dit, Pasadena est surtout réputée pour son *Tournoi de la parade des roses* (un million de spectateurs début janvier) et pour ses antiquaires et ses boutiques de déco. Chaque deuxième dimanche du mois (9h-15h), le *Rose Bowl Stadium* accueille une mégabrocante, avec plus d'un million d'articles exposés : de la fripe, des bijoux, des reliques, des pièces de monnaie, des photos, des coquillages, tout un panel d'objets à faire baver des collectionneurs.

➤ À partir de Hollywood, prendre la Freeway 110 North, puis *exit 31b* en direction de Pasadena. Suivre Old Town, Orange Grove Avenue, ou Fairoaks Avenue.

Adresse utile

🛈 **Visitor Center :** *300 E Green St.* ☎ *626-795-9311* ou *1-800-307-7977.* ● *visitpasadena.com* ● Dans le Convention Center. *Lun-ven 8h-17h.* Nombreuses infos sur la ville et une kyrielle de *flyers* sur toutes les attractions du coin – il existe un *scenic tour* à faire avec sa propre voiture qui, des somptueuses villas ou des belles résidences, vous conduit dans les quartiers huppés d'Old Pasadena à San Marino.

Où dormir ?

Attention, les prix indiqués ici s'envolent pendant les fêtes de fin d'année...

Prix moyens

🛏 **Saga Motor Hotel :** *1633 E Colorado Blvd (angle Sierra Bonita).* ☎ *626-795-0431.* ● *thesagamotorhotel.com* ● Double env 100 $ mais à 83 $ sur Internet tte l'année (2e et 3e étage sans vue), petit déj inclus à la réception. Parking gratuit. 🖵 📶 Un corps de bâtiments en L sur 3 niveaux caractéristique des motels construits dans les sixties. La couleur vieux rose et les palmiers lui donnent un petit air exotique. On se croirait presque à Marrakech ! D'autant qu'une belle petite piscine invite à la baignade. Les chambres, avec leurs fenêtres à claire-voie, sont désuètes mais propres. Préférer celles à l'étage avec vue sur la piscine. Bon rapport qualité-prix-accueil.

🛏 *Vagabond Inn :* 1203 E Colorado Blvd (angle Michigan Ave). ☎ 626-449-3170. ● vagabondinn-pasadena-hotel.com ● Double env 100 $, petit déj inclus. Parking gratuit. 🛜 Un motel classique à la sortie de la ville, mais pas trop éloigné du centre animé. Une cinquantaine de chambres propres à la déco relativement soignée. Kitchenette dans certaines chambres. Préférer celles à l'étage. Petite piscine donnant sur le boulevard. Petit déj pas mal du tout (gaufres, yaourt, fruits...). Accueil correct.

Où manger ?

Spécial petit déj

🔖 |●| *Europane :* 345 E Colorado Blvd. ☎ 626-844-8804. Tlj 7h-17h30. Petit déj env 6-10 $. Face au Paseo Colorado, un *coffee shop* ultramoderne avec une grande table commune en bois pour la touche de convivialité. En semaine, on y trouvera du bon café, des gâteaux, des tartes, des quiches et des sandwichs. En revanche, pour un vrai petit déj avec omelette, tortilla, *French toast* ou céréales, il vous faudra attendre le week-end car y'en a pas en semaine ! Ah ben, flûte...
🔖 Voir aussi le *Central Park Restaurant* plus loin.

De bon marché à prix moyens

|●| *Saladang Song :* 383 S Fair Oaks (entre Waverly et Bellevue Dr), Old Pasadena. ☎ 626-793-5200. Tlj 7h-22h. Plats env 8-16 $. Parking gratuit entre les 2 restos. Surprenant resto thaï logé dans un cube de béton gris façon Le Corbusier, entouré d'une étonnante palissade alternant béton et fer ouvragé, avec 2 palmiers de chaque côté de la charmante cour-terrasse. Au menu, une délicieuse cuisine, parfumée, subtile en goût, aux saveurs multiples, dans laquelle même les palais n'appréciant pas les feux de bouche se retrouveront puisque tous les plats ne sont pas épicés. Sous son air chic et branché, cette adresse se révèle d'un très bon rapport qualité-prix. De l'autre côté du parking, au 363 South Fair Oaks, la maison possède également le resto *Saladang*, presque siamois et tout aussi bon, avec une déco plus modeste mais dans le même ton. En thaï, *song* veut dire « 2 »...

|●| *Barney's Beanery :* 99 E Colorado Blvd (entre Raymond Ave et Arroyo Parkway), Old Pasadena. ☎ 626-405-9777. Tlj 10h-2h. Plats env 7-20 $. Attention, CB demandée à l'arrivée pour éviter les mauvais payeurs (ça a dû arriver...). Ne faites pas trop la fine bouche devant cet énième avatar de la chaîne car c'est l'un des rares lieux animés en semaine à Pasadena ! De plus, aux USA, qui dit chaîne ne veut pas forcément dire sans histoire. La preuve, cette décoration à base de plaques d'immatriculation, apparemment banale... En fait, pendant la Grande Dépression, Barney faisait crédit de *chili con carne* à ses clients désargentés en échange de leur plaque d'immatriculation. Les plaques qui sont sur les murs sont celles des clients qui n'ont pas remboursé... En tout cas, l'ambiance y bat son plein : au coude à coude dans les boxes, dans l'impériale du bus garé à l'intérieur ou au bar, face aux écrans qui « crachent » des clips ou des matchs. Dans l'assiette, c'est du tout cuit : carte panaméricaine avec tacos, omelettes, burgers, guacamole et *fajitas*, plus toutes les sauces pour arrondir ses hanches. Pas moins d'une quarantaine de pressions au bar et 170 canettes, c'est peu dire... Les queutards trouveront leur compte dans la salle de billard à l'étage. Bar plus intime au sous-sol.

|●| *All India Café :* 39 S Fair Oaks Ave (entre Colorado Blvd et Green St), Old Pasadena. ☎ 626-440-0309. Tlj 11h30-22h (23h w-e). Plats env 9-15 $. Pour les clients, 1h30 de parking gratuit au Schoolhouse Parking (33 E Green St). Santokh Singh est le sympathique patron de ce véritable restaurant indien qui vous plonge illico dans les ambiances de la péninsule des dieux. Comme il ne voulait plus rester en cuisine, il a mis son beauf aux fourneaux. Et ça marche ! La preuve, il y a souvent du monde dans ce joli petit décor

de brique, avec grandes toiles aux murs, nappes blanches sur les tables, et grand écran diffusant les inévitables vidéos bollywoodiennes. Excellente cuisine : *thali, tandoori, mixed vegetables,* cuisine *veg'* ou *non-veg'*...

De prix moyens à chic

|●| 🍴 ***Central Park Restaurant :*** 219 S Fair Oaks Ave (entre Valley St et Orange Pl), Old Pasadena. ☎ 626-449-4499. *Tlj 7h30 (8h w-e)-21h (22h ven-sam). Plats env 10-15 $ à midi, 12-26 $ le soir. Parking gratuit à l'arrière.* Un peu en retrait du centre, face à Central Park. Un resto au cadre intime, idéal pour une soirée en amoureux, avec meubles en bois sombre et photos de stars courant sur les murs de brique. À l'évidence, un resto d'habitués, qui propose une cuisine américaine sans génie mais correcte et bien servie. Sandwichs et salades à midi, plats plus recherchés

le soir et pizzas toute la journée. Également de bons petits déj.

Où manger une glace ?

🍦 ***21 Choices Frozen Yogurt :*** 85 W Colorado Blvd, à l'angle de Delacey Ave, Old Pasadena. *Tlj 11h-23h (minuit w-e).* Pour vous faire patienter (la file d'attente est souvent longue), on vous propose de goûter des échantillons. Si le choix des parfums est limité, celui des *toppings* lui est pléthorique (c'est d'ailleurs ce qui donne du goût à la glace...) : sucré, fruité, aux céréales, chocolaté, ne reste plus qu'à choisir et à le demander sur le dessus de la glace ou mélangé à celle-ci, et c'est là que la démonstration commence...

🍦 ***Piccomolo :*** 20 E Colorado Blvd (entre Fair Oaks et Raymond Ave), Old Pasadena. *Tlj 11h-23h (minuit w-e).* Un glacier italien dont la production n'est pas donnée mais riche et colorée.

À voir

🎨🎨🎨 ***Norton Simon Museum :*** 411 W Colorado Blvd. ☎ 626-449-6840. ● nortonsimon.org ● *Tlj sf mar 12h-18h (21h ven). Entrée : 10 $; réduc ; gratuit pour les moins de 18 ans et pour ts le 1er ven du mois 18h-21h. Parking gratuit. Audioguides (anglais et espagnol) : 3 $. Brochure en français.* Un musée exceptionnel, à ne pas manquer ! Dans un superbe bâtiment entièrement rénové entre 1995 et 1998 par Frank Gehry, les collections exposées y sont d'un très haut niveau, contrairement à d'autres musées de L.A. pourtant beaucoup plus connus, comme le Getty Center par exemple. Le soin apporté à la présentation y est remarquable et la taille très humaine du lieu permet d'y admirer vraiment chaque œuvre.

Pour la petite histoire, c'est l'ancien musée d'Art de la ville de Pasadena, premier musée d'Art contemporain de L.A., qui, en 1974, fit faillite, avant d'être repris par le richissime Norton Simon. Encore une success-story à l'américaine pour ce jeune homme issu d'une famille aisée. Il a 20 ans, en 1927, quand il investit 7 000 $ dans une société de fruits et légumes. Puis il prend le contrôle de *Hunt's Foods* qui fait sa fortune grâce à des méthodes et des campagnes publicitaires inhabituelles à l'époque dans le milieu de l'agro-alimentaire. Après la Grande Dépression, il investit à tour de bras, notamment dans les cosmétiques Max Factor (le maquilleur de Hollywood), le loueur Avis ou encore Canada Dry. Mais, contrairement au slogan de la fameuse boisson, ce véritable amateur d'art ne se fait pas refiler des faux, bien au contraire, il a un goût très sûr... La preuve, sommé par l'Inde de restituer une statue de Shiva, qu'il a payée 900 000 $ mais qui a sans doute été volée dans un temple du Tamil Nadu, le nouveau mari de Jennifer Jones (l'actrice de *Duel au soleil*) finira par obtempérer après avoir obtenu de pouvoir l'exposer pendant 9 ans dans son musée (chère quand même, la statue, à 100 000 $ par an !). Ayant finalement amassé de véritables trésors, le collectionneur avait besoin d'un endroit pour les exposer. Moins connu que le MoCA (le musée d'Art contemporain) et que le LACMA, le Norton Simon Museum les vaut pourtant largement. Avant même l'entrée, le ton est donné avec ces exemplaires de *Balzac* et des *Bourgeois de Calais* signés Rodin...

Au rez-de-chaussée, les collections européennes

On y trouve l'art européen du XIVe au XXe s, avec bien sûr quelques-uns des plus grands. La liste des œuvres est longue, mais le musée est par exemple le seul musée de la côte Ouest à posséder un Raphaël, d'ailleurs connu sous le nom de *Madone Pasadena,* une œuvre peinte à 19 ans qui représente la Vierge regardant tendrement son enfant (le Christ) avec la Bible dans les mains. Ne pas manquer non plus le beau triptyque du *Couronnement de la Vierge* (XIVe s) et le *Adam et Ève* de Cranach l'Ancien (XVIe s). La peinture hollandaise et flamande des XVIe-XVIIe s y est aussi bien représentée. Ne pas manquer le bel *Autoportrait* de Rembrandt et son *Portrait d'un garçon* acheté dans des conditions rocambolesques (après le coup de marteau final, Norton osa enchérir de nouveau et eut gain de cause !). Voir aussi les charmants tableaux de Bruegel l'Ancien et *Le Vin est un moqueur,* de Jan Steen, décrivant une amusante femme soûle. Enfin, pour clore le XVIIe s, belle *Nature morte avec citrons, oranges et une rose* (symbolisant la Sainte Trinité et la Vierge), signée Zurbarán. Passons aux XVIIIe et XIXe s avec d'aériens Fragonard *(La Cage aux oiseaux, Les Amants heureux)* et un beau portrait de *Thérèse, comtesse Kinsky,* signé Vigée-Lebrun, qui, rappelons-le dans ce monde d'hommes, était une femme. D'ailleurs, ce portrait féministe met en lumière la beauté d'une femme de la haute société, certes, mais qui était aussi la victime d'un mariage arrangé, ouvertement trompée par son mari. Quel contraste avec la *Doña Francisca* de Goya juste à côté ! Voir aussi le *Baron de Mortarieu,* une œuvre de jeunesse d'Ingres, l'*Autoportrait* de Quentin de La Tour, réalisé à 65 ans, et le *Triomphe de la Vertu et de la Noblesse sur l'Ignorance,* de Tiepolo, provenant d'une église comme on pouvait s'en douter. On entre vraiment dans le XIXe s avec une très belle collection de toiles et de bronzes de Degas, sur son thème fétiche de la danse, et une pléthore d'artistes français (Gauguin, Cézanne, Redon, Pissarro, Monet, Toulouse-Lautrec, Renoir, Boudin, Courbet...). Notez le portrait de sa mère peint par Van Gogh : le peintre s'est inspiré d'une photo noir et blanc, et comme il n'aimait pas l'absence de couleurs dans les photos à l'époque, sa chère maman est toute verte ! Cela dit, on lui préfère quand même son superbe *Mûrier.* Terminons par les artistes du XXe s, avec les cubistes Picasso et Braque, des sculptures de Maillol, une *Vendeuse de fleurs* de Diego Rivera (cadeau de l'acteur Cary Grant), un *Paysage exotique* du Douanier Rousseau... Ne manquez pas non plus Kandinsky, Modigliani, Bonnard, Matisse... Bon, on ne peut pas citer toutes les œuvres tant il y a de trésors ! Mais sachez tout de même que le musée fut le premier au monde à monter une rétrospective Marcel Duchamp. Allez, à voir encore : le *Basel Mural* de Sam Francis, un des trois grands tableaux réalisés par l'artiste pour remplir de lumière et de couleurs la cage d'escalier du *Kunsthalle* de Bâle.

À l'étage inférieur, les collections asiatiques

Il abrite un ensemble exceptionnel de sculptures d'Orient, principalement du sous-continent indien, le tout superbement exposé. Volumes, espaces, lumière naturelle et artificielle, tout y est harmonieux. Au fait, pourquoi un tel éclectisme ? Il faut peut-être remercier l'actrice Jennifer Jones, car c'est le fruit de sa lune de miel indienne avec Norton Simon... Impossible de tout citer là encore, il n'y a que des splendeurs. Entre autres : un fragment de *stupa* indien du IIe s av. J.-C. (la plus vieille pièce du musée), un très beau bouddha en bronze du VIe s (appelant la terre à être témoin de sa victoire sur la tentation) et de nombreuses autres sculptures de la période *Chola,* l'âge d'or du bronze (si l'on peut dire) en Inde du Sud. Pas mal de figures en pierre aussi, comme ce Krishna joueur de flûte (qui captivait, outre les vaches, les vachères), ce bouddha thaï (qui, contrairement au bouddha indien, sourit), ou encore ce Vishnu khmer...

Pour finir la visite en douceur, dans le vert, allez donc vous promener dans le beau jardin conçu d'après celui de Monet à Giverny. Sculptures de Maillol et Henry Moore.

|●| Agréable cafétéria.

🍸🍸🍸 *Huntington Library and Art Gallery :* 1151 Oxford Rd, à **San Marino.**
☎ 626-405-2100. ● *huntington.org* ● *D'Old Town Pasadena, prendre le Colorado Blvd puis Allen Ave, c'est au bout de la route. Tlj sf mar 12h-16h30 ; w-e, juin-août) et pdt les vac 10h30-16h30. Entrée : 20 $ (23 $ w-e et pdt les vac), audioguide inclus ; réduc. Parking gratuit.* Un formidable centre culturel créé par Henry Huntington (1850-1927), un businessman de haut vol... si l'on ose dire à propos d'un magnat du rail. On y trouve une bibliothèque de livres rares dotée de seulement sept millions de manuscrits et deux millions d'ouvrages (!), plus deux musées (art européen et art américain) ; enfin, de magnifiques *jardins botaniques* : jardins tropical, japonais, chinois, du désert (des centaines de cactus), plus de 14 000 plantes du monde entier. Compter une bonne demi-journée de visite. C'est parti !

Dans un parc copieusement arrosé l'été, un ensemble de bâtiments de style *Greek revival* admirablement intégré au paysage. Végétation d'essences méditerranéennes ou tropicales – euphorbes, bambous, succulentes –, mais aussi de remarquables sujets, tels que magnolias, catalpas, albizzias, jacarandas, faux poivriers, chênes des Amériques, etc.

Les collections

La visite commence par l'ancienne maison de Huntington, réaménagée en galerie, la **Huntington Art Gallery Mansion,** à la très belle scénographie : une parfaite harmonie d'œuvres d'art, d'objets de la vie courante, dont mobilier et vaisselle du XVIIIe s. Dans la monumentale bibliothèque du rez-de-chaussée, superbes boiseries ripolinées, marqueteries vernies au tampon, remarquable tapisserie d'après une toile de François Boucher (1703-1710), puis dans le hall, des œuvres de Thomas Gainsborough, un artiste visiblement très apprécié de la famille. La visite se poursuit dans la *Drawing Room,* puis dans la salle à manger décorée d'un inévitable portrait de Washington (l'une des 75 reproductions de l'original signé Gilbert Stuart) et de mobilier français du XVIIIe s (c'était le goût de Madame Huntington). Admirer dans le boudoir, un chiffonnier table-à-encas de Nicholas Petit, une horloge de Joseph-Léonard Roque avec émaux de Barbezat (XVIIIe s). Belle collection de tabatières. Ne pas manquer la *Thornton Portrait Gallery,* une collection de grands portraits de notables britanniques du XVIIIe s, vendus et revendus pour des raisons pécuniaires, dont le fameux *Blue Boy* et la charmante *Pinkie.*

À l'étage, on trouvera Dubigny, Corot *(Le Pêcheur remontant son filet),* Louis Breton *(Les Dernières Moissons),* Turner *(Le Grand Canal à Venise),* Fragonard *(L'Amour dans un buisson de roses),* François Boucher, Watteau *(La Danse paysanne).* Une salle entière dédiée aux porcelaines des Lumières, de Sèvres notamment. Noter le très élégant secrétaire-en-cabinet de Bernard Molitor, le maître ébéniste de l'époque. Les amateurs d'instruments de musique ne seront pas en reste : belle épinette en *mahogany* de Jacob Kirkman (début XVIIIe s), ainsi qu'une harpe du XVIIIe. Bref, un ensemble très harmonieux.

Dans l'**American Art Gallery,** vous trouverez d'abord des œuvres, du mobilier et de la vaisselle du XVIIIe s. Citons le portrait presque naïf de Correlis Wynkoop, un propriétaire tué par un de ses esclaves, signé Vanderlyn, un autre *George Washington* de Stuart (on vous avait dit qu'il en avait fait des tas !), bien meilleur en tout cas que ses voisins sur le même sujet, ou encore *Une fillette portant une poupée* de James Peak (notez la disproportion totale entre le sujet, sa chaise et la poupée), qui a également commis d"autres beaux portraits à côté. Joli mouvement dans l'amusant *Half-way house,* de Blythe, une satire de l'alcoolisme et des Confédérés qui sont en train de lire le très sécessionniste *Pittsburgh Post...* Côté sculpture, encore un *Bronco Buster* de Remington, l'une des nombreuses répliques en circulation ! Côté XIXe s, des œuvres d'Américains ayant séjourné en France au temps de l'impressionnisme. Voir notamment *Scène de rue à Paris* de Hassam, *Plage de Dieppe* de Boggs, *Nettie lisant* de Robinson ou encore *Petit déjeuner au lit* de Mary Cassatt (qui exposa avec Renoir, Degas, Monet et toute la bande). Côté XXe s, quelques œuvres intéressantes comme *Downtown New York* de Mathes, *The Butcher Shop* de Kruse, *Gloucester Landscape* de Davis ou *The*

Long Leg du fameux Edward Hopper. Pour finir, un peu de mobilier signé Frank Lloyd Wright et du contemporain avec Sam Francis *(Free floating clouds)* et l'inévitable Andy Warhol *(Campbell's soup, Brillo box)*.

Les bibliophiles et autres amateurs de beaux livres peuvent admirer l'extraordinaire collection du musée dans la **Huntington Library** récemment rénovée. On y retrouve le très bel ouvrage d'Audubon présentant pas moins de 400 espèces d'oiseaux et plantes des Amériques, la page manuscrite extraite de *Walden,* de Thoreau, et celle de *Martin Eden,* de Jack London, la lettre originale de Charlotte Brontë à William Smith, la *Lettre à Christopher* de Isherwood, la première édition du *Léviathan* de Hobbes (1651), l'édition originale de *Beaucoup de bruit pour rien* (1600) de Shakespeare, ou encore la Bible de Gutenberg imprimée à Mayence en 1455.

Les jardins

Ils ne manquent pas de piquant, notamment le *Desert Garden,* avec sa profusion d'euphorbes, de cactus et d'aloès, ainsi que toutes les variétés de plantes succulentes (dites « grasses »). S'offrir un moment de zénitude dans l'apaisant *jardin japonais,* avec sa maison traditionnelle et sa maison de thé (uniquement pour les yeux), sans oublier le *jardin chinois,* à côté, très différent, qui possède aussi sa maison de thé (mais celle-ci est ouverte au public le week-end, avec dégustation de thé et de *dim sum,* les bouchées à la vapeur). Point commun entre les Asiatiques et les Britanniques, le *Rose Garden* propose aussi un salon de thé... Enfin, terminer la visite par un hommage au fondateur et à son épouse, tous deux inhumés dans le mausolée en forme de rotonde avec bas-reliefs en marbre, auquel on accède par une allée à la française entourée d'orangers.

🧧🧧 *Pacific Asia Museum :* 46 N Los Robles Ave, Old Pasadena. ☎ 626-449-2742. ● pacificasiamuseum.org ● *En plein centre. Mer-dim 10h-18h. Entrée : 10 $; réduc. Parking gratuit (jeton disponible au musée).* Un musée créé par une passionnée d'art oriental, Grace Nicholson, une ancienne dactylo pour dames des beaux quartiers qui émigra de Philadelphie à Pasadena en 1901. Dans les années 1920, elle commence à collectionner et à vendre des antiquités provenant des tribus indiennes mais surtout d'Asie. Face au succès grandissant de son commerce, elle transforme une partie de sa maison dans le style chinois traditionnel que l'on peut admirer aujourd'hui (notez les tuiles bleues, venues de Chine). Elle vivait à l'étage, le rez-de-chaussée étant entièrement consacré à ses collections. Après sa mort en 1948, celles-ci furent d'abord exposées au *Pasadena Art Museum* (l'actuel *Norton Simon Museum*) avant de revenir, fort logiquement, dans cette maison qui abrite aujourd'hui l'un des rares musées américains entièrement consacrés à l'Asie (et, plus modestement, aux îles du Pacifique). Sur un fonds de 15 000 pièces, seulement 1 000 d'entre elles y sont exposées, faute de place. La muséographie est assez réussie, et quand bien même les œuvres paraissent peu nombreuses, elles sont très bien restituées. Ne manquez pas, entre autres, l'assiette de porcelaine bleue du XIXe s illustrant la carte du Japon, la jolie salle himalayenne (bodhisattva sur la cheminée, statue de style tibétain), le tambour en forme de canoë de Papouasie-Nouvelle-Guinée, le *Ganesh dansant* en grès, le Vishnou assis sur un Garuda ou encore les bouddhas de tous les pays et dans toutes les positions. Dans la *Snukal Gallery,* superbes porcelaines japonaises de la période Edo et chinoises des dynasties Ming à Qing. Faites donc une petite pause dans l'agréable cour intérieure avec jardin à la chinoise (nombreuses animations culturelles ; se renseigner). De retour dans l'*Imperial Chinese Gallery,* notez les différences frappantes entre les céramiques chinoises traditionnelles et, dans la salle suivante, celles qui étaient vouées à l'export. Rien à voir ! Celles destinées aux touristes européens étaient vraiment beaucoup moins sobres... Voir ensuite la petite coupe de vin Qing (n° 17) dont le dragon est reproduit en façade du musée, la coupe de mariage (n° 4) taillée dans une seule pièce de jade et la paire de boucles d'oreilles (toujours en jade) en forme de pinces de crabe, ayant appartenu à Cixi, la mère du dernier empereur (XIXe s), devenue régente. Enfin, quelques objets provenant d'une épave du XIVe s retrouvée sur la côte malaise. Accueille également des expos temporaires, notamment d'artistes influencés par l'art oriental ou d'héritage culturel du Levant. Une visite rapide, mais qui vaut le coup d'œil.

PLUS LOIN, AU NORD DE LOS ANGELES

☂☂ ☂☂ **Six Flags Magic Mountain :** 26101 Magic Moutain Parkway. ☎ 661-255-4100. ● sixflags.com ● À 55 km au nord-ouest du centre de Los Angeles. Prendre la Freeway 405 N (qui deviendra la 5 N) jusqu'à la sortie Magic Mountain Parkway. Ouv le w-e et aux vac. Tte l'année, tlj d'avr au Labor Day ; horaires variables ; de mi-juin à mi-août 10h30-22h. Éviter le w-e : temps d'attente très longs. Tarifs : 68 $; 43 $ enfant. Offres souvent intéressantes sur Internet. Pensez aussi à prendre des coupons de réduc dans les hôtels. Noter son parking (18 $, au passage !) et prendre les navettes gratuites qui conduisent jusqu'au parc. Un parc aux attractions assez folles, qui, en tout cas, cumule les records ! Quelques exemples parmi les 18 *roller coasters* : le *Revolution,* premier looping géant de l'histoire, le *Colossus,* les plus rapides montagnes russes en bois de l'Ouest, le *Viper,* sans oublier le *Goliath,* d'une hauteur vertigineuse, le *Déjà-Vu,* qui effectue une boucle à la verticale, ou encore le *X2,* qui vous fera subir des pirouettes comme vous n'en avez sans doute jamais fait, le *Tatsu,* le *roller coaster* le plus haut, le plus long et le plus rapide au monde, qui vous promet de vous faire voler « à la vitesse de la peur », et le dernier-né, le *Green Lantern,* tout premier *coaster* à la verticale aux US. N'en jetez plus ! Et si vous voulez expérimenter la descente du Colorado en bateau, faites les *Roaring Rapids* : très chouette, mais qu'est-ce que ça mouille ! Certainement une des attractions qui génère le plus d'adrénaline, avec *Scream* (le principe du *roller coaster,* sauf que vous n'êtes pas dans un train mais sur un siège suspendu, les pieds dans le vide).

– À côté, **Six Flags Hurricane Harbor** propose 25 jeux d'eau très prisés des (grands) enfants, avec des toboggans tous plus déments les uns que les autres. Tentez le *Black Snake Summit,* le plus haut de Californie, le *Tornado* ou encore le *Reptile Ridge.* Maillot de bain indispensable. *De juin à début sept, tlj 10h30-18h ou 19h. Tarifs : 37 $ adulte ; 27 $ enfant et senior ; il existe aussi un billet combiné pour les 2 parcs. Parking : 15 $.*

ANAHEIM (DISNEYLAND ET DISNEY'S CALIFORNIA ADVENTURE)

À environ 40 km au sud-est de Downtown.

Comment y aller ?

En transports publics

De Downtown, la solution la moins chère consiste à prendre le bus n° 460, sur Los Angeles St (5th St). Trajet : 1h30-2h. Billet : env 3 $. Le bus vous dépose à Harbor Blvd, en face du parc.

La compagnie *Greyhound* (lire « Comment se déplacer ? » dans les infos pratiques de Los Angeles) dessert aussi Anaheim. C'est plus direct, plus rapide (40-50 mn) mais plus cher (env 15 $; offres sur les billets achetés en ligne).

En voiture

Prendre Santa Ana Freeway (la n° 5) et sortir à Disneyland ; on tombe sur West Katella Avenue, sur laquelle sont alignés les principaux motels.

Adresse et infos utiles

– Pour **toutes infos sur le parc Disneyland** : ● disneyland.disney. go.com ●
– Pour les **infos touristiques et pratiques concernant Anaheim** : ● ana heimoc.org ●
🛈 **Discount Tickets & Tours** : 1650 S Harbor Blvd. ☎ 714-490-6100. ● dis countticketsandtours.com ● Tlj 8h-22h.

Il s'agit avant tout d'une centrale d'achat qui vend des tickets pour les parcs d'attractions à prix discount, mais vous y trouverez aussi le *Visitor Guide* de Anaheim (avec un petit plan de la ville à l'intérieur). Fait également bureau de change.
– *OCTA* est le réseau des transports en commun du county d'Orange et celui qui vous permettra de rejoindre les sites à voir autour d'Anaheim. ● octa.net ● Le *OCTA Bus System Map* n'étant pas toujours facile à trouver à Anaheim, il peut être intéressant de l'imprimer sur le site.
– *Bike Nation,* système de vélo en libre service, permet de louer un vélo à 6 $/j. (gratuit la 1re demi-heure) et de le rendre à une autre borne.

LE MAGIC KINGDOM DE DISNEYLAND

ONCE UPON A TIME... DISNEY STORY

Comme toutes les stars, Mickey est descendu du ciel à Hollywood en 1928. Au départ, ce n'était pas un personnage de B.D., comme on l'a souvent pensé. Mickey est d'abord un héros de dessin animé. À noter qu'il fut second rôle jusqu'aux années 1940 ; plus tôt, c'était plutôt Pluto la vedette. Disney n'était pas un dessinateur exceptionnel. Très vite d'ailleurs, il s'arrêta de dessiner. Il était avant tout un homme d'idées, à la fois pour les concevoir, puis pour les faire réaliser. Sa première idée de génie fut de donner aux visages de ses héros des expressions reflétant de manière toute simple leurs émotions et leurs sentiments.

La légende veut que Disney ait recueilli une petite souris qu'il appela Mortimer. Sa femme le poussa à la débaptiser pour la renommer Mickey, nom moins ronflant (ce qui ne l'empêcha pas, plus tard, d'être contre le nom de Donald pour le canard...). Bref, pour faciliter le travail des dessinateurs, Mickey se compose de ronds : les oreilles, la tête, les yeux... jusqu'aux boutons de culotte. De même n'a-t-il pas de poils ! Plus tard, les psychanalystes décèleront dans ces rondeurs

UNE SOURIS POUR SAUVER L'EUROPE

Saviez-vous que Mussolini avait interdit tous les comics *américains sauf Mickey, qu'il adorait ? En revanche, les nazis considérèrent Mickey comme « l'expression de l'idéal le plus méprisable jamais révélé à la face du monde ». Serait-ce pourquoi le mot de passe des Alliés, le 6 juin 1944, au débarquement, était « Mickey Mouse » ? On le prétend.*

un signe d'humanité et de sympathie (le rond évoque la femme, les fruits...). Félix le Chat, avec ses oreilles en pointe, est plus dur, plus agressif. Pas toujours très courageux, Mickey a l'héroïsme du brave homme. Il fuit devant Pat Hibulaire, mais n'hésite pas à défendre l'honneur de Minnie. Timide avec les filles, Mickey bénéficie toutefois d'une noblesse de caractère qui le fait ressembler étrangement au personnage de Charlie Chaplin. Un exemple pour les enfants. Et un personnage fréquentable.

Très vite, Disney crut en l'avenir du parlant. *Steamboat Willie* (que l'on peut voir à Disneyland) est le premier dessin animé doté d'une piste sonore synchronisée. Peu de gens savent que la voix nasillarde de Mickey n'était autre que celle de Walt Disney *himself.*

Autre trait de génie, Disney inventa le marketing et les études de marché avant la lettre. Il invitait son équipe au cinéma et faisait projeter son dernier dessin animé devant un public. On notait les réactions dans la salle. Une discussion s'ensuivait à la sortie pour essayer de voir pourquoi certains gags fonctionnaient, d'autres non. Pour les lettrés, il est bon de savoir qu'« entuber » se dit en argot américain *to make somebody Mickey Mouse...*

En ce qui concerne les autres vedettes, Disney pilla tout simplement les personnages de contes pour enfants, tombés dans le domaine public. *Blanche-Neige* fut empruntée aux frères Grimm, *Cendrillon* à Charles Perrault (comme *La Belle au Bois Dormant), Alice au pays des merveilles* à Lewis Carroll, *Pinocchio* à Collodi, *Mowgli* à Kipling, *Peter Pan* à l'écossais J.M. Barrie et, plus récemment, *La Petite Sirène* à Andersen, et *Le Bossu de Notre-Dame* à Victor Hugo.

Walt Disney est mort d'un cancer du poumon le 15 décembre 1966, à l'âge de 65 ans. Disneyland avait ouvert ses portes 9 ans plus tôt, en 1955, et, en 1971, Disneyworld (Floride) fut inauguré.

Depuis 2001, Disneyland a un petit frère, le parc d'attractions Disney's California Adventure, situé juste à côté. Comme son nom l'indique, il a plus particulièrement pour thème la Californie.

Les tarifs

N'oubliez pas qu'Onc' Picsou tient la caisse et que l'entrée est chère (seuls les moins de 3 ans ne paient pas). Même tarif pour les deux parcs (Disneyland et Disney's California Adventure), mais il faut choisir car l'entrée de l'un ne donne pas accès à l'autre. Si vous ne disposez que d'un jour, on vous conseille plutôt Disneyland, parce qu'il est plus grand et a plus d'attractions (on en a plus pour son argent, quoi !)...

– *1 Day 1 Park Ticket : env 92 $ et 86 $ pour les 3-9 ans.* Un jour, un parc, donc fromage ou dessert.

– *1-Day Park Hopper Ticket : env 137 $ et 131 $ pour les 3-9 ans ; réduc.* Possibilité de naviguer d'un parc à l'autre pendant une journée, mais ne pas oublier de se faire tamponner.

– *2-Day Park Hopper Ticket : env 210 $ et 197 $ pour les 3-9 ans. Donne accès aux 2 parcs d'attractions sans restriction pdt 2 j.*

Infos préliminaires

– Si vous ne logez pas suffisamment près du parc pour vous y rendre à pied, prévoyez environ 15 $ pour le **parking.** De ceux-ci, **navette gratuite** jusqu'aux parcs.

– **Consignes** à gauche de l'entrée de Disney's California Adventure, à côté des *Guest Relations* (de 7 à 15 $). Possibilité aussi de louer pour 15 $ des poussettes *(strollers)* pour les tout-petits et des **chaises roulantes.**

– **Objets trouvés :** à gauche de l'entrée de Disney's California Adventure, à côté des *Guest Relations.*

– *ÉVITEZ LES WEEK-ENDS OU LES PÉRIODES DE VACANCES AMÉRICAINES,* les parcs sont pleins à craquer ; plusieurs heures de file d'attente. Mieux vaut aussi, d'une manière générale, éviter l'été (juin-sept), même si, en basse saison, il n'y a plus de parade, et que certaines attractions sont fermées, mais les prix restent les mêmes...

– **Horaires :** en été, 8h-22h (vérifier sur le site internet ; les guichets ouvrent 30 mn plus tôt) ; Disney's California Adventure, tlj 10h-20h (22h certains jours). En dehors de cette période, horaires variables, disponibles au ☎ 714-781-4565 (répondeur en anglais). ● disneyland.com ●

– *Tuyau :* si vous venez quand même en été, tâchez d'être là 30 mn avant l'ouverture puis, sitôt l'entrée franchie, de faire au pas de course les attractions les plus visitées (c'est stressant chez Mickey !). En commençant par la gauche : *Indiana Jones, Pirates of the Caribbean, The Haunted Mansion, Big Thunder Mountain Railroad, Matterhorn Bobsleds* et, enfin, *Space Mountain.* Vous gagnerez facilement 2-3 h de file d'attente. Ensuite, quand les visiteurs commencent à affluer, allez vers les attractions les moins visitées, comme le *Liberty Square Riverboat* ou la *Tom Sawyer Island.*

– Penser aussi à utiliser le système **Fast Pass** qui permet de réduire l'attente aux attractions en réservant gratuitement son passage dans l'une d'elles. À **Disneyland,** ce système s'applique aux attractions suivantes : *Space Mountain, Splash Moutain, Indiana Jones Adventure, Big Thunder Mountain Railroad, Autopia, Star Tours* et *Roger Rabbit's Car Toon Spin.* À **Disney's California Adventure,** il s'applique à *Grizzly River Run, Goofy's Sky School, Radiator Springs Racers, Soarin' Over California, California Screamin', The Twilight Zone Tower of Terror* et *World of Color.*

Le principe est simple : on passe les tourniquets de la file d'accès *Fast Pass* (située à l'entrée de l'attraction), on introduit son billet d'entrée dans une machine et l'on récupère un ticket *Fast Pass* indiquant l'heure à laquelle on peut se présenter à nouveau à l'attraction. L'effet n'est pas immédiat, il faut souvent attendre 1 à 2h avant de pouvoir revenir à l'attraction, mais à l'heure dite, il suffit d'emprunter directement la file *Fast Pass.* En général, on accède en quelques minutes à l'attraction. On vous conseille donc de retirer votre *Fast Pass* dès votre arrivée. Savoir cependant qu'on ne peut pas cumuler les tickets *Fast Pass* : il faut avoir utilisé celui qu'on a pour pouvoir en obtenir un autre. Malin, Mickey !

– Si vous voulez sortir et revenir plus tard, veillez à demander un **re-entry stamp** gratuit à la sortie (et conservez votre ticket de parking si vous êtes en voiture).

– Enfin, de nombreuses attractions parmi les plus anciennes ont été reprises à Disneyland Paris *(Space Mountain, Haunted Mansion, Big Thunder Mountain Railroad, Buzz Lightyear, Tower of Terror...)* : pour ceux qui seraient déjà allés à Marne-la-Vallée, il est probable que le parc aura un air de déjà-vu. Précisons aussi que, pour les plus jeunes, les animations qui leur sont destinées ont l'inconvénient d'être en anglais...

Où dormir ?

Anaheim est toute dévouée à Mickey, donc vous ne logerez ici que si vous souhaitez visiter les parcs à proximité : Disneyland et Knott's Berry Farm. Si se réveiller, s'amuser, manger et s'endormir Disney vous rebute, sachez qu'Anaheim n'est pas plus éloigné des plages de Long Beach, Huntington Beach et Newport Beach (voir « Sur la route entre Los Angeles et San Diego ») que de Los Angeles même, et l'ambiance y est beaucoup plus reposante.

Les tarifs hôteliers varient énormément en fonction de l'affluence. Préférez les séjours en semaine. On vous indique la fourchette des prix, étant entendu que c'est en été et le week-end que la note sera la plus salée.

À noter, enfin, que le seul hôtel situé dans le parc même (à Disney's California Adventure) est le *Grand California Hotel.* Un vrai chef-d'œuvre d'architecture en bois, notamment pour l'immense hall et sa gigantesque cheminée. Bon, vraiment peu de chances de pouvoir y séjourner, vu les prix (on n'ose même pas vous les donner !) mais, si vous avez des amis qui y sont, allez y jeter un œil !

De bon marché à prix moyens

🛏 **Hostelling International Fullerton :** *1700 N Harbor Blvd,* **Fullerton.** ☎ *714-738-3721.* ● *hiusa.org* ● *À env 10 km d'Anaheim. Le mieux pour s'y rendre est de prendre un* Shared Ride Van *de l'aéroport. Ouv de mi-juin à* *mi-sept. Lit en dortoir env 30 $, petit déj compris.* 🛜 Une petite auberge de jeunesse perchée au faîte d'une colline plantée d'eucalyptus et de pins de Griffith. À peine 20 lits, répartis en dortoirs de 6, filles, garçons ou mixtes. C'est très propre et agréable. Charmante petite kitchenette ouverte sur la verdure, salle commune prolongée sur la terrasse en bois. Salon TV, piano pour les mélomanes. Centre commercial pas trop loin pour aller faire le plein et remplir le frigo. Un bel endroit pour se mettre à la lecture. Bon accueil de John, le père aubergiste.

🛏 *Little Boy Blue :* 416 W Katella Ave. ☎ 714-635-2781. *Doubles 50-70 $, café et donuts inclus. Parking gratuit.* 🛜 C'est vieillot, les chambres n'ont aucun charme, mais c'est propre, pas cher et tout près de Disneyland. Petite piscine au fond du parking.

🛏 *Anaheim Astoria Inn & Suites :* 426 W Ball Rd. ☎ 714-774-3882 ou 1-888-795-0195. ● *anaheimastoriainn. com* ● *Doubles 60-120 $, petit déj compris. Parking gratuit.* 🛜 Situé à un bon quart d'heure à pied de l'entrée des parcs d'attractions. Si vous avez envie de vous économiser pour marcher vers Mickey, prenez le *shuttle* sur Harbour Drive. L'un des hôtels les moins chers du coin, sans que la qualité des chambres ne s'en ressente : elles sont grandes et propres, meublées en bois sombre. Piscine avec spa. Bon accueil.

🛏 *Anaheim Discovery Inn & Suites at the Park :* 1126 W Katella Ave. ☎ 714-533-4505. ● *anaheimdis coveryinn.com* ● À deux pas de Disneyland. *Doubles 60-100 $, petit déj inclus. Parking gratuit.* 🛜 Motel classique, d'un rapport qualité-prix tout à fait convenable. Chambres agréables et bien équipées, avec frigo et micro-ondes. Bon accueil.

De prix moyens à chic

🛏 *Alpine Inn :* 715 W Katella Ave. ☎ 714-535-2186 ou 1-800-772-4422. ● *alpineinnanaheim.com* ● *Tt près de Disneyland. Doubles 75-190 $, petit déj compris. Parking gratuit.*

🖥 🛜 Reconnaissable à son drôle de faux toit enneigé. Chambres confortables et plutôt ravissantes pour un motel ! Préférer celles de l'aile nord. Belle piscine et bon accueil.

🛏 *Islander Inn & Suites :* 424 W Katella Ave. ☎ 714-778-6565 ou 1-800-882-8819. ● *anaheimislander. com* ● *Doubles 85-115 $, petit déj inclus. Parking env 4 $.* 🛜 Petit motel jaune d'une trentaine de chambres, à 2 étages, disposé en U, orné de plantes grimpantes, à deux pas de l'entrée de Disneyland. Les chambres sont spacieuses et décorées avec plus de soin que dans les motels du genre et offrent un bon niveau de confort. Préférer celles situées au rez-de-chaussée de la partie ouest, plus fraîches en été.

🛏 *Motel 6 :* 100 W Disney Way. ☎ 714-520-9696 ou 1-800-RED-ROOF. ● *motel6.com* ● À 1 petit mile de Disneyland ; prendre Disney Way et passer Clementine St, c'est le bâtiment au toit rouge. *Doubles 80-130 $. Parking gratuit.* 🛜 Petites chambres dans les tons orange et gris, suffisamment calmes malgré la proximité de la *freeway* 5 (emportez quand même vos bouchons d'oreille). Piscine agréable et jacuzzi.

De chic à très chic

🛏 *Carousel Inn & Suites :* 1530 S Harbor Blvd. ☎ 714-758-0444 ou 1-800-854-6767. ● *carouselinnand suites.com* ● En face de Disneyland, reconnaissable à sa tourelle en verre fumé. *Doubles 150-180 $, petit déj compris. Parking 9 $.* 🖥 🛜 Une belle adresse, tant pour sa situation que pour la qualité des chambres, fort bien arrangées, harmonieuses et colorées, avec petite table, bergères et mobilier en bois sombre. Petit déj servi au dernier étage, près de la piscine, avec vue sur Disneyland (bof !).

🛏 *Park Vue Inn :* 1570 S Harbor Blvd. ☎ 714-772-3691 ou 1-800-334-7021. ● *parkvueinn.com* ● En face de l'entrée de Disneyland. *Doubles 100-160 $, petit déj inclus. Parking gratuit. Piscine.* 🛜 Un hôtel tout en longueur d'une soixantaine de chambres confortables et impeccables. Dommage que la proximité des restos environnants laisse planer dans l'air quelques odeurs de fritures. Accueil variable.

🏠 **Camelot Inn :** 1520 S Harbor Blvd. ☎ 714-635-7275 ou 1-800-828-4898. ● camelotinn-anaheim.com ● À côté du Carousel Inn & Suites. Doubles 100-180 $, petit déj compris. Parking gratuit. 🖥 📶 Hôtel sur 4 niveaux, aux allures de château alémanique, troué en son centre par une arche. Les chambres sont spacieuses et confortables mais un poil sombres. De la terrasse où se trouve la piscine, très belle vue sur le feu d'artifice tiré chaque soir à Disneyland.

Où manger ?

Les possibilités ne manquent vraiment pas, tant à l'intérieur des parcs qu'en dehors. Sachez qu'il est interdit d'y introduire de la nourriture et des boissons ; ce qui n'empêche pas la plupart des visiteurs d'en apporter discrètement dans leur sac (fouillé à l'entrée). Une aire de pique-nique est toutefois installée à côté de l'entrée principale, et les habitués du Coke et du burger les trouveront aux mêmes prix qu'ailleurs.

À Disneyland

🍴 Si vous avez quelques dollars en trop (30-40 $, quand même !), allez manger une salade ou un des plats d'inspiration cajun au **Blue Bayou,** à New Orleans Square. On se retrouve dans une plantation de Louisiane, sous une nuit étoilée comme on n'en a jamais vu. Éclairage très romantique à la bougie (résa conseillée : ☎ 714-781-4565, ou en passant en début de journée, car le lieu est très prisé).

À California Adventure

Plus de restos qu'à Disneyland (pourtant, le parc est plus petit). Fruits frais au Farmer's Market à Bug's Land.

🍴 **California Zephyr :** à Golden State, en entrant sur Sunshine Plaza. Muffins, croissants, gâteaux env 5-6 $. Un wagon de la fameuse Western Pacific transformé en grignoterie avec le quai de gare en guise de terrasse.

🍴 **Ariel's Grotto :** menu plus ou moins fixe avec plusieurs propositions. Entrée (salade ou soupe) + plat env 35 $. On déjeune ou l'on dîne sur le ponton qui donne sur le lac. Très agréable et rafraîchissant (malgré une terrible odeur de graillon, quand même !), avec une vue imprenable sur les eaux exagérément bleues du lagon.

🍴 🍷 **The Wine Country Trattoria :** env 15 $. On passe devant un minivignoble pour accéder à la terrasse, bien au calme. Pâtes, paninis et salades à manger dans un environnement agréable. Des dégustations de vin sont également organisées avec petit grignotage en prime. Un autre type d'attraction, en somme.

En dehors des parcs

🍴 **California Pizza Kitchen :** 321 W Katella Ave, à l'entrée du Gardenwalk. ☎ 714-991-0305. Tlj jusqu'à 22h (23h le w-e). On casse la croûte pour moins de 20 $. Certainement « le moins pire » de tous les restos des environs. On y sert une cuisine californienne très convenable, variée et goûteuse, qui change des burgers, fish and chips et autres plats tout juste décongelés ailleurs. En plus de ça, les portions sont généreuses. Personnel efficace et souriant.

🍴 **Rainforest Café :** 1515 S Disneyland Dr. ☎ 714-772-0413. Tlj jusqu'à 23h ou minuit. Résa conseillée. Plats 15-25 $. Impossible à rater ! C'est l'énorme temple maya de Downtown Disney, le district piéton situé entre les 2 parcs. Le décor recrée – excusez du peu – l'environnement de la forêt tropicale, dans laquelle un orage éclate toutes les 25 mn, et les animaux s'animent toutes les 10 mn ! Le problème, c'est qu'il y a tellement de monde qu'on n'entend rien du tout. On dirait une giga-cantine de maternelle dans laquelle on aurait donné des portevoix aux enfants ! Côté nourriture, c'est l'usine, il y a en moyenne 200 personnes qui attendent en permanence sur le trottoir. Y aller seulement pour voir qu'on a bien fait de pas y aller !

À voir

Disneyland

🏃🏃🏃 👫 La *Guide Map* disponible à l'entrée dresse la liste intégrale des attractions.

Pour bâtir les superbes maisons qui longent *Main Street,* on a utilisé la « perspective forcée », technique très employée pour les décors de cinéma. Ainsi, les 2e et 3e étages sont de plus en plus petits pour accroître l'impression de chaleur et d'intimité. Déjà les Grecs avaient découvert ce procédé pour la construction du Parthénon !

– *Sur Main Street,* une petite salle de cinéma projette sur six écrans **Steamboat Willie,** le premier dessin animé de Walt Disney, créé en 1928. Un monument historique. D'autres petits chefs-d'œuvre également.

– Juste à l'entrée à droite, dans la Opera House, **Great Moments with Mr. Lincoln** présente l'histoire du parc.

> ### POUR DE FAUX !
>
> *Au cœur du parc se dresse l'emblème de tous les parcs Disneyland, le fameux château de Cendrillon. Walt Disney s'inspira du château d'Ussé (sur les bords de l'Indre) pour le réaliser. Contrairement aux apparences, il n'est pas construit en pierre mais en... fibre de verre.*

– **Space Mountain** *(Fast Pass) :* à *Tomorrowland.* Un modèle de perfection en matière d'effets spéciaux, qui vous emmène dans un voyage intersidéral mouvementé. Attaché aux commandes d'un vaisseau spatial, on est propulsé à une vitesse formidable (jusqu'à 45 km/h) au beau milieu d'une nuit bleutée éclairée par une pluie terrifiante de météorites. Véritables montagnes russes dans l'espace.

– **Star Tours** *(Fast Pass) :* à *Tomorrowland.* Voyage dans l'espace sur un siège dynamique. Création de George Lucas. Assez tourmenté, comme le précise le *warning* à l'entrée. Beaucoup de monde aussi.

– **Pirates of the Caribbean :** à *New Orleans Sq.* Décors superbes, d'autant qu'ils ont été entièrement refaits à la suite du succès du film du même nom avec Johnny Depp et Orlando Bloom. Vous voilà parti sur une barque dans le monde des corsaires. Il fait nuit. Jack Sparrow est recherché ; personne ne le voit, sauf peut-être vous. Une tête de mort vous délivre un message inquiétant, juste avant le grand plongeon ; puis les coups de canon fusent, et vous voici pris dans une bataille navale rangée.

– **Haunted Mansion :** à *New Orleans Sq.* Ne manquez surtout pas de répondre à l'invitation de tous ces fantômes et morts vivants. Installé dans une petite voiture, vous déambulerez dans l'enfilade des couloirs obscurs et des pièces diaboliquement poussiéreuses. Les fantômes dansent. Le vampire, bon enfant, sucerait volontiers votre sang. Les cris succèdent aux grondements, les spectres aux vampires, jusqu'au frisson suprême provoqué par la valse lente d'une dizaine d'hologrammes extraordinaires réunis pour un bal morbide.

– **Indiana Jones Adventure** *(Fast Pass) :* à *Adventureland.* Une des grandes attractions du parc. On embarque dans une sorte de grosse jeep qui vous mène dans le dédale de ce maudit temple de l'Œil-Interdit. Coulées de lave, flèches empoisonnées, vermine, serpents menaçants, chutes de pierres... le parcours est semé d'obstacles, comme dans le film de Spielberg. Assez génial !

– **Jungle Cruise :** à *Adventureland.* Le monde mystérieux de la forêt tropicale. Rien ne manque : animaux sauvages, vilains indigènes, etc.

– **Big Thunder Mountain Railroad** *(Fast Pass) :* à *Frontierland.* Il s'agit d'une course folle à bord d'un petit train type *Far West,* qui crache une fumée ne piquant pas les yeux. À toute allure, on parcourt des tunnels au fond des mines pour resurgir dans un village du temps de la ruée vers l'or. Le tout dans un joli décor de montagnes aux roches rouges.

– Toujours *à Frontierland,* pour vous replonger dans l'atmosphère de cabaret des films de cow-boys série B, il faut assister au *Golden Horseshoe Stage,* un spectacle gratuit avec des cow-boys musiciens, dans une salle climatisée. Très prisé. *Réserver sa place dès le mat pour l'ap-m.*

– *Mark Twain Riverboat : à Frontierland.* Balade à bord d'un *steamboat* du Mississippi (fixé sur des rails).

– *Splash Mountain (Fast Pass) : à Critter Country. Roller coaster* sur un tronc d'arbre qui circule le long d'une rivière bordée d'automates. Le final est mémorable (comme l'atteste la file d'attente).

– *Finding Nemo Submarine Voyage : à Tomorrowland.* Une attraction tout droit sortie du dessin animé Pixar : partez à la conquête des océans à bord d'un sous-marin. Exploration d'un volcan immergé, bavardage avec des mouettes et des poissons ou encore préparation d'une tempête vous feront passer un voyage en mer inoubliable.

– Ne pas oublier, pour les plus jeunes, les très belles attractions qui leur sont spécialement dédiées *dans Fantasyland,* comme *It's a Small World* (vraiment enchanteur). Sans oublier celles qui permettent de rentrer dans leurs histoires préférées comme *Peter Pan, Pinocchio Daring Journey, Dumbo the Flying Elephant, etc.* Celle de *Blanche-Neige,* en revanche, est un peu décevante, et effraie souvent les petits.

Disney's California Adventure

🦐🦐 🕴 Entièrement consacré au Golden State (la Californie), il se divise en trois sections : *The Golden State* bien sûr, *Paradise Pier* et *Hollywood Pictures Backlot.* L'entrée donne le ton, avec son *mini-Golden Gate Bridge,* emblème de San Francisco. Au centre, un espace rocailleux d'où émerge le corps d'un ours de pierre, symbole de la Californie. Tout autour, bien délimités, les trois *districts* précités. Quelques mots sur les attractions les plus spectaculaires ou les plus réussies sur le plan technique.

Au Golden State

La plupart des baraques en bois rappellent l'épopée des pionniers, des premiers petits ports et des conserveries de la côte sud californienne. C'est la Californie de Steinbeck et de Kerouac... revisitée par Disney.

– *Soarin' Over California (Fast Pass) :* attaché comme dans un ULM, on vous emmène dans un voyage visuel (en Imax dynamique) qui survole en rase-mottes les plus beaux paysages de Californie. Impressionnant, car on a vraiment le sentiment d'être dans les airs. Alternent sous vos mirettes côtes rocailleuses, plages infinies, Yosemite, Los Angeles, San Diego, Napa Valley, le Golden Gate... Sensas !

– *Grizzly River Run (Fast Pass) :* installé comme sur une grosse chambre à air équipée de sièges, on descend des rapides qui éclaboussent singulièrement. Prévoir un vêtement de rechange ou un imperméable très couvrant. Amusant car l'environnement est plutôt bien reconstitué, avec minigeysers, végétation, vieille mine désaffectée avec sa roue à aubes.

– *It's Tough to be a Bug :* on s'enfonce dans une fausse caverne souterraine comme pour vivre la vie d'un insecte. Le spectacle en 3D met en scène l'insecte vedette du film *1001 Pattes,* présentant quelques-uns de ses amis qui, évidemment, n'en font qu'à leur tête. Un mélange extra d'effets 3D, de personnages automatisés, de sensations réelles et même olfactives et fumigènes. Beaucoup d'humour et un (tout petit) peu de frayeur.

– *Redwood Creek Challenge Trail :* pour les plus petits. Structure en bois permettant toutes les fantaisies (passage d'obstacles, traverse de ponts, escalade...).

À Hollywood Pictures Backlot

Remarquable reconstitution d'une rue de L.A. qui rend hommage au cinéma en général et à Hollywood en particulier. La rue se termine par un étonnant trompe-l'œil. On a savamment mélangé les styles paquebot, Art déco, *diner's,* etc. Du bel ouvrage. Souvent un groupe de musique ambulant et des personnages de Disney qui s'animent. Hormis la Tower of Terror, les animations présentées ici étant très bavardes, la langue risque d'être une barrière pour certains.

– *The Twilight Zone, Tower of Terror* (Fast Pass) **:** on se retrouve plongés dans la *Quatrième Dimension* (la série télévisée !) dans un ascenseur de vieil hôtel californien qui ne tourne pas rond et qui a même tendance à descendre un peu vite les étages. À faire à jeun.

– *Disney Animation* **:** plusieurs animations réunies en un espace, concernant le travail de la B.D. Décorticage de la création d'un *character* où un vrai dessinateur dialogue avec son futur personnage ou alors vous donne les trucs pour le dessiner vous-même (feuille et crayon à disposition), explication et démonstration du principe même de l'animation avec un système de manège, etc.

– *Muppet Vision 3D* **:** un excellent spectacle en 3D où *Kermitt la Grenouille* présente justement le principe de la dimension. Évidemment, rien ne se passe comme prévu. Vraiment drôle. On retrouve dans les loges les deux vieux du *Muppet Show*.

– *Hyperion Theater* **:** *spectacle 5 fois/j.* Grande salle de spectacle où est présenté un *show live*.

Au Paradise Pier

Ensemble d'attractions qui s'organise autour d'un grand plan d'eau tentant de rappeler les atmosphères balnéaires. Aux âmes non sensibles, on conseillera le *California Screamin'* (Fast Pass), des montagnes russes qu'on parcourt dans des wagonnets propulsés de 0 à 90 km/h en moins de 5 s. Dans le même ordre d'idées, le *Maliboomer* vous propulse sans préavis à la verticale. Plusieurs autres manèges plus tranquilles pour les enfants.

Downtown Disney

L'artère piétonne située juste entre les deux parcs. Très américain, avec des édifices aux couleurs acidulées et, bien sûr, une foule de boutiques où acheter un tas de trucs parfaitement inutiles et chers. À noter, entre autres, le *House of Blues* et le *Rainforest Café* (voir plus haut « Où manger ? »).

DANS LES ENVIRONS DE DISNEYLAND

🍴 🚶 Knott's Berry Farm (plan couleur d'ensemble) **:** 8039 Beach Blvd, à **Buena Park.** ☎ 714-220-5200. ● knotts.com ● *Au sud de la Santa Ana Freeway, à 10 km de Disneyland. En été, tlj 10h-22h (23h sam) ; hors saison, ouv à 10h, fermeture 18h-22h selon les j. Entrée : env 62 $ (réduc pour achat en ligne) ; 33 $ pour les 3-11 ans. Parking : 12 $.*

Sur près de 61 ha, encore un parc d'attractions qui remplit bien son rôle avec tout plein de restos et de magasins, et attire une clientèle assez populaire. Le plus drôle est cette étonnante *Ghost Town* (ville de chercheurs d'or abandonnée). Tout y est : saloon, gare de chemin de fer, *trading post,* armurier, maréchal-ferrant, prison, et même hôtel de passe ! On peut chercher de l'or, visiter une mine et entreprendre un circuit sur un vieux chemin de fer à vapeur (avec embuscades !).

Parmi les attractions vedettes : le *Ghostrider* (un grand huit en bois), *Perilous Plunge,* la descente de rapides la plus haute et la plus raide du monde (quasiment la taille des chutes du Niagara) et le *Supreme Scream* qui vous propulse en 3 s à 80 km/h...

I●I Plusieurs restos : le mieux et le moins cher est sans conteste le *Fireman's Brigade BBQ.* On y mange des grillades (assez grasses) dehors, sur de grandes tables.

🎭 *Crystal Cathedral :* 12141 Lewis St (à l'angle de Chapman Ave), à **Garden Grove** (à quelques mn au sud de Disneyland). De la Freeway 5, sortie W. Chapman Ave/State College Blvd. On aperçoit cette extraordinaire cathédrale tout en verre et haute de 70 m de la *freeway.* Elle a coûté la modique somme de 17 millions de dollars. Construite en 1980, à l'initiative de Robert Schuller, le pasteur le plus célèbre des États-Unis. Tous les dimanches, ses prêches sont retransmis par des dizaines de chaînes de TV pour près de 20 millions de téléspectateurs. *« If you can dream it, you can do it »,* telle est la devise de ce gourou des temps modernes (c'est presque la même que *Nike*). Une église vraiment pas comme les autres avec ses bassins d'eau qui s'avancent vers la scène (ou l'autel, comme vous voulez), et des pans entiers de ses murs qui s'ouvrent l'été pour faire rentrer le ciel à l'intérieur de l'édifice (plus près de Toi, Seigneur !). Bluffant ! En plus de ça, l'acoustique est exceptionnelle. Assistez à une messe le dimanche (9h30 et 11h), c'est du grand spectacle : mise en scène hollywoodienne, envolée d'anges, etc. Sinon, concerts d'orgue pratiquement tous les jours à 12h.

LA ROUTE DE LOS ANGELES À LAS VEGAS (SUR LES TRACES DE L'ANCIENNE ROUTE 66)

CALICO

🚶 *Ville fantôme (pas si terrible !) située à l'est de Barstow, sur l'Interstate 15. Visite tlj 9h-17h. Entrée : 8 $/pers et supplément de 1-2 $/pers pour presque ttes les attractions.*
Dans les années 1890, Calico était une ville prospère qui devait son essor à une mine d'argent dont la production annuelle représentait près de 86 millions de dollars. Il est possible de visiter l'endroit *(pour 2 $ de plus)* à bord du petit train qui transportait jadis le précieux minerai. Camping à proximité, dans le canyon, mais peu d'ombre. Ne vaut pas le détour mais halte amusante sur la route de Las Vegas, surtout si vous avez des enfants.
On peut se déguiser en pionnier, chercheur d'or, et se faire prendre en photo ! Ne manquez pas la maison penchée (payant), vous croirez résister à la pesanteur. C'est, vous vous en doutez, extrêmement touristique.

LE VRAI « BAGDAD CAFÉ »

🚶 *Il se cache à **Newberry Springs**, 46548 National Trail Hwy.* ☎ 760-257-3101. *Tlj 6h-19h (7h-18h en hiver).* Vous souvenez-vous de ce film irrésistible, magnifié par la voix captivante de Jevetta Steele chantant *Calling You* ? *Bagdad Café,* de Percy Adlon, césar du meilleur film étranger en 1989, fut le film culte de la jeunesse française cette année-là. Nous avons retrouvé le motel au bar où ce petit chef-d'œuvre a été tourné à 95 km de la localité Bagdad, où a existé jusqu'en 1968 un *Bagdad Café.* Il se trouve en plein désert californien, sur la célèbre Route 66, à l'écart de la Highway 40 qui relie Barstow et Ludlow. Sortir à Newberry Springs, puis faire encore 3 km en suivant les indications. La patronne a changé, mais l'ambiance *in the middle of nowhere* imprègne encore un peu l'endroit. Évidemment c'est devenu un peu attrape-touristes... À l'intérieur du bar, on peut voir des photos dédicacées du tournage. Bref, un must (ce n'est qu'à 30 km à l'est de Barstow et l'on peut rejoindre l'Interstate 15 sans faire demi-tour) pour tous nos lecteurs cinéphiles, mais vraiment pour les inconditionnels, car le Coca y est bien cher...

Où dormir ? Où manger dans les environs ?

Camping

🏕 **Camping Barstow Calico KOA :** à **Yermo.** ☎ 760-254-2311. Entre Calico et Barstow. Env 27 $ l'emplacement. Bien équipé et sanitaires propres.

Bon marché

|●| **Peggy Sue's :** 1-15 Ghost Town Rd, à **Yermo** (à côté du motel Calico). ☎ 760-254-3370. Service le soir jusqu'à 22h. Plats 9-13 $. Un amusant petit dîner à l'atmosphère fifties. Ambiance très sympa. Carte bien fournie, du Buddy Holly bacon cheeseburger à la Lana Turner tuna salad, en passant par le Hank Williams chili spaghetti.

SUR LA ROUTE ENTRE LOS ANGELES ET SAN DIEGO

LES PLAGES DE LA CÔTE SUD

Pour ceux qui souhaitent rejoindre San Diego en voiture, la Pacific Coast Highway (PCH pour les intimes) égrène un chapelet presque ininterrompu de plages, ponctué de temps en temps par une petite station balnéaire. Tout au long du parcours, les spots de surf ne manquent pas ; d'ailleurs, aux endroits les plus fréquentés, on trouve souvent un camping carrément les pieds dans l'eau. Tous ne sont pas fameux. Notre sélection tient compte des ambiances, mais également des nuisances éventuelles occasionnées, car si les emplacements sont bien tournés vers le large, dans le dos, en revanche, on trouve presque toujours la PCH et une ligne de chemin de fer. Cette côte attire depuis quelques années les Américains fortunés, lassés par Malibu ou Santa Monica : plages superbes s'étendant sur des kilomètres comme **Seal Beach** et **Sunset Beach,** lieux de prédilection des surfeurs. Grosses stations balnéaires telles **Huntington Beach** ou **Newport Beach,** ou plus petites comme **Laguna Beach.** Un peu plus au sud, c'est à **Dana Point** que vous embarquerez pour aller observer les baleines lors de leur migration.

L'accès aux « State Beaches » est payant, cependant ceux qui logent dans les campings sur ces plages (nous en indiquons trois, un à Dana Point et les deux autres au sud de Carslbad) n'auront pas en payer l'accès.

Long Beach (plan couleur d'ensemble)

La plage de Long Beach est agréable et nettement moins fréquentée que celles de Venice ou Santa Monica à Los Angeles. C'est un lieu de résidence intéressant pour qui souhaite échapper au côté un peu trop théâtral des stations précitées. Précisons cependant qu'avant d'être une cité balnéaire, Long Beach est surtout un immense port (un des plus importants au monde quand on le couple avec celui de Los Angeles, à San Pedro, auquel il est contigu).

➢ Accès de Los Angeles : Long Beach est la dernière station de la Metro Blue Line.

Où dormir ?

🏠 **Beach Plaza Hotel :** 2010 E Ocean Blvd (angle Cherry Ave). ☎ 562-437-0771. ● beachplazahotellongbeach. com ● Doubles env 80-200 $ selon saison et vue. 📶 Un hôtel bien situé, d'une quarantaine de chambres réparties sur 2 bâtiments face à la mer (accès privé à la plage), avec vue au loin sur le port et le Queen Mary.

L'ensemble est un peu bétonné (parking en plein milieu), mais à défaut d'être charmantes, les chambres sont lumineuses et plutôt confortables (certaines disposent même d'une cuisine ou d'un jacuzzi). Petite piscine à l'abri des regards. Accueil aimable.

Où manger ?
Où boire un verre ?

Le mieux pour manger à Long Beach, c'est d'aller à *Shoreline Village,* une sorte de village de pêcheurs reconstitué, certes très touristique, mais agréable avec ses maisons en bois coloré, ses pontons et de beaux bateaux à quai. On y trouve quelques bons petits restos, mais aussi des snacks et des bars pour acheter quelques sandwichs et les manger sur le pouce face à la marina. Quelques restaurants également sur Broadway.

Pour boire ou sortir, c'est pareil, les endroits sont concentrés sur Broadway et Shoreline Village.

IOI *Claire's at the Museum :* 2300 E Ocean Beach Blvd, **Long Beach.** ☎ 562-439-2119. *Jeu-dim 11h (8h w-e)-15h (20h jeu). Sandwichs env 11-14 $, plats 12-17 $.* Un agréable petit resto pour déjeuner, attenant au Long Beach Museum of Art, mais avouons-le d'emblée : l'endroit vaut plus pour son cadre que pour sa cuisine. Dans le vert et avec pleine vue sur l'océan, le site est en effet superbe. Ambiance très *garden party.* Dans l'assiette, sandwichs, pâtes, *fish and chips,* hamburgers... Service en dents de scie.

IOI *Parker's Lighthouse :* 435 Shoreline Village Dr, **Shoreline Village.** ☎ 562-432-6500. *Tlj 11h-15h, 17h (16h w-e)-22h. Sandwichs, salades env 14-18 $, plats 18-32 $.* C'est le resto aux toits rouges à l'extrémité des pontons. À l'intérieur, dans de grands volumes en noir et blanc, on se croirait sur un grand yacht bien chic, du temps où la *Cunard* expédiait ses passagers à l'autre bout de la terre. Belle terrasse sur la marina, avec pour toile de fond le *Queen Mary I.* Dans l'assiette, une bonne cuisine mais pas donnée, avec du poisson, des huîtres ou encore des *crabcakes* (20 mn d'attente), le tout à accompagner d'un verre de sauvignon ou d'un blanc sec du comté de Sonoma. Fait aussi *steakhouse* le soir (mais c'est plus cher), avec du jazz live du jeudi au samedi. Service agréable.

♈ IOI *Yard House :* 401 Shoreline Village Dr, **Shoreline Village.** ☎ 562-628-0455. *Tlj 11h-minuit (2h w-e). Plats 9-16 $.* Comme l'indiquent les poignées de portes de cette adresse, celle-ci tire son nom d'un verre à bière de 3 pieds de long que s'enfilaient les conducteurs de diligence après leur journée de travail. Paraît que ça les requinquait ! Yard House affiche clairement ses intentions : la plus grande sélection de bières à la pression au monde ! En effet, autour d'un bar elliptique, plus de 250 manettes (185 marques de bières différentes). Commencez à goûter le lundi, vous aurez p'têt fini le dimanche suivant ou celui d'après... Gentil brouhaha le soir, plus calme le midi pour un lunch les pieds dans l'eau. Dans l'assiette, cuisine californienne classique. On vient surtout ici pour l'ambiance !

À voir

Le *Queen Mary,* l'Aquarium et le Shoreline Village sont tous dans la même zone (mais relativement éloignés à pied les uns des autres) et très bien fléchés de la Shoreline Drive, qui débouche sur Ocean Boulevard (lui-même parallèle à Broadway).

🎏 Queen Mary (plan couleur d'ensemble) : 1126 Queen's Hwy. ☎ 562-435-3511 ou 877-342-0738. ● queenmary.com ● *Tlj 10h-18h. Entrée : 25 $, 33 $ pour la formule en First Class Passage qui comprend le show, la visite du Queen et celle du sous-marin russe voisin ; réduc. Parking : 3 $ la 1re heure, 12 $ au-delà.* Il fut longtemps le plus grand paquebot transatlantique jamais construit... jusqu'au lancement du *France,* puis de son successeur, le *Queen Mary 2.* Mis à l'eau en 1934, le navire fut acheté par la ville de Long Beach en 1967 et aménagé en musée de la Navigation et en hôtel de luxe. De son passé, si intimement lié aux Années folles, demeure le souvenir de ses illustres passagers : Churchill, Clark Gable, Greta Garbo...

Reconstitution de scènes d'époque grâce à des personnages en cire : jeune couple au resto, salle de jeux du navire... Plusieurs scènes rappellent la Seconde Guerre mondiale, lorsque le *Queen Mary* fut réquisitionné pour le transport des troupes. On visite des cabines, la salle des commandes. L'*Observation Bar* est un chef-d'œuvre Art déco. Ne pas manquer non plus la piscine ni la salle des machines. Amarré le long du paquebot, un sous-marin russe est aussi ouvert au public *(env 11 $)*.

🛏 🍴 ⛴ Possibilité de dormir dans l'une des 307 cabines aménagées en chambres d'hôtel style Art déco *(à partir de 120-150 $, avec ou sans hublot extérieur)*. On peut également y bruncher le dimanche, dans une ambiance raffinée *(9h30-14h ; env 40 $ quand même)*.

🍴⛴ ***Shoreline Village :*** *près de Downtown et du* Convention Center, *un peu après* l'Aquarium of the Pacific. Parking 2h : 1 $ avec validation ; sinon, 8 $. Une reconstitution de village de pêcheurs avec ses baraques en bois de toutes les couleurs, qui abritent des magasins de souvenirs et des restos. Location de vélos. L'été, concert au ***Melodrama Theater & Music.***

🍴⛴ 👫 ***Aquarium of the Pacific :*** *100 Aquarium Way.* ☎ *562-590-3100.* ● *aquariumofpacific.org* ● *Pas loin du* Queen Mary. Tlj sf Noël et le w-e du Grand Prix de Long Beach (en avr) 9h-18h. Entrée : 26 $; enfant 15 $; réduc. Parking juste en face : 8 $ après validation.` Ce bel aquarium, situé au bord de l'océan, est entièrement consacré au Pacifique. Dans le hall d'entrée, une énorme baleine bleue et son baleineau nagent au-dessus des visiteurs tandis qu'à intervalle régulier, on projette sur les murs des films sur les animaux marins (plus ou moins nettement, cela dit...). Tout au fond, dans la *Southern California & Baja Gallery,* ne pas manquer l'étonnant aquarium où l'on peut voir l'embryon du poisson en formation ! En ce qui concerne les bassins, vous avez la possibilité d'observer les animaux par-dessous ou au-dessus. Une des attractions qui fonctionnent le mieux : la fosse où l'on voit évoluer les lions de mer et les otaries, qui se déplacent avec une vitesse déroutante (génial !). Le lagon aux requins attire aussi les foules, bien évidemment : il faut dire qu'on peut les toucher (avec deux doigts) mais, attention, on parle de petites espèces de requins (épaulette, zèbre, etc.), pas des gros ! Ces derniers se trouvent dans le grand aquarium derrière, avec quelques beaux spécimens comme le requin bambou. Sur le côté, la raie, plutôt câline, que l'on s'amuse à caresser. Bon, on passera sur le spectacle des lions de mer *(sea lion show),* façon Sea World, on n'en raffole pas... Voir aussi l'aquarium qui permet d'observer les macareux (puffins) et autres oiseaux de mer en plongée. Super intéressant de voir évoluer les oiseaux sous l'eau. Les méduses, dont les magnifiques *Moon Jellies,* minuscules mais d'une esthétique intersidérale ! La *Lorikeets Forest,* une volière où, à condition de payer 3 $ la dose de nectar, évoluent autour de vous une foule de petits corps colorés et criards, permet aussi de profiter des brumisateurs en été. Une section est également consacrée aux tarentules, scolopendres, serpents à sonnettes et autres charmantes bestioles venimeuses de Californie. On termine la partie des animaux avec les poissons colorés de la zone tropicale, en particulier le poisson-palette et le poisson-clown, que tous les enfants reconnaîtront sous les traits de Dory et Nemo. Étonnant : l'aquarium intitulé *Sex Change,* dans lequel se trouvent des poissons capables de changer de couleur et... de sexe (surtout des femelles devenant des mâles), tels des *drag-kings* de l'océan ! Avant de partir, ne manquez pas la salle qui tente de faire prendre conscience aux visiteurs du danger du réchauffement climatique et du massacre des océans.

🍴⛴ ***Museum of Latin American Art*** (MOLAA) *: 628 Alamitos Ave,* **Long Beach.** ☎ *562-437-1689.* ● *molaa.org* ● *Mer-dim 11h-17h (21h ven) ; fermé*

Thanksgiving, Noël, Jour de l'an et Labor Day. Entrée : env 9 $; gratuit jusqu'à 11 ans. Un beau musée qui présente les œuvres d'artistes provenant d'Amérique centrale et du Sud par le biais d'expos temporaires de qualité qui prennent en compte tous les modes d'expression de l'art contemporain (peinture, photo, sculpture mais aussi vidéos et installations). Bien caché, un jardin un peu bétonné mais bien agréable où se déroulent des animations toute l'année (lectures, dégustations de tequila, etc.).

– **Catalina Express :** *95 Berth,* à **San Pedro.** ☎ *1-800-481-3470.* ● *catalinaexpress.com* ● *Lun-ven 8h30-17h30. A/R 72,50 $ (ajoutez 15 $ de parking pour votre voiture).* Départs de San Pedro, de Long Beach Queen Mary ou de Long Beach Downtown et Dana Point (plus au sud). Compagnie assurant une demi-douzaine de liaisons quotidiennes par port avec l'île de Catalina. Vous pouvez choisir d'y passer la nuit et par avance organiser votre séjour. Différentes options disponibles selon vos goûts, comprenant le transport en bateau, l'hôtel et une activité (golf, pêche, plongée ou escalade). Également à votre disposition : un casino, de nombreux restaurants et bars, bref, tout ce qu'il faut pour vous encanailler...

Seal Beach *(plan couleur d'ensemble)*

⬨ Seal Beach est une petite station balnéaire à dimension humaine. Très agréable avec ses maisonnettes colorées, noyées dans une végétation dense de palmiers et de bananiers. Ses différents quartiers s'articulent autour de Main Street, rue dans laquelle on trouve la majorité des commerces et qui débouche sur Ocean Boulevard. Les accès à la plage se font à partir d'Ocean Boulevard. Sympa d'aller jusqu'à la jetée *(pier),* construite en 1906. On trouve quelques restos et des snacks. Parking payant ouvert tous les jours de 6h à 22h ; autrement, se garer dans la rue. Pour info, les boutiques de surf de Main Street vendent des cartes indiquant les meilleurs spots de la région.

Sunset Beach *(plan couleur d'ensemble)*

⬨ La station en continuité de la précédente en allant vers le sud, de l'autre côté de la zone lagunaire. Un peu moins facile pour se garer, mais beaucoup plus animée.

Adresse utile

■ **Sunset Kayak Rentals :** *16862 Pacific Coast Hwy.* ☎ *562-592-5537. Dans un hangar au sud du Sanatra Inn. Tte l'année, tlj 10h (9h w-e)-17h. Loc de kayaks de mer.* Une excellente manière pour partir à la découverte de la lagune et observer les oiseaux, ou tout simplement pour se balader dans les canaux de la marina de *Huntington Harbour.*

Où dormir ? Où manger ?

🛏 **Sanatra Inn :** *16555 Pacific Coast Hwy.* ☎ *562-592-1993.* ● *sanatrainn.com* ● *Doubles env 80-180 $ selon confort, vue et saison. Parking gratuit.* 🛜 Coincé entre la *PCH* et la plage, ce petit motel coloré en orange flashy cache des chambres vieillissantes à l'entretien très moyen. Désolé, on n'a pas trouvé mieux dans ce coin rare en motels. Évidemment, ça ne vaut pas le coup au tarif plein pot. En dépannage.

Huntington Beach *(plan couleur d'ensemble)*

⬨ Sympathique petite ville de 190 000 habitants qui n'offre pas moins de 34 km de plages ! Beaucoup de spots pour le surf et des dizaines de kilomètres de pistes cyclables...

Où dormir ?

🛏 **Sun'n Sands Motel** : *1102 Pacific Coast Hwy.* ☎ *714-536-2543.* ● *sunn sands.com* ● *En venant du nord, c'est entre la 12ᵉ et la 11ᵉ rue, sur la gauche. Doubles env 120-190 $; parfois quelques promos. Parking gratuit.* 🛜

Idéalement situé, face à la plage (bon, il y a la PCH qui passe juste devant, c'est vrai !), en face de l'île Santa Catalina (cachée par la brume les matins d'été). La déco des chambres n'est plus vraiment au goût du jour, et il faut se contenter d'un ventilo (pas de clim), mais celles-ci n'en restent pas moins correctes. Bon accueil.

Newport Beach *(plan couleur d'ensemble)*

⌂ Quelques beaux spots de surf, comme à **Dog Beach,** ou encore un excellent *swell* juste en face de 17ᵗʰ Street, très prisé des *goofies* (ceux qui surfent le pied droit en avant).

Où dormir ? Où manger ou boire un verre ?

🛏 **Newport Channel Inn** : *6030 W Pacific Coast Hwy.* ☎ *949-642-3030 ou 1-800-255-8614.* ● *newportchan nelinn.com* ● *Doubles à partir de 80 $ hors saison et env 130-300 $ en été. Parking gratuit.* 🖳 🛜 Au bord de la PCH (donc pas de vue), dans un quartier situé à proximité de Huntington Beach, un motel gris clair, à gauche en venant du nord, à la hauteur de 62ⁿᵈ Street et à côté d'un surplus militaire. Rien à dire et redire du côté des chambres, toutes équipées d'un frigo et micro-ondes, si ce n'est qu'elles pourraient être un peu plus calmes. Demander une chambre au fond. Accueil expéditif.

🍽 🍷 **Joe's Crab Shack** : *2607 Pacific Coast Hwy.* ☎ *949-650-1818. Avt le* Newport Channel Inn, *en venant du sud. Tlj 11h-minuit. Plats env 9-35 $. Happy hours le w-e et tlj en été.* Friture et fond de rock'n'roll, dans un rade tout en bois, façon *Pirates des Caraïbes* ou *Révoltés du Bounty.* Terrasse avec de grandes tables donnant sur le port de plaisance, avec en fond le va-et-vient des yachts. Ici, pas de chichis, on mange avec les doigts ! Plats pour tous les budgets. Connu pour son *bucket of crab,* bien servi mais vraiment pas donné. Autrement, les pirates écumeurs de mousse sauront partir à l'abordage du bar, petit mais efficace ! Pour les aficionados, succursale à Long Beach (6550 Marina Dr).

Laguna Beach *(hors plan couleur d'ensemble)*

C'est la capitale mondiale (carrément !) du *skimboard,* qui consiste à s'élancer depuis la plage avec sa planche pour surfer la vague ! Un nouveau sport inventé par un maître nageur sauveteur, parti pour sauver une âme en peine. Eh oui, vous croyiez avoir tout vu... En tout cas, Laguna Beach a son petit charme : elle est plus verdoyante que ses petites voisines.

Où dormir ?

🛏 **Travelodge** : *30806 Pacific Coast Hwy.* ☎ *949-499-2227. Doubles env 100-260 $ (w-e en été), petit déj continental inclus. Parking gratuit.* 🖳 🛜 En surplomb de la PCH mais à une enjambée de la très belle plage, cet hôtel séduit par sa verdure, à l'image du village. Chambres confortables et correctement décorées, un rien rétro mais pas trop. Bon confort (frigo, micro-ondes, café). Piscine et jacuzzi dans le jardin, un bon point. Certes, on entend quand même le bruit de la PCH mais c'est comme ça partout sur cette côte. Évitez quand même de payer le prix fort en été ou alors renoncez aux *ocean view,* les plus chères. Il y a un *Ruby's Diner* non loin de là.

Dana Point *(hors plan couleur d'ensemble)*

⌂ Avant d'arriver à Dana Point, quelques belles plages, notamment à la sortie de *Laguna Beach* (vers le n° 30 000 de la *PCH*). De beaux endroits pour faire du *snorkelling* (plongée avec masque et tuba) ou de la plongée sous-marine. Aussi au niveau du *Ritz-Carlton*, où les plus nantis séjourneront peut-être. Les autres choisiront de stationner sur le parking derrière le *Starbucks Coffee* et iront à la petite plage tranquille. Beau petit *swell* régulier et bien formé. Pas beaucoup de monde. Dana Point est une ravissante petite station balnéaire, avec son architecture typique de maisons en bois qui cascadent vers le port, très agréable avec ses vendeurs de matériel marin et ses petits restaurants sur les pontons. C'est à partir de Dana Point que vous embarquerez pour aller observer les gros cétacés durant leur période migratoire.

Où dormir ? Où manger ?

🏕 **Doheny State Beach Campground :** *25300 Dana Point Harbor Dr.* ☎ *1-800-444-7275 (résas slt).* ● *dohenystate beach.org* ● *Attention, l'entrée se trouve au panneau « Doheny State Beach ». 2 types d'emplacement : côté mer 60 $ ou sans vue 35 $. Résa pour 7 nuits max en été (2 sem hors saison). Day use 6h-22h : 15 $.* Une partie des sites étant goudronnée, mieux vaut choisir les emplacements les plus chers, car vous campez carrément sur la plage, à même le sable, c'est donc un peu plus confortable pour le dos. Joli cadre et ambiance plutôt familiale. Pelouses avec tables de pique-nique. La présence de la *PCH* est supportable, surtout quand les vents dominants viennent de la mer... Pas mal d'oiseaux nichent dans le coin.

À faire

🎣 **Dana Wharf Sportfishing :** *34675 Golden Lantern St, sur le port, marina de Dana Point.* ☎ *1-800-979-3370 ou 949-496-5794.* ● *danawharf.com* ● *À côté du resto* Jolly Roger. *1-2 sortie(s)/j. Résa conseillée en saison. Tarifs : adulte env 32 $; enfant 19 $.* Un centre de pêche au gros qui propose du *Whale Watching,* entendez l'observation des baleines et autres cétacés qui se cachent dans l'eau. En hiver, de fin novembre à fin mars, c'est la baleine grise ; en été, de juin à août, la bleue – les soirs d'été, sur les coups de minuit, elle est rose. Toute l'année les dauphins. Le tour dure environ 2 h, on peut acheter son pique-nique à bord (et éventuellement le donner aux dauphins si la mer est agitée). Côté bonnes prises, du barracuda, du *bass* et en août la *yellowtail (seriola lalandi dorsalis),* la sériole à queue jaune.

San Onofre *(hors plan couleur d'ensemble)*

⌂ Un des plus fameux spots de surf de la côte californienne, surtout pour le *longboard,* se trouve juste à côté de... la centrale nucléaire de San Onofre, au sud de San Clemente. Il s'agit d'une State Beach, l'accès en est donc payant *(15 $/j.).* On se gare à moins de 10 m de l'eau, fidèles au cliché des plages californiennes. Off shore, au-delà de la barre, gauches et droites alternent dans un rythme parfait. C'est meilleur au montant. La plage comporte néanmoins quelques portions de gros galets. Ici, pas de boutique, ni de resto ni de café. C'est la plage, un point c'est tout. Sur les zones de beau sable, quelques terrains de beach-volley. Il y a aussi une plage de nudistes (vers la centrale nucléaire !) et un camping, mais il est un peu près de la *PCH.*

🛒 **Ralph's :** *903 S El Camino Real. Juste à la sortie de* **San Clemente,** *à gauche, en direction de San Diego.* Un supermarché où l'on trouve de tout, notamment pour constituer son pique-nique avant d'aller à la plage. Aussi des pains de glace.

Ocean side et Carlsbad (hors plan couleur d'ensemble)

⌂ Ocean Side est une station balnéaire tout en longueur avec un parterre de petites maisons en bois ponctué par quelques boutiques. Les accès à la plage contenteront plus les surfeurs que les adeptes de la bronzette. Ici, le surf est presque une religion. Pas mal de possibilités d'hébergement sur l'artère principale mais elle est bruyante. Pour accéder aux plages, quitter la *PCH* et prendre Pacific Street, non dénuée de charme avec ses maisons de style quasi normand. Plus loin, Carlsbad déroule une très longue plage de sable fin le long de la route qui mène à San Diego.

Adresse utile

🛈 *California Welcome Center Ocean Side* : 928 North Coast Hwy. ☎ 760-721-1101 ou 1-800-350-7873. ● visitocean side.org ● Tlj 9h-17h. Un office de tourisme très bien documenté dans lequel vous trouverez les brochures et *Visitor Guide* de toutes les villes de Californie.

Où dormir ?

🛏 *Ocean Side Inn & Suites* : 1820 South Coast Hwy. ☎ 760-433-5751. Doubles avec kitchenette env 50-110 $ selon saison et j. de la sem. Parking gratuit. 📶 Ce motel banal à pleurer a un petit air défraîchi vu de l'extérieur, mais dedans, c'est propre et fleuri de la moquette aux couvre-lits. Préférer l'arrière, c'est plus calme. Une vingtaine de chambres pas très grandes avec des salles de bains vraiment petites, mais les prix sont doux et on sent la maison bien gérée.

À voir

🚶🚶🧍 *Legoland California* : 1 Legoland Dr, à *Carlsbad*. ☎ 760-918-LEGO. ● legoland.com ● Navette possible depuis votre hôtel (rens à la réception). En voiture, prendre l'Interstate 5 N et sortir à Cannon Rd ; suivre ensuite les panneaux « Legoland ». Trajet : 30 mn. De Carlsbad, prendre Carlsbad Blvd, puis à gauche sur Cannon Rd, ensuite à droite sur Legoland Dr. Jeu-lun 10h-17h (18h ou 20h juin-août) ; ouv mar-mer juil-août et pdt certaines vac scol. Tarifs journée pour l'ensemble du parc : 100 $ adulte ; 90 $ pour les 3-12 ans. Parking : 12 $.
Un parc très aéré, agréablement planté et moins fréquenté que Disneyland (moins « beaufland » aussi), complété en 2008 par le *Sea Life Aquarium* et en 2010 par le *Legoland Water Park* (un parc aquatique en Lego !). Il est interactif, plutôt destiné aux familles, et comprend une cinquantaine d'attractions, où l'on doit nager, ramper et construire. C'est le paradis des petits. Tout est fait pour leur plaire. Et, il faut bien le dire, certaines réalisations sont vraiment étonnantes. Quelques points forts de la visite :
– *Aquazone* : *dans Imagination Zone* (où les familles sont invitées à jouer avec une multitude de constructions en Lego différentes. Idéal pour les Lego *maniacs* !). Un manège flottant où l'on s'assied à bord d'un simulacre d'hydrojet pour avoir la sensation de conduire vite sur l'eau.
– *Bionicle Blaster* : *dans Imagination Zone*. Une genre d'autos tamponneuses pour petits, où l'on prend place à bord d'engins tournicotant sur eux-mêmes.
– *Lost Kingdom Adventure* : *dans Land of Adventure*. Installé à bord de wagonnets, vous voilà parti pour une chasse aux méchants. Bien sûr, vous devez tirer dessus avec un pistolet laser, le décompte de points s'affichant devant vous.
– *Beetle Bounce* : *dans Land of Adventure*. Un manège où, alignés en rang d'oignons, on vous fait monter et descendre à toute vitesse ; ça crie, mais on n'y croit pas trop ! Idéal pour tasser votre burger-frites !
– *Miniland USA* : cette partie du parc plaira aussi aux grands puisqu'il s'agit d'une reproduction à l'échelle des principales villes américaines, avec leurs bâtiments les plus célèbres. Les détails sont remarquables. On peut même déjà voir la *Freedom Tower* qui remplacera les tours jumelles du *World Trade Center* à New York.

– **Knight's Tournament :** *dans Castle Hill.* On fait ici un voyage vers les temps médiévaux. Avec, au programme, le *Dragon Coaster* et l'exploration de la forêt enchantée sur des chevaux en Lego.
– Dans **Fun Town,** les enfants peuvent conduire de véritables voitures électriques et passer leur permis à l'auto-école Legoland, ou encore prendre le contrôle de l'hélicoptère à la *Sky Patrol Lego.*
– **Safari Trek :** *dans Explore Village.* On vous propose de conduire une jeep à travers une Afrique factice et de découvrir des animaux en Lego.
– **Pirate Shores :** une zone d'où l'on ressort trempé jusqu'aux os, en participant à la *Splash Battle* à bord d'un bateau de pirates, en descendant des cascades en bûches, ou en recevant un seau de plus de 1 500 l sur la tête ! (vous pouvez acheter un maillot et une serviette sur place).

■ **Legoland California Resort :** à l'intérieur du parc, 5885 The Crossings Dr. ☎ 1-877-534-6526. Doubles 150-350 $. Quelques 250 chambres familiales, personnalisées sur les thèmes Lego bien sûr (pirates, chevaliers...). Piscine, resto, aire de jeux pour les enfants et boutique (sans blague ?) pour faire le plein de briquettes colorées. L'avantage, c'est que comme chez Disney et Universal, les clients peuvent du coup accéder à certaines attractions avant l'ouverture officielle du parc.

Au sud de Carlsbad *(hors plan couleur d'ensemble)*

Encore quelques belles plages avant d'arriver à La Jolla et Punta Loma, les plages mythiques de San Diego. Celle de **South Ponto,** à la sortie sud de Carlsbad, avec son sable blanc, est superbe. Également un très agréable spot de surf à **San Elijo,** beaucoup de monde quand la vague est là.

Où dormir ?

⊠ **South Carlsbad State Beach Campground :** 7201 Carlsbad Blvd, **Carlsbad.** ☎ 760-438-3143. ● parks.ca.gov ● À env 5 km au sud de Carlsbad. Attention, entrée par le State Beach Park. Tte l'année. 2 types d'emplacement : côté mer env 60 $ ou sans vue 35 $. Résa pour 7 nuits max, renouvelable ensuite nuitée par nuitée. ☞ Un grand camping en surplomb de la plage (prévoir des remontées difficiles) qui s'étire le long de la highway.
⊠ **San Elijo State Beach Campground :** 2050 South Coast Hwy 101, à **Cardiff.** ☎ 760-753-5091 ou 1-800-447-7275. ● parks.ca.gov ● Le bus pour San Diego s'arrête à proximité. Tte l'année. 2 types d'emplacement : côté mer env 65 $ ou côté route 35 $. CB refusées. Ici, préférer côté mer, mais dans la partie sud du camping seulement, car au nord, l'accès à la plage est ardu (vous aurez une falaise à descendre ou à remonter, et ce sans escalier...). Les emplacements sont assez poussiéreux, mais la mer, peu profonde, est idéale pour s'initier au surf. Un des campings les plus sympas de la côte. École de surf, location de *boards,* supérettes. Possibilité de se connecter à Internet à la bibliothèque voisine ou en wifi au *Starbucks.* 2 bémols, cela dit : les trains sifflent la nuit et on nous a signalé quelques problèmes de vols nocturnes ces derniers temps, alors gare...

SAN DIEGO
1 308 000 hab.

▶ Pour les plans de San Diego, se reporter au cahier couleur.

À 190 km au sud de Los Angeles et à une trentaine de kilomètres seulement de la frontière mexicaine (Tijuana). Ville la plus méridionale de la côte californienne, c'est aussi la plus ancienne. Après le débarquement du navigateur espagnol Cabrillo, en 1542, sur la terre des Indiens Kumeyaay, puis la carto-graphie du site en 1602 par un autre Espagnol, Vizcaíno, qui le baptise du saint du jour (San Diego), c'est en 1769 que le père Junipero Serra y fonde la première des 21 missions permettant aux Espagnols de coloniser la Cali-fornie. Mexicaine puis américaine, avant d'être oubliée par le chemin de fer au XIXᵉ s, San Diego est aujourd'hui la deuxième agglomération de l'État par le nombre d'habitants (plus de 3 millions d'habitants pour le Grand San Diego) et la huitième ville du pays. En raison de sa proximité avec le Mexique, les Hispaniques représentent 30 % de la population.

Son climat chaud et sec et sa situation exceptionnelle, sur deux baies bien protégées, en ont fait un centre résidentiel naturellement tourné vers la mer, bien plus calme que la tré-pidante Los Angeles, pourtant si proche en nombre de kilomè-tres. Ce serait même la 10ᵉ des-tination touristique préférée des Américains. Très prisé des surfeurs, l'océan présente néanmoins quelques dangers, à cause des courants. Enfin, San Diego est une ville pros-père et patriote (160 000 militai-

THE SPIRIT OF SAN DIEGO

Il aurait pu s'appeler ainsi puisque c'est dans l'aéroport de San Diego, sur-nommé depuis Lindbergh Field, que fut construit le Spirit-of-Saint-Louis, l'avion que Charles Lindbergh pilota en solitaire de New York à Paris, en 1927. Il stupéfia le monde une 2ᵉ fois quand on apprit ses sympathies nazies (il fut décoré par Göring en 1936). Et même une 3ᵉ fois quand on sut, en 2003, qu'il avait 3 enfants d'une maîtresse allemande.

res y sont stationnés), connue pour ses bases navale et aérienne, notamment celle de Miramar, qui a inspiré le film *Top Gun* ; c'est aussi ici que fut construit le *Spirit-of-Saint-Louis* de Charles Lindbergh. Les industries militaires y ont donc fleuri, mais la fin de la guerre froide ayant réduit les budgets, la haute et la biotechnologie ont pris le relais. Outre le Downtown bien restauré, et son ambiance festive en soirée, les visiteurs apprécieront les beaux points de vue sur les deux baies, les différents quartiers (très étalés), ainsi qu'une poignée de musées et d'environs à visiter.

Arriver – Quitter

En bus

🚌 **Greyhound Bus Terminal** (hors plan couleur I par D3)**:** 1313 National Ave. ☎ 619-515-1100 ou 1-800-231-2222. ● greyhound.com ● Accessible par le trolley MTS. Tlj 5h-minuit. Achat en ligne jusqu'à 2h avt le départ. Sur place, arriver min 30 mn avt l'heure H. Pour Los Angeles, 1 bus ttes les heures (env 20 $).

En avion

✈ **L'aéroport** (plan Les environs de San Diego) est dans la ville, à slt 5 km au nord-ouest du Downtown. Sur la I-5, qui jouxte les pistes, les avions passent régulièrement au-dessus de votre tête, si près qu'on a l'impression qu'il suf-

firait de tendre le bras pour gratouiller le ventre de ces gros oiseaux vrombis-sants. Impressionnant !
➢ **De/vers Downtown (Horton Plaza) :** c'est très simple et rapide (env 30 mn), il suffit de prendre le bus MTS nᵒ 992. À l'aéroport, arrêt devant les portes des terminaux, au niveau des arrivées. Ticket : env 2,50 $. Avoir de la monnaie !
➢ Si vous logez en périphérie (Pacific Beach, Ocean Beach, etc.) : il est plus simple (mais plus cher) de recourir au service des navettes **Cloud 9 Super Shuttle**. ☎ 858-974-8885 ou 1-800-974-8885. ● cloud9shuttle.com ● En sor-tant de l'aéroport, chercher le panneau « Shuttles for hire ». Env 22 $/pers pour Pacific Beach, 16 $ pour Ocean Beach ; petite remise sur l'achat d'un A/R.
➢ Les **agences de location de voi-tures** sont un peu à l'écart de l'aéro-port. Les navettes des plus grandes

compagnies vous cueillent ou vous déposent au niveau des arrivées. Si vous prenez un avion, prévoyez une marge de 30 mn supplémentaire.

Adresses et infos utiles

Infos touristiques, services

🛈 **Visitor Center** (plan couleur I, A2) : 1140 1/3 W Broadway (angle Harbor Dr). ☎ 619-236-1212. ● sandiego.org ● À côté du Cruise Ship Terminal. Tlj 9h-16h (17h juin-sept). Dans une cabane en préfabriqué, sur un parking payant. Plans, brochures et catalogues, dont le Official San Diego Visitors' Planning Guide, très bien fait. Vend aussi des cartes de téléphone et des tickets à prix réduits pour la plupart des attractions du coin.
– Procurez-vous absolument le **Reader,** distribué gratuitement dans les bars, restos, magasins de disques et dans des bornes disposées dans le Gaslamp, souvent à côté des journaux payants. On y trouve plein d'infos sur la ville : sorties, restos, happy hours, etc. Le journal a aussi sa version en ligne : ● sandiegoreader.com ●
✉ **Poste** (plan couleur I, B2) : bureau sur Horton Plaza, alias Broadway Circle. Lun-ven 9h30-18h, sam 10h-17h.
■ **Consulat du Mexique** (plan couleur I, B1, **1**) : 1549 India St. ☎ 619-231-8414. Lun-ven 8h-13h pour les demandes de visa des non-Mexicains.
@ La plupart des hostels disposent d'un **accès wifi gratuit ou d'un accès Internet payant** (plutôt cher) si vous n'avez pas votre laptop. Sinon, possibilité de surfer gratuitement pour une durée limitée dans les très nombreuses **Public Libraries** (bibliothèques) de la ville. La nouvelle bibliothèque centrale se trouve au 330 Park Blvd, pour les horaires d'ouverture aller voir sur ● sandiego.gov/public-library ● Autre bibliothèque à Pacific Beach : 4275 Cass St ; mar-mer 12h30-20h, jeu-sam 9h30-17h30 (14h30 sam).

Se repérer

Comme dans la plupart des villes américaines, San Diego est quadrillée à partir d'un centre qui correspond à l'intersection entre First Avenue et Broadway, dans Downtown. Toutes les adresses figurant entre l'océan et First Avenue sont notées W (West), celles en deçà E (East). De même, toutes les adresses au sud de Broadway sont numérotées jusqu'à 1000 (1000 étant Broadway), celles qui partent de Broadway vers le nord, à partir de 1000. À garder en tête également : une grande partie des rues sont à sens unique par alternance.

Parkings, transports

– **Stationnement** compliqué, d'autant plus que, dans le centre-ville, il est interdit de se garer certains jours de 3h à 6h, de même à certaines autres heures plus ou moins incongrues à cause du nettoyage des rues. En général, le stationnement est payant de 8h à 18h, sauf dimanche et jours fériés. Bien vérifier néanmoins ces infos à chaque fois que vous changez de stationnement. Dans la journée, on peut se garer gratuitement pendant 3h au centre commercial Horton Plaza (entrée sur 4th St, au niveau de F St), si on valide son ticket dans l'une des machines du centre commercial (sans obligation d'achat).

■ **Transit Store** (plan couleur I, B2, **3**) : 102 Broadway St. ☎ 619-234-1060. ● sdmts.com ● Lun-ven 9h-17h. Pour obtenir tous les renseignements (horaires et trajets) sur les bus et les trolleys (trams) de San Diego gérés par le Metropolitan Transit System (MTS). Les San Diego Trolleys desservent Downtown, Old Town, la frontière mexicaine et les banlieues est et nord. Billet simple : env 2,50 $ (valable 2h mais on ne peut pas passer d'un bus à un tram avec ces billets). Pass journalier 5 $. Le Transit Store donne aussi des infos sur le coaster, qui relie toutes les stations de la côte.
– **Pour planifier vos déplacements en transports en commun,** on vous conseille fortement d'utiliser le Trip Planner du MTS sur Internet, précis et efficace : ● sdmts.com/Tripplanner. asp ●
■ **Cloud 9 Super Shuttle :** ☎ 858-974-8885 ou 1-800-974-8885. ● cloud9shuttle.com ● Service de navettes

qui vous conduit où vous voulez sur simple réservation.

■ **Pedicab** : *à partir de 5 $/pers pour une petite course et 20 $/pers de l'heure.* Des *rickshaws* ont fait leur apparition dans les rues de San Diego, pour vous balader dans le centre-ville exclusivement, et plutôt dans l'après-midi ou en soirée. Attention à certains d'entre eux qui surfacturent la prestation.

Santé

✚ **Alvarado Hospital** *(plan Les environs de San Diego)* : 6655 Alvarado Rd. ☎ 619-287-3270.

■ **Pharmacie** *(Rite Aid)* : *ouv 24h/24 au 535 Robinson Ave, à l'angle de 5th Ave (dans Hillcrest, au nord de Downtown).* ☎ 619-291-3705.

Spectacles, loisirs

■ **Arts Tix** *(plan couleur I, C2, 4)* : Center Broadway Circle, petite guérite à l'entrée de Horton Plaza. ☎ 858-381-5595. ● sdartstix.com ● *Mar-sam 9h30-17h30 ; parfois ouv le dim.* Pour l'achat de places de théâtre, de concerts à prix réduits. Réduc jusqu'à 50 % si on achète son billet le jour même.

Librairies et presse française

■ **Travel Store** *(plan couleur I, C3, 5)* : 745 4th Ave. ☎ 619-544-0005. *Tlj sf j. fériés 10h-18h ; dim 11h-17h.* Livres, guides de voyage, cartes (du Mexique, notamment), mais aussi sacs à dos, adaptateurs et matériel en tout genre.

■ **Upstart Crow** *(plan couleur I, A3, 6)* : au Seaport Village, 835 W Harbor Dr. ☎ 619-232-4855. *En face du parking. Tlj 9h-21h (22h en été).* Un café-librairie où alternent tables et rayons chargés de bouquins. Un endroit très agréable qui doit son nom au tragédien oublié Robert Greene qui, jaloux de sir William Shakespeare, son contemporain, le traita de « corbeau arriviste » dans une de ses pièces. L'étage est consacré aux enfants.

■ **Horton Stand** *(plan couleur I, C2, 7)* : *à l'entrée du Horton Plaza, à l'angle de E St et 4th Ave, derrière Sam Goody*

et le Balboa Theatre. Vend des magazines français.

Où dormir ?

À Downtown et autour

Très bon marché

⌂ **Lucky D's Hostel** *(plan couleur I, C3, 12)* : 615 8th Ave. ☎ 619-595-0000. ● luckydshostel.com ● *De l'aéroport, bus n° 992 ; arrêt à l'intersection 4th Ave/Broadway. En dortoir lit env 20-30 $, doubles env 65-90 $, petit déj (avec gaufres) inclus.* 📺 📶 Ambiance décontractée et même un tantinet *revival* dans cette auberge de jeunesse privée, rigolote et colorée, certes un peu vieillotte mais à taille humaine. De plus, c'est propre, assez central et, si vous êtes motorisé, il y a quelques parkings pas trop chers à proximité. Des vélos dans les couloirs, une grande et belle cuisine où l'on cause de la route, et puis, des dortoirs de 4 lits, mixtes ou réservés aux filles. En principe, repas offert le jeudi soir, histoire d'en rajouter dans la convivialité. Résa conseillée car il y a beaucoup moins de lits qu'à l'adresse suivante. Le bon plan pour ceux qui veulent rester « sur la route ».

⌂ **Hostelling International USA San Diego** *(plan couleur I, C3, 10)* : 521 Market St. ☎ 619-525-1531 ou 1-888-464-4872. ● sandiegohostels. org ● *En plein Gaslamp Quarter, le quartier le plus animé de la ville. De l'aéroport, bus n° 992 ; arrêt à l'intersection 4th Ave/Broadway. Lit en dortoir env 25-42 $, doubles avec ou sans sdb 55-100 $, petit déj inclus. Petite remise avec la carte des AJ. Pas de parking.* 📺 📶 Une vaste AJ sympathique dans un immeuble sur 3 étages, avec de grands couloirs lumineux dotés de parquet. Les dortoirs (gars et filles séparés ou mixtes de 4, 6 ou 10 lits) sont un peu vieillots mais encore corrects, avec sanitaires et vieux casiers individuels. Également des chambres particulières de 2, 3 ou 5 lits, plus lumineuses et plus agréables. Attention aux chambres donnant sur la rue : vous êtes en plein Gaslamp Quarter, le quartier le plus animé (et bruyant) de la ville le soir. Cuisine, laverie, salon et salle de jeux à disposition. Aux murs, lignes de bus et bons tuyaux. L'AJ organise des repas en commun, des virées en ville ou à Balboa Park. Certainement le meilleur plan pour se loger dans le centre sans casser sa tirelire, surtout si vous n'êtes pas motorisé.

🛏 Également *quelques lits en dortoir* (4-6 pers) à env 25 $ au *500 West Hotel* (voir plus loin). Dortoirs garçons et filles séparés, avec sanitaires communs. Très basique, néanmoins.

De bon marché à prix moyens

Rien d'exceptionnel dans cette catégorie, loin de là, mais elle conviendra en gros aux budgets moyens. Attention, les prix varient en fonction de ce qui se passe en ville. Et les prix les plus élevés ne correspondent pas toujours à l'été, mais parfois aux jours de convention. En « Prix moyens », voir aussi les chambres privées des auberges de jeunesse ci-dessus.

🛏 *Motel 6* (plan couleur I, B1, **18**) : 1546 2nd Ave. ☎ 619-236-9292 ou 1-800-4-MOTEL6. • motel6.com • Doubles env 75-100 $; gratuit pour les moins de 17 ans dans la chambre des parents. Parking gratuit. 📶 Les chambres ont été refaites dans un style *revival* très minimaliste. Pas très grandes, elles ne disposent que d'un seul lit, mais, outre ses prix contenus, ce motel a le mérite d'être bien situé, propre et plutôt lumineux.

🛏 *Pacific Inn* (plan couleur I, A1, **15**) : 1655 Pacific Hwy. ☎ 619-232-6391 ou 1-800-571-2933. • pacificinnsd.com • Doubles env 70-130 $, petit déj inclus. Parking gratuit. 📶 À deux pas du port, un petit motel jaune banal à pleurer, disposé en L autour de son parking et de la petite piscine au fond de celui-ci. Chambres juste convenables avec micro-ondes, TV et frigo. Mais franchement, ça ne vaut pas le prix le plus élevé le week-end ! Et puis, dommage qu'on vous facture en sus le coffre-fort (utilisé ou non) et que le train passe

juste derrière (comme si les avions ne suffisaient pas)...

🛏 *Days Inn* (plan couleur I, C1, **17**) : 833 Ash St. ☎ 619-239-2285 ou 1-800-522-1528. • daysinn.com • Doubles env 80 $ à... 250 $, petit déj inclus. Parking env 15 $. 📶 Grand motel sur 3 niveaux, plutôt tristounet de l'extérieur (malgré les plantes qui l'agrémentent), mais les chambres sont assez confortables (micro-ondes, frigo et cafetière). De plus, il est plus vaste et surtout plus calme que son voisin immédiat, le *Best Western Cabrillo Garden Inn* (voir plus loin). Évidemment, ne vaut pas le tarif le plus élevé en période de convention...

🛏 *500 West Hotel* (plan couleur I, B2, **43**) : 500 W Broadway. ☎ 619-234-5252 ou 1-866-500-7533. • 500westhotelsd.com • Doubles env 70-80 $; surveiller d'éventuelles promos sur Internet. Pas de parking. 🖥 📶 La réception vaste et carrelée de cet hôtel aux nombreuses chambres n'est pas sans rappeler les hôtels d'Afrique du Nord ou ceux de Moscou aux plus belles heures du communisme. De toute façon, ici, tout est hybride. Ascenseur défraîchi, poussif et tremblotant, murs kaki, parfois beiges, sols marron. L'ameublement et le confort sont sommaires (attention, salle de bains sur le palier !) et les chambres minuscules. Malgré la cuisine et la laverie, en dépannage, quoi... Également quelques dortoirs (voir plus haut) mais, curieusement, pas à la *YMCA*, au sous-sol, qui ne propose qu'un *fitness center* au prix modique de 5 $ par jour !

De chic à très chic

🛏 *Keating House Inn* (hors plan couleur I par B1, **13**) : 2331 2nd Ave. ☎ 619-239-8585 ou 1-800-995-8644. • keatinghouse.com • Au nord de Downtown, dans le quartier de Little Italy. Résa conseillée. Doubles 120-170 $ selon taille, petit déj complet inclus. Dans un beau quartier résidentiel, splendide maison victorienne de 1888 entourée d'un verdoyant jardin avec jacarandas, palmiers, bananiers, roses et bougainvillées. Quasiment un *B & B*. Intérieur très soigné, décoré avec le souci du détail. Une petite dizaine de chambres avec douche ou bains, plus ou moins grandes, chacune avec sa propre déco. On a un faible pour la *Garden Suite* (la plus chère !) avec terrasse à l'arrière. Excellent accueil de nos hôtes, Ben et Doug. Une très belle adresse. Un seul bémol : on entend un peu trop passer les avions, comme souvent à San Diego d'ailleurs...

🛏 *La Pensione Hotel* (hors plan couleur I par B1, **19**) : 606 W Date St (angle India St). ☎ 619-236-8000 ou 1-800-232-4683. ● lapensionehotel. com ● À Little Italy, situé entre Downtown et l'aéroport. De Horton Plaza, prendre Broadway vers la baie puis, à env 500 m, à droite, India St ; c'est à 7 blocs. Doubles env 110-180 $. Petit garage (1er arrivé, 1er servi) env 10 $. 📶 Un joli petit hôtel qui revendique son *European style* en 3 mots : confortable, pas prétentieux et propre ; il remplit tout à fait ces conditions. Décoration générale très simple, en noir et blanc, avec des reproductions de photos anciennes. Chambres petites, avec un seul lit, mais lumineuses et nickel, toutes avec ventilo et frigo. Petit patio abritant une fontaine et un café en terrasse, le *Caffe Italia*, sympa pour le petit déj, un lunch léger ou le brunch du dimanche.

🛏 *Best Western Cabrillo Garden Inn* (plan couleur I, C1, **14**) : 840 A St (entre 8th et 9th Ave). ☎ 619-234-8477 ou 1-800-528-1234. ● bestwestern. com ● Doubles env 120-190 $, petit déj (léger) inclus. Parking 10 $. 🖥 📶 Juste derrière le *Days Inn*, ce motel présente l'avantage d'être plus riant grâce à son style un peu hispanisant et ses nombreuses plantes vertes. En revanche, il faut bien le reconnaître, il est plus bruyant car situé à un angle plus passant.

Hors du centre
(plan Les environs de San Diego)

Campings

🏕 *San Diego Metro KOA* (plan Les environs de San Diego, B2, **16**) : 111 N

2nd Ave, à **Chula Vista.** ☎ 619-427-3601 ou 1-800-KOA-9877. ● sandie gokoa.com ● Prendre l'I-5 vers le sud et sortir à E St ; remonter celle-ci jusqu'à 2nd Ave, tourner à gauche, puis continuer tt droit ; le camping est tt au bout, sur la droite. En été, emplacement 50-60 $ selon j. de la sem. Loc d'une trentaine de petites maisons en rondins (90-95 $ pour 2-4 pers). 🖥 📶 Pas l'environnement le plus spectaculaire qu'on ait vu (les *highways* passent juste à côté), mais pas désagréable non plus, avec suffisamment d'arbres et d'espaces verts. Une cinquantaine d'emplacements pour les tentes, sur copeaux d'écorces et en général ombragés. Douches chaudes incluses. Machine à laver. Animation musicale (ou autres) certains soirs, activités et jeux pour les enfants et *pancake breakfast* le dimanche en été. Piscine chauffée. Cela dit, la plage de Coronado est à un quart d'heure en voiture mais l'eau y est plus frisquette.

🏕 *Campland on the Bay* (plan Les environs de San Diego, A1, **20**) : 2211 Pacific Beach Dr, à l'est de Pacific Beach. ☎ 1-800-422-9386. ● cam pland.com ● De l'I-5 (en venant du sud), sortir à Mission Bay Dr et prendre Grand Ave, à gauche, jusqu'à Olney St ; tourner à gauche, c'est tt au bout. Échelle de 10 prix différents : selon saison, emplacements 1-4 pers 40-65 $ pour les plus simples et 65-400 $ pour les plus chic. Belle situation, mais qu'on paie très cher. Ceux qui cherchent l'intimité fuiront ce camping, réservé aux amateurs du genre : plage privée, 2 piscines, supermarché, laverie, jeux vidéo, location de vélos et de bateaux (et aussi kayak, canot à pédales, catamaran...). Resto abordable et animation tous les soirs, parfois même concerts. Attention, les emplacements, ombragés et séparés par des panneaux de bois, sont souvent goudronnés, et l'entretien laisse parfois un peu à désirer. Heureusement, les espaces verts ne manquent pas. Peu de tentes et beaucoup de camping-cars géants.

Bon marché

🛏 *Hostelling International USA Point Loma* (plan Les environs de San Diego,

A2, 21) : 3790 Udall St (angle Worden), à **Point Loma**. ☎ 619-223-4778 ou 1-888-464-4872. ● *sandiegohostels.org* ● *De Downtown (env 10 km), prendre le bus n° 923 sur Broadway (attention, ne circule ni le dim ni après 18h30 en sem) et descendre à l'angle de Voltaire et Chatsworth ; l'auberge est à deux pas. En voiture : de l'I-5 North, sortir vers l'I-8 West en direction des plages ; à la fin de l'I-8, prendre Sunset Cliffs Blvd puis à gauche dans Voltaire St et 1 mile plus loin à droite (juste après Sunshine Liquors), l'AJ est à 1 bloc. Lit en dortoir 23-40 $, doubles sans sdb 45-75 $, petit déj inclus ; également des familiales 4 pers 50-105 $. Parking aisé dans la rue.* 🖥 📶 Une grande maison rouge de 2 étages, avec balcons, dans un quartier très agréable et plein de verdure. Sympathiques dortoirs de 4 à 10 lits. Les chambres aux couleurs pastel ne sont pas très grandes, mais bien tenues et agréables, à l'image de cette adresse conviviale, à l'atmosphère sage et paisible, plus fréquentée par les âmes tranquilles et les familles que par les fêtards (alcool interdit). Et pour compléter le tout : une magnifique cuisine équipée, une laverie, une salle TV et une cour vraiment avec plantes vertes, hamac, fauteuils et table de ping-pong. Dîner servi 4 soirs par semaine (5 $) ainsi qu'une soirée barbecue. Accueil charmant.

🏠 **Ocean Beach International Hostel** (plan Les environs de San Diego, A2, **22**) : 4961 Newport Ave (entre Bacon et Cable), **Ocean Beach**. ☎ 619-223-7873 ou 1-800-339-7263. ● *californiahostel.com* ● *Bien située, à deux pas de la plage, et reconnaissable à sa façade blanc et bleu pavoisée. Résa conseillée en été. Lit en dortoir 20-30 $ et 60-90 $ la chambre privée de 3 lits, petit déj compris. Barbecue gratuit 2 soirs/sem.* Navette gratuite depuis l'aéroport (l'AJ rembourse le prix de la course, mais appelez avt pour prévenir de votre arrivée). 🖥 📶 Auberge de 120 lits, très appréciée des *backpackers*. Pas mal de passage et d'ambiance. Les 23 dortoirs (4-6 lits) sont très convenables, avec des rideaux isolants (bonne idée), certains avec des sanitaires bien tenus. Seulement 2 chambres privées avec sanitaires.

Draps fournis. Côté espaces communs : salon TV avec DVD et terrasse sur le devant pour les fumeurs. Bien sûr, possibilité de laver son linge et de faire la cuisine. *Lockers* gratuits. Location de surf. Plein de petits restos dans le coin. Bon accueil.

🏠 **Banana Bungalow Hostel & Hotel** (plan Les environs de San Diego, A1, **23**) : 707 Reed Ave (entre Ocean et Mission Blvd), **Pacific Beach**. ☎ 858-273-3060. ● *bananabungalowsandiego.com* ● *De l'aéroport, bus n° 992 jusqu'à Broadway dans Downtown, puis bus n° 30 sur Broadway (croisement avec 3rd Ave), direction Pacific Beach, et descendre à l'angle de Mission Blvd et Reed Ave ; à un demi-bloc vers la plage. En voiture : prendre l'I-5, sortir à Grand Ave et suivre la Highway jusqu'à Mission Blvd ; là, tourner à gauche, c'est à 2 blocs (sur la droite). Lit en dortoir 25-35 $ ou doubles 85-150 $ selon saison, petit déj inclus. Parking gratuit devant. Consignes payantes.* 🖥 📶 Repérable à sa façade jaune au style de cabane en bois, voici une AJ très bien située, le long de la promenade qui borde la plage. En revanche, c'est spartiate et exigu : petits dortoirs mixtes avec salle de bains attenante, ou chambre privée à prix exagérément élevé en été. Heureusement qu'on ne vient pas là pour rester enfermé dans sa chambre mais pour aller surfer toute la journée. D'ailleurs, les occupants profitent au maximum de la terrasse sur la plage. Machines à laver et grande cuisine commune. Ambiance très jeune et détendue, avec des soirées à thème, barbecue, etc.

De prix moyens à chic

Voir aussi les auberges de jeunesse ci-dessus qui proposent des chambres de bon marché à prix moyens (voire à prix chic en saison).

🏠 **The Beach Cottages** (plan Les environs de San Diego, A1, **23**) : 4255 Ocean Blvd (entre Reed et Thomas Ave), **Pacific Beach**. ☎ 858-483-7440. ● *beachcottages.com* ● *Accès par Mission Blvd ; en face du Banana Bungalow. Doubles type motel 80-170 $, cottages (1-6 pers)*

180-345 $; également des apparts et studios. Parking gratuit. 🛜 Situé à deux pas de la plage, cet établissement blanc à la toiture verte abrite un large choix de logements (évitez le *North building*), un peu tassés dans un espace restreint, certes, mais disposant presque tous d'une terrasse commune ou d'un balcon privé. Certains ont une vue sur la mer. Les cottages en bois ressemblent à des mobile homes améliorés. Les moins fortunés se contenteront d'une *motel room*, un peu désuète, avec mini-frigo, micro-ondes et cafetière. Tous les hébergements, sauf les *motel rooms*, possèdent une cuisine équipée et s'avèrent très intéressants à 4 ou 6. Déco un poil vieillotte quand même, à l'image des pauvrettes tables de ping-pong, mais ambiance familiale avec barbecues, plus un accès direct à la plage. Bon accueil.

■ *Ocean Beach Hotel (plan Les environs de San Diego, A2, 22)* : 5080 Newport Ave *(entre Bacon et l'océan)*, à **Ocean Beach.** ☎ 619-223-7191. ● *obhotel.com* ● *Doubles env 120-220 $ selon saison et vue. Parking gratuit.* 🖥 🛜 Un hôtel d'une petite soixantaine de chambres presque sur la plage, dont la moitié avec vue telle la n° 220, l'une des plus chères (mais le coucher de soleil sur le Pacifique a un prix !). Les chambres, situées autour d'un patio avec fontaine glouglouttante, ne sont pas très grandes (notamment les salles de bains, vraiment étroites), mais joliment meublées, confortables et propres, avec frigo, micro-ondes et TV. Accueil très aimable.

■ *Coronado Inn & Coronado Island Inn (plan Les environs de San Diego, A2, 24)* : 266 Orange Ave, *sur l'île de Coronado.* ☎ 619-435-4121 ou 1-800-598-6624. ● *coronadoinn. com* ● *De Downtown, prendre Harbor Dr vers le sud puis le Coronado Bridge ; éventuellement l'I-5 et sortie Coronado. À 2 blocs du ferry pour Downtown (ttes les heures jusqu'à 22 h ; env 8 $ A/R). Doubles env 80-150 $, petit déj continental inclus. Parking gratuit mais place non garantie.* 🖥 🛜 D'un côté, vous avez le *Coronado Inn*, qui propose des chambres un peu moins bruyantes mais un

poil plus chères, dans un cadre un peu plus chic et un peu plus en retrait de la route que le *Coronado Island Inn*, l'annexe du motel de l'autre côté du carrefour. Ce dernier, recouvert de bardeaux de bois sur 2 étages, se trouve juste au bord d'une rue très fréquentée donc assez bruyante. Petites chambres très simples, avec clim, micro-ondes et frigo. Vous trouverez difficilement moins cher sur cette île.

■ *Inn at Sunset Cliffs (plan Les environs de San Diego, A2, 25)* : 1370 Sunset Cliffs Blvd, **Point Loma.** ☎ 619-222-7901 ou 1-866-786-2543. ● *innatsunsetcliffs.com* ● *À la limite d'Ocean Beach, juste après Point Loma Ave. Doubles 150-195 $ selon saison, appart 2 pers 240-325 $. Point Loma Café à côté. Parking gratuit (mais 1ᵉʳ arrivé, 1ᵉʳ servi).* 🖥 🛜 Un hôtel bleu et blanc d'une vingtaine de chambres, merveilleusement situé au ras des flots, sur les Sunset Cliffs, célèbres pour leurs couchers de soleil. Certes, les chambres au style de mobile home confortable ne sont pas bien grandes (et la literie est un peu moyenne), mais elles sont réparties autour d'une cour toute fleurie dotée d'une jolie piscine au centre, avec une magnifique terrasse sur la mer. Les standard donnent sur la piscine et les suites les plus chères sur l'océan. Accueil prévenant et sympathique. Belle balade avec de beaux points de vue en allant vers le sud de la falaise.

Très chic

■ *Crystal Pier Hotel (plan Les environs de San Diego, A1, 26)* : 4500 Ocean Blvd *(angle Garnet Ave)*, **Pacific Beach.** ☎ 858-483-6983 ou 1-800-748-5894. ● *crystalpier.com* ● *Pour y accéder, prendre Garnet Ave, c'est au bout de la rue. Résa indispensable, parfois jusqu'à 6 mois à l'avance. Studios 2 pers 175-395 $, maisonnettes 4 pers 250-370 $, pour 6 pers 385-525 $ selon saison.* 🖥 🛜 Très cher mais vraiment exceptionnel si vous en avez les moyens : quelques chambres et studios mais surtout une petite trentaine de cottages blanc et bleu sur une longue jetée en bois surplombant la mer et les surfeurs. À l'intérieur, belle déco marine, atmosphère intime. Terrasse, baie vitrée, cuisine équipée... On peut même se garer devant la chambre ! Peut-être l'adresse la plus emblématique de San Diego, en tout cas idéale pour admirer le coucher du soleil et se laisser bercer au son des rouleaux. Si vous ne dormez pas ici, allez quand même jeter un œil sur le ponton, libre d'accès jusqu'à la tombée de la nuit. On peut même y louer des cannes à pêche !

Où manger ?

À Downtown

Spécial petit déjeuner

☞ **Café 222** (plan couleur I, B3, 32) : 222 Island Ave (angle 2nd Ave). ☎ 619-236-9902. Tlj 7h-13h45. Petit déj ou sandwichs 7-12 $. Au cœur de Downtown, un sympathique petit café à l'intérieur vert et jaune, éclairé par des chandeliers en forme de tasses et de petites cuillères. Dans la salle, toute vitrée, ou sur les 2 petites terrasses qui attirent à juste titre les foules matinales, on peut déguster de bonnes gaufres nature ou au potiron, des French toast au beurre de cacahuète, d'énormes pancakes (suffisants pour 2 personnes) ou encore des fruits, yaourts, omelettes, etc. Pour midi, un bon choix de sandwichs, de paninis et de salades. Service efficace et souriant. Bonne musique de fond.

☞ **Zanzibar Café** (plan couleur I, C3, 30) : 707 G St. ☎ 619-230-0125. Tlj 8h-21h ou 22h (20h dim). Petit déj env 10-15 $. Cette adresse, que l'on vous recommande dans « Où manger ? » (voir plus loin), vaut aussi pour son excellent choix de petits déjeuners concoctés à base de produits frais. Le tout est servi dans le cadre agréable d'un bistrot d'aujourd'hui.

☞ **Grand Central Café** (plan couleur I, B2, 43) : 500 W Broadway (angle India St). ☎ 619-234-2233. Petit déj servi jusqu'à 11h en sem et 14h le w-e. Env 12 $. En plein quartier des affaires,

à deux pas de la Santa Fe Station, ce grand café suranné et vaguement décoré sur le thème du train est surtout fréquenté par les anciens et les businessmen du coin. Au menu, les classiques du petit déj américain : omelettes, bacon, bagels, pancakes, accompagnés de jus de chaussette. Rien d'exceptionnel, loin de là, plutôt une atmosphère un brin nostalgique.

☞ **Karen Krasne Extraordinary Desserts** (plan couleur I, B1, 38) : 1430 Union St. ☎ 619-294-7001. Sem 8h30-23h (minuit ven), w-e 10h-23h (minuit sam). Pour les amateurs de petit déj sucré et de bons cafés et thés (voir plus loin).

Bon marché

|●| **Hodad's** (plan couleur I, C2, 31) : 945 Broadway Ave (angle 10th Ave). ☎ 619-234-6323. Tlj 11h-21h (22h ven-sam). Burgers 5-12 $ max. Leur devise : No shirt, no shoes, no problem. Bref, comme le dit un concurrent célèbre, venez comme vous êtes, surtout si vous descendez de votre planche de surf (cela dit, ici, on est en pleine ville !). Il faut dire que cette succursale est née du succès du local d'origine, toujours ouvert à Ocean Beach (voir plus loin). Déco et ambiance bien roots, voire grunge, avec des plaques d'immatriculation partout, une planche géante en guise de table commune et de la musique rock bien épaisse, à l'image des burgers maison. Rien de très raffiné dans le basket mais de bons gros burgers, servis plutôt bien cuits, en taille mini, entier ou double, à toutes les sauces et avec ou sans (grosses) frites. Service sympa et efficace. Bon plan spécial fauchés !

|●| **J. Wok** (plan couleur I, C3, 35) : 744 Market St. ☎ 619-231-1088. Tlj 11h-23h. Plats env 8-10 $. Dans un petit décor d'aujourd'hui, une cuisine qui se définit comme « Asian modern mix » avec des entrées (« Asian tapas ») du style papaya salad ou korean beef et de grands classiques revisités comme les pad thaï, chow mein et autres fried rice... Mon tout est bon et parfumé, même s'il faut faire preuve d'un peu de patience.

lOl *Valentine's* (plan couleur I, C3, 33) : 842 Market St. ☎ 619-234-8256. Tlj 8h-minuit (2h ven-sam). Plats 4-8 $. Pas de quoi siffloter My Funny Valentine mais voici une sorte de fast-food mexicain au cadre neutre (mais pas glauque) proposant des tacos, burritos, enchiladas et autres plats d'une qualité tout à fait honorable pour des prix à faire soupirer d'aise (et de soulagement) votre porte-monnaie.

Prix moyens

lOl *Zanzibar Café* (plan couleur I, C3, 30) : 707 G St. ☎ 619-230-0125. Tlj 8h-22h (21h dim). Plats 10-15 $. Happy hours 16h-18h : plats 5-8 $. Au cœur du Gaslamp Quarter, un sympathique bistrot contemporain dans un décor de bois et de brique, avec baie vitrée ouverte sur la rue, casiers à vins et quelques toiles sur les murs. À la carte, d'excellentes salades (house, asiatique, marocaine...), de la volaille from the oven, des burgers, des sandwichs et des assiettes bien fraîches. Celles-ci sont d'ailleurs déclinées en petit ou grand format le soir, en concurrence avec quelques planches de fromages ou de charcuterie. Pour finir, de beaux desserts maison exposés en vitrine : pot au chocolat, crème brûlée, tarte au citron... Miam ! Soirées dégustation régulières. Service efficace et souriant.

lOl *Karen Krasne Extraordinary Desserts* (plan couleur I, B1, 38) : 1430 Union St. ☎ 619-294-7001. Sem 8h30-23h (minuit ven) ; w-e 10h-23h (minuit sam). Snacks et tartines 5-8 $, sandwichs et salades 10-18 $, gâteaux 5-9 $. Son nom résonne comme une comédie hollywoodienne. Et, en effet, dans cette vaste salle contemporaine, bordée d'une charmante terrasse sur le côté, les gâteaux fleuris font office d'actrices glamour foulant le tapis rouge. L'endroit, célèbre pour ses pâtisseries, est aussi bien adapté à une pause sucrée qu'à un lunch ou dîner léger (salades, paninis ou bruschettas au menu). Les prix sont assez élevés, mais les « en-cas » sont savoureux et costauds et, à moins d'être un gourmand impénitent, un gâteau pour 2

suffit. Soyons honnêtes : certes, les gâteaux sont vraiment spectaculaires, mais certains souffrent de la tendance nationale à « empiler » les saveurs, au détriment de la subtilité.

lOl *Filippi's Pizza Grotto* (hors plan couleur I par B1, 34) : 1747 India St (entre Date et Fir St), dans Little Italy. ☎ 619-232-5095. Tlj 11h-22h (23h30 ven-sam). Pizzas env 13-18 $, plats de pâtes 8-12 $, vins italiens à prix doux. Lire d'abord l'historique de la maison, placardé en façade... Ça commence comme dans un film de genre, style Le Parrain, puisqu'il faut traverser l'épicerie, qui fleure bon le parmesan et le jambon fumé, pour accéder aux petites salles où pendent des centaines de bouteilles de chianti (vides, soyons précis). Une grotte, en effet, où se cache le four produisant d'énormes pizzas pleines de mozzarella. Également des raviolis, lasagnes, spaghettis, servis avec boulettes ou saucisses maison.

lOl *Sammy's Woodfired Pizza* (plan couleur I, C3, 40) : 770 4th Ave. ☎ 619-230-8888. Tlj 11h30-21h (22h ven-sam). Plats 10-17 $, pizzas 10-13 $. Au pied du Horton Plaza (3h de parking gratuit après validation), une adresse familiale avec un grand comptoir à l'entrée derrière lequel s'activent les pizzaïolos. D'accord, c'est une chaîne, mais l'endroit conviendra pour une pizza sans chichis (notons cependant le format modeste des pizzas pour ce pays) ou un plat de pâtes. Bon accueil.

Plus chic

lOl *Fish Market* (plan couleur I, A3, 39) : 750 N Harbor Dr (sur G St Pier). ☎ 619-234-4867. Tlj 11h-21h30 (22h ven-sam). Résa conseillée le w-e (bien préciser pour quelle salle). Plats 13-25 $ au rdc et 20-40 $ à l'étage. Au bout d'un immense parking, une super vue sur la baie, sur l'amusante statue d'un marin embrassant une jolie fille (flûte, il est question de la délocaliser au New Jersey !), mais surtout sur l'impressionnant U.S.S. Midway. Installez-vous en terrasse sur le port (à condition d'avoir réservé), ou dans l'une des belles salles de resto :

brasserie au rez-de-chaussée, avec baie vitrée, photos en noir et blanc, bars à sushis et à huîtres (pas besoin de réserver) ou salle un peu plus chic à l'étage *(Top of the Market),* avec bois ripolinés, cuivres et miroirs pour une ambiance marine un poil rétro (la musique est là pour le souligner). Pas donné, mais une bien belle adresse.

l●l *Sevilla (plan couleur I, C3, 42) :* 353 5th Ave. ☎ 619-233-5979. *Lun-ven 17h-23h ; sam 11h30-13h30, 17h-1h30 ; dim 11h-23h. Tapas env 5-17 $, paella 18-28 $.* Dès la porte franchie, un éclairage rougeoyant vous plonge immédiatement dans une ambiance espagnole. Et c'est sous le ciel étoilé d'une rue de Séville (avec ses lampa-daires, scènes de vie quotidienne, fenêtres ouvragées...) que vous dînerez d'un assortiment de tapas ou d'une paella. Gardez donc de la place pour les bons desserts. Groupe de musi-ciens sévillans pour rythmer la soirée dès 21h.

l●l *Blue Point Coastal Cuisine (plan couleur I, C3, 41) :* 565 5th Ave. ☎ 619-233-6623. *Tlj 17h-22h (23h ven-sam). Plats 30-45 $.* Cuisine de la côte cali-fornienne proposant surtout des vian-des et des poissons grillés, moules, huîtres, etc. Déco plutôt chic, service nappé, verres bleus, le décor se paie aussi. Aquarium et peintures sur le thème de la pêche, cuisine bien en vue, places compartimentées et fauteuils de style Chesterfield.

À Mission Hills

On vous a dégoté un resto super sympa au pied de Mission Hills, dans un pâté de maisons coincé dans le cul-de-sac de Washington et India St, bordé par la bruyante I-5 et à deux pas de l'aéroport ! Effrayant ? Non, car c'est un coin vraiment populaire, qui change des quartiers touristiques convenus. Une terre de mission, quoi.

De bon marché à prix moyens

l●l *Blue Water (plan Lès environs de San Diego, 36) :* 3667 India St. ☎ 619-497-0914. *Tlj 11h30-21h (22h ven-sam). Tacos, soupes et sand-wichs 7-18 $, salades et plats 9-25 $.* L'une de nos adresses préférées à San Diego, mais on n'est pas les seuls ! File d'attente impressionnante aux heures des repas, alors venez en dehors ou armez-vous de patience. C'est une sorte de « bistrot de la mer » avec des vitrines de poisson frais, un grand tableau affichant les arrivages et leur provenance, une petite salle au décor marin et un patio. Très connu (on en a même parlé à la télé québé-coise, c'est vous dire), notamment pour sa fraîcheur et ses prix raison-nables. On commande à la caisse et on attend patiemment ses tacos, son *ceviche* de crevettes, ses calamars ou son poisson : *grouper* mexicain (mérou), *halibut* d'Alaska (flétan), par-fois même du requin... Vin blanc au verre. Excellente ambiance.

l●l *El Indio (plan Les environs de San Diego, A2, 36) :* 3695 India St. ☎ 619-299-0385. *Tlj 8h-21h. Plats 5-10 $.* Un mexicain sans prétention mais on y mange un excellent guacamole avec des *nachos* maison, ainsi que de savoureux tacos et *burritos* (miam, la *carne asada*). À vrai dire, le décor de cafétéria banale, les couverts en plastique et le service un peu expéditif n'incitent pas à y camper. Mais si la file d'attente du *Blue Water* voisin vous traumatise, rabattez-vous ici !

À University Heights

Au nord du Balboa Park, un quartier qui tire son nom de la construction d'une université à la fin du XIXe s. Aujourd'hui, c'est toujours un secteur étudiant, mul-ticulturel et très fréquenté par les artis-tes de la ville. Finissez donc la soirée au *Small Bar* voisin (4628 Park Blvd), toujours très animé !

l●l *El Zarape (plan Les environs de San Diego, B1, 37) :* 4642 Park Blvd. ☎ 619-692-1652. *Tlj 8h-2h (23h lun). Plats 4-7 $.* Une petite cantine mexi-caine comme on les aime : excellente et totalement *inexpensive*. On choisit au tableau, on paie au bar et on attend d'être appelé par son numéro. Grand choix de tacos, de *burritos* et autres *combinations*. Le *house burrito* est énorme et délicieux. Il y en a aussi des végétariens. À la fin, on vide son plateau avant de partir, sioufplaît, tout en se frottant la peau du ventre bien tendue. Merci, petit Résousse !

|●| Muzita Bistro (plan Les environs de San Diego, B1, **37**) : 4651 Park Blvd. ☎ 619-546-7900. Lun (fermé le midi)-jeu et dim 11h-22h, ven-sam 11h-23h. Plats 12-17 $. Dans ce quartier pluriethnique, pas étonnant d'y trouver un resto... d'Abyssinie, du nom de l'actuelle Éthiopie. Dans une jolie maison en bois, bercée par une douce musique et un éclairage tamisé, vous dégusterez le fameux injira, la crêpe traditionnelle agrémentée de divers ingrédients. Champignons, tomates et courgettes dans le kantisha kilwa, bœuf dans le siga kilwa ou encore agneau dans le beggie kilwa. En revanche, évitez le shiro, un plat de pois chiches sans intérêt. Bières éthiopiennes. Sans doute un poil cher pour ce que c'est, mais l'adresse idéale pour une soirée exotique ou en amoureux.

À Hillcrest

Au nord de Downtown, c'est un quartier fréquenté par les communautés gays et lesbiennes. Cela dit, il nous a paru esthétiquement peu séduisant, et regorge de restos globalement chers et clinquants. Autre gros point noir : le stationnement, vraiment difficile.

De prix moyens à chic

|●| Arrivederci (plan Les environs de San Diego, A2, **45**) : 3845 4th Ave (entre Robinson et University). ☎ 619-299-6282. Tlj 11h30-14h30, 17h-21h. Résa conseillée. Plats 12-22 $. Sur validation, parking gratuit pdt 1h15 juste à côté. Une terrasse sur le trottoir et un intérieur chaleureux dans un style très « rustique à l'européenne » (nappes à carreaux, bouteilles de vin bien en vue). Ici, pas de pizza (il faut aller un peu plus loin, au coin du bloc, pour la pizzeria), mais les antipasti, pâtes maison, raviolis et autres risotto bien préparés et généreusement servis attirent les foules : on vient en famille, entre amis, toutes générations confondues.

Résultat, il faut souvent s'armer de patience. Une adresse pas prétentieuse pour deux sous, qui cultive une vraie ambiance de trattoria.

Dans Balboa Park ou à proximité

De prix moyens à chic

|●| The Prado (hors plan couleur I par D1, **46**) : 1549 El Prado. ☎ 619-557-9441. En plein cœur du Balboa Park, juste à côté du Visitor Center. Tlj sf lun 11h30-15h et 17h-21h. Le w-e slt le midi. Sandwichs et salades 10-15 $, plats chauds 15-21 $; le soir, menu 33 $ ou plats 25-35 $. Resto très joliment décoré, tant à l'intérieur qu'au bar ou sur la terrasse, ombragée par quelques parasols et rafraîchie par une petite fontaine. On y sert une cuisine assez raffinée, en particulier de délicieuses salades très fraîches et des sandwichs avec du pain maison accompagnés de chips au taro. Les gros mangeurs se laisseront tenter par une savoureuse paella. Attention, pas mal de monde au déjeuner.

|●| Karen Krasne Extraordinary Desserts (hors plan couleur I par C1, **38**) : 2929 5th Ave (entre Palm et Quince). ☎ 619-294-2132. Sortir du parc par le Cabrillo Bridge et remonter jusqu'à la 5th Ave, prendre à droite ; c'est 2 blocs plus loin. Sem 8h30-23h (minuit ven), w-e 10h-minuit (23h dim). Si vous ne rechignez pas à marcher un peu, ce minuscule salon de thé avec patio s'avère parfait pour une pause sucrée quand vous visiterez le Balboa Park et ses nombreux musées. Ambiance plus intime et moins « design » que dans Downtown, et vous viendrez cette fois-ci uniquement pour les énormes (et spectaculaires) gâteaux fleuris... Voir aussi « Où manger ? » à Downtown.

Dans Old Town et les environs

De bon marché à prix moyens

|●| The Corvette Diner (plan Les environs de San Diego, A2, **47**) : 2965 Historic

Decatur Rd (Liberty Station), sur la presqu'île de Point Loma. ☎ 619-542-1476. À env 3 km au sud-ouest de Old Town ; prendre la Pacific Hwy vers le sud, puis Barnett Ave ; tourner à gauche dans Truxtun Rd, puis encore à gauche pour rejoindre Historic Decatur Rd. Tlj 11h-21h (23h ven-sam). Burgers et salades 9-16 $, menu-enfants 7 $. Ne vous fiez pas à la sobriété de ce gros cube en adobe installé à Liberty Station, ancien centre d'entraînement de la marine fermé en 1997. À l'intérieur, ce diner est entièrement dédié aux fifties et expose comme promis un exemplaire (tout vert) de la fameuse Corvette. Amusant contraste entre la salle principale (franchement rétro, sans parler de celle dotée de hublots diffusant de vieux extraits de films) et cette salle toute noire constellée d'étranges dessins fluorescents... Au secours, Mars attaque ! Il faut dire que la salle de jeux vidéo adjacente rend l'adresse très populaire auprès des enfants, qui s'y ruent en famille le week-end pour fêter un anniversaire (avec ballons, pailles dans les cheveux et petit numéro des serveurs) ou pour s'empiffrer d'honnêtes burgers, sandwichs et salades variés, le tout sur fond de vieux standards filtrés par un DJ d'époque. Service aux petits soins.

|●| Casa Guadalajara (plan couleur II, E4, **44**) : 4105 Taylor St, à Old Town. ☎ 619-295-5111. Lun-ven 11h-22h, sam-dim 8h-22h. Plats 12-18 $. Une oasis de fraîcheur, à côté du Bazar del Mundo, un peu à l'écart de l'agitation touristique. Dans la belle salle colorée ou sur la terrasse ombragée, au son des mariachis, la nombreuse clientèle se régale de plats copieux et bien exécutés, des fajitas croquantes aux quesadillas fondantes, sans oublier les tacos de poisson bien croustillants. Également des specials différents chaque jour. Une petite margarita pour la soif, et le dépaysement est complet. Service souriant et efficace.

À La Jolla

Bon marché

|●| La Jolla Cheese Shop (plan Les environs de San Diego, A1, **48**) : 2165 av. de la Playa (entre av. de la Ribera et calle de la Plata). ☎ 858-459-3921. Tlj 8h30-16h (17h ven-sam) ; ferme plus tard en été... Sandwichs 7-11 $. Ce minuscule deli un peu foutraque s'est bâti une solide réputation grâce à des sandwichs délicieux, copieusement garnis de viande. Les amateurs de pastrami au saut du lit y prendront leur petit déj, les autres se caleront l'estomac avant d'aller surfer. La plage est au bout de la rue !

À Ocean Beach

Bon marché

|●| Hodad's (plan Les environs de San Diego, A2, **22**) : 5010 Newport Ave, à Ocean Beach. ☎ 619-224-4628. Tlj 11h-21h (22h ven-sam). Burgers 5-12 $. C'est l'adresse originale, La Mecque du surfeur en quête du dieu « Burger » après avoir essuyé quelques vagues pas piquées des hannetons. Comme dans sa succursale de Downtown, le décor est constellé de plaques d'immatriculation. Pour vous distraire pendant que vous faites la queue (malheureusement incontournable à l'heure de la Grande Fringale), cherchez donc la seule plaque française ; un indice, elle est immatriculée dans le 37... Excellents burgers à déguster dans une ambiance bourdonnante. Énormes glaces pour le dessert ! On adore.

À Pacific Beach

Spécial petit déjeuner

☞ Kono's Surf Club et **Isabel's Cantina** (lire ci-dessous).

De bon marché à très chic

|●| Kono's Surf Club (plan Les environs de San Diego, A1, **26**) : 704 Garnet Ave. ☎ 858-483-1669. Tlj 7h-15h (16h w-e). Petit déj et plats env 5-7 $. Une petite cabane colorée, située pile poil à l'entrée du Crystal Pier Hotel avec son magnifique ponton sur la mer (à ne pas louper !). Comme son nom l'indique, idéal pour les surfeurs qui n'ont pas beaucoup d'argent de poche. Bon choix de petit déj (*burritos*, pancakes, etc.), burgers, sandwichs, *pitas* et salades. En accompagnement, copieuses *potatoes* avec fromage, oignons et poivron. Terrasse en bois à l'arrière. Location de surfs et de vélos en face.

l●l *Isabel's Cantina* (plan Les environs de San Diego, A1, **49**) : 966 Felspar (entre Bayard et Cass St). ☎ 858-272-8400. *Dans une rue perpendiculaire à l'océan, à 3 blocs de celui-ci. Tlj 8h-15h, 17h-21h30. Petit déj et plats 10-15 $.* Un dragon en façade et une grande salle très dépouillée que l'on peut qualifier de « zen », tel est le surprenant décor de cette *cantina* qui sert aussi bien des petits déj (bon café, pancakes en tout genre, *coconut French toast*, granola ou omelettes) que des plats d'inspiration latine et asiatique. À la carte, tacos, *tamales* et chili relleno côtoient les *wontons*, *buddha bowl* et autres bols de nouilles ou de riz. Cuisine la plus *organic* possible (dixit la direction), à la fois généreuse et légère, plutôt bien préparée même si certains plats mériteraient des saveurs un peu plus relevées.

l●l *Sushi Ota* (plan Les environs de San Diego, A1, **20**) : 4529 Mission Bay Dr, **Mission Bay.** ☎ 858-270-5047. *Proche de Pacific Beach et facilement accessible par l'I-5 ; juste à côté d'un concessionnaire Nissan, au fond du parking d'un petit centre commercial. Mar-ven 11h30-14h, 17h30-22h30 ; lun et sam-dim, slt le soir. Plateau de sushis ou sashimis env 15-27 $.* Situation totalement improbable pour ce minuscule resto japonais logé (pour ne pas dire caché) dans un petit centre commercial, non loin du *Campland on the Bay* (voir « Où dormir ? »). Résa conseillée car cette adresse confidentielle attire tous les fins connaisseurs de poissons crus. Et pour cause : les prix sont doux et la qualité irréprochable. Le poisson est préparé sous vos yeux par une équipe experte. Décor à la fois sobre et élégant, comme il se doit au pays du Soleil Levant.

Où boire un verre ?

♟ *Buster's Beach House* (plan couleur I, B3, **51**) : 807 West Harbor Dr, à **Downtown.** ☎ 619-233-4300. *Dans Seaport Village, à hauteur de l'hôtel Hyatt, mais au bord de l'eau. Tlj 8h (7h w-e)-22h.* Sympa pour boire un verre face à la marina en rêvant d'un prochain départ. Les matins de brume, attablez-vous à l'intérieur, sur l'une des planches de surf vernissées qui font office de tables. Moins convaincant, en revanche, côté cuisine.

♟ *Hotel del Coronado* (plan Les environs de San Diego, A2, **53**) : 1501 Orange Ave, **Coronado Beach.** ☎ 619-435-6611. *Brunch buffet dim 9h30-13h, à 77 $ + taxes !* Cet hôtel historique (lire notre commentaire dans « À voir »), que certaines mauvaises langues osent qualifier de « Courtepaille de luxe », sert un brunch légendaire dans une immense salle à manger *(The Crown)* avec plafond à caissons et en forme de carène de navire renversée. Billy Wilder, qui y a tourné une célèbre comédie, rebaptisé sans doute son film *Certains l'aiment cher...* On peut donc se contenter d'y boire un verre !

Où sortir ?

Dès la fin de l'après-midi, les gens se retrouvent pour boire un verre et dîner dans Downtown, puis au fur et à mesure que la soirée progresse, les restos laissent place à la fête et à la musique. Rock et blues déferlent alors sur le trottoir. On peut presque choisir à la carte en se baladant. Bon, heureusement que les Irlandais ont importé leurs pubs ! Ils sont majoritaires ici... La plupart des boîtes se situent dans le quartier de Gaslamp, et particulièrement sur 5th Street. En semaine, quasiment jamais de *cover charge*. Consulter également le gratuit *San Diego Troubadour*.

♟ ♪ *Patricks Gaslamp Pub* (plan couleur I, C2, **50**) : 428 F St. ☎ 619-233-3077. ● *patricksgaslamppub. com* ● *Tlj 10h (9h le w-e)-2h. Entrée : env 3-5 $ le w-e.* Petit pub irlandais bien sombre, bien animé le soir et ouvert sur la rue en été. Tous les soirs, de bons orchestres de blues, jazz, soul et rock dès 21h. On a un gros faible pour la belle ambiance de ce repaire d'habitués pas clinquant pour deux sous.

🍸 🎵 **The Stage** (plan couleur I, C3, 54) : 762 5th Ave. ☎ 619-651-0707. ● stagebarsd.com ● Tlj jusqu'à minuit. Entrée : 5 $ ven-sam. Interdit aux moins de 21 ans. Une petite scène musicale tenue par des musiciens, ça vaut la peine de le signaler. Bar tout noir avec la scène au fond. Bien animé, même en semaine. Reggae night le lundi, rock des années 1980-90 du mardi au jeudi plus le dimanche, et DJ (house, techno, etc.) les vendredi et samedi. Sympa.

🍸 🎵 **The Shout House** (plan couleur I, C3, 52) : 655 4th Ave. ☎ 619-231-6700. ● theshouthouse.com ● Mar-dim 19h (18h ven-sam). Entrée payante jeu-sam : env 5-10 $. Interdit aux moins de 21 ans. Grande salle où les ventilateurs découpent les paroles des clients attablés devant leur verre d'écume. Derrière le comptoir, les barmen s'activent aux manettes des pressions. Ici, la Bud coule à flots, dans une ambiance de rade à l'époque de la prohibition. Sur l'estrade, 2 grands pianos se font face. C'est simple : vous remplissez le request form, vous le déposez sur un piano et votre morceau sera interprété moyennant souvent quelques arrangements délirants ou comiques par les duettistes. Ambiance déjantée. Burgers de rigueur ; quant à la bière, c'est bien connu, à partir de 3, dit-on, on comprend bien mieux l'anglais !

🍸 **The Field** (plan couleur I, C3, 56) : 544 5th Ave. ☎ 619-232-9840. ● thefield.com ● Tlj 11h (9h w-e)-2h. Concerts : en principe, folk du mar au jeu, irish rock le ven et irish dancing le dim. Pas de cover, sf à la Saint-Patrick. Encore un pub irlandais ! Rustique celui-ci, plutôt sombre mais très authentique comme en témoigne la clientèle, plus irlandaise qu'ailleurs. Bric-à-brac en face du bar, vaisselle d'antan ornant les murs et cheminée avec chaudron. Méga-ambiance le samedi, c'est-à-dire les soirs de match. Au dire des habitués, on y tire la meilleure Guinness de San Diego !

De quoi justifier le détour, du moins pour certains. Pour les autres, il reste l'ambiance, très chaleureuse et moins tonitruante que dans les bars alentour.

🍸 🎵 **Henry's Pub** (plan couleur I, C3, 55) : 618 5th Ave. ☎ 619-238-2389. ● henryspub.net ● Lun-sam 11h (10h sam)-1h30. Entrée payante ven-sam à partir de 21h30 (env 5 $). Entrée interdite aux moins de 21 ans après 21h30. Tiens, un pub, ça va nous changer ! Belle salle à l'éclairage tamisé avec parquet où s'agite la jeunesse de San Diego. Musique live du lundi au mercredi, plus le vendredi, et DJ tous les soirs.

🍸 🎵 **Croce's** (plan couleur I, C2, 58) : 802 5th Ave. ☎ 619-233-4355. ● croces.com ● Ouv jusqu'à 23h30 (0h30 w-e). Resto-bar chicos, très prisé des San-Diegans aisés. Il appartient à la veuve de Jim Croce, un chanteur de folk, décédé prématurément dans un accident d'avion en 1973 et connu pour quelques tubes comme Bad Bad Leroy Brown ou Time in a Bottle. D'un côté, le resto chic, et discrètement accolé à celui-ci, le bar chaleureux aux murs de brique. Atmosphère feutrée. Intéressants cocktails. Excellente programmation jazz, folk, soul et rhythm'n'blues dès 19h30 en semaine et 20h30 le week-end.

🍸 🎵 **Dick's Last Resort** (plan couleur I, C3, 59) : 345 4th Ave (entre J et K St ; également une entrée sur 5th Ave). ☎ 619-231-9100. Tlj 11h-2h. Sandwichs, burgers et salades le midi env 10 $; le soir, plats 15-20 $. Si l'atmosphère beauf à l'américaine vous rebute, fuyez ! Si vous avez du recul ou que ça vous amuse, alors entrez dans cette espèce de saloon moderne égayé de néons multicolores, de chandeliers ultra-kitsch et... de soutiens-gorge (un classique du genre chez les cow-boys). Le comble de l'amusement, ici, c'est de porter des bonnets d'âne bariolés de commentaires moqueurs et masochistes (bien comprendre l'américain)... Le tout ponctué par un orchestre de blues ou de rock compensant ses faiblesses par une sono assourdissante. Au bar, choix de 60 bières. Côté cuisine, pas grand-chose à dire : bof, bof. Côté service, pas terrible non plus ! Pas la classe, on vous l'a dit !

Achats

⊛ **Seaport Village** (plan couleur I, A3, 70) : 849 W Harbor Dr. ☎ 619-235-4014. Tlj : 9h-22h en été, 10h-21h hors saison. Parking 1 $ pdt 2h, avec validation auprès d'un commerçant ou resto. Reconstitution assez édulcorée mais reflétant ce qu'était cette partie du port il y a un siècle. Promenade agréable en fin de journée, surtout aux beaux jours, quand la brise de mer tempère un peu la moiteur de la journée. Maisons en bois au milieu d'une belle végétation. Nombreux commerces touristiques (tee-shirts, souvenirs, idées déco, cerfs-volants, planches de surf...) et restos. Ne pas manquer de rendre visite à Upstart Crow (très agréable librairie doublée d'un coffee shop ; voir « Adresses et infos utiles »).

⊛ **Horton Plaza** (plan couleur I, B-C2-3, 71) : situé entre Broadway et G St, 1st et 4th Ave. ☎ 619-239-8180. Lun-sam 10h-21h (20h sam), dim 11h-16h. Avec validation du ticket dans une machine ad hoc, les 3 premières heures de parking (entrée sur 4th St, au niveau de F St) sont gratuites. Immense centre commercial, œuvre d'Ernest W. Hahn, archi-massive, inesthétique au possible et sans âme aucune. Mais on y trouve plus de 140 boutiques et restos et 2 grands magasins, dont Macy's, répartis sur 6 niveaux. Souvent des concerts gratuits le midi sur les plazas. Parfois des coupons de réductions pour les boutiques au Plaza Concierge situé au rez-de-chaussée.

À voir. À faire

La **Go San Diego Card** (en vente notamment au Visitor Center et chez Arts Tix ; voir « Adresses et infos utiles ») donne accès à de nombreux musées, attractions, tours et excursions (y compris à Hollywood). Mais étudiez bien ce que vous voulez voir et faire avant de l'acheter car ça ne vaut pas forcément le coup, surtout s'il faut courir toute la journée pour la rentabiliser... Par adulte, compter env 77 $ pour 1 j., 109 $ pour 2 j., 200 $ pour 3 j. et jusqu'à 300 $ pour 7 j. ; réduc env 20 % pour les enfants. ☎ 866-652-3053. ● smartdestinations.com ●

Pour avoir une vue d'ensemble de la ville :

➢ **Trolley Tours :** départ de Old Town Market, mais possibilité d'embarquer à d'autres arrêts (notamment Cruise Ship Terminal, Seaport Village et Horton Plaza) puis de descendre et remonter (hop on, hop off) quand on le souhaite. ☎ 619-298-8687 ou 1-888-910-8687. ● trolleytours.com ● Passages env ttes les 30 mn tlj 9h-17h en été, 16h aux intersaisons et 15h en hiver. Possibilité de pick-up gratuit à votre hôtel. Adulte : 36 $ mais moins cher si résa par Internet ; réduc. Une visite de San Diego en trolley, lequel, de Old Town, longe le port jusqu'au bout de l'île de Coronado, puis se dirige ensuite vers le zoo et les différents musées, Downtown, avant de revenir à son point de départ. Le tour dure un peu plus de 3h et permet d'avoir un excellent aperçu de la ville.

➢ **Scenic Drive :** ce circuit de 95 km, balisé par des panneaux montrant des mouettes blanches sur fond bleu et jaune, permet de visiter la ville en voiture. Description et itinéraire gratuits disponibles au Visitor Center. Compter environ 3h pour faire tout le circuit, sans les arrêts. Le Trolley Tours permet d'explorer plus tranquillement la ville que le Scenic Drive (sans le souci du stationnement et de l'orientation puisque vous n'êtes pas au volant), mais le descriptif de ce dernier peut déjà vous donner un bon aperçu de la ville, son histoire et son évolution, ainsi qu'une idée des endroits les plus intéressants à visiter.

Downtown (plan couleur I)

Comme cela s'est produit dans la plupart des grandes villes américaines au cours des années 1960, le centre s'est progressivement vidé au profit des banlieues résidentielles. À partir des années 1980 cependant, la municipalité, consciente de la valeur de ses bâtiments historiques, notamment de ses façades victoriennes, a investi et effectué un travail considérable pour redonner à ce centre son éclat du début du XXᵉ s. Bien sûr, il ne suffit pas de donner un bon coup de chiffon au centre-ville pour en évacuer tous les problèmes sociaux. Le nord de Downtown, à partir de Broadway Avenue, reste encore, la nuit, un lieu de rassemblement des laissés-pour-compte et des *street people* à la recherche d'un peu de chaleur.

🦌 *Gaslamp Quarter* (plan couleur I, C2-3) : quartier historique de San Diego qui s'étend entre 4ᵗʰ et 6ᵗʰ Ave d'ouest en est et de Harbor Dr au sud à Broadway au nord. Visite guidée ts les sam à 11h ; rdv à The William Heath Davis House (au croisement de 4ᵗʰ Ave et Island ; plan couleur I, C3). Rens : ☎ 619-233-5227. ● gas lamp.org ● Son nom signifie « lampes à gaz », petit clin d'œil à son passé et à son style victorien. Un quartier vraiment sympa pour flâner ou s'installer à une terrasse, incontournable le week-end quand les restos-cafés-boîtes de nuit se remplissent allègrement. Également quelques magasins intéressants, par exemple, au n° 861 de la 5ᵗʰ Avenue (E St), *Classic Cars,* qui abrite de magnifiques voitures d'occasion : Corvette, Cadillac...

🦌🏃 *Maritime Museum* (Historic Ships ; plan couleur I, A1) : 1492 N Harbor Dr. ☎ 619-234-9153. ● sdmaritime.org ● Vente des tickets dans le kiosque situé entre Ash et Grape St, sur le quai. Tlj de Memorial Day à Labor Day, 9h-20h (21h juin-août). Entrée : 16 $; réduc. On y trouve de très nombreux bateaux, de toutes tailles et de toutes les époques (même sans y entrer, on peut admirer plusieurs d'entre eux du quai). Il y a surtout le plus vieux navire du monde encore en activité : le *Star of India* (1863), ainsi que le *Berkeley* (un *steam ferry* de 1898), le *Medea,* un luxueux yacht de 1904 et deux sous-marins (l'un soviétique, de 1974, l'autre américain, de 1968). Les amateurs de belles coques apprécieront le *HMS Surprise,* réplique d'un navire de la Royal Navy de la fin du XVIIIᵉ s, utilisé dans *Master and Commander* avec Russell Crowe, et le *Californian,* réplique d'un bateau qui patrouillait le long de la côte pendant la ruée vers l'or. Ce dernier a été construit par le chantier naval qui termine actuellement une réplique du *San Salvador,* un vaisseau du XVIᵉ s. Explications et informations données par des gens passionnés, souvent retraités des métiers de la mer. Visite à ne pas manquer pour ceux qui aiment la mer et les bateaux, d'autant plus qu'en fin de journée l'été, la promenade sur les quais est très agréable.

🦌🏃 *U.S.S. Midway* (plan couleur I, A3) : 910 N Harbor Dr. ☎ 619-544-9600. ● midway.org ● Tlj 10h-17h (dernier ticket à 16h). Entrée : 19 $; réduc ; gratuit jusqu'à 5 ans. Audioguide inclus (durée : 2h). Parking : 5 $ pour 1h (mais c'est trop court !) ou 10 $ pour 4h. Ce gigantesque porte-avions, construit en 1945, fut le premier mis en service après la Seconde Guerre mondiale et le plus grand du genre pendant une décennie. Il a participé à la guerre du Vietnam (1970-1972) et à la première Guerre du Golfe (1990-1991), juste avant d'être déclassé en 1992 puis amarré à San Diego en 2003. Pour les amateurs de chiffres, il mesure 296 m de long, pèse 61 000 tonnes et consommait la bagatelle de 380 000 litres de fuel par jour... Il faut dire que son réservoir peut en contenir près de 13 millions ! Pour le faire tourner, il fallait également 4 500 hommes à bord, ce qui supposait de servir 13 500 repas par jour en puisant dans un stock de 10 tonnes de nourriture. La visite plaira sûrement aux petits comme aux grands. Commençons par le haut. Sur le *flight deck,* plein d'hélicos et d'avions de combat aux ailes repliables, comme le Skyraider, l'Intruder, un F-14 Tomcat, un Panther, un Cougar, un Crusader à tête de requin, ou encore le Midway Phantom, dernier avion de la guerre du Vietnam.

Du super supérieur, on peut aussi visiter le *Captain's Bridge* (ttes les 30 mn), histoire de jeter un œil aux poste de contrôle, salon, chambre, salle de décision, cuisine, etc. Explications données par d'anciens militaires à la retraite. Le *second deck* abrite également une cuisine collective, la laverie, la poste... Enfin, d'autres avions à voir à l'intérieur, des simulateurs de vol (payants), un café-snack et, non loin de là, une terrasse pour le moins originale avec vue.

LANCE-PIERRES

Sur les porte-avions, la piste est trop courte pour que l'aéroplane puisse décoller par ses propres moyens. On utilise donc une catapulte qui permet d'atteindre 100 nœuds (185 km/h) en quelques secondes.

🏍 *Museum of Contemporary Art of San Diego (plan couleur I, A1-2) :* 1100 et 1001 Kettner Blvd. ☎ 858-454-3541. ● mcasd. org ● Tlj sf mer 11h-17h (19h le 3e jeu du mois). Entrée : 10 $ (billet valable 1 sem dans ce musée et celui de La Jolla) ; gratuit pour les moins de 25 ans et pour ts le 3e jeu du mois 17h-19h. Le musée d'Art contemporain de San Diego a deux antennes, l'une à La Jolla (lire texte plus loin) et celle de Downtown. Cette dernière, située dans un beau bâtiment dont l'extérieur ne laisse pas présager l'intérieur, jouit d'un espace plus vaste et modulable que celui de La Jolla et accueille donc les installations ou les œuvres les moins classiques et plus « hors normes ». Un espace plus petit, quasiment en face, dans la gare des trolleys, accueille lui aussi des installations. Roulement des expos tous les 3 ou 4 mois.

🏍 🚶 *Firehouse Museum (plan couleur I, B1) :* 1572 Columbia St (angle Cedar). ☎ 619-232-3473. En limite du quartier de Little Italy. Jeu-dim 10h-14h (16h w-e). Entrée : 3 $. Dans la plus ancienne caserne des pompiers de la ville, tout sur les soldats du feu, avec exposition de vieux matériel.

Dans Balboa Park
(plan couleur I, D1 et plan Les environs de San Diego)

Accès : bus n°s 7, 7A ou 7B depuis Broadway. Son nom, qui n'a rien à voir avec le célèbre boxeur de cinéma Rocky Balboa, s'inspire plutôt de Vasco Núñez de Balboa, le premier Européen à avoir « découvert » l'océan Pacifique. C'est un espace vert de 560 ha situé au cœur de la ville et au milieu duquel se trouvent les plus importants musées ainsi que le zoo. Créé en 1868, au moment où San Diego n'était qu'un village de quelques milliers d'habitants, il est aujourd'hui un véritable bol d'oxygène pour plus d'un million de personnes. Dans un parc luxuriant, planté de 20 000 arbres, dont de nombreux palmiers, jacarandas et de magnifiques magnolias, on découvre des bâtiments de style colonial espagnol, parfois gentiment baroques. Ce sont les vestiges de ceux qui ornèrent les grandes expositions Panamá-California de 1915 et 1935 (la première ayant été organisée en l'honneur de l'ouverture du canal de Panamá).

🛈 *Visitor Center :* House of Hospitality, 1549 El Prado. ☎ 619-239-0512. ● balboapark.org ● Tlj 9h30-16h30. Y aller pour se procurer le plan du parc (gratuit mais donation bienvenue) sur lequel sont localisés les différents musées. Possibilité d'acheter le *Day Pass* (env 43 $), permettant de visiter 5 musées au choix le même jour ; ou le *Balboa Park Passport* (env 53 $, 90 $ avec le zoo), valable 7 jours, qui donne accès aux 14 musées du parc (mais on ne peut pas retourner dans un musée une fois visité). Ne pas manquer non plus les 8 jardins (accès gratuit, sauf au Japanese Garden), dont le très beau *Desert Garden*. Possibilité de louer un audioguide (seulement en anglais) sur l'architecture et l'historique du parc pour 5 $ (à rendre avant 16h30). *Visite guidée gratuite du parc par les rangers, en principe les mar et dim à 11h, ainsi qu'une visite sur la botanique le sam à 10h ; rdv au Visitor Center.*

– *Un tram* gratuit circule dans le parc et permet de relier les différents musées : *du 1er mar de juin au dernier dim d'oct, tlj 8h15-20h (18h lun) ; le reste de l'année, tlj 8h15-18h. Toutes les 15 à 30 mn.* Cela dit, le parc a beau être vaste, une fois sur place les musées sont assez proches les uns des autres.

🎥 👣 **San Diego Zoo** (plan Les environs de San Diego) : 2920 Zoo Dr. ☎ 619-234-3153 ou 231-1515. ● sandiegozoo. org ● De Downtown, prendre l'I-5, sortie Pershing Dr, puis suivre le fléchage. Tlj : 9h-21h fin juin-début sept (mais fermeture des portes à 16h !) ; 9h-18h aux intersaisons ; 9h-17h en hiver (20h 15-31 déc sf j. de Noël). Entrée : env 44 $; 3-11 ans 34 $. Tour guidé en bus et téléphérique. Billet combiné avec le Safari Park : 79 $; 3-11 ans 61 $; avec le Safari Park et Sea World (valable 7 j. consécutifs) : 143 $; 3-11 ans 113 $. Comptez une

LE PANDA EST UN COSSARD

Il appartient à la famille des ours et était donc autrefois carnivore. À la période glaciaire, beaucoup d'animaux disparurent et il dut se mettre à grignoter du bambou, très peu énergétique. Il passe un temps fou à se nourrir. Quand il rentre à la maison, le soir, il est crevé et n'a que trop rarement le courage d'honorer sa compagne. Pour ne rien améliorer, la femelle panda n'est fertile qu'un ou deux jours par an. Un zoo chinois semble avoir trouvé la solution : le panda mâle a droit à 15 minutes de film porno pour pandas chaque jour !

– **Parking gratuit** devant le Natural History Museum ou au zoo.

bonne demi-journée de visite si vous voulez en profiter réellement, car il s'agit quand même du plus vaste zoo du monde. Situé dans une sorte de forêt tropicale avec un canyon naturel (malheureusement bordé par des grandes routes), il abrite plus de 4 000 animaux. Notez que les enclos ne sont pas si grands et que certains espaces, notamment celui des ours polaires, font un peu mal à voir. Par ailleurs les photographes risquent d'être frustrés : on observe très souvent les animaux derrière des vitres (et on ne sait pas qui fait les carreaux ici, mais bon...), ce qui permet, cela dit, d'en voir certains de très près quand ils viennent se coller au carreau (les hippopotames, dans le genre, sont très impressionnants). Comme spécimens particulièrement exceptionnels, panthère noire, girafes, koalas, ours à lunettes, rhinocéros, okapis et, bien sûr, presque en vedette, les grands pandas (jusqu'à 17h30 seulement) qui, soit dit-en passant, sont des gros dormeurs qui semblent prendre un malin plaisir à n'exposer que leur imposant derrière aux visiteurs... Le zoo possède également une partie réservée aux enfants, ainsi qu'un jardin botanique de plus de 4 500 espèces de plantes. Pour les paresseux ou les pressés, un bus permet de visiter en 35 mn les endroits les plus intéressants, excepté l'enclos des pandas. Si vous souhaitez voir les animaux dans un meilleur environnement naturel (mais ce sera souvent d'un peu plus loin et il faudra marcher), nous vous conseillons plutôt le Safari Park à Escondido (voir plus loin).

🎥 👣 **San Diego Natural History Museum** (NAT) : 1788 El Prado. Près de la fontaine, au bout de l'allée d'El Prado. ☎ 619-232-3821. ● sdnat.org ● Tlj 10h-17h. Entrée : env 17 $; 12 $ pour les 13-17 ans ; 11 $ pour les 3-12 ans. Musée + exposition temporaire en cours env 30 $ par adulte ; réduc. Avant d'entrer, jetez un œil à l'énorme figuier juste en face du musée. Ce dernier vaut surtout pour ses grandes expos temporaires se voulant assez spectaculaires. Sinon, les étages évoquent les dinosaures, les fossiles, la faune et la flore de Californie. On peut aussi y voir des documentaires historiques ou scientifiques sur écran géant. Rien d'exceptionnel non plus. Si vous faites la visite, ne manquez pas, au 2e niveau (près de la caisse), la rondelle de séquoia de 654 ans d'âge. Sympathique Dinosaur Café pour faire une pause (tlj 10h-16h).

🎥 👣 **Reuben H. Fleet Science Center :** 1875 El Prado. ☎ 619-238-1233. ● rhfleet.org ● Tlj 10h-18h. Entrée : env 13 $ pour le musée ; 17 $ avec un film Imax ou non, 22 $ les 2 ; réduc 3-12 ans. Genre de palais de la Découverte (un peu vieillot) où les gamins peuvent s'éveiller à l'astronomie, la mécanique des fluides, les illusions d'optique, la gravité, l'électricité... Le *Kid City* est un espace découverte spécialement conçu pour les moins de 5 ans. Plusieurs fois par jour, projection d'un film Imax, généralement sur le sport ou les phénomènes naturels.

🏃 **San Diego History Center :** *au rdc de la très baroque* Casa de Balboa, *1649 El Prado.* ☎ 619-232-6203. ● sandiegohistory.org ● *Tlj sf lun 10h-17h. Entrée : 8 $; réduc.* Un musée assez bavard (peu d'objets exposés) sur l'histoire de la ville et ses origines. Outre l'expo permanente (qui laisse un peu sur sa faim), le musée propose simultanément plusieurs petites expos temporaires. Le *San Diego History Center* possédant une belle collection de vêtements de stylistes, de costumes de théâtre et de tenues d'époque, l'une d'entre elles est généralement consacrée à la mode ou l'habillement.

🏃🚶 **San Diego Model Railroad Museum :** *au sous-sol de la* Casa de Balboa, *1649 El Prado.* ☎ 619-696-0199. ● sdmrm.org ● *Tlj sf lun 11h-16h (17h w-e). Entrée : env 8 $; gratuit moins de 15 ans.* Belles reconstitutions de lignes de chemin de fer des années 1940 *(Cabrillo Southwestern, Pacific Desert lines...).* En tout, quelque 2 km de voies sur fond de superbes montagnes miniatures. Un musée qui contentera petits et grands et tous les abonnés à la *Vie du Rail.* Pour une fois, imaginez-vous à la place des vaches regardant passer les trains et admettez que c'est quand même assez fascinant (quelle finesse des détails, la science des aiguillages, la maestria du timing...) ! Également une petite expo consacrée aux femmes du rail.

🏃🏃 **Museum of Photographic Arts (MOPA) :** *au rdc de la* Casa de Balboa, *1649 El Prado.* ☎ 619-238-7559. ● mopa.org ● *Tlj sf lun 10h-17h (21h jeu juin-sept). Entrée : 8 $; réduc.* Un musée pas très grand mais de qualité, où le fonds de plus de 9 000 photographies (qui couvrent toutes les époques de la photographie ainsi que de nombreux genres et techniques) est présenté par roulement, par le biais de belles expos temporaires qui changent tous les 4 mois. Également une salle de ciné projetant des films indépendants *(indies)* ; gratuit ou payant, ça dépend de la programmation (se renseigner).

🏃🏃 **Timken Museum of Art :** *1500 El Prado.* ☎ 619-239-5548. ● timken museum.org ● *Mar-sam 10h-16h30, dim 12h-16h30. GRATUIT (donation bienvenue) ; audioguide en anglais 5 $ (ou 8 $ pour 2 audioguides).* Plus petit que le San Diego Museum of Art, ce musée d'Art abrite d'étonnants chefs-d'œuvre dans un cadre qui n'a guère dû changer depuis sa création dans les années 1940 par les sœurs Putnam (qui contribuèrent aussi à l'enrichissement des collections du San Diego Museum of Art). Au rez-de-chaussée, salle italienne avec une *Vierge à l'Enfant* de Niccolo di Buonaccordso (XIVe s), la *Piazzetta di Venezia* de Luca Carlevarijs et *Le Retour de l'enfant prodigue* du Guerchin. Dans la salle espagnole, un très touchant *Christ en croix* de Murillo. Ne pas manquer la salle des icônes russes, avec des pièces étonnantes comme le *Calendrier de l'Église,* du XVIIe s, où l'on peut admirer la représentation miniature de tous les saints de l'année. Voir aussi le *Jugement dernier* (fin du XVIe s, école de Stroganoff), où l'on reconnaît saint Basile avec son étonnant manteau noir et blanc. Au rez-de-chaussée, une salle consacrée à la France des XVIe-XIXe s : noter le *Portrait du comte Laval* de Clouet, les délicieux tableaux de Boucher et Fragonard et la *Rue de Volterra* signée Corot. Salle hollandaise : nombreuses natures mortes, paysages et portraits, dont le beau *Portrait d'homme* de Franz Hals et le *Portrait de femme* de Van Dyck. Enfin, ne manquez pas la peinture américaine des XVIIIe-XXe s : grandioses paysages et portraits de Peale, Johnson (un réaliste, le Millet américain), Bierstadt ou Chase, peintre impressionniste *(An afternoon stroll).*

🏃 **Botanical Building :** *à côté du San Diego Museum of Art et du Timken. Tlj sf jeu 10h-16h. GRATUIT.* Belle structure en bois dans lequel pousse un nombre incroyable de palmiers, bananiers, fougères arborescentes et autres plantes exotiques. Une promenade rafraîchissante en été.

🎭🎭 *San Diego Museum of Art :* 1450 El Prado. ☎ 619-232-7931. ● sdmart. org ● Tlj sf mer 10h (12h dim)-17h. Fermé Thanksgiving, Noël et Jour de l'an. Entrée : env 12 $; réduc. Ce musée d'Art installé dans un bâtiment de style colonial espagnol rassemble des collections privées assez éclectiques. Une fois encore, il est difficile de vous décrire ce que vous verrez puisque les œuvres sont présentées par roulement, en particulier celles du XIXe et du XXe s (belles expos temporaires). Au rez-de-chaussée, des œuvres d'art du Pacifique : statues, mais surtout d'étonnants masques en bois. Également une section consacrée à l'art américain : *Nature morte* de Peale, *Femme lisant sur la plage* de Johnson ou encore *Plage de La Jolla* de Mitchell. N'oubliez pas les quelques tableaux d'artistes du XXe s au fond du hall, cachés derrière un mur... L'étage est consacré à la peinture européenne des XVe-XXe s. Voir notamment la salle espagnole (n° 16) avec des œuvres de Murillo et du Greco. Salle n° 17 : peinture italienne des XIVe-XVIIe s avec de grands maîtres comme Fra Angelico ou Giotto. À ne pas manquer la *Vierge à l'Enfant de Carlo* Crivelli et le *Portrait d'homme* de Giorgione, l'un des chefs-d'œuvre du musée. Salles n°s 18 et 19 : peinture essentiellement française des XIXe-XXe s, avec Renoir, Lautrec, Degas, Daumier, Monet, Sisley, Modigliani, Gauguin, Vuillard, Bonnard... Néanmoins, retenez les chevaux, ce ne sont pas leurs chefs-d'œuvre qui sont ici ! Salle n° 20, notez la *Femme nue de dos* signée Delaunay. Terminez la visite par le beau petit jardin dans lequel trônent quelques bronzes de Moore et de Barbara Hepworth et dans lequel il est très agréable de déjeuner.

🎭 🚶 *Museum of Man :* 1350 El Prado. ☎ 619-239-2001. ● museumofman. org ● Tlj 10h-16h30 (17h30 ven-sam). Entrée : env 13 $; réduc. Installé dans un édifice genre belle église baroque espagnole, érigé pour l'expo Panamá-California de 1915. Musée anthropologique très pédagogique mais assez vieillot, en grande partie consacré à l'évolution des primates jusqu'à l'homme, avec une salle intéressante sur la génétique, le clonage, les nanotechnologies et le cerveau. Voir aussi l'amusante salle égrenant les dates des principales inventions. Sections sur l'Égypte ancienne (sarcophages, amulettes, faucon momifié, le cartouche « manquant » de Néfertiti...), avec également un atelier interactif pour les enfants. Les Indiens qui peuplaient la région de San Diego (les Kumeyaays), ainsi que les peuples indigènes de tout le Sud-Ouest américain et du Mexique, sont également représentés, comme en témoignent les reproductions de stèles mayas. Fréquentes expos temporaires avec le souci de mettre en évidence les composantes essentielles de la vie humaine à travers les différentes cultures.

🎭 *Japanese Garden :* 2125 Park Blvd. ☎ 619-232-2721. À côté de l'amphithéâtre en plein air. Tlj sf le 5e lun du mois 10h-16h ; en été, tlj 10h-17h. Entrée : env 6 $. Nombreuses animations tt au long de l'année (yoga, karaté, cérémonie du thé, etc), se renseigner sur ● niwa.org ● Un jardin japonais à San Diego ? Oui, car il y eut ici une forte communauté de pêcheurs japonais, spécialisés dans le thon. Le jardin est franchement minuscule et pas exceptionnel du tout, mais il peut constituer une petite halte reposante. Juste devant le jardin, le *Tea Pavilion* propose quelques plats japonais version fast-food (*teriyaki*, curry, soupe, nouilles) et 45 variétés de thé. Agréable terrasse.

🎭🎭 🚶 *Air and Space Museum :* 2001 Pan American Plaza. ☎ 619-234-8291. ● aerospacemuseum.org ● Tlj 10h-16h30 (17h en été). Entrée : env 18 $; 7 $ pour les 3-11 ans. Plus cher en cas d'expo temporaire. Plus de 100 appareils présentés. Dès l'entrée, une réplique du *Spirit of Saint Louis*, construit à San Diego, donne le ton : ici on est chez les fous volants. Même pas besoin de bruitage pour y croire, la présence toute proche de l'aéroport se charge de vous mettre dans l'ambiance. *Hall of Fame* avec tous les grands pilotes de l'histoire. Avions français et allemands de la Première Guerre mondiale, et avions de légende comme le *Zéro*, le *Flying Tiger* et un *Mig*. À l'entrée, deux appareils assez impressionnants : l'avion furtif *A12* et l'hydravion supersonique *Sea Dart* ainsi que la capsule *Apollo 9*. Également une large section consacrée à la Seconde Guerre mondiale.

🍴 🚶 *Automotive Museum :* 2080 Pan American Plaza. ☎ 619-231-2886. ● sdautomuseum.org ● Tlj 10h-17h (dernière admission à 16h30). Entrée : env 8,50 $; 4 $ pour les 6-15 ans. Très belle collection de voitures et de motos, du début du XXᵉ s à aujourd'hui, avec notamment une Bizzarini de deux millions de dollars, une Ford T et une Cadillac de 1947 et sa remorque équipée, le tout équipé d'un four, de toilettes chimiques, d'un évier, d'une table avec fer à repasser, d'un narguilé et d'une douche ! Elle offrait également la possibilité de changer sa roue tout en roulant en cas de crevaison. Dans la partie consacrée aux motos, on notera une Harley de 1916.

🍴 *San Diego Hall of Champions – Sports Museum :* 2131 Pan American Plaza. ☎ 619-234-2544. ● sdhoc.com ● Tlj 10h-16h30. Entrée : env 8 $; réduc. Tout sur plus de 40 sports, du base-ball à la pêche au gros. La partie la plus intéressante concerne le surf. Sinon... mouaich, peu d'intérêt si ce n'est pour les mordus de sport spectacle.

∞ *The Old Globe Theater :* 1363 Old Globe Way. ☎ 619-234-5623. ● theol dglobe.org ● Proche du Museum of Man. Prix selon pièces. Ce théâtre, un des plus anciens de Californie, est une réplique de celui de Shakespeare, à Londres. Il produit une quinzaine de spectacles par an.

Dans les quartiers nord de San Diego

🍴 *Old Town (plan couleur II) :* à env 8 km au nord-ouest de Downtown. Sortie Old Town Ave depuis l'I-5, ou Taylor St depuis l'I-8. En transports en commun, prendre la ligne bleue du San Diego Trolley ou le bus nº 30.
Ancien quartier de style espagnol, avec ses maisons en adobe, qui occupe environ six blocs. Créée en 1820, ce fut l'une des toutes premières implantations en Californie. Depuis, on a beaucoup restauré, notamment pour attirer les touristes. Résultat : beaucoup de magasins de souvenirs et de restos touristiques dans un environnement relativement verdoyant, mais qui manque cruellement d'authenticité. Le centre en est *la plaza*. Y aller dès l'ouverture, à 10h, pour découvrir les vestiges des premières demeures de San Diego : la **Robinson Rose House** (plan couleur II, E5, **62** ; de 1853), la **Casa de Machado y Stewart** (plan couleur II, E5, **61** ; de 1830), la **Casa de Machado y Wrightington** (plan couleur II, E5, **60** ; des années 1830), la Casa de Carillo (1820), la **Casa de Estudillo** (plan couleur II, F5, **63** ; de 1827), etc. Visites guidées, par les park rangers, en principe tlj à 11h et 14h. Rdv à la Robinson Rose House, siège du Visitor Center (tlj 10h-16h).

– **Heritage Park** (plan couleur II, F5) : 2455 Heritage Park Row. Un bel ensemble d'anciennes demeures victoriennes, transportées jusqu'ici pour les sauver de la démolition. Très belle *Sherman Gilbert House* (1887). Un peu plus bas, dominant le gazon, le *Beit Israel*, construction en bois de 1889 et première synagogue de San Diego. Enfin, un peu plus au nord, sur la colline surplombant Old Town, au 2727 Presidio Drive, on trouve un petit musée historique, le **Junípero Serra Museum,** installé dans un édifice de style colonial. ☎ 619-232-6203. Ouv slt w-e 10h-17h (16h nov-mars). Entrée : 6 $; réduc. Attention, d'avr à nov, le musée accueille parfois des expos temporaires, à des horaires différents.

🍴 🚶 *SeaWorld (plan Les environs de San Diego, A1) :* 500 Seaworld Dr, à Mission Bay. ☎ 1-800-25-SHAMU. ● seaworld.com ● De Downtown, bus nº 30 (ou ligne bleue du San Diego Trolley) jusqu'au Old Town Transit Center, puis bus nº 9. En *voiture, de l'I-5 ou l'I-8, sortie Seaworld Dr. Juil-août 9h-21h, 22h ou 23h selon les j. (la billetterie ferme 1h avt) ; le reste de l'année, les horaires varient beaucoup selon saison et j. de la sem. Entrée : env 80 $; coupons de réduc dans certaines brochures touristiques sur San Diego présentes dans ts les motels. San Diego Zoo Combo Pass : billet combiné avec le zoo et Safari Park valable 7 j. consécutifs, env 145 $ (115 $ enfant). Également un billet combiné avec Universal Studios à Hollywood et valable 14 j. (135 $ adulte et 125 $ enfant). Parking : 14 $.*

Un parc d'attractions-zoo mettant en scène la vie marine et dont les attractions phares restent les spectacles avec les animaux : dans *Blue Horizons*, dauphins petits et grands (tels les *pilot whales*) dansent avec les humains dans une mise en scène plutôt kitsch ou disons très colorée. *One Ocean* attire aussi les foules car c'est le spectacle des orques (un conseil pour ces spectacles, si vous venez avec un costume en alpaga – ou même avec de jeunes enfants –, évitez la *soak zone*, soit les 12 premiers rangs, qui sont abondamment arrosés !). Quant au *Sea Lions Live*, il met en scène de façon « comique » Seamoore le phoque et Clyde le lion de mer mais c'est, de loin, le plus dérisoire... Un accident mortel en février 2010 au Seaworld d'Orlando en Floride, où une dresseuse a été tuée en pleine représentation par un des orques, a réanimé la polémique sur le bien-fondé de retirer des animaux de leur élément naturel pour les parquer dans des endroits absolument pas adaptés et de les dresser pour le plaisir du public (et de la caisse enregistreuse), ceci au risque de les rendre fous et malades (les associations de protection animale dénoncent, entre autres choses, les innombrables ulcères dus à la répercussion des sonars sur les murs des bassins). Outre les shows animaliers, le *Shark Encounter* permet d'admirer les squales en se laissant porter par un tapis roulant dans un tunnel transparent. Le *Wild Artic*, consacré à la vie sur la banquise, commence par une simulation d'hélicoptère (facultative pour les émotifs) et se poursuit à l'intérieur d'une épave de bateau prise dans les glaces. Vous pourrez voir de très près bélugas, ours polaires et autres morses. Pour les attractions pures et dures, frissons garantis avec *Journey to Atlantis*, des montagnes russes aquatiques, dont vous risquez de ressortir légèrement mouillés (en tout cas, si vous vous asseyez tout à l'avant). Outre le côté maltraitance des animaux et l'aspect vieillissant du parc, ça revient quand même assez cher en famille. Ouf, il n'y a plus de suppléments à payer pour les attractions *Bayside Skyride* et *Sky Tower* (le téléphérique au-dessus de la baie et la tour-ascenseur)...

🏃🏃 *Cabrillo National Monument* (plan Les environs de San Diego, A2) : 1800 Cabrillo Memorial Dr, au bout de Point Loma. ☎ 619-557-5450 ou 619-523-4578 pour le Visitor Center. ● nps.gov/cabr ● De Horton Plaza, accessible en bus n° 30 (jusqu'à Old Town Transit Center), puis n°s 28 et 84 pour finir. En voiture, aller au bout de l'I-8 West et piquer vers le sud ; on vous suggère fortement d'arriver (ou de repartir) par Sunset Cliffs Blvd pour le point de vue sur l'océan piqueté de surfeurs en action. Tlj 9h-17h. Fermé à Noël. Entrée : 5 $/voiture.* Dédié à l'explorateur portugais João Cabrilho (Juan Rodriguez Cabrillo), qui fut le premier Européen à découvrir la côte californienne en 1542, soit 50 ans après la grande découverte de Christophe Colomb. La fin de la route, bordée de part et d'autre du cimetière militaire de Fort Rosecrans et ses enfilades de pierres blanches, offre déjà de beaux points de vue sur la baie de San Diego (ne pas venir trop tôt le matin car il y a de la brume), ses installations maritimes, ses bateaux, et sur les lointaines hauteurs du Mexique, dont Tijuana. À l'arrivée, balade possible jusqu'au phare et quelques *tide pools* (piscines naturelles). Se renseigner au *Visitor Center* qui prête des jumelles contre un permis de conduire, propose une documentation en français, une petite expo et un film sur Cabrillo, ainsi qu'un film sur les baleines grises. Car, de mi-décembre à mi-mars, on peut observer leur migration vers le sud, jusqu'à la Baja California mexicaine où elles mettent bas. Il en passe alors une trentaine par jour (jusqu'à 200 mi-janvier). À Rosencrans et à Downtown (sur North Harbor Drive, au niveau du *Visitor Center*), des agences organisent l'observation des cétacés. Deux enquiquinements à signaler par ici : parfois quelques *rattlesnakes* (serpents à sonnettes) à éviter et... beaucoup de vent !

À La Jolla (plan Les environs de San Diego, A1)

Prononcer à peu près « la Rodja ». Station balnéaire et résidentielle au nord de San Diego, où naquit Gregory Peck et où l'immense Raymond Chandler trouva le grand sommeil. Honnêtement, si vous n'êtes pas un adepte du kayak ou du surf, ni fan des boutiques de luxe et des galeries d'art (notamment sur Prospect Street), la station ne présente pas grand intérêt. Elle est cependant connue pour sa plage aux phoques : sur *Casa Beach* (aussi appelée *Children's Pool*, car c'était à l'origine une plage protégée, idéale pour les enfants), non loin du centre-ville, des phoques ont en effet élu domicile – protégés par une loi californienne depuis 2009. Il semble pourtant que certains riverains aient décidé de se réapproprier la plage et de repousser la colonie vers le large, mettant ainsi en péril les petits phoques encore incapables de nager...

➤ Pour s'y rendre, prendre l'Interstate 5 ou le bus n° 150.

⚇ Mount Soledad (plan Les environs de San Diego) : mieux vaut être véhiculé pour s'y rendre car ça grimpe et pas de bus. Situé à une altitude de 251 m, le « mont de la Solitude » offre un magnifique point de vue, à 360°, sur la ville, la mer et sur Mission Bay. La grande croix latine blanche, en béton, domine plusieurs centaines de plaques honorant la mémoire de nombreux militaires du Commonwealth, morts ou disparus pendant la Seconde Guerre Mondiale, en Corée, en Afghanistan ou en Irak. L'une d'entre elles évoque le souvenir de Glenn Miller, le célèbre chef d'orchestre qui disparut au-dessus de la Manche en 1944.

⚐ Museum of Contemporary Art of San Diego : 700 Prospect St. ☎ 858-454-3541. ● mcasd.org ● Tlj sf mer 11h-17h (19h le 3e jeu du mois). Entrée : 10 $; réduc ; gratuit pour les moins de 25 ans et le 3e mar du mois 17h-19h ; billet valable 7 j. pour le musée de Downtown. Visite guidée le w-e à 14h. Le musée de La Jolla, dont l'espace est un peu plus réduit et figé que celui de Downtown, accueille les plus « classiques » de la collection. Fonds de plus de 4 000 œuvres (peintures, sculptures, photos, vidéos, installations, dessins, gravures, travaux multidisciplinaires) créées après 1950 et venant pour la plupart d'artistes américains et sud-américains. Celles-ci sont présentées par roulement, au travers d'expositions temporaires qui tournent tous les 4 mois... Tout dépendra donc de votre sensibilité à la sélection du moment, mais, dans l'ensemble, souvent des œuvres de qualité, dans une petite structure moderne toute blanche avec une jolie vue sur l'océan. Également un petit jardin de sculptures avec notamment un assemblage de canoë-kayaks, signé Nancy Rubins, et un *Grand Ganesh* de Niki de Saint-Phalle.

– **La Jolla Kayak :** 2199 Avenida de la Playa. ☎ 858-459-1114. ● lajollakayak. com ● Tlj 8h (9h en hiver) au coucher du soleil... Agence qui loue des surfs, organise des sorties *snorkelling* (palmes, masque et tuba pour observer les poissons), mais également des randos en kayak de mer pour découvrir les grottes marines de la région.

Sur l'île de Coronado (plan Les environs de San Diego, A-B2)

⚐ Hotel del Coronado : 1500 Orange Ave. ☎ 619-435-6611. ● hoteldel.com ● Prendre l'extraordinaire Coronado Bridge ou le bus n° 901 de Downtown (sur Broadway). Vue magnifique sur la ville depuis le pont. On ne vous indique pas cet hôtel pour que vous y dormiez (les prix y sont plus que prohibitifs), mais parce que c'est un monument historique.

De style victorien, cette bâtisse extravagante a accueilli une dizaine de présidents et une kyrielle de milliardaires octogénaires, rois en exil et stars de cinéma. Ce fut, lors de sa construction, la plus importante structure utilisant l'électricité... après la ville de New York ! Thomas Edison lui-même y alluma le premier sapin de Noël éclairé électriquement (l'arbre se trouve toujours à droite de l'entrée de l'hôtel). C'est là que le roi Edouard VIII d'Angleterre rencontra Wallis Simpson pour laquelle il dut abdiquer en faveur de George VI. Depuis son ouverture en 1888, l'histoire du

LE BAISER DU DIABLE

L'Hotel del Coronado connut son apothéose le jour où Billy Wilder réussit à y traîner Marilyn Monroe, Jack Lemmon et Tony Curtis pour tourner le très célèbre Certains l'aiment chaud (en 1959). Marilyn était insupportable : angoissée et toujours en retard, il lui fallait 40 prises pour chaque plan ! Tony Curtis, à qui un journaliste demandait quel effet ça lui faisait d'embrasser une des plus belles femmes du monde, répondit : « J'aurais préféré embrasser Hitler... » 50 ans plus tard (en 2009), Tony Curtis avouera dans ses mémoires que Marilyn attendait un enfant de lui. Elle perdra le bébé peu de temps après.

Coronado se confond avec celle de la politique, de l'argent et du cinéma.
Les amateurs de science-fiction et de fantastique ne manqueront pas de lire le très beau roman de Richard Matheson, Le Jeune Homme, la Mort et le Temps, dont l'action se déroule dans cet hôtel.
À défaut de pouvoir s'offrir le fameux brunch du dimanche, excellent mais hors de prix, on peut toujours y boire un verre (voir « Où boire un verre ? », plus haut).

🍴 **Ferry Landing Marketplace :** 1201 1st St, à l'angle avec B Ave, sur l'île de Coronado. ☎ 619-234-4111. ● sdhe.com ● Pour s'y rendre de Downtown, prendre le pont ou bien le ferry de Broadway Pier (plan couleur I, A2) ou du Convention Center (plan couleur I, B3). Départ ttes les heures 9h-21h (22h ven-sam) de Broadway Pier et ttes les 2h de 9h17 à 20h17 (22h17 ven-sam) du Convention Center. Dernier bateau pour rentrer : respectivement à 21h30 (22h30 ven-sam) et 20h25 (22h25 ven-sam). Traversée : env 5 $; gratuit moins de 3 ans. De Coronado, on achète son ticket au distributeur sur le quai, ou directement sur le bateau. Débarcadère du ferry, réaménagé en petit centre commercial, avec boutiques, cafés et restaurants, le tout assez touristique et sans grand intérêt. Vaut surtout pour la gentille traversée en ferry (durée : 15 mn) et la vue sur la baie avec en toile de fond les gratte-ciel de Downtown.

Où surfer ?

De l'avis des experts, le meilleur spot est **Black's Beach,** à Torrey Pines, au nord de La Jolla, certainement un des meilleurs beach-breaks de toute la Californie mais réservé aux surfeurs confirmés. À La Jolla même, plus favorable aux surfeurs débutants, notez les spots plus consistants comme **Horseshoe, Big Rock** et **Windandsea.** Juste au sud de ce dernier, **Tourmaline Canyon** n'est sans doute pas le spot le plus recherché (bien pour les débutants) mais il est quasiment classé « monument historique » par les surfeurs car ce fut le premier spot reconnu aux USA. Pas mal aussi sur Pacific Beach, mais les plus hardis iront aux **Sunset Cliffs.** Prendre Grand Avenue et tourner à droite dans Ingraham Street puis sortie « Sunset Cliffs Boulevard ». Mais attention, ça peut être chaud (présence de rochers et important ressac) ! Beaux tubes aussi à **Mission Beach** et **Imperial Beach,** plus au sud. Au nord de La Jolla, le spot **South Del Mar,** à Del Mar, propose ses meilleures vagues entre les 15th et 29th Streets (particulièrement les 19th, 23rd et 25th !).

En hiver (oui, en hiver), à Encinitas, le spot de **Cardiff Reef** offre de superbes *breaks* et conviendra bien aux *longboarders,* tandis que **Swami's,** plus au sud est prisé des « vrais de vrais ».

DANS LES ENVIRONS DE SAN DIEGO

🎒🏃 ⚘ **Safari Park :** *15500 San Pasqual Valley Rd, à **Escondido**. ☎ 760-747-8702. ● sdzsafaripark.org ● À 55 km au nord-est de la ville. Prendre la Freeway 163 puis la 15 et la sortie 27 (Via Rancho Parkway) ; suivre les indications sur 10 km. Juil-fin août tlj 9h-18h, le reste de l'année tlj 9h-17h (18h en hiver). Entrée : env 45 $; 35 $ pour les 3-11 ans ; entrée combinée avec le zoo de San Diego : 80 $; 60 $ pour les 3-11 ans ; avec le zoo de San Diego et Sea World (valable 7 j. consécutifs) : 145 $; 115 $ pour les 3-11 ans. Attention, certains safaris motorisés et attractions sont en supplément (et chers !). Parking : env 10 $. Loc de poussette : 12 $.*

Un parc animalier que nous préférons largement au zoo de San Diego si vous n'avez pas le temps ou les moyens de voir les deux. À l'origine, il devait juste être un centre d'élevage de rhinocéros pour les zoos américains, dont celui de San Diego. Aujourd'hui, ce parc de 730 ha accueille plus de 3 500 animaux (dont 1 600 mammifères et 235 espèces d'oiseaux) qui évoluent en semi-liberté parmi des rochers, au bord d'un lac ou dans la savane. Chaque année, on y recense environ 450 naissances, dont 160 rhinocéros depuis que le parc existe. Pour avoir un premier aperçu (lointain quand même), embarquez à bord du petit train *Africa Tram (inclus dans le ticket de base ; durée : 30 mn).* Vous pourrez ainsi observer les principaux habitants (de préférence pas trop tôt car, lors de leur toilette, ils ne sont pas visibles), notamment les grands classiques de la faune africaine : éléphants, girafes, zèbres, rhinos, lions... Ensuite, promenez-vous dans le parc pour observer de plus près les animaux. Attention, c'est immense, et la signalétique s'avère parfois brouillonne, prévoir la poussette avec un bout de chou et de quoi boire et manger (d'autant plus que les offres pour se restaurer sur place sont limitées, médiocres et chères). Parmi les espèces rares et menacées, il y a, entre autres, le rhinocéros, le gorille, le guépard, le bonobo, le condor. Vous croiserez aussi des centaines d'écureuils et vous pourrez approcher les oiseaux de près dans les volières... de très près même. Signalons qu'il existe aussi des tours (motorisés) qui permettent d'approcher les animaux de beaucoup plus près ; les *Cart Safari* (section africaine ou asiatique en minibus) et *Cheetah Safari* (observation rapprochée du guépard) sont les moins chers d'entre eux *(84 $/pers ; réduc).* Les autres vont de 112 à 140 $ (en sus du billet d'entrée !) par tous moyens de transport ou presque, y compris en Segway et en... tyrolienne. Enfin, le *Roar & Snore Safari (184 $/pers ; réduc ; à réserver très en avance au ☎ 619-718-3000)* consiste à camper une nuit dans le parc mais évidemment sur un emplacement totalement sécurisé au sein des infrastructures du parc. Pour le prix, vous serez logé sous une tente (sac de couchage non fourni), nourri (dîner et petit déj), et vous visiterez le parc (entrée en sus) avec des rangers à la tombée de la nuit. Cela dit, on a trouvé le site pas très sauvage, pour le coup, et les tentes très proches les unes des autres (de plus, peu ont une vue sur les animaux).

PALOMAR MOUNTAIN STATE PARK

🎒 Situé au nord de Escondido et Julian, à 1 555 m d'altitude (prévoir une petite laine, voire un imper), le parc est un lieu privilégié pour la découverte de la nature. Par temps clair (y arriver le plus tôt possible et bien regarder la météo avant de partir !), beau panorama sur San Diego, les îles et le Mexique. Il offre des possibilités de camping toute l'année. Attention : arrivé au bout de la route, au croisement du *Mother's*

Kitchen, la route de gauche mène au parc (à 5 km) et celle de droite à l'observatoire (à 8 km). Attention à l'essence, pas de station-service dans les montagnes !
– Petit *kiosque d'accueil* à l'entrée du parc. *Ouv tte l'année de 6h au coucher du soleil. Entrée payante : env 8 $ par voiture.* Plan des sentiers de découverte (de 1,5 à 6,5 km) vendu 1 $, dépliant pour apprendre à reconnaître les animaux d'après les traces laissées dans le sol et quelques peaux de bêtes pour ceux qui n'auront pas la chance (ou la trouille) d'apercevoir chats sauvages, ratons laveurs, renards gris et autres pumas qui fréquentent le parc... Pour camper, une trentaine de sites à environ 30 $ par voiture.
– Par l'autre route qui part du restaurant, on arrive au *Palomar Observatory* (l'observatoire du mont Palomar), réputé pour la taille de son télescope de Hale géant (miroir de 5 m de diamètre et 14,5 t). Il fut un temps le plus grand au monde, avec une portée d'un million d'années-lumière, et reste très impressionnant vu de l'intérieur ! Malheureusement, la pollution lumineuse de San Diego et Los Angeles a quelque peu dévalorisé le site. Jeter quand même un œil à la combinaison électrique que portaient les scientifiques de 1964 à 1978, ça vous donnera une idée du froid qui règne ici en hiver ! *Observatoire et musée ouv 9h-16h.* ☎ 760-742-2119. GRATUIT.

|●| **Mother's Kitchen :** 33120 Canfield Rd. ☎ 760-742-4233. *Au croisement des routes pour le parc et l'observatoire. Ouv tte l'année, sem 11h (9h le w-e)-16h. Plats env 5-10 $.* Miracle, le seul resto du secteur est excellent ! Et en plus, c'est un végétarien (comment ça, vous êtes déçu ?). Bien sûr, on y trouve tous les classiques (sandwichs, salades et plats mexicains), revisités sans viande, mais aussi, en saison fraîche, un très bon *chili sin carne* ou du *red pozole,* une bonne soupe précolombienne. Et puis, miam miam l'*apple pie,* la *pumpkin pie* et les cookies tout juste sortis du four... Salle au look de chalet de montagne, avec cheminée, plus une terrasse sous les arbres à l'arrière. Accueil très sympa.

JULIAN (1 502 hab.)

À 1 280 m d'altitude, c'est l'une des excursions favorites des San-Diegans qui viennent y chercher un peu de fraîcheur et retrouver leurs racines *Old West.* Cette ancienne petite ville minière, qui a pris le nom d'un très lointain assesseur du comté, n'a rien d'exceptionnel mais s'avère assez distrayante avec son allée centrale, ses maisons en bois peint et son petit musée. Surtout lorsque le Californien moyen vient s'y mettre au vert en saison (mais le logement sur place est cher). Si vous passez par là, ne manquez pas de goûter la tarte aux pommes, l'*apple pie,* la spécialité locale. Celles de chez *Mom's* sont pas mal du tout *(2119 Main St ; lun-ven 8h-17h, w-e 8h-18h),* mais plusieurs *coffee shops* « à l'ancienne » dans la rue principale servent quasiment les mêmes...
– À la belle saison, la manière la plus agréable pour se rendre à Julian depuis San Diego est de prendre l'*Interstate 8,* puis la sortie 40 pour la charmante petite route 79, qui serpente au cœur d'un paysage d'arènes granitiques phagocyté par une végétation dense. Le parc de Cuyamaca et le petit hameau de **Cuyamaca Lake** offrent de belles occasions d'observer l'avifaune locale. Un itinéraire bucolique au cœur du Grand Ouest. Au printemps, la floraison est magnifique. En revanche, en hiver et par temps couvert, ça ressemble plutôt à l'Écosse : pull, chaussettes et imper sont alors de rigueur !

Où dormir ?

⌂ **Julian Lodge B&B :** 2720 C St. ☎ 760-765-1420 ou 1-800-542-1420. ● julianlodge.com ● *Doubles 85-150 $ selon confort et j. de la sem, petit déj inclus.* 📶 À l'écart de la route (peu fréquentée, il est vrai), une petite adresse abordable pour se mettre au vert. Une vingtaine de chambres désuètes mais proprettes, distribuées en coursive sur 2 niveaux dans une agréable maison en bois. Chambres tout confort, au mobilier assez bas de gamme, bonne literie, mais mini salle de bains. Cela dit, une rénovation est prévue, paraît-il... Agréable salle de petit déj qui fait aussi salon-boudoir le soir. Piano.

À voir

🏛 *Julian Pioneer Museum :* 2811 Washington St. ☎ 760-765-0227. Dans une rue perpendiculaire à Main St (en direction de la route 78 W). Avr-nov, tlj sf lun 10h-16h ; déc-mars, slt w-e et j. fériés 10h-16h. Entrée : env 3 $ de donation bienvenus. Petit musée consacré à l'histoire de la ville et ses fondateurs, où se mêle dans un étonnant bric-à-brac un peu poussiéreux des objets du quotidien des chercheurs d'or, mais également de touchantes reliques de l'époque où la fièvre de l'or gagnait les plaines, des animaux empaillés, des vieux papiers, des photos surannées, des gamelles d'orpailleurs, des vêtements et objets de la vie quotidienne.

🏛 *La mine d'or Eagle :* au bout de C St. ☎ 760-765-0036. Proche du centre-ville. Depuis Main St, prendre C St, direction nord ; monter jusqu'au bout d'un chemin de terre (indiqué). Tlj 10h-16h. Visite : env 10 $; réduc. Endroit authentique où rien n'a bougé depuis la fermeture de la mine en 1941. Aménagement rudimentaire. Environ 45 mn de visite (30 mn dans la mine) avec explications détaillées (en anglais) et démonstration de filtrage de l'or avec les *pans* comme à l'époque de la *gold rush*. Visite intéressante pour ceux qui n'ont pas pu voir les mines fantômes du nord de la Californie, où s'est concentrée la ruée vers l'or entre 1848 et 1856.

LE DÉSERT D'ANZA BORREGO

🏛 À 2h de voiture de San Diego, un vrai et beau désert qui doit son nom à l'explorateur espagnol Juan Bautista de Anza et au mot espagnol *borrego,* une sorte de chèvre à grandes cornes. Pas très connu (faut dire qu'il y a beaucoup de déserts dans l'Ouest), mais c'est l'un des plus grands des États-Unis et le plus grand *State Park* du pays (2 500 km²). Pour s'y rendre : Hwy 8, puis la 67 jusqu'à Santa Ysabel ; ensuite, la 79, puis les S 2 et S 22 jusqu'à Borrego Springs. Variante : la Hwy 15 N, puis la 78, etc. Au printemps, extraordinaire floraison des fleurs du désert... mais bien vérifier qu'il a plu avant de venir, sinon la déception sera proportionnelle ! Le mieux est d'appeler le *Visitor Center* pour se renseigner, ils sont là pour cela. On y trouve aussi 12 variétés de cactus, des palmeraies et de nombreux animaux : 200 espèces d'oiseaux (dont des aigles royaux, des colibris et le célèbre « bip bip », le *road-runner*), des pumas, mouflons, renards, ratons laveurs... Mais attention aux serpents à sonnettes qui aiment aussi la région !
– Bonne nouvelle : l'entrée du parc est gratuite.

Adresses utiles

🛈 *Visitor Center :* 200 Palm Canyon Dr, à *Borrego Springs.* ☎ 760-767-4205. ● abdsp.org ● À l'extrémité ouest de Palm Canyon Dr. Oct-avr, jeu-lun 9h-17h ; mai-sept, slt w-e et j. fériés 9h-17h. Dans un agréable bâtiment en pierre (si bien intégré au paysage qu'il est quasiment invisible de la route !), belle expo sur la vie du désert avec crâne de mammouth, projection de film et bonne documentation (disponible en français). Bien sûr, très compétent sur toutes les possibilités de belles balades et d'excursions.
■ *Borrego Springs Chamber of Commerce :* 786 Palm Canyon Dr. ☎ 760-767-5555. ● borregospring schamber.com ● Tlj sf dim 9h-16h. Pour toutes les infos sur l'hébergement et les activités à Borrego Springs et autour.

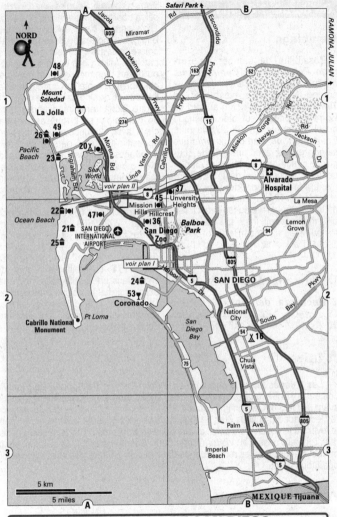

LES ENVIRONS DE SAN DIEGO

⌂ **Où dormir ?**
- 16 San Diego Metro KOA
- 20 Campland on the Bay
- 21 Hostelling International USA Point Loma
- 22 Ocean Beach International Hostel et Ocean Beach Hotel
- 23 Banana Bungalow Hostel & Hotel et The Beach Cottages
- 24 Coronado Inn & Coronado Island Inn
- 25 Inn at Sunset Cliffs
- 26 Crystal Pier Hotel

|●| **Où manger ?**
- 20 Sushi Ota
- 22 Hodad's
- 26 Kono's Surf Club
- 36 Blue Water et El Indio
- 37 El Zarape et Muzita Bistro
- 45 Arrivederci
- 47 The Corvette Diner
- 48 La Jolla Cheese Shop
- 49 Isabel's Cantina

𝖸 **Où boire un verre ?**
- 53 Hotel del Coronado

Où dormir ? Où manger ?

Campings

⚓ Possibilité de camper au **Borrego Palm Canyon Campground,** à côté du *Visitor Center,* le mieux équipé (eau potable, électricité). Le **Tamarisk Grove,** à 19 km au sud de Borrego Springs, est bien aménagé aussi. Compter env 25-35 $ la nuit. Également de nombreux *primitive campgrounds,* avec une grande souplesse concernant le choix de l'emplacement... vu que c'est désert. Évidemment, il faut tout apporter (eau, vivres et matériel). Prévoir aussi un récipient métallique pour faire du feu (c'est interdit à même le sol). *Infos au* Visitor Center *ou résas au* Anza Borrego Desert State Park : ☎ 760-767-5311 ou 1-800-444-7275.

De prix moyens à très chic

🏠 **Hacienda del Sol :** 610 Palm Canyon Dr, à **Borrego Springs.** ☎ 760-767-5442. ● haciendadelsol-borrego.com ● Doubles env 75-165 $ selon confort ; gratuit moins de 14 ans. 📶 (payant sf dans le lobby). Dans le bourg, aux portes du désert, un motel coloré tenu avec humour par le sympathique Mike. Dans un agréable jardin du désert, comme il se doit, quelques chambres de motel fort correctes. Également une dizaine de « duplex », c'est-à-dire 2 chambres mitoyennes dans un bungalow en brique assez spacieux, avec cuisinette et patio, pouvant accueillir jusqu'à 5 personnes. Enfin, 3 cottages s'intégrant particulièrement bien dans le décor, soit d'agréables maisonnettes avec cuisine, chambre double, salon, cheminée et patio. Piscine super nickel. Un bon plan.

|●| **Carmelita's :** 575 Palm Canyon Dr. ☎ 760-767-5666. À l'arrière du petit centre commercial et du bureau de police. Tlj 9h (8h w-e)-21h ; parfois fermé le lun en été. Petit déj et plats env 8-15 $. La meilleure cantine du coin. Dans une petite salle moderne, bonne cuisine mexicaine avec petit déj (chorizo con huevos), tacos, burritos et autres enchiladas de bonne facture. Service très gentil.

À faire

➢ **Les balades les plus populaires :** le *Palm Canyon Trail* (boucle de 5 km via une oasis), le *Glorieta Canyon* (très beau au printemps mais seulement s'il a plu avant !) et le *Slot Canyon* (joli canyon étroit, d'où le nom) sont les circuits les plus faciles d'accès. Si vous êtes en 4x4, vous pourrez accéder à *Font's Point* pour le lever ou le coucher du soleil et aux *Borrego Badlands...* D'une manière générale, toujours passer au *Visitor Center* pour se renseigner sur les accès et sur la météo. Sachez que les remorquages dans le coin coûtent très cher... Et prévoir beaucoup d'eau.

TIJUANA *(Mexique)*

🚶 Pour se rendre à Tijuana, le passeport seul suffit. En fait, on peut entrer au Mexique à pied, sans montrer patte blanche, comme dans un moulin. La carte touristique, elle, n'existe que pour les ressortissants américains. Méfiez-vous du retour aux États-Unis ensuite : il y a souvent une longue attente.

Si vous voulez y aller avec une voiture de location, assurez-vous préalablement que votre contrat vous autorise à franchir la frontière avec le véhicule. Si tel est le cas, il vous faudra de toute façon prendre une assurance spéciale à la douane. En fait, le plus simple est d'attraper le trolley *(Blue Line)* sur C Street (dans le centre de San Diego) qui, pour quelques dollars, vous conduit à Tijuana (45 mn de trajet).

Cette ville frontière se trouve à une trentaine de kilomètres de San Diego. Franchement pas terrible : les bâtiments sont bas et construits à la va-vite, comme dans beaucoup de ces villes qui se sont développées trop rapidement. L'endroit est même devenu un peu glauque, voire sale et dangereux. Le samedi soir, les Californiens passent la frontière pour entrer dans les bars et y faire la fête, dans une ambiance indescriptible. Inutile de changer votre argent en pesos, à Tijuana tout se paie en dollars. On vous déconseille de boire des boissons alcoolisées dans la rue, même dans un sachet de papier, et surtout si vous avez une bouille de *gringo*. Vous aurez vite fait de vous retrouver en taule pour une malheureuse mousse. Si cette mésaventure vous arrivait, précisez immédiatement que vous êtes français (ou belge ou suisse...).

En tout cas, Tijuana est très intéressant pour comprendre les rapports Mexique-États-Unis : un mois de travail au Mexique, c'est une semaine de boulot à Tijuana, un jour de travail à San Diego...

Shopping entre San Diego et Tijuana

⊛ **Las Americas :** 4211 Camino de la Plaza, **San Ysidro.** ☎ 619-934-8400.

En venant de San Diego par l'Interstate 5, tourner à droite (« Last US Exit ») et suivre « Camino de la Plaza » ; c'est indiqué, à un bloc plus loin. Tlj 10h-21h (19h dim). Grand centre commercial regroupant 100 magasins d'usine dont *Levi's, Nike* et *Ralph Lauren.*

PALM SPRINGS

45 000 hab.

▸ Pour le plan de Palm Springs, se reporter au cahier couleur.

Située au cœur de la vallée de Coachella, à environ 175 km de Los Angeles par l'Interstate 10 puis la 111 South. Encore une ville surgie du désert, au milieu du Grand Nulle Part (comme dirait James Ellroy) et dont les Américains ont le secret. Le Grand Nulle Part ? Pas tout à fait, puisque c'était quand même la terre des Indiens cahuillas... Lorsque le *Southern Pacific Railroad* arriva jusqu'à cette oasis, les premiers pionniers ne pouvaient se douter que, dans les années 1920-30, les stars de Hollywood commenceraient à affluer, créant ainsi de toutes pièces une ville du jeu et du farniente. Marlene Dietrich, Clark Gable, Greta Garbo ou encore les Marx Brothers y venaient en villégiature. Pendant la Seconde Guerre mondiale, les troupes du général Patton s'entraînaient dans le désert voisin pour préparer le débarquement en Afrique du Nord. Jusque dans les années 1960, Palm Springs continua d'être le refuge de toutes les grandes stars, et pas seulement hollywoodiennes. Robert Doisneau, envoyé par le magazine *Fortune,* vint immortaliser la faune locale et leur mode de vie. Il faut dire qu'Elvis Presley, Frank Sinatra puis Kirk Douglas achevèrent de donner à la ville cette aura si glamour... qu'elle retrouve encore chaque année à l'occasion de son Festival international du film en janvier, en compagnie des stars d'aujourd'hui, venues d'Hollywood en voisins. Résultat des courses : Palm Springs possède un patrimoine architectural assez unique en son genre, celui des villas et édifices de style *mid-century modern,* correspondant à la période des années 1933-1965.

Palm Springs et ses voisines de la vallée de Coachella sont donc des villes de repos et de détente pour les habitants très aisés des grandes métropoles des États-Unis. Le slogan local n'est-il pas « 360 jours de soleil par an » ? En réalité, plutôt 354, mais on ne va pas chipoter... Elle abrite une importante communauté homosexuelle qui a offert à la ville deux maires, et une forte communauté de riches retraités, l'une se confondant en partie avec l'autre. Hors saison, la ville a même un petit air de maison de retraite géante...

Aussi ahurissant que cela puisse paraître, on compte une centaine de parcours de golf dans la vallée de Coachella, également célèbre pour de

---

LE RACKET DES STARS

Selon la légende, Palm Springs doit sa notoriété auprès des comédiens à l'impatience de Marlene Dietrich. En 1932, celle-ci aurait viré deux acteurs qui squattaient le seul court de tennis de la ville. En réaction, ils créèrent leur propre club (The Racquet Club) *et invitèrent tous leurs amis du show-biz à en devenir membres.*

---

meilleures raisons : son festival musical, archi-populaire, où viennent se produire les plus grandes stars anglo-saxonnes.

L'arrivée sur la ville est surprenante. Dans une cuvette, en plein désert, on traverse une forêt d'éoliennes et on débouche sur une véritable oasis, créée grâce au détournement des eaux du Colorado (comme à Las Vegas). Selon les habitants, les nappes phréatiques pourraient assurer à la ville 400 ans d'eau sans pluie. En été, très grosse chaleur (42° C en moyenne) et relativement peu d'ambiance, mais les hôtels sont beaucoup moins chers, car la saison touristique s'étend de janvier à mai.

Orientation

Très facile de se repérer, la ville étant constituée de deux rues principales, chacune en sens unique : *Palm Canyon Drive* dans un sens (du nord au sud) et *Indian Canyon Drive* dans l'autre. La rue qui sépare le nord du sud est la Taquitz Canyon Way.

Adresses utiles

ℹ️ Visitor Center (plan couleur A1) : 2901 N Palm Canyon Dr. ☎ 760-778-8418 ou 1-800-347-7746. ● visit palmsprings.com ● Au nord du centre, à l'entrée de la route pour l'Aerial Tramway. Tlj (sf Thanksgiving, Noël et Jour de l'an) 9h-17h. Le bâtiment est une ancienne station-service restaurée. Accueil aimable et efficace. Plans, brochures (dont le *Visitor Guide*, bien fait, mais le site internet est plus à jour), infos sur les balades dans le désert, etc.

✈ Aéroport international (hors plan couleur par B2) : 3 200 E Tahquitz Canyon Way. ☎ 760-318-3800. ● palmspringsairport.com ● Liaisons avec les villes principales des USA et du Canada.

✉ Poste (plan couleur A2) : 333 E Amado Rd (entre S. Indian Canyon Dr et Calla Encilia). ☎ 760-322-4111. Lun-ven 8h-17h, sam 9h-15h.

■ Bike Palm Springs Rentals & Tours (plan couleur A2, **1**) : 625 N Palm Canyon Dr. ☎ 760-832-8912. ● bikepsrentals.com ● Juste en face de Cheeky's. Location de vélos pour adultes et enfants, tandems et vélos électriques. Compter env 15 $/j. enfant et 25-30 $/j. adulte, hors taxe.

■ Scoot Palm Springs (plan couleur A3, **2**) : au Ace Hotel, 701 E Palm Canyon Dr. ☎ 760-413-2883. ● scootpalmsprings.com ● Location de scooters. Chic mais cher : compter env 95-130 $/j. selon modèle (50 ou 150 cc), plus la taxe (8,75 %). Tarif à la demi-journée également.

Où dormir ?

Ici encore plus qu'ailleurs, c'est la loi de l'offre et de la demande qui gouverne. Selon l'affluence et l'événement en cours, les tarifs hôteliers varient du simple au quadruple (voire quintuple !). Moralité : en période creuse (de juin à août), on peut se payer le grand luxe pour le prix d'un motel. Inversement, en haute saison ou pendant un festival, mieux vaut avoir le portefeuille bien rempli. Pour les hôtels qui suivent, nous vous indiquons la fourchette des prix, qui varient donc selon la saison et le jour de la semaine.

De bon marché à prix moyens

Dans cette catégorie, pas de charme mais des prix abordables.

🏠 *Motel 6* (plan couleur A3, **10**) : 660 S Palm Canyon Dr (entre Camino Parocela et Sunny Dunes Rd). ☎ 760-327-4200 ou 1-800-4-MOTEL6. ● motel6.com ● Doubles env 60-105 $. 🛜 On vous le dit tout net : dans cette ville, vous ne trouverez pas de meilleur rapport qualité-prix que les *Motel 6*, surtout en haute saison, car les prix peuvent doubler pendant un festival mais guère plus. Les chambres, pas bien grandes, ne sont guère folichonnes mais elles restent convenables pour le prix, et puis il y a la piscine. Dommage que l'accueil soit aussi impersonnel. Vous trouverez 2 ou 3 autres *Motel 6* dans le coin, notamment un au 595 E Palm Canyon Dr (☎ 760-325-6129), avec de jolis espaces verts.

🏠 *Royal Sun Inn* (plan couleur A3, **11**) : 1700 S Palm Canyon Dr. ☎ 760-327-1564 ou 1-800-619-4786. ● royalsuninn.com ● Doubles env 55-120 $, petit déj inclus. 🛜 La façade kaki en partie recouverte de pierre cache des chambres à la déco pas franchement dernier cri ! Mais elles sont plutôt spacieuses et confortables avec leur épaisse moquette. Toutes dotées d'un balcon avec vue sur les montagnes ou la piscine. Vieillot, certes, mais propre et pas trop cher.

🏠 *Comfort Inn* (plan couleur A3, **12**) : 390 S Indian Canyon Dr. ☎ 760-778-3699 ou 1-888-322-1997. ● comfortinn.com ● Doubles env 60-140 $, petit déj inclus. 🛜 Encore un motel banal mais pas très cher, propre et assez confortable. Le plus, ici, c'est le spa et la piscine.

🏠 *Vagabond Inn* (plan couleur A3, **13**) : 1699 S Palm Canyon Dr. ☎ 760-325-7211 ou 1-800-522-1555. ● vagabondinn.com ● Face au Royal Sun. Doubles env 70-180 $, petit déj continental inclus. 🖥 🛜 Dans la série « les motels pas trop chers de Palm Springs », celui-ci ne s'en sort pas trop mal. Chambres désuètes mais correctes et confortables. Piscine à l'arrière. Bon accueil.

De prix moyens à très chic

Dans cette catégorie, on trouvera surtout des *small hotels* typiques de l'architecture *modern mid-century* qui caractérise la ville. Tout le charme des années 1950, avec souvent une vue superbe sur la montagne ou le désert ! Si vous en avez les moyens, n'hésitez pas.

🏠 *Ace Hotel & Swim Club* (plan couleur A3, **14**) : 701 E Palm Canyon Dr. ☎ 760-325-9900. ● acehotel.com ● Doubles env 130-450 $ selon confort et saison. 🛜 Sans doute l'hôtel le plus fun de Palm Springs ! Ce bâtiment typique du style local est devenu un lieu à la fois rock, *revival* et hyper branché. Même la direction affiche 35 ans maximum au compteur et un look à faire s'étouffer le moindre directeur d'hôtel européen. Chambres plus ou moins grandes mais originales et tout confort, toutes avec chaîne hi-fi. Il y a même des platine-disques et des vinyles dans les suites. En plus, une vaste piscine où l'on se baigne au son de la musique, un spa (le *Feel Good*), un chouette *diner* (le *King's Highway* ; voir « Où manger ? ») et un bar souvent animé : karaoké le mardi, soirées musicales, DJ, etc. Prêt de vélos. Pendant le *Coachella Festival* (mais pas seulement), il faut venir ici pour voir la faune bien rock, parfois déjantée, qui se paie des chambres à 300 $ la nuit. C'est aussi ça l'Amérique !

🏠 *Orbit In* (plan couleur A2, **15**) : 562 W Arenas Rd. ☎ 760-323-3585 ou 1-877-996-7248. ● orbitin.com ● Doubles env 150-260 $ selon saison et sem ou w-e, petit déj inclus. En été, la 3e nuit est gratuite. 🛜 Séjourner ici, c'est comme mettre des lunettes de star et se retrouver projeté 60 ans en arrière. Churchill, Einstein et Chaplin ont fréquenté le quartier... Architecture typique des années 1950 avec un bâtiment bas, des chambres autour d'une piscine qui fait office d'oasis et une vue quasi panoramique sur les *San Jacinto mountains*. Depuis l'*Albert Frey Lounge*, adorable avec sa douche extérieure, sa cheminée et son horloge, vue sur la maison du fameux architecte qui a façonné Palm Springs. Inclus dans le tarif : accès au jacuzzi, snacks et *happy hour* (spécialité : l'*orbitini*). À ne pas louper, si vous en avez les moyens !

🏠 *Desert Hills* (plan couleur A2, 16) : 601 W Arenas Rd. ☎ 760-325-2777. ● deserthillspalmsprings.com ● *En face de l'Orbit In. Doubles env 120-350 $ selon période et confort, petit déj léger inclus.* 🖥 📶 Celui-ci date de 1957 et a vu Doris Day chantonner le long de sa piscine. D'accord, cela ne nous rajeunit pas mais là encore le charme opère. Toujours cette architecture basse autour de la piscine et cette vue imprenable sur les montagnes désertiques. Une quinzaine de chambres avec cuisinette, égayées de jolies couleurs crème et orange. Déco délicieusement rétro. Prêt de vélos. Jacuzzi. Excellent accueil.

🏠 *Del Marcos Hotel* (plan couleur A3, 17) : 225 W Baristo Rd. ☎ 1-800-676-1214. ● delmarcoshotel.com ● *Doubles env 200-360 $ (moins cher en été), petit déj inclus.* 📶 Petit hôtel dessiné en 1947 par William Cody, l'un des grands architectes de Palm Springs. Déco délicieusement rétro ! Une quinzaine de chambres avec balcon ou petit patio, salles de bains et climatisation récentes. Piscine avec vue sur les montagnes. Prêt de vélos. Bon accueil et excellent service.

🏠 *The Horizon Hotel* (plan couleur B3, 18) : 1050 E Palm Canyon Dr. ☎ 760-323-1858. ● thehorizonhotel. çom ● *Doubles env 150-300 $ selon période. Enfants de moins de 16 ans refusés.* 📶 Encore un hôtel historique, qui date de 1952. Appelé à l'origine *L'Horizon* (en français), il fut conçu par Cody (comme le *Del Marcos Hotel* ; voir plus haut) pour le magnat Jack Wrather et l'actrice Bonita Granville, dite « Bunny » pour les intimes. La belle Marylin y aurait même dormi...

Et l'hôtel porte bien son nom puisque l'espace est largement ouvert, avec des jeux de perspective entre les lignes, les angles et les montagnes en toile de fond. Petits bâtiments en brique à dominante noir et blanc, comme dans les vieux films, autour de l'incontournable piscine centrale. Chaque bungalow abrite 3 chambres sobres mais élégantes, avec douche extérieure et terrasse ronde. *The Residence,* soit les appartements des premiers proprios, possède même une piscine privée et une très belle vue sur les montagnes... mais elle coûte 600 à 700 $ la nuit !

🏠 *The Saguaro* (plan couleur B3, 19) : 1800 E Palm Canyon Dr. ☎ 760-323-1711. ● thesaguaro.com ● *Doubles env 120-250 $ selon saison et confort.* 📶 Le groupe Joie de Vivre a rénové cette grande structure à l'image des autres unités hôtelières et dans l'esprit de Palm Springs : avec des couleurs partout, symboles de cette « joie de vivre » et cette touche revival qui fait l'originalité de la ville. Chambres tout confort. Resto mexicain et bar à vins.

Où manger ?

Autant le dire tout de suite, ce n'est pas à Palm Springs que vous allez réveiller vos papilles. Ici, la cuisine tient plutôt de la cuisine d'assemblage et du remplissage « préparcours de golf » ou « prérando », et les quelques restos dits « *fine dining* » sont loin de nous avoir bluffés (sans compter qu'ils sont chers). Dans tous les cas, beaucoup de monde le week-end, alors mieux vaut réserver.

Spécial petit déjeuner

🍴 *Cheeky's* (plan couleur A2, 20) : 622 N Palm Canyon Dr. ☎ 760-327-7595. Tlj 8h-14h. Petit déj env 15-20 $. Venez tôt, voire même avant l'ouverture, tant il y a de monde ! Le meilleur petit déj de la ville (mais ça se paie). Œufs bio, saucisses maison, fruits frais et excellents pancakes aux myrtilles. Voir aussi plus loin.

🍴 **Ruby's Diner** (plan couleur A2, **21**) : 155 S Palm Canyon Dr. ☎ 760-406-7829 ou 760-416-0138. Tlj 7h-21h (22h ven-sam). Bon breakfast pour 8-12 $ (voir plus loin).

🍴 **King's Highway** (plan couleur A3, **14**) : au Ace Hotel, 701 E Palm Canyon Dr. ☎ 760-325-9900. Petit déj env 15 $, servi jusqu'à 11h. Hot cakes, irish porridge ou céréales maison. Voir aussi plus loin.

🍴 **Bit of Country** (plan couleur A3, **22**) : 418 S Indian Canyon Dr (entre Ramon Rd et Saturnino). ☎ 760-325-5154. Tlj 6h-14h. Env 7-10 $. Un diner vieux comme Mathusalem (Hérode a trop servi), où les serveuses s'enquièrent de la santé des petits-enfants, où l'on se plaint des réparations à faire sur la voiture... Même les habitués sont du 3e âge ! L'Amérique profonde au saut du lit, et dans l'assiette, du graillon à volonté : French toast, jambon à l'os, pommes de terre rôties, le tout arrosé d'un jus de chaussette. Seulement pour nostalgiques.

🍴 **Palm Springs Koffi** (plan couleur B3, **23**) : 1700 S Camino Real (au bord de la E Palm Canyon Dr). ☎ 760-322-7776. Tlj 5h30-18h30. Un décor digne d'une cafétéria de centre commercial avec une terrasse en bord de route, donc un poil bruyante. Pourquoi venir ici ? Juste pour boire un bon café, ce qui change du jus de chaussette généralement servi. À part ça, les gâteaux, sandwichs ou salades servis dans des box en plastique ne nous ont guère enchantés.

De bon marché à prix moyens

🍽 **Cheeky's** (plan couleur A2, **20**) : 622 N Palm Canyon Dr. ☎ 760-327-7595. Tlj 8h-14h. Plats env 8-15 $. Que ce soit pour le petit déj ou pour le lunch, n'oubliez surtout pas d'inscrire votre nom sur la waiting list, sinon vous allez poireauter ! Il faut dire que la terrasse est « de poche », et la salle contemporaine, guère plus vaste. Ensuite, il y a toujours du monde chez Cheeky's. Pourquoi ? Oh, juste parce que c'est l'un des rares restos où l'on mange divinement bien. D'accord,

ce n'est pas donné mais si vous en avez assez des vieux diners graillonneux et des faux gastros, venez goûter une cuisine digne de ce nom, élaborée à base de produits frais et locaux. À midi, des plats revisités ou world food, comme le burger maison avec ses frites au pesto, le couscous israélien, le rouleau coréen au piment ou encore la salade de lentilles du Puy au port-salut (oui, oui). Le tout à accompagner d'un smoothie original. Allez, si vous n'êtes pas encore fauché, n'hésitez pas, y'a pas photo.

🍽 **King's Highway** (plan couleur A3, **14**) : au Ace Hotel, 701 E Palm Canyon Dr. ☎ 760-325-9900. Plats env 8-35 $. C'est le diner du Ace Hotel, un lieu sympa, à l'image de l'hôtel (voir « Où dormir ? »), c'est-à-dire à la fois rock, revival, voire parfois décalé si l'on en juge par le look de certains employés ou de certains clients... À la carte, une cuisine sans éclats particuliers et pas donnée mais fort honnête. Salades, ceviche, soupes et sandwichs au déjeuner et au dîner. Le soir, les routards argentés s'offriront un steak ou un poisson. Excellents gâteaux. Bonne atmosphère.

🍽 **Tyler's Burgers** (plan couleur A2, **24**) : La Plaza, 149 S Indian Canyon Dr. ☎ 760-325-2990. Tlj sf dim 11h-16h. Burgers env 10-12 $, avec coleslaw ou frites. CB refusées. Un kiosque chic au milieu de la plaza, avec 2 tentes-terrasses de chaque côté. Mais il y a souvent une waiting list alors le mieux est encore de s'accouder au comptoir de la petite salle. Vous pourrez observer directement la cuisine où l'on vous confectionnera le burger de votre choix. Un conseil : demandez un maximum de trucs à l'intérieur (oignons caramélisés, fromage, avocat, bacon...), sinon vous aurez un burger tout bête et un peu sec. Également des salades, soupe du jour, chili et hot dogs. Boissons en free refill. Service speed et ambiance de ruche.

🍽 **Ruby's Diner** (plan couleur A2, **21**) : 155 S Palm Canyon Dr (angle La Plaza). ☎ 760-406-7829. Tlj 7h-21h (22h ven-sam). Plats env 8-13 $. OK, c'est un resto de chaîne, mais force est de constater que cette reconstitution d'un diner des années 1940 (même si l'idée est née en 1982 !), tout en rouge et blanc et parcouru par un petit train, est vraiment classe et nostalgique. Ça le fait, comme dirait mon p'tit cousin ! Dans l'assiette, tous les classiques du genre, certes pas d'un genre raffiné mais très nourrissants, des gros burgers avec frites aux salades trop copieuses pour être bio, mais le tout à des prix plus que raisonnables. Un endroit sympa aussi pour avaler un petit déj, pour lécher une glace ou pour siroter un *coke*.

|●| Las Casuelas Terraza *(plan couleur A2-3, 25)* : 222 S Palm Canyon Dr *(angle Arenas Rd)*. ☎ 760-325-2794. Tlj 11h-22h *(8h le w-e)*. Plats 10-20 $. C'est la brasserie mexicaine, pour ne pas dire l'auberge espagnole, du centre-ville. Multiples petites salles disposées autour d'une terrasse aux vagues airs d'hacienda. On y sert tous les classiques du pays de Zapata, si l'on ose dire plutôt bien exécutés, des tacos aux *burritos, chile relleños* et autres *quesadillas,* en quantités pantagruéliques bien sûr. Autre qualité : la musique live plusieurs soirs par semaine (voir plus loin).

|●| Billy Reed's *(plan couleur A1, 26)* : 1800 N Palm Canyon Dr *(entre Escuela et Vista Chino)*. ☎ 760-325-1946. Tlj 8h-21h. Plàts env 15-20 $. L'endroit parfait pour emmener (ou se faire inviter par) votre grand-mère ou votre grand-père. Imaginez un repas dans la salle à manger d'Abraham Lincoln, en plus *cheap* et kitsch quand même mais du genre grandiloquent, et vous aurez une idée de l'ambiance vieille Amérique de ce resto apprécié des familles. Spécialités traditionnelles : *fish & chips, chicken pot pie* (tourte au poulet), *yankee pot roast* (rôti de bœuf) et *calver's liver* (foie aux oignons). Du lourd, du bien lourd ! Également des burgers, sandwichs, chili et des *wraps.* Le tout correctement exécuté mais sans génie, avec parfois quelques écarts dans la qualité. Petits pains maison au maïs. Thé dansant le dimanche (14h-18h), après on prend ses pilules et on se couche. Vous l'aurez compris, une ambiance pas vraiment glam, mais qui a ses adeptes.

Où manger une glace ?

♦ Coldstone Creamery *(plan couleur A2, 30)* : 155 S Palm Canyon Dr *(entre Tahquitz Canyon Way et La Plaza)*. ☎ 760-327-6892 Tlj 11h30-22h (21h30 jeu-sam). Vous manquez de calories ? Vous voulez une glace avec brownie, noix de pécan, un soupçon de chocolat ? Et si on ajoutait aussi de la noix de coco et des bonbons ? Les ingrédients les plus divers selon votre envie (et votre faim) sont mélangés à votre parfum de glace préféré sur une version réfrigérée de la pierre à cuire.

Où boire un verre ?
Où sortir le soir ?

L'animation se concentre sur South Palm Canyon Drive, entre Andreas et Baristo Road, pour ce qui est des hétéros. Les homos, eux, n'auront que l'embarras du choix pour se rendre dans l'une des nombreuses boîtes gays, de Palm Springs à Palm Desert.

♆ Lulu *(plan couleur A2, 40)* : 200 S Palm Canyon Dr. ☎ 760-327-5858. Tlj de 8h au dernier client... Immanquable, cet élégant édifice qui, contrairement aux apparences, est récent mais bâti dans le style années 1950. Ambiance et décor typiquement californiens, avec un monde fou chaque soir. Sympa pour démarrer la soirée avec un *drink* au bar. Cocktails assez chers tout de même (et attention, en commandant un *martini* on se retrouve parfois avec une vodka, on vous le rappelle...). Quant à la cuisine, on l'a trouvée plus esthétique que réellement savoureuse. Pour l'atmosphère, donc.

♆ ♪ |●| The Village Pub *(plan couleur A3, 41)* : 266 S Palm Canyon Dr *(entre Arenas et Baristo)*. ☎ 760-323-3265. ● *palmspringsvillagepub.com* ● Tlj 11h-2h. Un des vieux classiques de la ville. Au rez-de-chaussée, un petit *stage.* Rock alternatif (tlj 21h30-1h30), *dance,* R & B et musique eighties ; à l'étage, un *lounge bar* où il fait bon s'avachir quand les oreilles commencent à refouler la bière. Également une terrasse brumisée l'été. Bondé le week-end mais assez calme en semaine.

♪ *Las Casuelas Terraza* (plan couleur A2-3, **25**) : 222 S Palm Canyon Dr (angle Arenas Rd). ☎ 760-325-2794. Tlj 11h-22h (minuit w-e). Musique live quasiment chaque soir. Entrée gratuite. Voir plus haut.

♫ *Zelda* (plan couleur A3, **42**) : 611 S Palm Canyon Dr. ☎ 760-325-2375. Jeu-sam 21h-2h. Entrée : env 10 $. C'est la boîte de nuit hétéro de la ville. Cela dit, les avis sont mitigés, tant au niveau des tarifs que du service...

Achats

⊕ *Desert Hills Premium Outlets* : 48400 Seminole Dr, à *Cabazon*. ☎ 951-849-6641. ● premiumoutlets. com/deserthills ● Le long de l'Inter-state 10, à une trentaine de km sur la route de Los Angeles (sortie Fields Rd). Tlj 10h-21h (20h dim) ; horaires variables les j. fériés. Un mégacentre de magasins d'usine. Parmi les 130 boutiques, en plus des classiques (*Gap, Levis, Nike, Calvin Klein, Converse, Diesel, Banana Republic, Quiksilver*), de nombreuses marques chic (*Gucci, Armani, Zegna, Hugo Boss, Burberry, Prada, Versace, Yves Saint-Laurent*, etc.).

⊕ *Cabazon Outlet* : 48750 Seminole Dr, à *Cabazon*. Sur l'Interstate 10, sortie Cabazon. ☎ 951-922-3000. ● cabazonoutlets.com ● Tlj 10h (9h sam)-21h (20h dim) ; horaires variables les j. fériés. À proximité du *Desert Hills Premium Outlets* mais moins important que celui-ci et très axé *sportswear*. On y trouve notamment les marques *Puma, Reebok, Rip Curl* ou encore *Adidas*.

À voir. À faire

➤ *Petit circuit architectural du modern mid-century et des maisons de stars* : si vous souhaitez faire le tour des édifices typiques et des maisons où ont vécu (parfois très peu de temps) les stars qui ont créé la légende de Palm Springs, le *Visitor Center* vend une carte intitulée *A Map of Modern Palm Springs* (5 $). Définissons d'abord ce style architectural, appelé aussi *desert modernism*, qui prend en compte l'environnement montagneux et désertique local, véritable écrin pour les architectes de l'époque. Première conséquence, le jeu entre l'intérieur et l'extérieur (*indoor* et *outdoor*), d'où cette architecture basse qui privilégie l'horizontalité à la verticalité afin d'englober la montagne dans le champ de vision panoramique, pour ne pas dire cinématographique. L'hôtel *The Horizon* (voir plus loin) en est la preuve la plus éclatante. Néanmoins, un certain nombre de maisons à flanc de montagne jouissent aussi d'une superbe vue plongeante. Autre idée, une architecture à la fois élégante et informelle, donc assez minimaliste, avec des lignes droites, des angles et des décrochements. Bref, de la perspective. Et puis, des matériaux résistants à l'intensité du climat ou nés des recherches scientifiques d'après-guerre, soit pas mal d'acier et de verre. Enfin, ajoutez-y, de-ci de-là, un brin d'influence espagnole...

Parmi les promoteurs et architectes emblématiques, retenez surtout les noms de George et Robert Alexander (père et fils), William Cody (hôtels *Del Marcos* et *The Horizon* ; voir plus loin) et Albert Frey, collaborateur suisse de Le Corbusier. D'ailleurs, ce dernier a conçu le *Tramway Gas Station*, aujourd'hui le *Visitor Center* (plan couleur A1), par lequel vous devriez commencer votre circuit. On ne vous citera pas tous les édifices listés sur la carte du *Visitor Center* (il y en a trop) mais seulement quelques-uns, typiques, et des maisons de stars, pour l'histoire et le *fun* à la fois. Attention, excepté les hôtels, vous ne verrez les maisons que de l'extérieur, à moins d'un coup de chance, ou d'un portail qui s'ouvre... Sinon, venir lors de la *Modernism Week* en février (voir « Festivals et manifestations ») ou alors... les louer, mais c'est toujours hors de prix. Une paire de jumelles peut s'avérer utile.

Après le *Visitor Center*, allez jeter un œil à l'épatante *Kaufmann House* (470 W Vista Chino Rd ; plan couleur A1, **50**), dessinée par Richard Neutra en 1946. Juste pour l'anecdote (car elle n'est pas vraiment visible), citons la *maison de*

Raymond Loewy (600 W Panorama Rd), le célèbre designer franco-américain, bâtie par Frey. Incontournable, la *maison d'Elvis Presley* (1350 Via Ladera Circle ; *plan couleur A1, 51*) ou *House of Tomorrow,* soit la « maison du futur », bâtie par la famille Alexander, un type de maison que les stars s'arrachaient à l'époque. Aujourd'hui, elle paraît en effet d'une autre époque mais la « Elvis Honeymoon Hideaway » présente l'originalité de n'avoir aucune pièce carrée, comme en témoigne l'arrondi de la suite nuptiale, visible en façade. Bien sûr, il ne faut pas louper l'*Art Museum* (101 Museum Dr ; voir plus loin). La *Frey House II* (686 Palisades Dr, voie privée ; *plan couleur A2, 52*), réalisation à flanc de montagne du grand architecte qui y vécut jusqu'à sa mort en 1998, s'admire seulement de W Arenas Rd (jumelles conseillées). Juste à côté, l'originale *Russell House (plan couleur A2, 52)*, édifiée au milieu des rochers par le même Albert Frey, domine également la ville.

Pour pénétrer enfin un intérieur (reconstitué) de cette époque, se rendre aux trois hôtels suivants : *Orbit In* (562 W Arenas Rd ; *plan couleur A2, 15*), *Desert Hills Hotel* (juste en face au n° 601 ; *plan couleur A2, 16*) et *Del Marcos Hotel* (225 W Baristo Rd ; *plan couleur A3, 17*), ce dernier étant signé William Cody. Jeter un œil en partant au bâtiment de la *Bank of America* (ex-*City National Bank* ; 588 S Palm Canyon Dr ; *plan couleur A3, 53*) et au *Kentucky Fried Chicken (plan couleur A3, 54)*, à l'angle de Palm Canyon et Sunny Dunes Rd. Voir ensuite *The Horizon Hotel* (1050 E Palm Canyon Dr ; *plan couleur B3, 18*), réalisé aussi par Cody. Si c'est la fameuse *Modernism Week,* essayer de visiter l'*Elrod House* (2175 Southridge Dr, voie privée ; *hors plan couleur par B3, 55*), signée John Lautner, avec son incroyable radicalité : rochers pénétrant dans la maison, dôme de béton en forme de corolle, rideau de verre... Sinon, elle ne s'admire que dans le film de James Bond, *Les Diamants sont éternels !* Pour info, on trouve dans le même quartier (celui de Rimcrest), les *maisons de William Holden, Steve McQueen* et *Bob Hope* (en forme de champignon) *;* mais elles ne sont pas plus visibles... Le *Palm Springs City Hall* (3200 E Tahquitz Canyon Way ; *hors plan couleur par B2, 56*), avec ses palmiers qui dépassent comme des cous de girafes, est encore une réalisation de Frey. Enfin, terminons par un mythe, la *maison de Frank Sinatra* (1148 E Alejo Rd ; *plan couleur B2, 57*), surnommée *Twin Palms*, à cause de ses deux palmiers devenus un symbole local, voire même un logo. C'est là (entre autres) que le turbulent chef du Rat Pack organisait des fêtes mémorables... Il y enregistrait aussi les maquettes de ses chansons qu'un émetteur sur le toit envoyait à L.A. ! Si vous n'arrivez pas à la voir, pas trop de regret, elle a vieilli. Essayez quand même d'apercevoir la piscine... en forme de piano.

🏃🏃 *Art Museum (plan couleur A2, 58)* : 101 Museum Dr. ☎ 760-322-4800.
● psmuseum.org ● Tlj sf lun 10h-17h (12h-20h jeu). Entrée : 12,50 \$; réduc. Gratuit le jeu 16h-20h et le 2ᵉ dim du mois. L'édifice de l'architecte Stewart Williams, typique du style local, date de 1976. Cet ancien *Desert museum* a été transformé en 1996 en musée d'art moderne, eu égard au patrimoine local, agrémenté de quelques collections indiennes et mexicaines. Au rez-de-chaussée, des œuvres monumentales, parmi lesquelles *Man in space* (1955), une toile futuriste en six parties de Gino Severini, une céramique de Chagall (*The Village,* 1952) et un gentil chien-chien blanc signé d'un artiste japonais. Pas la peine d'attendre que les papys sur leur banc vous fassent de la place, ils sont signés Hanson. Dans les diverses salles, une sculpture de l'acteur George Montgomery (ancien résident local), des paysages de l'Amérique, Indiens à cheval en pleine action *(To General Custer's death),* portraits de cow-boys et d'Indiens (par Scholder notamment). Également de l'artisanat *native-american* (poupées *kachinas* des tribus *hopis,* paniers, tapis...). Dans la première galerie, une tête de Modigliani et des sculptures de Henry Moore. Superbe collection de statuettes mexicaines et mayas en pierre et terre cuite. Dans la seconde galerie, foison d'art contemporain sur les thèmes de la réalité et l'illusion, la narration et l'expression. Voir notamment la très réaliste statue de femme nue, signée John de Andrea, la vidéo immobile de

Marina Abramovic (une sorte de faux tableau) et *The Prisonner* du pop-artiste Roy Lichtenstein. Enfin une section consacrée aux œuvres en verre *(Art glass)* et une autre à la photo.

🎥🏃 *Aerial Tramway* (hors plan couleur par A1) : *au nord de la ville, à env 10 km.* ☎ 760-325-1391 *ou* 1-888-515-TRAM. • pstramway.com • *En remontant Palm Canyon Dr, prendre Tramway Rd à gauche, au niveau du Visitor Center. Départ env ttes les 30 mn, tlj 10h (8h w-e)-21h45 ; dernier départ pour la montée 20h. Fermé en cas de météo exécrable et courant sept pour maintenance. Billet aller-retour : env 24 $; 17 $ pour les 3-12 ans. Après 16h, pour 36 $ (23,50 $ pour les enfants) on peut en plus dîner au resto* **Pines** *avt de redescendre (attention, le dîner commence à 16h30, n'y allez pas trop tard !) ; l'autre resto,* Peaks, *est plus chic, et il faut payer son repas en plus du prix normal du billet de téléphérique. Cela dit, ne vous attendez pas à de la grande cuisine...*
Le téléphérique de Palm Springs a la particularité d'être rotatif : les cabines sont donc circulaires et tournent sur elles-mêmes pendant l'ascension, une sensation assez étrange d'autant que la pente est réellement vertigineuse. En 10 mn, il vous porte de 800 m à plus de 2 800 m d'altitude, traversant cinq types de milieu naturel, du désert aux montagnes alpines. Pour les âmes sensibles, le plus délicat est le passage des tourelles métalliques qui supportent le tram (ça fait vibrer la cabine et hurler les ados !). Du sommet, le panorama sur la vallée est à couper le souffle, et les températures beaucoup plus supportables que dans le désert, du moins en plein été. En revanche, en hiver et en cas de météo ronchonne, mieux vaut être chaudement vêtu. Petit centre commercial avec quelques boutiques, restos et bar un peu ringards (mais chers, *of course !*). De nombreux chemins de randonnée partent de la station d'altitude au sein du *Mount San Jacinto State Wilderness*, et en hiver, on peut faire du ski. Possibilité de camper gratuitement toute l'année, mais il faut demander un permis *(rens :* ☎ 951-659-2607. • *parks.ca.gov/?page_id=636* • *).* Compter environ 5 $ de frais de réservation.

🎥🏃 *Indian Canyons* (hors plan couleur par A3) : *38500 S Palm Canyon Dr. Rens au* Visitor Center *ou au* ☎ 760-323-6018. • indian-canyons.com • *Au sud de la ville. Oct-juin, tlj 8h-17h ; juil-sept, slt ven-dim 8h-17h. Entrée : env 9 $; petite réduc au Visitor Center ; réduc diverses ; ajoutez 3 $ pour 1h30 de visite accompagnée d'un ranger, en principe à 10h et 13h lun-jeu.* De magnifiques balades à faire dans trois différents canyons où vécurent, jusqu'à la fin du XIXᵉ s, les Indiens Cahuillas. Frank Capra, l'auteur de l'impérissable *La Vie est belle*, y tourna en 1935 une partie de son film *Horizons perdus* car il cherchait un décor de montagnes tibétaines... La marche la plus fastoche est celle qui mène à l'*Andreas Canyon* dont la promenade aller-retour s'étale sur seulement 1,6 km : belles formations rocheuses et plus de 150 espèces de plantes différentes, dont le *Washingtonia filifera*, le palmier autochtone, dans son milieu naturel. *Murray Canyon* est une marche facile de 3 km qui vous conduit dans une palmeraie. De là, on peut se lancer dans une vraie rando jusqu'à la *Seven Sisters Waterfall*, mais c'est plus difficile et il faut compter 10 km de crapahutage, sans le retour (consulter la météo et partir tôt). Du troisième, *Palm Canyon*, on ne peut voir qu'une partie puisqu'il fait 25 km de long (c'est le plus grand réservoir de palmiers de l'espèce *fan palm* de toute la Californie et donc, paraît-il, du monde...), avec des vues magnifiques sur le désert et la superbe oasis. Possibilité de pique-niquer au bord du cours d'eau. Se procurer la carte détaillée et gratuite des différents treks auprès du *Visitor Center* ou à l'entrée du canyon.

🏃 *Tahquitz Canyon* (plan couleur A3) : Visitor Center *au 500 W Mesquite Ave.* ☎ 760-416-7044. • tahquitzcanyon.com • *À l'ouest de S Palm Canyon Dr. Tlj 7h30-17h ; attention, ferme à 15h30 en visite libre. Entrée : env 12,50 $; petite réduc avec le dépliant du* Visitor Center *; réduc diverses. Visites guidées de 2h30 avec un ranger, en principe tlj à 8h, 10h, 12h et 14h.* Selon la légende, Tahquitz serait le premier chaman créé par Mukat, le Grand Créateur. Doté de grands pouvoirs, il fut généreux au départ puis mit sa puissance à son propre service. Les Cahuillas, furieux, décidèrent de le renier et même de le bannir. Il se réfugia donc dans les montagnes de San Jacinto, d'où il se manifeste encore de temps à autre à l'occasion d'une forte intempérie ou d'un grondement de tonnerre... Boucle de 3 km, à faire seul ou en visite guidée, qui mène jusqu'à une chute d'eau. Quelques rochers à escalader, dont certains gravés de motifs *cahuillas*.

🏃 *Moorten Botanical Garden (plan couleur A3, 59) : 1701 S Palm Canyon Dr.* ☎ 760-327-6555. *En été, slt ven-dim 10h-16h ; le reste de l'année, tlj sf mer 10h-16h. Entrée : env 4 $; réduc.* Créé en 1938 par Chester Moorten, dit « Cactus Slim », c'est un joli jardin du désert, aujourd'hui entretenu par le fiston. Environ 3 000 espèces de plantes à découvrir le long d'un sentier, plus un piquant *cactarium*. Vite vu quand même.

🏃 🏃 *Knott's Soak City (hors plan couleur par B3, 60) : 1500 S Gene Autry Trail (accès par E Palm Canyon Dr).* ☎ 760-327-0499. ● soakcityps.com ● *Tlj fin mai-août, plus les w-e de sept ; tlj 10h-18h juin-fin août et 10h (ou 11h)-17h en intersaison. Adulte env 35 $; enfant 25 $. Parfois une bonne réduc si on réserve par Internet. Parking : 13 $.* Grand parc d'attractions aquatiques. Tous les classiques du genre, comme la piscine à vagues, les toboggans tubulaires (dont un de plus de 25 m de long). Idéal pendant les grosses chaleurs de l'été.

– *Golf :* Palm Springs est le paradis des golfeurs, il serait donc dommage, pour les passionnés, de ne pas en profiter. Certains golfs sont publics et on peut faire un parcours, l'été, quand il fait 40 °C à l'ombre, pour 30 à 50 $ (voire moins l'après-midi quand il fait 50° !). *Liste complète et brochure avec photos* (Golf Course Guide) *au* Visitor Center *ou listing avec tarifs sur* ● palmsprings.com/golf.html ●

Festivals et manifestations

Quelle que soit la manifestation, vous avez intérêt à réserver longtemps en avance votre hébergement et à ouvrir assez grand votre portefeuille...

– *International Film Festival :* en janv. ● psfilmfest.org ● Festival réputé, qui précède toujours les Golden Globes et les Oscars, où les stars hollywoodiennes et les films étrangers sont généralement mis à l'honneur.

– *Modernism Week :* mi-fév. ● modernismweek.com ● Comme son nom l'indique, une semaine consacrée à l'architecture et au design *modern mid-century,* avec visites guidées de certains édifices et maisons de stars, expos, conférences, lectures, etc.

– *The Dinah* (ou Dinah Shore Week-End) *:* fin mars ou début avr. ● thedinah.com ● Festival lesbien qui accueille 15 000 participantes chaque année depuis un quart de siècle. Coïncide avec le championnat de golf féminin.

– *Coachella Valley Music & Arts Festival :* les 3e et 4e w-e d'avr, à **Indio.** ● coachella.com ● Toujours un gros succès pour ce festival musical qui accueille aussi bien les grosses pointures que le rock indépendant et les musiques actuelles et surtout de nombreux people dans le public. Attention, les places se vendent en quelques heures, alors surveillez l'ouverture de la chasse ! Possibilité de camper.

DANS LES ENVIRONS DE PALM SPRINGS

🏃 *Shields : 80-225 Hwy 111, à* **Indio.** ☎ *1-800-414-2555.* ● shieldsdategarden.com ● Établi depuis 1924, c'est l'un des plus gros producteurs de dattes de la région (le comté de Palm Springs produit 90 % des dattes des États-Unis). La visite se fait sur rendez-vous de préférence. Ici, vous aurez le choix dans la datte puisque la compagnie produit une dizaine de variétés différentes, et pas seulement les fameuses *deglet noor.* Et si vous êtes dans les parages à la mi-février, ne manquez pas le festival d'Indio où vous pourrez goûter les dattes sous toutes leurs formes (ou presque). Essayez donc la fameuse recette, coupée en deux, dénoyautée, fourrée avec du fromage *stilton* et passée au four, miam ! Café sur place.

PALM DESERT

🏃 *À une trentaine de km au sud-est de Palm Springs, par la 111 S.* C'est la continuité de Palm Springs. D'ailleurs, entre les deux villes, pas d'interruption. Développée subitement dans les années 1970, elle a surgi elle aussi du désert, avec ses terrains de golf, son *paseo*, sa rue principale bordée de boutiques chic, ses palmiers illuminés comme à Noël et ses nombreuses *gated communities* (les « communautés fermées » qui sont en fait des zones résidentielles fermées). De 1960 à aujourd'hui, la ville est passée de 1 300 à 49 000 habitants ! Même s'il existe désormais un recyclage de l'eau, cela reste impressionnant toute cette flotte utilisée pour arroser la trentaine de terrains de golf et toutes ces piscines dans ce désert torride en été, plus les brumisateurs insolents qui crachent dans les rues, sans compter les climatiseurs qui tournent en permanence... Et que dire des V8 et de leurs 40 litres au 100 ? Bill Gates y possède une maison et Michel Polnareff y a trouvé refuge depuis plusieurs années, à l'abri des regards indiscrets. Sur le *paseo*, plusieurs restos à tous les prix.

🛏 🍴 **Desert Springs JW Marriot :** 74855 Country Club Dr (au niveau de Desert Willow et Desert Springs Dr). ☎ 760-862-1505 ou 760-341-2211. ● desertspringsresort.com ● À env 20 mn de Palm Springs. Accès par la route 111, puis prendre à gauche la Country Club Dr et la suivre sur env 6 km. Sinon, de l'autoroute 10, sortie Country Club. Prix variables selon les restos, qui vont du *casual* (130 $) au très chic (560 $). Un *resort* délirant où tout est composé sur le thème de l'eau : étangs, cascades, jets d'eau. Immense *lobby* en forme d'atrium. En descendant quelques marches, on retrouve de l'eau... et des petits bateaux qui vous conduisent dans l'un des 5 principaux restos de l'hôtel. Au choix : mexicain, italien, japonais, californien, ou poisson, plus 6 endroits pour se restaurer sur le pouce ou prendre un café. Pour continuer dans le délire, 5 piscines et 2 golfs de 18 trous. Pour ceux que le luxe n'effraie pas, hors saison (en été donc) et en semaine, il est possible d'avoir une chambre dès 110 $. Une belle petite excursion dans le monde des anciens et des nouveaux riches. Pour info, c'est aussi le plus gros employeur de la ville, avec 2 000 employés.

🏃🏃 *Les points de vue de la Highway 74 :* de Palm Desert, on vous conseille vivement de prendre le large et de vous élever au-dessus de ce monde un peu fou en quittant la 111 au niveau de Monterey Avenue dans Palm Desert pour partir à l'assaut la Highway 74 qui grimpe dans les montagnes et offre des points de vue magnifiques sur le désert.

JOSHUA TREE NATIONAL PARK

🏃🏃 *À une cinquantaine de km env au nord-est de Palm Springs.* À la sortie de la ville, les impressionnants champs d'éoliennes rappelleront des souvenirs aux cinéphiles *(Rain Man)*.
Toujours pour les *desert addicts*, le Joshua Tree National Park est une magnifique réserve naturelle, avec une grande variété d'animaux – coyotes, pumas, rats-kangourous... – et de paysages : le parc se divise entre le désert du Colorado, sec et reconnaissable à ses nombreux cactus chollas, et le désert de Mojave, plus élevé et tempéré, où poussent les célèbres *Joshua Trees*. De la famille des yuccas (et non des cactus), ils doivent leur nom aux mormons qui, les premiers, traversèrent cette étendue désertique ; ils crurent reconnaître en ces arbres à la

forme vaguement humaine Josué qui leur indiquait le chemin vers la Terre promise. Le parc est très prisé par les mordus d'escalade qui viennent faire du bloc sur les formations rocheuses.

Attention, il y fait très chaud et toutes les règles de prudence des balades dans le désert s'appliquent ici.

PAIX À SON ARBRE

Le parc doit également sa renommée à un album de U2 justement baptisé « Joshua Tree » ; pour la petite histoire, la photo de la pochette n'a pas été prise à Joshua Tree mais à Death Valley, plus au nord, et l'arbre qui y figure a, depuis, été abattu.

– **Entrée du parc :** de Palm Springs, suivre la route 62 (qui part de la Hwy 10) en direction de Yucca Valley, jusqu'au village de Joshua Tree ; là, prendre Park Blvd, à droite, jusqu'à la West Entrance Station. Parc ouv tlj 8h-17h. Entrée : 15 \$/voiture. Interagency Annual Pass accepté (80 \$). Le ticket, valable 1 semaine, permet aussi de camper sur les sites du parc prévus à cet effet. Bien le conserver, car vous devez le montrer en ressortant. Attention, pas de carburant dans le parc, ni de nourriture ou d'eau.

Adresse utile

ℹ️ Visitor Center : 6554 Park Blvd (carrefour avec Palm Dr), oasis de Mara, au village de **Joshua Tree.** ☎ 760-367-5500. ● nps.gov/jotr ● Tlj 8h-17h. Pour tout renseignement sur le parc, les possibilités de logement aux alentours, etc. Brochure en français.

Où dormir ? Où manger ?

🏕 Pas d'hôtel à l'intérieur du parc, mais 9 campings. *Emplacement 10-15 \$ suivant le site, pouvant accueillir 6 pers.* Rens au Visitor Center. *Black Rock* et *Cottonwood* ont l'eau courante, mais *Hidden Valley* est le favori des campeurs.

Dans les environs du parc, plusieurs motels à prix moyens.

🏠 **Joshua Tree Inn :** 61259 Twentynine Palms Hwy, à l'entrée de la ville de **Joshua Tree,** sur la droite en venant de Palm Springs. ☎ 760-366-1188. ● jtinn.com ● Doubles à partir de 90 \$. Réception ouv 15h-20h. Hôtel de seulement 10 petites chambres distribuées en L autour de la piscine, toutes décorées différemment et plutôt confortables. Un arrêt obligatoire pour les passionnés de rock et de folk : les Eagles, les Stones, Emmylou Harris et Donovan y ont séjourné ; le chanteur de folk Gram Parsons est mort d'une overdose de tequila et de morphine dans la chambre n° 8, en 1973, à 27 ans. Ses admirateurs sont encore nombreux à faire le pèlerinage. À part ce côté un peu morbide, l'hôtel est plutôt accueillant, même si l'entretien ne semble pas la préoccupation première du lieu. Cela dit, au moment où nous écrivons ces lignes, le *Joshua Tree Inn* est en vente. Qui sait ce qu'il en restera ou ce qu'il sera devenu quand vous lirez ce texte ?

🏠 🍽 **29 Palms Inn :** 73950 Inn Ave, à **Twentynine Palms.** ☎ 760-367-3505. ● 29palmsinn.com ● De la route 62, prendre la National Park Dr (abrégée Nat Park sur le panneau), puis tourner à droite dans Inn Ave. Resto tlj 11h (9h dim)-14h, 17h-21h. Doubles 85-170 \$ selon saison et j. de la sem. Plats 14-22 \$. Prépare aussi des pique-niques pour les randonneurs. Situé dans l'oasis de Mara, cet hôtel aux bungalows éparpillés sous les arbres a un charmant petit resto (ouvert aux non-résidents) au bord de la piscine. Ambiance cool et une cuisine généreuse plutôt bonne, préparée dans la mesure du possible avec les produits du jardin. Service attentif et relax.

🍽 **Park Rock Café :** juste à côté du Visitor Center. Ce petit café a pour spécialité le milk-shake aux dattes (le fruit du coin !), histoire d'avoir une bonne petite boisson énergétique dans le ventre avant de partir !

À voir. À faire

🐾🐾 Hidden Valley : un des premiers arrêts en entrant par l'ouest. Selon la légende, les voleurs de bétail y cachaient leurs prises. Petit parcours à pied d'environ 1 mile, dans une vallée étonnamment verte, dissimulée par d'énormes arènes granitiques (blocs de granit érodés en forme de boule).

🐾🐾 Barker Dam : une retenue d'eau artificielle consécutive à la construction d'un barrage en 1800. Les animaux sauvages viennent s'y abreuver. On peut les voir de bonne heure le matin. Non loin de là, quelques gravures rupestres représentent des animaux.

🐾🐾 Key's View : à 1 600 m, on embrasse d'un seul coup d'œil la vallée de Coachella, de Salton Sea au sud à Palm Springs. Quand la pollution de Los Angeles, poussée par les vents marins ne brouille pas trop la vue, on peut voir jusqu'au Mexique.

🐾 Cap Rock : à proximité de ce curieux rocher a été brûlé le corps du chanteur Gram Parsons, en 1973. Son cercueil, qui devait être rapatrié à La Nouvelle-Orléans pour y être enterré, a été volé par deux de ses amis, qui prétendaient que Parsons souhaitait finir son existence dans le parc. Une pierre commémore toujours l'endroit de l'immolation.

🐾 Skull Rock : une espèce de mamelon caractéristique du phénomène d'arénisation (érosion du granit en peau d'oignon créant des formes arrondies).

🐾🐾 Arch Rock : *départ du sentier pour y accéder dans le* White Tank Campground, *au niveau de l'emplacement 9.* Un pont naturel comme on peut en voir souvent dans l'Ouest américain, mais cette fois-ci, il est en granit et non en grès. Ce n'est peut-être pas l'arche elle-même la plus impressionnante, mais plutôt la beauté du paysage qui l'entoure.

🐾🐾 Cholla Cactus Garden : on y voit le plus grand nombre de chollas. Jolie balade à faire, à la découverte des différents cactus et des animaux qui peuplent le désert.

– Joshua Tree Ranch : *à 1 mile env avt l'entrée ouest du parc.* ☎ 760-902-7336. ● *joshuatreeranch.com* ● *Compter 55 $ la leçon de 1h à 2h, 65 $ la balade de 1h30, 85 $ celle de 2h30 et 125 $ pour 4h.* Ce centre équestre à dimension humaine propose des balades dans les environs du parc. Préférez y aller de février à début juin ou de septembre à novembre, c'est nettement plus agréable, car il fait moins chaud. Promenades de 1h30 à 2h30 pour les débutants, plus pour les cavaliers confirmés. Une bonne occasion pour goûter au déhanchement d'un *ride* sur un mustang et se prendre pour John Wayne !

– Pour les grimpeurs, sachez que les meilleurs sites pour faire de l'**escalade** sont *Oyster Bar, Hemingway* et *Hall of Horrors.*

les ROUTARDS sur la FRANCE 2014-2015

(dates de parution sur • *routard.com* •)

DÉCOUPAGE de la FRANCE par le ROUTARD

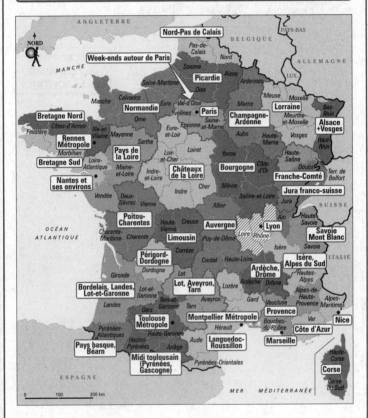

Autres guides nationaux

- Les grands chefs du Routard
- Nos meilleures chambres d'hôtes en France
- Nos meilleurs campings en France
- Nos meilleurs hôtels et restos en France
- Nos meilleurs sites pour observer les oiseaux en France
- Tourisme responsable

Autres guides sur Paris

- Paris
- Paris à vélo
- Paris balades
- Restos et bistrots de Paris
- Le Routard des amoureux à Paris
- Week-ends autour de Paris

les ROUTARDS sur l'ÉTRANGER 2014-2015

(dates de parution sur • *routard.com* •)

Europe

DÉCOUPAGE de l'ESPAGNE par le ROUTARD

DÉCOUPAGE de l'ITALIE par le ROUTARD

Autres pays européens

- Allemagne
- Angleterre, Pays de Galles
- Autriche
- Belgique
- Budapest, Hongrie

- Crète
- Croatie
- Danemark, Suède
- Écosse
- Finlande
- Grèce continentale
- Îles grecques et Athènes
- Irlande

- Islande
- Malte
- Norvège
- Pologne
- Portugal
- République tchèque, Slovaquie
- Roumanie, Bulgarie
- Suisse

Villes européennes

- Amsterdam et ses environs
- Berlin

- Bruxelles
- Copenhague
- Dublin
- Lisbonne
- Londres

- Moscou
- Prague
- Saint-Pétersbourg
- Stockholm
- Vienne

— les *ROUTARDS* sur l'*ÉTRANGER* 2014-2015 —

(dates de parution sur • *routard.com* •)

Amériques

DÉCOUPAGE des ÉTATS-UNIS par le ROUTARD

Autres pays d'Amérique

- Argentine
- Brésil
- Chili et île de Pâques
- Équateur et les îles Galápagos

- Guatemala, Yucatán et Chiapas
- Mexique
- Montréal
- Pérou, Bolivie

- Québec, Ontario et Provinces maritimes

Asie

- Bali, Lombok
- Bangkok
- Birmanie (Myanmar)
- Cambodge, Laos
- Chine
- Hong-Kong, Macao, Canton (avril 2014)

- Inde du Nord
- Inde du Sud
- Israël, Palestine
- Istanbul
- Jordanie
- Malaisie, Singapour
- Népal, Tibet

- Shanghai
- Sri Lanka (Ceylan)
- Thaïlande
- Tokyo, Kyoto et environs
- Turquie
- Vietnam

Afrique

- Afrique de l'Ouest
- Afrique du Sud
- Égypte

- Kenya, Tanzanie et Zanzibar
- Maroc
- Marrakech

- Sénégal, Gambie
- Tunisie

Îles Caraïbes et océan Indien

- Cuba
- Guadeloupe, Saint-Martin, Saint-Barth

- Île Maurice, Rodrigues
- Madagascar
- Martinique

- République dominicaine (Saint-Domingue)
- Réunion

Guides de conversation

- Allemand
- Anglais
- Arabe du Maghreb
- Arabe du Proche-Orient
- Chinois

- Croate
- Espagnol
- Grec
- Italien
- Japonais

- Portugais
- Russe
- G'palémo (conversation par l'image)

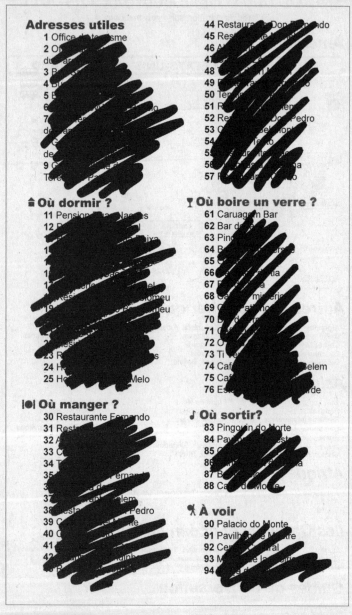

Adresses utiles
1 Office de tourisme
2 Of...
du...
3 B...
4 B...
5 B...
6 ...
7 ...
de...
...
9 C...
de...
Télé... P...

🛏 Où dormir ?
11 Pension ... Nações
12 ...
1...
1...
1...
1... ...el
...este... ...omeu
...este... ...omeu
...
2... ...est...
23 R... ...s
24 H...
25 H... ...Melo

🍴 Où manger ?
30 Restaurante Fernando
31 Rest...
32 A...
33 C...
34 T...
35... ...
3... ...ernand...
3... ...
38 ...est... ...lem
39 ...est... ...Pedro
40 C...
41 ...
42 ...
4...

44 Restaura... Don F...ndo
45 Rest...
46 A...
47...
48...
49 ...
50 Ter...
51 R... ...lem
52 Rest... ...Don Pedro
53 C... ...op...
54 ...
5...
56 ...
57 R...

🍷 Où boire un verre ?
61 Caruagem Bar
62 Bar d...
63 Pin...
64 B...
65 ...
66 ...
67 ...
68 Ca...
69 C...
70 B...
71 C...
72 O...
73 Ti...
74 Caf... ...elem
75 Caf...
76 Es...

♪ Où sortir?
83 Pingouin do Morte
84 Pav...
85 C...
86 ...
87 B...
88 Ca... ...Mo...

🍸 À voir
90 Palacio do Monte
91 Pavilh... ...M...tre
92 Ce...
93 M...
94 ...

Pour plus d'informations : Tél. : 01 44 63 51 00*
Fax : 01 42 80 41 57- www.avi-international.com

routard assurance
Voyage de moins de 8 semaines
Monde entier - Union européenne

AVI
INTERNATIONAL
L'Assurance Voyage

RÉSUMÉ DES GARANTIES*	MONTANT MAXIMUM DES GARANTIES
FRAIS MÉDICAUX MONDE SAUF EUROPE (pharmacie, médecin, hôpital)	100 000 € U.E. / 300 000 € Monde entier
RÉÉDUCATION / KINÉSITHÉRAPIE / CHIROPRACTIE	Prescrite par un médecin suite à un accident
FRAIS DENTAIRES D'URGENCE	75 €
FRAIS DE PROTHÈSE DENTAIRE	500 € par dent en cas d'accident caractérisé
FRAIS D'OPTIQUE	400 € en cas d'accident caractérisé
FRAIS DE TRANSPORT	
Rapatriement médical et transport du corps	Frais illimités
Visite d'un parent si l'assuré est hospitalisé plus de 5 jours	2 000 €
CAPITAL DÉCÈS	15 000 €
CAPITAL INVALIDITÉ À LA SUITE D'UN ACCIDENT**	
Permanente totale	75 000 €
Permanente partielle (application directe du %)	De 1 % à 99 %
BILLET DE RETOUR	
En cas de décès accidentel ou risque de décès d'un parent proche (conjoint, enfant, père, mère, frère, sœur)	Frais nécessaires et raisonnables
ASSURANCE RESPONSABILITÉ CIVILE VIE PRIVÉE	
Dommages corporels garantis à 100 % y compris honoraires d'avocats et assistance juridique accidents	750 000 €
Dommages matériels garantis à 100 % y compris honoraires d'avocats et assistance juridique accidents	450 000 €
Dommages aux biens confiés	1 500 €
AGRESSION (déposer une plainte à la police dans les 24 h)	Inclus dans les frais médicaux
PRÉJUDICE MORAL ESTHÉTIQUE (inclus dans le capital invalidité)	15 000 €
FRAIS DE RECHERCHE ET DE SAUVETAGE	2 000 €
TRANSMISSION DE MESSAGES URGENTS	Mise à disposition
AVANCE D'ARGENT (en cas de vol de vos moyens de paiement)	1 000 €
CAUTION PÉNALE	7 500 €
ASSURANCE BAGAGES	2 000 € (limite par article de 300 €)***

* Nous vous invitons préalablement à souscription à prendre connaissance de l'ensemble des Conditions générales sur www.avi-international.com ou par téléphone au 01 44 63 51 00 (coût d'un appel local).
** 15 000 euros pour les plus de 60 ans.
*** Les objets de valeur, bijoux, appareils électroniques, photo, ciné, radio, cassettes, instruments de musique, jeux et matériel de sport, embarcations sont assurés ensemble jusqu'à 300 €.

PRINCIPALES EXCLUSIONS* (communes à tous les contrats d'assurance voyage)
- Les conséquences d'événements catastrophiques et d'actes de guerre,
- Les conséquences de faits volontaires d'une personne assurée,
- Les conséquences d'événements antérieurs à l'assurance,
- Les dommages matériels causés par une activité professionnelle,
- Les dommages causés ou subis par les véhicules que vous utilisez,
- Les accidents de travail manuel et de stages en entreprise (sauf avec les Options Sports et Loisirs, Sports et Loisirs Plus),
- L'usage d'un véhicule à moteur à deux roues et les sports dangereux : surf, rafting, escalade, plongée sous-marine (sauf avec les Options Sports et Loisirs, Sports et Loisirs Plus).

Devoir de conseil : AVI International - S.A.S. de courtage d'assurances au capital de 100 000 euros - Siège social : 106-108, rue La Boétie, 75008 Paris - RCS Paris 323 234 575 - N° ORIAS 07 000 002 (www.orias.fr) - Le nom des entreprises avec lesquelles AVI International travaille peut vous être communiqué à votre demande. AVI International est soumise à l'Autorité de Contrôle Prudentiel (ACP) 61 rue Taitbout 75436 Paris Cedex 09. En vue du traitement d'éventuels différends, vous pouvez formuler une réclamation par courrier simple à AVI International et si le conflit persiste auprès de l'ACP.
Vos besoins sont de bénéficier d'une assurance voyage. Nous vous conseillons l'adhésion aux contrats d'assurances collectifs à adhésion facultative.
AVI sélectionne la ou les compagnies d'assurance et d'assistance les mieux qualifiées pour garantir les risques prévus. Si besoin, elles peuvent être changées par AVI International. Si un tel événement devait se produire, les personnes garanties par la police en seraient informées.

Souscrivez en ligne sur www.avi-international.com

INDEX GÉNÉRAL

Attention, les parcs nationaux de l'Ouest américain
et Las Vegas font l'objet d'un autre guide.

M-N

O-P

R-S